Im Knaur Taschenbuch Verlag sind bereits
folgende Bücher der Autorin erschienen:
Blut und Silber
Das Geheimnis der Hebamme
Die Spur der Hebamme
Die Entscheidung der Hebamme
Der Fluch der Hebamme

Über die Autorin:
Sabine Ebert wurde in Aschersleben geboren, ist in Berlin aufgewachsen und hat in Rostock Sprach- und Lateinamerikawissenschaften studiert. In ihrer Wahlheimat Freiberg arbeitete sie als Journalistin für Presse, Funk und Fernsehen. Sie schrieb einige Sachbücher zur Freiberger Regionalgeschichte, doch berühmt wurde sie mit ihren historischen Romanen, die alle zu Bestsellern wurden.
Besuchen Sie Sabine Ebert auch auf ihrer Website: www.sabine-ebert.de

Der Traum
der
Hebamme

Roman

Knaur Taschenbuch Verlag

Besuchen Sie uns im Internet:
www.knaur.de

Originalausgabe Oktober 2011
Knaur Taschenbuch
© 2011 Knaur Taschenbuch
Ein Unternehmen der Droemerschen Verlagsanstalt
Th. Knaur Nachf. GmbH & Co. KG, München
Redaktion: Kerstin von Dobschütz
Genealogische Tafeln: Stefan Auert-Watzik
Karte: Computerkartographie Carrle
Umschlaggestaltung: ZERO Werbeagentur, München
Umschlagabbildung: FinePic®, München
Satz: Adobe InDesign im Verlag
Druck und Bindung: GGP Media GmbH, Pößneck
Printed in Germany
ISBN 978-3-426-63837-8

2 4 5 3 1

Für meine Kinder Kerstin und Stefan,
meine »Fans der ersten Stunde«,
die nie daran gezweifelt haben,
dass ihre Mutter sogar einen Roman zustande bringt.
Was keine leichte Sache ist.

Dramatis Personae

Aufstellung der wichtigsten handelnden Personen. Historische Persönlichkeiten sind mit einem * gekennzeichnet.

Weißenfels

Dietrich*, Graf von Weißenfels, jüngerer Sohn des verstorbenen Meißner Markgrafen Otto von Wettin*
Marthe, eine Hebamme und Kräuterkundige
Lukas, ihr Mann, Ritter
Thomas, Clara und Daniel, Marthes Kinder aus ihrer Ehe mit Christian
Änne, Claras Tochter
Norbert von Weißenfels*, Burgkommandant
Heinrich* und Conrad*, seine Söhne
Gottfried, Verwalter
Gertrud, seine Frau
Lisbeth, eine Magd
Ansbert, Pfarrer von Sankt Nikolai

Eisenach

Hermann*, Landgraf von Thüringen und Pfalzgraf von Sachsen
Jutta*, seine Tochter
Gunther von Schlotheim*, Truchsess
Heinrich von Eckartsberga, Marschall*
Burchard von Salza*, thüringischer Ritter
Hermann von Salza*, sein Sohn, ebenfalls Ritter
Bruno von Hörselberg, thüringischer Ritter
Paul, Lukas der Jüngere und Konrad, Söhne von Lukas

Freiberg (ehemals Christiansdorf)

Johanna, ebenfalls heilkundige Stieftochter von Marthe
Kuno, Johannas Mann, und Bertram, Wachen auf der Burg
Heinrich*, Burgvogt
Ida, seine Frau
Rutger, Ritter und Befehlshaber der Wachen
Jonas, ein Schmied und Ratsherr, und seine Frau Emma
Johann und Guntram, ihre ältesten Söhne
Karl, Schmied und Stiefsohn Marthes
Hans und Friedrich, ehemals Salzfuhrleute aus Halle
Peter, Großknecht und Anführer einer Bande junger Männer
Christian, Stallmeister auf der Burg, das erste in Christiansdorf
    geborene Kind
Anna, seine Frau, Peters Schwester
Sebastian, Pfarrer
Elfrieda, Witwe aus dem Bergmannsviertel

Meißen

Albrecht von Wettin*, Markgraf von Meißen, älterer Bruder
   Dietrichs von Weißenfels
Sophia von Böhmen*, seine Gemahlin
Elmar, Truchsess und Vertrauter Albrechts
Giselbert, Mundschenk und Ritter
Gerald, Marschall und Bruder von Lukas' verstorbener erster
   Frau
Eustasius, Astrologe und Alchimist
Dittrich von Kittlitz*, Bischof von Meißen
Meinher von Werben*, Burggraf

Hochadel und Geistlichkeit

Kaiser Heinrich VI.*
Konstanze von Sizilien*, seine Gemahlin
Philipp von Schwaben*, sein Bruder
Richard Löwenherz*, König von England
Leopold V.*, Herzog von Österreich
Konrad von Wittelsbach*, Erzbischof von Mainz
Markward von Annweiler*, kaiserlicher Truchsess
Heinrich von Kalden*, kaiserlicher Marschall
Konrad von Querfurt*, Kanzler und Bischof von Hildesheim
Bernhard von Aschersleben*, Herzog von Sachsen, Bruder der
   Meißner Markgräfin Hedwig
Konrad von Wettin*, Graf von Rochlitz und Eilenburg und
   Markgraf der Ostmark, Vetter des Meißner Markgrafen Al-
   brecht

Akkon

Heinrich von Champagne*, König von Jerusalem
Hugo von Tiberias*, sein Heerführer
Balian von Ibelin*, einer der engsten Berater des Königs
Amalrich*, König von Zypern
Heinrich Walpot*, Vorsteher der deutschen Spitalgemeinschaft
Graf Heinrich von Schwarzburg*, thüringischer Ritter
Notker, ein Mönch
Eschiva, eine junge Frau

Sonstige handelnde Personen

Hedwig*, Witwe des einstigen Meißner Markgrafen Otto
Raimund, Ritter im Dienste des Meißner Markgrafen
Elisabeth, seine Frau
Wito, Reitknecht in Raimunds Diensten
Lothar, Burgkommandant von Seußlitz
Ludmillus, ein Spielmann
Jakob, Ritter, Bruder von Lukas
Jakob der Jüngere und Luitgard, seine Kinder
Berthold,* Herr von Bertholdsdorf nahe Freiberg
Conrad*, Herr von Conradsdorf nahe Freiberg
Heinrich von Colditz*, kaiserlicher Ministerialer
Peter von Nossen*, meißnischer Ritter
Tammo* und Johannes*, seine Brüder
Boris von Zbor*, meißnischer Ritter slawischer Herkunft

Prolog

Gehorsam war ihnen eingeprügelt worden, als sie noch Knechte waren; gehorsam zu sein, wurde ihnen gepredigt, als sie Bauern und später Stadtbürger wurden. Denn schließlich habe jeder seinen festen Platz in Gottes Ordnung der Welt.
Doch manchmal kann auch Ungehorsam erste Bürgerpflicht sein.

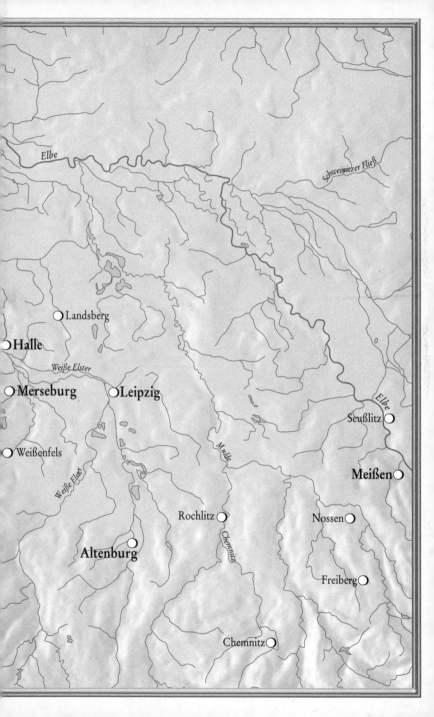

ERSTER TEIL

Die Rückkehr

Herbst 1191, einige Meilen vor Weißenfels

D en halben Tag schon goss es in Strömen. Scheinbar gleichmütig lenkten die durchnässten Reisenden ihre Pferde den Pfad entlang, während der Wind ihnen den Regen ins Gesicht trieb. Von ihren Umhängen liefen Rinnsale, das Banner hing vor Nässe zusammengeklebt und schlaff herab, die Hufe ihrer Pferde ließen das Wasser von den Pfützen aufspritzen.

Schon lange hatte niemand mehr ein Wort gesagt. Lediglich ein Räuspern oder ein Husten waren dann und wann zu hören.

Vor allem die beiden Reiter an der Spitze des kleinen Zuges – ein Graf von etwa dreißig Jahren und ein Ritter Anfang zwanzig, beide sonnenverbrannt und sehnig, mit ernsten, düsteren Mienen – wirkten ganz in Gedanken versunken.

Die Überlegungen des einen flogen voraus, was ihn wohl erwarten mochte, wenn er nach zweieinhalbjähriger Abwesenheit auf seine Ländereien heimkehrte.

Die Gedanken des Jüngeren hingegen waren ganz in der Vergangenheit gefangen – bei alldem, was er während des Kreuzzuges erlebt hatte, von dem sie gerade zurückkamen. Bei den Männern, die er sterben sah, unter ihnen sein bester Freund, und bei den unsäglichen Opfern, die dieser Kriegszug durch Verrat und unheilvolle Streitereien gekostet hatte.

Der Graf von Weißenfels drehte sich um und beorderte mit einer Geste den Anführer der Reisigen zu sich, die er unterwegs in seine Dienste genommen hatte.

»Drei Meilen voraus müsste ein Dorf mit einem Wirtshaus sein, sofern es nicht inzwischen niedergebrannt oder aufgegeben ist. Reite vor und kündige uns an. Das Essen soll bereitstehen, wenn wir kommen, die Pferde brauchen Hafer. Wir halten uns dort nur so kurz wie möglich auf. Ich will noch vor Anbruch der Dämmerung die Burg erreichen.«

Der Anführer verneigte sich und galoppierte ohne ein weiteres Wort davon.

Seine Männer hatten den Befehl gehört und blieben stumm. Es war sinnlos, zu hoffen, in der Schankstube die Kleider trocknen zu können, wenn sie sowieso gleich wieder hinausmussten. Und der Himmel sah nicht aus, als würde es heute noch zu regnen aufhören. Je kürzer die Rast, umso eher würden sie auf Dietrichs Burg Weißenfels ankommen und sich dort aufwärmen können.

Das Gasthaus an der Wegkreuzung existierte wirklich noch. Der Wirt, ein behäbiger Mann mit ruß- und fettverschmiertem Kittel, war trotz des Regens nach draußen gekommen, um die Gäste mit einer tiefen Verbeugung zu begrüßen. Wortreich beteuerte er, sie seien hier bestens aufgehoben und ein warmes Mahl vorbereitet.

Er gab seinen Stallknechten ein paar Befehle, dann schlurfte er zurück zum Haus und verharrte kurz unter dem Türbalken, um seine triefend nasse Bundhaube abzunehmen und auszuwringen.

»Ich bleibe bei den Pferden und habe ein Auge darauf, dass sie gut versorgt werden«, bot Thomas, der junge Ritter, dem Grafen an.

Der musterte seinen Gefolgsmann und Kampfgefährten kurz mit prüfendem Blick, stimmte aber mit einem Nicken zu. Den Jüngeren überkam wieder einmal das beunruhigende Gefühl,

Graf Dietrich würde seine Gedanken lesen und die Beweggründe für das Angebot erkennen.

Die Pferde, die sie sich nach der Fahrt übers Meer von dem Sold gekauft hatten, den der französische König ihnen im Heiligen Land für ihren Einsatz bei der Belagerung und Eroberung Akkons gezahlt hatte, waren nicht so edel wie die, die sie üblicherweise ritten, jedoch unentbehrlich und völlig erschöpft. Die Pferdeknechte des Schankhauses gaben sich sichtlich Mühe, sie gut zu versorgen. Wahrscheinlich hofften sie auf diesen oder jenen Hälfling zusätzlich für ihre Arbeit.

Allerdings verspürte Thomas schon beim ersten Anblick des Wirtes Misstrauen. Vielleicht lag das auch daran, dass er überhaupt jegliches Vertrauen in die Welt verloren hatte.

Hauptsächlich aber wollte er allein sein und seine Gedanken sammeln, bevor sie heute Abend Graf Dietrichs Burg erreichten, zu der sie seit Wochen unterwegs waren. Sich wappnen für das, was ihn dort an schlimmen Nachrichten erwarten mochte.

Fern der Heimat, in Outremer, hatten sie vom Machtantritt des neuen Markgrafen von Meißen erfahren, Dietrichs älterem Bruder Albrecht von Wettin. Thomas wusste nicht, wie es seiner Familie seitdem ergangen war. Ob sie in Freiberg bleiben durfte oder vor dem blutrünstigen Herrscher fliehen musste, der schon Thomas' Vater hatte ermorden lassen.

Wenn die Dinge schlecht verlaufen waren, würde er seine zwei Jahre jüngere Schwester in Weißenfels vorfinden. Ihr hatte Graf Dietrich auf seiner Burg Zuflucht versprochen. Vielleicht hatte sich sogar seine gesamte Familie dort in Sicherheit bringen können.

Aber wenn die Dinge ganz schlecht in der Mark Meißen standen, dann würde niemand von seiner Familie in Weißenfels auf ihn warten.

Dann waren alle tot. Und Thomas selbst hatte auch noch eine Todesnachricht zu überbringen: an die Eltern seines besten

Freundes Roland. Diese bittere Pflicht konnte ihm keiner abnehmen. Auch wenn er den Hals riskierte, indem er Raimunds Ländereien in der Mark Meißen aufsuchte – er musste es tun.

Vermutlich war immer noch ein Kopfgeld auf ihn ausgesetzt. Albrecht von Wettin, der nunmehrige Herrscher der Mark Meißen, würde nicht vergessen haben, dass Thomas dem Kaiser die Nachricht überbrachte, wie er seinen Vater, den alten Markgrafen Otto, gefangen genommen hatte, um die Macht an sich zu reißen. Und noch weniger würde Albrecht ihm nachsehen, in die Dienste seines verhassten jüngeren Bruders getreten zu sein.

Dass sie auf Pilgerreise ins Heilige Land gewesen waren, würde weder Thomas noch Dietrich helfen, auch wenn Wallfahrer unter dem Schutz des Papstes standen. Kein Einziger der Kreuzfahrer war bis nach Jerusalem gekommen. Die wenigen vom einst viele tausend Mann starken Heerbann des Kaisers Friedrich von Staufen, die die Angriffe auf dem Marsch, die Hitze, den Weg durch die Steppe ohne Wasser und Nahrung und die Schlachten überlebt hatten, die nicht von Seuchen dahingerafft worden oder bei der fast zweijährigen Belagerung Akkons schlicht verhungert waren, folgten unmittelbar nach der Einnahme der Stadt ihrem Anführer Leopold von Österreich und kehrten zurück in die Heimat, weil der englischen König Richard den Herzog zutiefst beleidigt hatte.

Eine verschlafen wirkende Schankmagd kam in den Stall, sah sich suchend um, dann stakste sie auf den jungen Ritter zu, knickste und reichte ihm einen großen Becher Bier und eine Schüssel mit dampfend heißer Kohlsuppe, in der ein paar gräuliche Fleischbrocken schwammen.

Thomas schüttelte sein tropfnasses dunkles Haar und strich es zurück, ehe er beides entgegennahm. Er stellte die Suppe auf einem Querbalken ab und trank einen Schluck Bier, ohne auf den Geschmack zu achten. Die Knechte hatten den Pferden inzwischen Wasser gegeben und Hafersäcke umgebunden, ihnen die Sättel abgenommen und sie mit Stroh trockengerieben. Dann gingen sie nach einer Verbeugung vor dem Ritter hinaus. Thomas hörte noch, wie ihnen jemand über den Hof zurief, einer solle mehr Brennholz bringen und ein anderer zwei Eimer Wasser vom Brunnen holen.

Er lehnte sich an einen Pfosten und verlor sich in Erinnerungen, während die Suppe neben ihm erkaltete.

Ein leises Rascheln riss ihn aus seinen Gedanken.

Mit ein paar gewaltigen Sätzen war er in der Ecke, in der er einen Schemen wahrgenommen hatte, riss den Mann hoch, der sich angeschlichen hatte, und wuchtete ihn gegen die hölzerne Rückwand des Stalls, die unter dem Aufprall erbebte.

»Was hast du hier zu suchen?«, brüllte er. Der zu Tode erschrockene Fremde umklammerte das Messer, mit dem er sich am Gurt des prächtigsten Sattels – dem Graf Dietrichs – zu schaffen gemacht hatte.

Ein gedungener Mörder!, war Thomas' einziger Gedanke, als er bemerkte, dass der Gurt angeschnitten war. Plötzlich rauschte ihm wieder das Blut durch die Adern, wie auf dem Schlachtfeld sah er nichts weiter als das Gesicht des Mannes, den es zu töten galt. Er zog sein Schwert mit einer so schnellen Bewegung, dass der andere nicht fliehen konnte, holte aus und schlug ihm mit aller Wucht den Kopf ab.

Dann drehte er sich um, ohne noch einen Blick auf den enthaupteten Leichnam zu werfen, und ging zurück zu dem Pfosten. Keuchend von der Anstrengung, sank er auf ein Knie. Nach einigen Atemzügen stemmte er sich wieder hoch und wischte die blutige Klinge mit einer Handvoll Heu ab.

Sein Geschrei war trotz des trommelnden Regens bis ins Gasthaus durchgedrungen; der erschrockene Wirt, der Anführer der Reisigen und fünf seiner Männer rannten herbei. Augenblicke später folgte ihnen Graf Dietrich mit langen Schritten.

»Dieser Kerl hat Euern Sattelgurt angeschnitten, mein Fürst!«, berichtete Thomas. Beschämt senkte er den Kopf. »Verzeiht meine Unbeherrschtheit. Ich hätte ihn fragen sollen, wer ihn geschickt hat.«

Der Graf betrachtete das abgemagerte, ernste Gesicht des jungen Mannes mit den umschatteten Augen.

»Für Eure Wachsamkeit danke ich Euch«, sagte er und wandte sich an den Wirt, der entsetzt auf den Leichnam starrte.

»Kennst du diesen Mann?«, fragte er streng.

Mit der Fußspitze stieß der Wirt gegen den Kopf des Toten, um einen Blick auf dessen Gesicht werfen zu können, und bekreuzigte sich. »Das ist einer von den Gesetzlosen, die hier die Wege unsicher machen. Seht, er hat das Henkersmal! Er sollte letzten Sommer gehenkt werden, weil er eine junge Frau und ihren Säugling erschlagen hatte. Doch der Strick riss, so kam er frei. Sicher wollte er die silbernen Beschläge stehlen.«

Nun sank der Wirt vor Dietrich auf die Knie und verschlang die schmutzigen Finger ineinander.

»Glaubt mir, ich habe nichts damit zu tun, edler Herr!«, barmte er. »Ich führe ein ehrliches Haus. Das wird Euch jeder in der Gegend bezeugen. Die Dörfler werden Euerm Ritter dankbar sein, dass er sie von einem der Unholde befreit hat, die das Land wie eine Plage überziehen.«

Ohne ein weiteres Wort wies Dietrich an, den Wirt für das Essen und die Versorgung der Pferde zu bezahlen, dann ließ er seine Männer wieder aufsitzen.

Einer der Reisigen tauschte den angeschnittenen Sattelgurt gegen einen anderen aus. Danach ritten die Männer erneut durch den strömenden Regen.

Die erkaltete Suppe blieb unbeachtet auf dem Balken stehen, bis einer der Knechte in den Stall huschte und sie gierig ausschlürfte.

Wie zuvor ritt Thomas an Dietrichs Seite, und abermals fiel kein Wort zwischen beiden. Als sie sich Weißenfels näherten, hatten sie Mühe, in dem dichten Regen die Umrisse der Burg zu erkennen.

»Sollte ich nicht lieber vorausreiten und nachschauen, ob Euch nicht Feinde oder eine Falle erwarten?«, fragte Thomas, bevor sie die Siedlung Tauchlitz unterhalb der Burg erreichten.

»Nein«, entgegnete Dietrich entschieden. »Ich werde mich weder verstecken noch heranschleichen, wenn ich endlich auf mein Land zurückkehre.«

Er war zweieinhalb Jahre fort gewesen und wollte jetzt mit eigenen Augen sehen, wie sich die Dinge entwickelt hatten. Deshalb hatte er auch niemanden vorausgeschickt, der seine Ankunft ankündigte.

Thomas zwang nur mit Mühe eine Entgegnung hinunter. Nachdem Albrecht sich gegen seinen Vater erhoben hatte – was sollte ihn daran hindern, auch den jüngeren Bruder aus dem Weg zu räumen? Vielleicht hatte er Weißenfels inzwischen längst eingenommen?

Doch in diesem Punkt schien Dietrich entgegen aller Vernunft so stur wie sein Lehrmeister, Thomas' Vater Christian, den dies das Leben gekostet hatte.

Also blieb dem jungen Ritter vorerst nichts weiter als ein stummes Gebet, dass sie diesen Abend überlebten und nicht unmittelbar den Feinden in die Hände gerieten.

Kein Mensch hielt sich bei diesem Wetter in den schlammigen, mit Pfützen übersäten Gassen von Tauchlitz auf, nicht einmal ein paar streunende Hunde ließen sich blicken. Lediglich ein Schwein wühlte im Unrat nach etwas Fressbarem, ohne die Schar der Ankömmlinge zu beachten.

In mäßigem Tempo ritten sie den Berg hinauf zum Burgtor. Dort hatten sich mehrere Wachen versammelt, um zu sehen, wer sich in Dämmerung und strömendem Regen mit unkenntlichem Banner näherte.

Der Wettiner gab seinen Begleitern das Zeichen zu halten und lenkte seinen Hengst nach vorn. Da erst erkannte ihn einer der Männer, der älteste von ihnen.

»Graf Dietrich! Gott sei gedankt, dass wir Euch hier wieder lebend und gesund begrüßen können! Willkommen daheim, Hoheit!«

Seine Stimme überschlug sich vor Freude bei diesen Worten. Gemeinsam mit den anderen kniete er nieder und senkte den Kopf.

Dietrich begrüßte die Männer der Wachmannschaft, und als er ihnen erlaubte aufzustehen, rannte der Älteste humpelnd los und rief über den ganzen Burghof: »Der Graf ist zurück! Graf Dietrich ist aus dem Heiligen Land zurück! Kommt und heißt Euren Herrn willkommen!«

Rasch füllte sich der Burghof trotz des Regens mit Wachen, Knechten, Mägden, Reisigen, die von allen Seiten herbeigerannt kamen, um das leibhaftige Wunder zu sehen.

Die meisten von ihnen knieten nieder und bekreuzigten sich, andere riefen erleichtert Segenssprüche. Die Stallburschen beeilten sich, den Weitgereisten aus dem Sattel zu helfen und ihnen die erschöpften Pferde abzunehmen.

Unruhig hielt Thomas Ausschau unter den vielen Menschen, aber er vermochte weder seinen Stiefvater noch seine Mutter zu sehen, auch keinen seiner jüngeren Brüder. War das ein gutes oder ein schlechtes Zeichen? Und wo blieb Clara, seine Schwester? Er konnte einfach nicht glauben, dass alle gesund und am Leben waren.

Hatte Albrecht sie am Ende alle töten lassen? Der Gedanke schnürte ihm die Kehle zu.

Dann entdeckte er Clara, die mit aufgewühlten Gesichtszügen auf ihn zulief. Es war für ihn so ungewohnt, seine jüngere Schwester mit Schleier und Gebende zu sehen, dass er sie beinahe nicht erkannt hätte. Also hatte sie nach seiner Flucht geheiratet? War sie jetzt die Ehefrau dieses Reinhard, den er nicht ausstehen konnte, den jedoch sein Stiefvater für sie bestimmt hatte, weil er sie seiner Meinung nach am besten beschützen konnte? Aber wo steckte der? In weniger als einem Lidschlag schossen ihm diese Gedanken durch den Kopf, und schon wollte der alte Hass gegen Reinhard erneut in ihm aufwallen.

Doch dann sah er in Claras Gesicht und fühlte die gleiche Freude wie sie, als sie sich in die Arme fielen.

»Du lebst!«, rief sie glücklich. Einen Moment später löste sie sich vorsichtig von ihrem Bruder, wandte sich Dietrich zu und kniete mit gesenktem Kopf vor ihm nieder.

»Seid gegrüßt, Hoheit«, sagte sie leise mit merkwürdig flatternder Stimme, ohne den Blick zu heben. »Ich danke Euch dafür, dass Ihr mir hier Schutz und Obdach gewährt habt.«

Dietrich schien ihre Verlegenheit nicht zu bemerken – und wenn er es tat, so gab er das nicht zu erkennen. Er reichte ihr die Hand, um ihr aufzuhelfen, und sagte mit selten gewordenem Lächeln: »Ich freue mich, Euch zu sehen. Doch lasst Euch nicht aufhalten und heißt zuerst Euren Bruder willkommen. Er war in großer Sorge um Euch. Und ich war es auch.«

Mit einem Mal sehr ernst, wandte sich Clara wieder Thomas zu.

»Wo ist Roland?«, fragte sie. An der Art, wie sie ihn ansah, wusste er, dass sie die Antwort schon ahnte.

Clara schluchzte auf, als er nichts sagte, sondern sich seine Züge noch mehr verfinsterten.

»Ich soll dir von ihm Grüße ausrichten … Das waren seine letzten Worte … Er hat dich sehr geschätzt …«, brachte er mit Mühe heraus. Dabei zerriss ihn beinahe, was er nicht aussprechen durfte: Er hat dich geliebt, von ganzem Herzen geliebt, er wollte um deine Hand anhalten. Stattdessen mussten wir fliehen und dich diesem Reinhard überlassen. Auf diesem ganzen verfluchten Kriegszug dachte er an dich und hoffte, er könnte dich noch freien, wenn er zurückkehrt. Doch dann traf ihn ein Pfeil, als alles schon fast vorbei war, bei einem sinnlosen Scharmützel vor Akkon. Und seine wahren letzten Worte waren: Sag Clara nichts! Ich soll dir nicht verraten, wie sehr er dich geliebt hat, damit du nicht noch mehr um ihn trauerst …

Thomas zog seine Schwester an sich und hielt sie in seinen Armen, und er hätte beim besten Willen nicht sagen können, wer dabei wem Halt und Stärke gab.

Nur nebenher bekam Thomas mit, dass sich Dietrich nach dem Befinden seiner Mutter erkundigte und jemand ihm mitteilte, die Fürstin Hedwig sei von Markgraf Albrecht auf ihren Witwensitz nach Burg Seußlitz geschickt worden. Doch sie sende regelmäßig Nachricht und sei bei guter Gesundheit.

»Wie geht es Mutter und Lukas? Und unseren Brüdern?«, fragte Thomas seine Schwester leise, obwohl er sich vor der Antwort fürchtete.

»Sie leben«, antwortete Clara zu seiner großen Erleichterung. »In Eisenach, in Diensten von Landgraf Hermann.«

Sie schniefte, wischte sich die Tränen unbeholfen mit dem Ärmel ab und löste sich aus der Umarmung. Wieder sah sie zu Graf Dietrich, der nahe genug stand, um diese Antwort mitbekommen zu haben.

»Euer Bruder wollte meinen Stiefvater und meine Mutter töten lassen. Es waren schreckliche Tage, doch gegen jede Hoffnung gelang ihnen die Flucht aus dem Kerker. Eure Mutter bat sie, sich Thüringen als Exil zu wählen. Sie sollen dort bei Landgraf Hermann Fürsprache einlegen, damit er Euch beisteht, falls Euer Bruder Euch angreift – was wir alle befürchten.«

»Wie ich sehe, gibt es Dringendes zu besprechen«, meinte Dietrich. Er winkte den untersetzten, graubärtigen Mann herbei, der ihm feierlich den Willkommenspokal überreicht hatte, und einen Hageren von etwa fünfzig Jahren mit dunkelbraunem Haar; der guten Ausrüstung nach wahrscheinlich der Befehlshaber der Burgbesatzung.

»Wünscht Ihr, dass Euch ein Bad bereitet wird?«, erkundigte sich der Graubart.

So verlockend der Gedanke für Dietrich war, im warmen Wasser von der langen Reise auszuruhen – das musste warten.

»Gehen wir in meine Kammer. Ich möchte von Euch zuerst die wichtigsten Dinge erfahren, die sich in meiner Abwesenheit zugetragen haben. Mein Ritter und seine Schwester sollen uns begleiten.«

Die kleine Gruppe überquerte den Burghof Richtung Palas, der sich in der Mitte des Felsplateaus befand, während immer wieder Leute vor Dietrich niederknieten und ihn willkommen hießen.

Auf etlichen Gesichtern stand unübersehbar die Frage, was aus all den Männern geworden war, die mit ihm ins Heilige Land gezogen waren. Doch diese Frage würde er erst nachher beantworten, vor allen in der Halle.

»Lebt Ihr hier unter Euerm wahren Namen?«, wandte sich Dietrich flüsternd an Clara. Mit Bedacht hatte er sie vor aller Ohren nur als »Schwester seines Ritters« bezeichnet. Sie hatten vor seiner Abreise durchaus die Möglichkeit in Betracht gezogen, dass sie in Weißenfels unter falschem Namen Zuflucht suchen musste, um vor seinem Bruder sicher zu sein.

»Nur Euer Burgkommandant kennt meine wahre Herkunft«, berichtete Clara ebenso leise. »Er riet mir, hier bloß meinen zweiten Namen zu benutzen, Maria. Die anderen wissen lediglich, dass ich eine junge Witwe bin. Sie glauben, dass Fürstin Hedwig mich und mein Kind hierherschickte, damit ich nach dem Tod meines Gemahls etwas Ruhe und Abgeschiedenheit finde.«

Sie ist Witwe! Und sie hat ein Kind von Reinhard!

Thomas zuckte zusammen bei diesen Neuigkeiten. Dabei entging ihm, dass auch Dietrich Mühe hatte, jede Regung in seinen Gesichtszügen zu unterdrücken.

Ungewissheit

*H*oheit, bitte erlaubt mir eine Frage«, begann der Anführer der Wachmannschaft, als sich Dietrich mit seinen ranghöchsten Gefolgsleuten auf der Burg sowie Thomas und Clara in sein Quartier zurückgezogen hatte. Der Raum erweckte nicht den Eindruck, als sei sein Bewohner jemals fort gewesen. Entweder war hier eine tüchtige Wirtschafterin am Werk, oder die Burgbesatzung hatte jeden Tag auf Dietrichs Rückkehr gehofft und alles dafür vorbereitet. Selbst ein Feuer brannte schon – eine Wohltat für die durchnässten Männer. Und auf dem Tisch standen appetitlich duftendes Brot und Schinken für den ersten Hunger, bis das Mahl unten in der Halle fertig war. Doch niemand nahm sich etwas davon; sie alle waren zu aufgewühlt, um jetzt essen zu können.

»Die Kämpfer, die mit Euch ins Heilige Land gezogen sind …?«, fuhr der Hagere zögernd fort, den Dietrich als Norbert angesprochen hatte. Seine Waffen und Kleidung waren ohne jeglichen Zierrat, doch von ausgezeichneter Qualität. Uneitel und vermutlich ein guter Kämpfer, überlegte Thomas, während er ihn musterte.

»… sind alle gefallen auf dem Weg nach Jerusalem – für Gott und das Wahre Kreuz, auch wenn wir die Heilige Stadt und die wichtigste Reliquie nicht erobern konnten«, antwortete Dietrich mit kaum verhohlener Bitterkeit. »Wir werden ihrer nachher beim Mahl und mit einer Messe gedenken.«

»Gott steh ihren Seelen bei!«, flüsterte Norbert und bekreuzigte sich. Nach einem tiefen Atemzug sagte er entschlossen: »Dann sollten wir dringend neue Kämpfer in Dienst nehmen. Hoheit, Ihr habt hier ein Dutzend Ritter und ebenso viele Sergenten unter Waffen, dazu zwei Dutzend Reisige und Bogenschützen und ein Dutzend Bürger, die Wachdienste versehen. Das würde für

Friedenszeiten reichen. Aber Eure Mutter und auch vertrauenswürdige Quellen aus Meißen, Freiberg und Eisenach berichten uns, dass Euer Bruder einen Kriegszug gegen Euch plant. Er ist sogar früher aus Italien zurückgekehrt, wo er mit dem Kaiser weilte, um sofort nach Eurer Ankunft anzugreifen.«

»Die Kornlager und Speicher sind gut gefüllt«, versicherte der graubärtige Verwalter namens Gottfried. »Wir hatten zwei Jahre keine Missernte. Im Fall einer Belagerung können wir mehrere Wochen auf der Burg ausharren.«

Erneut meldete sich Norbert zu Wort. »Unter den Knappen sind einige, die durchaus das Zeug dazu hätten, in den Ritterstand erhoben zu werden.«

»Als Erstes müssen Boten ausgesandt werden«, befahl der Graf von Weißenfels. »Zu meiner Mutter, zu unseren Vertrauten in der Mark Meißen und ganz besonders dringend zu Lukas nach Eisenach. Wir müssen uns auf einen Angriff vorbereiten und vor allem herausfinden, wann genau die Gegner hier sein werden.«

»Sollen wir Verstärkung aus Eisenberg heranholen?«, schlug der hagere Burgkommandant vor. Das war ein Ort, der ebenfalls zu Dietrichs Besitz gehörte.

»Wir können keine Bewaffneten abziehen. Gut möglich, dass mein Bruder auch dort angreift«, entschied Dietrich.

Er hat sich verändert, dachte Clara, während sie den Mann unter gesenkten Lidern betrachtete, den sie liebte, seit sie ein Kind war, auch wenn sie stets gewusst hatte, dass es eine Liebe ohne Hoffnung war. Sein einst dunkles Haar ist von der Sonne geblichen, seine Züge wirken härter, kantiger … die Spuren der Entbehrungen und Verluste auf dem Kriegszug. Und wenn ihn auch Entschlusskraft auszeichnet, seit er dem Ritterstand angehört – nicht einmal mit der Wimper gezuckt hat er bei der Ungeheuerlichkeit, dass sein eigener Bruder Krieg gegen ihn führen will, kaum dass er aus dem Heiligen Land zurück ist! Oder rechnet er etwa längst damit, weil er sich keinerlei Täuschung über die Hinterhältigkeit und Gier seines Bruders hingibt?

Als hätte Dietrich Claras Gedanken erraten, richtete er nun seinen Blick auf sie. »Erzählt uns, was in Freiberg und Meißen vorgefallen ist!«

Sie fühlte sich ertappt und musste sich erst sammeln, um zu berichten, was sich seit Dietrichs Abreise zugetragen hatte: von dem Hin und Her auf dem Burgberg nach Markgraf Ottos Gefangennahme und Freilassung, von Albrechts merkwürdigem Betragen am Totenbett seines Vaters und davon, wie er völlig entfesselt vom Hoftag des Königs zurückkam, nachdem er mit der Mark Meißen belehnt worden war.

»Er raubte dreitausend Mark Silber vom Altar des Klosters bei Nuzzin, warf meinem Mann Verrat vor und köpfte ihn eigenhändig vor dem versammelten Hofstaat«, berichtete Clara stockend. »Dann befahl er Lukas' Hinrichtung. In diesem Augenblick trat meine Mutter vor und verfluchte ihn. Euer Bruder befahl, sie und meinen Stiefvater in den Kerker zu werfen und so lange zu foltern, bis sie widerrufen würde.«

Claras Stimme erstickte, sie räusperte sich, um sich wieder in die Gewalt zu bekommen, aber es war ihr unmöglich; der Schmerz erstickte jedes Wort in ihr.

Sie hat sich verändert, dachte Dietrich, während er die Augen nicht von Clara lassen konnte, obwohl eigentlich ihr Bericht all seine Aufmerksamkeit fesseln sollte. Natürlich … sie hat ein Kind geboren und ihren Mann verloren. Einen Mann, den sie offensichtlich zu lieben gelernt hatte.

»Euer Gemahl war von großem Mut«, sagte Dietrich leise. »So kannte ich ihn schon, als er noch unter dem Befehl Eures Vaters diente.«

Norbert, der Burgkommandant, sprang für Clara ein, die immer noch mit den Tränen kämpfte.

»Dieser jungen Frau gelang es, aus Freiberg zu entkommen. Als sie mir Euren Ring zeigte, sorgte ich hier für ihre Aufnahme und ihren Schutz.«

»Ich danke Euch dafür«, mischte sich Thomas ein, zwar ehrlich erleichtert, aber mit neu aufkommender Sorge. Die Art, wie dieser Norbert Clara ansah, machte ihn misstrauisch. War etwas zwischen den beiden?

Der Kommandant nickte ihm knapp zu, dann fuhr er, zu Dietrich gewandt, fort: »Wie es heißt, hat der Fluch der Herrin Marthe großen Eindruck auf Euern Bruder gemacht. Kurz darauf nahm er einen Astrologen in seine Dienste, von dem er sich zu jedem seiner Schritte beraten lässt. Dieser Mann hat inzwischen mehr Einfluss auf ihn als alle seine sonstigen Ratgeber.«

»Lässt sich dieser Astrologe kaufen? Weiß jemand, in wessen Interesse er meinen Bruder zu beeinflussen sucht?«, erkundigte sich Dietrich sofort.

»Wir werden versuchen, das herauszufinden«, versicherte Norbert überrascht, der anscheinend ein solches Vorgehen noch nicht in Betracht gezogen hatte.

Der Graf von Weißenfels stellte ein halbes Dutzend weiterer Fragen, dann entschied er: »Morgen werden wir prüfen, welche der Knappen wirklich schon das Zeug haben, in den Ritterstand erhoben zu werden. Bis die Boten mit frischen Nachrichten zurück sind, verstärken wir unsere Truppen. Verdoppelt die Wachen, alarmiert die Bewohner der umliegenden Orte!«

Der Burgkommandant und der Verwalter nahmen die Befehle mit einem knappen Nicken entgegen.

»Da wir noch nicht wissen, wann die Männer meines Bruders kommen und wie viele es sein werden, sollten wir uns damit beeilen, ihnen einen gebührenden Empfang vorzubereiten«, sagte Dietrich mit einem harten Lächeln und erhob sich. »Doch jetzt lasst uns hinuntergehen. Es ist bald Nacht. Alles andere soll warten bis morgen früh.«

Auf dem Weg in die Halle wich Thomas nicht von Claras Seite.

Er legte ihr tröstend den rechten Arm um die Schultern, während seine linke Hand den Griff seines Schwertes umklammerte. Niemals hätte er gedacht, dass ihre Ehe mit Reinhard einen solch schrecklichen Ausgang nehmen würde. Also hatte er ihm unrecht getan. Und mit maßlosem Zorn erfüllte Thomas, was er gerade über das Schicksal seiner Mutter und seines Stiefvaters erfahren musste.

Sollen sie nur kommen!, dachte er. Dann kann ich endlich für meinen Vater Rache nehmen!

Clara an seiner Seite schien seine düsteren Gedanken zu spüren. Und es schmerzte sie.

Unten in der Halle warteten die gesamte Burgmannschaft und das Gesinde auf den zurückgekehrten Herrn. Als Dietrich und seine Begleiter die Treppe herunterkamen, knieten sie vor dem Grafen nieder.

Statt sich an die hohe Tafel zu setzen, blieb Dietrich stehen und forderte die Versammelten mit einer Geste auf, sich zu erheben. Er griff nach seinem Becher und hielt ihn empor. Gewohnheitsmäßig warf er einen Blick zu seiner Rechten, wo früher der Kaplan gesessen hatte. Doch der Geistliche war vor einem Jahr gestorben, wie ihm der Verwalter mitgeteilt hatte, und solange der Herr der Burg nicht zurückgekehrt war und einen neuen aufnahm, gingen die Burgbewohner in die Kirche im Ort, um an den Messen teilzunehmen oder die Beichte abzulegen.

Dietrich sah die vielen Augenpaare, die sich auf ihn richteten, während völlige Stille in die Halle einkehrte.

»Trinken wir auf die Seelen der Männer, die vor zweieinhalb Jahren mit mir aufgebrochen sind und die ihr Leben für den Traum von Jerusalem gaben. Amen.«

Ein unterdrücktes Schluchzen war aus mehreren Reihen zu hören. Einige Frauen erfuhren auf diesem Wege die Bestätigung, dass ihre Männer, Söhne oder Väter nicht zurückkehren würden.

»Ihnen ist für ihr Opfer ewiges Seelenheil gewiss. Ich werde morgen mit jedem Einzelnen von euch, der einen Verwandten oder anderen geliebten Menschen verloren hat, darüber sprechen, wie es geschah.«

Der Graf von Weißenfels trank einen Schluck, dann sagte er mit Nachdruck: »Doch jetzt erfreut Euch des Friedens dieses Abends – solange er anhält. Mag sein, wir müssen uns morgen schon auf neue Kämpfe vorbereiten. Zuvor will ich zwei Menschen an meiner Seite würdigen, die hier in Weißenfels in höchsten Ehren gehalten werden sollen: Thomas von Christiansdorf und seine Schwester Clara Maria.«

Ein Raunen setzte unter den Weißenfelsern ein, doch Dietrich ignorierte es und sprach weiter. Sofort wurde es wieder still in der Halle. »Jetzt, da ich zurückgekehrt bin, darf ihre wahre Herkunft enthüllt werden. Ihrem Vater Christian verdanke ich meine Erziehung zum Ritter, sein Sohn kämpfte mit großem Mut an meiner Seite bei den Schlachten um Philomelion, Ikonium und Akkon. Schließt Bruder und Schwester in eure Gemeinschaft ein und bringt ihnen die Achtung entgegen, die sie verdienen.«

Auf Dietrichs Zeichen hoben auch die Menschen in der Halle die Becher und tranken ihm zu, dann setzten sie sich und begannen zu essen.

Als das Mahl schon eine Weile vorangeschritten war, schickte Dietrich Thomas unter einem Vorwand kurz hinaus und wandte sich an die junge Frau, die an seiner Seite saß.

»Clara, ich bitte Euch: Nehmt Euch mit all Eurer Klugheit und Heilkunst Eures Bruders an. Der Krieg verändert die Männer. Manchem verleiht er Furcht, anderen Mut. Er macht hart und bitter. Und mancher kehrt nie ganz aus dem Schlachtenwahn in die wirkliche Welt zurück.«

Zu lebhaft hatte er die heftige Reaktion des jungen Kampfgefährten im Stall des Schankhauses vor Augen.

»Der Krieg verändert auch die Frauen«, entgegnete Clara und sah ihm zum ersten Mal seit seiner Ankunft in die Augen, wenn auch nur kurz. »Sie müssen ihre Männer, Brüder und Söhne hergeben und sich allein behaupten, um die Kinder durchzubringen. Und falls ihre Männer, Brüder und Söhne zurückkehren, dann müssen sie mit deren Härte und Verbitterung leben, wenn sie es nicht schaffen, ihre Herzen wieder mit Liebe zu füllen.«

Betroffen verstummte Dietrich, bis er schließlich wehmütig sagte: »Ich habe Eure Gegenwart lange vermisst. Eure Gegenwart und Eure Klugheit.«

Es klang wie eine höfische Schmeichelei, doch jedes Wort war ernst gemeint. Einen Augenblick lang schwieg Clara.

»Sobald Ihr die Tafel aufhebt und es erlaubt, würde ich meinem Bruder gern seine kleine Nichte vorstellen«, schlug sie dann vor.

»Tut das!«, meinte Dietrich – auch wenn ihm der Gedanke einen Stich versetzte, dass dieses Kind von einem Mann gezeugt worden war, mit dem er trotz dessen tragischen Todes gern getauscht hätte.

Es war schon tief in der Nacht, als sich Thomas in Claras Kammer über die schlafende Änne beugte.

»Ganz die Mutter«, sagte er. Ein Anflug von Rührung flog über sein Gesicht und veränderte es völlig. Die Kleine – anderthalb Jahre alt, wie ihm Clara erzählt hatte – schlief tief und fest und ließ sich auch vom Licht der Kerze nicht stören, mit dem ihr Oheim ihre Züge beleuchtete. Das Mädchen wirkte friedlich und gesund, sogar in den Träumen behütet. Ihr Haar kräuselte sich an den Schläfen und wies den gleichen rötlichen Schimmer auf wie das ihrer Mutter und ihrer Großmutter.

Nur unter Mühen konnte sich Thomas davon abhalten, mit seinen schwieligen Händen über dieses winzige Gesicht zu streichen. So schwer es auch fiel, er wollte seine Nichte nicht aufwecken. Er und seine Schwester hatten in dieser Nacht noch viel miteinander zu bereden.

»Ich war mitten in den Wehen, als Daniel ins Haus gestürzt kam und rief, dass wir sofort aufbrechen müssen«, begann Clara zu erzählen, während sie ihn zur Bank zog und ihm einen Becher füllte. »Hartmut, der alte Waffenmeister, hatte unserem Bruder zur Flucht vom Meißner Burgberg verholfen. Daniel hielt sich mit seinen fünfzehn Jahren wie ein Mann. Du wärst stolz auf ihn gewesen. Und Vater auch.«

»Auf dich aber ebenso – in dem Zustand auf Reisen zu gehen!«, sagte Thomas ungläubig.

»Zur Welt kam sie mitten im Wald, dicht hinter Freiberg. Wir schlugen uns erst zu Rolands Eltern durch und dann hierher.«

Rolands Eltern. Es war, als hätte ihm jemand die Faust in den Magen gerammt. Er musste Raimund und Elisabeth die Nachricht vom Tod ihres einzigen Sohnes überbringen.

»Hartmut half auch Mutter im Kerker und bezahlte dafür mit dem Leben.«

»Der unerbittliche alte Waffenmeister? Der uns Knappen so herumgescheucht hat? Das hätte ich nie von ihm gedacht«, murmelte Thomas.

»Ja. Und in unserem Haus sitzt nun ausgerechnet Randolfs Sohn und schindet die Leute.«

»Rutger?« Thomas richtete sich auf und ballte die Fäuste. Sein Todfeind machte sich in ihrem Haus breit? Er hatte diesen rothaarigen Hurensohn schon vor seinem Aufbruch zum Heerlager des Kaisers töten wollen. Doch Clara und auch Roland hatten damals seinen Hass gegen den Gleichaltrigen stets getadelt. Er dürfe die Feindschaft zwischen ihren Vätern, die mit einem Gottesurteil zugunsten Christians und also Randolfs Tod endete, nicht auf den Sohn übertragen.

»Rutger hat meinen Mann verraten und ihn Albrecht in Ketten zu Füßen geworfen, damit der ihm den Kopf abschlug«, fuhr Clara bitter fort. »Und er fesselte und knebelte unsere Mutter und stieß sie ins Verlies.«

Nach einem Moment der Stille sagte sie mit fester, ungewohnt harter Stimme zu Thomas' Überraschung: »Ich will, dass du ihn dafür tötest!«

»Das werde ich«, versprach Thomas in beinahe unheimlicher Gelassenheit.

Dann zog er seine Schwester erneut an sich, um sie und sich zu trösten. Bis zum Morgengrauen saßen sie beieinander, Bruder und Schwester, zeigten sich die Narben, die sie davongetragen hatten, und erzählten sich gegenseitig von dem Leid, das ihnen und ihren Freunden widerfahren war.

Anträge

Am nächsten Morgen war Dietrich bereits früh auf den Beinen. Er musste sich von der Kampfbereitschaft der Burgbesatzung überzeugen, Botschaften verfassen, den Treueeid verschiedener Männer entgegennehmen und mit den Anführern der benachbarten Siedlungen Vorsichtsmaßnahmen besprechen.

Nachdem die wichtigsten Angelegenheiten geregelt und Aufgaben verteilt waren, ließ er die Angehörigen der Gefallenen zu sich rufen. Er berichtete über den Tod jedes Einzelnen, sprach den Hinterbliebenen Trost zu und versicherte, dass er für sie sorgen werde, auch wenn ihre Familien nun den Ernährer verloren hatten. Nachdem der Letzte hinaus war, bat er Clara zu sich.

Als Albrecht in Meißen Clara allein zu sich befohlen hatte, da hatte ihr Herz gehämmert vor abgrundtiefer Furcht. Jetzt, allein mit Dietrich, klopfte es vor Verlegenheit und Sorge, weil ihre größte, unerfüllbare Hoffnung nun auch noch zu Grabe getragen werden würde.

»Ich möchte Euch in aller Form mein Beileid zum Tod Eures Gemahls ausdrücken«, sagte Dietrich nach einigen Momenten beklommenen Schweigens.

»Danke, Hoheit«, erwiderte Clara mit gesenkten Lidern.

»Trauert Ihr immer noch um ihn?«

»Ja«, sagte sie, und da sie seinen Blick auf sich wusste, fuhr sie nach einigem Zögern leise fort: »Unsere Ehe war aus der Not heraus geboren. Als mein Stiefvater mir mitteilte, wen er für mich zum Gemahl bestimmt hatte, war ich entsetzt; ich verachtete Reinhard, weil ich ihn für einen Gefolgsmann Randolfs und Eures Bruders hielt. Doch dann erzählte mir Lukas von ihm und ihrem geheimen Plan. Reinhard hat mich stets geschützt und am Ende sein Leben geopfert.«

Dietrich beobachtete Clara und versuchte, sich über seine Gedanken klarzuwerden.

Vor seinem Aufbruch ins Heilige Land hatten sie sich ihre Liebe zueinander gestanden – und beide wussten sie damals schon, dass es keine Hoffnung für diese Liebe gab. Auch wenn er nur der zweitgeborene Sohn eines Markgrafen war, stand es ihm nicht frei zu heiraten, wen sein Herz begehrte. Gerade *weil* er der zweitgeborene Sohn war – denn sein Bruder strebte schon seit langem danach, das gesamte Erbe ihres Vaters an sich zu reißen.

Doch während des Kriegszuges, in den dunkelsten Momenten, die er in der Fremde durchleben musste, hatte er sich geschworen, Clara zu seiner Frau zu machen, falls sie ihn noch wollte, ganz gleich, was es kosten und was der Rest der Welt dazu sagen würde. Im Krieg hatten viele Dinge für ihn eine andere Bedeutung angenommen, in Outremer hatte er die letzte Hoffnung in die Vernunft der Mächtigen verloren. Nach so viel Verrat, Dummheit und Gier wollte er einen Menschen an seiner Seite, dem er vollkommen vertraute und der ihm an Wärme zurückgeben konnte, was er auf den blutigen Feldern des Krieges verloren hatte.

Clara jedoch mied seinen Blick und schien mit jener längst vergangenen Episode abgeschlossen zu haben.

Er räusperte sich und ließ sie auch bei den nächsten Worten nicht aus den Augen.

»Mein Burgkommandant, ein verdienstvoller und ehrenhafter Mann, hat mich vorhin um die Erlaubnis gebeten, um Eure Hand anzuhalten. Und mit dem gleichen Anliegen trat wenig später sein ältester Sohn an mich heran. Wäret Ihr bereit, das Werben eines dieser beiden Männer anzunehmen?«, fragte er und hielt den Atem an.

Clara schien von dieser Eröffnung wenig überrascht. Hatten sich ihr beide Bewerber etwa schon erklärt?

»Norbert ist ein tapferer Mann. Jede Frau dürfte sich glücklich schätzen, von ihm auserwählt zu werden. Sein Sohn kommt ganz nach dem Vater. Bitte richtet beiden meinen Dank für die Ehre und Freundlichkeit aus, die sie mir erweisen. Doch ich kann nicht die Gemahlin des einen werden, ohne den anderen zu kränken. Außerdem habe ich ein Gelübde abgelegt …«

»Ihr wollt ins Kloster?«, fragte Dietrich erschrocken. Diesmal war er trotz seiner höfischen Erziehung unfähig, sein Empfinden zu verbergen. Sollte er sie ganz verlieren, sie nicht einmal mehr sehen dürfen? Jemand wie sie würde im Kloster zugrunde gehen oder zugrunde gerichtet werden!

»Nein«, antwortete Clara, immer noch mit gesenkten Lidern, während ihre Hände in den Falten des grünen Kleides Halt zu suchen schienen, das so gut zu ihren Augen und ihrem kastanienbraunen Zopf passte. Sie trug heute kein Gebende, sondern nur Schleier und Schapel über dem geflochtenen Haar.

»Ich habe geschworen – auch meinem toten Gemahl zu Ehren –, nicht noch einmal eine Ehe nur aus Gehorsamkeit und Pflichtgefühl einzugehen. Meine Mutter und mein Stiefvater werden es verstehen und für mein Auskommen als ehrbare Witwe sorgen.«

Das hoffte sie zumindest, auch wenn sie es kaum zu glauben

wagte. Sie war noch nicht einmal zwanzig, und jedermann würde erwarten, dass sie bald wieder heiratete und ihrem neuen Gemahl Söhne gebar. Frauen in ihrer Lage durften nicht unverheiratet bleiben. Und Lukas hatte schon vor zweieinhalb Jahren energisch auf ihrer Vermählung mit Reinhard bestanden. Allerdings musste sie ihm nachträglich recht geben – ohne Reinhards Schutz wäre sie nach Lukas' Gefangennahme vermutlich geschändet worden und längst tot.

Aus einem Impuls heraus wollte Dietrich einen Schritt auf sie zugehen und hielt sich gerade noch davon ab. Er hatte die Hand schon ein wenig gehoben, weil alles in ihm danach drängte, ihre Wange zu berühren, ihr Trost zu spenden, ihr erneut seine Liebe zu gestehen. Doch er zwang sich dazu, die Hand wieder sinken zu lassen.

»Meinem toten Gemahl zu Ehren«, hatte sie gesagt. Sie trauerte um Reinhard, durchlitt vielleicht Alpträume, in denen sie ihn wieder und wieder sterben sah. Bei der gleichzeitigen Werbung von Vater und Sohn – auch wenn es gute Männer waren – musste sie sich belauert fühlen wie leicht zu jagendes Wild. Und das waren junge, hübsche Witwen. Wie sollte er ihr da von Liebe sprechen, davon, dass er sie zu seiner Frau machen wollte? Sie würde ihn nur traurig ansehen, vielleicht sogar verächtlich, weil er etwas vorschlug, das undenkbar war, und weil es ihr so vorkommen müsste, als wolle auch er ihr nachstellen, kaum dass er das Burgtor durchritten hatte.

Clara bemerkte die unbedachte Bewegung und neigte ihm den Kopf ein wenig entgegen. Beinahe glaubte sie, seine Hand auf ihrer Wange zu spüren, auch wenn sie fünf Schritte voneinander getrennt waren. Wehmütig schloss sie die Augen und stellte sich vor, wie es sein würde, von ihm berührt, in die Arme geschlossen zu werden.

Ich trauere um Reinhard aus tiefstem Herzen. Aber geliebt habe ich immer nur dich, dachte sie. Es ist unmöglich, dass wir heiraten, denn ich ahne, welchen Preis der Landgraf von Thüringen fordern wird, wenn du ihn um Beistand ersuchst. Doch ich wäre bereit, deine Geliebte zu werden und die Folgen auf mich zu nehmen – so groß ist meine Liebe. Ganz gleich, was die Leute dazu sagen. Nur kann ich mich nicht anbieten wie eine Hure, da ich nicht einmal weiß, ob du mich überhaupt noch willst. Der Krieg verändert die Menschen, du hast es selbst gesagt. Und wie es aussieht, musst du vielleicht morgen schon wieder in den Kampf ziehen. Dafür brauchst du all deine Kraft.

Sie öffnete die Augen, doch sie sah Dietrich nicht an, sonst hätte sie weinen müssen. Sie hatte so auf seine Rückkehr gehofft, ihr entgegengefiebert, dafür gebetet … aber jetzt war alles nur noch schwieriger und ihre kaum gefundene Ruhe dahin.

Dietrich riss sich zusammen, legte die verräterische Hand, die immer wieder nach oben zucken wollte, auf den Rücken, räusperte sich, um seine Stimme unter Kontrolle zu bringen, und sagte mit so viel Zuversicht, wie er noch aufbringen konnte: »Ihr und Eure Tochter werdet hier unter meinem Schutz stehen, so lange ich lebe.«

Clara dankte ihm mit einem Nicken, verneigte sich und ging hinaus.

Thomas hatte nach einer Nacht mit nur wenig Schlaf von Dietrich den Befehl erhalten, zusammen mit Norbert, dem Burgkommandanten, auszuwählen, welche der älteren Knappen gut genug für eine Schwertleite waren. Also riefen sie die Burschen zusammen – der Regen hatte zum Glück aufgehört, aber selbst ein Wolkenbruch hätte sie nicht von ihrem Vorhaben abgehalten – und ritten mit ihnen zur Übungswiese unterhalb der Burg. Dort waren Turnierschranken aufgebaut, standen die Puppe aus Stroh, die sie mit der Lanze treffen sollten, und halbmannshohe Holzpfosten für verschiedene Übungen zum Kampf vom Sattel aus.

Zunächst wollte Thomas wissen, wie sich die Burschen mit dem Schwert schlugen. Die Knappen waren allesamt begierig darauf, sich vor dem jungen Ritter zu bewähren, der mit Kaiser Friedrich von Staufen aufgebrochen war, um Jerusalem zurückzuerobern, und der im Morgenland gegen die Sarazenen gekämpft hatte. Doch so sehr sie sich auch mühten – vor Thomas' Augen fand keiner von ihnen Gnade.

»Zu schwach … zu langsam … zu ungeschickt«, bemängelte er nacheinander ihre Leistungen. Er wusste, dass er ungerecht war, dass die meisten von ihnen Beachtliches zeigten; Norbert und seine Männer hatten sie hart und gut ausgebildet.

Aber er hatte ständig die Knappen vor Augen, die während des Kreuzzuges gestorben waren, ohne dass er es verhindern konnte: elendig eingegangen an Seuchen, erschlagen oder verhungert. Vielleicht würden sie schon in ein paar Tagen im Krieg gegen den rachsüchtigen Markgrafen von Meißen stehen. Und er wollte diese Jungen, die ihn mit bewundernden Blicken anstarrten, wenn er einen der Ihren mit einer einzigen schnellen Bewegung entwaffnete und zu Boden zwang, nicht so sterben sehen, wie sein Knappe Rupert gestorben war.

»Ihr seid recht schlecht gelaunt für einen Helden«, sagte eine der jungen Frauen zu ihm, die ihnen auf die Kampfwiese gefolgt waren, um das Spektakel anzuschauen. Sie war unbestritten die hübscheste; mit hellem Haar und strahlend blauen Augen, wenn auch sicher etwas älter als er. Nun lächelte sie ihn sogar an.

»Es ist wenig Heldenhaftes daran, ein halbes Jahr lang im Schlamm zu liegen und eine uneinnehmbare Stadt zu belagern«, wies er sie schroff zurück.

»Wollt Ihr nun Eure schlechte Laune durch übermäßige Bescheidenheit wiedergutmachen, mein Held?«, gab sie keck zurück. Die Mädchen, die sie begleiteten, kicherten, dann drehten sie sich um und schlenderten zur Burg.

Thomas fragte sich, ob es hier wohl Sitte war, dass die Weiber bei den Waffenübungen der Knappen zusahen. Er kam gar nicht auf den Gedanken, dass sie dies nur taten, um ihn zu beobachten, und insgeheim schon Rangeleien um seine Gunst angefangen hatten. Nachdem so viele Männer nicht aus dem Heiligen Land zurückgekehrt waren, gab es zu viele junge Witwen in Weißenfels und zu viele Mädchen ohne Vater.

Als sie von der Kampfwiese wieder hoch zur Burg geritten waren und er die Knappen mit einer mürrischen Bemerkung Norbert überlassen hatte, musste er feststellen, dass ihm die junge Frau bei den Ställen auflauerte.

»In den harten Zeiten des Krieges habt Ihr wohl zu lange die Schönheiten des Lebens entbehren müssen«, meinte sie, erneut lächelnd. »Doch das müsst Ihr jetzt nicht mehr.«

Sie streckte ihre Hand aus, um sein Gesicht zu berühren. Er packte sie am Gelenk und drückte die Hand nach unten.

»Ihr wisst nicht, wovon Ihr sprecht. Und Ihr habt keine Ahnung, worauf Ihr Euch einlasst!«, sagte er grob.

Ihr plumpes Angebot widerte ihn an – er selbst widerte sich an. Weil er nämlich sehr wohl überlegte, wie es sein würde, nach all den Entbehrungen, nach all dem Sterben, das er in den letzten zwei Jahren erlebt hatte, eine Frau zu nehmen, ihre Brüste zu berühren, ihre Schenkel zu spreizen, mit aller Kraft in sie einzudringen.

Weil er sich schämte, auch nur diesen Gedanken zu haben, da doch sein Freund und all die anderen Gefährten, die im Heiligen Land gestorben waren, nie wieder eine Frau liebkosen konnten.

Und weil ihm diese Gans, die keine Ahnung hatte von den schlimmen Dingen, die er in der Ferne erlebt hatte, fremder vorkam als all die Sarazenen, von deren Sprache und Gebräuchen er kein Wort verstand.

Sie schrie leise auf, weil sein Griff sie schmerzte, überwand jedoch schnell ihren Schreck und verzog schmollend den Mund.

»Dann zeigt mir doch, worauf ich mich mit Euch einlassen würde!«

Später hätte Thomas nicht genau sagen können, wie er dorthin gekommen war, aber zielstrebig führte ihn die junge Frau in eine kleine Kammer, und ehe er sich's versah, hatte sie schon ihre Arme um seinen Hals geschlungen und küsste ihn.

Bereitwillig ließ sie sich auf das Bett sinken und zog ihn über sich. Er nahm sich nicht die Zeit, sie auszuziehen, sondern schob nur ihre Kleider nach oben. Hastig befreite er sein Glied aus der Bruche und stieß in sie hinein.

So lieblos hatte er noch nie eine Frau genommen. Statt Vergnügen oder Erleichterung fühlte er denselben Zorn wie tags zuvor, als er den Dieb enthauptet hatte.

Als er fertig war, verachtete er sich selbst dafür, was er gerade getan hatte.

»Versucht das nie wieder!«, fuhr er die Frau an, während er seine Bruche erneut mit dem Gürtel befestigte. Dann drehte er sich um und ging ohne ein weiteres Wort.

Auf dem leeren Gang hielt er Ausschau nach einem Ort, wo er wenigstens eine Weile allein sein konnte. Er war viel zu aufgewühlt, um jetzt jemandem begegnen zu können. Schließlich verkroch er sich hinter einem Balken, legte den Kopf in den Nacken und versuchte, die Tränen zurückzudrängen – all die ungeweinten Tränen der Wut und der Trauer über seine toten Gefährten, über das Gefühl, verraten worden und im Stich gelassen zu sein von eitlen Königen, sein Entsetzen darüber, was seinen Eltern und seiner Schwester widerfahren war.

Er hatte seine Heimat und seine Freunde verloren – und nun auch noch die Selbstachtung, da er eben völlig die Beherrschung über sich verloren hatte.

Wehmütig dachte er an sein letztes Zusammensein mit einer Frau, vielleicht nur ein Traum im Fieberwahn … Ein schmales, zartes Gesicht, umrahmt von schwarzen Haaren, eine freundliche Stimme, die eine Sprache sprach, die er nicht verstand. Aber ihre Augen sagten ihm, was sie meinte: dass er ins Leben zurückkehren sollte. Sie war eine Heilerin, zweifellos, sie hatte den gleichen prüfenden, ins Innerste der Seele dringenden Blick wie seine Mutter und seine Schwester. Ihre zarten Berührungen hatten seine verborgensten Gefühle hervorbrechen lassen. Danach hatte er sich befreit gefühlt.

Doch jetzt fühlte er nur Scham.

Auf der Wartburg in Eisenach

Du lagst die halbe Nacht wach. Was ist los?«, fragte Lukas seine Frau, während er seinen Bliaut überstreifte. Sie durften sich nicht zur Frühmesse verspäten, doch diese Sache war ihm dringend. »Ist es so weit?«

Er ließ sie nicht aus den Augen und erforschte ihr Gesicht, während er mit tausendfach geübten Griffen seinen Gürtel anlegte und die Riemenzunge durch den Knoten zog, der das Ganze hielt. Dann fuhr er kurz mit den Fingern durch seine blonden Locken.

Marthe, zierlich und schmal, war bereits in ihr rostfarbenes, mit gewebten Borten verziertes Leinenkleid geschlüpft und flocht sich das kastanienbraune Haar. Doch nun hielt sie mitten in der Bewegung inne.

Sie lebten beide schon seit Wochen in diesem ungewissen Zustand des Wartens. Des Wartens darauf, dass eine Nachricht aus Weißenfels sie erreichte. Oder Nachricht über Weißenfels. Zu der Ungewissheit, ob Graf Dietrich, der in seiner Jugend ihr Schützling gewesen war, und ihr Sohn Thomas wohlbehalten aus dem Heiligen Land heimkehrten, kam die Sorge, ob es Krieg geben würde. Einen Bruderkrieg, den ein machtgieriger Herrscher vom Zaun brach, dessen Blutdurst sie beide schon grausam zu spüren bekommen hatten.

Doch Lukas kannte seine Frau gut genug, um nicht nur nach Boten Ausschau zu halten. Wenn Marthe die halbe Nacht lang gegrübelt hatte, dann höchstwahrscheinlich deshalb, weil eine Eingebung, ein Traum oder eine innere Stimme ihr gesagt hatten, dass die Dinge nun in Bewegung gerieten. Wären nicht seine Verpflichtungen am Hofe des Landgrafen von Thüringen, der sie nach ihrer Flucht aus Meißen in Dienst genommen hatte, würden sie beide längst in Weißenfels sein und dort irgendetwas unternehmen, statt hier vielleicht wertvolle Zeit zu vergeuden.

Marthe antwortete nicht, sondern flocht ein grünes Band in das Ende des Zopfes und griff nach dem Schleier, den sie als verheiratete Frau zu tragen hatte. Sie legte das fein gewebte Leinen über das Haar, setzte ein Schapel auf und versuchte, in dem kupfernen Spiegel herauszufinden, ob es richtig saß. Als Frau eines Ritters hatte sie Anspruch auf eine Magd, aber sie hatte das Mädchen sofort nach Lukas' Frage hinausgeschickt. Das hier konnten sie nicht vor Zeugen bereden.

Sie brauchte noch einen Augenblick Zeit, bevor sie antwortete.

Ja, sie war die halbe Nacht lang wach gewesen, hatte gegrübelt und tief in ihr Innerstes gelauscht. Doch Lukas besaß weit mehr Vertrauen in ihre Fähigkeiten als sie selbst.

Seit sie – dreizehnjährig und mit nichts mehr, als was sie am Leibe trug – aus ihrem alten Dorf in Franken fliehen musste und sich dem Siedlerzug in die Mark Meißen anschloss, hatte es häufig Momente gegeben, in denen sie die Zukunft oder wenigstens ein Stück davon wie einen schnurgeraden Pfad vor sich sah. Aber immer noch sträubte sich etwas in ihr, solche Ahnungen leichtfertig für bare Münze zu nehmen. Wer wusste schon, woher sie kamen? Ob sie sich nicht irrte?

»Ich wünschte, ich könnte mir sicher sein«, sagte sie leise und blickte in Lukas' blaue Augen. »Ist es nicht vermessen zu glauben, Gottes Plan erkennen oder gar durchschauen zu können? Mehr zu wissen als die anderen?«

Ganz zu schweigen davon, welche Gefahr es mit sich brachte, dieses Wissen – oder diese Ahnung – öffentlich preiszugeben. Als Heilkundige und Wehmutter zog sie ohnehin viel zu viel Misstrauen auf sich, auch wenn sie nun die Frau eines Ritters war. Es war gefährlich für eine Frau, in irgendeiner Weise aufzufallen.

Lukas zog mit leichtem Spott die Augenbrauen hoch. »Wie oft hattest du recht mit deinen Vorahnungen? Soweit ich mich erinnere, fast immer, nicht wahr?«

Nicht immer, dachte Marthe beklommen. Nicht damals vor zwei Jahren, als du dein Leben gewagt hast, um Freiberg einen Krieg zu ersparen. Ich sah schon das Bild vor Augen, wie jemand deinen abgeschlagenen Kopf als Beute trägt, auch wenn ich es dir nie erzählt habe. Doch es war wohl die Angst um dich, die dieses Schreckensbild hervorrief. Du hast überlebt, dem Allmächtigen und der Jungfrau Maria sei dafür gedankt. Ich hätte es nicht ertragen, noch einen Mann zu verlieren.

»Ja, wir sollten nach Weißenfels reiten, heute noch«, sagte sie schließlich. Und dann, nach einem tiefen Atemzug, viel entschlossener: »Du musst alles daransetzen, vom Landgrafen die Erlaubnis zu erhalten!«

»Und ich kann dir wohl nicht ausreden, mit mir zu kommen?«, erkundigte sich Lukas. »Gut möglich, ich reite geradewegs in einen Krieg oder zu einer Belagerung. Mir wäre wohler, du bliebst hier.«

»Es gibt keinen sicheren Ort für uns beide, das weißt du«, entgegnete sie. Sie griff nach seiner Rechten und presste sie an ihre Wange. »Ich fühle mich wohler, wenn du in meiner Nähe bist.«

Statt sie zu necken, genau dies seien die Worte, die ein Ritter von seiner Herzensdame zu hören wünsche, trat Lukas einen Schritt näher und schloss Marthe in seine Arme. Nur für einen kurzen

Moment; das lärmende Treiben auf dem Hof kündete davon, dass die meisten Burgbewohner schon auf den Beinen waren.

Bedauernd löste er sich wieder von ihr, auch wenn er sie am liebsten noch einmal ins Bett gezogen hätte. »Komm, wir dürfen die Frühmesse nicht versäumen.«

Mit einem Anflug seiner üblichen Spottlust entfuhr ihm: »Wir brauchen wirklich Gottes Beistand und den sämtlicher Heiligen, um den Landgrafen noch umzustimmen.«

Kaum waren die Worte ausgesprochen, hätte er sie am liebsten wieder zurückgenommen. Zuallererst würde Marthe Gott um die glückliche Rückkehr ihres Sohnes bitten, um das Wiedersehen mit Thomas und mit Roland, dem einzigen Sohn ihres Freundes Raimund. Und er selbst sollte auch vom Allmächtigen besser Beistand in den bevorstehenden Kämpfen erflehen.

Dass der Thüringer Landgraf nur unter einer besonderen Bedingung bereit war, den Herrn des benachbarten Weißenfels zu unterstützen, gefiel Lukas ganz und gar nicht. Deshalb beschloss er, sein Morgengebet dieser Angelegenheit zu widmen statt seinem persönlichen Schlachtenglück.

Marthes Gedanken hingegen kreisten immer heftiger um einen Punkt, von dem sie Lukas nichts verraten würde.

Sie war sich sicher: Was nun geschehen würde, war der Beginn einer langen Reihe von Ereignissen, mit denen sich alles entscheiden würde. Alles, wofür sie gekämpft hatten und wofür ihr geliebter Christian gestorben war. Ob sich die Hoffnung der Siedler auf ein besseres Leben eines Tages erfüllen würde oder die dunklen Zeiten auf ewig andauerten. Und in ihr machte sich die Ahnung breit, dass es sie diesmal das höchste Opfer kosten konnte.

In ihren siebenunddreißig Lebensjahren war sie schon so oft tödlichen Gefahren entronnen, sie hatte so viel durchleiden müssen, dass es an ein Wunder grenzte, dass sie überhaupt noch lebte und es ihr gutging. Manchmal war sie so verzweifelt gewesen, dass sie den Tod herbeisehnte. Ob sie ihm wohl gelassen genug entgegentreten konnte, wenn es so weit war? Oder ob sie doch mehr am Leben hing, als sie glaubte?

Ein Blick zum Himmel nach der Morgenmesse vertiefte Lukas' Sorge. Dunkle Wolken dräuten über der Wartburg, auf einer Seite des Tales schien es bereits zu regnen. Da der Landgraf an diesem Tag zur Jagd reiten wollte, würde das seine Stimmung nicht gerade fördern. Und sein Entgegenkommen gewiss auch nicht.

Doch anscheinend hatte der Fürst den Befehl zum Ausreiten noch nicht widerrufen. Als Lukas und Marthe den langen, schmalen Burghof überquerten, um in den prachtvollen Saal zu gelangen, wo der Fürst und seine Ritter die Mahlzeiten einnahmen, waren die Stallknechte dabei, die Pferde der Jagdgesellschaft zu striegeln und zu satteln.

Das hieß, sie mussten sich beeilen, wenn sie Hermann noch vor dem Aufbruch sprechen wollten.

»Ich zerbreche mir schon den halben Morgen den Kopf darüber, wie ich meine Bitte begründen soll«, gestand Lukas. Sich auf Eingebungen seiner hellsichtigen Frau zu berufen, kam leider nicht in Frage.

Marthe verharrte einen Moment. Dann sah sie zum Tor, und Lukas folgte ihrem Blick. Hätte er je Zweifel gehabt an den Ahnungen seiner Frau – spätestens in diesem Augenblick wären sie verflogen. Denn er kannte den jungen Mann, der mit großen Schritten geradewegs auf sie zuhielt: Wito, einer der Reisigen seines Freundes Raimund von Muldental, der verwegenste und schnellste Reiter in dessen Diensten. Er musste wohl in der Stadt übernachtet haben und gleich bei Tagesanbruch losgeritten sein.

Voller Anspannung lief Lukas ihm entgegen.

»Du bringst wichtige Nachricht?«

Der junge Bote nickte wortlos und sah sich misstrauisch um. Er wirkte müde und ungewohnt düster; vielleicht war er sogar die Nacht lang durchgeritten. Sein hellbraunes Haar war verschwitzt, sein Gesicht voller Stoppeln. Es lagen fast einhundertfünfzig Meilen zwischen Raimunds Gütern im Muldental und Eisenach; Wito konnte in den letzten vier oder fünf Tagen kaum aus dem Sattel gekommen sein, wenn die Nachricht so dringend war, wie Lukas vermutete.

Der gesamte Hof der Hauptburg war mittlerweile voll von Menschen und Pferden. Rasch zog Lukas den jungen Reiter Richtung Mauer, wo sie bei dem Gedränge wenigstens nicht im Weg standen und überschauen konnten, wer in ihre Nähe kam. Marthe hastete ihnen hinterher.

»Der Markgraf von Meißen wird in spätestens vier Tagen seinen Bruder angreifen«, sagte Wito mit heiserer Stimme.

»Ist das sicher?«, fragte Lukas. Wenn es stimmte, mussten sie sofort aufbrechen, um vor dem Feind in Weißenfels zu sein. Es waren drei Tagesritte bei straffem Tempo bis dorthin. Vielleicht sollte er doch ohne Marthe reiten, um schneller zu sein. Aber wenn Raimund sich irrte, kam er vielleicht zu spät und würde Albrecht direkt in die Hände geraten.

»Ich kann Euch nicht sagen, woher mein Herr das weiß. Aber er scheint sich völlig sicher und hat auch schon Nachricht nach Weißenfels gesandt. Er selbst und die Herrin können nicht fort.«

»Lässt Albrecht sie bewachen?«, bestürmte Marthe den jungen Mann voller Sorge. »Sie sind doch frei? Geht es ihnen gut?«

Es war in Meißen kein Geheimnis, dass Raimund auf der Seite derer gestanden hatte, die Albrecht als persönliche Feinde aus dem Weg räumen ließ. Nur der feste Wille, seinem Sohn einmal sein Land und seinen Titel zu vererben, hielt den Freund davon ab, zusammen mit seiner Frau Elisabeth ebenfalls die Mark Meißen zu verlassen.

»Fürst Albrecht schickte uns zwei von den übelsten Raufbolden als Aufpasser«, berichtete der Muldentaler. »Außerdem hat er sämtliche Pferde beschlagnahmt, die fertig ausgebildet sind – als Tribut und Beweis der Treue.«

Die Wut darüber stand dem tollkühnen Reiter ins Gesicht geschrieben. »Das bringt meinen Herrn fast an den Bettelstab«, sagte er und ballte die Fäuste, ohne es zu merken. »Doch sobald er und die Herrin können, ohne Verdacht zu erregen, wollen sie nach Weißenfels reiten, um Graf Dietrich beizustehen und ihren Sohn willkommen zu heißen.«

»Wir brechen heute noch auf«, versicherte Lukas dem jungen Mann.

Er holte eine Pfennigschale, halbvoll mit silbernen Münzen, aus seinem ledernen Almosenbeutel und drückte sie dem Boten in die Hand. »Hier, für den Heimweg. Aber such dir zuerst eine Herberge, schlaf dich aus und gönne auch deinem Pferd eine Rast.«

Diese Worte zauberten ein verwegenes Lächeln in Witos Gesicht. »Ich durfte den Grauschimmel nehmen – der wird nicht müde! So ein Pferd hatten wir seit Jahren nicht!« Nun leuchteten seine Augen. »Zu unserem Glück ist er noch zu wild für die anderen Reiter. Das rettete ihn vor den meißnischen Dieben.«

»Ein Grund mehr, dich ordentlich auszuschlafen«, beharrte Lukas. »Auf dem wilden Hengst brauchst du alle Sinne. Richte Raimund aus, dass wir in Weißenfels auf ihn warten, sofern er nicht vor uns dort eintrifft. Gott stehe euch bei!«

Er griff nach Marthes Arm und zog sie mit sich, um nach dem Truchsess des Landgrafen Ausschau zu halten. Wito sah ihnen noch kurz nach, dann zählte er die Pfennige in seiner Hand und beschloss, auf den Rat zu hören und sich ein Quartier zu suchen. Er hätte diesen Hinweis ignoriert, wenn er von jemand anderem gekommen wäre. Doch Lukas war ein zu guter Reiter und wusste, wovon er sprach.

Marthe sagte kein Wort, als sie in Richtung des prachtvollen steinernen Palas liefen, den Hermanns Vater hatte bauen lassen und der es an Größe und Schönheit mit jeder Kaiserpfalz aufnehmen konnte. Ihr gingen Witos Worte nicht mehr aus dem Kopf, dass Raimund seinen Sohn begrüßen wolle, und nun war ihr ganz schrecklich zumute.

Es ging das Gerücht um, Dietrich sei mit nur einem einzigen Überlebenden aus dem Heiligen Land zurückgekehrt. Wenn das stimmte und der Graf nicht einige seiner Leute in Outremer gelassen hatte, dann würde entweder ihr Sohn oder Raimunds Sohn tot sein – oder beide … Sie musste unbedingt nach Weißenfels, um sich Gewissheit zu verschaffen!

Mit unbekümmert wirkender Dreistigkeit gelang es Lukas, sich zum Truchsess des Thüringer Landgrafen durchzudrängen, noch bevor das Frühmahl eröffnet wurde.

Gunther von Schlotheim war ein stämmiger, mehr als fünfzigjähriger Mann mit grauem Haupthaar und Bart und übte sein Amt auf der Wartburg schon seit mehr als einem Dutzend Jahren aus.

»Schlotheim, könnt Ihr mir Gelegenheit verschaffen, mit dem Fürsten zu sprechen, bevor er zur Jagd reitet?«, fragte Lukas ohne große Einleitung, kaum dass er vor ihm stand. »Ich habe Nachricht, Weißenfels betreffend.«

Der Truchsess sah ihn mürrisch an. »Was kümmert uns Weißenfels? Das kann warten bis nach der Hatz. Wir wollen aufbrechen, solange das Wetter noch hält.«

In Lukas' Augen konnte das ganz und gar nicht warten. Offensichtlich kam er nicht umhin, den Schlotheimer in sein Anliegen einzuweihen, auch wenn ihm das widerstrebte.

»Es kümmert *mich*. Ich will Seine Hoheit um die Erlaubnis bitten, für einige Zeit dorthin zu reiten.«

Gunther von Schlotheim musterte ihn argwöhnisch. Schließlich sagte er kühl: »Ich werde sehen, was ich für Euch tun kann. Und nun geht an Euren Platz. Das Mahl soll beginnen.« Dann stapfte er davon.

»Lass uns beten, dass es aus Kannen gießt, während wir essen, und der Landgraf beschließt, die Jagd zu verschieben«, raunte Lukas Marthe zu, als sie sich den Weg zu ihrem Tisch bahnten. »Dann müssen wir zwar durch den Regen reiten, aber das wäre für mich das kleinere Übel.«

Sie saßen beide wie auf glühenden Kohlen, während Mägde und Knechte unter Aufsicht des Küchenmeisters das Essen auftrugen: je nach Stand der zu Bewirtenden Fleisch und Wein, der mit Wasser verdünnt wurde, Brot und Käse oder Brei und wässriges Bier.

Landgraf Hermann von Thüringen war ein hochgewachsener Mann Mitte dreißig, militärisch erfahren, seit einem Jahr verwitwet und stets zuerst auf seine eigenen Interessen bedacht. Er hatte es nach dem Tod seines Bruders Ludwig geschafft, dem Kaiser die Landgrafschaft abzutrotzen, obwohl dieser sie als Reichslehen einziehen wollte. Erbberechtigt waren nach Ansicht des Kaisers nur Söhne in direkter Linie, und Ludwig von Thüringen hinterließ keinen männlichen Erben, als er vor einem Jahr auf der Heimreise aus dem Heiligen Land dem Sumpffieber erlag.

Da Hermann auch als Förderer der Dichter und Spielleute galt, saß links von der hohen Tafel ein Musikant – ein alter Bekannter von Marthe und Lukas mit dem außergewöhnlichen Namen Ludmillus, der eine nicht enden wollende Melodie auf seiner Laute spielte. Zumindest kam es Lukas so vor, als ob sie nicht enden wollte.

Beim Essen ließ er den Landgrafen nicht aus den Augen, um sofort nach vorn zu stürzen und sich Gehör zu verschaffen, sollte der Fürst zur Jagd aufbrechen wollen, ohne ihn gesprochen zu haben.

Jetzt gab der Landgraf das Zeichen, dass der Spielmann innehalten sollte. Sofort verstummte die Laute.

Lukas starrte nach vorn und hielt sich bereit. Würde der Fürst nun die Halle verlassen?

Nein, Hermann blickte um sich, kostete die neugierige Erwartung seiner Untergebenen aus und wandte sich dann an seinen Truchsess.

»Ihr sagt, einer meiner Ritter wolle unsere Runde verlassen?«

Gunther von Schlotheim verneigte sich und gab Lukas ein Zeichen.

Marthe drückte ihrem Mann kurz die Hand, bevor er sich erhob, einige Schritte ging und vor dem Landgrafen auf ein Knie sank. Zu seinem Glück saßen sie an diesem Morgen an einem der vordersten Tische, weil Lukas sich tags zuvor bei einem Reiterwettkampf ausgezeichnet hatte.

»Durchlaucht, bitte gewährt mir einige Tage, um nach Weißenfels zu reiten.«

Der Landgraf sah ihn mit hochgezogenen Augenbrauen an.

»Also glaubt Ihr tatsächlich, was Ihr behauptet? Dass der Meißner gegen seinen Bruder Krieg führt, kaum dass jener zurückgekehrt ist?«

»Gerade erhielt ich zuverlässige Bestätigung dafür, Euer Gnaden. Ich bitte Euch: Lasst nicht zu, dass solches Unrecht geschieht, dass ein Pilgerfahrer angegriffen wird, der im Heiligen Land kämpfte wie Euer Bruder, Gott sei seiner Seele gnädig.«

»Die Seele meines Bruders *ist* gerettet, denn er gab sein Leben für Jerusalem, und damit ist ihm sein Platz im Paradies sicher«, korrigierte Hermann scharf.

Lukas senkte den Kopf. Es machte die Sache schwieriger, dass er seine Bitte in der vollen Halle vortragen musste statt nur in kleiner Runde. So konnte er wohl die Hoffnung aufgeben, den Herrscher von Thüringen umzustimmen. Er musste schon froh sein, wenn Hermann ihm überhaupt erlaubte, seinen Hof vorübergehend zu verlassen.

»Ich will zugeben, als Kämpfer seid Ihr ein Gewinn«, konstatierte der Landgraf und tauschte dabei einen kurzen Blick mit seinem Marschall Heinrich von Eckartsberga. »Doch zu den Hoftagen kann ich Euch nicht mitnehmen, damit der Meißner nichts von Euch erfährt, und auch in manch anderer Hinsicht seid Ihr ein stetes Ärgernis«, fuhr Hermann fort. »Wie viele Zwischenfälle gab es mit Meuchelmördern, die Euch und Euerm Weib nachstellten und die Ihr getötet habt in den letzten anderthalb Jahren? Drei? Vier?«

Lukas räusperte sich und sah auf. »Sechs, Euer Gnaden.«

»Und habt Ihr dabei den Kerl mitgerechnet, den Ihr zurück nach Meißen jagtet, nachdem ihn Euer Weib zu Tode erschreckte?«

»Mit diesem sieben, Euer Gnaden«, gestand der Getadelte in gespielter Reue. Der siebte war ein solch jämmerlicher Feigling gewesen – vielleicht eingedenk des Schicksals der Männer, die vor ihm geschickt worden waren –, dass Lukas ihn mit Leichtigkeit erkennen und überwältigen konnte. Um endgültig vor Albrechts Nachstellungen Ruhe zu haben, hatte er ihm mit der Drohung den Rest gegeben, dass Marthe ihn mit ihren angeblichen Zauberkräften bis ins Jenseits verfolgen würde, sollte er Albrecht nicht glaubhaft versichern, seine beiden Feinde seien tot. Und eine geheime Nachricht aus Meißen hatte ihm bestätigt, dass die List aufgegangen war.

»Sieben. Ahnte ich es doch«, meinte der Landgraf verstimmt, und ein paar der Männer im Saal lachten. »Ihr bringt die thüringische Gastfreundschaft in Verruf.«

»Das bedaure ich sehr, Hoheit. Es lag nicht in meiner Absicht.«

»Das will ich hoffen! Ihr dürft nach Weißenfels reiten, wenn Ihr meint, das tun zu müssen.«

Hermann bedeutete ihm mit einer Handbewegung, aufzustehen und sich zu entfernen.

Lukas verneigte sich, blieb aber an seinem Platz. Die meisten Männer hätten sich wohl mit dieser Erlaubnis begnügt, nicht aber der Ritter aus Freiberg.

»Danke, Hoheit. Und seid Ihr zu einer Entscheidung gekommen, was den Grafen von Weißenfels betrifft?«

»Ihr kennt meine Entscheidung«, entgegnete Hermann schroff. Sein Gesichtsausdruck ließ keinen Zweifel daran, dass dieses Thema für ihn abgeschlossen war.

Lukas zögerte. Es widerstrebte ihm, die Haltung des Landgrafen in dieser Angelegenheit hinzunehmen. Doch was konnte er tun? Er hatte lange genug versucht, ihn mit Worten umzustimmen. Wenn er jetzt nicht sofort zu seinem Platz marschierte, riskierte er, in Ungnade zu fallen. Dann vermochte er gar nichts für Dietrich zu bewirken. Während seine Gedanken auf der Suche nach einer Lösung kreisten, nahm er aus dem Augenwinkel eine Bewegung aus Marthes Richtung wahr und folgte Hermanns Blick, der plötzlich von etwas festgehalten schien.

Verstohlen sah Lukas zur Seite, zu Marthe. Das letzte Mal, als sie alle Aufmerksamkeit auf sich gezogen hatte, war sie vorgetreten und hatte einen Markgrafen verflucht. Dafür war sie umgehend in Ketten gelegt und ins Verlies geworfen worden. Zugegeben, sie hatte es getan, um ihm, Lukas, das Leben zu retten. Doch in jenem Augenblick wäre er lieber gestorben, als sie Albrechts Schergen ausgeliefert zu sehen.

Was hat sie nun schon wieder vor?, dachte Lukas voller Sorge. So sehr ich sie auch mag – warum kann sie nicht einfach still und brav im Hintergrund bleiben, wie es von Weibern erwartet wird, bei Strafe ihres Untergangs?

Aber Marthe stand nicht auf, um etwas zu sagen und damit für Aufruhr zu sorgen, wie er befürchtete. Sie hatte sich nur eine Winzigkeit im Sitzen aufgerichtet, die Hand über das Herz gelegt und blickte dem Landgrafen direkt in die Augen.

Für die anderen kaum wahrnehmbar, dennoch eine gefährliche Übertretung. Wenn eine Frau einem Mann auf diese Art in die Augen sah, noch dazu einem Höhergestellten, war das ein ungeheuerlicher Verstoß gegen die Sitten, eine Herausforderung.

Am liebsten wäre Lukas aufgesprungen, um sich schützend vor Marthe zu stellen. Aber damit hätte er erst richtig auf den Zwischenfall aufmerksam gemacht, und das würde ihm der Landgraf nie verzeihen. Außerdem konnte er spüren, dass dieser Blickwechsel zwischen Hermann und Marthe einem stummen Zwiegespräch glich, auch wenn sie als Frau niemals ein Wort an den Fürsten würde richten dürfen, sofern dieser sie nicht ausdrücklich dazu aufforderte.

Nach einem endlos scheinenden Moment wandte der Landgraf die Augen ab und warf den Kopf leicht zurück, als könne er das eben Erlebte abschütteln. Nun senkte Marthe den Blick wieder, wie es von einer sittsamen Frau erwartet wurde. Flüchtige Beobachter und die Menschen in den hinteren Reihen hatten von dem Vorfall nichts mitbekommen.

Lukas jedoch wusste genau, dass es Marthes ungewöhnlichem Eingreifen zu verdanken war, wenn Hermann plötzlich zumindest in einem Punkt einlenkte. Sie hatte sein Gewissen berührt.

»Ich gewähre Euch ein halbes Dutzend Männer«, gestand er ihm mit größter Herablassung zu. »Sofern Ihr so viele findet, die bereit sind, Euch nach Weißenfels zu folgen.«

Lukas verneigte sich tief, bevor er aufstand, zu seinem Platz ging, Marthe die Hand reichte und mit ihr die Halle verließ. Immerhin – sechs kampfbewährte Männer durfte er mitnehmen. Und er wusste schon, wen er fragen und wer ganz sicher mit ihm reiten würde.

Freiberg, Herbst 1191

Schmerzerfüllt sah Jonas, Ratsherr und Schmied, auf seine Frau Emma. Johanna, die heilkundige Schwester seines Freundes Karl, hatte ihm gesagt, dass keine Hoffnung mehr bestand, und der Pater hatte der Todkranken schon die Sterbe-sakramente gewährt.

Nun sollte er wohl an ihrem Bett niederknien und gemeinsam mit ihr beten, bis sie ihren letzten Atemzug tat. Stattdessen setz-te er sich auf die Kante des Bettes, nahm Emmas Hände und hielt sie mit seinen umfasst.

»Schau mich nicht so an«, bat seine Frau und drehte den Kopf beschämt beiseite. »Ich war einmal das hübscheste Mädchen im Dorf. Jetzt ist mein Haar fast weiß, und ich bin eine alte Frau.«

Jonas riss sich zusammen, um zu lächeln, und legte seine schwie-lige Rechte an ihre Wange. »Du warst das hübscheste Mädchen im Dorf. Und ich sehe dich heute noch so wie damals: Dein Haar ist kupfergolden, dein Lachen macht mich froh.«

»Wann habe ich zum letzten Mal gelacht?«, fragte sie matt. »Es ist wohl der Kummer, der mich auffrisst ... seit sich hier alles zum Schlimmen gewandelt hat.«

Jonas widersprach nicht. Auszehrung – so nannte Johanna die Krankheit, die etliche ins Grab zog, vor allem Frauen nach zu vielen Entbindungen bei harter Arbeit und kargem Essen. Emma hatte acht Kinder zur Welt gebracht, von denen drei noch leb-ten, aber als Schmied hatte er gut für ihr Auskommen sorgen können. Selbst in schlechten Zeiten musste seine Familie keinen Hunger leiden.

Es war eine andere Not, die sie meinte: die ständige Drohung, die über ihnen schwebte, seit ein gnadenloser Herrscher das Land regierte und diejenigen getötet oder vertrieben hatte, die noch für Gerechtigkeit sorgen wollten.

Müde schloss Emma die Augen. Nach einem Moment, der ihm besorgniserregend lang vorkam, öffnete sie die Lider und sah ihn direkt an.

»Sag mir eines ganz aufrichtig: Hast du es je bereut, dass wir damals unser Dorf verließen und auf diese Reise ins Ungewisse gingen?«

Damals – vor fast fünfundzwanzig Jahren, als sie gemeinsam mit einer Gruppe Siedler aus Franken in die Mark Meißen gekommen waren, um im Dunklen Wald Land urbar zu machen. Die Hoffnung auf ein besseres Leben hatte sie dazu getrieben.

Überrascht blickte Jonas auf seine Frau. Dann zuckte er mit den Schultern und breitete die Arme aus. »Natürlich nicht!«

»Du hättest die Schmiede deines Vaters übernehmen können, wenn du geblieben wärst«, erinnerte sie ihn.

»Und ich wäre Dorfschmied geworden – im besten Fall. Nun bin ich Schmied in einer Stadt, die so groß ist, dass auch unsere Söhne hier ihr Brot mit Hammer und Amboss verdienen können«, sagte er, so fest er konnte angesichts der Verzweiflung, die ihn überkommen wollte.

»Das war damals nicht abzusehen … dass hier einmal Silber gefunden wird und im Handumdrehen aus dem Wald eine Stadt wächst«, hielt Emma entgegen, obwohl ihr das Sprechen schwerfiel. »Denk nur daran, wie gefahrvoll unser Weg war. Wie viele gestorben sind von denen, die damals mit uns in die Fremde zogen. Was du erleiden musstest durch diesen schrecklichen Randolf und seinen Verwalter. Sie hätten dich und Karl fast totgeprügelt.«

Sie fröstelte bei der Erinnerung, und erneut griff Jonas nach ihren eiskalten Händen, um sie mit seinen zu wärmen.

»Prügel oder noch Schlimmeres hätte mich in unserem alten Dorf auch erwartet«, widersprach er, und sie wusste genau, was er damit meinte: Der Burgherr hatte zu viel Interesse an der hübschen Emma bekundet. Deshalb wollten sie lieber in der Fremde ihr Glück versuchen.

Erneut schloss die Frau des Schmiedes die Augen, um die Erinnerungen zu verdrängen: wie der alte Dorfherr sie in sein Bett gezwungen hatte, indem er drohte, Jonas ins Verlies zu werfen, wie sie sich später einem widerlichen, fetten Verwalter hingeben musste, um ihren fast zu Tode geschundenen Mann zu retten.

»Das ist lange her, mehr als ein halbes Menschenleben. Wir hatten keine Ahnung, was uns fern von zu Hause erwartete«, sagte Jonas wehmütig und strich sich durch das dunkle Haar, das inzwischen von weißen Fäden durchzogen war. »Doch wir waren so voller Hoffnung!«

»Voller Hoffnung … weil wir genau spürten, dass uns Christian einmal ein besserer Herr sein wird«, widersprach sie, und plötzlich leuchteten ihre Augen. »Und das war er – gerecht und mit Herz für die einfachen Leute. Er hat für uns gekämpft.«

Jäh erlosch das Leuchten auf ihrem eingefallenen Gesicht. »Darum musste er sterben. Lukas und Marthe wollten sein Werk fortsetzen, doch auch sie bezahlten fast mit dem Leben dafür. Und nun sind sie weit fort von hier …«

»Dennoch: Wir haben ein gutes Leben geführt. Denk nur an unsere Kinder und Enkel!«, versuchte Jonas, sie zu trösten. Er schwenkte den Arm durch die Schlafkammer ihres Fachwerkhauses am Mühlgraben: schmucklos, aber solide gebaut und größer als die meisten Häuser in diesem Viertel. Sie besaßen Truhen voller Leinen und Werkzeug, einen Stall und einen eigenen Brunnen für das Gehöft. Die Schmiede, deren Feuer heute nicht entzündet werden würde, stand ein Stück abseits am Bach.

»Tust du mir einen Gefallen?«, fragte Emma nach einigem Schweigen und tastete nach seiner Hand.

»Jeden, Liebes!«, versprach ihr Mann, ohne zu zögern. Hilfesuchend schaute er um sich und griff nach dem Becher, der auf dem Tisch stand, schob seine Linke unter den Rücken der Sterbenden und richtete sie vorsichtig auf, um ihr etwas Wasser einzuflößen.

Dankbar nahm Emma einen Schluck, nur einen ganz kleinen, weil selbst das Trinken sie anstrengte. Mit geschlossenen Augen genoss sie die Wärme der Hand des Mannes, den sie ihr Leben lang geliebt hatte, dann sah sie ihn an und bat: »Rufst du für mich alle zusammen, die damals mit uns gezogen sind? Gleich jetzt? Ich will noch einmal die Hoffnung dieser Tage spüren, die erwartungsvolle Stimmung, die uns vorantrieb ...«

Jonas war verwundert über diesen Wunsch, doch er ließ sich das nicht anmerken. Schon stand er auf, bat Johanna, die an der Kochstelle wartete, sich um die Sterbende zu kümmern, und lief los. Er würde sich beeilen müssen, wenn seine Frau sie alle noch einmal sehen sollte, obwohl es nicht mehr viele waren.

Kuno und Bertram betraten als Erste das Sterbezimmer, zwei Sergenten der Burgwache.

»Ihr wart damals noch richtige Wildfänge, kaum mehr als zehn Jahre alt und mit nichts als Unfug im Kopf«, begrüßte Emma die beiden matt lächelnd. Unzertrennlich wie immer, auch jetzt noch stets für einen Streich zu haben, obwohl sie längst erwachsene, ausgebildete Kämpfer waren und Bertram vor zehn Jahren bei einem Kriegszug beinahe ein Bein verloren hätte.

»Unfug? Ich kann mich nicht daran erinnern«, erwiderte Kuno keck und strich sich durch sein schwarzes, strubbeliges Haar.

»Waren wir nicht zwei durch und durch brave, folgsame Burschen?«, stimmte Bertram mit gespieltem Protest zu. Für den Moment vergaß er sogar den dumpfen Schmerz in der Narbe an seinem Bein.

Johanna, Kunos Frau, trat lächelnd neben die beiden.

Es klopfte erneut, dann kamen zwei alte Männer herein, die Zwillinge hätten sein können: beide kahl, mit großen Hakennasen, grauen Bärten und Kleidern, die besser waren, als Fuhrleute sie gewöhnlich trugen.

»Du wirst uns wohl dazuzählen müssen, Frau Schmiedin, auch wenn wir erst etwas später zu euch Siedlern gestoßen sind«, meinte mit einer überraschend kraftvollen Stimme Friedrich, der ältere der beiden Brüder, ebenso wie Jonas ein Ratsherr.

Als Nächster trat Johannas Bruder Karl ein, der Bergschmied, der nach dem Rauch des Schmiedefeuers roch und Ascheflocken im Haar hatte. Einst war er gemeinsam mit Jonas grausam bestraft worden, weil er zu Christian hielt. Um ihm Platz zu machen, mussten die anderen zusammenrücken.

Bewegt ließ Emma den Blick von einem zum anderen schweifen. Die kleine Kammer war schon voll, doch das täuschte nicht darüber hinweg, wie wenige Gefährten aus der Zeit des Aufbruchs noch lebten.

»Grete, deine Mutter ... Randolf hat sie erstochen«, begann sie aufzuzählen, zu Kuno gewandt. »Guntram wurde unschuldig gehängt ... Bertha ist am Fieber eingegangen, Gott hab sie selig, Pater Bartholomäus starb, als die Masern uns heimsuchten ... So viele sind von uns gegangen, die damals alles gewagt haben. Ja, Marthe und der Herr Lukas, die leben noch, sofern Gott ein Einsehen hat, aber sie dürfen sich nicht hierherwagen ... Nun ist die Stadt voll von Verzagten, Feigen, Eigensüchtigen und Verrätern. Und jede Hoffnung ist erloschen.«

Es kostete Emma fast übermäßige Kraft, die Hand zu heben und sich die Tränen abzuwischen, die ihr aus den Augen rannen, ohne dass sie es wollte.

In dem nun eingetretenen Moment der Stille hörte sie erneut die Tür knarren.

Ob das etwa Guntram war, ihr Zweitältester, nach dem zu Unrecht gehängten Bergzimmerer benannt? Er hatte als Einziger von ihren Kindern noch nicht Abschied von ihr genommen, weil er als Schmied in Meißen auf dem Burgberg arbeitete und erst heute früh jemand mit der Nachricht dorthin geschickt worden war, dass seine Mutter im Sterben lag. Vor morgen konnte er eigentlich nicht hier sein.

An dem ungeduldigen »Nun macht doch Platz!« erkannte sie die Stimme ihres Mannes.

Kuno und Bertram, Karl, seine Schwester Johanna und die beiden alten Fuhrleute ließen sich von den Nachdrängenden in den hinteren Teil der kleinen Kammer schieben. Überrascht blickte Emma auf diejenigen, die nun eintraten.

»Sieh her, die nächste Generation ist schon nachgewachsen, die genauso viel Hoffnung, Mut und Gewitztheit aufbringt wie wir damals, vielleicht sogar noch mehr unter diesen Verhältnissen«, hörte sie die unverkennbar stolze Stimme ihres Mannes von hinten.

Dann erkannte sie am strohblonden Haarschopf Christian, das erste im neuen Dorf geborene Kind und inzwischen Stallmeister auf der Freiberger Burg, seine Frau Anna, den stämmigen Peter, einst Dieb, nun Großknecht im Haus des Anführers der Burgwachen, und die Burschen, die zusammen mit ihren Söhnen so mancherlei aussheckten, um Bedrängten in der Stadt zu helfen.

Beim Anblick der jungen Leute, die ihr aufmunternd zulächelten, fühlte sie sich, als ob ein Sonnenstrahl ihr Herz erwärmte.

Vielleicht war es falsch von ihr gewesen, die Hoffnung aufzugeben, dass sie in dieser Stadt einmal ein Leben ohne Angst und Sorge führen konnten …

Noch einmal öffnete sich die Tür knarzend. Und nun hörte sie die Stimme ihres Zweitältesten, der eigentlich noch gar nicht da sein konnte: »Was ist denn hier los?«

Guntram zwängte sich durch das Gewühl, offensichtlich mit ein paar kurzen Worten gerade erst von seinem Vater ins Bild gesetzt, wie es um seine Mutter stand. Wieso war er gekommen? Musste er etwa aus Meißen fliehen?

Der junge Schmied – mit rötlichen Haaren wie alle ihre Kinder – versuchte, sich von seinem Erschrecken nichts anmerken zu lassen. Er setzte sich zu ihr wie vorhin sein Vater und küsste ihre Wange.

»Keine Sorge, Mutter. Wir lassen dich nicht allein«, sagte er ungewohnt sanft.

Emma lächelte. Ihr Zweitältester hatte es also doch noch rechtzeitig zu ihr geschafft; das von ihren Kindern, das sie insgeheim am meisten mochte. Vielleicht, weil er so weit weg von zu Hause lebte, vielleicht, weil er seinem Vater am ähnlichsten war: verwegen und nicht so durch und durch besonnen wie Johann, ihr Erstgeborener. Vielleicht aber auch deshalb, weil sie als Einzige von seiner uneingestandenen Liebe wusste, die sich nie erfüllen würde, und ihn deshalb bedauerte.

Das Lächeln blieb auf ihrem Gesicht, als sie ihren letzten Atemzug tat.

Guntram sah auf seine Mutter, bekreuzigte sich und blickte hilflos zu seinem Vater, der sich nun zu ihm durchdrängte, die Hand seiner toten Frau nahm und an sein Gesicht presste, während er leise schluchzte.

Der Sohn schluckte.

»Gott hat dich wohl hierher gesandt, damit du dich von Mutter verabschieden konntest«, meinte Johann bedrückt.

Sein jüngerer Bruder schüttelte den Kopf. »Ganz bestimmt nicht *Gott*«, sagte er bitter und drehte er sich zu Christian und Peter um.

»Ihr müsst sofort jemanden zu Lukas schicken! Graf Dietrich ist aus dem Heiligen Land zurück, und sein Bruder sammelt in Meißen Truppen, um in Weißenfels einzufallen. In drei Tagen will Fürst Albrecht auf den Kriegszug reiten, mit zweihundertfünfzig Mann!«

Zukunftspläne

Johanna durchbrach als Erste das entsetzte Schweigen.

Sie warf ihre blonden Zöpfe nach hinten und sah vorwurfsvoll auf die jungen Männer.

»Was ihr dazu auch bereden müsst – tut es draußen!«, meinte sie energisch. »Aus Ehrfurcht vor der Toten und vor ihm!«

Mit dem Kopf wies sie auf Jonas, der nun am Bett seiner Frau kniete und leise betete.

»Ich übernehme die Totenwäsche. Kümmerst du dich um das Essen, Anna?«

Christians Frau nickte sofort. »Ich könnte auch hier den Haushalt führen, statt in der Burgküche zu arbeiten«, bot sie an.

»Das wäre Jonas sicher eine große Hilfe«, meinte Johanna und wandte sich an den Erstgeborenen des Schmiedes. »Trotzdem, du solltest schnell wieder heiraten. Allein kann auch Anna nicht mit den vielen Kindern und der ganzen Arbeit fertig werden.«

»Kommt mit in den Stall, auf den Heuboden«, schlug Guntram den anderen vor. Er warf einen letzten Blick auf seine Mutter und sprach in Gedanken ein inniges Gebet für ihre Seele. Auch wenn er bei seinen wenigen Besuchen gesehen hatte, wie sie in den letzten Monaten immer mehr zusammengefallen war, traf ihn ihr Tod sehr. Statt mit Gott zu hadern, sollte er wohl lieber dankbar sein, dass er sie noch einmal hatte sprechen dürfen.

Doch die Neuigkeiten, die ihn ausgerechnet heute von Meißen hierhergetrieben hatten, duldeten keinen Aufschub.

Mit der größten Selbstverständlichkeit folgten ihm seine Brüder zusammen mit Christian und Peter auf den Heuboden – dorthin, wo sie sich schon als Kinder getroffen hatten, um Streiche auszuhecken, und später, um insgeheim im Auftrag von Lukas und Marthe den Stadtbewohnern gegen den hartherzigen Burgvogt und die Willkür des Markgrafen beizustehen. Oft war damals auch Clara bei ihnen gewesen, wenngleich das niemand sonst wissen durfte.

Auch Kuno, Bertram und sogar der alte Fuhrmann Friedrich quälten sich ächzend die Leiter hinauf, während sein Bruder Hans an Jonas' Seite blieb, um ihn zu trösten.

»Nun erzähl schon!«, forderte Kuno den jungen Schmied auf und lehnte sich gegen einen Pfosten. Doch Guntram konnte nicht viel mehr sagen als vorhin. In drei Tagen würde Albrecht hier eintreffen und seine Truppen durch einen Teil der Freiberger Mannschaft verstärken.

»Ohne mich«, sagte Kuno lakonisch und verschränkte die Arme vor der Brust.

»Nicht mit mir«, meinte auch Bertram. Er sah den Freund an, verständigte sich durch einen Blick mit ihm und sagte: »Wir reiten nach Weißenfels und schließen uns Graf Dietrichs Truppen an.«

»Ihr könnt hier nicht einfach verschwinden und meine Schwester im Stich lassen!«, rief Karl entgeistert. »Was soll aus Johanna werden? Sie werden sie dafür bestrafen, dass ihr nicht mit in den Krieg zieht.«

»Du verstehst nicht«, widersprach Kuno, so ruhig er konnte. »Du kannst hierbleiben, ein Bergschmied wird bei den Gruben stets gebraucht werden, denn auf das Silber ist Albrecht sehr erpicht. Aber für uns Kämpfer geht es jetzt darum, auf welcher Seite wir in diesem Krieg stehen werden. Und Krieg wird es geben, das ist nun unausweichlich.«

»Es geht jetzt nicht mehr nur darum, eine Nachricht an Lukas oder Graf Dietrich zu überbringen«, ergänzte Bertram. »Entweder wir schlagen uns sofort zu ihnen durch und bleiben dort, oder wir müssen gegen sie ins Feld ziehen!«

»Und meine Schwester? Wollt ihr sie etwa mit euch nehmen in den Krieg?«, regte sich Karl auf.

»Johanna und ich haben uns längst abgesprochen für die Lage, die gerade eingetreten ist«, erklärte Kuno dem verblüfften Karl. »Ihr Plan ist es, dann zu Pater Sebastian zu gehen und ihm vorzubarmen, dass ich mit einer von den Gauklerinnen durchgebrannt sei – und zwar noch bevor hier Truppen aufgestellt werden. Er wird die Sache ganz bestimmt nicht für sich behalten, und so dürfte Johanna außer Verdacht sein. Wenn du sichergehen willst, hol sie und die Kinder in dein Haus.«

Karl verzog das Gesicht. »Was hast du nur aus meinem braven, schüchternen Schwesterherz gemacht?«

Dann sah er Kuno herausfordernd an. »Gut. Ich nehme sie und die Kinder bei mir auf. Dafür werde ich überall verkünden, was für einen windigen Kerl sie geheiratet hat, wenn der sie für eine Gauklerin im Stich lässt.«

Seine Worte ließen die anderen trotz der ernsthaften Lage grinsen.

Peter stach eine Mistgabel in einen Heuhaufen, die ihm im Weg stand, und setzte sich auf eine umgedrehte Kiepe.

»Weißt du, ob dieser Dreckskerl Rutger mit in den Krieg zieht oder hier weiter das Silber im Auge behalten soll?«, erkundigte er sich bei Guntram.

Der hob bedauernd die Schultern. »So weit bin ich nicht eingeweiht. Ich bin nicht gerade ein Vertrauter des Truchsessen ... Vielleicht kommt morgen ein Bote zu ihm und bringt Befehle. Haltet einfach Augen und Ohren auf!«

»Nun, mein tapferer Herr denkt ja inzwischen, er habe mir durch seine Prügel den Ungehorsam ausgetrieben«, meinte Peter spöttisch. »Also werde ich brav an seiner Seite bleiben – ganz gleich, ob hier oder auf dem Feldzug – und die Ohren spitzen.«

»Die Ohren und die Finger ...«, ergänzte Christian, was die Jüngeren in der Runde zum Lachen brachte. Peter, der einstige Dieb und bis zu Rutgers Einzug Großknecht von Lukas und Marthe, hatte es sich zur Aufgabe gemacht, den verhassten neuen Kommandanten der Burgwache um Teile seines beträchtlichen Vermögens zu erleichtern. Und er stellte sich dabei so geschickt an, dass kein Verdacht gegen ihn aufkam. Nur hin und wieder beschwerten sich Rutger und seine Männer, die sich in Lukas' Haus eingenistet hatten, über die offenkundig große Zahl der Beutelschneider in dieser Stadt. Das erbeutete Silber ließen Peter und seine Freunde heimlich Hilfsbedürftigen zukommen.

»Dann werdet ihr zwei also heute noch von hier verschwinden?«, fragte Christian bedauernd. »Was können wir derweil tun?«

»Das Übliche: im Verborgenen bleiben, etwas über die Pläne der anderen herausfinden, den in Not Geratenen helfen«, meinte der alte Fuhrmann Friedrich. »Auch wenn der Kampf vorerst in Weißenfels ausgetragen wird, betroffen sind wir auch hier. Männer müssen in den Krieg, und sicher hat sich Albrecht eine neue Steuer ausgedacht, mit der wir seinen Feldzug bezahlen ... Es besteht keine Hoffnung, dass die Ratsherren mit ihren Bitten um Milde Gehör finden.«

»Das können sie auch nicht, da sie nur hinter vorgehaltener Hand flüstern«, meinte Karl verächtlich, der ebenfalls zu den zwölf Freiberger Consuln gehörte und aus eigener Anschauung wusste, wie wenig Rückgrat die meisten von ihnen besaßen. Nur Jonas, er und Friedrich wagten es, im Rat eine klare Sprache zu führen, was ihnen beträchtlichen Ärger und den Hass der Unterwürfigen einbrachte.

Guntram hatte währenddessen die beiden Burgwachen Kuno und Bertram nicht aus den Augen gelassen. Er warf einen kurzen Blick aus der Fensterluke auf das Gehöft, dann gab er sich einen Ruck. »Ich ziehe mit euch. Zu Graf Dietrich. Ich gehe nicht nach Meißen zurück. Meinem Meister habe ich schon gesagt, dass ich mich anderswo umschauen und bei einem Waffenschmied in die Lehre will. Vater wird also keinen Ärger bekommen, wenn ich nicht wieder auf dem Burghof auftauche. Aber Gott soll mich verdammen, wenn ich auch nur mit einem Handschlag dazu beitrage, dass Albrecht gegen seinen Bruder siegt!«

Kuno hieb ihm auf die Schulter. »Willkommen bei den Abtrünnigen! Du bist dir doch darüber im Klaren, dass Dietrichs Chancen gegen seinen Bruder ziemlich schlecht stehen? Er ist gerade erst aus dem Heiligen Land zurück. Und nach allem, was man hört, sind die meisten tot, die mit dem Kaiser auf diesen Kreuzzug gegangen sind. Er wird also kaum Kämpfer haben, um gegen die meißnische Übermacht zu bestehen.«

»Jedenfalls hat er nun drei Männer mehr«, gab Guntram zurück. Er wäre gern bis zum Begräbnis seiner Mutter geblieben. Aber der bevorstehende Krieg machte diesen Wunsch zunichte.

Zur gleichen Zeit auf dem Meißner Burgberg

D ein Samen soll verdorren, Zorn und Verachtung sollen sich über dich senken. Deine Getreuen sollen sich von dir abwenden, und sterben sollst du von fremder Hand, verhasst von Gott und allen Menschen! Deine Seele ist verdammt in alle Ewigkeit und wird niemals Erlösung finden!«

Albrecht von Wettin, Markgraf von Meißen, konnte ein Schaudern nicht unterdrücken. Musste ihm ausgerechnet jetzt dieser Vorfall wieder vor Augen stehen? Da er doch zu einer Unternehmung aufbrach, die nur zu seinen Gunsten ausgehen konnte dank seiner Überlegenheit an Waffen, Männern, Kriegsgeschick?

Und da ihm sein gelehrter Ratgeber, der Astrologe, immer wieder versicherte, die Frau, die jenen Fluch ausgesprochen hatte, sei längst tot und ihrerseits verdammt, er brauche sich deshalb nicht im Geringsten zu sorgen?

Einen gewaltigen Schrecken hatte diese Hexe Marthe ihm damals eingejagt. Und dass sie spurlos aus dem Kerker verschwunden war, ohne den geringsten Hinweis darauf, wie dies geschehen konnte außer mit Hilfe des Teufels, machte die Sache erst recht bedrohlich. Zumal ihn immer noch die Furcht plagte, sein Vater könne im Jenseits wider ihn sprechen. Sein Vater, der ihm auf dem Sterbebett nicht vergeben hatte.

Doch dann sagte er sich, ebenfalls zum hundertsten Mal: Meine Gefolgsleute werden sich niemals von mir abwenden, sie gehorchen jedem meiner Befehle. Meine Leibwache ist unüberwindlich, gegen Giftanschläge bin ich gewappnet, und niemand wagt es, mir gegenüber auch nur ein Fünkchen Zorn oder Verachtung zu zeigen – dazu fürchten sie mich viel zu sehr. Ich bin Markgraf von Gottes Gnaden!

Er könnte die bohrenden Zweifel vielleicht verjagen, wäre da nicht dieser eine Satz: »Dein Samen soll verdorren …«

Sicher, wer so ein kaltes und langweiliges Eheweib hatte wie er, der sollte sich nicht wundern, wenn ihm sein Schwanz den Dienst versagte. Zwar achtete er darauf, seiner Gemahlin an allen Tagen beizuliegen, die der Astrologe für geeignet hielt, um einen Sohn zu zeugen. Aber der gewünschte Erfolg blieb aus. In den endlos scheinenden Jahren einer von beiderseitigem Widerwillen geprägten Ehe hatte ihm Sophia, die Tochter des Herzogs von Böhmen, zwar eine Tochter geboren, jedoch noch keinen Erben.

Und seit dem Fluch dieser Unheilbringerin Marthe hatte er Mühe, sein Weib überhaupt noch besteigen zu können. Die Hexe hatte ihm die Manneskraft geraubt!

Mit jäh aufflammender Wut hieb er die Faust auf den Tisch, dass es krachte.

Als er aufblickte, sah er, wie zwei Männer sich ihm näherten, die unterschiedlicher nicht sein konnten: der eine groß und kampferfahren, zugleich unschlagbar in Ränken – Elmar, sein Truchsess, sein Vertrauter und Ratgeber, ein Ritter von edler Herkunft, zwanzig Jahre älter als er, mit rötlichem Haar und einem Bart mit hochgezwirbelten Spitzen.

Der andere war von der Gestalt her ein Hänfling, mit einem Kranz aus schütteren weißen Haaren, der unter der schwarzen Bundhaube hervorlugte, und unstet huschenden Augen, doch auf dem Burgberg nicht weniger gefürchtet als der gnadenlose Truchsess – Magister Eustasius, der Alchimist und Sterndeuter.

Die beiden hassten einander inbrünstig, wie sich jetzt wieder an den Blicken ablesen ließ, die sie einander zuwarfen. Doch das kümmerte Albrecht nicht, und er hatte ihnen befohlen, sich gefälligst zu vertragen. Er brauchte sie beide.

Elmar, der Truchsess, schaffte es mit seiner Rücksichtslosigkeit und körperlichen Überlegenheit wieder einmal, als Erster zu ihm zu gelangen und sprechen zu dürfen.

»Zweihundert Mann stehen morgen früh bereit, um mit Euch ins Feld zu ziehen. Und in Freiberg werden wir noch einmal fünfzig dazunehmen, Hoheit«, berichtete er voller Stolz. »Aber so viele bräuchten wir gar nicht. Nach vertrauenswürdigen Berichten ist Euer Bruder mit einem einzigen Mann aus dem Heiligen Land zurückgekehrt, und auf seiner schäbigen Burg sind kaum noch zwei Dutzend ernstzunehmender Kämpfer.«

»Mit nur einem Mann? Das ist gewiss?«

Misstrauisch lehnte sich Albrecht zurück und musterte seinen Truchsess. Dessen Selbstsicherheit, gepaart mit Verachtung für die Gegner, war nicht gespielt. Der durchtriebene Ränkeschmied hatte Spione an vielen Orten.

»Mit nur einem Mann«, bekräftigte Elmar. »Und da er Jerusalem nicht einmal von weitem gesehen hat, kann Euch niemand vorwerfen, sich an einem Wallfahrer zu vergreifen. Er hat seinen Pilgereid nicht gehalten.«

Diese Bestätigung dessen, was sie bereits oft erörtert hatten, besserte Albrechts Laune.

Zufrieden spießte er eine dicke Scheibe von dem Wildbret auf sein Messer, das auf einer Platte vor ihm angehäuft war, und biss in den üppig gewürzten Braten. »Man hört Schreckliches darüber, wie es den Männern auf dem Kreuzzug ergangen ist«, sagte er, bevor er mit einem kräftigen Schluck Rotwein nachspülte. »Aber in ein paar Tagen wird sich mein kleiner Bruder dorthin zurückwünschen.«

»Zweifellos«, bestätigte der Truchsess mit zynischem Grinsen.

»Sofern Ihr ihm überhaupt Gelegenheit zu diesem Gedanken lasst.«

Auf die einladende Geste seines Fürsten nahm auch er sich von dem Fleisch. Bevor er davon aß, sagte er voller Überzeugung: »Gott wird sich auf Eure Seite stellen und nicht auf die eines Eidbrüchigen, daran gibt es keinerlei Zweifel.«

Es war nicht zu übersehen, wie sehr es der Truchsess genoss, dass er sprechen und sogar von dem Braten essen durfte, während der Gelehrte in gebührendem Abstand und demütiger Haltung warten musste. Deshalb beschloss Albrecht sofort, das Verhältnis umzukehren.

»Dann richtet den Männern aus, dass ich von ihnen große Taten erwarte. Sie dürfen Weißenfels und sämtliche umliegenden Dörfer plündern, und für jeden erschlagenen Gefolgsmann meines Bruders setze ich eine Mark Silber Belohnung aus.«

So kostet mich dieser Feldzug nur ein paar Mark, und die hole ich mir morgen in Freiberg, dachte er dabei.

Elmar ließ sich von seinem Verdruss, dass er aus dem Raum gewiesen wurde, nichts anmerken. Alles nur wegen dieses windigen Sterndeuters! Noch vor einem Jahr hätte Albrecht mit ihm auf den bevorstehenden Sieg angestoßen und die Nacht durchgezecht, statt ihn schnöde fortzuschicken. Aber das würde er diesen alten Scharlatan büßen lassen. Im Krieg ergaben sich vielerlei Möglichkeiten, jemanden loszuwerden. Und ob Eustasius tatsächlich in den Sternen die Warnung lesen konnte, dass er demnächst in das Schwert des Truchsessen rennen würde, das bezweifelte Elmar. Zwar hatte der Hänfling durchaus einen gewissen Nutzen, indem er dem Markgrafen manchen Zweifel ausredete. Aber seine mysteriösen Tränke und Weissagungen stimmten ihn höchst misstrauisch.

Mit undurchdringlicher Miene verneigte sich Elmar und verließ den Raum, nicht ohne vorher dem Sterndeuter erneut einen drohenden Blick zugeworfen zu haben.

Immer noch kauend, winkte Albrecht den Gelehrten heran. Der verneigte sich tief und schaffte es gerade so, dabei nichts von dem Gebräu zu verschütten, das er in einem Becher in der Hand trug.

»Die Sterne begünstigen Euer Vorhaben, Durchlaucht! Daran besteht nicht der geringste Zweifel«, erklärte er mit schwülstiger Stimme.

»Und was sagen die Sterne darüber, wann mir endlich ein Sohn geboren wird?«, knurrte Albrecht.

»Sobald Ihr Euern Bruder besiegt und das Erbe des Hauses Wettin unter Eurer starken Hand vereint habt, wird Euch Eure Gemahlin einen Sohn austragen«, versicherte der Sterndeuter beflissen und hob den Becher in Augenhöhe des Fürsten.

»Dieser Trank fördert die Fruchtbarkeit der Markgräfin, und gleich nach Eurer Rückkehr werdet Ihr Euren Samen in ihren Leib pflanzen.«

Also muss ich sie heute nicht besteigen, dachte Albrecht beinahe erleichtert. Hätte er Elmar nicht gerade hinausgeschickt, würde er ihn umgehend damit beauftragen, die beste Hure von Meißen kommen zu lassen.

Noch vor gar nicht allzu langer Zeit hatte ihn wenigstens der Widerwille erregt, mit dem ihn seine Frau im Bett erduldete – erdulden musste. Aber seit dem Fluch dieser Hexe Marthe bedurfte es schon der stärkenden Tränke des Alchimisten und der Geschicklichkeit einer Hure.

Immerhin – dank der Mixturen des Gelehrten war Sophia im Frühsommer schwanger geworden. Doch hatte sie das Kind verloren, noch ehe sich ihr Leib richtig rundete.

»Ruf meine Gemahlin!«, befahl er dem Kammerdiener. Der verneigte sich tief und ging hinaus. Wenig später kehrte er zurück, gefolgt von der Markgräfin.

Die Miene der schönen Sophia von Böhmen war wie versteinert, als sie vor ihrem Gemahl in die Knie sank, ihr Gesicht noch bleicher als sonst.

In den ersten Ehejahren hatte sie versucht, sich wenigstens in Kleinigkeiten gegen ihren Mann zu behaupten, den sie ebenso hasste wie fürchtete, seit er sie in der Hochzeitsnacht roh entjungfert hatte. Aber seit seinem letzten Gewaltausbruch war ihre Angst vor ihm so groß, dass sie in seiner Gegenwart kaum noch ein Wort wagte. Vorsichtig riskierte sie einen schnellen Blick zur Seite, auf das Gesicht des Alchimisten, der darüber entscheiden würde, ob sie heute ihren Mann im Bett ertragen musste. Die Vorstellung allein bewirkte, dass sie am liebsten fortgerannt wäre.

»Nehmt den Trank!«, befahl Albrecht unwirsch. »Betet für meinen Sieg und bereitet Euch darauf vor, nach meiner glorreichen Rückkehr meinen Sohn zu empfangen! Auch dafür solltet Ihr beten.«

Also nicht heute, dachte Sophia unendlich erleichtert. Sie nickte gehorsam und ließ sich von dem Alchimisten das Gebräu reichen. Es schmeckte widerlich. Aber sich zu weigern, es zu trinken, wagte sie nicht. Und wenn sie endlich wieder schwanger würde und einen Sohn gebar, dann würde auch ihr Elend ein Ende haben. Als Mutter eines markgräflichen Erben durfte sie eine respektvolle Behandlung erwarten. Dann könnte sie sich bestimmt auf eines ihrer Hochzeitsgüter zurückziehen, fort von diesem Ungeheuer und seinen unberechenbaren Wutanfällen.

Wäre Albrecht ein guter Mann und sie eine fürsorgliche Ehefrau, hätte sie ihm davon abgeraten, gegen den eigenen Bruder Krieg zu führen, zumal dieser mit dem Kaiser ins Heilige Land gezogen war.

Doch so dachte sie nur: Reite endlich los – und stirb in der Schlacht!

Sie kannte ihren Schwager Dietrich bloß aus der Ferne von Hoftagen, weil sich die Söhne Ottos von Wettin tief verhasst waren und einander mieden. Sie wusste jedoch, dass Albrechts Bruder den Ruf eines tapferen und besonnenen Kämpfers genoss, auch wenn dies niemand in Beisein ihres Gemahls zu sagen wagte. So richtete sich all ihre Hoffnung darauf, dass ihr Schwager in dem nun bevorstehenden Krieg seinen Gegner besiegen, ja vielleicht sogar töten würde. Dazu hatte sie ihren Teil beigetragen – durch eine Warnung an den Weißenfelser. Natürlich so, dass ihr niemand etwas nachsagen konnte.

Sie wusste, dass einer der Ritter ihres Gemahls, Raimund von Muldental, als Anhänger ihrer Schwiegereltern galt, gegen die sich Albrecht erhoben hatte, und als treuer Freund des zum Tode verurteilten Lukas von Freiberg. Dieser Raimund züchtete Pferde; bereits mehrfach war sie auf seinen Ländereien gewesen, um sich unter seinen Stuten die schönste auszusuchen. Als ihr Gemahl sich vor ihr damit brüstete, in weniger als zwei Wochen gegen seinen Bruder zu Felde zu ziehen, kündete sie an, ihm dafür mit Geld von ihrem Wittum den besten Hengst schenken zu wollen, der in der Mark Meißen aufzutreiben sei. Albrecht hatte das als Versuch gewertet, ihr Versagen angesichts der Fehlgeburt wiedergutzumachen, und verlor kein Wort darüber, dass niemand von Verstand ohne Not auf einem Pferd in die Schlacht reiten würde, mit dem er nicht bestens vertraut war.

So bekam sie einen Vorwand, mit ihrem Gefolge ins Muldental zu reiten und dort bei einem unbelauschten Gespräch mit Raimunds Gemahlin die Bemerkung fallenzulassen, der Hengst werde für den in spätestens zehn Tagen bevorstehenden Kriegszug gen Weißenfels benötigt. Das war vor einer Woche gewesen.

Sie war sich sicher, dass Elisabeth ihrem Mann sofort davon erzählen würde und dieser eine Warnung nach Weißenfels schickte. So konnte ihr Schwager gleich bei seiner Rückkehr die Burg in verteidigungsbereiten Zustand versetzen und Truppen aufstellen. Für Albrecht, der mit einem leichten, schnellen Sieg rechnete, würde das eine böse Überraschung werden.

Sterbens soll er!, betete sie stumm. Gott, erbarme dich meiner und schicke diesen Teufel dorthin, wo er hingehört!

Ich hätte doch besser den Grauschimmel nehmen sollen. Das war ein wunderschönes, gut gebautes und temperamentvolles Tier. Doch Raimund hatte gesagt, der Graue sei unverkäuflich und noch nicht fertig ausgebildet.

Am Ende hatte Albrecht alle seine kampfbereiten Pferde für sich gefordert.

Ja, ich hätte darauf bestehen sollen, dass er mir den Grauschimmel gibt. Der wilde Hengst würde das Ungeheuer vielleicht aus dem Sattel werfen und zu Tode stampfen.

Diese Vorstellung half ihr, mit Erlaubnis ihres Gemahls den Saal zu verlassen, nachdem sie das Gebräu ausgetrunken hatte, ohne sich etwas von ihrem Hass anmerken zu lassen. Und auch nichts von der Erleichterung, dass sie heute allein in ihrem Bett bleiben durfte.

Zwischenfall in Freiberg

Befreit von jeglichen Zweifeln, im Hochgefühl nach einer Nacht wilder Ausschweifungen, ritt Albrecht am nächsten Morgen mit zweihundert schwerbewaffneten Männern in den Krieg. Zusammen mit Elmar und Gerald, seinem Marschall, hatte er beraten und angeordnet, dass sie ohne Trosskarren reisten. Alles, was sie brauchten, musste auf Packpferden untergebracht werden. Oder sie würden es sich von den Ländereien seines Bruders holen. Der Tross hielt nur auf, und um schnell voranzukommen, verzichtete er dieses Mal gern auf manche Bequemlichkeit. Er wollte seinen verhassten Rivalen überrumpeln, dessen kärgliche Anhängerschaft überrennen und vernichten, noch bevor sie wussten, wie ihnen geschah. Dafür benötigten sie kein schweres Belagerungsgerät. Seine entschlossenen Ritter und Bogenschützen würden genügen.

Am Nachmittag erreichte der nicht enden wollende Reiterzug Freiberg. Albrecht hätte die fünfzig zusätzlichen Kämpfer auch nach Meißen beordern können, doch hier im reichen Freiberg wollte er sich mit Silber und Proviant versorgen und den kriecherischen Burgvogt noch einmal nachdrücklich ermahnen, auch in seiner Abwesenheit jeden seiner Befehle getreulich zu erfüllen.

Burgvogt Heinrich hatte bereits Tage zuvor Anweisungen erhalten, und so hielt niemand sie auf, als sie das Meißner Tor passierten und zur Burg ritten. Ein paar Gaffer in den Gassen verzogen sich hastig angesichts der furchteinflößenden Streitmacht mit dem markgräflichen Banner. Türen wurden verriegelt, Kinder ins Haus gezerrt, Hühner und ein paar Schweine, die im Schlamm nach Fressen suchten, schleunigst in die umzäunten Höfe getrieben.

Auf der Burg war alles vorbereitet, damit der Fürst und seine Gefolgsleute hier speisen und übernachten konnten. Die fünfzig Bewaffneten, die sich ihnen noch anschließen würden, standen auf dem Hof aufgereiht und begrüßten ihren Feldherrn mit einem kräftigen »Vivat!«, bevor sie vor ihm niederknieten.

Christian, der junge Stallmeister der Burg, hatte am Vortag Order erhalten, alles Nötige für die Ankunft einer solch großen Schar zu veranlassen, auch wenn er angeblich nicht wusste, wohin die Männer reiten würden.

Also hatte er mit Zustimmung des Burgvogtes zusätzlich Futter und Stroh herangeschafft, noch ein halbes Dutzend Stallknechte in Dienst genommen und vor der Burg, gleich hinter den Wällen, ein Stück freies Feld als Koppel einzäunen lassen.

Trotz des Gewimmels von Männern und Pferden schafften es seine Leute, auf dem Burghof einigermaßen für Ordnung zu sorgen. Er selbst kümmerte sich um den Schimmel des Fürsten, den der Burgvogt persönlich am Zügel Richtung Stall geführt hatte, solange Albrecht auf dem Burghof stand.

Christian war heilfroh über den Diensteifer und die Unterwürfigkeit des ansonsten so gnadenlosen Vogtes, denn das ersparte ihm eine unmittelbare Begegnung mit dem Markgrafen. Auch wenn er jetzt als Stallmeister mehr galt als ein Knecht, so konnte er nie sicher sein, dass sich Albrecht nicht doch daran erinnerte, dass er mit diesem besonderen Freiberger eine alte Rechnung offen hatte. Zwar lag das ein Dutzend Jahre zurück, und Christian war nun kein dürrer, zehnjähriger Pferdebursche mehr, sondern ein Mann mit breiten Schultern und starken Armen. Aber zumindest Elmar würde wissen, wer er war und wessen Namen er trug.

»Ob die dicke Vögtin wieder ein paar von den hiesigen Huren für uns auf die Burg geholt hat?«, fragte erwartungsfroh zwei Schritte entfernt von ihm einer der meißnischen Ritter seinen Nebenmann. »Die ich das letzte Mal hier hatte, war wirklich unersättlich.«

»Und wenn nicht – spätestens in drei Tagen sind wir in Weißenfels. Da holen wir uns die Weiber und müssen nicht einmal dafür bezahlen«, meinte der Gefragte mit einem selbstgefälligem Grinsen, wobei er mehrere Zahnlücken offenbarte. Der Gedanke schien ihm zu gefallen, denn schon kratzte er sich unter dem Gambeson.

»Ihr schwatzt zu viel!«, erklang von hinten eine wütende Stimme.

Christian erkannte sofort, wem sie gehörte, und gab sich alle Mühe, den Anschein zu erwecken, nichts von dieser Unterhaltung mitbekommen zu haben. Umsonst. Rutger, Ziehsohn des Truchsessen und dadurch trotz seiner Jugend seit Lukas' Gefangennahme und geplanter Hinrichtung Befehlshaber über die Wachmannschaft der Freiberger Burg, trat mit eisiger Miene näher.

»Da ihr Tölpel ausgeplaudert habt, was keiner wissen soll, sorgt gefälligst dafür, dass dieser Bastard es nicht weitersagen kann«, befahl er den zwei Rittern, die sich mit einem Blick verständigten. Dann zog einer von ihnen seinen Dolch. Christian hatte keine Möglichkeit auszuweichen, weil ihm der Schimmel den Fluchtweg versperrte. Ihm blieb nicht einmal Zeit, Gott in Gedanken um freundliche Aufnahme zu bitten.

»Nicht doch!« Eilig hielt Rutger den Mann zurück, der seine Klinge in die Brust des jungen Stallmeisters bohren wollte. »Er wird für die Pferde gebraucht. Aber zwei Tage in Ketten und eine ordentliche Tracht Prügel sollen ihn davon abhalten, mit dem Erlauschten zu prahlen.«

Ein meckerndes Lachen, dann riss jemand Christian die Arme nach hinten, und der zweite Ritter drosch auf ihn ein, bis er zusammensackte.

Der Vorfall sorgte für Aufmerksamkeit; etliche der Ritter verharrten, um zuzusehen, die Knechte dagegen versuchten, sich möglichst unbemerkt zu verziehen. Niemand von ihnen wagte es, dem bedrängten Stallmeister zu Hilfe zu kommen. Das wäre ein nutzloser Versuch, der nur zu einem weiteren Strafgericht führen würde.

Blut von einer aufgeplatzten Augenbraue rann Christian über die Schläfe, während er sich mühsam wieder hochrappelte. Dabei konnte er der Versuchung nicht widerstehen, Rutger ins Gesicht zu schauen, auch wenn er wusste, dass dies sehr unklug war. Dieses Scheusal stand seinem Vater in nichts nach, was Boshaftigkeit und Grausamkeit anging. Und vom Ziehvater hatte er die Durchtriebenheit und Hinterhältigkeit.

Christian und Rutger waren fast gleichaltrig, beide Anfang zwanzig, und sie hassten einander, wie Rutgers Vater Randolf und der Anführer der ersten Siedler, dessen Namen Christian trug, einander gehasst hatten. Nur hatte der Stallmeister keine Aussicht, es dem Ranghöheren heimzuzahlen. Er war von vornherein der Unterlegene in diesem Zwist.

Das kostete Rutger wieder einmal genüsslich aus.

Er kniff ein Auge leicht zu, dann wuchtete er Christian die Faust in den Unterleib. Der sackte erneut zusammen, nur von den Händen eines der Ritter gehalten, und erbrach seine letzte Mahlzeit auf Rutgers Stiefel.

Randolfs Sohn zog wütend die Reitgerte aus dem Gürtel und hieb sie Christian links und rechts übers Gesicht. Der Stallmeister spürte, wie seine Haut aufplatzte und Blut über seine Wangen lief.

»Los, du Bastard, putz mir die Stiefel!«, brüllte der Ritter einen Halbwüchsigen an, der es nicht geschafft hatte, sich rechtzeitig zu verdrücken. Vielleicht hatte der Junge auch beobachten wollen, was mit dem Stallmeister geschah.

»Und den hier werft ins Verlies!«, befahl Rutger den beiden Rittern. »Dort soll er bis morgen Abend hocken, ohne Wasser und Brot, damit ihm die Lust vergeht, zu prahlen, was er hier aufgeschnappt hat. Der Vogt selbst haftet mir mit seinem Kopf dafür!«

Zwar war der Anführer der Wachen nicht berechtigt, einem Burgvogt Befehle zu erteilen, doch da Rutgers Stiefvater der Truchsess des Markgrafen war, wagte es niemand, darauf hinzuweisen. Und Vogt Heinrich liebte sein Amt so sehr, dass er sich mit niemandem anlegen würde, der als Günstling des Markgrafen galt.

Christian kam die Zeit im Kerker wie eine Unendlichkeit vor. Im untersten Verlies des runden Bergfrieds konnte er nur an den Geräuschen erahnen, die durch die Luke zur Wachstube zu ihm drangen, ob es Tag oder Nacht war.

Große Geschäftigkeit, gebrüllte Rufe und Befehle, das Wiehern von Pferden kündeten am nächsten Morgen vom Aufbruch der Heerschar. Von brennendem Durst und Schmerz gequält, fragte sich Christian, ob der Burgvogt möglicherweise vorhatte, seinen Stallmeister eher wieder an die Arbeit zu schicken, wenn die markgräfliche Streitmacht erst fort war. Doch diesen Gedanken gab er bald auf.

Ob Peter wohl etwas unternahm, um ihm zu helfen? Oder Jonas? Was könnten sie überhaupt tun?

Wir sind für sie wirklich der letzte Dreck, dachte er bitter.

Wenn Christian oder Lukas und Marthe noch hier wären! Sie hätten das nicht zugelassen. Aber nun ist niemand mehr da, der uns schützen kann. Jetzt sind wir vollkommen ausgeliefert. Und nicht einmal Gott will uns helfen.

Da Jonas für das Begräbnis seiner Frau sorgen musste, sprach der Bergschmied Karl sofort nach Aufbruch von Albrechts Streitmacht beim Burgvogt vor, um Gnade für den Stallmeister zu erbitten. Einer der Stallburschen hatte ihm heimlich die schlimme Nachricht überbracht.

»Das kommt nicht in Frage!«, blaffte der stiernackige Vogt aufgebracht über dieses dreiste Anliegen. Mit einer schroffen Handbewegung erstickte er jeden weiteren Einwand des Ratsherrn und wies zur Tür.

Wie hätte ich auch glauben können, dass der es wagt, einem Befehl nicht zu folgen, dachte Karl grimmig.

»Wollt Ihr nicht wenigstens erlauben, dass sich meine heilkundige Schwester um seine Wunden kümmert?«

»Meinetwegen!«, knurrte Heinrich in gespielter Großzügigkeit, der sich sehr wohl überlegt hatte, dass es auf der Burg keinen rechten Ersatz für den tüchtigen Stallmeister gab. »Aber es bleibt dabei – er kriegt nichts zu essen!«

Bevor der Vogt seine Meinung wieder ändern konnte, ging Karl zu seinem Haus, in das er seine Schwester und ihre Kinder aufgenommen hatte, die angeblich von ihrem treulosen Mann und Vater im Stich gelassen worden waren.

Johanna packte zusammen, was sie brauchte; nicht nur Tinkturen und Salben, sondern auch einen Kanten Brot, den sie unter ihrem Kleid versteckte. Karl nahm noch einen Hälfling mit, um den Wachposten gnädig zu stimmen.

Der Plan ging auf. Der Mann über dem Verlies – mürrisch und offenkundig von der Gicht geplagt, wofür ihm Johanna eine lindernde Salbe versprach, um seine Laune zu bessern – gab sich damit zufrieden, einen Blick in den Korb zu werfen und an einer Flasche zu riechen, deren Inhalt nach dem Entstöpseln einen beißenden Gestank verströmte. Dann öffnete er die Luke im Boden und forderte Karl auf, selbst die Leiter hinabzulassen.

Johanna hatte ein Unschlittlicht mitgenommen und gab sich alle Mühe, nichts von ihrem Erschrecken über Christians Aussehen zu zeigen. Sein Gesicht war blutverschmiert und geschwollen, vor Durst konnte er kaum reden. Im flackernden Schein der Flamme drückte sie ihm kühlende Tücher auf die aufgeplatzte Haut, dann träufelte sie eine streng riechende Tinktur darauf, die fürchterlich brannte.

»Hältst du es noch bis heute Abend aus?«, fragte Karl leise, während er dem Jüngeren etwas von dem Wasser reichte, das Johanna vorausschauend in eins ihrer Tonkrüglein gefüllt hatte, in denen sie sonst Heiltränke aufbewahrte.

Er selbst kannte das Verlies nur zu gut; hier hatte ihn Randolf einst so furchtbar foltern lassen, dass er fast gestorben war.

Durstig trank Christian, bis ihm beinahe wieder schlecht wurde, dann versuchte er, den rebellierenden Magen mit einem Bissen Brot zu beruhigen.

»Sagt Anna, sie soll sich keine Sorgen machen!«, meinte er mit gequältem Lächeln. »Und meinem Jungen, er soll den Mund halten, damit er nicht auch noch Ärger bekommt.«

Johanna versprach beides, doch selbst in dem trüben, flackernden Licht konnte er das Mitgefühl in ihren Augen sehen. Wie sollte sie die junge Frau dazu bringen, sich nicht um ihn zu sorgen? Und wie einen Sechsjährigen, zu schweigen, obwohl seinem Vater solches Unrecht zugefügt wurde?

»Es hat vielleicht auch sein Gutes, dass Albrecht seinen Bruder überfallen will«, flüsterte Christian, damit der Wachposten oben davon nichts mitbekam. »Graf Dietrich ist gewarnt, Lukas wird an seiner Seite reiten, und womöglich bereiten sie gemeinsam diesem Ungeheuer, seinem Truchsess und dessen Stiefsohn eine richtige Schlappe. Zur Hölle sollen sie sie jagen!«

Nun musste sogar Johanna lächeln. Karl allerdings verkniff sich die Frage, wie sich wohl Dietrich und Lukas gegen die Übermacht ihrer Feinde behaupten sollten.

Vogt Heinrich wartete tatsächlich bis kurz vor Einbruch der Dämmerung, ehe der Stallmeister den Kerker verlassen durfte, Der Knecht, der die Leiter hinabließ und Christian zurief, er könne jetzt hochkommen, zeigte sogar so etwas wie Bedauern angesichts des Geschundenen, als er ihn wieder an die Arbeit schickte. Trotz seiner Jugend war Christian ein angesehener und geschätzter Mann unter den Leuten auf der Burg.

Wortlos lief er zu den Stallungen, bemüht, sich nichts von seinen Schmerzen ansehen zu lassen. Dort wartete bereits ein halbes Dutzend der Pferdeknechte auf ihn, von denen ihm einer einen Krug mit dünnem Bier reichte, ein anderer ein Stück Brot, das er sich vielleicht vom Frühmahl abgespart, vielleicht aber auch einer der Backmägde abgeschwatzt hatte. Durstig trank Christian den Krug halb leer, dann hielt er inne und musterte die Männer kurz, die ihn fragend und mitleidig anstarrten.

»An die Arbeit!«, mahnte er leise. »Bevor es den nächsten Ärger gibt.«

Schon griff er selbst nach einer Heugabel und schüttete dem nächststehenden Hengst frisches Stroh ein. Das Brot würde er später essen. Bestimmt gab es diesen oder jenen, der ihn auf Befehl des Vogtes genau beobachtete.

Geheime Pläne

Es war kurz vor Einbruch der Nacht, als ein Bote auf den Burghof ritt, unauffällig, doch in gutes Tuch gekleidet und mit ausgezeichneten Waffen, und den Vogt zu sprechen verlangte.

Als Christian, der ihm das Pferd abnahm, fragte, wen er melden solle, zeigte der Fremde, dessen linkes Augenlid zerfetzt war, ein Siegel vor.

»Du wirst darüber schweigen!«, befahl der Gast. Christian nickte und ging voran, um ihm den Weg zu weisen.

Vor der Kammer des Vogtes zog er sich zurück. Soll Heinrich selber sehen, wie er mit dem Boten des Kaisers zurechtkommt, dachte er nicht ohne Schadenfreude.

Eifrig wollte der überraschte Burgvogt schon veranlassen, dass dem kaiserlichen Boten ein angemessener Empfang bereitet werde, doch der hielt ihn mit einer Geste davon ab und schickte die Bediensteten und auch Heinrichs rundliche Gemahlin Ida hinaus, die beleidigt die Kammer verließ.

»Mein Besuch ist vertraulich«, erklärte er mit einer Miene, die im Vogt sofort ein überaus unbehagliches Gefühl aufkommen ließ.

»Ja, natürlich …«, murmelte Heinrich und fuhr mit der Hand über den Nacken, um sich den Schweiß abzuwischen, der ihm auf einmal dort stand.

Da kein Diener mehr in der Kammer war, übernahm er es selbst, dem kaiserlichen Gesandten Wein einzuschenken. Dies war kein normaler Bote, das ließ sich schon an den kostbaren Kleidern und Waffen des Mannes erkennen.

Ohne eine Miene zu verziehen, trank der Fremde einen Schluck und heftete seinen Blick auf den Burgvogt.

Dem wurde immer unwohler.

»Ihr seid ein Mann, der treu seine Pflicht und sein Amt erfüllt«, eröffnete der Gast das Gespräch.

»Gewiss«, versicherte Heinrich eifrig. Woher konnte der Kaiser das wissen, da er doch nie in die östlichen Marken kam? Andererseits war Markgraf Albrecht bis vor kurzem noch mit dem Staufer in Italien gewesen.

Der Vogt fragte sich, ob der Kaiser Kenntnis davon besaß, dass einer seiner Fürsten gerade gegen den eigenen Bruder zu Felde ritt. Hatte am Ende gar dieser rätselhafte Besuch damit zu tun? Es war durchaus möglich, dass Albrechts Kriegszug bei Hofe als Landfriedensbruch gewertet wurde. Ihm wurde immer mulmiger bei diesem Gedanken, und das konnte er kaum noch vor dem Boten verbergen.

»Unser Kaiser, der den gleichen Namen trägt wie Ihr, will sich vergewissern, dass er voll und ganz auf Eure Ergebenheit zählen kann angesichts der unruhigen Zeiten, die angebrochen sind ...«

Also weiß er von dem Kriegszug gegen Weißenfels, überlegte Heinrich besorgt. Aber das kann er mir nicht anlasten ... Ich bin schließlich nicht dabei ...

»Natürlich«, stammelte er hastig.

»Es wird Euer Schaden nicht sein, wenn Ihr das unter Beweis stellt – und zwar durch regelmäßige Geheimberichte an den kaiserlichen Hof über alles, was in der Mark Meißen vor sich geht, den Schutz des Freiberger Silbers und absolute Verschwiegenheit in dieser Angelegenheit gegenüber Albrecht von Wettin.«

Der Schreck fuhr Heinrich mächtig ins Gedärm. Aber ihm blieb nichts anderes übrig, als zuzustimmen. Jetzt steckte er wirklich in der Klemme. Der Kaiser war weit weg, was scherte den ein einfacher Vogt in der Mark Meißen? Doch hatte er den längeren Arm. Und den erhabeneren Titel natürlich.

Der Besucher nickte zufrieden, stellte den Becher ab, drehte sich um und ging schon wieder hinaus. Er hatte sich während seines Aufenthaltes noch nicht einmal gesetzt.

Erst langsam erwachte Heinrich aus der Starre, allerdings weniger weil er seine Fassung wiedergewann, sondern wegen einer unliebsamen Reaktion seines Körpers. Der kaiserliche Gesandte konnte noch nicht einmal wieder den Burghof betreten haben, als sich im Palas etwas Außergewöhnliches ereignete: Vogt Heinrich, der Mann, dessen Wutausbrüche in der ganzen Stadt und auf der Burg gefürchtet waren, vor dem jedermann hier zitterte, abgesehen von seiner Frau, stürzte auf die Heimlichkeit und schiss sich die Angst aus den Därmen. Und dabei überlegte er, wie er wohl die Forderung des kaiserlichen Boten vor seiner ebenso neugierigen wie schwatzhaften Gemahlin Ida geheim halten sollte.

Ungeduldig betrachtete Albrecht am Morgen nach der Abreise von Freiberg, wie sich seine Truppen für den erneuten Aufbruch vorbereiteten. Am nächsten Tag würden sie Weißenfels erreichen. Ein Knappe hatte seinen Schimmel bereits gesattelt und wartete ängstlich einige Schritte von ihm entfernt, ohne sich näher heranzuwagen.

Albrecht ignorierte ihn. Ihm war nicht entgangen, dass gerade zwei schnelle Reiter im Lager eintrafen und seinen Marschall aufsuchten – zweifellos die Späher, die vorausgeschickt worden waren, um die Lage in Weißenfels zu erkunden. Er wollte hören, was sie zu berichten hatten, bevor er in den Sattel stieg. Nicht, dass er Zweifel am Gelingen seines Vorhabens hegte – dazu war ihre Übermacht einfach zu groß; dem hatte sein Bruder nichts entgegenzusetzen. Aber vielleicht ließen sich aus dieser oder jener Neuigkeit noch Vorteile ziehen, die seinen Sieg vollkommen machen würden. Und was es auch für Nachrichten sein mochten, sie waren mit Sicherheit nicht für jedermanns Ohren bestimmt.

Also blieb er mit gespielter Gleichgültigkeit stehen und ließ sich sogar noch einmal den Becher von seinem Schenken füllen, einem fetten Ritter namens Giselbert.

Richtig, nach einem kurzen Wortwechsel der Reiter mit dem Marschall kam dieser mit eiligen Schritten auf ihn zu; die beiden Späher folgten ihm in gebührendem Abstand.

Gerald, der Marschall, Ende dreißig, blond und noch nicht wieder vermählt, seit seine Frau vor einem Jahr unter rätselhaften Umständen gestorben war, und ganz nebenbei der ungeliebte Schwager von Lukas, sank vor ihm auf ein Knie. Er gab sich keine Mühe, den besorgten Ausdruck auf seinem Gesicht zu verbergen.

»Mein Fürst, wie es aussieht, werden wir bereits erwartet«, sagte er mit verhaltener Stimme und blickte dabei misstrauisch nach links und nach rechts, als würde dort der Verräter stehen, der Dietrich gewarnt hatte. Vielleicht verhielt es sich sogar so. »Der Weg zur Burg hinauf ist schmal und doppelt gesichert, die Straße, die dorthin führt, wird mit Verhack versperrt, sagen meine Kundschafter.«

Diese Nachricht kam für Albrecht nicht unerwartet. Er wusste, dass es in Meißen und vor allem in Freiberg von Leuten nur so wimmelte, die insgeheim bereit waren, sich auf die Seite Dietrichs zu schlagen und diesen zu warnen. Der Aufbruch seiner Streitmacht konnte nicht unbemerkt geblieben sein. Doch das kümmerte ihn heute nicht. Den Sieg würde ihm trotzdem niemand streitig machen können.

»Nun schaut nicht so missmutig drein!«, meinte er deshalb ungewohnt großzügig zu seinem Marschall. »Ich hatte ohnehin nicht vor, mich mit all meinen Männern den Pfad zur Burg hinaufzuschlängeln.«

Er beugte sich ein wenig vor, und seine Augen leuchteten voller Triumph. »Wir reiten einen Großangriff in breiter Linie und vernichten alles und jeden, der sich uns in den Weg stellt!«

»Ein Angriff in breiter Linie – das ist bei diesem Gelände nur an der Furt möglich«, gab der Marschall zu bedenken, der sofort begriff, was sein Dienstherr plante.

»Genau dort!«, stimmte Albrecht zu. »Mindestens drei Dutzend gepanzerte Reiter nebeneinander, die anderen dicht dahinter … So preschen wir durch den Fluss und brennen alle Häuser nieder, sobald wir die Furt passiert haben. Wenn das die Handvoll Leute auf meines Bruders Burg sehen, wird ihnen die Lust vergehen, uns Widerstand zu leisten.«

Gerald stellte in Gedanken bereits die Kämpfer auf. »Das heißt, wir müssen einen Umweg über Merseburg reiten, um uns Weißenfels von Norden her zu nähern.«

»Das ist es mir wert«, antwortete Albrecht, der diesen Umstand längst in seine Überlegungen einbezogen hatte. »Außerdem wird uns niemand aus dieser Richtung erwarten.«

Elmar, der wieder einmal wie aus dem Nichts an Albrechts Seite aufgetaucht war, als der Marschall Bericht erstattete, zog zweifelnd die Augenbrauen hoch.

Dieser Plan kostet uns beinahe einen halben Tag, wollte er einwenden, und es ist nicht sicher, dass wir dort nicht ebenso erwartet werden. Dietrich ist nicht dumm, ich an seiner Stelle würde mich auch gegen einen Angriff von der Furt aus wappnen. Aber ein strenger Blick seines Fürsten hielt ihn davon ab, das auszusprechen.

Anderthalb Jahre unangefochtener Regentschaft hatten Albrecht noch hochfahrender werden lassen. Immer häufiger reagierte er abweisend oder sogar wutentbrannt auf die früher geschätzten Ratschläge Elmars. Der Markgraf legte Wert darauf zu zeigen, dass er keinen Rat mehr brauchte – schon gar nicht in militärischen Dingen.

Gerald verneigte sich und schritt mit Erlaubnis des Fürsten davon, um ein paar Kommandos zu geben und selbst aufzusitzen. Auch Elmar entschied, vorerst nichts zu sagen. Sie hatten nichts zu verlieren außer ein wenig Zeit. Es würde tatsächlich mehr Eindruck auf die verängstigten Weißenfelser machen, wenn sie wie eine Sturmwelle in die Siedlung fluteten, statt sich hintereinander den Pfad durchzuschlagen.

Ein Hornsignal sammelte die Männer. Augenblicke später saßen alle in den Sätteln und galoppierten los, beflügelt von der Aussicht, morgen vor dem Fürsten Ruhm zu erwerben und kräftig zu plündern.

Wiedersehen in Weißenfels

Eine Reitergruppe – sieben gerüstete Männer und eine zierliche Frau – näherte sich der Furt, an der etliche Menschen damit beschäftigt waren, dicke Steinbrocken und umgestürzte Bäume mit gewaltigem Wurzelwerk in das Wasser zu wälzen.

Der Anführer der kleinen Schar, ein Ritter Ende dreißig mit hellem Bart auf einem temperamentvollen Fuchshengst, begriff sofort, was hier geschah. Dietrich schien damit zu rechnen, dass sein Bruder den Ort mit breiter Front überrennen wollte – und das ging nur an der Saalefurt, auch wenn er dafür einen Umweg in Kauf nehmen musste. Da Weißenfels noch sehr jung war, im Grunde genommen nur ein Marktflecken und ein paar Siedlungen ohne starke Verteidigungsanlagen, abgesehen von der Burg auf dem hellen Felsen, wollte Dietrich die Gegner wohl gleich hier am Fluss abfangen. Am Ufer, links und rechts der Furt, errichteten mehrere Dutzend Männer Palisaden als Deckung für die Bogen- und Armbrustschützen. Die Hindernisse im Wasser würden die feindlichen Truppen zwingen, ihr Tempo zu verlangsamen, so dass die Schützen und Schleuderer bereits hier einen Teil der Angreifer kampfunfähig machen konnten, bevor sie sich auf die Burg zurückzogen.

Klug überlegt, Junge, dachte Lukas und konnte ein anerkennendes Grinsen nicht verbergen. Er richtete den Blick auf seine

Frau, die mit leicht zusammengekniffenen Augen die Gruppe der Männer am Fluss absuchte, ohne denjenigen erkennen zu können, nach dem sie so dringend Ausschau hielt.

Lukas wusste natürlich, nach wem Marthe spähte, und versuchte ebenfalls, Thomas am Saaleufer zu entdecken. Doch aus der Entfernung sahen die Männer beinahe gleich aus. Sie unterschieden sich nur dadurch, dass die einen in Rüstung am Ufer standen, die anderen spärlich bekleidet im Fluss, um die Hindernisse in der sanften Strömung unverrückbar zu plazieren. Eine Gruppe Männer in einfachen Bauernkitteln mit Äxten und Schaufeln und zwei mit Holzstämmen beladene Ochsenkarren zeugten davon, dass auch die Bewohner von Tauchlitz – der Siedlung unterhalb der Burg – halfen, sich auf den Angriff vorzubereiten.

»Da ist er!«, rief Lukas Marthe zu und streckte die Hand aus.

Erleichtert starrte sie in die gewiesene Richtung. Tatsächlich – ihr ältester Sohn! Mit triefend nassem Haar schlüpfte er gerade wieder in den Gambeson. Wahrscheinlich hatte er bis eben noch im Fluss gestanden.

Er ist so mager geworden, war ihr erster, bekümmerter Gedanke. Und so düster …

Thomas schien sie noch nicht bemerkt zu haben, sondern raunzte gerade ein paar Burschen an, dem Alter und der Kleidung nach Knappen.

Vorsichtig lenkten Lukas und seine Begleiter ihre Pferde durch die Furt, immer wieder nach links und rechts ausweichend, um die Hindernisse zu umgehen.

Er hielt auf Norbert von Weißenfels zu, der den Aufbau der Verteidigung leitete, und begrüßte ihn.

»Ein guter Plan!«, meinte Lukas anerkennend. »Wenn Albrecht glaubt, hier ungehindert durch die Furt galoppieren zu können, wird er eine herbe Enttäuschung erleben.«

Der Weißenfelser dankte mit einem knappen Lächeln für das Lob und fragte erstaunt: »Wie konntet Ihr so schnell davon erfahren? Unser Bote dürfte jetzt noch nicht einmal in Eisenach eingetroffen sein.«

Lukas verzog grinsend einen Mundwinkel. »Ich habe meine Quellen … Landgraf Hermann gestattete mir, zu euch zu reiten, und gab mir ein halbes Dutzend Männer mit, thüringische Ritter.«

»Gesegnet sei er, und Ihr auch für Eure Voraussicht!«, sagte der Anführer der Weißenfelser Wachmannschaft erleichtert, während er den Thüringern zunickte. »Wir brauchen hier jeden, der im Kampf erprobt ist.«

»Könnt Ihr dennoch für einen Moment meinen Stiefsohn entbehren? Seine Mutter wird es kaum erwarten, ihn in die Arme zu schließen.«

Norbert von Weißenfels winkte einen seiner Leute herbei. »Der junge Christiansdorfer soll die Gäste zu Graf Dietrich geleiten!«, wies er an.

Der Mann lief sofort los, während Lukas absaß und Marthe aus dem Sattel half.

Keinen Moment zu früh; zwei Augenblicke später war Thomas bei ihnen. Er schaffte es nicht einmal, seinen Stiefvater zu begrüßen, denn schon war ihm Marthe um den Hals gefallen, auch wenn sie sich dafür auf die Zehenspitzen stellen musste.

Wortlos presste sie sich an ihn, während er einen hilflosen Blick auf Lukas warf, der zufrieden in sich hineinschmunzelte.

Sie ist noch schmaler und zerbrechlicher, als ich sie in Erinnerung habe, dachte Thomas, während er seine Mutter sanft an sich drückte. Was muss sie durchlitten haben in all der Zeit? Sofort beschloss er, ihr nichts von dem Grauen zu erzählen, das er auf dem Kreuzzug erlebt hatte und das ihn immer noch ausfüllte. Auch wenn er es wohl nicht lange vor ihr verbergen konnte. Stärker noch als Clara hatte seine Mutter die Gabe, anderen bis ins tiefste Innere ihres Herzens zu schauen.

Vorsichtig löste er sich und strich ihr über die Wange. »Geht es dir gut? Und meinen Brüdern?«

»Ja«, antwortete sie strahlend. »Sie sind wohlauf und wachsen, dass man dabei beinahe zuschauen kann. Aber ...« Das Leuchten in ihren Augen erlosch. »Was ist mit Roland?«

Sie weiß es, dachte Thomas beklommen.

»Ich hole mein Pferd, dann reiten wir zur Burg«, sagte er und wandte sich rasch ab, um zur Koppel zu laufen. So konnte er sein Gesicht vor Lukas und Marthe verbergen. Sonst würde er bei der Erinnerung daran, wie elendig und sinnlos der Freund gestorben war, womöglich losheulen. Und noch weniger als vor seinem mit allen Wassern gewaschenen Stiefvater wollte er hier vor seiner Mutter Tränen zeigen. Dann würde sie sofort wissen, wie es tatsächlich um ihn bestellt war.

Mit den wichtigsten Neuigkeiten schon auf dem kurzen Weg zur Burg versorgt, ließen sich Lukas und Marthe bei Graf Dietrich melden. Thomas ritt zurück zur Furt. Sie rechneten spätestens morgen mit dem Angriff, vielleicht sogar heute, und es gab noch viel zu tun.

Die Burg war voll von Menschen, die hier Zuflucht suchten: Bauern aus den umliegenden Dörfern, die ihr bisschen Habe mitgebracht hatten, eine Ziege oder einen Scheffel Korn, Handwerker mit ihrem Werkzeug. Misstrauisch beäugten sie die bewaffneten Fremden.

Dietrich war bereits in voller Rüstung, nur die Kettenhaube hatte er zurückgestreift, und besprach auf dem Hof etwas mit einigen Rittern, die ebenfalls zum Aufbruch bereit wirkten.

»Gott sei es gedankt, Ihr seid gesund zurück!«, brachte Lukas hervor, als er und Marthe vor dem Grafen auf ein Knie sanken.

»Bitte, erhebt Euch!«, sagte Dietrich rasch und ging auf beide zu. Er half Marthe auf, dann packte er Lukas bei den Armen. »Ich stehe tief in Eurer Schuld. Ihr habt mir Euern Sohn geschickt, damit der Kaiser von der Gefangennahme meines Vaters erfuhr. Und ich weiß, was Ihr erleiden musstet ...«

Nun richtete er seinen prüfenden Blick auf die sechs Thüringer, die Lukas und Marthe begleiteten und ebenfalls vor ihm niedergekniet waren. Jemand in seiner Position war darauf angewiesen, Gesichter wiederzuerkennen, auch wenn er sie nur einmal gesehen hatte; und diese hier hatte er schon gesehen. Aber wo?

»Ihr traft uns vor Akkon, Graf, als Ihr gemeinsam mit dem Herzog von Schwaben unseren Fürsten Ludwig aufsuchtet, Gott sei ihren Seelen gnädig«, ergriff der Älteste das Wort und bekreuzigte sich. Dabei sah Dietrich, dass ihm drei Finger an der rechten Hand fehlten, und sofort hatte er das Bild wieder vor Augen: Gleich nach ihrer Ankunft im von Hunger und Seuchen geplagten fränkischen Lager waren er und Friedrich von Schwaben zum todkranken thüringischen Anführer des Heeres gegangen, der nur noch auf diesen Moment gewartet hatte, bevor er die Heimreise antrat und wenige Tage später auf Zypern starb. Diese Männer – damals furchtbar abgemagert und mit blutendem Zahnfleisch – hatten vor dem Zelt gewacht und, wie er später erfuhr, mit Thomas und Roland ein schonungslos offenes Gespräch über das Versagen des einstigen Königs von Jerusalem geführt, Guido von Lusignan.

»Bruno von Hörselberg«, stelle sich der alte Ritter vor. Den Mann neben ihm erkannte Dietrich am Wappen, einem Widderhorn.

»Hermann von Salza?«, vergewisserte er sich.

Dieser, etwa im gleichen Alter wie der Graf, nickte. »Lukas musste uns nicht erst lange überzeugen, Euch zur Seite zu stehen. Verdammt will ich sein, wenn wir tatenlos zusehen, dass jemand einen Pilgerfahrer angreift, der wie wir im Heiligen Land gekämpft und gelitten hat!«

»Dafür danke ich Euch«, sagte Dietrich mit ehrlicher Freude. »Geht und lasst Euch von meinem Verwalter ein Quartier zuweisen und etwas zur Stärkung geben! Und vom Burgkommandanten Knappen zuteilen. Ihr durftet keine mitnehmen, wie ich sehe.«

Marthe und Lukas bat er, ihn zu begleiten.

Er führte die beiden Gäste hinauf in seine Kammer und wies einladend auf die Bank, damit sie sich setzten. Ein Diener schenkte ihnen Wein ein und zog sich auf ein Zeichen seines Herrn zurück. Dietrich allerdings sah erst noch einmal aus dem Fenster, bevor auch er zum Tisch kam. Lukas ahnte, wonach er Ausschau hielt.

Der Graf von Weißenfels hob seinen Becher. »Auf das Seelenheil derer, die nicht aus dem Heiligen Land zurückgekehrt sind«, sagte er düster. »Und darauf, dass heute kein neues Blutvergießen beginnt!«

Sie tranken, für eine Weile sagte niemand ein Wort. Jeder von ihnen hatte tausend Fragen auf dem Herzen, dennoch spürte jeder von ihnen, dass jetzt nicht der Moment dafür war.

Bis Dietrich die Stille zerriss: »Ist es wahr, was man sich über Tusculum erzählt?«

Lukas nickte mit finsterer Miene. »Wenn Ihr damit meint, dass Heinrich von Staufen den Ort niederbrennen und dem Erdboden gleichmachen ließ, in dem bisher jede Gesandtschaft aus dem Kaiserreich Quartier genommen, in dem jede staufische Streitmacht vor Rom ihr Lager aufgeschlagen hat, nur um zum Kaiser gekrönt zu werden – ja, es ist geschehen! Das war der Preis, den der Papst forderte, und Heinrich hat ihn ohne Zögern bezahlt.«

Das Ungeheuerliche hatte sich während des Osterfestes ereignet. Und das erbarmungslose Ende jenes kleinen, einst dem Kaiser zuverlässig ergebenen Ortes vor Rom, der dem Papst schon lange ein Dorn im Auge war, rief selbst in der staufertreuen Ritterschaft Ablehnung hervor.

Dietrich starrte für einen Augenblick auf einen unbestimmten Punkt in der Ferne, dann hieb er mit der flachen Hand auf den Tisch – ein unerwartet heftiger Gefühlsausbruch, denn im Gegensatz zu seinem Vater und seinem Bruder galt der Graf von

Weißenfels als Vorbild an Beherrschung und höfischem Benehmen.

»Im Heiligen Land habe ich unter Christen so viel Verrat, so viel
Unfähigkeit und Gier erlebt, dass es selbst dem Hartgesottens-
ten die Kehle zuschnürt«, sagte er, und seine Stimme bebte vor
Zorn. »Jetzt bin ich zurück, und als Erstes höre ich, dass mein
eigener Bruder auf Kriegszug gegen mich reitet und mein obers-
ter weltlicher Lehnsherr sein Kaisertum auf einer so schändli-
chen Tat begründet. Kein Wunder, dass Gott sich von uns ab-
wendet, dass er uns den Weg nach Jerusalem versperrt!«

In Dietrichs Gesicht stand so viel Abscheu, wie Lukas es bei ihm
nur einmal vor vielen Jahren gesehen hatte: im Krieg gegen
Heinrich den Löwen, bei der Begegnung mit den Brabanzonen,
dem berüchtigsten Söldnerheer der christlichen Welt, das ausgerechnet ein Erzbischof in Sold genommen hatte.

»Wie soll ich einem Kaiser Gefolgschaft leisten, der solch eine
Schuld auf sich geladen hat?«

Da steckst du in derselben Klemme wie ich, dachte Lukas bitter.
Entweder du folgst deinem Lehnsherrn gegen dein Gewissen, du
gehst ins Exil – oder du widersetzt dich und verlierst den Kopf.

Zu niemandem sonst würde Dietrich so offen sprechen, das
wusste Lukas ebenso wie Marthe. Nur sehr wenige Menschen
ahnten, welche Leidenschaft hinter seiner beherrschten Miene
loderte. Lukas gehörte zu diesen wenigen – trotz des Standesun-
terschiedes. Als bester Freund und Nachfolger Christians war er
so etwas wie ein älterer Bruder für Dietrich, beinahe wie ein
Vater, zumindest jedoch ein zuverlässiger Ratgeber. Sie hatten
vier Jahre gemeinsam in Christians Haushalt verbracht, waren
zusammen in den Krieg gegen den mächtigen Welfenherzog
Heinrich den Löwen geritten und dabei mehrfach dem Tod nur
knapp entronnen. Das ließ sie einander so gut verstehen.

»Betrachtet es als Glück, dass Ihr kein Fahnenlehen des Kaisers
haltet, sondern eine Grafschaft aus wettinischem Besitz«, mein-

te Lukas vorsichtig. Dahinter standen ungesagt die Worte: Dann könnt Ihr Euch von diesem Kaiser fernhalten, so gut es geht.

Wieder warf Dietrich einen Blick zum Fenster. Doch noch stieg kein Rauch am Horizont auf.

»Also schickt mir Landgraf Hermann mit Euch ein halbes Dutzend kampferfahrener Männer«, wechselte er abrupt das Thema.

»Und selbst dazu konnte er sich nur mit Mühe durchringen«, berichtete Lukas. »Der Streit zwischen Euch und Eurem Bruder ginge ihn nichts an, meint der Landgraf von Thüringen.«

»Dieser Streit wird ihn spätestens dann etwas angehen, wenn Albrechts Truppen thüringisches Gebiet verwüsten. Das weiß Hermann so gut wie ich«, entgegnete Dietrich ungehalten. »Was verspricht er sich davon? Was will er dafür, dass er mich unterstützt? Land? Silber? Gefolgschaft? Soll ich ihm einen Lehnseid schwören?«

Lukas holte tief Luft und sah Dietrich ins Gesicht. »Er will Euch als Schwiegersohn«, gab er die Botschaft des Landgrafen weiter, so ruhig er konnte. »Sobald Ihr Euch mit seiner Tochter Jutta verlobt, schickt Hermann zweihundert Mann unter Waffen.«

Ungläubig starrte Dietrich auf die beiden Gäste. Plötzlich ergaben die früheren Andeutungen und Ausflüchte von Clara einen Sinn.

»Diese Jutta ist doch noch ein Kind! Höchstens fünf oder sechs Jahre alt«, brachte er heraus.

»Sie ist acht«, berichtigte ihn Marthe sanft. »Sie ist kein besonders schönes Kind, und Hermann ist wohl in Sorge, sie nicht gut verheiraten zu können. Aber sie ist sehr klug für ihr Alter, und vielleicht entwickelt sie sich mit der Zeit noch zu einer Schönheit. Ihr Vater würde sich vorerst mit einer Verlobung zufriedengeben.«

»Nein!« Schroff schob Dietrich seinen Becher beiseite, als könne er damit auch das Angebot des Landgrafen von sich weisen.

Marthe wollte etwas sagen. Sie mochte die kleine Tochter des Landgrafen, aber zugleich fühlte sie tiefes Mitleid mit den zwei Menschen, die hier aus politischen Zwängen und dem Kalkül des Landgrafen heraus eine Ehe eingehen sollten, obwohl sie nichts miteinander verband, als dass ihre Väter dem Fürstenstand angehörten.

»Ich wollte Euch beide heute um Claras Hand bitten – in aller Form«, erklärte Dietrich zu Lukas' grenzenloser Verblüffung. »Ich hoffte, sie nach Ablauf der Trauerzeit dafür gewinnen zu können, meine Gemahlin zu werden. Und um gleich allen Einwänden zuvorzukommen: Es kümmert mich nicht, wenn sich die Leute darüber die Mäuler zerreißen, dass meine Braut niederen Standes ist als ich.«

Verzweifelt schloss Marthe für einen Moment die Augen. Auch wenn sie wusste, dass ihre Tochter und Graf Dietrich etwas füreinander empfanden – es war undenkbar, dass sie heirateten, nun erst recht. Dietrich brauchte die militärische Unterstützung des Landgrafen.

Sie suchte nach Worten, während sie spürte, dass ihr Mann es diesmal ihr überließ zu antworten.

Lukas, dem mit allen Wassern Gewaschenen, dem Schlauen und Listenreichen, hatte es die Sprache verschlagen. Und das kam nun wirklich äußerst selten vor.

Der Angriff

Anschwellender Lärm und Wehklagen vom Burghof enthoben Marthe einer Antwort.

»Durchlaucht … Sie kommen zum Fluss, mindestens zweihundert Mann!«, rief jemand von draußen, der eilig die Treppe heraufgepoltert kam. Dietrich stand hastig auf, Lukas ebenso, und nun sahen sie vom Fenster aus Rauchwolken aufsteigen.

»Tagwerben und Cuba stehen in Flammen!« Der Ritter, der die Nachricht überbrachte, rang um Atem.

»Gott steh uns bei! Lukas, sichert Ihr die Burg, während ich zur Furt reite?«, fragte Dietrich, griff nach seinem Schwert und gürtete es.

»Wenn Ihr erlaubt, Graf, würde ich lieber an Eurer Seite kämpfen – wie in alten Zeiten.«

»Nein! Wenn Euch jemand erkennt, werdet weder Ihr noch Eure Frau jemals einen ruhigen Moment haben. Mein Bruder soll weiterhin glauben, dass ihr beide tot seid.«

Lukas missfiel diese Entscheidung sehr, auch wenn sie vernünftig war. »Mir steht nicht der Sinn nach ruhigen Momenten«, sagte er ungebührlich harsch.

Er hatte Albrecht keine seiner Missetaten vergessen, weder Christians Ermordung noch das Kopfgeld auf Thomas, Reinhards Hinrichtung, die Nacht, in der er auf Albrechts Befehl gefoltert worden war – und ganz besonders nicht dessen Order, dass die Wachen Marthe wie eine Vogelfreie behandeln sollten. Wäre es nach Albrecht gegangen, hätte die gesamte Meißner Burgbesatzung sie schänden dürfen.

Er konnte es kaum erwarten, ihm im Gefecht gegenüberzustehen. Sein Platz war an der Furt!

Außerdem durfte Dietrich nichts geschehen. Dietrich war die Hoffnung für die Mark.

Doch der Sohn von Markgraf Otto war schon auf dem Weg zur Treppe. Nun hielt er noch einmal inne und drehte sich zu Lukas um.

»Ich brauche Euch hier!«, beschwor er ihn. »Ich selbst reite zur Furt, mein Hauptmann muss die Wege und unseren Rückzug sichern, wenn wir uns gegen die Übermacht nicht halten können. Verteidigt die Burg und beruhigt die Menschen hier! Marthe, Eure Tochter hat einen Raum eingerichtet, um Verwundete zu behandeln. Geht zu ihr und helft ihr!«

Sie hatten inzwischen den Burghof erreicht, auf dem sich nun noch mehr Menschen drängten als vorhin: Flüchtlinge aus den benachbarten Ortschaften und Kämpfer, die auf ihre Befehle warteten. Immer mehr Alte, Frauen und Kinder strömten durch das Burgtor. Wehklagend und verängstigt starrten sie auf die Rauchsäulen, die über den Burgzinnen aufstiegen. In die Angstschreie der Menschen mischte sich das Wiehern der bereits gesattelten Pferde und das entfernte Brüllen mehrerer Ochsen, die nicht damit einverstanden waren, in solcher Eile den Berg hinaufgetrieben zu werden.

Dietrich befahl einem der verbliebenen Männer der Burgbesatzung, das Eisen zu schlagen. Diejenigen, die ihn sehen konnten, verstummten bereits und richteten ihre Blicke auf ihn.

»Wir werden angegriffen«, rief er in die Menge mit weit tragender Stimme. »Der Markgraf von Meißen glaubt, dieses Land an sich reißen zu können. Doch lasst euch keine Furcht einjagen! Auf der Burg seid ihr geschützt. Wir haben ausreichend Wasser und Vorräte. Mit meinen Kämpfern werde ich alles tun, um die Angreifer bereits am Fluss aufzuhalten. Bewahrt Ruhe und folgt den Befehlen Lukas' von Freiberg! Er ist einer der tapfersten Männer, die ich kenne. Gott schütze euch!«

»Und Euch, Herr!«

Mehrere Frauen gleichzeitig antworteten mit diesem Wunsch, alte wie junge, die ihre Kinder an sich gepresst hielten. Eine ärmlich gekleidete Frau mit einem Säugling im Arm kniete vor ihm nieder und griff nach dem Saum seines Bliauts, um ihn zu küssen, während ihr Tränen über die Wangen rannen.

Dietrich nahm die Segenswünsche entgegen und entdeckte im nächsten Augenblick endlich den alten Priester von Sankt Nikolai, nach dem er schon Ausschau gehalten hatte. Mit einer Geste rief er ihn zu sich. »Nehmt Euch dieser verängstigten Seelen an, spendet ihnen Trost und Zuversicht«, bat er den Geistlichen, den er schon seit vielen Jahren kannte.

»Gott lässt die Bedrängten nicht im Stich«, versicherte Pater Ansbert ruhig.

Dietrich verständigte sich wortlos mit Lukas, dann arbeitete er sich durch die Menschen, die vor ihm Platz machten und zu seinen Seiten niederknieten. Sein Pferd war bereits gesattelt, die Männer, die ihn zur Furt begleiten würden, standen gerüstet und gewappnet bereit. Er saß auf und bedauerte einmal mehr, kein so gutes und schlachterfahrenes Reittier zu haben wie gewohnt. Seinen besten Hengst hatte er im Heiligen Land eingebüßt, und ihm blieb nicht genug Zeit, sich mit einem der Pferde für einen Kampf vertraut zu machen, die in den Stallungen auf ihn warteten. Also musste er mit dem Braunen vorliebnehmen, den er auf dem Heimweg von Outremer gekauft hatte. Doch in den italienischen Hafenstädten war angesichts der vielen Ritter, die ein Pferd brauchten, die Auswahl knapp gewesen.

Er klopfte dem Hengst auf den Hals, sandte ein stummes Gebet zum Himmel, das Tier möge ihn nicht im Stich lassen, und gab das Zeichen zum Aufbruch. An der Spitze seiner Kämpfer ritt er durch das Tor, so schnell es in dem Gewimmel möglich war, gefolgt von den sechs Thüringern.

Von Furcht und Hoffnung zerrissen, blickten die Zufluchtsuchenden der Reitergruppe nach.

Lukas überzeugte sich davon, dass genügend Männer am Tor standen, um das Fallgitter schnell herabzulassen, wenn es nötig wurde, dann verabschiedete er sich mit einem Blick von Marthe und stieg auf den Turm. Es herrschte klare Sicht an diesem kühlen Herbsttag, die Sonne schimmerte durch die Wolken. So konnte er sehen, wie sich die Weißenfelser an der Furt unter Dietrichs Kommando formierten, während sich von Norden her eine große Gruppe Berittener rasch näherte – eine mindestens fünffache Überzahl.

Gott steh euch bei!, betete er stumm in Gedanken an Dietrich und Thomas. Ihr werdet doch nicht nach all den blutreichen Schlachten von Outremer zurückgekehrt sein, um nach der Ankunft hier erschlagen zu werden!

Marthe wandte sich unterdessen an eine stämmige, ältere Frau mit straff sitzendem Gebende – Gertrud, die Frau des Verwalters. »Wo hat meine Tochter das Krankenlager eingerichtet?«

Gertrud wies mit dem Arm auf ein Gebäude neben den Stallungen. »Dort. Braucht Ihr noch ein paar Leute, die Euch zur Hand gehen?«

Marthe nickte erleichtert und wollte schon weiter, doch etwas ließ sie stocken.

Einige Schritte vor sich hörte sie jemanden wehklagen: »Kaum ist der Herr aus der Fremde zurück, gibt es Krieg. Und wie viele von unseren Männern wird er diesmal verlieren? Das Unheil hat sich an seine Fersen geheftet!«

Ein paar Stimmen murmelten Zustimmung.

Marthe blieb stehen und hielt Ausschau nach der Ruferin, einer mageren Frau mit fahlem Gesicht, die drei Kinder um sich geschart hatte.

Wenn sie Dietrich die Schuld geben am Tod seiner Männer und an Albrechts Angriff, dann ist alles verloren, dachte sie.

»Seid still!«, fuhr sie die Frauen an und sah der Ruferin streng in die Augen. »Betet lieber darum, dass Graf Dietrich euch schützt, und seid dankbar für seinen Mut! Er setzt gerade am Fluss sein Leben für euch ein. Wenn dieses Land unter die Herrschaft Albrechts von Wettin fällt, lasst alle Hoffnung fahren. Dort seht ihr, was euch dann erwartet!«

Anklagend wies sie auf die Rauchsäulen im Norden. Sie starrte der blassen Frau ins Gesicht, die hastig den Blick senkte und einen halben Schritt zurückwich.

Ich muss die Gruppe zerstreuen, bevor solche Stimmung um sich greifen kann, dachte Marthe. Uns steht eine längere Belagerung bevor, wenn nicht an der Furt ein Wunder geschieht – und wenn Dietrich nicht fällt, was Gott verhindern möge. Sie unterdrückte den Gedanken, dass ihr Sohn dann wohl an Dietrichs Seite sterben würde.

»Komm mit und hilf mir, für die Verwundeten Leinen in Streifen zu reißen!«, forderte sie die dürre Frau auf. »Und deine Kinder schick ins Backhaus. Sie sehen hungrig aus, sie sollen sich etwas zu essen geben lassen.«

Diese Ankündigung zauberte einen frohen Ausdruck auf das Gesicht des ältesten der drei Kinder, eines etwa fünfjährigen Jungen mit tränenverschmierten Wangen.

»Kommt«, sagte er und nahm seine Geschwister bei den Händen. »Die feine Herrin sagt, wir kriegen etwas zu essen!«

Ohne erst noch einmal nach seiner Mutter zu sehen, zerrte er die Kleinen zielstrebig Richtung Backhaus, glücklich über die Aussicht auf einen Bissen Brot.

Marthe drehte sich um und zog Gertrud zu sich. »Die Menschen müssen beschäftigt werden, sonst fürchten sie sich zu sehr«, sagte sie leise zu ihr.

»Wie sollen sie sich auch nicht fürchten?«, platzte die Frau des Verwalters so verzweifelt heraus, dass Marthe ihr befahl zu schweigen und sie aus dem Gewühl zu einem ruhigeren Ort führte.

Dort erst ließ sie Gertrud weiterreden.

»Wir haben so etwas noch nie erlebt!«, jammerte diese. »Ich kann zwar die Vorräte berechnen und die Arbeit einteilen bei normaler Mannschaftsstärke auf der Burg, auch eine größere Zahl von Gästen unterbringen und bewirten ...« Sie drehte sich um und wies auf die vielen Menschen, die auf dem Burghof durcheinanderrannten oder sich wehklagend in den Armen lagen. »Ich weiß ja nicht einmal, wie viele es sind ... Geschweige denn, wo ich sie unterbringen soll und wie lange wir sie wohl verpflegen können!«

Schweren Herzens beschloss Marthe, das Wiedersehen mit ihrer Tochter noch etwas aufzuschieben. Clara würde vorerst schon allein zurechtkommen. Wichtiger war es, die vollkommen aufgelöste Gertrud zu beruhigen und ihr zu helfen. Sonst würde hier Panik ausbrechen, noch ehe die Belagerung begann.

Die Furt

Auch die Männer an der Furt sahen die Rauchwolken im Norden aufsteigen und wussten, was sie zu bedeuten hatten. Norbert von Weißenfels bekreuzigte sich, dann befahl er, die Arbeiten umgehend zu beenden und sich für den Kampf zu rüsten. Die bis eben noch mit den Baumstämmen beschäftigten Dörfler – sofern sie nicht als Bogen- oder Armbrustschützen eingeteilt waren – schickte er zur Burg, damit sie dort Zuflucht fanden.

Die Gegner kamen aus Richtung Norden, der erste Angriff der feindlichen Streitmacht würde also genau hier erfolgen.

Thomas saß längst voll gerüstet im Sattel, als der Graf mit zweieinhalb Dutzend gepanzerten Reitern von der Burg geprescht kam. Dieser Anblick erfüllte Marthes Sohn mit tiefer Zufriedenheit. In den letzten zwei Jahren war er oft unter Dietrichs Kommando und an seiner Seite in die Schlacht geritten. Mit niemandem würde er lieber in den Kampf ziehen. Und der heutige Kampf war unausweichlich. Thomas sehnte ihn sogar herbei. Es würde keinen Frieden geben, solange Albrecht lebte. Vielleicht konnte er heute den Tod seines Vaters rächen!

Er kniff die Augen ein wenig zusammen, um seinen Stiefvater in

der Reiterschar zu erkennen, vermochte aber dessen Fuchshengst unter den herangaloppierenden Pferden nicht auszumachen. Das verwunderte ihn; er hätte nie gedacht, dass Lukas es
sich nehmen lassen würde, hier an Dietrichs Seite zu kämpfen.
Doch Thomas hatte sich mittlerweile damit abgefunden, dass
sich Lukas' Gedanken oft in überraschenden Bahnen bewegten,
dahinter aber gewöhnlich ein schlau durchdachter Plan steckte.
»Norbert, sichert den Zugang zur Burg mit so vielen Leuten,
wie Ihr braucht«, rief Dietrich, während er sein Pferd vor den
Bewaffneten am Saaleufer zum Stehen brachte. »Lukas befehligt
derweil die Leute auf der Burg.«
Norbert von Weißenfels nickte zum Zeichen dafür, dass er verstanden hatte, und ritt los.
Niemand machte Thomas den Platz streitig, als er wie selbstverständlich seinen Hengst an Dietrichs rechte Seite lenkte. Unwillkürlich legte er die Hand an den Schwertgriff, während sich
die feindliche Reiterschar näherte. Ein junger Ritter auf einem
Schecken stellte sich links von Dietrich auf: Conrad, der älteste
von Norberts Söhnen, der seinem Vater im Gesicht zwar unverkennbar ähnlich sah, aber eher stämmig als hager wirkte.
Zwei Dutzend Bogenschützen, die den Reitern zu Fuß gefolgt
waren, kamen zum Ufer und postierten sich neben den Palisaden. Ein paar mit Armbrüsten und Schleudern bewaffnete Männer traten zu ihnen.
Nun waren die Gegner auf Pfeilschussweite heran und preschten auf den Fluss zu, ohne ihr Tempo zu verlangsamen.
Thomas zog das Schwert aus der Scheide; sein Pferd spürte die
Anspannung des Reiters und tänzelte unruhig. Mühsam brachte
Thomas den Hengst wieder zur Ruhe. Es war kein besonders
gutes Pferd, wieder einmal vermisste er seinen bestens ausgebil-
deten Rappen, mit dem er sich wie mit einem Freund verstanden
hatte und den er während der Belagerung von Akkon opfern
musste. Dann richtete er den Blick unter halb gesenkten Lidern

auf Dietrich, der noch keine Waffe gezogen hatte, sondern ruhig wartete. Sein Bliaut unter dem Kettenhemd war ausgeblichen von der sengenden Sonne Outremers, seine Haut gebräunt trotz des kühlen Herbstwetters. Er trug dieselben Kleider und Waffen wie damals, als Thomas neben ihm in seine erste Schlacht geritten war – im anatolischen Hochland, als sie nach einem qualvollen Marsch durch wasserloses Gebiet bei sengender Hitze einem riesigen Seldschukenheer gegenüberstanden.

Wortlos versuchte Thomas, die Zahl der Gegner abzuschätzen, die sich ihnen näherten. Zweihundertfünfzig … vielleicht auch mehr, allesamt beritten. Es war schwierig, unter den Kettenhauben und Nasalhelmen Gesichter auszumachen. Albrecht ritt voran, unverkennbar durch die reichverzierte Kleidung und den Schimmel mit dem prachtvollen Zaumzeug. Dieses Tier hatte er schon vor zweieinhalb Jahren besessen, als Thomas noch Knappe am Meißner Hof war. An seiner Seite ritten ein Bannerträger und zwei weitere Männer, die Thomas zu erkennen glaubte: der Marschall und der Truchsess. Sofort hielt er Ausschau nach einem ganz bestimmten Gesicht, in der Hoffnung, eine Strähne von Rutgers leuchtend rotem Haar würde unter dem Helm seines Erzfeindes hervorlugen.

Albrecht erkannte wie seine Begleiter schon von weitem, dass sie an der Furt erwartet wurden. Doch darüber ärgerte er sich nur einen Augenblick lang, denn er war sich sicher, dass der reglos wartende Reiter in der Mitte sein Bruder war. Genau so etwas sah Dietrich ähnlich – sich persönlich einem aussichtslosen Kampf zu stellen! Dort drüben am anderen Saaleufer, das konnten wahrlich nicht einmal drei Dutzend Reiter sein. Vorerst größere Gefahr ging von den Bogenschützen aus, aber von denen machte noch keiner Anstalten, auf sie anzulegen. Vermutlich wollte es sein edelmütiger Bruder erst einmal mit Verhandeln versuchen.

Albrecht wog einen Moment lang ab, ob er einem seiner Schützen befehlen sollte, den Rivalen mit einem gut gezielten Pfeil zu töten, verwarf den Gedanken aber. Ein solch unritterliches Verhalten würde ihn nicht gut dastehen lassen. Die Tage seines Bruders waren ohnehin gezählt. Sollte der Jüngere ruhig um Gnade betteln!

Er hob den Arm, um seinen Männern das Zeichen zum Halten zu geben, zwanzig Schritte von der Furt entfernt.

»Bist du hier, um mich nach meiner langen Reise willkommen zu heißen, Bruder?«, rief Dietrich über den Fluss.

Albrecht riss an der Kandare seines unruhig stampfenden Hengstes. »Du hättest in der Wüste verrecken sollen!«, brüllte er zurück. »Oder dich von den Ungläubigen erschlagen lassen. Das wäre immer noch besser, als mit Schande bedeckt heimzukommen.«

Nach Zustimmung heischend, sah er kurz zu seinen Männern, dann rief er: »Du bist ein Eidbrüchiger! Kehre um nach Jerusalem und übergib mir Weißenfels. Der wahre Erbe des Hauses Wettin bin ich!«

»Das habe ich nie bestritten. Doch das gibt dir nicht das Recht, *mein* Land niederzubrennen«, antwortete Dietrich und zog sein Schwert.

»Was Recht ist, bestimmt der Stärkere!«, grölte Albrecht und reckte sein Schwert drohend in die Höhe. »Diese paar Steine und Wurzeln werden uns nicht aufhalten. Ergib dich, und ich lasse deine Männer am Leben. Sieh her, wir sind in zehnfacher Überzahl!«

Anstelle einer Antwort zogen sämtliche Ritter Dietrichs die Schwerter. Der Anführer der Bogenschützen kommandierte seine Männer hinter die Palisaden.

»Ihr brecht den Landfrieden. Sollte auch nur einer von euch den Fluss betreten, eröffnen wir den Kampf«, rief Dietrich hinüber.

»Nichts lieber als das!«, frohlockte sein Bruder. »Ihr werdet alle sterben. Wenn Weißenfels heute brennt, ist das deine Schuld.«

Auf Albrechts Befehl ließ auch Gerald Bogenschützen vorrücken.

»Schießt die Palisaden in Brand!«, schrie er.

Zwei Männer mit Fackeln ritten die Reihe der Schützen ab, damit diese die Brandpfeile entflammen konnten – Schäfte mit spindelförmigen kleinen Eisenkörben an der Spitze, in denen in Pech getränkte Leinenstreifen steckten.

Noch während die Brandpfeile flogen, schickte der Markgraf seine ersten Männer in den Fluss.

»Sollen wir nicht erst von ein paar gut gedeckten Männern die Hindernisse aus dem Fluss räumen lassen? Sonst sind unsere Verluste zu groß«, fragte der Marschall besorgt.

»Los, hinüber mit euch!«, brüllte Albrecht die Zögernden an.

»Ihr müsst in die Burg, Herr!«, rief Thomas Dietrich zu und lenkte seinen Hengst ein paar Schritte vor, um mit seinem Körper dem Grafen Deckung zu geben.

»Noch nicht!«, widersprach dieser.

Mehrere brennende Pfeile waren in die Palisaden eingeschlagen; die meisten erloschen zischend, weil die Pfähle vorsorglich mit Wasser getränkt worden waren. Einer der Schleuderer rannte vor, um die noch lodernden Geschosse aus dem Holz zu ziehen, und wurde von den Schützen am anderen Ufer niedergestreckt.

Zwei seiner Gefährten zerrten den Verletzten hinter die Palisaden.

Der nächste Pfeilhagel brachte den Weißenfelsern weitere Verluste; zwei unvorsichtige Bogenschützen und eines der Pferde wurden durchbohrt.

Unterdessen hatten sich bereits drei Dutzend feindliche Reiter in die Furt gewagt und rückten näher.

Doch die geplante Wucht des Angriffs blieb aus. Sie konnten die Furt nicht so schnell und gerade durchqueren wie gewollt, sondern mussten alle paar Schritte nach links und rechts ausweichen, um die Hindernisse zu umreiten. Dabei boten die Leiber der Pferde reichlich Zielfläche.

»Pfeile!«, befahl Dietrich wieder und wieder, und rasch hatten die Feinde ernsthafte Verluste zu beklagen. Kaum jeder zweite Reiter schaffte es, die Furt zur Hälfte zu durchqueren, etliche wurden getroffen oder stürzten ins Wasser, als ihre Pferde von Pfeilen durchbohrt wurden, und kamen in den schweren Kettenhemden ohne Hilfe nicht mehr auf.

»Jetzt! Ihr müsst zur Burg! Bei allen Heiligen!«, schrie Thomas. Was sollte aus ihnen allen werden, wenn Dietrich fiel?

»Schießt!«, befeuerte Dietrich die Bogen- und Armbrustschützen. Noch einmal dünnte eine Salve die Linie der berittenen Angreifer aus, die nun allesamt das Wasser zu durchqueren versuchten.

»Die Krähenfüße! Und Rückzug!«, befahl Dietrich.

Sofort rannten ein paar Schützen vor und streuten in mehreren dichten Linien vierwinklige Eisen am Ufer aus, bei denen jeweils eine Spitze nach oben ragte, ganz gleich, wie sie fielen. Das würde sowohl die Pferde als auch die Kämpfer zu Fuß eine ganze Weile aufhalten.

»Alle in die Burg!«, rief er nun und wendete seinen Hengst. Er vergewisserte sich, dass auch die Bogen- und Armbrustschützen losrannten und die Verwundeten auf die Pferde gehievt wurden, dann ritt er mit erhobenem Schwert los, gefolgt von seinen Männern.

Durch ihren Einsatz am Ufer hatten sie die Zahl der Angreifer beträchtlich vermindert. Doch ihnen jetzt im Kampf Mann gegen Mann gegenüberzutreten wäre sinnlos. Das würde ihrer aller Tod bedeuten und die Menschen auf der Burg Albrecht ausliefern. Die Siedlung war ohnehin verloren, aber Häuser konnten wieder aufgebaut werden, und ihre wertvollste Habe hatten die Bewohner mitgenommen.

Sollte sein Bruder entscheiden, ob er sich nach diesen Verlusten auf eine längere Belagerung einließ.

Wutentbrannt sah Albrecht zu, wie der Verhasste unbehelligt davongaloppierte, während seine Männer absitzen und die vermaledeiten Krähenfüße aufsammeln mussten, die ihnen den Weg versperrten.

»Brennt alle Häuser nieder!«, befahl er und stieß seinem Schimmel die Sporen in die Seiten, um nun selbst die Furt zu passieren – als Letzter seiner Männer.

Belagert

Mehr Feuer unter den Kesseln! Die Schützen in die Wehrgänge! Macht den Burghof frei!«, befahl Lukas, der vom Turm aus das Geschehen an der Furt beobachtet hatte, und lief die Treppe hinab. Heinrich, der zweite Sohn des Burgkommandanten, folgte ihm.

»Schickt die Knappen zum Tor, in vollen Waffen!«, rief Lukas ihm zu. Der junge Heinrich nickte und hastete los. Nach Thomas' vernichtender Einschätzung war vorerst keiner der Knappen vorzeitig in den Ritterstand erhoben worden. Aber sämtliche Ritter außer Lukas und Heinrich waren entweder mit Graf Dietrich an der Furt oder mit Norbert unterwegs, um den Zugang zur Burg zu sichern. Nun mussten die jungen Burschen zeigen, ob sie sich auch in einem Kampf bewährten.

»Geht in den Palas!«, ermahnte Lukas streng ein paar hilflos blickende Frauen in Bauernkleidung, die am Brunnen standen. »Wir brauchen Platz auf dem Hof für Graf Dietrichs Männer.« Außerdem wollte er sie in Deckung wissen, weil bald ein Pfeilhagel auf sie niedergehen könnte. Zwar hatte Albrecht vorerst keine Wurfmaschinen mitgebracht; überraschenderweise war er ohne Trosskarren und ohne Fußvolk hier aufgetaucht. Doch die konnten jederzeit noch eintreffen, und auf einen erneuten Angriff der Bogen- und Armbrustschützen mussten sie sich jetzt schon gefasst machen.

Mit großen Schritten überquerte Lukas den sich rasch leerenden Hof, ignorierte die fragenden, ängstlichen Blicke der Menschen, die ihn aus Fensteröffnungen oder von den Eingängen der Bauten auf dem Burggelände anstarrten. Dann lief er den Wehrgang hinauf, der direkt zum Torhaus führte. Von dort aus konnte er beobachten, wie die Männer unter Dietrichs Kommando hierhergaloppierten oder -rannten; Norberts Kämpfer schlossen sich ihnen unterwegs an und sicherten ihren Rückzug. Die Krähenfüße verschafften ihnen die Zeit dafür. Immer noch waren Albrechts Truppen damit beschäftigt, das Ufer von den eisernen Dornen zu befreien und die Verletzten und Toten aus dem Fluss zu zerren.

Ein Dutzend Knappen kamen herbeigelaufen. »Ihr sichert das Tor, bis die letzten von unseren Leuten drinnen sind«, rief Lukas ihnen zu. Heinrich nickte zur Bestätigung und verteilte die Jungen am Tor und an der Vorrichtung, mit der das Fallgitter heruntergelassen werden konnte. An der Zugbrücke postierte er sich selbst.

Noch waren Dietrichs Männer mehr als eine Pfeilschussweite entfernt. Unruhig versuchte Lukas zu erkennen, ob im Gelände unterhalb der Burg Feinde lauerten, um ihnen den Weg abzuschneiden oder vor ihnen hier einzudringen. Norbert schien ein paar Gefangene gemacht zu haben, so viel konnte er von hier aus sehen.

Jemand trat zu ihm – zu seiner Überraschung Marthe.

»Bringen sie Verwundete?«, fragte sie und hielt ebenfalls Ausschau. »Clara hat schon ein Krankenlager eingerichtet. Aber wenn es viele sind, hole ich noch ein paar Helfer dazu.«

Lukas mühte sich, das in der Reiterschar auszumachen. »Ein halbes Dutzend vielleicht«, schätzte er anhand dessen, wie viele Körper über die Sättel gelegt waren oder von Reitern gestützt wurden.

»Wie hält sie sich?« Er hatte noch nicht einmal Gelegenheit gehabt, seine Stieftochter zu begrüßen. Doch so übel Albrechts Angriff auch sein mochte – das Gute daran war, dass sich damit Dietrichs außergewöhnliche Heiratspläne zerschlagen hatten. Angesichts dieser Übermacht blieb ihm gar nichts anderes übrig, als auf das Angebot des Thüringer Landgrafen einzugehen. Besser so, als dass er Clara einen Floh ins Ohr setzt und sie ins Unglück stürzt, dachte Lukas, der seine Stieftochter sehr mochte.

»Clara macht ihre Sache gut«, meinte Marthe. »Aber die Frau des Verwalters … Sie ist keine zuverlässige Hilfe in dieser Lage.« In knappen Sätzen erzählte sie ihm von dem Vorfall vorhin.

»Dann wirst du hier nicht nur als Heilerin gebraucht«, meinte Lukas besorgt. »Nimm die Sache in die Hand, wenn Gertrud das nicht kann. Kümmere dich um die Frauen und Kinder! Wir müssen uns auf eine längere Belagerung einstellen und können uns so etwas nicht leisten.«

Er spähte nach unten, um das Kommando zu geben, wann die Zugbrücke hochgeklappt und das Gitter herabgelassen werden sollte.

Schon passierte Dietrich das Tor. Nach ihm preschten auch die anderen Reiter auf den Hof, dicht gefolgt von den Bogen- und Armbrustschützen. Krächzend flatterten angesichts des unvermittelt eintretenden Lärms ein paar Raben hoch, die sich auf dem Bergfried versammelt hatten.

Während Norbert mit seinem Kommando und den Gefangenen als Letzter auf den Burghof ritt, waren Marthe und Clara bereits bei den vorderen Reitern und riefen ein paar kräftige Knechte heran, die die Verwundeten in das Krankenlager bringen sollten.

Zeit, um mit Thomas zu reden, blieb ihnen nicht. Nur mit einem kurzen Blick konnten sie sich vergewissern, dass er unverletzt war.

Nun wurde die hölzerne Brücke vor dem Tor an starken Seilen hochgezogen, das Fallgitter rasselte herab.

»Wir haben fast ein Drittel der Angreifer an der Furt vernichten können«, rief Dietrich aus dem Sattel über den Burghof. »Doch es sind immer noch beinahe zweihundert Mann. Stellt Brandwachen auf und räumt den Hof. Alle Kämpfer in die Wehrgänge!« Er saß ab und verteilte seine Männer mit ein paar knappen Gesten.

»Sie kommen den Berg herauf«, rief Lukas, der seinen Beobachtungsposten am Tor nicht aufgegeben hatte.

»Alle Mann in die Wehrgänge!«, brüllte Norbert. »Schafft die Pferde weg! Die besten Bogenschützen auf den Turm! Und ihr dort, sofort weg vom Hof!«

Einige Frauen hatten sich wieder aus den Gebäuden gewagt, um zu sehen, wer von den Männern zurückkehrte.

»Sie zünden unsere Häuser an!«, schrie eine von ihnen und zeigte Richtung Tauchlitz. Auch von dort stiegen Rauchwolken zum Himmel.

Lautes Wehklagen setzte ein.

»Geht in die Halle!«, schrie Lukas. »Oder wollt ihr von einem Brandpfeil getroffen werden?«

Das zeigte Wirkung, sofort hasteten die Frauen wieder unter das schützende Dach. Lukas fragte sich, wie viel Unruhe sie mit der Schreckensnachricht wohl drinnen stiften würden. Am liebsten hätte er Marthe dorthin geschickt, aber die Verletzten hatten Vorrang.

Binnen kurzer Zeit war der Burghof leer bis auf ein paar kräftige Knechte, die Eimer um Eimer aus dem Brunnen holten, um alle verfügbaren Gefäße mit Wasser zu füllen, und mehrere Frauen, die über einem Feuer einen großen Kessel Wasser zum Sieden brachten, das auf die Angreifer gegossen werden konnte. Im Turm wurde Pech für Brandpfeile erhitzt. Der würzige Geruch nach Harz drang bis zu Lukas und erinnerte ihn an jede einzelne Belagerung, die er bisher hatte miterleben müssen.

Von seinem Posten aus versuchte er zu zählen, wie viele Männer Albrecht nun noch zur Verfügung hatte. Doch vorerst konnten die nicht viel unternehmen, denn sie hatten weder Sturmleitern noch Wurfmaschinen bei sich.

Du irrst dich, wenn du glaubst, du könntest hier einfach so hereinspazieren, dachte er mit wütendem Blick auf Albrecht, der an der Spitze seiner Männer ritt. Mal sehen, wie viele Tage du es aushältst, bis dir die Lust vergeht.

Lukas gab sich allerdings keinen Illusionen hin. Die meisten Burgen wurden nicht nach langen Belagerungen, sondern durch Verrat eingenommen. Und wie lange die Weißenfelser, deren Häuser Albrecht auch zur Einschüchterung hatte niederbrennen lassen, widerstehen würden, war fraglich.

Norberts Ruf riss ihn aus seinen Überlegungen.

»Kennt Ihr diese Kerle hier? Sie sagen, sie kämen aus Freiberg und Ihr würdet für sie bürgen. Ich habe sie sicherheitshalber gefangen genommen.«

Lukas drehte sich um und sah verblüfft, wer grinsend neben dem Weißenfelser stand. Rasch lief er die Treppe des Wehrganges hinab.

»Kuno, Bertram! Habt ihr euch das auch richtig überlegt?« Zufrieden hieb er jedem von ihnen auf die Schulter.

»Das sind gute Männer, ich persönlich habe sie zusammen mit Christian ausgebildet«, versicherte er dem Kommandanten. »Lasst sie frei und schickt sie zu den Sergenten!«

Dann wandte er sich dem Dritten im Bunde zu. »Guntram! Was treibt dich hierher?«

»Vielleicht könnt Ihr hier auf der Burg noch einen Schmied gebrauchen?«

»Ganz sicher.«

Ein Blick in Norberts Gesicht bestätigte ihm, dass der mit dieser Entwicklung sehr zufrieden war.

»Ihr helft, das Torhaus zu sichern«, wies er die beiden einstigen Freiberger Wachen an. »Und dich bringe ich zur Schmiede. Kannst du Spitzen für Brandpfeile herstellen?«

Guntram nickte.

»Dann fang gleich damit an! Wir haben kaum noch welche; solche feinen Arbeiten bringt unser alter Schmied mit seinen knotigen Händen nicht mehr zustande.«

Aus Wut und um das Gesicht nicht zu verlieren, hatte Albrecht den unverletzten Männern befohlen, mit ihm zur Burg zu reiten. Natürlich würde die Brücke eingezogen und das Tor versperrt sein.

Nun starrte er auf die Mauern, die er am liebsten mit eigenen Händen niedergerissen hätte.

»Schickt Brandpfeile, so viele ihr könnt!«, befahl er. Viel mehr vermochten sie im Augenblick nicht zu tun. Womöglich fing eines der Dächer Feuer, und dann konnte er das ganze Gesindel ausräuchern. Irgendwann würden sie sich schon ergeben – im besten Fall sogar heute noch. Es gab viele Mittel und Wege, unter den Eingeschlossenen für Furcht und Schrecken zu sorgen.

»Ihr müsst Euch zurückziehen, Hoheit!«, mahnte sein Marschall. »Begebt Euch außer Reichweite der Bogenschützen!«

Sie hörten, wie oben Kommandos gebrüllt und Schützen auf der Seite zusammengezogen wurden, an der sie standen.

»Gibt es noch irgendeine andere Stelle, von der wir angreifen können?«

»Das finden wir heraus«, erklärte Elmar ungeduldig. »Aber nun zieht Euch zurück, ich bitte Euch dringend!«

Die erste Salve von oben, nach der ein paar ihrer Schützen schreiend zusammensackten, verlieh diesen Worten Nachdruck.

Albrecht gab seinem Hengst die Sporen, wendete ihn und ritt hinab.

Besorgte Schreie von der Burg versüßten ihm diesen Abgang. Wahrscheinlich hatten seine Leute dort etwas in Brand stecken können.

Am Beginn des Pfades angekommen, der zur Burg führte, rief er seinen Marschall, seinen Truchsess und auch den Schenken zu sich, den feisten Giselbert, der ächzend und schnaufend am Ende der Schar ritt.

»Wir errichten dort oben ein Lager!«, befahl Albrecht und wies auf einen Hügel gegenüber dem Burgberg, der diesen sogar noch etwas überragte. »Gerald, sichert sämtliche Wege zur Burg. Niemand soll sich dort herausschleichen können. Elmar, schickt die schnellsten Reiter mit Botschaft nach Meißen. Ich will fünfzig Mann Verstärkung und den Tross mit allem, was wir an Belagerungsgerät haben.«

Der Truchsess verneigte sich. Bevor er etwas sagen konnte, sprach Albrecht schon weiter, wobei er die Stimme senkte.

»Habt Ihr den Christiansdorfer Bastard neben meinem Bruder erkannt?«

»Ja, Hoheit«, bestätigte Elmar. »Die Ähnlichkeit mit seinem Vater ist allzu deutlich. Also hat er Euch an den Kaiser verraten nach dem Handstreich in Döben.«

Zufrieden zwirbelte er die Spitzen seines Bartes nach oben – weil dieses Rätsel gelöst war und weil es einen Kampf erbaulicher machte, wenn man dabei auch ein paar persönliche Feindschaften zu einem blutigen Ende bringen konnte.

»Dann sollten wir ihm die Gelegenheit zu einem Wiedersehen mit seinem Vater im Jenseits verschaffen«, erklärte Albrecht boshaft. »Schickt nach Eurem Ziehsohn! Das wird seine Aufgabe.«

»Er wird hocherfreut sein, den Bastard für Euch zu töten!«, versprach Elmar. Dessen war er sich sicher. Er hatte die Feindschaft zwischen den beiden jungen Rittern nicht nur von Anbeginn an miterlebt, sondern auch nach Kräften gefördert.

»Gerald, Eure Leute sollen erkunden, welche Angriffsmöglichkeiten wir haben«, befahl Albrecht als Nächstes. »Geheime Zugänge zur Burg und dergleichen. Macht ein paar Gefangene in der Umgebung und lasst sie foltern, bis sie reden.«

»Sehr wohl.« Der Marschall warf einen prüfenden Blick nach oben, Richtung Burg, von woher nach wie vor Schreie zu hören waren. »Sollen sich unsere Bogenschützen nicht besser zurückziehen? Sonst verlieren wir sie alle, bevor neue aus Meißen kommen. Wenn erst die Ballisten da sind, können wir brennende Holzklötze nach oben schleudern oder die Köpfe von ein paar Gefangenen.«

»Meinetwegen, lasst sie abziehen«, räumte Albrecht gleichgültig ein. Dann wandte er sich dem dicken Schenken zu. »Giselbert, Ihr werdet den Marschall auf seinem Ausflug in die Umgebung begleiten. Beschlagnahmt alles, was wir brauchen, um dort oben ein Lager als Gegenburg zu errichten. Und Ihr, Elmar, teilt Männer ein, die Holz heranschaffen und Palisaden bauen. Bis die Verstärkung eintrifft, muss alles fertig sein.«

Zufrieden sah Albrecht, wie seine Männer ans Werk gingen. Wenn er auch den Sieg nicht so schnell erringen konnte wie erhofft, sicher war er ihm trotzdem.

Thomas trat an die Seite seines Stiefvaters, um zu beobachten, was vor dem Tor geschah. Er wunderte sich darüber, dass Albrecht seine Bogenschützen ohne jede Deckung hier antreten ließ, die inzwischen schon einige Verluste erlitten hatten. Aber sie hatten auch beträchtlichen Schaden angerichtet: Das Backhaus war in Brand geraten und konnte erst gelöscht werden, nachdem die Flammen schon zwei Seiten des Fachwerkbaus erfasst hatten. Zum Glück standen die Häuser einzeln, sonst hätte die halbe Burg niederbrennen können.

Endlich kam einer von Albrechts Berittenen und befahl den Schützen, sich sofort zurückzuziehen. Sie scherten sich nicht um die Toten, hievten sich nur die Verletzten über die Schultern und rannten außer Schussweite ihrer Gegner, so schnell sie konnten. Einen Mann mit struppigem braunem Bart, den ein Pfeil in die Brust getroffen hatte, ließen sie liegen – wahrscheinlich glaubten seine Kumpane, dass er ohnehin nicht mehr lange leben würde.

»So helft mir doch, ihr Bastarde!«, schrie der Verwundete mit schmerzverzerrter Stimme. Bald gingen seine Schreie in ein Wimmern über, und schließlich verstummte er ganz.

»Wohin werden sie sich zurückziehen?«, fragte Thomas, der keinerlei Regung erkennen ließ, obwohl gerade jemand vor seinen Augen starb.

»Wie es aussieht, wollen sie da drüben auf dem Berg ihr Lager aufschlagen«, meinte Lukas und zeigte in die Richtung. »So können wir einander stets im Blick behalten.«

Er wollte schon Befehl geben, dass die Hälfte der Bogenschützen wegtreten und sich etwas zu essen geben lassen konnte, während die anderen das Gelände beobachten sollten. Doch besann er sich gerade noch, dass nun wieder Norbert das Kommando über diese Männer hatte.

»Fragt Euern Vater, ob er neue Befehle hat«, richtete er das Wort an den jungen Heinrich und vergewisserte sich, dass kein Angreifer zu sehen war, der sich der Burg näherte.

»Schauen wir derweil, ob deine Mutter und deine Schwester Hilfe brauchen«, sagte er dann zu Thomas. Der folgte ihm ohne ein weiteres Wort, froh über Lukas' Vorschlag.

Dietrich hatte inzwischen die meisten seiner Männer auf Wachposten verteilt.

Jetzt steuerte er offenbar das gleiche Ziel an, das auch Lukas und Thomas im Sinn hatten: das Krankenlager.

Kriegsrat

Marthe und Clara knieten neben einem Verletzten, dem ein Pfeil aus dem Oberschenkel ragte. Jemand hatte ihm einen Stock zwischen die Zähne geschoben, damit er sich vor Schmerz nicht die Zunge abbiss.

Vier Männer trugen bereits Verbände, einer von ihnen war bewusstlos oder schlief, die anderen lehnten mit bleichen oder schweißüberströmten Gesichtern an der Wand. Einem jungen Mann mit verbundenem Kopf flößte eine der Helferinnen vorsichtig etwas zu trinken ein.

Mit einem schmalen Messer versuchte Marthe, die Pfeilspitze im Bein ihres Patienten zu lockern.

»Jetzt zieh!«, forderte sie ihre Tochter auf, die den Pfeilschaft fest umklammert hielt. Ein Ruck, der Mann schrie, und Clara hielt den Schaft in den Händen – doch ohne die Spitze.

Besorgt legte Marthe dem Verletzten eine Hand auf die Schulter. »Halt noch ein bisschen durch, ja? Du hast es gleich geschafft!« Sie packte nasse, kühlende Tücher über die Wunde, presste die Hand darauf, um den Blutfluss zu mindern, und schickte eine der ihr zugeteilten Mägde zum Schmied, damit sie diesen um seine kleinste Zange bat. »Gibt es hier auf der Burg kein Gerät, mit dem man Pfeile herausziehen kann?«, fragte sie Clara.

Die legte derweil zwei Kautereisen in ein Becken mit glühenden Kohlen und strich sich mit dem Handrücken über die Stirn, auf der kleine Schweißperlen standen. »Nein. Und der hiesige Schmied kann uns so etwas auch nicht herstellen; er ist zu alt, seine Hände sind schon so gichtig, dass es an ein Wunder grenzt, wenn er überhaupt noch am Amboss steht.«

»Vielleicht kann der neue Schmied Abhilfe schaffen«, meinte Graf Dietrich zu beider Überraschung, während er sich duckte, um in den dämmrigen Raum zu treten.

»Wie geht es den Männern?«

»So Gott will, werden alle überleben«, antwortete Marthe und stand auf. »Aber Ihr dürft hier nicht bleiben! Ihr müsst in die Halle, die Menschen beruhigen ... Die Frau des Verwalters schafft das nicht.«

Während Marthe auf Dietrich einsprach, kam die Magd zurück und reichte ihr mit einem Knicks eine schmale Zange.

Hastig kniete sie erneut an der Seite des Verletzten nieder, vergewisserte sich, dass Clara mit den Kautereisen bereitstand, sprach ein schnelles Gebet und zog die Spitze mit einem Griff heraus. Schon war Clara an ihrer Seite und legte das glühende Eisen auf die stark blutende Wunde. Es zischte, beißender Gestank breitete sich aus, der Verwundete brüllte vor Schmerz.

»Dann kommt mit mir und helft!«, entschied Dietrich. »Ich denke, Eure Tochter schafft das hier vorerst allein. Wenn sie Hilfe braucht, schicke ich Euch Thomas.«

»Thomas?«, fragten beide Frauen erstaunt wie aus einem Mund.

Dietrich lächelte. »Es scheint wohl in der Familie zu liegen. Auf dem Kreuzzug hat er mehreren Männern das Leben gerettet, als kein Feldscher in der Nähe war.«

Nachdem sie ihrem inzwischen bewusstlos gewordenen Patienten noch einmal die Hand auf die Stirn gelegt hatte, stemmte Marthe sich hoch und ging zu einem der Eimer, die sie hatte bringen lassen, um sich das Blut von den Händen zu spülen.

»Seine Blässe gefällt mir nicht. Versuch, ihn wieder zu sich zu bringen und ihm viel zu trinken zu geben«, riet sie Clara auf dem Weg zur Tür.

»Ich weiß«, antwortete diese. »Geh nur, du wirst in der Halle dringender gebraucht!«

Diese Worte gaben Dietrich sehr zu denken. Was war dort los, wenn auch Clara meinte, ihre Mutter würde dort dringender gebraucht als bei den Verletzten?

Als Dietrich und Marthe den Burghof betraten, brach die Sonne noch einmal durch die Wolken. Nicht mehr lange, und sie würde am Horizont versinken.

Marthe schaute sich aufmerksam um. In der Verwundetenkammer hatte sie nichts davon mitbekommen, was seit Dietrichs Rückkehr von der Furt vor sich gegangen war. Nun sah sie, dass das Backhaus gebrannt hatte, das Feuer aber gelöscht worden war, ehe es auf die anderen Gebäude übergreifen konnte. Alle Wehrgänge waren noch mit Bogenschützen besetzt. Also begann Albrecht, sie zu belagern? Dass seine Leute auch Tauchlitz niedergebrannt hatten, hatte sich sogar bis ins Krankenlager herumgesprochen.

»Mein Bruder sammelt seine Männer dort auf dem Berg«, erklärte ihr Dietrich. »Also hat er trotz seiner Verluste nicht vor, abzuziehen. Aber ich rechne auch nicht damit, dass er so schnell aufgibt. Könnt Ihr mir sagen, wie lange unsere Vorräte für Besatzung und Flüchtlinge reichen?«

»Das müsste ich mit Gertrud überprüfen. Sie hat den Überblick verloren, das gibt sie selbst zu.«

Dietrich rief einen der Knappen zu sich, der in diesem Moment aus den Ställen trat. »Hol die Frau des Verwalters, rasch! Und den Kommandanten!«

»Sofort, Hoheit!«

Er und Marthe hatten den Palas kaum erreicht, als der Knappe zurückkam – in Begleitung des graubärtigen Verwalters statt mit dessen Frau.

»Wo ist Eure Gemahlin, Gottfried?«, fragte Dietrich ungeduldig.

»Verzeiht mir, Hoheit! Sie ist krank …« Der alte Mann wand sich vor Verlegenheit.

»Bringt uns zu ihr!«, befahl der Graf.

Vorsichtig öffnete der Verwalter die Tür zu seiner Schlafstatt. Dort kniete Gertrud mit schweißnassem Gesicht über eine

Schüssel gebeugt und würgte. Das einengende Gebende hatte sie heruntergezerrt. Als sie sah, wer ihren Mann begleitete, schlug sie die Hände vors Gesicht. Aber sie konnte nicht verbergen, dass sie am ganzen Leib zitterte.

Marthe goss Wasser in einen Becher und reichte es ihr. Dann nahm sie die Frau an den Schultern und hob sie auf. »Legt Euch ins Bett, bis Ihr Euch wieder besser fühlt. Ich lasse Euch eine Arznei zubereiten.«

Beschämt ließ sich Gertrud zum Lager führen und krümmte sich wortlos unter den Decken zusammen.

»Übergebt Marthe die Schlüssel zu den Vorratskammern«, befahl Dietrich. »Gottfried, führt die Herrin von Christiansdorf herum und zeigt ihr alles Nötige. Seid unbesorgt, sie hat viele Jahre als Gemahlin des Vogtes für die Vorräte auf der Freiberger Burg sorgen müssen und kennt sich damit aus.«

Herrin von Christiansdorf! Marthe schluckte. Viele Jahre hatte niemand sie mehr so genannt – seit dem Tod ihres Mannes Christian. Dass sie umgehend danach Lukas' Frau werden musste, geschah aus der Not heraus und war blutigen Ereignissen geschuldet, auch wenn Lukas sie schon vorher geliebt hatte.

Für junge Edelfrauen gehörte es zur Erziehung, dass sie lernten, Vorräte für einen großen Haushalt oder gar eine Burg anzulegen und zu verwalten. Doch sie stammte aus ärmsten Verhältnissen und wusste nicht das Geringste von diesen Dingen, als Markgraf Otto Christian und sie überraschend zu Edelfreien ernannte und ihrem Mann einige Jahre später sogar das Kommando über die Freiberger Burg anvertraute. Eine tüchtige und erfahrene Wirtschafterin hatte ihr erst dort beigebracht, was sie alles wissen musste.

Es war eine große Verantwortung, dass niemand verhungerte und kein Streit um das Essen aufkam. Das war es schon in Friedenszeiten, vor allem, wenn die Winter lang oder die Ernten schlecht ausfielen, und erst recht im Krieg.

Nach Marthes Schätzung waren nun fünfhundert Menschen auf

der Burg – mehr, als die Erbauer vermutlich je geplant hatten. Doch wer in solch einer Lage seinen Pflichten nicht nachkam, der war hier fehl am Platz, weil er mehr Schaden anrichten konnte als der Feind.

Sie nahm die Schlüssel entgegen, die Gertrud mit zittrigen Fingern von ihrem Gürtel löste, und verneigte sich vor Dietrich. Dann folgte sie dem Verwalter, um die Säcke mit Korn und Erbsen und die Fässer mit gepökeltem Fisch zu zählen.

Nachdem sich Marthe einen Überblick über die Vorräte verschafft hatte, hielt sie erneut Ausschau nach Dietrich. Der sprach gerade in der Halle zu den Menschen, die auf der Burg Zuflucht gesucht hatten und nicht wussten, ob ihre Häuser noch standen oder in Flammen aufgegangen waren.

»Die Angreifer haben sich auf den gegenüberliegenden Berg zurückgezogen und führen kein Belagerungsgerät mit sich«, sagte er, als Marthe den vollen Saal betrat. »Solange wir hier also den Mut nicht verlieren, können sie uns nichts anhaben.«

»Sie brannten uns die Häuser nieder!«, rief eine dürre, hochgewachsene Frau in einem braunen Kleid voller Wollflocken. »Woher sollen wir noch Mut nehmen?!«

»Wir werden die Häuser wieder aufbauen«, sagte Dietrich, so ruhig er konnte. »Es gab heute keinen Toten auf unserer Seite – das ist es, was zählt. Unsere Vorräte reichen für mehrere Wochen. Und sollten sie zur Neige gehen, haben wir noch das, was ihr mitgebracht habt. Lasst meinen Verwalter aufschreiben, dass ihr eine Ziege, ein Huhn oder einen Sack Korn abgegeben habt, und ihr bekommt dafür Geld, um Neues zu kaufen, wenn wir das hier gemeinsam überstanden haben.«

Norbert neben ihm bat um die Erlaubnis zu sprechen.

»Die Handwerker sollen sich zusammentun, um noch mehr Pfeile und Armbrustbolzen herzustellen. Die Frauen und größeren Kinder können ihnen helfen.«

»Ich brauche noch ein paar tüchtige Leute für das Backhaus und die Küche«, ergänzte nun Marthe, die zu Dietrich und Norbert trat. »Helft, uns allen eine Mahlzeit zu bereiten und den Männern Essen zu bringen, die in den Wehrgängen und auf dem Turm Wache halten.«

Für jede der Arbeiten meldeten sich ein paar Freiwillige; die Übrigen teilte Marthe dazu ein, das Leinen zu waschen, das für die Verwundeten gebraucht wurde, sich um das Vieh zu kümmern oder auf die Kinder aufzupassen, damit sie nicht über den Hof tollten und Unfug anstellten.

Bald waren fast alle mit dieser oder jener Arbeit beschäftigt. Zufrieden sah Dietrich, dass die Verzweiflung wich. Dann ließ er Lukas und Thomas rufen, um mit ihnen und Norbert Kriegsrat zu halten. Zu deren Überraschung bat er auch Marthe hinzu.

Die Kämpfer, die sich in Dietrichs Kammer versammelten, trugen alle noch volle Rüstung, abgesehen von Kettenhauben und Helmen.

Gottfried, der Verwalter, ließ zu dieser Besprechung aus der Küche Brot, Fleisch und Bier kommen. Keiner der Anwesenden hatte seit dem Kampf an der Furt Gelegenheit zum Essen gehabt, und diesmal griffen sie herzhaft zu trotz der wichtigen Dinge, die zu bereden waren. Nicht nur, weil die letzte Mahlzeit lange zurücklag, sondern auch, weil niemand wusste, wann sie die nächste in Ruhe würden einnehmen können. Nächtliche Angriffe waren ein beliebtes Mittel, Belagerte zu zermürben.

Nur Marthe hielt sich im Hintergrund, weil Frauen normalerweise in einem Kriegsrat nichts zu suchen hatten. Sie saß in einer der steinernen Fensternischen und nutzte die Gelegenheit, das Gesicht ihres Sohnes zu betrachten, den sie so lange nicht gesehen hatte.

Norbert erhielt als Erster in der Runde das Wort. Er hatte einen Kundschafter ausgeschickt, der soeben mit Neuigkeiten zurückgekehrt war. Der Mann hatte sich vorsichtig bis ganz in die Nähe Albrechts gewagt und dessen Gespräch mit dem Truchsess und dem Marschall belauscht.

»Euer Bruder hat fünfzig Mann Verstärkung angefordert«, berichtete er. »Und den Tross mit Belagerungsgerät.«

»Mindestens zwei Tage brauchen die Boten nach Meißen, und die Trosskarren derzeit sicher fünf Tage bis hierher«, überschlug Dietrich. Nach dem Regen der letzten Tage würde ein Teil der Wege für den Tross nur mühsam zu passieren sein. »Das heißt, in spätestens einer Woche müssen wir uns auf schweren Beschuss einstellen, auf Ballisten, brennende Geschosse. Wie lange reichen unsere Vorräte, Marthe?«

Alle starrten die zierliche Frau an, die sich äußerst unwohl dabei fühlte.

»Zwei Wochen. Zweieinhalb, wenn wir den Gürtel enger schnallen«, gab sie Auskunft. »Dreieinhalb, wenn wir sämtliches Vieh schlachten, auch die Zugochsen.« Sie zog bedauernd die Schultern hoch. »Es sind jetzt fünfhundert Seelen hier, das sind sehr viele.«

»Von denen nicht einmal einhundert kämpfen können. Ich verstehe«, sagte Dietrich mit verschlossener Miene.

»Zwanzig Ritter, die thüringischen eingeschlossen, ein Dutzend Sergenten, zwei Dutzend Reisige und Bogenschützen, dazu die Knappen und ein Dutzend Bürger mit Spießen und Armbrüsten«, zählte Norbert die Mannschaftsstärke auf. »Im Notfall ließen sich noch ein bis zwei Dutzend ältere Männer und Knaben bewaffnen.«

Dann sank er vor Dietrich auf ein Knie.

»Verzeiht mir, Herr! Ich habe die Lage unterschätzt. Nie hätte ich gedacht, dass Euer Bruder so viele Bewaffnete gegen Euch aufbietet. Ich hätte mehr Männer in Sold nehmen müssen. Wenn Ihr es wünscht, übergebe ich das Kommando einem fähigeren Mann.«

»Nein, bleibt auf Euerm Posten«, entschied der Graf von Weißenfels. »Es ist ohnehin nicht mehr zu ändern. Und woher hättet Ihr mehr kampferprobte Männer nehmen sollen in der Kürze
der Zeit?«

Ihr könnt diejenigen, die ich ins Heilige Land geführt habe,
nicht von den Toten auferstehen lassen, dachte er, auch wenn er
sich davon nichts anmerken lassen durfte.

Während Norbert sich schweigend erhob und wieder an seinen
Platz ging, sprach Dietrich weiter, diesmal an die ganze Runde.

»Mein Bruder plant offensichtlich, auf dem Berg eine provisori-
sche Gegenburg zu bauen. Er lässt schon Palisaden errichten.
Unsere eigenen übrigens, die vom Fluss. Nachdem seine Männer die Leichen und Pferdekadaver aus dem Wasser gezogen
und die Gefallenen begraben haben, holen sie sich das Holz.
Und das Pferdefleisch werden sie wohl kochen.«

Dietrich und Thomas wechselten einen kurzen Blick. Jeder von
ihnen hatte in diesem Moment die gleichen quälenden Erinnerungen vor Augen: wie das Heer Friedrichs von Staufen auf dem
Weg ins Heilige Land, abgeschnitten von jeglicher Versorgung,
Pferdeblut trank und Pferdefleisch aß, bis auch das nicht mehr
zu haben war. Und wie Thomas vor Akkon seinen Hengst opferte, damit Roland nicht verhungerte. Der Freund erholte sich
wieder ... und starb wenig später durch einen Pfeil.

»Wenn wir hier auch alle Pferde schlachten – wie lange würde
unser Proviant dann reichen?«, fragte Dietrich Marthe.

Sie zuckte zusammen, überschlug aber rasch die Menge an
Fleisch. »Sechs Wochen. Allerdings werden wir dann vielleicht
kein Holz mehr haben, um für alle zu kochen.«

»In sechs Wochen müsste da drüben schon die rote Ruhr umgehen. Außerdem könnte dann Schnee liegen«, meinte nun Lukas.

»Doch ich würde nicht darauf wetten, dass das Euern Bruder
zum Abzug bewegt.«

»Wir müssen handeln, *bevor* die Verstärkung kommt. Das ist

unsere einzige Chance!«, erklärte Thomas hitzig, der sich bis dahin mit Mühe zurückgehalten hatte, weil er der Jüngste in dieser Runde war. »Wir haben sechs Tage Zeit. Wagen wir einen Ausfall, reiten wir ins Lager und jagen sie davon!«

»Das wären nicht einmal fünfzig Reiter gegen zweihundert«, schätzte Dietrich nüchtern ein, ohne diesen Vorschlag zu befürworten oder abzulehnen.

»Ich bin ebenfalls für einen Überraschungsangriff. Machen wir uns zunutze, dass wir das Gelände kennen«, griff Norbert die Idee auf. Auch ihm wäre es tausendmal lieber, etwas zu unternehmen, statt nur abzuwarten. »Wir überrumpeln sie im Morgengrauen und reiten durch das Lager, noch bevor ihre Palisaden stehen. Bis sie wach und gerüstet sind, haben wir ihre Überzahl aufgehoben, und dann geht es Mann gegen Mann!«

»Albrechts Truchsess ist ein mit allen Wassern gewaschener Gegner«, widersprach Lukas hart. »Unterschätzt ihn nie! Er hat ganz sicher Vorbereitungen für solch einen Fall getroffen. Er wird das Lager gut bewachen lassen und auch ausreichend Leute im gesamten Gelände rund um die Burg verteilen, um uns die Wege zu versperren. Sie werden uns kommen sehen von dort oben.«

»Wir können genug Leute ausschicken, um seine Späher unschädlich zu machen«, erklärte der Burgkommandant.

»Genug?«, fragte Dietrich mit hochgezogenen Augenbrauen. »Obwohl wir in solcher Unterzahl sind? So gern ich auf mein Glück vertrauen und diese fünfzig Mann in den Angriff führen würde – was glaubt Ihr, mit wie vielen ich zurückkäme?«

Und nun sprach er es aus: »Geben die Weißenfelser mir nicht bereits die Schuld daran, dass niemand von denen heimgekommen ist, die mit mir ins Heilige Land geritten sind?«

Bestürzt sah Marthe auf Dietrich.

Der Ton in dieser Unterredung war mittlerweile schärfer geworden.

Lukas beugte sich leicht vor, um zu vermitteln. »Wir werden uns Eure Kenntnis des Geländes zunutze machen«, sagte er beschwichtigend zu Norbert. »Wir sind sogar darauf angewiesen. Wir müssen eine Gruppe Reiter aus der Burg hinausschaffen, an Albrechts Leuten vorbei.« Nun sah er Dietrich an.

»Ich fürchte, angesichts der Lage bleibt Euch kein anderer Weg, als Landgraf Hermanns Angebot anzunehmen. Reitet mit mir nach Thüringen, und wenn Gott und der Landgraf uns nicht im Stich lassen, können wir in sechs Tagen mit seinen versprochenen zweihundert Mann hier sein – gerade noch rechtzeitig, bevor Albrecht Verstärkung bekommt und die Burg unter Beschuss nehmen lässt. Ein Angriff von zwei Seiten, so würde ich vorgehen.«

Mit einem Ruck stand Dietrich auf und trat ans Fenster. Niemand sollte sein Gesicht sehen. Inzwischen war es draußen dunkel, er konnte den Feuerschein auf dem gegenüberliegenden Berg sehen, wo sein blutdürstiger Bruder das Lager aufgeschlagen hatte.

Ja, am liebsten wäre er auf der Stelle hinausgeritten und hätte die Sache mit dem Schwert ausgetragen. Doch er durfte nicht aus einer Laune heraus alle seine Ritter und Sergenten opfern. Sie waren so wenige, dass solch ein Unterfangen nicht Wagemut wäre, sondern frevelhafter Leichtsinn.

Wie es aussah, konnte tatsächlich einzig der Landgraf von Thüringen helfen. Aber sollte er allen Ernstes eine Verlobung mit einer Achtjährigen eingehen, nur um seine Haut zu retten?

Nie hatte er Clara heftiger begehrt als in diesem Augenblick.

Mit erzwungener Beherrschung drehte er sich zu Lukas um. »Seid Ihr Euch absolut sicher, dass sich der Landgraf nicht zu irgendeiner anderen Bedingung bereit erklären könnte, mich militärisch zu unterstützen?«

Lukas zögerte einen Augenblick, sah fragend zu Marthe, doch auch sie schien keinen anderen Weg zu sehen.

»Er will sicher sein, dass seine Tochter einmal gut verheiratet wird. Das ist es, was ihm am Herzen liegt, nachdem ihre Mutter gestorben ist«, sagte sie bedauernd.

Sie wussten beide: Dietrich hatte nichts zu bieten, womit er den reichen und mächtigen Landgrafen von Thüringen sonst locken könnte; dafür war sein Anteil am wettinischen Erbe zu gering. Und an Hermanns Gerechtigkeitssinn oder Vernunft zu appellieren – es war durchaus in seinem Interesse, den streitlustigen Nachbarn Albrecht zurechtzustutzen –, versprach wenig Erfolg. Dafür war Hermann ein zu kühler Rechner. Er wollte mehr Vorteil aus der Lage ziehen.

»Ein Bündnis mit Thüringen, durch eine Ehe besiegelt, wäre auf Dauer ein großer Gewinn«, drängte nun auch Norbert. Dietrich war nicht Markgraf wie einst sein Vater, sondern nur ein Graf mit einem unbedeutendem Stück Land, einer Burg, die er nicht halten konnte, und ein paar Ortschaften, die gerade niedergebrannt worden waren.

»Gemeinsam mit meinen Söhnen und Lukas von Freiberg bereite ich einen Plan vor, wie wir unbehelligt von der Burg kommen.«

Alle sahen zu Dietrich, gespannt auf seinen Entschluss, von dem so viel abhing.

»Ich treffe meine Entscheidung morgen«, erklärte er mit undurchdringlicher Miene. »Falls einer von Euch bis dahin noch einen anderen Vorschlag hat – er sei mir willkommen. Nun soll jeder zurück auf seinen Posten, damit wir in der Nacht keine bösen Überraschungen erleben.«

Damit war die Unterredung beendet.

Dietrich wartete, bis alle sich verabschiedet hatten, dann ging er erneut Richtung Krankenlager. Er musste unbedingt mit Clara reden.

Gespräche in der Nacht

C lara war tatsächlich noch bei den Verwundeten, aber zu Dietrichs Überraschung hockte sie nun zusammen mit dem neuen Schmied am Feuer und ritzte etwas mit einem Stock in den Lehmfußboden.

»So, verstehst du?«, flüsterte sie, ohne den Grafen wahrzunehmen. Der junge Freiberger nahm ihr das Stöckchen aus der Hand und änderte etwas an dem Bild.

»Ich könnte es so machen, das wäre noch besser. Schau her!«

Es störte Dietrich sehr, wie vertraut die beiden miteinander umgingen, ganz in ihre merkwürdige Angelegenheit vertieft, ohne ihn zu bemerken. Einem Schmied stand es nicht zu, eine Edelfreie mit »du« anzureden.

Einer der Verwundeten stöhnte und rief nach Wasser.

Jetzt erst bemerkten die beiden jungen Leute den Fürsten am Eingang und fuhren hoch.

»Hoheit ...« Clara stand hastig auf, knickste und huschte zu dem Kranken, um ihm den hölzernen Becher neu zu füllen.

Dann kehrte sie zum Feuer zurück.

»Das soll ein Werkzeug werden, mit dem ich Pfeilspitzen herausziehen kann«, erklärte sie die Zeichnung auf dem Boden, etwas verlegen, aber unverkennbar begeistert. »Guntram wird es mir schmieden, und er weiß sogar, wie man es noch verbessern kann. Seht!«

Wider Willen trat Dietrich näher und betrachtete die Linien im Erdreich. Er kannte solche Geräte; auf dem Kreuzzug waren etliche seiner Männer durch Pfeile verletzt worden. Anhand der einfachen Konturen ließ sich wirklich erkennen, dass dieses Gerät besser funktionieren würde als die üblichen: Man konnte eine Hülse über die abstehenden Enden des Pfeils schieben, damit sie das Fleisch beim Herausziehen nicht noch mehr aufrissen. So etwas hatte er schon einmal bei einem sarazenischen Heiler gesehen. Wer weiß, woher der junge Freiberger diese Idee haben mochte.

»Ich mache mich gleich morgen früh an die Arbeit. Wenn Ihr gestattet ... halte ich jetzt nach einem Platz zum Schlafen Ausschau ...«, stammelte Guntram und suchte nach Erlaubnis des Grafen das Weite.

»Wie geht es den Verwundeten?«, fragte Dietrich, um Clara und auch sich selbst Zeit zu geben, sich zu sammeln. Dass der Schmied sie mit dem vertraulichen »Du« angesprochen hatte, störte ihn immer noch.

»Er gehörte in Freiberg zu Peters Bande«, erklärte Clara, die wohl in seinem Gesicht gelesen hatte. »Ihr erinnert Euch?«

Gegen seinen Willen musste Dietrich lächeln. »Natürlich. Die Schmiedesöhne und der einstige Dieb. Kuno und Bertram sind übrigens heute auch hier eingetroffen. Aber das wisst Ihr sicher schon länger als ich.«

Er durfte nicht vergessen, dass Clara eine außergewöhnliche Kindheit erlebt hatte – außergewöhnlich durch ihre Herkunft, das Schicksal ihrer Eltern und den Umstand, dass sie von klein auf insgeheim einer Verschwörerbande angehört hatte, zu der eben auch Guntram zählte.

Nun besann sich Clara auf ihre Aufgabe und seine Frage. Sie warf einen prüfenden Blick auf die Männer, die ihr anvertraut waren.

»Es kann sein, dass wir einem von ihnen doch noch die Hand abnehmen müssen. Aber das will ich erst morgen entscheiden, bei Tageslicht«, sagte sie leise.

Noch jemand, der eine wichtige Entscheidung vor sich herschiebt in der sinnlosen Hoffnung, ein Wunder könnte geschehen, dachte Dietrich bitter.

Dann sammelte er sich, strich sich das schulterlange Haar zurück und sagte: »Clara, ich würde Euch gern unter vier Augen sprechen. Jetzt gleich. Sofern Ihr keine Einwände dagegen habt.«

Sie schwieg einen Moment. Ein Schatten legte sich über ihre Züge, der Dietrich beunruhigte.

Rasch drehte sie sich um, ging zur Wand und weckte eine alte Magd, die zur Krankenpflege eingeteilt und eingeschlafen war. Nach ein paar geflüsterten Anweisungen schaute sich Clara noch einmal um, strich mit den Händen über das zerknitterte Leinen ihres dunklen Kleides und trat vor den Grafen, die Lider gesenkt.

»Gehen wir in den Palas«, sagte er und bedeutete ihr mit einer Geste, ihn zu begleiten.

Die Nacht war kalt und recht klar; die Sichel des Mondes leuchtete durch ein paar schmale Wolken. Auf dem Turm loderten Flammen, in den Wehrgängen hielten Männer Wache und sprachen leise dann und wann ein Wort.

Wortlos gingen sie an den Stallungen vorbei, wo ein paar Pferde stampften und schnaubten. Ein verhaltenes Kichern und Wispern kündete davon, dass auch auf dem Heuboden Flüchtlinge untergebracht waren.

In der Halle lagen die Schlafenden so dicht nebeneinander, dass man kaum zwischen ihnen hindurchtreten konnte. Die Schragen und Bretter, aus denen zu den Mahlzeiten Tische gebaut wurden, lehnten an den Wänden, überall auf den Binsen hatten sich Leute in ihre Umhänge oder ein verfilztes Schaffell gewickelt. Kräftige und leise Schnarchlaute mischten sich mit Husten und anderen Geräuschen. Trotz der späten Stunde wälzte sich mancher unruhig hin und her, wo es die Enge auf dem Fußboden erlaubte.

Bemüht, niemanden aufzuwecken, schritt Clara hinter Dietrich durch die Halle. Ihr Blick fiel auf ein Kind, das sich an einen Hund schmiegte und im Schlaf angstvoll stöhnte. Eine Frau mit Tränen in den Augen gab einem Säugling die Brust, eine andere setzte sich mühevoll auf, drückte den angeschwollenen Leib durch und rieb sich den Rücken – vielleicht würde sie noch in dieser Nacht niederkommen. Zehn Schritte entfernt saß eine Greisin und redete leise auf ein paar Kinder ein, die sie ängstlich anstarrten.

An der Treppe bedeutete Dietrich ihr voranzugehen.

Clara fragte sich, wo ihre Eltern und ihr Bruder gerade steckten. Sicher waren sie auch noch auf. Dass der Sieg an der Furt nur der Auftakt zu einer geordneten Flucht war, das hatte auch Clara begriffen. Plötzlich musste sie darüber nachdenken, was ihr und ihren Eltern wohl geschehen würde, wenn sie Albrecht und Elmar in die Hände fielen. Wer würde sich um ihr Kind kümmern, die kleine Änne, wenn sie tot war?

So weit voraus in die Zukunft hatte sie bis eben noch nicht zu denken gewagt.

Sie musste sich morgen früh unbedingt die Beichte abnehmen lassen. Doch wahrscheinlich würden dann schon viele auf den Priester warten, die die gleiche Absicht hegten.

»Er kann gar nicht anders als auf das Angebot des Thüringers eingehen«, brummte Lukas, während er spät in der Nacht mit Marthe zu ihrer kleinen Gästekammer ging. Lukas hatte bis eben noch mit Norbert Pläne geschmiedet, Marthe mit dem Küchenmeister. Erst jetzt konnten sie sich wieder treffen und wollten schlafen gehen.

»Im Grunde genommen ist es sogar ein sehr vorteilhaftes Angebot – er bekommt eine Landgrafentochter, auf die er sonst wohl kaum Aussicht hätte, und dauerhaften Frieden mit Thüringen. Darauf ist er ebenso angewiesen wie auf Unterstützung gegen seinen Bruder.«

»Es ist ein widerliches Geschacher«, widersprach Marthe entrüstet. »Was soll Dietrich mit einer Achtjährigen?«

»Bis sie alt genug ist für den Vollzug der Ehe, wird er sich schon die Zeit vertreiben. Hauptsache, er schlägt sich Clara aus dem Kopf«, meinte Lukas. Plötzlich kam ihm ein beunruhigender

Gedanke. »Wusstest du etwa davon, dass Dietrich um sie anhalten wollte?«

Marthe zögerte. »Nein … Aber davon, dass sie sich lieben … oder zumindest geliebt haben …«, gestand sie.

Fassungslos blieb Lukas stehen und drehte sie an den Schultern zu sich. *»Was?«*

»Beruhige dich! Sie hat es mir erzählt, bevor Reinhard um sie warb. Es ist nichts geschehen! Und Clara wusste von Anfang an, dass daraus nichts werden kann …«

Lukas wirkte alles andere erleichtert. »Da soll ich ruhig bleiben? Du hättest es mir sagen müssen!«

Er ließ seiner Frau wohl doch zu viele Freiheiten.

»Und was hättest du dann getan?«, hielt sie ihm vor. »Du hättest keinesfalls geschwiegen und so die Sache noch schwieriger gemacht.«

»Als ob sie nicht schon schwierig genug wäre«, schalt Lukas. Wenn er die Belagerung überlebte, wenn sie alle die nächsten Tage überlebten, dann würde er diese Sache dringend im Auge behalten müssen. Es wurde Zeit, Clara wieder zu vermählen; noch länger durfte die junge Mutter nicht allein bleiben, schon gar nicht angesichts der heutigen Enthüllungen. Es wäre gefährlich für sie, unter dem Stand zu heiraten – aber über dem Stand nicht minder. Jemand wie sie durfte um keinen Preis auffallen und schon gar nicht einen anderen Platz beanspruchen als den ihr von Gott zugewiesenen.

Als sie – beide in Gedanken vertieft, wenn auch in recht verschiedene – den Hof erreichten, fragte Marthe plötzlich: »Bist du sehr müde?«

Nun konnte sich Lukas ein Grinsen nicht verkneifen.

»So sehr nicht«, meinte er und ließ seine Hand über ihre Hüfte wandern. Im Krieg war es zwar sinnvoll, jede Gelegenheit zum Schlafen zu nutzen, die einem blieb. Doch andererseits konnte niemand wissen, wann sie wieder Zeit für ein Liebesspiel hatten.

Marthe stieß ein überraschtes Lachen aus. »Ich meinte nicht *das*«, sagte sie, nahm seine Hand und legte sie wieder auf ihren Arm, wo sie hingehörte.

»Willst du noch einmal ins Krankenlager, nach den Verletzten sehen?«, fragte Lukas. Das würde ihn trotzdem nicht daran hindern, sie nachher genüsslich auszuziehen und zu liebkosen, bis sie vor Lust stöhnte. Er wusste genau, wie er sie in kürzester Zeit dahin bringen konnte.

»Nein, wenn es Probleme gibt, holen sie mich schon. Aber falls Kuno und Bertram noch wach sind – ich würde gern ein paar Neuigkeiten aus Freiberg hören ...«

Sofort schwenkte Lukas in eine andere Richtung.

»Die sind in den Ställen, glaube ich.«

Leise, um die Nachtruhe nicht zu stören, sprach er mit dem Mann, der Wache am Eingang zum ersten Stallhaus hielt. Der verschwand kurz und tauchte wenig später mit den gesuchten Freibergern auf, die anscheinend auch noch kein Auge zugetan hatten.

»Erzählt uns von zu Hause!«, forderte er sie auf – hauptsächlich in der Hoffnung, die beiden Schelme würden Marthe etwas aufheitern. Zu viert gingen sie zu einem der Wachfeuer und ließen sich dort nieder. Die Männer trugen dicke Gambesons, sie würden nicht frieren, und Marthe zog ihren Wollumhang enger um die Schultern.

»Emma ist gestorben«, begann Kuno. »An dem Tag, als wir fort sind ...«

»Sie hatte einen guten Tod, ihre ganze Familie war bei ihr«, ergänzte Bertram, nachdem Marthe ein Gebet gesprochen hatte. »Nun kümmert sich Johanna um die Kranken und die Gebärenden, und sie macht das wirklich gut.«

»Es gibt eine Menge Leute, die dafür sorgen, dass es dem Gesindel nicht allzu gutgeht, das sich in Eurem Haus niedergelassen hat, Herr.«

»Und einer von Peters Bande hat dem Burgvogt letztens die Jagdhunde besoffen gemacht.«

Abwechselnd und sich einander ins Wort fallend, erzählten die beiden Sergenten: von Betrüblichem, von Erfreulichem, von Geburten, Hochzeiten, Begräbnissen, von Alltäglichem und den vielen Streichen, mit denen sich die Freiberger ihr Leben erträglich machten. Bald musste sogar Marthe, sonst zumeist in sich gekehrt, sich vor Lachen die Tränen aus den Augen wischen.

Für einen Moment trat Stille ein, nur die Äste im Feuer knackten und knisterten.

»Ihr fehlt uns«, sagte Kuno plötzlich, ungewohnt ernst. »Es gibt in der Stadt eine Menge Leute, die für Eure Rückkehr beten und den Tag herbeisehnen.«

Auf einen Schlag verflog Marthes Lächeln.

»Wir können nicht zurück, solange Albrecht Markgraf ist«, sprach Lukas aus, was beide dachten. »Nicht, solange er lebt.«

Er stemmte sich hoch, reichte Marthe die Hand und half ihr auf. »Gehen wir schlafen. Nur Gott allein weiß, was uns morgen erwartet.«

Nur Gott und dieser Hundsfott Albrecht, dachte er dabei, ohne es jedoch auszusprechen.

In der Kammer angelangt, bot Dietrich Clara an, Platz zu nehmen. Da er jedoch als Ranghöherer stehen blieb, wagte sie es nicht, sich zu setzen, und stand ebenfalls da, mit gesenktem Blick. Er trug nach wie vor volle Rüstung außer Helm und Kettenhaube, sein braunes Haar war vom Wind zerzaust, bis er es mit einer schnellen Bewegung wieder zurückstrich.

Auch ihr Kleid hatte an diesem Tag gelitten. Es war zerknittert, und im Schein der Kerze auf dem Tisch erkannte sie Blutspritzer am Ärmel des hellen Unterkleides.

»Clara, ich habe vorhin Eure Eltern um Eure Hand gebeten«, erklärte er ohne Umschweife. »Die Antwort steht noch aus, aber noch wichtiger als ihr Ja ist mir Eures. Deshalb frage ich Euch: Wollt Ihr meine Gemahlin werden?«

Clara starrte ihn für einen Augenblick fassungslos an. Dann wischte sie sich eine nicht vorhandene Strähne aus dem Gesicht und wich einen halben Schritt zurück.

»Ihr könnt mich nicht heiraten«, sagte sie und hatte Mühe, die tiefe Traurigkeit aus ihren Zügen zu verbannen, die sie bei diesen Worten befiel. »Ihr müsst Jutta von Thüringen als Gemahlin wählen, sonst fällt Weißenfels in die Hände Eures Bruders, und viele Menschen werden sterben.«

»*Wählen* ... Wenn ich *wählen* darf, wähle ich Euch!«, beharrte Dietrich und trat auf sie zu. »Ich liebe Euch immer noch, mehr als je zuvor ... Ich habe Euch so vermisst, dass es mir gleichgültig ist, was andere davon halten, wenn ich keine Fürstin oder Gräfin heirate, sondern die Tochter eines Ritters. Liebt Ihr mich denn nicht mehr?«

Und als sie nicht antwortete, fragte er fast verzweifelt: »Was hat Reinhard getan, dass Euer Herz immer noch so an ihm hängt?«

Nun streckte er die Hand aus, als wollte er ihre Wange berühren, hielt aber eine halbe Elle Anstand von ihr.

Zögernd und mit allem Mut, den sie aufbringen konnte, griff Clara mit beiden Händen nach seiner, küsste sie so sanft, dass er ihre Lippen kaum spürte ... und gab sie frei, ließ ihre Arme in unheimlich wirkender Langsamkeit sinken. Dann trat sie noch einen halben Schritt zurück.

»Ich liebe Euch ... immer noch und mehr denn je«, sagte sie leise. »Doch sprecht nicht von Heirat mit mir, das ist undenkbar. Ihr müsst auf den Vorschlag des Landgrafen von Thüringen eingehen.«

Sie liebte ihn! Dietrich war so glücklich, das zu hören, dass er ihre übrigen Worte am liebsten übergangen hätte.

»Der Landgraf von Thüringen wird mir einen anderen Vorschlag unterbreiten, wenn er erfährt, dass ich bereits verlobt bin«, sagte er zuversichtlich.

»Nein, Hoheit, das wird er nicht ... Ihr müsst Euch mit Jutta verloben, das wisst Ihr so gut wie ich«, beharrte Clara.

Nun trat er noch einen Schritt auf sie zu, nahm ihre Hände und blickte sie auf eine Art an, die ihr beinahe das Herz brach.

»Clara, hab doch keine Angst, was die anderen sagen werden! Ich weiß, dass jedermann erwartet, ich würde eine Fürstentochter heiraten ... und sei es die kleine Jutta. Du bist außergewöhnlich klug und tapfer. Du wirst dich behaupten an meiner Seite, und du hast mein Wort, dass ich dich gegen jeden verteidigen werde, der dir deinen Stand vorwerfen will!«

Da sie beharrlich schwieg, redete er, bis alles aus ihm heraus war, was ihn in langen Nächten zerrissen hatte.

»All die Zeit im Krieg, als wir ohne Wasser und Nahrung die feindlichen Wüsten durchquerten, als wir aussichtslose Schlachten schlugen und mir die Männer einer nach dem anderen wegstarben ... da hat mich nur ein Gedanke aufrecht gehalten: dich wiederzusehen, Clara, dich als meine Frau in die Arme zu schließen. Und jetzt muss ich wieder Männer in den Kampf schicken, vielleicht in einen ebenso aussichtslosen. Sie erwarten von mir ein Wunder. Die Burg ist überfüllt, meine Gewährsleute haben weder ausreichend Vorräte noch Kämpfer für unsere derzeitige Lage herbeigeschafft. Ich liebe dich, und ich möchte dich an meiner Seite! Ich brauche dich, um nicht noch einmal zu versagen.«

»Dafür braucht Ihr nicht mich, sondern einen mächtigen Schwiegervater«, widersprach Clara mit harter Stimme, obwohl ihr das Herz blutete. »Ihr schwächt Eure Position noch mehr, wenn Ihr unter Euerm Stand heiratet. Dann wird bald nicht nur Euer Bruder nach diesem Land dürsten. Ihr habt eine Verpflichtung gegenüber den Schutzbefohlenen.«

Dietrich starrte Clara ins Gesicht. Als ihre Worte ihn endlich erreicht hatten, verschloss auch er seine Züge und ließ ihre Hände los.

»Verzeiht, dass ich Euch bedrängt und Eure Zeit beansprucht habe. Eine Wache wird Euch sicher in Eure Kammer geleiten.«

Sein Tonfall war mit einem Mal sehr kühl geworden. Nachdem er sich soeben zum Narren gemacht hatte, wollte er seine grenzenlose Enttäuschung nicht auch noch offen zeigen.

Dietrich drehte sich bereits zur Tür, als Clara ihn leise zurückrief.

»Ich weise Euch nicht ab. Ich liebe Euch. Über alle Maßen ... und ohne jede Bedingung.«

Fragend musterte er sie. Ohne jede Bedingung? Was meinte sie damit?

»Ihr müsst Euch mit Jutta von Thüringen verloben, damit die Menschen hier überleben. Doch bis die Hochzeit in ein paar Jahren vollzogen werden kann, bin ich bereit ... wenn Euch das die Entscheidung leichter macht ...«

Wieder krallten sich ihre Hände im Kleid fest. »... mich Euch zu schenken. Nicht als Gemahlin, das ist unmöglich, aber als Eure Geliebte.«

Nun war es heraus, und sie hatte nicht einmal den Kopf gesenkt dabei, sondern sah ihm direkt in die Augen.

»Ich bin bereit, die Folgen auf mich zu nehmen.«

»Clara«, sagte er vollkommen entwaffnet und rang nach Luft. »Denkst du, ich würde solche Schande über dich bringen? So sehr ich dich begehre, so sehr ich davon träume ... Wie könnte ich deinem Vater dann noch im Jenseits gegenübertreten? Soll ich deinem Stiefvater und deiner Mutter ihre Treue damit vergelten, dass die Leute von dir reden als meiner ... *Hure?*«

»Ihr seid der Sohn eines Fürsten, niemand wird Euch verurteilen dafür, dass Ihr Euch eine Gespielin sucht, bis Eure Braut alt genug ist für den Vollzug der Ehe. Und niemand wird es wagen, mich in Euerm Beisein Hure zu nennen. Ich glaube nicht, dass Gott die straft, die aus vollem Herzen lieben. Aber eines weiß ich genau: Das Leben kann von einem Moment zum anderen vorbei sein. So starb mein Vater, so starb mein Mann, so starben Eure Männer im Krieg. Und wenn Ihr Euern Bruder nicht zurückschlagt, wird er auch meine ganze Familie auslöschen.«

Zutiefst bewegt, suchte Dietrich nach Worten.

»Verurteilt Ihr mich nun etwa? Haltet Ihr mich für unkeusch?«, fragte sie, eher gekränkt als verunsichert. »Kein Mann außer meinem rechtmäßigen Gemahl, der schon lange tot ist, hat mich je berührt. Und keinem außer Euch würde ich es je erlauben.«

Langsam ging er auf sie zu, nahm ihren Kopf in beide Hände und küsste ihre Stirn.

»Clara, ich sehne mich so sehr nach dir«, flüsterte er. Am liebsten hätte er sie an sich gepresst und auf beiden Armen zum Bett getragen.

»Doch das kann ich nicht tun. Das kann ich dir nicht antun. Es wäre, als würde ich dich den Wölfen zum Fraß vorwerfen.«

Er löste sich von ihr und nahm lediglich ihre Hand, um sie zur Tür zu führen.

»Reitet morgen nach Eisenach und holt Verstärkung«, sagte sie entschlossener, als ihr zumute war.

Mit hämmerndem Herzen und gesenktem Kopf ging sie hinaus. Er wollte sie nicht. Würde er jetzt schlecht von ihr denken, sie verurteilen? Wenn die Schlacht vorbei war, musste sie Weißenfels wohl verlassen. Nun würde sie es nicht mehr ertragen können, an einem Ort mit Dietrich zu leben und ihm immer wieder begegnen zu müssen.

Auch Albrecht war in dieser Nacht noch auf, in Gesellschaft seines Marschalls und seines Truchsessen. Der fette Mundschenk hatte um Erlaubnis gebeten, sich von den Strapazen des Rittes und des anschließenden Beutezuges erholen zu dürfen, und schlief bereits. Gerald starrte mit finsterer Miene vor sich hin, ohne ein Wort zu verlieren. Nur Elmar wirkte unverkennbar zufrieden und trank zusammen mit dem Fürsten Becher um Becher, ohne dass es ihm etwas auszumachen schien.

Dabei hätte dieser Bastard von einem Sterndeuter heute Nacht wirklich etwas zu deuten bekommen, dachte er boshaft mit Blick auf den Himmel, den er durch den Spalt am Eingang des Zeltes sehen konnte, das die Reisigen aufgebaut hatten. Doch der Alchimist hatte sich mit Verweis auf sein Alter und seine angegriffene Gesundheit vor dem Kriegszug gedrückt, und Elmar vermisste ihn nicht im Geringsten. Endlich hatte er wieder das Ohr des Fürsten für sich allein. Die beste Gelegenheit, daran zu erinnern, dass er unentbehrlich war.

»Vielleicht solltet Ihr morgen einen Unterhändler zur Burg schicken«, schlug er vor.

»Wozu?«, meinte Albrecht verächtlich. »Es gibt kein Pardon. Wir werden sie belagern, bis sie ihre eigenen Stiefel weich kochen und fressen. Irgendwann kommen sie schon angekrochen und winseln um Gnade.«

»Sicher. Aber wenn sie hören, dass wir in weniger als einer Woche Verstärkung haben werden, geben sie vielleicht gleich auf. Außerdem ...«

Er zögerte seine nächsten Worte etwas hinaus, um den Fürsten neugierig zu machen. Albrecht kannte ihn gut genug, um zu erwarten, dass jetzt ein besonders perfider Vorschlag kam.

»Es gäbe da jemanden, der für diesen Auftrag besonders geeignet wäre: der Muldentaler ...«

Unwirsch starrte Albrecht seinen Gefolgsmann an. »Wenn wir den zu meinem Bruder schicken, sehen wir ihn nie wieder«, knurrte er. »Ich habe nicht vor, dem Gegner Verstärkung zu senden, selbst wenn es nur ein einziger Mann ist.«

Er hatte den Genannten ohnehin nur mitgenommen, und zwar unter strenger Bewachung, um ihm keine Gelegenheit zu geben, gegen ihn zu intrigieren.

»Der kommt wieder, da Ihr gedroht habt, sein Weib abzuste-

chen, sollte er sich nicht als treu erweisen«, versicherte Elmar
gelassen.

Albrecht blickte ihn misstrauisch an. »Und was ist dann der
Plan, der hinter diesem Vorschlag steckt? Hofft Ihr, meines Bruders Leute würden ihn erschießen?«

Elmar lächelte selbstgefällig und strich sich über die Bartspitzen.
»Es wäre kein Verlust. Aber ich denke an etwas anderes. Der
Sohn des Muldentalers ist damals ganz gewiss mit dem Christi-
ansdorfer zum Kaiser geflohen. Er stand heute nicht an der Furt.
Heißt es nicht, Euer Bruder sei nur mit einem einzigen Mann
zurückgekehrt?«

»Wie erbärmlich!«, schnaufte Albrecht abfällig. Doch dann begriff er.

»Genau!«, bestätigte der Truchsess, der die Regung auf dem
Gesicht seines Gegenübers erkannte. »Zu hören, dass sein einziger Sohn unter dem Kommando Eures Bruders elendig verreckt ist, sollte Euch dessen Treue besser sichern als jede Drohung.«

Herausforderung

Am Morgen, gleich nach der Frühmesse in der überfüllten
Burg, ließ Dietrich seine militärischen Ratgeber in seine
Kammer kommen: Norbert, Lukas und deren Söhne, außerdem
Gottfried, den Verwalter. Bisher hatte er keine Entscheidung be-
kanntgegeben, weil er im Grunde seines Herzens immer noch
hoffte, das Unvermeidliche vermeiden zu können.

Lukas und Norbert hatten am Abend zuvor einen Plan ausgear-
beitet, wie eine kleine Gruppe Berittener unbemerkt von den
Belagerern die Burg durch die geheime schmale Ausfallpforte

verlassen würde. Den steilen, kaum erkennbaren Pfad hinab mussten sie die Pferde am Zügel führen.

»Ich schicke ein Dutzend bewährter Männer voran, die Euch den Weg von feindlichen Patrouillen frei halten«, versicherte Norbert gerade.

»Derweil sorge ich mit ein paar Leuten für eine Ablenkung im feindlichen Lager, um die Meißner beschäftigt zu halten«, erklärte Thomas, und das vergnügte Grinsen seines Stiefvaters deutete darauf hin, dass sie dafür eine wirklich ausgefallene Idee entwickelt hatten.

Nun sahen alle erwartungsvoll auf ihren Befehlshaber, hofften wohl, dass er zustimmen und sofort nach Thüringen aufbrechen würde.

Dann werde ich wie ein Bittsteller vor Hermann knien, der diesen Moment weidlich auskosten wird, dachte Dietrich verbittert. Ich konnte weder meinen Wallfahrereid halten noch diese Burg ... So stehe ich da vor Gott und der Welt ... Und alle Hoffnung auf meine Liebe muss ich begraben. Ich könnte mir jederzeit eine hübsche Magd ins Bett holen oder eine Ministerialentochter – aber nicht Clara.

Wie könnte ich Lukas je wieder in die Augen sehen? Oder ihrer Mutter? Ich habe zu wenig wirklich treue Verbündete, um auch nur einen Einzigen von ihnen zu verprellen. Und dieses bisschen Ehre ist das Letzte, das mir überhaupt noch geblieben ist.

Polternde Schritte die Treppe hinauf ersparten Dietrich für den Moment eine Antwort. Ein junger Sergent trat nach Aufforderung ein und rief, noch bevor er niederkniete:

»Der Markgraf schickt uns einen Unterhändler!«

»Steht er schon vor dem Tor?«, wollte Norbert wissen.

»Wenn Ihr erlaubt, würde ich diesen Boten gern in Augenschein nehmen«, schlug Lukas vor und wandte sich an seinen Stiefsohn: »Begleitest du mich?«

Sofern der Unterhändler nicht erst vor kurzem in Albrechts

Dienste getreten war, würden sie ihn kennen und aus der Wahl des Boten nicht nur auf die Botschaft schließen können, sondern auch danach entscheiden, ob sie ihm Einlass gewährten oder ihn lieber vor dem Tor stehen ließen und die Verhandlungen von der Mauer aus führten.

»Ich komme mit und will hören, was er zu sagen hat«, entschied Dietrich.

Sie erhoben sich und gingen gemeinsam Richtung Torhaus.

In der Halle und auf dem Hof waren ein paar Knechte und Mägde dabei, Hirsebrei auszuteilen. Überall saßen oder standen Menschen und aßen. Einen Löffel trug jeder bei sich, und wer keine Schale hatte, teilte sich ein Gefäß mit ein paar anderen. Im vorderen Teil der Halle und unter den Wehrgängen aßen diejenigen Bewaffneten, die gerade nicht zur Wache eingeteilt waren. Ihre Zahl war verschwindend gering im Verhältnis dazu, wie viele Menschen derzeit die Burg bevölkerten.

Die Menge teilte sich vor den entschlossen dreinblickenden Befehlshabern, die mit großen Schritten über den Hof liefen.

Je zwei Stufen auf einmal nehmend, klomm Lukas die Treppe des Wehrganges hinauf, um Ausschau halten zu können. Das Gewicht seines Kettenhemdes schien er nicht zu spüren.

Bereits am Pferd erkannte er, wer dort unten stand. Thomas ebenso, und ihm war dabei zumute, als müsste er vor Scham und Kummer im Boden versinken.

»Der Markgraf bietet allen freien Abzug, wenn ihm die Burg heute noch übergeben wird. Er gewährt Euch eine Frist bis Sonnenuntergang«, rief Raimund von Muldental herauf.

Zu Dietrich gewandt, sagte Lukas leise: »Wenn ausgerechnet Raimund diese Botschaft überbringt, steckt etwas dahinter … eine List … oder eine geheime Nachricht. Und ich würde gern herausfinden, was das ist. Vielleicht will er sich uns auch anschließen.«

»Lasst ihn herein!«, befahl der Graf. Er kannte Raimund seit seiner Knappenzeit; er war der beste Freund Christians gewesen, seines Lehrmeisters. Und jetzt musste er ihm sagen, dass sein einziger Sohn gefallen war.

Es nahm einige Zeit in Anspruch, bis das Tor mit Bewaffneten doppelt gesichert, die Zugbrücke heruntergelassen und die schweren Balken aus den Halterungen gelöst waren. Raimund ritt unter dem halb hochgezogenen Fallgitter hindurch, wobei er den Kopf einziehen musste. Sofort wurde es wieder vollständig herabgelassen. Ein halbes Dutzend Bewaffneter umringte ihn, aber Lukas schickte sie weg.

»Wenn Ihr erlaubt, rede ich zuerst kurz unter vier Augen mit ihm«, sagte er zu Dietrich, und seine finstere Miene ließ keinen Zweifel daran, dass es dabei um die Todesnachricht ging, die er dem Freund überbringen musste. Thomas wollte Einspruch erheben, weil er das als seine bittere Pflicht ansah, aber sein Stiefvater zwang ihn mit einem Blick zum Schweigen. Auch Lukas kannte inzwischen die Einzelheiten von Rolands tragischem Ende.

Raimund war derweil aus dem Sattel gestiegen. Lukas legte dem Freund einen Arm auf die Schulter und zog ihn ein paar Schritte beiseite, damit sie unbelauscht reden konnten. An dieser Stelle konnte sie niemand von Albrechts Leuten sehen, selbst wenn der von ihnen besetzte Berg höher war.

Für die Beobachter auf dem Burghof sah es aus, als würde Raimund von einem Hammerschlag getroffen. Er taumelte, doch Lukas hielt ihn weiter mit einem Arm und sprach immer noch leise auf ihn ein.

Raimund, kreidebleich geworden, rieb sich mit der Hand übers Gesicht.

»Deshalb hat Albrecht *mich* geschickt«, sagte er, während ihm Tränen in die Augen stiegen. »Ich glaubte, er wollte mich dazu verleiten überzulaufen. Dann könnte er meine Güter einziehen … Meine Pferde hat er ja schon … Aber dann würden sie Elisabeth umbringen. Elisabeth! Wie soll ich ihr das beibringen? Es wird ihr das Herz brechen …«

»Wenn dir das ein Trost ist: Er hat nicht lange leiden müssen ...
Und all seine Sünden sind vergeben, er darf bei unserem Erlöser
weilen«, brachte Lukas mit Mühe hervor. Er wusste, dass es
nichts gab, womit er den Freund trösten konnte.

Raimund rieb sich abermals übers Gesicht, während er versuch-
te, sich zu sammeln. »Ich sollte nun meinen Auftrag erfüllen ...«
Er blinzelte ein paar Mal, um klar zu sehen, dann ging er auf
Dietrich zu und sank vor ihm auf ein Knie.

»Erhebt Euch, begleitet mich und überbringt Eure Botschaft in
meiner Kammer«, sagte der Graf und befahl, dem Boten etwas
zu trinken zu reichen. Was sie nun zu bereden hatten, war nicht
für jedermanns Ohr gedacht. Es schwirrten ohnehin schon zu
viele Gerüchte auf der Burg herum.

»Ich gäbe all mein Silber dafür, wenn ich Euern Sohn lebend aus
dem Heiligen Land zurückgebracht hätte«, sagte er auf dem
Weg leise zu Raimund, und es war nicht nur dahergeredet. »Er
war einer meiner tapfersten Männer, er hat so oft sein Leben
gewagt ... Und dann fiel er ausgerechnet am letzten Tag vor Akkon ...«

Raimund wollte etwas entgegnen, aber die Kehle schien ihm wie
zugeschnürt.

Er war dankbar für den Aufschub, den ihm der Weg bis zum
Palas und die Treppe hinauf brachte.

In der Kammer angelangt, nahm er alle Kraft zusammen und
wiederholte seine Botschaft. »Albrecht bietet Mann, Frau und
Kind auf dieser Burg freien Abzug ohne Waffen, wenn Ihr ihm
Weißenfels vor Einbruch der Dämmerung übergebt.«

»Ihr meint: Was von Weißenfels noch übrig ist?«, fragte Dietrich
mit eisiger Miene. »Und was, wenn ich meinem Bruder die Burg
nicht freiwillig überlasse? Im Handstreich kann er sie nicht einnehmen, und der Winter rückt heran.«

»Sollst du damit drohen, dass in ein paar Tagen Verstärkung
kommt?«, erkundigte sich Lukas.

Raimund zeigte sich nicht im Geringsten überrascht, dass der Freund davon wusste. Selbstverständlich würden sie Späher ausgeschickt haben, und Albrechts Männer prahlten laut genug. »Ich soll Euch ausrichten, dass Ihr keine Chance habt«, antwortete er niedergeschlagen. »Entweder Ihr ergebt Euch gleich und bekommt freien Abzug, oder Ihr werdet vernichtet. Das sind die Worte Eures Bruders.«

»Ich gehe davon aus, dass dieses Angebot *meines Bruders* nicht für mich gilt«, meinte Dietrich kaltblütig. »Und dass er auch meine Leute nicht ungeschoren ziehen lässt. Er war noch nie gut darin, sein Wort zu halten. Geht zurück ins Lager, Raimund, und richtet aus: Ich unterbreite ein Gegenangebot. Ich fordere Albrecht zu einem Zweikampf mit dem Schwert heraus, gleich hier vor dem Tor. Der Sieger wird Herrscher von Weißenfels.«

Dietrichs unerwarteter Vorschlag sorgte sofort für Aufruhr unter seinen Männern. Doch noch bevor jemand seinen Protest laut ausdrücken konnte, unterband Dietrich mit einer gebieterischen Handbewegung jede Äußerung.

»Ich gedenke nicht, das zu diskutieren. Raimund, überbringt meinem Bruder dieses Angebot! Jetzt sofort. Es gilt bis zum nächsten Glockenläuten.«

Der Ritter aus dem Muldental erhob sich. »Er wird nicht darauf eingehen, Hoheit. Er ist sich seiner Sache sehr sicher«, sagte Raimund, schon im Gehen.

»Ich muss es wenigstens versucht haben, um denen Leid zu ersparen, die unter meinem Schutz stehen«, erwiderte Dietrich. »Und wenn Ihr mir einen persönlichen Gefallen tun wollt: Bringt mir schnell Antwort. So schnell Ihr könnt.«

Erst nachdem Raimund die Tür hinter sich geschlossen hatte, forderte Dietrich seine Männer auf: »Nun könnt Ihr Eure Einwände vortragen.«

»Das könnt Ihr unmöglich riskieren!«, platzte Norbert sofort heraus.

»Habt Ihr so wenig Vertrauen in mein Kampfgeschick? Fürchtet Ihr, ich könnte unterliegen und ihr alle getötet werden?«, fragte Dietrich beinahe spöttisch.

»Ich fürchte, Ihr könntet in eine Falle gelockt und getötet werden«, stellte der hagere Burgkommandant nachdrücklich klar. »Ihr sagt selbst, Euerm Bruder kann man nicht trauen. Was sollte ihn daran hindern, Euch von seinen Männern umzingeln und abstechen zu lassen?«

»Außerdem verliert Ihr Zeit, Hoheit!«, mahnte der Verwalter. »Wenn Ihr mit der thüringischen Streitmacht hier sein wollt, bevor die Verstärkung aus Meißen eintrifft, müsst Ihr unverzüglich aufbrechen. Was, wenn Ihr fort seid und der Markgraf doch noch auf Eure Herausforderung eingeht? Er wird Euch der Feigheit bezichtigen, wenn Ihr nicht auftaucht.«

»Deshalb bat ich Raimund um schnelle Antwort«, erinnerte Dietrich. »Wenn mein Bruder annimmt, tragen wir die Sache umgehend aus, ein für alle Mal, und ersparen vielen Menschen den Tod. Wenn er ablehnt, reite ich nach Thüringen, wie Ihr es geplant habt.«

»Er würde nie einem Zweikampf zustimmen«, meinte Thomas verächtlich. »Warum sollte er sich solch einer Gefahr aussetzen? Er weiß, wer Eure Lehrmeister waren, und kennt Euern Ruf als Kämpfer.«

Nun beschwor der junge Ritter seinen Anführer mit halb erhobenen Händen: »Bietet ihm nicht die Gelegenheit zu einem Hinterhalt!«

»Ich wäre mir da nicht so sicher«, sagte Lukas zu aller Überraschung. »Einen Hinterhalt müssen wir fürchten, natürlich, und uns entsprechend vorbereiten. Doch Albrecht ist nicht feige. Im Gegenteil. Er neigt dazu, sich maßlos zu überschätzen, und hält sich für unfehlbar. Die Vorstellung wäre sicher verlockend für ihn, Euch auf der Stelle und in einem von Euch gewünschten Zweikampf aus dem Weg zu räumen. Wenn es misslingt, hat er immer noch seine Handlanger. Es wird dann unsere Aufgabe sein, sie im Zaum zu halten.«

Von all den Rittern in der Kammer war Lukas wahrscheinlich der Einzige, der genau begriff, welches Wagnis Dietrich einzugehen bereit war und warum er das tat. Albrecht entschied oft aus einer Laune heraus, und die Aussicht, Dietrichs Besitz noch vor dem Mittag an sich zu reißen und den Jüngeren gänzlich aus dem Weg zu räumen, könnte ihm genug Anreiz geben, zum Zweikampf anzutreten.

Gelassen stand Lukas auf. »Soll ich Euch für einige Aufwärmübungen bereitstehen?«

»Das ist der beste Vorschlag, der an diesem Morgen gemacht wurde!«, stimmte Dietrich zu, erleichtert darüber, dass Lukas dachte wie er und ihn unterstützte. Er stand ebenfalls auf und griff nach seinem Schwert. »Ihr anderen haltet inzwischen Ausschau nach dem Boten und trefft alle Vorbereitungen für den Ausfall Richtung Eisenach!«

Es war nicht einfach für die beiden Männer, einen Platz für ihren Übungskampf zu finden. Die Kammern waren zu niedrig, da konnten sie nicht zum Oberhau ausholen, und der Burghof und die Halle waren nicht nur überfüllt, dort würden sie auch jede Menge Aufsehen erregen. Doch die Zeit war knapp, und so entschied Lukas kurzerhand, alle aus der Halle hinauszuschicken.

Sie setzten ihre Polster und Kettenhauben auf, dann nahmen sie einander gegenüber Aufstellung. Jeder von ihnen trug Gambeson und Kettenhemd, auf Schilde verzichteten sie nach kurzer Absprache.

Lukas überließ Dietrich den ersten Hieb. Er war sehr gespannt darauf, seinen einstigen Schützling wieder im Kampf zu erleben. Christian und er hatten Dietrich eine gnadenlose Ausbildung zuteilwerden lassen, noch weit über das rigorose Maß hinaus, in dem die Knappen üblicherweise gescheucht wurden. Das war ihre sicherste Überlebenschance.

Blitzschnell wogte der Kampf hin und her, dessen Einzelheiten sich den im Schwertkampf ungeübten Betrachtern in diesem Tempo kaum erschlossen.

Mal schien dieser, mal jener zu gewinnen, aber aus jeder scheinbar hoffnungslosen Lage kämpften sich die Männer mit einer verblüffenden Parade heraus.

»Christian wäre stolz auf Euch!«, sagte Lukas in einer Kampfpause mit offenem Lächeln. »Auch wenn Stolz eine Sünde ist. Bei allen Heiligen, Ihr bringt mich zum Schwitzen … Ich werde wohl alt.«

»Nein, ganz sicher nicht – so schnell, wie Ihr immer noch seid«, widersprach Dietrich von Herzen. »Ich bin geehrt, Christians und Euer Schüler gewesen zu sein.«

Er warf einen Blick zum Eingang der Halle: Norberts ältester Sohn kam mit eiligen Schritten zu ihnen.

»Hören wir, ob mein Bruder die Herausforderung annimmt.«

Gemeinsam liefen sie erneut zum Tor, und diesmal war klar, dass der Bote nicht wieder eingelassen würde. Die kurze Antwort – so oder so – konnte er auch rufen.

Albrecht war über das Angebot seines Bruders nicht weniger verblüfft als dessen Ritter. »Vielleicht sollte ich tatsächlich darauf eingehen, das spart uns Zeit und nachträgliche Rechtfertigungen«, meinte er begeistert nach Raimunds knappem Bericht.

Elmar schüttelte den Kopf. »Wenn Euer Bruder diesen Zweikampf sofort haben will, auf der Stelle, dann steckt etwas dahinter. Warum wartet er nicht bis heute Abend ab? Vielleicht haben sie ja jetzt schon nichts mehr zu fressen auf der Burg. Oder er kann die Leute aus anderen Gründen nicht bei Ruhe halten …«

Der Truchsess kniff die Augen leicht zusammen und sah zum

hellen Fels hinüber. »Dort drüben ist etwas faul. Es könnte spannend werden, einfach zuzuschauen, wie die Dinge ihren Lauf nehmen.«

»Ich würde ihm zu gern den Kopf abschlagen«, meinte Albrecht, der hin- und hergerissen war, ob er die Herausforderung annehmen sollte oder nicht. Er fürchtete den Jüngeren nicht. Doch er hatte gestern Nacht reichlich getrunken, und heute schmerzte ihm der Kopf. Wollte Dietrich vielleicht deshalb sofort den Kampf?

Misstrauisch äugte Albrecht zu Raimund.

»Was habt Ihr denen erzählt?«, brüllte er ihn an.

»Nicht mehr, als Ihr mir aufgetragen habt, das schwöre ich bei allem, was mir heilig ist! Danach wurde ich sofort weggeschickt. Die Gefolgsleute Eures Bruders waren selbst verwundert über den Vorschlag und schienen ihn für zu gefährlich zu halten.« So viel glaubte Raimund, sagen zu können, ohne den Freunden zu schaden.

Elmar winkte Gerald heran, den Marschall. »Ich bin sicher, er verschweigt uns etwas. Prügelt es aus ihm heraus, und danach legt ihn in Ketten!«

Gerald packte den Ritter an der Schulter und stieß ihn in sein Zelt. Mit einem Wink befahl er zwei seiner Männer zu sich. An dem Verräter würde er sich nicht die Hände dreckig machen.

»Ich denke, diesmal sollte ich selbst zum Tor reiten«, verkündete Elmar und rieb sich zufrieden die Hände. »Es wäre doch gelacht, wenn ich dabei nicht noch etwas Interessantes herausfinde.«

Er befahl einem Knappen, ihm schleunigst sein Pferd zu satteln und zu bringen, dann verneigte er sich vor Albrecht und ritt los.

Vor der Zugbrücke legte Elmar den Kopf in den Nacken, so weit es die Kante seines Helmes zuließ, und brüllte hinauf: »Dies ist Eure einzige Chance: Liefert die Burg dem Markgrafen von Meißen bis Sonnenuntergang aus. Sonst werdet Ihr das Blut unzähliger Menschen auf Euch laden.«

Um die meisten wird es nicht schade sein, ganz besonders nicht um den Pferdedieb neben dir, dachte der Truchsess, der Thomas deutlich erkannte. Doch das sprach er nicht aus – er wollte den Gegner nicht reizen, sondern einschüchtern. Sich seine tiefsten Sorgen zunutze machen, an sein Gewissen rühren. Denn Dietrich besaß eines, nach allem, was er von ihm wusste.

»Warum lehnt der Markgraf den Entscheidungskampf ab?«, rief Norbert hinunter.

Elmar lachte höhnisch. »Denkt Ihr, er fürchtet sich vor seinem kleinen Bruder? Die Sache ist längst entschieden. Ihr solltet auf der Stelle das Tor öffnen und die Burg lebend verlassen, solange Ihr noch könnt. Mit jedem Tag, den Ihr zögert, verschlechtern sich die Kapitulationsbedingungen – und zwar erheblich.«

Ohne ein Wort zu sagen, wandte Dietrich Elmar den Rücken zu und bedeutete seinen Männern, ihm zu folgen. Sie achteten darauf, dass der Feind Lukas nicht zu sehen bekam. Dicht hintereinander stiegen sie die Treppen des Wehrganges hinab.

»Damit ist es entschieden«, erklärte Dietrich. »Lukas und ich reiten sofort nach Eisenach. Nein, niemand sonst«, kam er Einwänden zuvor. »Nur zwei, das macht uns schneller und unauffälliger. Und auf der Burg wird jeder Kämpfer gebraucht. Soll mein Bruder derweil denken, ich sitze hier und zaudere. Haltet ihn hin, wenn er noch einmal Boten schickt, schindet Zeit. Wenn Gott uns beisteht und alles wie geplant läuft, bin ich am sechsten Tag zurück. Haltet nach Süden Ausschau und wartet auf mein Feuerzeichen. Dann greifen wir das feindliche Lager von zwei Seiten aus an.«

Norbert und seine Söhne nickten zustimmend. »Der geheime Pfad ist frei«, sagte er. »Ein halbes Dutzend Männer steht bereit, Euch Geleitschutz zu geben.«

Dietrich lehnte auch das ab. »Es muss genügen, wenn die Männer in einigem Abstand unterwegs sind, um Patrouillen aufzuhalten, bis wir den Ort verlassen haben.«

Dann wandte er sich Thomas zu. »Diese Ablenkung im gegnerischen Lager benötigen wir vielleicht gar nicht. Ich würde sie lieber in Sicherheit wiegen. Sollen sie denken, dass wir hier eingeschüchtert beieinanderhocken und uns nicht entschließen können, etwas zu unternehmen.«

»Damit werdet Ihr zwei von meinen Landsleuten eine wirklich große Enttäuschung bereiten«, sagte Thomas bedauernd. »Es sieht auch nicht aus wie ein Angriff, sondern wie ein bedauerlicher Zwischenfall natürlichen Ursprungs. Den ich ihnen von Herzen gönne.«

»Dann lasst hören!«, meinte Dietrich, der den Freibergern den Spaß nicht verderben wollte. Er hatte schon so eine Ahnung, wer die beiden Landsleute sein würden.

Richtig, auf Lukas' Ruf kamen Kuno und Bertram, die ein Tuch fest um ein unförmiges Gebilde gewickelt hatten.

»Bienen, Hoheit«, verriet der schwarzhaarige Kuno mit unverhohlener Begeisterung. »Wir schleichen uns hinaus, klettern auf einen Baum in der Nähe des Lagers und werfen den Stock dann mitten hinein. Die werden ganz schön wütend sein – die Bienen, meine ich …«

»Und für eine Weile wird niemand Gelegenheit haben, Ausschau nach Euch zu halten«, versicherte Bertram.

Dietrich musterte die beiden Freiberger, die er gut genug kannte, um darauf zu vertrauen, dass sie sich aus dieser Sache heil herauswanden.

»Gut«, stimmte er zu. »Und wenn sich dabei Gelegenheit gibt, sucht nach Raimund von Muldental. Vielleicht braucht er Hilfe.«

Alle Aufgaben waren verteilt, die wichtigsten Dinge besprochen. Nun zählte jeder Augenblick. Die Pferde für Dietrich und Lukas waren gesattelt, einer der Männer der Vorhut hatte bereits Signal gegeben, dass der Pfad frei sei.

»Haltet die Stellung. Sechs Tage! Ich verlasse mich ganz auf Euch!«, sprach Dietrich eindringlich zur Norbert und Thomas.

Marthe trat zu ihnen; sie hatte für jeden der Reiter Proviant zusammengepackt, eine Leinenbahn zum Schlafen und was sie sonst noch brauchten. Ihnen blieb keine Zeit, nach Herbergen zu suchen, wenn sie rechtzeitig zurück sein wollten.

»Gott schütze Euch«, sagte sie. »Und geb, dass der Landgraf schnell handelt!«

Einem unbezwingbaren Impuls folgend, fiel sie Lukas um den Hals. Sie wusste, von der Frau eines Ritters wurde Beherrschung erwartet, wenn sie ihren Gemahl in die Ferne ziehen ließ, noch dazu, wenn Krieg bevorstand. Doch darin war sie noch nie gut gewesen.

Rasch löste sie sich wieder von ihm, um ihn nicht noch mehr bloßzustellen. Lukas lächelte ihr aufmunternd zu, und an der Art seines Lächelns erkannte sie, wie er sich einen Scherz darüber verkniff, dass er sich gern ausführlicher von ihr verabschieden würde. Das hatten sie bereits getan, was aber niemanden von den anderen etwas anging.

Dies war nicht der Moment für Scherze, das wusste auch Lukas. Selbst wenn Hermann Wort hielt und sie es tatsächlich schafften, mit den zweihundert Thüringern in sechs Tagen hier zu sein, bevor Albrechts Verstärkung eintraf, stand ihnen immer noch eine Schlacht Mann gegen Mann mit vollkommen ungewissem Ausgang bevor.

Und falls sie *nicht* rechtzeitig oder ohne Hilfe kamen, dann war das Leben aller hier oben auf der Burg keinen Pfifferling mehr wert.

»Sei stark ... und halte die Augen offen«, flüsterte er ihr ins Ohr, während er sie zum Schein flüchtig auf die Wange küsste. »Irgendwo hier hockt ein Verräter ... mindestens einer. Es gibt immer einen, überall.«

Marthe nickte, dann wandte sich Lukas seinem Stiefsohn zu.

»Pass gut auf deine Mutter und deine Schwester auf«, beauftragte er ihn. »Ich verlasse mich ganz auf dich.«

Froh darüber, darin von seinem Stiefvater ernst genommen zu
werden, brachte Thomas sogar die Spur eines Lächelns über
sich – etwas, das seit seiner Rückkehr noch niemand bei ihm
gesehen hatte.

»Gott steh Euch bei!«, wünschte er Lukas und Dietrich. »Ich
kann es kaum erwarten, dieses Pack da« – mit dem Kopf wies er
in Richtung der entstehenden Gegenburg – »davonzujagen!«

Dietrich sagte kein Wort, während sich sein Begleiter von Frau
und Stiefsohn verabschiedete.

Unauffällig hielt er Ausschau nach Clara, aber sie ließ sich nicht
blicken. Hier, in aller Öffentlichkeit, vor ihren Eltern und ihrem
Bruder, hätte er ohnehin nicht frei mit ihr reden können. Doch
er hätte sie so gern noch einmal gesehen, ein letztes Mal, bevor
er ganz auf sie verzichten musste, und ihr seine Beweggründe
erklärt.

Vielstimmiges Gebrüll vom gegenüberliegenden Hügel kündete
davon, dass Kuno und Bertram ihre Ladung aufgebrachter Bienen gut im feindlichen Lager plaziert hatten.

Dietrich sah zu Lukas, der ihm zunickte und sein Pferd am Zügel nahm. Sie mussten los. Sosehr es Dietrich auch schmerzte –
er musste das thüringische Angebot annehmen. Raimunds Auftauchen hatte den letzten Ausschlag für seine Entscheidung gegeben. Er wollte nicht noch einmal einen verzweifelten Vater
vor sich sehen, dem er die Nachricht vom Tod seines einzigen
Sohnes überbringen musste.

Mutter und Tochter

Marthe und Clara standen an der Mauer am entgegengesetzten Ende der Burg und starrten in die Richtung, in der sie Lukas und Dietrich vermuteten. Manchmal glaubte eine von ihnen, zwischen dem Geäst ein Stück Fell eines Pferdes oder das Blitzen eines Schwertknaufes erkennen zu können, doch vielleicht gaukelte ihnen die Phantasie etwas vor – die Phantasie oder die Hoffnung, noch einmal den Mann sehen zu können, den sie liebten.

»Werden sie zurückkehren?«, fragte Clara. Marthe wusste, dass die Tochter jetzt nicht nur ein paar tröstende Worte hören wollte, sondern das, was sie wirklich glaubte, fühlte und wusste.

»Das werden sie«, sagte sie, Claras Kummer teilend. »Aber entweder kommt Dietrich als Bräutigam Juttas mit einer Streitmacht – oder allein mit Lukas. Dann steht uns eine aussichtslose Schlacht bevor, die in einem Gemetzel enden wird. Er hat keine Wahl, wenn er nicht noch mehr Blut auf sich laden will. Du darfst es ihm nicht vorwerfen.«

Marthe setzte sich auf den Boden, zog die Knie an und schloss die Arme darum.

Verwundert sah Clara auf ihre sonst so ruhelose Mutter.

Die Verwundeten waren versorgt, sie hatten am Morgen entschieden, dem jungen Sergenten doch nicht die Hand abzunehmen, um das Geschehen auf dem Burghof sollten sich vorerst die Männer kümmern und die wieder halbwegs beruhigte Gertrud. Die kleine Änne schlief in Obhut einer fürsorglichen Kinderfrau. Vielleicht war dies in den Tagen bis zur unaufhaltsam nahenden Schlacht die einzige Gelegenheit, um ungestört miteinander zu reden.

Also ließ sich Clara neben ihrer Mutter nieder und wartete, was diese wohl sagen würde. Dass es dabei um Dietrich gehen würde, war ihr bewusst, und sie fühlte sich hin- und hergerissen zwischen dem Wunsch, sich ihrer Mutter anzuvertrauen, und der Furcht, diese könnte ihr das Vorhaben mit aller Macht ausreden.

»Dietrich hat Lukas um deine Hand gebeten«, begann Marthe zögernd, als würde sie die Gedanken ihrer Tochter lesen. »Sehr zu Lukas' Erstaunen und gegen seine Einwände.«

»Ich habe *Graf* Dietrich bereits gesagt, dass das unmöglich ist und er Jutta von Thüringen heiraten muss«, sagte Clara brüsk.

»Ich weiß«, entgegnete Marthe ruhig. »Er will Jutta nicht. Doch am Ende muss er einsehen, dass er nicht das Leben aller hier für sein persönliches Glück aufs Spiel setzen kann. Er ringt schwer mit sich. Und ich glaube, die Begegnung mit Raimund hat zu seinem Entschluss beigetragen ...«

»Ich könnte weinen, wenn ich nur an Roland denke«, sagte Clara plötzlich und legte den Kopf weit in den Nacken, als wollte sie die Wolken am Himmel zählen. Nach einem Moment des Schweigens fragte sie: »Hat dir Thomas gesagt, wie es geschehen ist? Was sie alles durchlitten haben?«

»Dein Bruder drückt sich sehr einfallsreich davor, mit mir über diese Zeit zu sprechen. Aber natürlich weiß ich es trotzdem. Dafür muss ich nur in seine Augen sehen. Einiges hat Dietrich Lukas erzählt.«

Clara schluckte und blickte ihrer Mutter nachdenklich ins Gesicht. »Als sie zurückgekehrt sind, haben Thomas und ich fast die ganze Nacht hindurch geredet. Der Krieg hat seine Seele zerstört.«

»Ja, das hat er«, sagte Marthe leise.

»Wie können wir ihn wieder heilen?«, fragte Clara verzweifelt. Wenn nicht einmal ihre Mutter Rat wusste, dann gab es keine Rettung für Thomas. Dann würde er voller Zorn in die nächste Schlacht reiten und wieder töten und töten und nichts dabei empfinden außer einem Rausch für den Moment und danach abgrundtiefe Leere.

»Das vermag nur die Zeit – und die Liebe. Ein Mädchen mit reinem Herzen. Aber sie muss stark sein ... und einfühlsam genug, in sein Innerstes zu blicken und jede einzelne Verletzung aufzuspüren und zu heilen. Ihm folgen bis in die tiefsten Abgründe, in denen seine Seele wandelt, und sie dort herausholen.«

»Solch ein Mädchen wird er hier nicht finden«, sagte Clara traurig. »Das kann nur jemand, der selbst schon Schlimmes durchgestanden hat, ohne sich davon zerstören zu lassen. Aber hier sind nur ahnungslose junge Gänse und ein paar berechnende Witwen, die sich keinen Deut darum scheren, wie es in ihm aussieht, für die er nur ein weitgereister Held ist und eine Abwechslung in ihrer Langeweile.«

Clara dachte bei diesen Worten nicht nur an ihren Bruder. Dietrich hatte dieselben Niederlagen und bitteren Enttäuschungen, dasselbe Grauen durchlitten, *und* er fühlte er sich schuldig am Tod seiner Männer. Sie glaubte seine Worte wieder zu hören: dass er sie brauchte, um mit dieser Schuld weiterleben zu können.

Die achtjährige Jutta, so klug sie auch für ihr Alter sein mochte, konnte ihm dabei wahrlich nicht helfen.

Clara fühlte sich einen Moment lang versucht, ihrer Mutter zu gestehen, dass sie bereit war, Dietrichs Geliebte zu werden. Aber sie wusste ja nicht einmal, ob Dietrich das überhaupt wollte – sie auf diese Art wollte. Vermutlich verbot ihm das sein Ehrgefühl.

Stattdessen fragte sie wehmütig: »Vater hätte es verstanden, nicht wahr? Ihm war es doch auch gleichgültig, ob ihr über die Standesschranken hinweg heiratet oder nicht, als er um dich anhielt ...«

Ein schmerzlicher Ausdruck zog über Marthes Gesicht.

»Ja, er hätte es verstanden«, sagt sie leise. Dann strich sie sich mit der Hand über die Augen und lächelte traurig.

»Er war Ministerialer, ich eine einfache Wehmutter. Doch als er um mich freite, spottete er noch, dass er gerade zum Gesetzlosen erklärt worden war und ich also die bessere Partie sei. Ohne die falsche Anklage und Vertreibung hätte er mich vermutlich nie zur Frau nehmen können.«

Ihr Gesicht wirkte nun wieder gefasster. »Ich wäre ihm gefolgt, auch in ein Leben auf der Flucht. Aber er hatte einen Kampf zu führen. Also blieben wir. Um die Leute im Dorf zu schützen, zog er in diesen Kampf auf Leben und Tod. Ohne die Hilfe von Lukas, Raimund, Kuno und Bertram, ohne die Schmiede hätte er es nicht geschafft. Dass Otto ihn und sogar mich später aus einer Laune heraus zu Edelfreien ernannte, löste das Standesproblem, allerdings nur bis zu einem gewissen Grad. Du hast es doch selbst erlebt: Wir Frauen dürfen uns in dieser Welt kein noch so geringes Abweichen von den Regeln erlauben. Um keinen Preis dürfen wir irgendwie auffallen, sonst könnte das unser Todesurteil sein.«

Wider Willen musste Clara auflachen.

»Ich würde es nicht gerade besonders unauffällig nennen, wenn du vor dem versammelten Hofstaat den Markgrafen von Meißen verfluchst.«

Nun lächelte sie trotz der Bitterkeit jenes Momentes – stolz darauf, was ihre Mutter getan hatte und dass Albrecht, der ihren Vater und ihren Mann getötet hatte, sich immer noch vor diesem Fluch fürchtete.

»Wenn man wirklich liebt, ist einem das Leben des anderen wichtiger als das eigene«, sagte Marthe.

Ein Schwarm Krähen stieg ein paar Dutzend Schritte entfernt lärmend von einem Mauerabschnitt auf.

Totenvögel, dachte Clara schaudernd. Unheilverkünder. Aber es war wohl nur das Zeichen dafür, dass Kuno und Bertram von ihrem Auftrag zurückkehrten. Schon liefen ein paar Bewaffnete zu dem geheimen Durchschlupf, um sie einzulassen.

»Ja, dein Vater hätte es verstanden«, wiederholte Marthe. »Und ich verstehe es auch. Dietrich muss genau wie Christian damals in einen Kampf auf Leben und Tod ziehen. Aber dabei hat er nicht die Freiheit, dich zu wählen ...«

Marthe rückte sich Schleier und Schapel zurecht, dann stand sie auf. Clara tat es ihr gleich. Der Moment der Zurückgezogenheit war vorbei. Bevor sie gingen, um sich wieder um ihre Pflichten zu kümmern, hielt Marthe ihre Tochter noch einmal zurück.

»Du darfst es Lukas nicht verübeln, wenn er das nicht versteht. Dein Vater entstammte ärmsten Verhältnissen, bevor er wegen des Opfertodes seines Vaters zum Ritter ausgebildet wurde, was niemand wissen durfte. Dadurch hatte er eine andere Sicht auf viele Dinge. Lukas dagegen stammt aus einem alteingesessenen, edlen Geschlecht und gehört durch und durch seinem Stand an ... unserem Stand, wie ich nun sagen muss. Er macht sich Sorgen um dich. Er will dich behütet wissen. Denk darüber nach, ob du nicht vielleicht doch damit leben könntest, die Frau Norberts oder seines Sohnes zu werden. Es sind zuverlässige Männer.«

Auf keinen Fall!, dachte Clara, ohne sich etwas davon auf ihrem Gesicht ansehen zu lassen. Ich habe schon einmal aus Pflichtgefühl geheiratet. Und jetzt, da Dietrich wieder da ist, könnte ich niemals das Bett mit einem anderen teilen.

Kuno und Bertram liefen geradewegs auf sie und ihre Mutter zu.

»Das hat gewaltigen Spaß gemacht«, verkündete Kuno grinsend.

»Nur um den Honig ist es schade«, ergänzte Bertram. »Der ist diesen Mistkerlen nicht zu gönnen. Aber ich schätze, so schnell werden sie auch keinen Appetit darauf haben.«

»Was wollt ihr mir berichten?«, erkundigte sich Marthe, die wusste, dass die beiden nicht nur zum Prahlen gekommen waren.

»Soweit wir mitbekommen haben – Euer Freund Raimund ist in Schwierigkeiten«, erklärte Kuno mit nun sehr ernster Miene.

»Wie groß sind diese Schwierigkeiten?«, fragte Marthe besorgt.

»Sie haben ihn in Fesseln gelegt und wollen durch Folter aus ihm herausbekommen, ob er uns etwas verraten hat, das wir nicht wissen dürfen, und ob er denen da oben etwas verschweigt, das ihnen bei der Einnahme der Burg helfen könnte.«

Clara schrie leise auf.

»Wer soll das aus ihm herausprügeln?«, hakte Marthe nach. Das war eine wichtige Frage. Sofern nicht persönliche Feindschaften im Spiel waren, gingen Ritter des gleichen Lagers nicht auf diese Weise miteinander um. Andererseits stand hier der Vorwurf des Verrats im Raum. Nur der Gedanke, dass Albrecht sicher so viele Auskünfte wie möglich wollte, ließ sie die Furcht unterdrücken, Raimund könnte inzwischen schon hingerichtet sein.

»Ich gab ihm heimlich ein Zeichen, bevor sie ihn ins Zelt schafften«, berichtete Kuno. »Aber er hat den Kopf geschüttelt. Ihr kennt ihn besser: Heißt das nun, er wird nichts verraten? Oder dass wir nichts unternehmen sollen?«

»Sie haben seine Frau als Geisel«, erklärte Marthe gequält. »Deshalb will er nicht, dass wir etwas unternehmen. Wir können nur beten, dass er durchhält ... bis Albrecht zu dem Schluss kommt, er habe alles erfahren ... oder seine Ratgeber ihm klarmachen, dass er nicht so gegen die eigenen Leute vorgehen kann.«

Sie sprach nicht aus, was sie alle wussten und gerade dachten: Raimund war ein tapferer Mann. Aber wer es darauf anlegte, konnte mit der Folter jeden brechen.

»Euer Schwager, der Marschall, hat ihn zwei Rittern aus Meißen übergeben«, berichtete Kuno. »Den einen konnte ich erkennen: Jakob, den Bruder des Herrn Lukas.«

Das war eine Neuigkeit, die Marthe noch einmal zusammenzucken ließ.

Jakob, Lukas' jüngerer Bruder, hatte seit dem Ende seiner Knappenzeit so oft die Seiten gewechselt, dass einem schon schwindlig werden konnte. Bei ihrer letzten Begegnung – als Lukas nach seiner Flucht aus dem Kerker Marthe suchte – gab Jakob seinem Bruder eindeutig zu verstehen, dass er sich ergebenst auf Albrechts Seite stellen würde, um seinen Söhnen das Erbe zu erhalten. Und wenn Lukas auch nicht übermäßig große Stücke auf seinen unzuverlässigen Bruder hielt, so doch auf dessen ältesten Sohn, der ebenfalls Jakob hieß. Lukas hatte den jungen Neffen eine Zeitlang als Knappen ausgebildet, bis sein Vater ihn zurückrief, weil er meinte, unter Giselbert oder Gerald könne sein Sohn eher Ruhm erwerben als bei seinem Oheim, der zwar ein gestandener Kämpfer war, aber beim neuen Markgrafen in Verruf stand. Konnte es sein, dass jetzt der jüngere Jakob ebenfalls da unten war, im feindlichen Lager?

»Wir haben den jungen Jakob bisher nicht unter Albrechts Leuten entdeckt«, erklärte Kuno, der Marthes Sorge erriet. »Aber wenn Ihr wollt, könnten wir noch einmal hinschleichen, am besten bei Nacht, wenn es so lange Zeit hat. Mit etwas Glück kommen wir ein zweites Mal durch.«

Marthe überlegte einen Augenblick, dann schüttelte sie den Kopf.

»Nicht jetzt. So leid es mir tut: Raimund ist vorerst auf sich gestellt. Er ist bewusst dieses Wagnis eingegangen, sonst wäre er nicht hier. Wir kennen seine Pläne nicht und müssen darauf vertrauen, dass er weiß, was er tut. Er wird Verbündete haben. Ihr zwei müsst sicher bald sowieso noch einmal dorthin, um die Pläne der Kerle da oben auszuspionieren. Doch das soll Norbert entscheiden. Fordert euer Glück nicht zu sehr heraus!«

Sie sah zu Clara, weil sie befürchtete, die Tochter könnte Einspruch erheben und verlangen, dass sie irgendetwas unternahmen, um dem Freund beizustehen. Aber Clara begriff wohl, dass sie derzeit selbst viel zu sehr in Bedrängnis steckten, um von hier aus etwas für Raimund zu tun.

Wie zur Bestätigung kam auf einmal ein halbes Dutzend Leute aus dem vorderen Teil der Burg und überhäufte die beiden Frauen mit Fragen, Aufgaben und Dingen, die sofort zu regeln waren: das Weib des Schuhmachers sei plötzlich in die Wehen gekommen und schreie sich die Seele aus dem Leib, eine der Helferinnen im Backhaus habe sich beim Ausheben der Brote die Hand verbrannt, der Küchenmeister wolle wissen, ob er heute ein Schwein schlachten solle, und unter den Frauen auf dem Hof sei eine Schlägerei im Gange.

Marthe und Clara verständigten sich mit einem Blick.

»Ich kümmere mich um die Kreißende und die Backmagd«, erklärte Clara und lief schon los.

»Und ihr zwei kommt mit mir zu den prügelnden Weibern«, wies Marthe die beiden Freiberger an und raffte ebenfalls ihre Röcke.

Der Moment der Ruhe war vorbei. Nun mussten sie zusehen, wie sie es schafften, dass die Belagerten auf der Burg durchhielten, bis Hilfe kam.

Sofern Hilfe kam.

Gefangene

Misstrauisch beobachtete Elmar, wie seine Männer wild um sich schlugen und damit die aufgebrachten Bienen zu noch wütenderen Attacken trieben.

Diese Tölpel!

Er glaubte nicht an Zufall, schon gar nicht im Krieg. Wenn erst der Tross mit den Ballisten da war, würde er liebend gern auch ein paar Bienenstöcke ins feindliche Lager schleudern lassen. Das war ein bewährtes Mittel, um den Gegner zu zermürben – übertroffen lediglich von griechischem Feuer, das leider nur die Byzantiner herzustellen wussten, und den zerstückelten Gliedmaßen von Geiseln oder Gefangenen. Und davon würden sie zur rechten Zeit genügend haben.

Der Truchsess beschloss, die Bienen zu ignorieren und sich einer weitaus wichtigeren Angelegenheit zuzuwenden.

Er bedeutete einem bulligen Reitknecht, ihm zu folgen, hielt Ausschau nach dem Marschall und ging mit beiden zu dem Zelt, in das er den Gefangenen hatte bringen lassen.

Gerald, der Marschall, hatte inzwischen fast alle Reisigen und die Knechte, die nicht für die Pferde benötigt wurden, zum Bau von Palisaden eingeteilt.

So mischten sich nun Axthiebe in das Geschrei der Männer und das Stöhnen der Verwundeten, um die sich ein klapperdürrer Feldscher kümmerte. Wie der mickrige Kerl wohl ein gebrochenes Bein einrichten wollte?, fragte sich Elmar im Vorbeigehen, obgleich ihn das nicht ehrlich interessierte, solange es sich dabei nicht um sein eigenes Bein handelte.

Forsch betrat er das Zelt und musterte die Szene. Auf dem Boden krümmte sich der Muldentaler. Einer der beiden Ritter hatte seinen Kopf am braunen Haarschopf gepackt und ließ ihn gerade wieder fallen.

»Was habt Ihr herausgefunden?«, fragte Elmar mit mäßiger Neugier. Dieser Kerl da war hartgesotten, das wusste er. Doch gleich würde er sprechen.

Gelangweilt ließ er sich berichten und unterbrach schon nach einigen Worten.

»Ihr verschweigt mir etwas«, sagte er kühl und starrte dem Gefangenen ins Gesicht. »Was hattet Ihr mit dem Anführer der Thüringer zu bereden, gleich nachdem man Euch in die Burg gelassen hatte?«

Sie haben einen Spion da oben!, durchfuhr es Raimund. Oder jemand hat sich hierher geschlichen und ihnen verraten, was er gesehen hat. Aber derjenige weiß nicht, dass es Lukas war, mit dem ich gesprochen habe. Er hält ihn für einen Thüringer. Elmar ahnt vielleicht nicht einmal, dass Lukas überhaupt noch lebt …

»Er … hat mir erzählt, dass mein Sohn tot ist«, keuchte er.

Auch wenn es ihn doppelt schmerzte, Elmar diese Schwäche zu zeigen – wahrscheinlich wusste der es längst. Auch Raimund hatte Thomas an der Furt erkannt, und ganz sicher würde sich der gewiefte Truchsess zwei und zwei zusammenzählen.

»Euer Sohn? Der Pferdedieb, der sich bei Nacht und Nebel davongeschlichen hat?«, erkundigte sich der Truchsess voller Häme. »Hat ihn also endlich sein gerechtes Schicksal ereilt? Sagt, wie und wo ist es geschehen?«

Als Raimund trotzig schwieg, weil er es einfach nicht über sich brachte, seinen Sohn zu verleumden, gab Elmar dem anderen der beiden Ritter einen Wink.

Halbherzig trat Jakob dem Gefangenen in die Seiten, der um Jakobs willen noch lauter stöhnte, als er musste. Mittlerweile schmerzte sein Körper dermaßen, dass er ihm wie eine einzige Wunde vorkam.

»Ich erwarte ein bisschen mehr Einsatz von Euch!«, tadelte Elmar Lukas' jüngeren Bruder. »Brecht ihm den Arm!«

Doch da tat Jakob etwas, womit niemand gerechnet hatte. »Ich bin kein Folterknecht«, protestierte er und trat einen Schritt zurück.

Elmar verschränkte die Arme vor der Brust und beäugte den unerwartet Aufsässigen wie ein Insekt, das er gleich zertreten würde.

»Wollt Ihr etwa sein Schicksal teilen?«, fragte er drohend. »Bei näherer Betrachtung kann ich mir Eurer Loyalität nicht sicher sein angesichts Eurer Herkunft.«

Ob es nun der Widerwillen gegen die Behandlung Raimunds war oder die Angst davor, auch in Ketten gelegt und gefoltert zu werden – plötzlich brandete etwas in Jakob auf, das er längst vergessen glaubte … ein Stück Aufruhr, geboren aus purer Verzweiflung.

»Habe ich Euch nicht alle die Jahre treu gedient?«, schrie er Elmar an, der angesichts solch dreister Übertretung überrascht ein winziges Stück zurückfuhr. »Habe ich nicht meinen Bruder verleugnet, längst bevor er sich Euren Zorn zuzog? Und ist mein Bruder nicht tot, Gott sei seiner Seele gnädig? Was muss ich denn noch alles tun, damit Ihr mir endlich glaubt?«

Elmar, der sich schnell wieder fasste, musterte den Aufsässigen mit eiskaltem Blick.

»Legt den auch in Fesseln!«, befahl er dem Knecht und dem zweiten Ritter. »Und sollte er den geringsten Widerstand leisten, schlagt ihm den Kopf ab.«

Diese Drohung war es, die Jakob mitten in der Bewegung erstarren ließ. Statt sich zu wehren, sackte er in die Knie und duldete, dass ihm die Waffen abgenommen und die Arme auf den Rücken gebunden wurden. Sein unerwarteter Widerstand fiel jäh in sich zusammen.

Der Truchsess trat ganz dicht an den Gefesselten heran und starrte von oben auf ihn herab.

»Damit ich Euch trauen kann, hättet Ihr mir vielleicht erzählen sollen, dass Eures Bruders Brut dort oben steckt! Nicht seine leibliche, aber der Pferdedieb und die Hure des Reinhardsbergers.«

Aufmerksam betrachtete er die fassungslose Miene des zweiten Gefangenen und schlug ihm ins Gesicht. Dann drehte er sich ohne ein weiteres Wort um und ging hinaus. »Vier Wachen hierher«, befahl er vor dem Zelt. »Ihr haftet mit dem Kopf dafür, dass keiner von beiden entkommt! Verräterpack, allesamt«, knurrte er missgelaunt.

»Stimmt es? Sind wirklich Clara und Thomas da oben?«, flüsterte Jakob Reinhard zu, immer noch vollkommen verblüfft. »Wie ...?«

»Ja. Aber halt einfach das Maul!«, ächzte Raimund. »So sehr ich dein Entgegenkommen schätzen sollte – es war ein denkbar schlechter Moment dafür, plötzlich Heldenmut zu entwickeln!«

Er würde sich hüten, dem Mitgefangenen zu berichten, dass sein Bruder sehr wohl noch lebte und auch Marthe auf der Burg war.

Es fiel ihm schwer zu glauben, dass Jakobs Beistand den Abend oder auch nur Elmars nächsten Besuch überdauerte.

Ohne das unerwartete Eingreifen von Lukas' Bruder hätte er die nächste Gelegenheit ergriffen, um zu fliehen, sofort zu Elisabeth zu reiten und mit ihr das Land zu verlassen. Seit er wusste, dass sein Sohn tot war, hielt ihn nichts mehr in der Mark Meißen. Doch da Jakob seine Ländereien – eigentlich Lukas', aber das war eine Geschichte für sich – bestimmt nicht freiwillig aufgeben würde, entfiel diese Möglichkeit vorerst. Sie würden Jakob für sein Entkommen furchtbar büßen lassen. Außerdem musste er in Betracht ziehen, dass dessen ganzer Auftritt eben gespielt und mit Elmar abgesprochen sein könnte, um ihn zu ein paar unvorsichtigen Eingeständnissen gegenüber seinem Mitgefangenen zu verlocken.

Vielleicht tat er Jakob unrecht, aber Lukas' Bruder war schon lange niemand mehr, dem er vertraute.

Wütend zerrte Raimund an seinen Fesseln, ohne sie lockern zu können. Bald ließ er den Kopf auf den Boden sinken und gab sich ganz seinen Schmerzen hin – dem pulsierenden, brennenden Schmerz in seinem Körper und dem dumpfen Schmerz, den der Gedanke in ihm verursachte, dass sein einziger Sohn tot war.

Brautschau in Eisenach

Dietrich und Lukas schafften es tatsächlich mit einem harten Ritt, bei dem sie nur rasteten, wenn die Pferde Futter brauchten und getränkt werden mussten, bis zur Abenddämmerung des übernächsten Tages nach Eisenach.

Von weitem schon ragte ihnen die gewaltige Wartburg entgegen, auf dem Rücken des Berges wie die Krone Thüringens. Wäh-

rend sie ihre erschöpften Pferde den gewundenen Weg hinauf-
trieben, erging sich Dietrich in sarkastischen Überlegungen,
dass er hier wohl kaum als standesgemäßer Bräutigam auftrat.
Seine Kleider und seine Stiefel waren staubig, er kam lediglich in
Begleitung eines einzigen Mannes und mit leeren Händen statt
mit prachtvollem Gefolge und kostbaren Geschenken.

Doch hätten auch die teuersten Kleider, eine Hundertschaft be-
waffnetes Geleit und Truhen voller edler Stoffe und Geschmeide
den Landgrafen nicht darüber hinwegtäuschen können, dass
sein wettinischer Nachbar in schlimmster Bedrängnis steckte
und schnell Hilfe brauchte. Also wollte Dietrich gar keinen anderen Anschein erwecken als den eines Mannes in Not, der Verbündete sucht.

Zum Glück hatte Lukas auf der Wartburg einen solchen Ruf,
dass er es im Handumdrehen schaffte, den Grafen von Weißenfels beim Fürsten als Besucher melden zu lassen.

Nur Augenblicke später kam der Kammerdiener zurück, verbeugte sich tief und geleitete die beiden späten Gäste in den großen Saal, wo Hermann mit seinen Rittern zu Abend speiste.

Dietrich war weit in der Welt herumgekommen, bis ins Heilige
Land. Und wenn auch die Pracht der Kirchen und Paläste im
Byzantinischen Reich und in Outremer alles überstrahlte, was
zwischen Rhein und Elbe zu finden war, so ließ der steinerne
Palas des Landgrafen von Thüringen manche Königspfalz bei-
nahe kärglich aussehen.

Hermanns Mutter war eine Schwester des verstorbenen Kaisers
Friedrich von Staufen gewesen, er selbst am Hof des französischen
Königs erzogen worden. Der Prunk seines Stammsitzes und seiner
Hofhaltung ließ keinen Zweifel daran aufkommen, dass hier einer
der mächtigsten Fürsten des Kaiserreiches residierte.

Wie an Hermanns Hof üblich, musizierte wieder ein Spielmann,
während die Ritter und ihre Frauen aßen: Ludmillus, den auch

Dietrich kannte. Die Tische waren üppig gedeckt, überall huschten Küchenjungen und Mägde herum, um neue Speisen aufzutragen oder leere Krüge nachzufüllen.

Trotz der Geschäftigkeit im Saal richteten sich aller Augen zur Tür, als dort jemand laut den Grafen von Weißenfels ankündigte. So gelassen er konnte angesichts der Umstände, schritt Dietrich durch die Halle. Doch entgegen seinen Erwartungen ließ ihn Hermann nicht vor sich niederknien, sondern stand auf und ging ihm sogar drei Schritte entgegen. »Mein teurer Freund und Verwandter, seid willkommen! Ihr seid sicher erschöpft von der Reise. Ziehen wir uns fürs Erste in mein Gemach zurück.«

Er gab dem Kellermeister und dem Küchenmeister Anweisung, Speisen und verschiedene Weine dorthin zu bringen, und bedeutete seinem Truchsess, die Tafel sei nicht aufgehoben, er würde mit seinem Gast nach einiger Zeit zurückkehren. Das hieß, niemand der hier Versammelten durfte ohne Erlaubnis den Saal verlassen.

Also will er nachher gleich das Verlöbnis bekanntgeben, schloss Dietrich resigniert daraus.

Lukas, hungrig und vor allem durstig nach dem langen Ritt, aber in Gedanken ganz bei Dietrich und Hermann, ließ sich derweil neben Burchard von Salza nieder, einem der gefürchtetsten thüringischen Ritter, dessen Sohn Hermann Weißenfels zu Hilfe geeilt war.

»Also stimmt es, dass der Meißner seinen eigenen Bruder belagert, kaum dass dieser aus dem Heiligen Land zurück ist?«, fragte der alte Kämpe, wischte sich den Mund mit dem Handrücken ab und griff nach dem nächsten Stück Braten.

»Es ist eine erbärmliche Schande, Salza, aber Ihr habt recht. Vor vier Tagen ist Albrecht mit seiner Streitmacht in Weißenfels eingefallen. Sein erster Angriff wurde zurückgeschlagen, also hat er die Dörfer in der Umgebung niedergebrannt, und jetzt belagert er die Burg«, berichtete Lukas.

»Ihr nennt die Sache beim richtigen Namen: Schande!«, dröhnte Burchard. »Erst hat sich dieser Albrecht gegen den Vater erhoben, jetzt gegen den Bruder. Gegen einen Wallfahrer! Gegen einen, der mit unserem Kaiser Friedrich, Gott hab ihn selig, um Jerusalem gekämpft hat – das ist eine Beleidigung für uns alle, für jeden gottesfürchtigen Ritter!«

»Dann lasst Euern Hengst schon satteln«, meinte Lukas, erleichtert grinsend. »Ich hoffe, Euer Fürst sieht die Sache genauso und steht Weißenfels bei.«

Er hätte eine Menge dafür gegeben, wenn er jetzt hören könnte, was Dietrich und der Landgraf von Thüringen miteinander besprachen.

Hermann von Thüringen überraschte Dietrich. Er ließ ihn in der Kammer auf einem Stuhl an seiner Seite Platz nehmen, der ebenso prächtig mit Schnitzereien verziert war wie der landgräfliche. Dann winkte er seinen Schenken Rudolf von Vargula herbei, der Wasser aus einem bronzenen Aquamanile über Dietrichs Hände goss, damit er sich nach der langen Reise reinigen und erfrischen konnte – eine Zeremonie, die nur hohen Gästen als besondere Ehrenbezeugung gewährt wurde.

Das war keineswegs selbstverständlich. Sie waren zwar beide nachgeborene Söhne von Reichsfürsten und unterschieden sich nur wenige Jahre im Alter. Doch während Hermann es geschafft hatte, sich nach dem Tod seines Bruders die Regentschaft über Thüringen zu sichern, war und blieb Dietrich lediglich Graf von Weißenfels – und das auch nur, falls er die militärische Konfrontation mit seinem Bruder überstand.

Diener huschten hin und her, entzündeten ein halbes Dutzend Kerzen und deckten den Tisch mit köstlichen Speisen, Rudolf von Vargula schenkte Wasser und Wein in die Becher. Binnen weniger Augenblicke war alles gerichtet, dann schickte Hermann sie alle mit einer Handbewegung hinaus.

Als sie allein waren, wollte Dietrich sich erheben und niederknien, wie es wohl von jemandem erwartet wurde, der um Hilfe bat, doch Hermann hinderte ihn mit einer Geste daran.

»Lasst uns klare Worte wechseln«, eröffnete der Landgraf das Gespräch. »Ihr wisst durch Lukas von Freiberg, unter welcher Bedingung ich Euch gegen Euren Bruder beistehe. Ich kann gleich morgen früh ausreichend bewaffnete Männer mit Euch schicken, um die Angreifer aus Weißenfels zu vertreiben, wenn es nötig ist – und es scheint nötig, nach allem, was mir meine Spione berichten.«

»Ja, zu meinem Bedauern«, bestätigte Dietrich. Dass Hermann sich informierte, was in unmittelbarer Nachbarschaft seiner Ländereien vor sich ging, lag auf der Hand. Der Landgraf von Thüringen hatte nicht nur gute Spielleute, sondern auch gute Spione.

»Glaubt nicht, ich wolle Eure Notlage ausnutzen, um eine Tochter loszuwerden, für die sich kein Eheanwärter aus freien Stücken fände«, fuhr Hermann nicht ohne Bitterkeit fort. »Meine Jutta könnte triefäugig sein und eine Hasenscharte haben, und trotzdem würden die Bewerber Schlange stehen angesichts ihrer Mitgift. Sie ist nicht von überwältigendem Liebreiz, aber ein sehr kluges Kind, wie Ihr gleich feststellen werdet. Ich halte Euch für jemanden von solchem Schlag, dass Ihr die Vorzüge einer klugen Gemahlin durchaus zu schätzen wisst.«

Nun lächelte er vieldeutig. »Auf einem der Hoftage führte ich einmal ein außerordentlich bemerkenswertes Gespräch mit Eurer Mutter, der Fürstin Hedwig. Aber nun nehmt von den Köstlichkeiten, ich bitte Euch! Ihr habt vermutlich einen harten Ritt hinter Euch. Probiert von dem Rebhuhn, es ist vorzüglich gewürzt!«

Um seinen Gastgeber nicht zu kränken, nahm Dietrich einen Bissen; das Wildbret war wirklich köstlich.

»Ich glaube nicht, dass Ihr Eure Tochter dem Erstbesten anvertrauen würdet«, sagte er, nachdem er einen Schluck getrunken hatte. »Doch ich frage mich, warum Ihr sie jetzt schon verloben wollt – und ob es nicht viel würdigere Anwärter gibt?«

»Liegt das nicht auf der Hand?«, fragte Hermann mit hochgezogenen Augenbrauen. »Ach ja, ich vergaß, Ihr seid gerade erst aus Outremer zurück … Ihr habt nicht miterlebt, was hier inzwischen geschehen ist.«

Hermann lehnte sich in seinem Stuhl zurück, trank aus einem prächtig verzierten zinnernen Becher und fuhr fort, Dietrich direkt in die Augen blickend.

»Lasst es mich erklären. Der neue Kaiser will mehr Macht und Land, noch mehr, als er ohnehin schon besitzt. Er weigerte sich, mir Thüringen zu übertragen, nachdem mein Bruder während seiner Pilgerfahrt starb, und wollte es als Reichslehen an sich reißen. Es war ein harter Kampf, bis er mir den angestammten Besitz meiner Väter endlich zubilligte. Ich gewann diesen Streit nur dank einiger Verbündeter, die ebenfalls argwöhnen, dieser Kaiser könne uns alle Stück für Stück entmachten.«

Hermann verdünnte seinen Wein mit einem Schluck Wasser.

»Nun habe ich Thüringen, aber keinen männlichen Erben. Meine Gemahlin, die Witwe Eures Oheims Heinrich von Wettin, schenkte mir zwei Töchter, dann rief der Herr sie zu sich. Sollte ich sterben, bevor ich mich erneut vermählt und einen Sohn gezeugt habe – und ehrlich gesagt, steht mir vorerst nicht der Sinn nach Brautschau –, würde der Kaiser Thüringen sofort an sich reißen. Ich brauche also dringend einen Schwiegersohn. Einen Schwiegersohn, der auch das Zeug dazu hat, dieses Land zu retten, falls mir etwas zustößt.«

»Weshalb glaubt Ihr, ich sei der rechte Mann dafür?«, fragte Dietrich verwundert. »Ich verfüge nur über eine kleine Grafschaft, die noch dazu gerade verwüstet wurde, und nicht einmal über ausreichend erfahrene Kämpfer, um mich gegen meinen eigenen Bruder zu behaupten. Ich komme als Bittsteller zu Euch, mit leeren Händen, und nicht als jemand, der Eure

Interessen durchsetzen könnte, wenn Ihr es nicht mehr vermögt.«

»O nein, jetzt macht Ihr Euch geringer, als Ihr seid«, entgegnete Hermann und beugte sich leicht vor. »Ihr bringt etwas in die Waagschale, das heutzutage äußerst selten geworden ist: Rechtschaffenheit!«

»Ich hätte nicht gedacht, dass Rechtschaffenheit derzeit noch eine gefragte Eigenschaft ist«, reagierte Dietrich zunächst verblüfft, dann zynisch. »Ist sie nicht eher hinderlich im Kampf um die Macht?«

»Ihr wart im Heiligen Land und seid nicht umgekehrt nach dem Tod des Kaisers wie die meisten anderen, sondern Ihr habt an Eurem Wallfahrereid festgehalten«, fuhr Hermann ungerührt fort.

»Den ich letztlich nicht erfüllen konnte, denn Jerusalem ist nach wie vor für uns unerreichbar«, ergänzte Dietrich bitter.

»Schuld daran sind die Streitereien unter den Baronen, unter den christlichen Fürsten!«, widersprach der Landgraf. »Ihr habt miterlebt, woran mein Bruder letztlich zugrunde gegangen ist und mit ihm viele aufrechte Seelen. Seid Ihr nicht davon ebenso abgestoßen? Davon und von dem, was Ihr nun erlebt? Von dem ungeheuren Verrat des Kaisers an Tusculum? Es würde mich sehr wundern, wenn Euch das kaltließe, so, wie ich Euch einschätze.«

»Auch wenn ich mich damit gegen den von Gott gesalbten Kaiser wende – ich stimme Euch zu«, antwortete Dietrich, ohne zu zögern.

»Dieser Kaiser ist so maßlos, dass es die Grundfesten unseres Reiches erschüttert«, fuhr Hermann schonungslos fort. »Schaut genau hin, was er plant: Das Pleißenland gehört ihm schon auf Betreiben seines Vaters, Thüringen wollte er sich holen. Und – auch das macht Euch für mich zum wertvollen Verbündeten – auf die Mark Meißen hat er ebenso längst seinen gierigen Blick gerichtet. Euer Bruder hat zu seinem eigenen Missfallen noch keinen Erben gezeugt.«

Nun senkte Hermann seine kraftvolle Stimme und beugte sich leicht vor. »Vielleicht lässt ihn der Kaiser sogar wider alles Recht gewähren bei seinem Kriegszug gegen Euch in der Hoffnung, ihr könntet beide dabei sterben. Und falls Ihr überlebt – glaubt Ihr, der Kaiser würde Euch die Mark zusprechen, wenn Euer Bruder tot ist? Nein, mein Freund, er würde sie sich nehmen, und Ihr könntet nichts dagegen tun.«

Hermann lehnte sich zurück und breitete die Arme aus. »Seht Ihr nun, weshalb wir natürliche Verbündete sind? Uns droht das gleiche Schicksal.«

»Doch wie Ihr selbst betont – ich könnte nichts dagegen tun«, gab Dietrich zu bedenken.

»Das muss sich erst noch zeigen«, meinte Hermann und lächelte in sich hinein. »Als mein Schwiegersohn seid Ihr in einer besseren Position. Wir kämpfen gemeinsam … und ich kann Euch versichern, Seite an Seite mit dem heute geschaffenen thüringisch-wettinischen Bündnis werden weitere Männer von bedeutendem Rang stehen.«

Mir scheint, hier wird statt einem Verlöbnis eher eine Verschwörung gegen den Kaiser verabredet, dachte Dietrich. Und ich kann nicht einmal behaupten, dass mich das stört – sofern das Ganze nicht darauf hinausläuft, dass sie den Kaiser ermorden wollen. Doch das ist undenkbar. Oder?

»Ihr und Eure Verbündeten können auf mich zählen, sollte der Kaiser Euch Land und Titel nehmen wollen«, sagte er und hoffte, seine Mitwirkung entsprechend eingeschränkt zu haben. »Auch ohne unser Bündnis mit einer Hochzeit zu besiegeln.«

Hermanns Gesicht versteinerte. »Dieser Punkt ist nicht verhandelbar. Meine Ritter ziehen morgen nur mit Euch, wenn zumindest ein Verlöbnis angebahnt ist.«

»Durchlaucht, mein Herz ist nicht frei.«

»Habt Ihr ein Eheversprechen gegeben?«

»Nein. Sie verzichtete zugunsten Eurer Tochter.«

»Dann spielt das keine Rolle«, meinte der Landgraf gelassen. »Ich bin vorerst mit einer Verlobung zufrieden. Bis zur Hochzeit werden noch Jahre vergehen, und bis dahin habt Ihr gewiss von Eurer Herzensdame genug.«

Widerwillig schluckte Dietrich diese herablassende Bemerkung. Wem seine Liebe gehörte, ging Hermann nichts an, und wenn er es wüsste, würde er sich noch abfälliger äußern.

Der Thüringer griff nach einer Glocke, die auf dem Tisch stand, und läutete.

»Schickt nach meiner Tochter Jutta«, befahl er dem Diener, der eintrat, den Befehl entgegennahm und sofort wieder verschwand.

»Ich muss darauf bestehen«, beharrte Hermann mit eisiger Miene. »Soll alle Welt glauben, ich mache mir Eure Notlage zunutze, um dem Mädchen eine gute Zukunft außerhalb des Klosters zu sichern. Eine Täuschung als Tarnkappe für unsere antistaufische Koalition. Ich hoffe nur, mein armes Kind bekommt nichts von derlei Gerede mit, ich würde sie weggeben aus Sorge, es könnte an ranghöheren Bewerbern fehlen.«

»Das Haus Wettin stand immer treu zu den Staufern, und auch die Thüringer Landgrafen taten es«, wandte Dietrich ein. Vom Essen hatte mittlerweile keiner von beiden mehr etwas angerührt; diese Unterhaltung ähnelte einem Tanz auf dem Seil und erforderte sämtliche Aufmerksamkeit.

»Staufer, Welfen – das sind zwei Mahlsteine, und Thüringen steckt genau dazwischen«, entgegnete Hermann voller Härte. »Die Zeiten haben sich geändert seit dem Tod Friedrichs von Staufen. Wenn der jetzt herrschende Kaiser seine Getreuen entmachten und enterben will, darf er sich nicht wundern, wenn sie sich gegen ihn erheben. Doch seid unbesorgt. Eure Loyalität wird nicht so weit strapaziert, dass wir uns zu einem Königs-

mord verabreden. Es geht nur darum, unseren Besitz zu verteidigen.«

Es klopfte. Hermann flüsterte Dietrich noch zu: »Nun schaut
nicht so grimmig! Ihr werdet sehen, sie ist ein liebenswertes
Kind.« Dann rief er seine älteste Tochter herein.

Die kleine Jutta betrat die Kammer so schnell, dass sie ganz in
der Nähe gewartet haben musste. Sie trug ein prachtvolles Gewand aus dunkelblauem Wollstoff, am Halsausschnitt und an
den weiten Ärmeln in tiefem Rot abgesetzt, mit goldenen Stickereien und Edelsteinen verziert. Ihr schmaler Mädchenkörper
schien wie erdrückt von den dunklen Farben, dem schweren
Stoff und dem reichen Schmuck. Doch sie hielt sich aufrecht.
Das weizenblonde Haar trug sie offen bis zur Hüfte, es wurde
von einem aus Silber getriebenen und mit roten Steinen besetz-
ten Schapel gehalten. Es lag so ordentlich, dass entweder eine
Zofe sie schnell noch vor der Tür gekämmt hatte oder sie tatsächlich nicht wie andere Kinder in ihrem Alter sprang und
hüpfte. Sie schien nicht unbekümmert wie die meisten Achtjährigen, sondern so ernst, als würde sie nie lächeln. Trotz der vor-
gerückten Stunde wirkten ihre Augen wach und hell.

Anmutig knickste sie vor ihrem Vater, dann vor dem Gast – immer noch ohne das geringste Lächeln.

Da ihr Vater offenbar erwartete, dass sie etwas sagte, wandte sie
sich Dietrich zu. »Habt Ihr im Heiligen Land meinen Oheim
getroffen, Graf?«, fragte sie höflich, aber mit unverkennbarer
Neugier.

»Ja, Hoheit. Ich besuchte ihn gemeinsam mit dem Herzog von
Schwaben. Damals lag er schon sehr krank nieder und trat unmittelbar danach die Heimreise an. Wenige Tage später starb er
zu unser aller Betrübnis. Doch im fränkischen Heer war er sehr
angesehen.«

»Wer befehligte das fränkische Heer nach der Abreise meines
Oheims?«

»Heinrich von Champagne. Er ist inzwischen König von Jerusalem«, erklärte ihr Dietrich.

»Und habt Ihr dort auch den König von England und den König von Frankreich gesehen?«

»Ja, Hoheit. Nach dem Tod unseres Kaisers Friedrich und des Herzogs von Schwaben kämpfte ich mit meinen Rittern unter dem Befehl des französischen Königs.«

Neugierig musterte das achtjährige Mädchen Dietrichs Gesicht; es schien sich nicht so recht durchzuringen, ob es die nächste Frage stellen sollte, tat es dann aber nach Dietrichs freundlicher Aufforderung doch.

»Die Leute singen Minnelieder darüber, welch ein großer Held Richard Löwenherz sei. Wen haltet Ihr für besser: den englischen oder den französischen König?«

»Kind, es gebührt sich wirklich nicht für ein Mädchen, schon gar nicht in deinem Alter, die ganze Zeit lang mit unserem Gast nur über den Krieg zu reden und ihn auch noch mit solch heiklen Fragen zu löchern«, wies Hermann seine Tochter mild zurecht.

»Nein, lasst nur!«, widersprach Dietrich und lächelte Jutta aufmunternd zu. »Sie sucht die Wahrheit, und nur jemand, der dabei war, kann sie ihr erzählen. Also hört meine Meinung, junge Hoheit: Es werden viele schmeichelhafte Lieder über Richard Löwenherz gesungen, doch sie haben wenig mit dem Manne selbst zu tun. Und was seine Ritterlichkeit betrifft: Er hat nicht nur durch eine unverzeihliche Beleidigung den Abzug der verbliebenen Kämpfer unter Leopold von Österreich provoziert, sondern ließ wenige Tage später fast dreitausend sarazenische Gefangene köpfen, darunter viele Frauen und Kinder.«

»Wie abscheulich!«, rief Jutta. »Seht Ihr, Vater, der französische König ist der bessere!«

Mit einem gequälten Lächeln und verdrehten Augen beugte sich Hermann ein Stück zu Dietrich hinüber. »Schaut her – eine

Achtjährige, die schon in der Politik mitreden will. Doch ich glaube, als Sohn einer Hedwig von Ballenstedt solltet Ihr damit zurechtkommen.« Nun lächelte er beinahe durchtrieben.

»Ich mag Eure Mutter, sie ist eine kluge Frau«, sagte Jutta. »Vielleicht könnt Ihr mich zu Fürstin Hedwig schicken, damit ich dort erzogen werde?«

»Meine Mutter würde ganz gewiss hervorragend für Euch sorgen und viel Freude an Euch haben«, versicherte Dietrich. »Doch führt sie keinen großen und prachtvollen Hof wie Euer Vater, sondern nur einen kleinen Witwensitz.« Den mein Bruder auch noch strengstens überwachen lässt; es ist eher ein Gefängnis, dachte er, ohne es auszusprechen.

»Das werden wir später abwägen, Liebes«, meinte Hermann. »Ich will dich mit dem Grafen von Weißenfels verloben. Du bist ein braves Kind und wirst gehorchen. Glaube mir, ich bin sicher, dass er dir einmal ein guter Gemahl sein wird.«

Jutta sah ihren künftigen Bräutigam an.

»Wenn Ihr es wünscht, Vater!«, sagte sie und zuckte mit dem Schultern. Der Gedanke an eine Vermählung lag für sie noch in sehr weiter Zukunft. Im Moment zogen eher die in Honig eingelegten Früchte auf dem Tisch ihre Aufmerksamkeit in Bann. Ihr Vater bemerkte es und erlaubte ihr, davon zu kosten.

»Und nun geh zu Bett, mein Augenstern!«

Jutta knickste vor ihrem Vater und dessen Gast, dann ging sie in aufrechter Haltung hinaus.

»Ihr seht – sie ist ein kluges Kind«, meinte Hermann, nachdem sie den Raum verlassen hatte.

Er erhob sich, was Dietrich zwang, ebenfalls aufzustehen.

»Geben wir draußen die gute Nachricht von der geplanten Verbindung bekannt«, meinte Hermann gut gelaunt. »Und dann soll mein Marschall alles für einen schnellen Aufbruch morgen früh vorbereiten. Genügen zweihundert Berittene, um Euern Bruder in die Flucht zu schlagen?«

»Wenn wir vor der Verstärkung eintreffen, die Albrecht aus Meißen angefordert hat, dann ja«, meinte Dietrich.

Es fiel ihm schwer, die Verlobung mit Jutta nur als Teil eines Geschäfts zu sehen; das hatte das Mädchen nicht verdient. Ganz zu schweigen von Clara.

Aber nun in ein Komplott gegen den Kaiser einbezogen zu sein, war eine andere Geschichte. Sich gegen ihn zu wenden, war eine schwere Sünde, etwas, das mit Tod und Verdammnis bestraft wurde, denn Gott hatte Heinrich auf diesen Platz gestellt. Aber vielleicht war es ebenso unausweichlich wie dieses Verlöbnis, um schlimmsten Schaden abzuwenden und vielen Menschen das Leben zu retten.

Außerdem: Über den Kaiser konnte er sich Gedanken machen, wenn er seinen Bruder aus Weißenfels vertrieben hatte. Sofern er die Schlacht überlebte.

Belagert

Dummes Ding! Aus dem Weg!«, brüllte Gertrud und schlug mit aller Kraft auf den Auslöser ihres momentanen Zornes ein: ein etwa achtjähriges Kind, zweifelsfrei ein Simpel, das zerlumpt und stammelnd auf der Burg umherirrte und gern die Leute an den Sachen zupfte, um da und dort ein Lächeln zu erhaschen, das es mit seinen verzerrten Gesichtszügen glücklich erwiderte. Doch mit der Frau des Verwalters hatte es eine schlimme Wahl getroffen. Wütend prügelte sie auf den Jungen ein, der sich wimmernd zusammenkauerte und die Hände an den Kopf presste.

Niemand wagte es einzugreifen, bis Gertrud nach einem Holzscheit griff, um noch kräftiger zuschlagen zu können. Da rannte eine der Frauen in der Nähe kreischend los und rief nach Marthe. Die war bereits auf das Geschrei aufmerksam geworden und bahnte sich den Weg durch die Menschen auf dem Hof.

»Hört auf!«, schrie sie, während sie sich zwischen das Kind und Gottfrieds Frau zwängte. »Ihr schlagt ihn noch tot!«

Plötzlich stand Thomas neben ihr, obwohl der eigentlich auf den Wehrgängen patrouillieren sollte, wand Gertrud das Scheit mit hartem Griff aus der Hand und warf es einem der Knechte zu, die das Backhaus befeuerten.

Gertrud wich zurück und zuckte nur noch mit den Armen.

»Geht!«, schrie Marthe sie zornig an. »Sofort! Geht in die Küche, und kümmert Euch um das Essen für die Wachen!«

Nach einem Moment der Starre machte Gertrud kehrt und rauschte davon, den Kopf beleidigt in den Nacken geworfen.

Nun kauerte sich Marthe hin und zog das jammernde Kind an sich, das Rotz und Wasser heulte. »Ist ja gut«, murmelte sie und strich ihm über den stachligen Schädel. Irgendeine gutmeinende Seele hatten dem Jungen die Haare geschoren, um ihn von den allgegenwärtigen Läusen zu befreien.

Dann blickte sie um sich und sagte zu der Gevatterin, die sie gerufen hatte: »Hol ihm ein Stück Brot, ja?«

Rasch war die Alte aus dem halbverbrannten Backhaus zurück. Marthe hielt dem heulenden Jungen den Kanten vors Gesicht. »Hier, für dich!«

Mitten im Schreien verstummte der Kleine, ergriff die unerwartete Gabe und stopfte sie sich sofort in den Mund. Während er kaute, zog ein glücklicher Ausdruck über sein missgestaltetes Gesicht.

Erleichtert darüber, dass die Sache ohne größeren Schaden beendet war, richtete sich Marthe auf, strich über den Stoff ihres Kleides in dem vergeblichen Versuch, ihn zu glätten, und lief Richtung Turm. Sie musste sofort mit Norbert reden, das ließ sich nun nicht mehr vermeiden.

Manchmal beneidete Marthe Clara, obwohl diese kaum noch Zeit zum Schlafen fand. In der Nacht zuvor hatte sie der jungen Frau des Schuhmachers geholfen, ihr erstes Kind auf die Welt zu bringen, und bei so vielen Flüchtlingen auf der Burg gab es immer irgendwelche Wunden zu nähen, Abszesse zu öffnen oder sonstige Leiden zu behandeln. Während ihres Aufenthaltes in Weißenfels hatte sich Clara nicht nur einen Vorrat an nützlichen Kräutern zugelegt, sondern auch einen Ruf als Heilerin erworben. Deshalb überließ Marthe ihr und ihren Helfern guten Gewissens die Fürsorge für die Kranken. Sie selbst hatte alle Hände voll zu tun, die Vorräte einzuteilen, dafür zu sorgen, dass es für alle zu essen gab, die Tiere gefüttert wurden und vor allem unter den Eingeschlossenen keine Verzweiflung aufkam. Das war das Schwierigste von allem, und manchmal wusste sie nicht mehr, wie sie das noch schaffen sollte.

Der Befehlshaber der Burg stand mit einigen seiner Ritter auf dem Turm und beobachtete das Treiben auf dem benachbarten Hügel. Albrechts »Gegenburg« bestand mittlerweile aus etlichen Zelten, mehreren Leinendächern für die Mahlzeiten der Ritter und ein paar Feuerstellen. Die Hälfte des Lagers war bereits von Palisaden umgeben. Wo die Schutzwände noch fehlten, rammten mehrere Dutzend Knechte frisch geschlagene und behauene Pfähle in das Erdreich, an geeigneten Stellen wurden Gräben ausgehoben.

Seine kaltblütigste und vielleicht wirkungsvollste Maßnahme war jedoch, jeden Morgen einen Boten zum Burgtor zu schicken, der laut verkündete: Für jeden Tag, den die Eingeschlossenen die Kapitulation hinauszögerten, würde der Fürst nach Einnahme der Burg zwei Dutzend Gefangene hinrichten lassen. Es sei denn, sein Bruder stelle sich, allein und waffenlos.

Albrecht schien nicht zu wissen, dass Dietrich Weißenfels verlassen hatte. Das war das einzig Gute an ihrer derzeitigen Lage.

Aber es bestand keine Aussicht, diese Drohung unter den Eingeschlossenen geheim zu halten.

Nur wenige auf der Burg waren in Dietrichs und Lukas' thüringische Mission eingeweiht. Auf Norberts Betreiben glaubten Burgbesatzung und Flüchtlinge, der Graf würde entweder Kriegsrat halten oder mit dem Pater für einen glücklichen Ausgang des Krieges beten. Manche munkelten auch, er wolle niemanden sehen, weil er keinen Ausweg wisse. Das war zwar nicht gerade gut für die Stimmung, doch das mussten sie in Kauf nehmen. In drei Tagen, so Gott wollte, wenn es ihnen gelang, das Schicksal zu wenden, würde niemand mehr an Dietrichs Mut zweifeln.

Doch wie der Kommandant noch Disziplin halten sollte unter den Flüchtlingen, dafür gingen ihm langsam die Ideen aus. Er fragte sich, wann wohl die Ersten forderten, dass Dietrich sich ergab – oder Verräter die Burg auslieferten.

Zum Glück erwies sich diese Marthe als tüchtige Hilfe. Sie tat, was sie konnte, hielt die Ängstlichen beschäftigt, richtete sie auf und sorgte dafür, dass alle zu essen bekamen, aber beim Bier knapp gehalten wurden.

Von seinem Beobachtungsposten hatte Norbert mitbekommen, dass es einen Zwischenfall auf dem Burghof gegeben hatte – wieder einmal! –, und sah nun zu seinem Erstaunen Lukas' Frau mit energischen Schritten zum Turm kommen.

Es musste wohl eine ernstere Sache sein, sonst würde sie ihn nicht hier aufsuchen.

»Norbert, ich weiß, Ihr seid beschäftigt, doch ich muss dringend mit Euch reden«, sagte sie leise, aber mit Nachdruck, als sie oben angelangt war.

Der hagere Kommandant sah sie kurz an, gab einem seiner Männer ein Zeichen und ging mit ihr einige Schritte zur Seite.

»Sprecht mit Gottfried! Wenn er seine Frau nicht dazu bringen kann, dass sie sich zusammenreißt, muss er dafür sorgen, dass sie ihre Kammer nicht mehr verlässt«, forderte Marthe unnachgiebig. »Sie hat vorhin ein Kind fast totgeschlagen, den kleinen Simpel. Und das war nur ihr letzter Wutausbruch. Sie macht mir die Leute verrückt, und das können wir uns nicht erlauben.«

Norbert stellte ihre Forderung gar nicht erst in Frage. Er hatte längst erkannt, dass Gertrud angesichts der Lage keine Hilfe mehr war, er aber auf das Urteilsvermögen von Lukas' Frau trauen durfte. In vielem war ihm, als sähe er eine zierlichere und reifere Ausgabe von Clara vor sich. Manchmal ertappte er sich sogar bei dem Gedanken, ob ihm nicht vielleicht auch Marthe eine gute Frau sein könnte. Für sein Werben um Clara hatte einfach der Wunsch den Ausschlag gegeben, die junge Frau zu beschützen. Schließlich waren sie beide verwitwet und sollten sich wieder vermählen.

Marthe dagegen reizte und faszinierte ihn auf eine ganz andere Art, als es ihre Tochter tat, die seinen Antrag mit höflichen Worten abgelehnt hatte. Feingliedrig und zart gebaut, wie sie war, traute man ihr nicht zu, dass sie schon Kinder geboren hatte, die bereits erwachsen waren. Sie musste immer noch fast fünfzehn Jahre jünger sein als er.

Mahnend rief er sich ins Gedächtnis, dass Marthe mit Lukas vermählt war. Andererseits: In drei Tagen würde eine blutige Schlacht um Weißenfels geschlagen werden, und so wie er dabei sterben konnte, bestand die Möglichkeit, dass Lukas fiel.

Hastig und mit einer Spur schlechten Gewissens schob er diesen Gedanken beiseite. Du sollst nicht begehren deines Nächsten Weib!

Auch ungeachtet seiner Sympathien musste er Marthe recht geben, was Gertrud betraf. Jeden Augenblick konnte die Stimmung umschlagen, und er hatte zu wenige Kämpfer, um Disziplin zu erzwingen. Wenn hier – womöglich ausgelöst durch die verrückt gewordene Gertrud – erst eine Panik ausbrach, war alles verloren.

»Hol Gottfried hierher, rasch!«, befahl er einem der Männer in der Nähe, der sofort losrannte. Dann wandte er sich wieder Marthe zu. »Ihr habt recht. Ich danke Euch – dafür und für Eure Hilfe.«

Marthe nickte ihm kurz zu und ging wieder die Treppe hinab.

Sie hasste es, was sie eben hatte tun müssen. Sie wollte nicht über andere Menschen entscheiden oder befehlen. Sie hatte nie Macht über andere haben wollen. Doch mit den Jahren musste sie lernen, dass es manchmal nicht anders ging. Man konnte nicht durch den Schlamm waten, ohne sich die Füße schmutzig zu machen.

Wo steckst du, Lukas?, dachte sie immer eindringlicher, als könnte sie ihn allein mit der Kraft ihrer Gedanken herbeiwünschen. Und hält Hermann Wort?

Alte Feindschaften

Am vierten Tag näherte sich eine Gruppe von zehn Berittenen der behelfsmäßigen Gegenburg. Der Duft von frisch geschlagenem Holz mischte sich für sie an diesem feuchtkalten Herbsttag mit dem Gestank des Latrinengrabens.

Der Anführer der kleinen Reitergruppe galoppierte an den Wachen vorbei, die ihn sofort erkannten und ohne weiteres passieren ließen.

Dann sprang er aus dem Sattel, schnauzte den stämmigen Knecht an, den er mitgebracht hatte, sich gefälligst um seinen kostbaren Hengst zu kümmern, und marschierte geradewegs auf das größte Zelt zu, vor dem das meißnische Banner aufgepflanzt war.

Rutger hatte richtig vermutet; sein Ziehvater, der Truchsess, stand davor und erteilte ebenfalls Befehle.

Frohen Schrittes ging er auf ihn zu. »Vater! Ich habe von den wunderbaren Neuigkeiten gehört! Da wollte ich keine Zeit verlieren und bin sofort zu Euch gekommen, statt erst in zwei Tagen mit den anderen und dem Tross.«

Überaus zufrieden schloss Elmar Rutger in die Arme. »Ganz so, wie ich es mir erhofft hatte. Und stell dir vor: Wie uns inzwischen ein Vöglein gezwitschert hat, ist nicht nur dieser Christiansdorfer Bastard hier, sondern auch seine Hure von Schwester!«

»Reinhards Weib?«, fragte Rutger verblüfft zurück. Das wurde ja immer besser!

»Reinhards Witwe«, korrigierte ihn sein Stiefvater mit boshaftem Grinsen.

»Und wir stürmen in zwei Tagen? Ich kann es kaum erwarten«, meinte Rutger ungeduldig. Sofort begann er sich in allen Einzelheiten auszumalen, wie er sich an Clara für die Demütigungen rächen würde, die ihr Vater, ihr Mann und ihr Bruder ihm zugefügt hatten. Zuerst sollte sie mit ansehen, wie er ihren Bruder tötete, dann würde er sie an den Haaren über den Burghof schleifen lassen, ihr die Kleider vom Leib reißen und sie durchprügeln, bis sie um Gnade winselte ... und darum, ihm ergebenst zu Willen sein zu dürfen. Und wenn er irgendwann genug von ihr hatte, würde er sie seinen Reisigen überlassen und dabei zuschauen, wie sie elendig verreckte.

»Komm, wir gehen zum Fürsten«, entschied Elmar und legte seinem Ziehsohn den Arm um die Schulter.

Albrecht saß auf seiner Bettstatt und war entweder ganz in Gedanken versunken, oder er langweilte sich zu Tode. Elmar vermutete eher Letzteres, und deshalb war er zuversichtlich, dass der Fürst Rutgers vorzeitiges Auftauchen gut aufnehmen würde.

Eifrigst kniete Rutger vor dem Markgrafen nieder. »Hoheit, es erfüllt mich mit Stolz und großer Freude, dass Ihr mir diesen besonderen Auftrag erteilt! Ich kann es kaum erwarten, Euch den Kopf des Verräters vor die Füße zu werfen!«

»Wie schön, wie schön«, meinte Albrecht kühl und musterte den ehrgeizigen jungen Ritter.

»Aber wie es heißt, wart ihr früher einander ebenbürtig mit dem Schwert, Ihr und dieser Thomas. Seid Ihr Euch sicher, ihn im Zweikampf besiegen zu können? Ich schätze, mein treuer Truchsess möchte Euch nicht verlieren.«

Rutger plagten keine solchen Zweifel. »Seid unbesorgt, Hoheit. Ich fürchte mich nicht vor diesem Bastard. Er wird sterben. Dann ist mein Vater gerächt.«

»Das freut mich zu hören«, entgegnete Albrecht, der die Geschichte dieser Familienfeindschaft bestens kannte. Es interessierte ihn wenig, ob der großmäulige Rotschopf dabei auf seine Kosten kam. Er wollte den ganzen Zweig ausgelöscht wissen, der mit diesem Christian von Christiansdorf begann und ihm immer wieder ein Stachel im Fleisch gewesen war.

»Damit wir uns nicht missverstehen: Übermorgen, wenn die Burg erobert ist, will ich den Verräter tot sehen, und sein Kopf soll über dem Burgtor hängen!«, verschärfte Albrecht seinen Auftrag.

»Das wird er, Ihr habt mein Wort«, versprach Rutger.

Albrecht bedeutete ihm aufzustehen, doch der junge Ritter zögerte. »Erlaubt Ihr mir, zwei Bitten vorzutragen, Durchlaucht?«

»Gleich zwei?« Brüskiert zog Albrecht die Augenbrauen hoch.

»Die eine ist eigentlich eher ein Vorschlag, Hoheit«, korrigierte sich Rutger hastig. »Ich würde gern jetzt gleich zum Burgtor reiten und meinen Feind treffen. Vielleicht lässt er sich ja auf der Stelle zu einem Zweikampf provozieren. Dann können wir seinen Kopf heute noch aufspießen, als Futter für die Krähen.«

»Vorausgesetzt, ihr besiegt ihn«, schränkte Albrecht ein, dem die Protzerei des Jungsporns missfiel. Aber gut, man würde sehen, wie diese Sache ausging. »Und welches wäre nun die Bitte?«

»Nach Einnahme der Burg Reinhards Hure als meine Beute.«

Albrecht starrte Rutger ins Gesicht, ohne die geringste Regung zu zeigen. Hier ging es um etwas sehr Persönliches, das war ihm klar. Aber dieser Bursche sollte sich bloß nicht zu viel einbilden. »Die erbeuteten Weiber sind nach allgemeiner Auffassung für alle da«, erklärte er kühl. »Sonst meutern meine Männer, und ich kann es ihnen nicht verdenken.«

»Ich verzichte auf jeden sonstigen Anteil an der Beute«, beeilte sich Rutger zu versichern. »Und ich werde sie den anderen Männern überlassen, sobald ich mit ihr fertig bin.« Nun konnte er ein selbstgefälliges Grinsen nicht zurückhalten. »Oder das, was dann von ihr noch übrig ist. Ich habe einige Rechnungen mit diesem Verräter Reinhard offen, für die sie zahlen soll.«

»Einverstanden«, entschied Albrecht, der wusste, dass es die Stimmung unter seinen Männern hob, nicht nur einfach ein paar Bauern totzuschlagen, sondern auch persönlich Rache zu nehmen für alle möglichen Zwistigkeiten.

Rutger wollte schon aufstehen und gehen, aber Albrecht hielt ihn mit einer Geste zurück.

»Bei der Gelegenheit findet heraus, ob die Brut dieses Weibes noch lebt! Und wenn das der Fall ist, tötet auch die! Diese Linie soll bis aufs letzte Glied ausgelöscht werden.«

»Mit Vergnügen!«, versicherte Rutger, und von einem Hochgefühl erfüllt, ging er mit Elmar hinaus.

»Wie ist die Lage dort drüben?«, erkundigte er sich bei seinem Ziehvater, nachdem sie das Zelt verlassen hatten. Der Truchsess winkte einen Reisigen herbei und befahl, seinem Sohn sofort vom besten Wein zu bringen, dann fasste er in wenigen Worten zusammen, was er wusste.

»Sie haben kaum erfahrene Kämpfer, höchstens drei Dutzend, dazu noch ein paar Bogenschützen und ein paar Tölpel, die nicht viel taugen und im Ernstfall vor ihrem eigenen Schatten ausreißen. Dafür hocken dort ein paar hundert Flüchtlinge aus den Dörfern, die wir niedergebrannt haben, und fürchten sich zu Tode. Vermutlich haben sie nur noch für ein paar Tage zu fressen. Aber was uns am meisten in die Hände spielt, ist ihre Angst. Wir schicken jeden Morgen einen Boten zum Tor, der ankündigt, dass für jeden Tag, den sie zögern, nach dem Sturm zwei Dutzend Gefangene hingerichtet werden – wahllos Männer, Frauen, Kinder. Das wird Wirkung zeigen. Eher heute als morgen.«

»Und Graf Dietrich?«

»Überrascht mich wirklich«, gestand Elmar. »Ich weiß nicht, was ich davon halten soll. Am ersten Morgen forderte er seinen Bruder zum Zweikampf heraus, was natürlich kein Mensch hier ernst genommen hat. Seitdem lässt er sich nicht mehr blicken. Und das bringt mich zum Nachdenken. Begreift er insgeheim, dass er keine Chance hat, und will nur das Unvermeidliche hinauszögern? Hofft er darauf, dass uns der Winter zwingt, die Belagerung abzubrechen? Oder führt er irgendetwas im Schilde, das ich noch nicht zu erkennen vermag?«

»Vielleicht erfahren wir jetzt mehr«, meinte Rutger zuversichtlich. »War heute schon ein Bote oben?«

»Ja, und ohne Antwort, wie immer. Aber sie werden mürbe.«

Rutger befahl einen seiner Knappen herbei und ließ sich von ihm ins Kettenhemd helfen. Den Gambeson trug er bereits, und auch die Kettenbeinlinge waren schnell angelegt.

Auf Polster- und Kettenhaube verzichtete er gegen die Einwände seines Ziehvaters. »Dieser Bastard steht bestimmt da oben in den Wehrgängen und starrt finster auf uns herab. Ich will, dass er schon von weitem erkennt, wer kommt. Und ich glaube nicht, dass er seine Bogenschützen auf mich anlegen lässt.«

Rutger grinste verächtlich. »Er ist nicht von diesem Schlag. Das wäre nicht ritterlich. Ich weiß, wie ich ihn dazu bringe, dass er mich unbedingt mit eigener Hand töten will. Entweder er kommt vors Tor, oder ich erschlage ihn in ein paar Tagen, wenn die Verstärkung da ist und wir das Felsennest sturmreif geschossen haben. Er wird nach mir suchen, dafür garantiere ich.«

»Dann mach deine Sache gut!«, ermahnte ihn Elmar. »An dieser Angelegenheit haben wir nicht nur unser Vergnügen, sondern können uns damit auch bleibende Verdienste erweisen. Soll ich dich begleiten?«

»Nein, lasst nur«, wehrte Rutger ab. »Das ist eine Sache zwischen ihm und mir.«

Er brauchte keinen Aufpasser. Und er wollte den Triumph nicht teilen, nicht einmal mit seinem Ziehvater.

»Ein einzelner Reiter nähert sich!«, rief Conrad von Weißenfels vom Torhaus herab.

»Ein Ritter, ohne Helm ... und mit feuerrotem Haar«, ergänzte er leiser. »Holt rasch einen der Freiberger her, dahinter steckt bestimmt etwas Besonderes.«

Kuno rannte schon als Erster die Treppe herauf. Bertram kam wegen der alten Verletzung nicht so schnell hinterher, auch wenn er sich nach Kräften mühte, sich von dem Humpeln so wenig wie möglich anmerken zu lassen.

Sein Gefährte warf nur einen Blick nach vorn, schnappte nach Luft und sagte zu Conrad: »Ruft Thomas von Christiansdorf. Ich verwette mein linkes Ohr, dass dies hier eine persönliche Botschaft an ihn ist. Und bittet am besten gleich seine Mutter dazu, damit er sich nicht zu irgendwelchen Dummheiten hinreißen lässt.«

»Willst du mir das vielleicht etwas genauer begründen?«, forderte Norbert streng, der bei dieser Nachricht ebenfalls zum Torhaus gelaufen war und die letzten Sätze gehört hatte.

»Christian von Christiansdorf tötete den Vater von dem da bei einem Gottesurteil«, erklärte Kuno und wies auf Rutger, der nun schon auf halbe Pfeilschussweite heran war. »Sein Vater, Randolf, hatte unser Dorf mehrfach übel heimgesucht und jedes

Mal ein paar Leichen hinterlassen. Unschuldig Ermordete, auch meine Mutter. Und dieser Randolf verleumdete Christian und folterte ihn in seinem Kerker fast zu Tode. Es dauerte Jahre, bis Christian endlich Rache üben durfte. Zwischen den Söhnen besteht ebenfalls eine Feindschaft auf Leben und Tod. Und das solltet Ihr noch wissen: Der Kerl da, der mit so dreister Miene auf uns zureitet, ist nicht nur der Ziehsohn von Albrechts Truchsess. Er verriet Claras Mann, den Albrecht daraufhin köpfte. Anschließend hat er vor versammeltem Hofstaat die Herrin Marthe zu Boden geworfen und ins Verlies gestoßen.«

Norbert versuchte, angesichts dieser Neuigkeiten jede Regung aus seinen Zügen zu verbannen. Er schaute sich kurz um und sah Marthe herbeieilen. Sie warf nur einen Blick auf den Reiter, der sich dem Tor näherte, und allein aufgrund dessen, was Norbert für einen flüchtigen Moment in ihrem Gesicht lesen konnte, wäre er sofort bereit, diesen Kerl zu töten – ob er nun als Bote kam oder nicht.

»Lehnt Euch an die Wand«, sagte er leise, als er sie wanken sah, stützte ihren Arm und befahl einem der Knechte, einen Schluck Wasser oder Bier für die Herrin zu bringen. »Bleibt hinter den Zinnen, er darf Euch nicht sehen!«, mahnte er.

Marthe nickte.

»Ich hoffe, Ihr seid in der Lage, Euern Sohn davon abzuhalten, jetzt irgendetwas sehr Törichtes zu tun.«

»Das hoffe ich auch«, sagte Marthe, aber es klang nicht besonders überzeugend.

»Ich suche hier einen flüchtigen Pferdedieb namens Thomas von Christiansdorf«, rief Rutger hinauf, als er an der Kluft vor der Zugbrücke stand. »Stimmt das Gerücht, dass er sich bei euch verkrochen hat?«

»Ich *sehe* hier einen feigen Verleumder, der seinen Dienstherrn Markgraf Otto verriet und sich damit die Schwertleite erschlich«, rief Thomas im gleichen Tonfall hinab. Nun triefte seine Stimme vor Spott. »Sag, Rutger, darfst du eigentlich trotzdem mit den Rittern an einem Tisch sitzen? Und wem hast du dieses Pferd gestohlen? Solltest du nicht lieber einen braven Zelter reiten? Oder ein Maultier?«

Das mit dem Pferd war keineswegs geraten; es stammte unverkennbar aus Raimunds Zucht, und Rutger hatte ganz sicher nicht dafür bezahlt.

»Ich wollte mich mit eigenen Augen davon überzeugen, dass du nicht in Outremer verreckt bist wie all die anderen. Das ist zwar verwunderlich, aber es hat den Vorteil, dass ich dich höchstpersönlich erschlagen kann«, prahlte Rutger.

Thomas lachte laut auf. »Hast du dafür auch genügend von deinen großen, starken Freunden zur Unterstützung mitgebracht? Du solltest noch aus unserer Knappenzeit wissen, dass du mich nicht besiegen kannst.«

Das stimmte nicht ganz: Rutger war ein herausragender Kämpfer; in ihrer Knappenzeit galten sie als einander ebenbürtig. Doch seine Schwachpunkte waren Selbstüberschätzung und Rachgier.

»Feigling! Komm heraus zum ehrlichen Zweikampf!«, schrie Rutger. »Keinen Tag länger will ich warten, um meinen Vater zu rächen!«

»Seit wann kämpfst *du* ehrlich? Und woher nimmst du neuerdings so viel Mut? Na ja, mit dem Maul warst du ja immer schon ein Held …«

Das Wortduell schien die Weißenfelser, die es mitverfolgten, zunehmend zu belustigen. Das entging Rutger nicht, und es machte ihn fuchsteufelswild.

In seinen rachsüchtigen Tagträumen den ganzen Weg hierher war dieses Gespräch sehr anders verlaufen.

»Wenn du dich nicht traust herauszukommen, dann bleib doch da oben hocken und warte, bis wir euch alle erledigen. Ich weiß, dass ihr euch vor Angst bepisst«, brüllte er. »Wenn wir durch dieses Tor stürmen, werde ich dich finden. Dich« – und nun glaubte er, seinen besten Triumph auszuspielen – »und deine Hure von Schwester!«

Schlagartig herrschte Totenstille auf der Weißenfelser Burgmauer, was Rutger ermutigte fortzufahren: »Vor zwei Jahren wollte ich sie mir holen, aber da hat ja der Reinhardsberger auf Schritt und Tritt über sie gewacht. Doch der ist jetzt tot, und mit deinem abgeschlagenen Kopf in der Hand werde ich ihr zeigen, was ein richtiger Kerl ist!«

Nun richteten sich alle Blicke auf Thomas. Wie würde er auf diese Ungeheuerlichkeit reagieren?

»Du Ratte hast sie damals nicht gekriegt, und solltest du es jetzt versuchen, wird sie dir eigenhändig die Eier abschneiden, auch wenn eine Dame so etwas nur in Ausnahmefällen tut.«

Thomas legte eine winzige Pause ein und ergänzte dann erstaunlich gut gelaunt: »Ich glaube, in dieser Situation wäre es angemessen.«

Die Männer auf dem Turm und auch die Frauen, die die Unterredung mitverfolgt hatten, prusteten vor Lachen.

»Und bevor ich *dir* den Kopf abschlage, wirst du die *Herrin von Reinhardsberg* um Vergebung für diese Beleidigung bitten, und zwar auf allen vieren!«

Das klang nun ganz und gar nicht mehr spöttisch, sondern unerbittlich.

Wütend, weil ihm keine passende Entgegnung einfiel, wollte Rutger seinen Hengst umlenken, doch Thomas rief ihn zurück. Würde er auf den Zweikampf eingehen? Rutger hoffte es, um die unerwartete Niederlage noch ins Gegenteil verkehren zu können.

»Bursche, wenn du auf deinem gestohlenem Pferd zu deinen hässlichen Kumpanen zurückreitest, dann richte ihnen aus, sie haben etwas missverstanden«, rief Thomas und blickte in die Runde. »Wir bepissen uns nicht, schon gar nicht vor Angst wegen euch paar Versagern! Aber …«

Er zögerte seine nächsten Worte mit Absicht etwas hinaus, sah in Rutgers wütendes Gesicht und schlug mit schnellem Griff Kettenhemd und Gambeson hoch.

»Aber … ich pisse auf dich, du Hurensohn und Schande für jeden anständigen Ritter!«

Der helle Strahl, der sich vom Turm herab auf den Reiter ergoss, wurde zwar vom Wind auseinandergetrieben, dennoch kam genug am anvisierten Ziel an, um Rutgers Haar und seinen Gambeson unter dem Kettenhemd zu durchnässen. Das aus vielen Stofflagen bestehende Kleidungsstück würde nun aufquellen und lange stinken.

Unter dem Hohngelächter der Weißenfelser gab Rutger seinem prachtvollen Pferd die Sporen, so dass Blut über das Fell des Hengstes spritzte.

Nun wieder mit bedecktem Leib, drehte sich Thomas zu den Menschen um, die seine Vorführung miterlebt hatten.

»Das war jetzt vielleicht nicht gerade ritterlich«, sagte er mit gespielter Zerknirschung und deutete auf die Stelle, die eben noch einen anstößigen Anblick geboten hatte. »Dafür aber ehrlich. Es kam sozusagen aus meinem tiefsten Inneren.«

Nun brach schallendes Gelächter angesichts dieser Doppeldeutigkeit aus, das Thomas mit ausgebreiteten Armen wie ein Gaukler entgegennahm und sich sogar verbeugte.

»Von ganzem Herzen!«, ergänzte eine rundliche Frau mit sich überschlagender Stimme und japste nach Luft vor lauter Lachen.

Thomas sah an sich herab. »Nein, Mütterchen, so tief ist mir das Herz noch lange nicht gerutscht«, erwiderte er.

Die lärmende Heiterkeit um den schmählichen Abzug des meißnischen Ritters hatte unter den Zeugen des Vorfalls die Anspannung gelöst. Norbert wies sofort an, Bier und Brot auszuteilen. Doch das war nur eine Ablenkung. Er und Thomas hatten sich mit ein paar Blicken verständigt und holten unauffällig auch

Kuno, Bertram und Marthe aus dem Menschenauflauf. Was sie soeben durch Rutger erfahren hatten, erforderte, dass sie sich sofort berieten und einige Entscheidungen trafen.

Im Lager des Feindes

Der Lärm, der vom Hof durch das schmale Fenster in Norberts Kammer drang, bezeugte den dort Versammelten, dass die Geschichte von Thomas' demütigender Antwort an den Herausforderer draußen die Runde machte und weiter für Belustigung sorgte.

»Guter Auftritt«, lobte Norbert, ohne dass der Ernst aus seinen Zügen wich. »Es macht den Leuten Mut, wenn sie über die Feinde lachen können.«

»War mir ein Vergnügen«, entgegnete Thomas mit knappem Lächeln. Doch Marthe konnte er nicht täuschen. Der Hang zu Spott, die Schlagfertigkeit und Leichtigkeit, die früher zu seinem Wesen gehört hatten und die er gerade eben vor allen gezeigt hatte, waren jetzt nur noch gespielt. Hinter dieser Maske verbarg er Bitterkeit, Selbstzweifel und Hass.

Ich muss unbedingt mit ihm reden, und wenn ich ihn an den Haaren in meine Kammer zerre!, dachte sie nicht zum ersten Mal.

»Guter Auftritt«, wiederholte Norbert. »Dieser Kerl hat uns etwas verraten, vermutlich ohne es zu wollen. Und das zwingt uns sofort zum Handeln.«

Thomas sprach aus, was der Burgkommandant meinte. »Woher wissen die, dass meine Schwester hier ist? Noch vor ein paar Tagen ahnte niemand in Weißenfels außer Euch, wer sie wirklich ist. Und als Graf Dietrich nach seiner Ankunft Claras wahren

Namen enthüllte, blieb eigentlich keine Gelegenheit, damit diese Nachricht bis nach Meißen oder Freiberg durchdringen könnte. Es sei denn …«

»Jemand schlich sich unbemerkt aus der Burg und verriet es ihnen«, brachte Norbert den Satz zu Ende. Er hatte so etwas die ganze Zeit schon geargwöhnt, und deshalb war die Gruppe der Leute, die er in seiner Kammer versammelt hatte, auch sehr klein und ungewöhnlich zusammengesetzt: seine Söhne, Thomas, Marthe und die beiden Freiberger Sergenten, die sich schon einmal ins feindliche Lager geschlichen hatten. Einen Moment lang hatte er erwogen, Clara ebenfalls hinzuzuziehen, denn diese Angelegenheit betraf sie schließlich persönlich. Doch es wäre zu auffällig, sie aus dem Krankenlager zu holen, wo sie alle Hände voll zu tun hatte.

»Wir müssen Eure Schwester einweihen und ihr besonderen Schutz gewähren, wenn es zum Kampf kommt«, sagte er zu Thomas.

Noch bevor dieser danken konnte, erklärte sich Conrad bereit, diese Aufgabe zu übernehmen.

»Und jetzt will ich wissen, welche Ratte sich hier fortgeschlichen und denen etwas gesteckt hat«, knurrte Norbert. »Wer der Verräter ist und was die dort drüben über uns wissen!«

»Mit Verlaub, Herr«, meldete sich zu aller Überraschung Kuno zu Wort. »Wenn dieser Rutger hier plötzlich aufgetaucht ist, dann haben wir ganz bestimmt in seiner Nähe einen heimlichen Verbündeten.«

Mit vergnügtem Grinsen blickte er zu Marthe und Thomas. »Peter! Das ist sein Pferdeknecht«, erklärte er Norbert. »Er hält ihn für einen gehorsamen Diener. Aber glaubt mir, Herr – gegen den sind Bertram und ich geradezu harmlos, unschuldig wie neugeborene Kinder. Dieser Peter stiehlt Euch das Laken unter dem Kopf weg, ohne dass Ihr es merkt, wenn es sein muss. Ich halte jede Wette, dass er längst die Ohren spitzt, vielleicht schon die Befreiung Raimunds von Muldental plant und darüber nachdenkt, wie er uns ein paar interessante Nachrichten zukommen lässt.«

»Ist der Rotschopf solch ein Dummkopf?«, fragte der hagere Burgkommandant zweifelnd. »Ich neige nicht dazu, einen Gegner zu unterschätzen.«

»Dumm ist er ganz gewiss nicht«, antwortete Marthe, noch bevor Thomas sich dazu äußern konnte. »Er ist gerissen, bösartig und trotz der spöttischen Bemerkungen meines Sohnes ein ernstzunehmender Gegner, und zwar in jeglicher Hinsicht. Er hat Blut auf sich geladen und Menschen großes Leid zugefügt, die ich schätze. Ich weiß, Gott sagt: Die Rache ist mein. Aber weder ich noch meine Tochter werden jemals ruhig schlafen können, solange dieser Mensch und sein Stiefvater leben ...«

Das war eine Antwort, mit der Norbert in solcher Härte nicht gerechnet hatte. So genau es ging, ohne sie anzustarren, versuchte er, Marthes Züge zu erforschen. Was war da vorgefallen, abgesehen vom Verrat an Claras Mann?

Dass in dieser zierlichen, zarten Frau mehr steckte, als der äußere Anschein glauben ließ, das hatte er rasch erkannt. Sie stand in einer schwierigen Lage ihren Mann, wie er es sich besser nicht hätte wünschen können. Aber dass sie den Tod zweier Ritter aus einem angesehenen Geschlecht forderte ...

Es würde ihn kaum mehr erschüttern, wenn ihm jemand verraten hätte, dass sie auch den Tod des Markgrafen von Meißen verlangte.

»Dieser Peter ist als Dieb aufgewachsen, bis sich mein früherer Gemahl seiner annahm«, erklärte Marthe nach einem tiefen Atemzug ruhiger. »Er ist mit allen Wassern gewaschen und steht zuverlässig auf unserer Seite. Wir sollten seine Geschicklichkeit nutzen.«

»Also müssen wir noch einmal jemanden in ihr Lager schmuggeln«, meinte Norbert. »Um herauszufinden, was sie alles wissen und wer der Verräter ist.«

»Eines finde ich merkwürdig«, sagte Conrad nachdenklich zu Marthe. »Sie wissen, dass Thomas und seine Schwester hier sind, aber offenkundig nichts von Euch und Euerm Gemahl.«

»Ich habe mich an der Furt offen zu erkennen gegeben«, wandte Thomas ein. »Als Folge schickten sie Raimund hierher. Aber keiner von den Meißnern außer ihm hat meinen Stiefvater und meine Mutter gesehen. Und Raimund würde sie nicht verraten, nicht einmal unter Folter.«

»Also kennt der Verräter ihre Namen nicht?«, mutmaßte Conrad. »Dann muss er von hier verschwunden sein, bevor sich herumsprach, wer Ihr seid.«

»Ich frage mich seit Tagen, wer fehlt. Doch bei so vielen Leuten ist es unmöglich, den Überblick zu behalten«, gestand Norbert, mit sich selbst unzufrieden. »Was mich aber noch mehr beunruhigt: Wissen die Leute des Markgrafen inzwischen, dass Graf Dietrich fort ist? Oder denken sie, wir warten hier einfach und hoffen, dass sie wieder abziehen?«

»Wenn Ihr es erlaubt, schleichen sich Bertram und ich noch einmal ins Lager und finden das heraus«, schlug Kuno vor.

»Du, aber nicht dein Freund mit dem steifen Bein«, entschied Norbert. »Die Sache muss schnell und vorsichtig vonstattengehen. Falls sie euch entdecken, zählt jeder Augenblick.«

»Ich gehe mit ihm«, meldete sich Thomas.

Das lehnte Norbert sofort ab. »Ich brauche Euch hier dringender. Der zweite Mann muss jemand von hier sein, um den Verräter ausfindig zu machen.«

Thomas gab ungern nach. Zu sehr drängte es ihn, auf der Stelle etwas gegen Albrechts und Elmars Leute zu unternehmen. »Ich will Euer Wort: Wenn es zum Kampf Mann gegen Mann geht – dann überlasst mir diesen Rutger«, forderte er vom Kommandanten. »Niemand von Euren Leuten darf ihn töten – das ist meine Aufgabe. Es ist etwas sehr Persönliches.«

Norbert zog die Augenbrauen hoch, sagte jedoch nichts und

nickte zustimmend. Er war gespannt, ob er wohl eines Tages erfahren würde, was da alles in der Mark Meißen geschehen war.

Kurz darauf ließen sich Kuno und Norberts Sohn Conrad an einem Seil über die hintere Mauer hinab. Sie hatten sich ein paar einfache Sachen besorgt, wie Albrechts Reitknechte sie trugen, und die Dolche griffbereit am Gürtel. Conrads Haar war zusammengebunden unter einer Bundhaube verborgen. Nur Ritter trugen das Haar schulterlang.
Zu ihrer Überraschung ergänzten sich die beiden gut: Conrad kannte jede Einzelheit des Geländes, Kuno hingegen wusste von seinem früheren Spähgang, in welchem Zelt Raimund gefangen gehalten wurde – sofern er noch lebte und nicht an einen anderen Ort gebracht worden war.
Kuno hielt zuerst Ausschau nach Peter, der sich als Rutgers Pferdebursche mit ziemlicher Wahrscheinlichkeit entweder auf der Koppel herumtreiben würde oder vor dessen Zelt hockte und das Zaumzeug putzte. Dass Rutgers persönlicher Knecht zum Bau der Befestigungen herangezogen wurde, statt seinem Herrn zu Diensten zu sein, hielt der Freiberger für unwahrscheinlich.
Peter war tatsächlich auf der Koppel und striegelte den kostbaren Fuchshengst, den Rutger geritten hatte. Ein Dutzend Schritte davon entfernt entdeckte Conrad den auf einen Pfahl gespießten Kopf eines Mannes. Nun wusste er, wer der Verräter war.

»Prächtiges Pferd«, meinte einer der beiden Männer, der Kleidung nach Reisige, die geradewegs auf den Knecht von Elmars Ziehsohn zumarschierten.
»Ja, aber ein bisschen biestig«, antwortete Peter, der durch nichts zu erkennen gab, dass ihn das Auftauchen dieser beiden irgendwie überraschte. »Und er müsste dringend mal wieder bewegt werden.«

Das hätte jemanden erstaunen können, der dieses Gespräch mitverfolgte; schließlich war der Fuchshengst samt Reiter gerade erst eingetroffen. Doch Kuno verstand die Anspielung sofort.

»Weißt du, wo sein Besitzer ist? Wir sollen ihm etwas ausrichten«, fragte er.

Peter erkannte am Tonfall, dass mit diesem Besitzer nicht Rutger gemeint war. Gelassen richtete er sich auf und blickte suchend um sich.

»Der ist im Moment nicht zu sprechen«, gab er laut Auskunft, denn gerade liefen zwei Stallknechte an ihnen vorbei und klagten über das nasskalte Wetter, das einem nur die Staupe und das Reißen in den Gliedern einbrächte.

Die drei vermeintlichen Knechte blickten den beiden nach, bis sie weit genug entfernt waren.

Während Peter weiter das Pferd striegelte, flüsterte er: »Raimund steckt im vierten Zelt von rechts. Zwei Wachen drinnen. Um die ist es nicht schade. Lukas' Bruder leistet ihm Gesellschaft in Fesseln. Aber Vorsicht! Er sollte euch besser nicht zu sehen kriegen. Übermorgen kommen fünfzig Mann Verstärkung und Belagerungsgerät. Ich hoffe, ihr habt einen guten Plan.«

Nun grinste er übers ganze Gesicht und meinte: »Sonst müssen wir gemeinsam einen aushecken. Ich hätte da diese oder jene Idee ...«

Raimund war in einen Dämmerzustand gefallen, soweit seine Schmerzen und die unbequeme Haltung in Fesseln das zuließen. Ein dumpfes Plumpsen und ein ziemlich schmerzhaft klingender Schlag neben ihm rissen ihn aus der Benommenheit. Noch ehe er den Kopf zur Seite drehen konnte, machte sich jemand an seinen Fesseln zu schaffen, und im nächsten Augenblick sah er zu seiner Verblüffung in Kunos vertrautes Gesicht.

»Wenn Ihr fliehen wollt – vor morgen wird Euch vermutlich niemand vermissen«, flüsterte dieser. »Falls Ihr bleiben müsst, dann trinkt wenigstens etwas, mit den besten Empfehlungen von Frau Marthe. Sie sagt, es würde die meisten Eurer Schmerzen lindern.«

Dankbar ließ Raimund sich aufhelfen und trank von dem streng schmeckenden Elixier. Hinter sich sah er die Wachen quer übereinanderliegen, beide offensichtlich tot. Auch Jakob war noch am Boden, gefesselt und ohne Lebenszeichen.

»Er ist nur bewusstlos«, beantwortete Kuno die unausgesprochene Frage. »Wir wissen nicht, ob wir ihm trauen können.«

»Wahrscheinlich nicht. Verschnürt ihn noch ein bisschen gründlicher und knebelt ihn, dann kann er sich später herausreden, wenn sie ihn allein mit den Toten finden. Die beiden anderen Wachen sind vorhin gegangen. Ich würde mich gern gleich auf eure Seite schlagen. Aber ich muss zuerst nach Hause, meine Frau in Sicherheit bringen. Dann komme ich zurück und helfe euch.«

Den Entschluss hatte er schon gefasst, noch während er in Fesseln lag. Da sein Sohn tot war – für wen sollte er sein Erbe wahren?

»Wir hätten einen schnellen Hengst für Euch«, meinte Kuno zufrieden grinsend. »Ich glaube, ihr kennt ihn – einen Fuchs mit einer winzigen Blesse. Dieser Rutger hat ihn sich unter den Nagel gerissen, aber ich denke, das treue Tier will lieber zu seinem eigentlichen Herrn.«

»Mit dem holt mich keiner ein!«, frohlockte Raimund.

»Es wird bald Nacht, die meisten Kerle sitzen herum und trinken«, sagte der junge Mann in Kunos Begleitung. Raimund glaubte sich zu erinnern, ihn auf der Burg in Lukas' Nähe gesehen zu haben. »Die Gelegenheit für eine Flucht ist günstig. Doch vorher sagt uns: Was wissen die hier darüber, was auf der Burg vor sich geht?«

»Ich schwöre, ich habe nicht mehr gesagt, als sie sich ohnehin zusammenreimen konnten. Gleich am ersten Tag haben sie jemanden gefangen genommen, der gar nicht aufhören wollte zu erzählen.«

»Er wird nichts mehr erzählen«, meinte Conrad grimmig.

»Sie wissen, wie es bei euch aussieht und wie lange die Vorräte reichen«, berichtete Raimund. »Aber nicht, was ihr vorhabt und warum Graf Dietrich sich nicht zeigt. Sie verlassen sich ganz auf ihre Überzahl. In zwei Tagen kommt Verstärkung, dann beginnt der Großangriff.«

Conrad verkniff sich jede Bemerkung und hob die hintere Leinenbahn des Zeltes an, um zu sehen, ob die Luft rein war. Unbemerkt in der Dunkelheit, krochen sie aus dem Zelt. Peter hatte sogar einen guten Sattel an die Stelle gelegt, wo der Fuchshengst angepflockt war. An den kunstvollen Beschlägen erkannte Raimund, dass er Elmar gehörte. Wie der Meisterdieb es angestellt hatte, den unbemerkt aus dem Zelt des Truchsessen zu holen und wie er sich von jedem Vorwurf reinwaschen würde, wenn auch noch Rutgers Prachtpferd verschwunden war, davon hatte Raimund keine Vorstellung. Aber er kannte diesen wagemutigen Kerl gut genug, um ihm zuzutrauen, dass er Vorsorge getroffen hatte, um sehr überzeugend jeden Verdacht von sich zu weisen. Bei dem Gedanken daran musste er lächeln – zum ersten Mal, seit er Gewissheit hatte, dass sein Sohn tot war.

Kuno und Conrad führten ein sehr kurzes Gespräch unter sechs Augen mit Norbert, nachdem sie sich wieder über die Mauer hatten ziehen lassen.

Der Befehlshaber schickte Kuno weg, damit er etwas aß und trank. Dann befahl er seinem Sohn und zwei weiteren Rittern, ihm zu folgen. Entschlossen stapfte er zur Kammer des Verwalters und trat ein, ohne anzuklopfen.

Gottfried zuckte zusammen, doch bevor er etwas sagen konnte, stand Norbert schon vor ihm.

»Wo ist eigentlich dein Nichtsnutz von Sohn?«, fragte er drohend, ohne eine Antwort zu erwarten. Die erschrockene Miene des anderen war bereits Antwort genug. Gertrud hatte die Hände vor den Mund geschlagen.

»Werft ihn ins Verlies! In Ketten«, befahl er seinen Rittern. »Und sein Weib darf die Kammer nicht mehr verlassen.«

Einen Augenblick lang schienen alle im Raum wie erstarrt.

Dann beugte sich Norbert vor und packte den Graubart am Halsausschnitt seines Bliauts. »Die größte Schande, du Feigling, ist nicht etwa, dass dein eigen Fleisch und Blut sich davongestohlen hat, um uns an den Feind zu verraten. Sondern dass du es seit Tagen gewusst und nichts gesagt hast!«, wütete er.

Dann ließ er den anderen los und sah ungerührt zu, wie er zu Boden stürzte.

»Dein einziges Glück ist, dass er die wichtigste Sache nicht wusste und deshalb nicht verraten konnte. Sonst hätten wir ihm die Zunge in den Hals gestopft, bis er daran erstickt wäre. Aber Albrechts Leute haben ihm schon den Garaus gemacht.«

Ohne auf das Ächzen des Alten und den Aufschrei Gertruds zu achten, drehte er sich um und ging zur Tür.

»Schafft mir den Kerl aus den Augen!«, befahl er.

Seine Männer sahen keinen Anlass, dabei Vorsicht walten zu lassen.

Vor der Schlacht

Am nächsten Tag war Marthes Geduld erschöpft. Mit funkelnden Augen baute sie sich vor ihrem ältesten Sohn auf.

»Nun hör endlich auf damit, an mir vorbeischleichen zu wollen, und komm in meine Kammer, damit ich nach deinen alten Wunden sehen kann!«

Wie ein Kind, das bei etwas Unerlaubtem ertappt worden war, starrte Thomas auf seine Mutter.

»Das hat Clara schon getan«, unternahm er einen letzten Versuch, der natürlich von vornherein zum Scheitern verurteilt war. Marthe machte sich erst gar nicht die Mühe, etwas sagen zu wollen. Auf ihrem Gesicht las er es auch so: dass Clara mehr als genug zu tun hatte, wie närrisch es war zu hoffen, er könne ihr auf Dauer entrinnen, und dass dieser Moment hier schon viel früher gekommen wäre, hätte seine Mutter die Sache mit weniger Nachsicht betrieben.

Doch wahrscheinlich würde morgen die Schlacht um Weißenfels geschlagen. Im besten Fall kam Dietrich mit einer thüringischen Streitmacht, und gemeinsam würden sie Albrecht in die Flucht jagen; im schlimmsten Fall traf die Verstärkung aus Meißen ein und begann mit dem Sturm auf die Burg. Es war wohl besser, *vor* der Schlacht nicht nur mit Gott und dem eigenen Gewissen ins Reine zu kommen, sondern auch mit seinen Nächsten.

»Hat dir schon einmal jemand gesagt, dass du einem wirklich unheimlich sein kannst?«, murmelte er, während er gehorsam zu ihrer Kammer voranlief.

»Ja, stell dir vor, einmal wollten sie mich deshalb sogar schon ertränken«, entgegnete sie auf eine Art, die ihn verwunderte: Sie schien in diesem Moment eher belustigt darüber als entsetzt. Dann ging ihm auf, dass sie sich wohl über ihn lustig machte. Und schließlich schoss ihm der Gedanke durch den Kopf, welche Kraft in ihr stecken musste, wenn sie über so etwas Schreckliches noch scherzen konnte.

Doch als Marthe in der kleinen Gästekammer die vernarbte Wunde an seinem linken Arm zum ersten Mal sah, war es mit ihrer Spottlust schlagartig vorbei.

Sie biss sich auf die Unterlippe und beugte sich so dicht über die verheerenden Spuren, die Wundbrand, Messer und Kautereisen hinterlassen hatten, dass er rasch den Gedanken verwarf, es könne daran liegen, dass ihre Augen nicht mehr so tüchtig waren wie früher. Ihr Mundwinkel zuckte verdächtig, und dann blickte sie auf, ihm direkt ins Gesicht, und weinte. Als Heilkundige konnte sie anhand der Spuren ermessen, was er durchlitten haben musste.

Er zog seine Mutter an sich und umarmte sie, raunte etwas Tröstendes, wischte ihr die Tränen von den Wangen …

Und obwohl ihm dabei schwer ums Herz zumute war, schien es, als ob sie mit jedem Atemzug einen Teil dieser Schwere von ihm nahm.

Endlich löste sich Marthe von ihrem Sohn, schniefte, fuhr sich mit dem Ärmel ihres Kleides übers Gesicht und holte einen Tiegel aus dem Korb, der auf der einzigen Truhe im Raum stand.

»Immerhin, der Arm ist ja noch dran«, durchbrach er das schmerzende Schweigen im Raum. »Wenn Roland nicht gewesen wäre, hätten sie ihn mir abgenommen, damals, in Ikonium …«

Mit diesem einen Wort war plötzlich alles wieder gegenwärtig, was er monatelang versucht hatte zu vergessen: der Schlachtenwahn, die Ströme von Blut, der Gestank der Toten, die unbegraben in der Sonne verwesten … Jene fremdartige Welt, in die sie nur gekommen zu sein schienen, um zu töten und zu sterben.

»Ich weiß«, entgegnete sie zu seiner Überraschung.

Thomas fragte nicht, woher. Mit einem Mal schienen die Worte in seinem Körper gefangen zu sein, ohne herauskommen zu können. Bestimmt hatte Dietrich davon gesprochen; seine Mutter und Lukas standen ihm sehr nah. Vielleicht hatte sie manches auch in ihren merkwürdigen Träumen gesehen, von denen sie niemandem erzählen durfte außer seinem Vater und später Lukas und ihren Kindern.

»Beinwell«, erklärte sie, während sie eine Salbe auf die Narbe strich. »Das hilft auch bei alten Wunden …«

Im ersten Augenblick wollte er den Arm wegziehen, aber sie ließ ihn nicht los. Bald schloss er die Augen und erduldete es widerstandslos. Es tat gut … nicht nur das zerstoßene, in Schmalz gekochte Heilkraut, sondern auch die Berührung ihrer Fingerspitzen, die plötzlich die vernarbte Haut wieder zum Kribbeln brachten.

Weshalb war er nicht schon eher zu ihr gegangen?

»Du musst morgen den Arm gut bewegen können«, sagte sie, als hätte sie seinen Gedanken gelesen.

Nachdem sie alles in die tiefe Wunde gerieben hatte, ließ sie los, lehnte sich gegen die Wand und sagte mit halb geschlossenen Augen: »Manchmal frage ich mich … nach all dem Schlimmen, was wir durchlebt haben … ob wir wohl noch jemals ein normales Leben führen können …«

Verblüfft starrte er sie an. »Was meinst du damit: ein normales Leben?«

»Ruhig. In Frieden. Gottgefällig«, antwortete sie leise.

Dann zuckte sie hilflos mit den Schultern und fuhr fort: »Du hast getötet. Ich habe jemanden verflucht. Wir beide wünschen anderen Menschen den Tod für ihre Missetaten. Sollten wir nicht Reue fühlen oder wenigstens ein schlechtes Gewissen?«

Jedem anderen hätte er auf der Stelle geantwortet, es sei nun einmal Aufgabe eines Ritters, Feinde zu töten, und schließlich habe er als frommer Christenmensch für jeden Tropfen Blut, der durch ihn vergossen wurde, die Beichte abgelegt und Absolution erteilt bekommen.

Doch das war nicht die Antwort, die seine Mutter gelten lassen würde.

Plötzlich musste er an Notker denken, den kleinen Mönch, einen jungen Benediktiner mit der schiefen Tonsur, einer seiner Weggefährten auf dem Kriegszug ins Heilige Land. Der kluge Notker hätte vielleicht eine Antwort gewusst.

Wie es ihm wohl ergangen war? Nach der Einnahme Akkons war er nicht mit den anderen in die Heimat zurückgekehrt, in sein Kloster in Chemnitz, sondern geblieben. Er wollte die

Kranken in dem behelfsmäßig unter einem Segel eingerichteten Hospital pflegen.

Ob er immer noch dort war? Und ob es wohl mittlerweile ein richtiges Hospital für die Wallfahrer in Akkon gab?

Vollkommen unerwartet verspürte Thomas plötzlich das Bedürfnis, darüber zu reden.

»Sie haben ganz merkwürdige Heilmethoden im Morgenland«, erzählte er, und nun sprudelten die Worte nur so aus ihm heraus. »Das hättest du bestimmt gern gesehen! Die Heilkundigen stehen dort in hohem Ansehen. Obwohl sie nicht beten, bevor sie ihre Arbeit beginnen, was hier natürlich niemand gutheißen würde. Sie sind auch nicht so schnell mit der Knochensäge bei der Hand wie die hiesigen Wundärzte. Die Krankensäle sind hell und luftig. Sie legen einen geradezu absonderlichen Wert auf Reinlichkeit und geben den Kranken andauernd Obst zu essen.«

Seine Mutter schien jedes dieser Worte in sich aufzusaugen. Er versuchte, sich an die Gerüche der Heiltränke und Salben zu erinnern, die er im Krankenlager in Antiochia bekommen hatte, als sich die Wallfahrer von den Strapazen des Marsches durch die Wüste und den Schlachten erholen konnten und er wochenlang im Fieber brannte. Manches war ihm bekannt vorgekommen, das meiste jedoch vollkommen fremd.

»Wenn das Fieber nachließ, habe ich oft an dich gedacht«, sprach er weiter und lächelte in sich hinein. »Wie sehr dich das interessiert hätte. Aber ich konnte niemanden fragen, wie die Kräuter heißen, die sie da verwenden, weil niemand unsere Sprache sprach.«

Aus einem Impuls heraus stand er auf – immer noch nur mit Bruche und Beinlingen bekleidet, weil er ja Rüstung und Bliaut hatte ausziehen müssen – und entstöpselte nacheinander jedes der Krüglein aus ihrem Korb, um daran zu riechen. Aber keiner der Gerüche wollte zu dem passen, was er aus Antiochia in Erinnerung hatte.

»Sie haben eben ganz andere Pflanzen da«, meinte er enttäuscht.

Nun lächelte auch Marthe.

»Manche Heilkräuter aus dem Morgenland bekommt man für gutes Geld bei den jüdischen Händlern«, sagte sie. »Reinhard hat Clara welche geschenkt, als er um sie warb.«

Mit einem Schlag war der lichte Moment vorbei.

Reinhard war tot, die jüdischen Händler in Freiberg waren für sie beide unerreichbar, denn in der Mark Meißen durften sie sich nicht blicken lassen. Und morgen stand ihnen eine Schlacht bevor, die wer weiß wie viele Tote kosten konnte.

Thomas griff nach Untergewand und Bliaut, zog sich beides über den Kopf und umarmte seine Mutter erneut.

»Mach dir keine Sorgen, ja?«, bat er. »Wir haben beide bis heute überlebt. Da wird Gott Seine schützende Hand auch morgen über uns halten.«

»Ja«, sagte sie leise. »Nun geh und versuch, ein bisschen zu schlafen!«

In der Nacht vor der Schlacht bemühte sich jeder von denen, die wussten, dass sie bevorstand, seinen Frieden mit Gott zu machen und die Dinge zu regeln, die ihm am Herzen lagen.

Norbert suchte Clara bei den Verletzten auf, nahm sie beiseite und informierte sie, dass dieser Rutger nach ihr suche und er und seine Söhne sich um ihren besonderen Schutz kümmern würden, falls die Burg gestürmt wurde.

Clara dankte ihm für diese Umsicht.

Verwirrt über seine eigenen Gefühle, dachte Norbert von neuem darüber nach, wer wohl besser als Gemahlin für ihn geeignet sei: diese junge Frau oder ihre faszinierende, alterslose Mutter.

Wenig später kam Conrad, wiederholte die Nachricht und das Schutzangebot. Er redete ein bisschen um den heißen Brei, schließlich fasste er sich ein Herz und fragte, ob er nicht vielleicht doch hoffen könne, Clara eines Tages zur Ehefrau nehmen zu dürfen. Mit höflichen Worten erklärte sie, dass sie noch zu sehr um ihren toten Gemahl trauere, um jetzt wieder zu heiraten, und machte ihn darauf aufmerksam, dass die hübsche Jungfrau Sieglind bis über beide Ohren in ihn verliebt sei und bestimmt eine gute Mutter für seine künftigen Kinder sein würde. Der junge Schmied Guntram dachte an seine Mutter und daran, wie sein Vater wohl allein zurechtkäme. Dann legte er sich mit dem Gedanken zur Ruhe, wie die von ihm gefertigten Brandpfeile morgen Albrechts Palisaden in Flammen aufgehen lassen würden.

Kuno betete dafür, dass es Johanna und ihren Kindern gutging.

Bertram sprach ein Gebet für das Seelenheil seiner verstorbenen Frau Marie.

Marthe sortierte ihre Arzneien und rollte Leinenstreifen zusammen. Nach einem Gebet fürs Christians Seelenheil richtete sie alle ihre Gedanken auf Lukas, der irgendwo auf dem Weg hierher steckte, vielleicht nur noch ein paar Meilen von ihr entfernt.

Clara überlegte, ob Dietrich nun wohl mit Jutta von Thüringen verlobt war, während sie einem verletzten Bogenschützen den Verband wechselte.

Dann kam Thomas und erklärte kategorisch, dass seine Schwester ruhen müsse und außerdem ihre kleine Tochter weinend nach der Mutter rufe. Das hatte er gesehen, als er zuerst in der Kammer nach Clara gesucht und dort nur die junge Magd angetroffen hatte, die Änne behütete, während ihre Mutter im Krankenlager arbeitete.

Clara verknotete die Enden des Leinenverbandes über der Wunde, dann folgte sie widerspruchslos ihrem Bruder in ihre Kammer.

Änne war aus irgendeinem Grund aufgewacht und ließ sich nicht beruhigen. Clara nahm sie auf den Arm, küsste und wiegte sie und schickte die Kinderfrau schlafen.

Der vertraute, weiche Körper ihrer Mutter, die leise Stimme, mit der Clara ein Schlaflied sang, ließen die Kleine rasch verstummen. Schon fielen ihr wieder die Lider zu.

Thomas sog den Anblick in sich auf, wie seine Schwester ihr Kind herzte und liebkoste.

Es sind die Mütter, dachte er zusammenhangslos. Die Mütter, die uns Frieden bringen, Kraft spenden und Seelenfrieden. Niemand sonst kann das.

Kein Schwert. Kein Silber. Kein Befehl.

Nur ihre bedingungslose, grenzenlose Liebe, ihre Güte und die Weisheit, die aus dem Herzen kommen.

Seine Mutter hatte ihm vorhin eine unsichtbare Last von den Schultern genommen, unter der er fast zerbrochen wäre. Und der Anblick seiner Schwester mit ihrem schlafenden Kind im Arm öffnete sein Herz, das er doch mit Eisen hatte panzern wollen.

Nur für einen Augenblick. Nur für diese Nacht.

Bis er morgen wieder in die Schlacht ziehen und töten musste.

Damit die Mütter und die Kinder überlebten.

ZWEITER TEIL

Bruderkrieg

Leuchtfeuer

Dietrich und Lukas führten die thüringische Streitmacht mit Marschall Heinrich von Eckartsberga an der Spitze in einem dreitägigen Gewaltritt zu einem Stück Land einige Meilen südlich von Weißenfels, das von Albrechts Gegenburg aus nicht zu sehen war.

Am verabredeten Ort erwartete sie bereits Norberts Sohn Conrad und berichtete, was seit ihrem heimlichen Aufbruch geschehen war: von den Befestigungen, die der Markgraf von Meißen in den letzten Tagen hatte anlegen lassen und die noch nicht vollständig waren, von den angedrohten Hinrichtungen, der Lage auf der Burg und dem Verrat durch Gottfrieds Sohn.

»Sie haben keine Ahnung, dass Ihr fort wart, dessen sind wir uns sicher«, ließ der Burgkommandant durch seinen Erstgeborenen ausrichten. »Sie glauben, Ihr hättet Euch verkrochen, weil Ihr nicht mehr ein noch aus wüsstet.«

Dietrich wechselte einen Blick mit dem Eckartsbergaer, der zufrieden ein schmallippiges Lächeln zeigte. Der thüringische Marschall war ein kriegserfahrener Mann, beinahe so hager wie Norbert, schon über die sechzig, mit weißen Haaren und dichtem Bart, aber immer noch schnell mit dem Schwert und angesehen unter der Ritterschaft.

»Dann wollen wir sie von diesem Irrtum befreien«, kommentierte er gelassen die Neuigkeit. Auf sein Kommando schlugen die Truppen ein provisorisches Nachtlager auf. Auch sie waren ohne Tross und Fußvolk aufgebrochen, um keine Zeit zu verlieren, denn sie mussten unbedingt früher als die Verstärkung aus Meißen eintreffen. Vor dem Angriff am Morgen sollten Männer und Pferde ausruhen, so gut es ging.

»Es gibt etwas, das Ihr erfahren müsst«, meinte Conrad zu Lukas. Seine persönliche Sorge um Clara nach Kräften verbergend, berichtete er vom Auftauchen Rutgers, seiner Herausforderung an Thomas und dessen außergewöhnlicher Antwort.

Lukas wusste im ersten Moment nicht, ob er über die Reaktion seines Stiefsohnes lachen oder den Kopf schütteln sollte. Thomas war schon zu seiner Knappenzeit vom alten Waffenmeister gern als Großmaul bezeichnet worden. Doch da Lukas die Szene einfach zu lebhaft vor Augen hatte, konnte er ein Grinsen nicht zurückhalten. Allerdings war ihm klar, dass er bei dem bevorstehenden Kampf ein besonderes Auge auf Rutger haben musste.

Die Reiter entzündeten kein Feuer diese Nacht; den Befehl hatten Dietrich und der thüringische Marschall ausgegeben. Niemand konnte wissen, wie weit die gegnerischen Patrouillen vordrangen, und sie durften keine Aufmerksamkeit erregen. Ein Feuerzeichen sollte am nächsten Morgen das Signal für die Weißenfelser sein, gemeinsam mit den Thüringern von zwei Seiten aus zum Angriff zu reiten.

Dietrich blieb ungewohnt wortkarg an diesem Abend. Lukas sann darüber nach, ob das dem bevorstehenden Kampf oder der bevorstehenden Hochzeit geschuldet war. Hermann hatte die Verlobung gleich nach seinem vertraulichen Gespräch mit dem Gast bekanntgegeben und erklärt, er betrachte es als Selbstverständlichkeit, dem Schwiegersohn zu Hilfe zu eilen, dem Wallfahrer, der gegen jede gute Sitte angegriffen werde. Dafür ein Kontingent von zweihundert Rittern, Sergenten und Knappen aufzustellen, dauerte nicht lange.

Allerdings hatte Lukas unterdessen eine heftig geführte, wenngleich kurze Debatte mit seinem Stiefsohn Daniel, der unbedingt mit in den Kampf ziehen wollte. Der zweitälteste Sohn von Christian und Marthe war inzwischen sechzehn Jahre alt und Knappe auf der Wartburg.

»Ich brauche dich hier, damit du dich um deine Brüder kümmerst, sollte mir und deiner Mutter etwas geschehen«, hatte er dem Jungen mit aller Entschlossenheit klargemacht. In Eisenach lebten auch seine drei Söhne im Pagenalter: Paul, Lukas der Jüngere und Konrad, sein gemeinsames Kind mit Marthe, der erst sechs Jahre alt war. »Du darfst nie vergessen: Albrecht will unsere ganze Familie auslöschen. Und spätestens in der Schlacht dürfte ihm schwerlich entgehen, dass ich entgegen allen Behauptungen nicht tot bin. Also wird er nach euch suchen.«

Sein Hauptgrund, den Jungen von diesem Schlachtfeld fernzuhalten, war allerdings ein anderer, den er Daniel nicht verraten würde. Genau wie Marthe spürte er, dass Thomas trotz seines belustigenden Wortwechsels mit Rutger und seiner Kampferfahrung nicht in der Verfassung war, besonnen in eine Schlacht zu reiten. Er würde sich blindlings dorthin stürzen, wo das Getümmel am größten war oder wohin ihn Rutger lockte. Lukas sorgte sich ernsthaft darum, ob Thomas den nächsten Tag überlebte. Deshalb wollte er nicht auch noch Marthes zweitältesten Sohn der Gefahr aussetzen, in der Schlacht zu sterben.

»Wir werden den Meißner lehren, was es heißt, einen Wallfahrer anzugreifen«, versicherte Heinrich von Eckartsberga mit grimmiger Miene, während Lukas über all diese Dinge nachdachte.

Dietrich nickte ihm dankend zu, aber Lukas hatte das Gefühl, dass der Graf von Weißenfels an diesem Abend allein mit sich und seinen Gedanken sein wollte.

Deshalb sagte er nur: »Gott wird Seine schützende Hand über die Bedrängten halten«, sah zu, wie Dietrich in dem Zelt verschwand, das aus einer Leinenbahn als Schlafstatt für ihn errichtet worden war, wickelte sich in seinen Umhang und legte sich davor. Er hatte schon über Ottos jüngeren Sohn gewacht, als der noch Knappe bei Christian war, und beabsichtigte nicht, von dieser Gewohnheit abzurücken.

Conrad teilte sich mit ihm die Wache. Die Nacht würde kurz werden und der nächste Tag die Entscheidung bringen.

Bevor Lukas einschlief, ging ihm durch den Kopf, dass er im morgigen Kampf am liebsten an mehreren Orten gleichzeitig wäre. Er musste Graf Dietrich schützen, über Thomas wachen und würde ausnehmend gern Elmar und Rutger vor seinem Schwert haben. Und erneut klang ihm in den Ohren, was Marthe – die Sanfte, Mildtätige, die Friedensstifterin – vor einiger Zeit zu seinem großen Erstaunen gesagt hatte: »Wenn es Frieden geben soll in der Mark … wenn nicht Tausende Menschen geopfert werden sollen für die Willkür eines Menschen … dann wird früher oder später jemand Albrecht töten müssen.«

Vielleicht gelang ihm das morgen.

Er war bereit dazu.

Dafür betete er zum heiligen Georg, dem Schutzpatron der Ritter, bevor er auf dem unebenen und mit feuchtem Laub bedeckten Waldboden einschlief. Auf Bequemlichkeit konnte er verzichten, wenn es sein musste, und sein Gambeson und der dicke, gut gewalkte Umhang hielten die Nässe von ihm fern.

Trotzdem war Lukas steif vor Kälte, als im Morgengrauen das Signal zum Wecken gegeben wurde. Die Männer rüsteten sich und knieten gemeinsam nieder, um Gottes Beistand für diesen Tag zu erflehen.

Dann wurden Brot und Bier ausgeteilt, und während sie ihre Pferde sattelten, entzündeten zwei von ihnen auf Dietrichs Befehl das Leuchtfeuer als Signal für die Burgbesatzung.

Norbert von Weißenfels hatte bereits am Abend Ausschau gehalten, ob sich eine Streitmacht näherte – die thüringische von Süden oder die feindliche Verstärkung von Osten. Doch nichts

Besonderes ließ sich erkennen, so dass er den Wachen nochmals einschärfte, die Umgebung im Auge zu behalten, und sich etwas Schlaf gönnte, ehe er am nächsten Tag seine Männer in eine Entscheidungsschlacht führen musste.

Schon vor dem Morgengrauen bezog er erneut Posten auf dem Turm und starrte in die Richtung, aus der er das Signal erwartete. Der Tag war kalt und neblig. In diesem Punkt schien das Schicksal es gut mit ihnen zu meinen: Albrechts Leute – er allerdings auch – würden die herannahende Streitmacht erst unmittelbar vor ihrem Eintreffen zu sehen bekommen. Und ein Feuer in der Ferne konnte dem Gegner zwar kaum entgehen, aber mit etwas Glück hielten sie es für eine in Brand geratene Kate oder einen falsch angelegten Meiler.

Fröstelnd trotz des Gambesons und des Kettenpanzers stand Norbert auf dem Turm, um den ein eisiger Herbstwind fauchte, und starrte in Richtung Süden.

Da, endlich! Erst war es nur Rauch, den er undeutlich auszumachen glaubte, doch bald konnte er erkennen, wie die Flammen immer höher züngelten.

Erleichtert hastete er die Stufen im Inneren des Turmes hinab.

Signal schlagen ließ er nicht, um die Feinde auf dem gegenüberliegenden Hügel, den die Weißenfelser nun schon »Klemmberg« nannten, nicht darauf aufmerksam zu machen, dass etwas im Gange war.

Doch seine Ritter und Sergenten, die sechs thüringischen Kämpfer eingeschlossen, waren längst auf den Beinen und zum Aufbruch bereit.

Auf sein Kommando wurden die Pferde gesattelt. Der Pater sprach einen Segen, dann saßen die Männer auf. Norbert nahm ausschließlich Berittene mit sich, darunter auch diejenigen Bogenschützen, die sicher im Sattel saßen und nun mit Guntrams Brandpfeilen ausgerüstet waren. Armbrustschützen, Fußvolk und einen Teil der Knappen blieben auf der Burg zurück. Sie sollten die Festung verteidigen, falls einzelne Gegner versuchten, über die Mauern zu gelangen.

Wer von den Männern und jungen Burschen kämpfen konnte, war auf den Wehrgängen postiert. Marthe ließ auf Norberts Geheiß kesselweise Wasser erhitzen, das über Angreifer gegossen werden konnte, sollten sie sich bis an die Mauern wagen.

Der Burgkommandant gab das Zeichen, Fallgitter und Tor zu öffnen und die Zugbrücke herabzulassen. Dann bekreuzigte er sich, bat den heiligen Georg um Beistand und galoppierte mit erhobenem Schwert voran, dicht gefolgt von Thomas und Hugos thüringischen Kreuzzugsgefährten, seinem Sohn Heinrich und weiteren insgesamt vier Dutzend Reitern. Gleich nach ihrem Ausfall wurde die Burg wieder verschlossen. Nun mussten sie sich durch die feindlichen Patrouillen zu der Stelle unterhalb der Klemmburg schlagen, an der sie sich mit Dietrich und den Thüringern vereinigen wollten.

In Albrechts Lager hatte sich während des Wartens auf den Tross immer mehr Langeweile breitgemacht. Natürlich nicht unter den Knechten und Sergenten, die waren vollauf damit beschäftigt, Palisaden zu errichten, Gräben auszuheben, die Pferde zu versorgen und sich um die Verletzten zu kümmern. Aber unter den Rittern, denen solche Tätigkeiten natürlich nicht zuzumuten waren.

Und ganz besonders bei Albrecht. Anfangs hatte er noch mit Elmar getrunken, um die Wartezeit bis zum Eintreffen des Trosses zu verkürzen, und sich in rachsüchtigen Gedanken verloren, die seinen Bruder und dessen Anhänger betrafen, aber auch den Astrologen, der ihm doch einen schnellen und klaren Sieg prophezeit hatte. Keine Rede davon, dass er hier tagelang auf diesem nasskalten und von Nebel umwaberten Hügel lagern und auf die Feinde starren musste, die sich nicht ergaben.

Als ihm der Kopf vom reichlich genossenen Wein schon den

zweiten Tag so dröhnte, dass er nur mit Mühe einen Gedanken fassen konnte, schickte er einen seiner Ritter nach Merseburg, um von dort ein paar ansehnliche Huren zu holen, die ihn ablenken sollten.

Seine Ritter vertrieben sich derweil die Langeweile mit Würfeln und Wein, ungeduldig und unzufrieden, weil es weder Gelegenheit zum Plündern noch irgendwelche Weiber gab.

Doch als sich am vierten Tag herausstellte, dass Raimund von Muldental entkommen war, während zwei der Männer tot im Zelt lagen, die ihn bewachen sollten, noch dazu Rutgers edler Hengst und – der Gipfel der Dreistigkeit! – Elmars kostbarer Sattel fehlten, erließ der Truchsess verschärfte Befehle. Die säumigen beiden Wachen wurden gehenkt, und von nun an wurde an die Ritter kein Wein mehr ausgeschenkt, sondern nur noch dünnes Bier, das die Reisigen in den Orten der Umgebung beschlagnahmten, die sie nicht niedergebrannt hatten. Das hob nicht gerade die Stimmung unter den Männern. Aber niemand wagte es, laut zu murren. Außerdem rückte der Augenblick immer näher, an dem die Verstärkung und der Tross eintreffen sollten und sie endlich zum Angriff übergehen konnten. Zeit also, die Waffen zu schärfen und sich in Überlegungen zu ergehen, wie sie es den widerspenstigen Weißenfelsern heimzahlen würden und ob unter den Flüchtlingen auf der Burg wohl ein paar hübsche Weibsbilder zu finden waren.

Am Morgen des entscheidenden Tages lag Albrecht in wirren, beängstigenden Träumen. Er hatte erst tief in der Nacht zur Ruhe gefunden, zu sehr beschäftigt mit Racheplänen, und schweren Wein getrunken, um endlich schlafen zu können. Das verzerrte Gesicht seines Vaters verfolgte ihn, gelähmt vom Schlagfluss und unerbittlich auf den Sohn gerichtet, der sich gegen ihn erhoben hatte. Obwohl sein Vater auf dem Totenbett nicht mehr sprechen konnte, tat er es in Albrechts Alptraum. Aus dem Mund des Sterbenden drang eine helle Frauenstimme, die ihn verwünschte. Der Fluch der Hexe von Christiansdorf, den er einfach nicht vergessen konnte.

Stöhnend fuhr Albrecht hoch, rieb sich über das Gesicht und versuchte, das schreckliche Bild und die Stimme aus dem Traum abzuschütteln.

Besorgt rannten seine Leibwachen ins Zelt, auf der Suche nach einem Feind. Albrecht wollte sie mit einer Handbewegung wieder hinausschicken, doch er sah, dass sie zögerten.

»Was?«, fuhr er sie an, während er nach einem Krug griff und hastig etwas von dem eiskalten Wein trank, um endgültig wach zu werden.

»Die Wachen haben im Süden ein Feuer entdeckt«, berichtete ängstlich einer der beiden. »Es könnte sonst etwas sein … Mehr lässt sich nicht erkennen im Nebel. Aber da Ihr ohnehin wach seid, wollt Ihr Euch vielleicht selbst von der Sache überzeugen …«

Albrecht stemmte sich hoch und befahl mit einer Geste, ihm den schweren, pelzverbrämten Tasselmantel umzulegen.

Ob der Tross das Feuer entzündet hatte? Doch der würde nicht von Süden kommen, sondern aus Richtung Osten.

Fröstelnd, aber nun hellwach, trat der Markgraf nach draußen. Auch sein Truchsess und sein Marschall waren bereits auf und starrten vom Hügel hinab in die Richtung, in der mit etwas Mühe züngelnde Flammen in der Ferne zu sehen waren. Der größte Teil der Landschaft war in Nebel gehüllt; selbst die gegenüberliegende Burg ließ sich kaum erkennen.

Elmar und Gerald begrüßten ihren Fürsten, wie es sein Rang gebot, dann richteten sie ihren Blick wieder nach vorn. Der Nebel nahm nicht nur die Sicht, er schluckte auch die Geräusche und verlieh der Szenerie etwas Gespenstisches. Albrecht unterdrückte nur mit Mühe den Drang, sich zu bekreuzigen oder zwei Finger der rechten Hand zum Zeichen gegen das Böse auszustrecken. Zu lebendig waren noch die Schreckensbilder aus seinem Alptraum.

»Soll ich die Männer rüsten lassen?«, fragte Gerald.

»Ja, auf der Stelle, mit Euer Gnaden Erlaubnis«, antwortete an seiner statt Elmar eindringlich und ohne zu zögern. »Hier ist etwas im Gange, das nicht mit rechten Dingen zugeht. Das spüre ich.«

Albrecht nickte zustimmend, während er weiter nach unten starrte. Lief alles nach Plan, war es heute sowieso vorbei mit dem Müßiggang seiner Ritter. Warum also Zeit verlieren?

Gerald wollte losgehen, um die nötigen Befehle zu geben, doch da packte ihn Albrecht am Arm und zeigte hinüber zum weißen Felsen. »Dort!«

Mehrere Dutzend Reiter wagten einen bemerkenswert schnellen Ausfall von der Burg, ohne von den meißnischen Patrouillen in irgendeiner Weise aufgehalten zu werden. Sie schienen sie einfach niederzureiten und niederzustechen.

Im nächsten Augenblick zerteilte sich der Bodennebel, und sie sahen auf der Ebene eine Streitmacht zu Pferde anrücken, die nicht das meißnische Wappen trug, sondern den rot-weiß gestreiften thüringischen Löwen auf blauem Grund. Ganz vorn neben dem Wappenträger ritt kein anderer als sein Bruder, den er schon an der Schindmähre erkannte.

»Alarm!«, brüllte Elmar. »Alle zu den Waffen! Sattelt die Pferde!«

Auch Albrecht verschwendete keine Zeit damit, darüber nachzudenken, was hier geschah und wieso sich die Thüringer gegen ihn stellten, sondern lief sofort zu seinem Zelt, um sich die Rüstung anlegen zu lassen.

Ungeduldig ließ er sich sein Schwert reichen und ging wieder hinaus, die Waffe im Gehen umgürtend. Ein ihn ängstlich anstarrender Knappe stand bereits mit seinem gesattelten Schimmel in der Nähe. Albrecht saß auf, ebenso wie Elmar und Gerald, und ritt zum südlichen Teil der Palisaden. Würde sein Bruder zunächst verhandeln oder gleich versuchen, ihr Lager zu überrennen?

Von hier oben konnte er beobachten, wie sich die Reiter aus der Burg und die Thüringer am Fuße des Hügels zu einer einzigen Streitmacht vereinigten, die seine eigenen Truppen an Stärke deutlich übertraf. Er hatte eine Menge Männer an der Furt verloren, und von den Leuten, die die Wege von und zur Weißenfelser Burg abriegeln sollten, schien keiner mehr kampffähig zu sein.

Das da unten mussten beinahe zweihundertfünfzig Mann sein, und er selbst hatte hier oben kaum mehr hundertfünfzig. Wenn nicht Gott ein Einsehen hatte und ihm auf der Stelle die Verstärkung aus Meißen schickte, gab es nur zwei Möglichkeiten: Entweder sie verschanzten sich hinter den Palisaden und ließen Dietrich gegen den Berg anstürmen, was für die Angreifer zumeist eine verlustreiche Sache war. Oder sie stellten sich einer Schlacht auf offenem Feld, Mann gegen Mann.

Er hatte seinen Bruder unterschätzt – und der hatte ihn schlichtweg überrumpelt und Hilfe geholt, statt sich ängstlich in seinem Mauseloch zu verkriechen.

»Pestilenz und Cholera über Hermann von Thüringen!«, stieß Albrecht wütend aus.

Immerhin, in einem Punkt blieb sein ach so edler Bruder berechenbar: Statt einfach mit seinen Truppen loszupreschen und das Lager zu überrennen – das hätte er leicht vor Morgengrauen tun können, als die meisten noch schliefen –, ließ er die Schar am Fuße des Berges halten und ritt mit vier Männern den Pfad hinauf.

Er wollte also verhandeln.

»Soll ich die Bogenschützen anlegen lassen?«, fragte Elmar. Nach kurzem Überlegen schüttelte Albrecht den Kopf. Links neben seinem Bruder hatte er am weißen Bart und der schlanken Gestalt den thüringischen Marschall erkannt. Vor so vielen Zeugen konnte es ihn in Verruf bringen, auf einen hochrangigen Ministerialen schießen zu lassen, der zu Verhandlungen erschien. Augenblicke später hätte er seine Entscheidung am liebsten rückgängig gemacht.

»Seht Ihr, was ich sehe?«, brachte er fassungslos hervor, denn zur Rechten seines Bruders meinte er den Mann zu erkennen, den er längst tot und im tiefsten Kreis der Hölle glaubte.

»Tatsächlich, Lukas von Freiberg!«, rief Giselbert aufgebracht, der Mundschenk, der wegen seiner Leibesfülle stets etwas länger zum Rüsten und Aufsitzen brauchte und der ebenso fett wie gehässig war. »Ist er aus dem Höllenschlund gestiegen, oder hat der Kerl neun Leben wie eine Katze?«

»Ich lasse diesem Sterndeuter die Eingeweide herausreißen und um den Hals wickeln!«, tobte Albrecht zur großen Befriedigung Elmars. »Gebt allen bekannt: Wer den Freiberger endgültig zur Hölle schickt, erhält das Gewicht des abgeschlagenen Kopfes in Silber als Belohnung!«

Die fünfköpfige Gruppe war nun dicht genug heran, um ihr Angebot den Männern hinter den Palisaden zuzurufen.

»Du siehst, wir sind in der Überzahl«, rechnete Dietrich seinem Bruder vor. Links von ihm ritten Heinrich von Eckartsberga und Norbert von Weißenfels, rechts Lukas und Thomas.

»Ich lasse dich und deine Männer abziehen, wenn du aufs Kreuz schwörst, nie wieder Krieg gegen mich zu führen, und Wiedergutmachung für die niedergebrannten Dörfer leistest.«

Albrecht dachte nicht einen Augenblick daran, nachzugeben.

»Ich verschone möglicherweise das Pack, das auf der Burg Zuflucht gesucht hat, wenn du mir die zwei Verräter an deiner Seite auslieferst«, lautete sein wütendes Gegenangebot. »Und, falls sie auch noch leben sollte, die Hexe samt ihrer Teufelsbrut!«

»Hol sie dir, wenn du kannst!«, forderte ihn Dietrich lächelnd auf. Sein Tonfall ließ keinen Zweifel an der Überzeugung, dass seinem Bruder das nicht gelingen würde.

Damit waren die Verhandlungen beendet. Er und seine Begleiter wendeten die Pferde und ritten zurück zu ihren Truppen.

Elmar blickte noch einmal nach Osten, ob die Verstärkung in

Sicht war, doch nichts ließ sich erkennen, obwohl sich der Morgennebel inzwischen weitgehend verzogen hatte.

»Lassen wir sie gegen den Hügel stürmen, oder preschen wir hinab und überrennen sie?«, erkundigte sich Elmar.

Seine Frage war im Grunde genommen überflüssig. Es gab in ihrer Lage nur eine Möglichkeit zu siegen, und Albrecht entschied sich sofort für diese. Die Palisaden waren nicht stark genug, um lange zu halten, das Felsplateau zu klein, um hier zu Pferde kämpfen zu können. Und ein Reiter, der im Kampf zum Stehen kam, war schon so gut wie tot.

Also würden sie mit aller Macht den Hügel hinuntergaloppieren und jeden niederwalzen, der sich ihnen in den Weg stellte. So konnten sie mit etwas Glück ihre zahlenmäßige Unterlegenheit wettmachen.

Der Markgraf von Meißen ließ seine Männer in dichten Linien aufreiten und befahl, das hölzerne Tor zu öffnen.

Entscheidung in der Ebene

Es ließ sich viel Schlechtes über Albrecht von Wettin sagen, aber eines gehörte nicht dazu: Feigheit in der Schlacht. Zumal ihn die Aussicht, seinen Bruder zu bezwingen, besonders ansportne und lockte.

An der Spitze seiner Truppen preschte er los, flankiert und geschützt von Elmar, Gerald und einem Dutzend Männer seiner Leibwache.

Über die ganze Breite des Geländes und mit gezogenen Schwertern stürmten sie mit ihren Hengsten auf die gegnerische Streitmacht zu, die sich nun in der Ebene zur Schlacht formierte: in breiter Linie und mehreren Reihen hintereinander.

Die Pferde wurden auf dem Weg den Hang hinunter immer schneller und gingen durch, was bei einem solch schnellen und dichten Angriff nicht anders zu erwarten war. Wie eine Naturgewalt donnerten sie den Klemmberg hinunter. Der Zusammenprall mit den schon fast unheimlich ruhig wirkenden Verteidigern von Weißenfels würde einen Großteil der Wartenden in den Tod reißen oder zumindest kampfunfähig machen.

Doch kurz vor dem Zusammenstoß geschah etwas Unerwartetes: Die vereinte Streitmacht der Thüringer und Weißenfelser teilte sich in der Mitte, und die Kämpfer ließen ihre Pferde nach links beziehungsweise rechts schwenken, so dass der wuchtige Vorstoß der Meißner ins Leere lief. Nur die Reiter an den Flanken wurden sofort in heftige Gefechte mit den Gegnern verwickelt. Die anderen galoppierten weiter, ohne auch nur einen Feind berührt zu haben, bis sie wieder Gewalt über ihre Pferde hatten und wenden konnten.

Ihnen blieb jedoch keine Zeit, sich aufzustellen und in einer Linie auf den Feind zuzuhalten, weil der ihnen schon in geschlossener Formation entgegengaloppierte.

Der Zusammenprall der beiden berittenen Haufen eröffnete einen kurzen, aber blutigen Kampf.

In deutlicher Überzahl und geschlossener Linie gelang es den Thüringern und Weißenfelsern schon im ersten Anritt, etliche ihrer Gegner zu töten oder aus dem Sattel zu werfen. Dietrich hatte den Befehl ausgegeben, so viele von Albrechts Rittern wie möglich gefangen zu nehmen.

Heiß umkämpft war nun nur noch die Mitte des Feldes, wo sich die verfeindeten wettinischen Brüder mit ihren besten Rittern an der Seite ein erbittertes Gefecht lieferten.

Der Rest der meißnischen Streitmacht war bereits so dezimiert, dass die wenigen, die sich noch in den Sätteln hielten, ihr Heil in der Flucht suchten.

Die thüringischen Sergenten saßen ab, entwaffneten und legten in Fesseln, wer von den Meißner Rittern noch am Leben war. Die Gefangenen, deren Zahl und Wert entscheidend für die Kapitulationsbedingungen und die Höhe des Lösegelds waren, wurden etwas abseits zusammengeführt, während in der Mitte des Schlachtfeldes der Kampf noch tobte.

Albrecht schien wild entschlossen, seinen Bruder zu töten – und bei der Gelegenheit gleich noch diesen verhassten Lukas von Freiberg.

Ohne Rücksicht auf die eigentlich schon besiegelte Niederlage seiner Truppen und auf die Männer, die mit ihren Leibern sein Leben schützen sollten, versuchte er, nah genug an die beiden zu gelangen, um sie mit seinem Schwert zu treffen.

Dietrich wich nicht aus; auch er schien bereit, die Sache auszufechten. Doch Norbert von Weißenfels und Lukas von Freiberg schützten ihn von den Seiten, während Heinrich von Eckartsberga den Überblick und das Kommando über die thüringischen Kämpfer behielt, die sich mit den letzten verbliebenen Gegnern schlugen.

Nachdem vier Mann von Albrechts Leibgarde gefallen waren und auch noch das Pferd des Marschalls schwer stürzte und seinen Reiter unter sich begrub, entschied Elmar, dass es höchste Zeit für den Rückzug war – ganz gleich, ob Albrecht das einsehen wollte oder nicht. Er brüllte seinem Lehnsherrn etwas zu, was der im Schlachtenlärm und unter dem Helm nicht verstehen konnte oder wollte, gestikulierte heftig und griff nach den Zügeln von Albrechts Schimmel.

Erst dieses ungewöhnliche Einschreiten riss den Markgrafen aus seiner Raserei. Ein schneller Blick sagte ihm, dass die Schlacht nicht nur schon so gut wie vorbei, sondern für ihn verloren war. Die meisten seiner Männer lagen tot oder verwundet am Boden oder saßen gut bewacht als Gefangene ein Stück abseits. Nur an wenigen Stellen auf dem Schlachtfeld waren noch vereinzelte Zweikämpfe oder kleinere Gefechte im Gange.

Albrecht war nicht feige, aber er war auch kein Narr oder selbstzerstörerisch.

Da immer noch nichts von der erwarteten Verstärkung und vom Tross zu sehen war, ließ sich das Schicksal hier und heute nicht mehr wenden.

Die Thüringer hatten ihm die Sache gehörig verdorben, und dafür würde Landgraf Hermann früher oder später Albrechts Rache zu spüren bekommen. Doch jetzt mussten sie erst einmal sehen, dass sie ihr eigenes Leben retteten.

»Nach Burgwerben!«, schrie er Elmar zu. Dafür mussten sie zwar die Furt durchqueren. Aber die Burg nur zwei Meilen nördlich des Schlachtfeldes auf einem Berg an der Straße nach Merseburg gehörte seinem Oheim Bernhard von Anhalt, dem Herzog von Sachsen. Der hatte ihn bei seinem Aufstand gegen den Vater unterstützt. Selbst wenn sich der Askanier nicht direkt in den Kampf der beiden verfeindeten Brüder einmischen würde; sein Verwalter konnte Albrecht die Zuflucht nicht verweigern. Zumal die Beziehungen zwischen Askaniern und Thüringer angespannt waren, was Albrecht zugutekommen würde.

Lukas und Norbert von Weißenfels verständigten sich nur mit Blicken und ein paar knappen Gesten darauf, Albrecht und seine wenigen Begleiter nicht zu verfolgen. Sollte er fliehen und später ihre Kapitulationsbedingungen anhören. Selbst für einen so skrupellosen Herrscher wie Albrecht von Wettin war es undenkbar, seine Ritterschaft nach einer verlorenen Schlacht nicht auszulösen.

Dietrich kam es vorrangig nicht auf das Lösegeld an, auch wenn er es für den Wiederaufbau der zerstörten Dörfer gut gebrauchen konnte, sondern auf einen feierlich vor bedeutenden Zeugen beeideten Friedensschluss.

Lukas schwang sich aus dem Sattel, um nach Albrechts Marschall zu sehen, dessen Pferd sich verletzt am Boden wälzte und wohl nicht mehr aufkommen würde. Gerald, sein verfeindeter Schwager, hatte ein Stück von dem Tier wegkriechen können, aber auch er schien verletzt.

Es waren weniger familiäre Bande, die Lukas bewogen, ihm Hilfe zu leisten, als der Plan, den Marschall mit Dietrichs Forderungen nach Burgwerben zu schicken, sollte Gerald angesichts seiner Verletzungen dazu in der Lage sein.

»Ich begebe mich in deinen Gewahrsam«, brachte der Bruder seiner verstorbenen Frau unter Schmerzen die übliche Kapitulationsformel heraus. Er zog seinen Dolch aus der Scheide und überreichte ihn Lukas. »Mein Schwert … habe ich beim Sturz verloren …«

Lukas rief zwei thüringische Sergenten herbei, befahl ihnen, den gegnerischen Marschall einigermaßen behutsam zu den anderen Gefangenen zu bringen, und ließ einen weiteren nach dem Schwert suchen.

Sie waren noch keine fünf Schritte gegangen, als ein Alarmsignal von der Burg auf dem weißen Felsen ertönte: drei lange, tiefe Töne hintereinander – das verabredete Zeichen, dass der meißnische Tross samt der Verstärkung anrückte.

Sofort ließ Heinrich von Eckartsberga seine Männer erneut aufsitzen, auch die Hälfte der Weißenfelser Ritter und Sergenten schlossen sich ihnen an. In dieser Überzahl würden ihnen die Neuankömmlinge keine allzu großen Probleme bereiten, zumal sie nicht damit rechneten, aus dem Marsch heraus plötzlich auf einen Gegner zu treffen und eine Schlacht schlagen zu müssen.

Auch Lukas saß wieder auf, um in Dietrichs Nähe zu bleiben. Doch da entdeckte er etwas, das ihm für einen Augenblick das Blut in den Adern gefrieren ließ.

Thomas, der die ganze Zeit in seiner und Dietrichs Nähe gekämpft und wie besessen auf die Gegner eingeschlagen hatte, verließ die Gruppe und verfolgte einen einzelnen Reiter, der sich immer wieder nach ihm umdrehte und ihm etwas zurief, ihn offensichtlich verhöhnte und herausforderte. Lukas hegte nicht den geringsten Zweifel, dass dies Rutger war. Und der würde bestimmt keinen ehrlichen Zweikampf suchen – das war eine Falle!

Er vergewisserte sich rasch, dass Graf Dietrich von ausreichend zuverlässigen Kämpfern geschützt war, dann gab er seinem Fuchshengst die Sporen und galoppierte Thomas fluchend hinterher. Marthe würde ihm nie verzeihen, wenn ihrem Sohn etwas zustieß, ohne dass er etwas dagegen unternommen hatte.

Lukas lag richtig mit seiner Vermutung: Wie aus dem Nichts tauchten drei weitere Ritter auf, und plötzlich war Thomas von vier Gegnern umgeben.

Durch einen geschickten Ausfall zur Seite täuschte er sie und schlug den ersten mit einem kraftvollen Schwerthieb aus dem Sattel. Doch sein Schicksal wäre besiegelt, wenn nicht im nächsten Augenblick Lukas aufgetaucht wäre und einen weiteren Angreifer mit einem mächtigen Schwertstreich enthauptet hätte. Das allerdings bot dem dritten Meißner Gelegenheit, seine Waffe von hinten in Lukas' Rücken zu rammen.

Von der Wucht des Stoßes außer Gefecht gesetzt, sackte Lukas auf seinem Hengst zusammen.

Jubelnd wandte sich Rutger seinem Erzfeind Thomas zu, der gerade sein Schwert mit einem wütenden Aufschrei demjenigen in den Hals bohrte, der Lukas angegriffen hatte.

Jetzt waren nur noch Thomas und Rutger übrig. Doch Elmars Ziehsohn sah, wie sich zwei weitere Reiter näherten, um Thomas beizustehen. Sofort beschloss er, dass es klüger war, die Entscheidung zu vertagen und gleichfalls sein Heil in der Flucht zu suchen. Er trieb seinem Hengst die Sporen in die Flanken, um Albrecht und seinem Ziehvater nach Burgwerben zu folgen.

»Reiß nicht aus, du Feigling!«, schrie Thomas ihm in maßlosem Zorn nach und schwang das blutverschmierte Schwert, das er von seinem Vater geerbt hatte.

Seinem dringendsten Wunsch zum Trotz verzichtete er darauf, den Feind zu verfolgen. Jetzt brauchte Lukas Hilfe, das hatte Vorrang. Ob er überhaupt noch lebte?

Mit mulmigem Gefühl im Magen stieg Thomas aus dem Sattel und packte den Hengst seines Stiefvaters am Zügel, um ihn zum Stehen zu bringen. Lukas lag reglos vornübergebeugt, seine Arme hingen schlaff nach unten, das Schwert war ihm längst aus der Hand geglitten.

Thomas hob die wertvolle Waffe hastig auf, dann versuchte er, am Hals des Verletzten unter der Kettenhaube noch einen Puls zu finden. Inzwischen waren die beiden Reiter heran, zwei der thüringischen Kreuzfahrer, die mit Lukas aus Eisenach gekommen waren und die Thomas noch aus Akkon kannte.

»Helft mir, ihn vom Pferd zu heben«, bat er.

So behutsam es ging, hievten sie den Bewusstlosen aus dem Sattel und legten ihn bäuchlings auf den Boden. Der Kettenpanzer war aufgesprengt, der Gambeson zerschlitzt und blutdurchtränkt.

Mutter schlägt mich tot, wenn Lukas meinetwegen draufgeht, dachte Thomas; der Hals war ihm wie zugeschnürt. Und was wird Graf Dietrich sagen, wenn er ihn verliert, nur weil ich mich von diesem Bastard Rutger provozieren und in eine Falle locken ließ?

»Er atmet noch«, sagte Bruno von Hörselberg – jener Ältere, der nur zwei Finger an der rechten Hand hatte.

Lukas' Haut war totenblass und mit kaltem Schweiß bedeckt.

O bitte, allmächtiger Herrscher im Himmel, lass ihn nicht sterben!, flehte Thomas stumm. Seine Sorge steigerte sich zu Entsetzen, als er sah, dass dem Verletzten hellroter Schaum aus dem Mund lief. So war es auch bei Roland gewesen – und wenig später war der Freund tot.

»Tragen wir ihn vorsichtig zu den anderen Verletzten«, sagte er mit rauher Stimme, und lange hatte er sich nicht so hilflos gefühlt wie in diesem Augenblick.

Jetzt konnte er nur hoffen, dass seine Mutter und seine Schwester rasch aufs Schlachtfeld kamen, um sich an Ort und Stelle der Verwundeten anzunehmen.

Die meisten der Dörfler, die auf Burg Weißenfels geflüchtet waren, hatten das Geschehen in der Ebene mit bangem Herzen von der Mauer aus verfolgt. Sie hielten den Atem an, als die Feinde den Klemmberg hinunterdonnerten, und jubelten, als die eigenen Leute zusammen mit den thüringischen Verbündeten die Angreifer überwältigten oder in die Flucht trieben. Als sie aus Richtung Osten noch mehr Feinde nahen sahen, beteten sie erneut für Dietrich und seine Männer. Von deren Kampfgeschick hing ihr Leben ab. Deshalb erklangen lautstarke Freudenrufe von den Burgmauern, als sie sahen, wie auch die meißnische Verstärkung besiegt wurde. Die vollbeladenen Trosskarren waren nun Kriegsbeute.

Norbert schickte seinen ältesten Sohn vom Schlachtfeld zur Burg mit dem Befehl, die Zugbrücke herabzulassen und das Tor zu öffnen. Die Herrin Marthe und ihre Tochter sollten sogleich kommen, um nach den Verwundeten zu sehen, ein Dutzend Knechte ihnen zur Hand gehen, und außerdem wurden Fuhrleute benötigt, die die Trosskarren auf die Burg brachten. Die Übrigen sollten dafür sorgen, dass für die Kämpfer bald etwas zu essen und zu trinken auf die Tische kam.

Marthe und Clara hatten vom höchsten Punkt des Turmes aus das Geschehen beobachtet und für das Leben der Männer gebetet, die sie liebten. Nun bahnten sie sich den Weg über den Hof, wo die Flüchtlinge aus den Dörfern und das Burggesinde vor Freude jubelten, weinten, sich in den Armen lagen.

So erleichtert sie sich fühlten über den rasch errungenen Sieg – zur Freude war für sie jetzt nicht der Moment. Gleich würden sie Dutzende Tote und Verletzte mit den grässlichsten Wunden vor sich haben. Und von den Verwundeten würden trotz aller

Mühe noch etliche sterben, ihnen unter den Händen weg verbluten.

Der Pater von Sankt Nikolai schloss sich ihnen unaufgefordert an.

Auch Vater Ansbert würde jetzt alle Hände voll zu tun bekommen, um den Sterbenden die letzten Sakramente zu gewähren.

Etliche der Frauen, die auf die Burg geflüchtet waren, folgten ihnen, um zu sehen, ob es ihren Männern oder Söhnen gutging, oder um sich um ihre Wunden zu kümmern.

Nach der Schlacht

Der Himmel war inzwischen aufgeklart an diesem kühlen Herbsttag, aber der Boden so kalt, dass sich an den Rändern der Pfützen – ob nun Wasser oder Blut – bereits erste Eiskristalle bildeten.

Marthe und auch ihre Tochter hatten schon unzählige Kranke und Verletzte behandelt, die schlimmsten Wunden gesehen und vielen Sterbenden die Hand gehalten, für die sie nichts mehr tun konnten, als ihnen in ihren letzten Momenten durch ihre Gegenwart Trost zu spenden.

Doch selbst die Summe all dieser traurigen Einzelschicksale konnte nicht aufwiegen, was sich ihren Augen und Ohren darbot, als sie zum Schlachtfeld liefen.

Was schon von weitem als Erstes auffiel, waren das laute, durchdringende Wiehern und die zuckenden Bewegungen der vielen Pferde, die so schwer verletzt worden waren, dass sie nicht mehr aufkamen. Männer schritten über das Feld und gaben den gequälten Kreaturen den Gnadenstoß.

Dazwischen mischte sich das Schreien und Stöhnen der Verwundeten, die um Hilfe riefen, fluchten oder verzweifelt beteten.

Etliche Männer waren bereits dabei, das Schlachtfeld aufzuräumen. Reisige trugen die getöteten Feinde beiseite; dort begannen ein paar Knechte damit, ein großes Grab auszuheben. Auf dem Feld und in der näheren Umgebung trieben weitere die herrenlos gewordenen Pferde zusammen und fingen sie ein. Zwei Dutzend Schritte voraus lagen oder saßen die Verletzten nebeneinander.

Dies alles erfasste Marthe mit wenigen Blicken, und dass sie bisher weder Thomas noch Lukas gesehen hatte, beunruhigte sie. Aber das Feld war einfach noch zu unübersichtlich, das Durcheinander zu groß, um einen Einzelnen ausfindig zu machen.

Graf Dietrich und Norbert kamen den zwei Frauen entgegen. Über Dietrichs linke Gesichtshälfte sickerte Blut; Marthe wollte sofort eingreifen, aber der Graf lehnte ab. »Nur eine aufgeplatzte Augenbraue, das kann warten. Kümmert Euch zunächst um diejenigen, die auf der Stelle Hilfe brauchen, damit sie nicht verbluten!«

»Könnt Ihr ein oder zwei Karren herbeischaffen lassen, um die Verwundeten auf die Burg zu bringen?«

Dietrich nickte und wies Norbert an, das umgehend zu veranlassen.

Marthe und Clara liefen zu den Verletzten. Der Geistliche folgte ihnen, ebenso die Frauen, die unter den Verwundeten nach ihren Männern oder Söhnen Ausschau halten wollten. Einige von ihnen hatten schon gefunden, wen sie suchten, und rannten mit wehenden Röcken voraus.

In einer Reihe hinter den Verletzten waren die Toten gebettet. Drei der Frauen sanken wehklagend neben einem leblosen Körper nieder.

Clara und Marthe mussten sich zuerst einen Überblick verschaffen, wer nur leicht und wer schwer verletzt war, wer sofort Hilfe brauchte oder den Pater für die letzten Tröstungen, weil er keine Überlebenschance hatte, und wessen Wunden warten konnten, um sie oben auf der Burg zu versorgen.

Einem sich heiser schreienden Burschen mit einer heftig blutenden Wunde am Oberschenkel hatte einer seiner Gefährten bereits das Bein abgebunden. Einem anderen legte Marthe eine Aderpresse an, die den Blutfluss aufhalten musste, bis sie sich auf der Burg um ihn kümmern konnte, während Clara ein paar Wunden verband, die oben genäht werden mussten.

Einem bewusstlosen Mann um die dreißig, der leichten Rüstung nach ein Sergent, war der rechte Arm so zermalmt, dass sie ihn wohl abnehmen mussten. Einer seiner Freunde hatte ihm den Ärmel schon abgerissen, um die Wunde zu begutachten. Nun blickte er verzweifelt auf Clara, von deren Heilkunst er wusste, dann auf ihre Mutter, der nachgesagt wurde, dass sie noch erfahrener in diesen Dingen sei.

Zwei Ochsenkarren rumpelten heran und wendeten in einem großen Halbkreis unmittelbar neben den Verwundeten.

Kräftige Knechte hievten die Verletzten auf die Bretter, auf denen bis vor kurzem noch Hirse, Bier und Hafer für Albrechts Gefolgsleute und Pferde geladen gewesen sein mochten. Die leichter Verwundeten mussten zu Fuß zur Burg gehen.

Während die Kärrner die Ochsen den Weg langsam wieder hochtrieben, sahen sich Marthe und Clara erneut suchend um.

Dietrich und Norbert waren inzwischen bei den Gefangenen. Sie verschafften sich vermutlich einen Überblick, wer von Rang und Namen dabei war, den Albrecht unbedingt auslösen musste, und ob jemand von ihnen dringend heilkundige Hilfe benötigte.

Immer noch konnte Marthe weder Thomas noch Lukas entdecken. Also gehörten sie zu jenen, die die Gefangenen bewachten?

Sie streckte sich und atmete tief durch, um ihre Lungen mit der klaren, eiskalten Herbstluft zu füllen, denn Kopf und Rücken schmerzten sie immer schlimmer. Bevor sie auf die Burg hochlief und dort ganz und gar mit der Versorgung der Verletzten befasst sein würde, wollte sie noch einen Blick auf die Gefangenen werfen, falls dort jemand verbunden werden musste, und endlich herausfinden, wo Lukas und Thomas steckten.

Und dann sah sie etwas, das ihr das Herz stocken ließ: Ein Stück hinter dem Areal, wo die Gefangenen bewacht wurden, und bis eben noch verdeckt durch die Wachen, kniete Thomas auf dem schlammigen, kalten Erdreich, ihm gegenüber zwei der Thüringer, die mit ihnen aus Eisenach gekommen waren, und dazwischen ein regloser Körper.

Lukas! Sie wusste einfach, dass er es war.

Mit einem Angstschrei rannte sie los, so schnell sie konnte. Beim Anblick der blutigen Wunde auf dem Rücken ihres Mannes musste sie alle Kraft zusammennehmen, um nicht einfach in die Knie zu sacken und ihre Verzweiflung zum Himmel zu schreien. Sie war eine Heilerin, vielleicht vermochte sie ihn noch zu retten.

»Er lebt«, brachte Thomas hervor, in einer Mischung aus schlechtem Gewissen, Ratlosigkeit und Erleichterung, dass sich nun seine Mutter um Lukas kümmern würde.

Er machte sofort Platz, damit sie neben dem Bewusstlosen niederknien konnte. Sie fühlte dessen schwachen Puls und wandte sich der Wunde zu. Lukas hatte viel Blut verloren, und der hellrote Schaum war ein beunruhigendes Anzeichen dafür, dass die Lunge verletzt war. Wie tief? Sie tränkte ein Stück Leinen mit einem Sud, legte es über die Wunde und wickelte einen straffen Verband darum. Nähen musste sie auf der Burg, sie brauchte mehr Wasser, um die Wunde und ihre Hände zu reinigen.

»Legt ihn auf den Karren, ganz vorsichtig!«, bat sie die beiden Thüringer. Sie stemmte sich hoch und wollte ihnen folgen, doch Thomas hielt sie für einen Moment zurück.

»Es ist meine Schuld«, gestand er voller Verzweiflung. »Rutger hat mich herausgefordert ... und plötzlich waren da vier Gegner auf einmal ... Wenn Lukas nicht gekommen wäre ...«

»Dann wärst du jetzt auch tot«, fuhr sie ihn unwirsch an. Sie wollte jetzt keine Schuldbekenntnisse und Erklärungen hören.

»Bist du unverletzt?«

Thomas nickte. Die paar Prellungen zählten nicht.

»Dann preise Gott und hilf Graf Dietrich und deiner Schwester! Ich muss mich jetzt um deinen Vater kümmern.«

Schon lief sie los, kein Auge von Lukas lassend, den die beiden Thüringer zum Karren trugen, wobei sie sich nach Kräften mühten, für den Verletzten so wenige Erschütterungen wie möglich zu verursachen.

Thomas wusste nicht, ob er sich nun schlechter oder besser fühlen sollte. Wenn jemand seinen Stiefvater retten konnte, dann seine Mutter. Doch hier unten zu stehen und nicht zu wissen, ob Lukas durchkommen würde, war einfach kaum auszuhalten. Trug er die Schuld an dem Unglück? Er war auf Rutgers Provokation hereingefallen. Doch ignorieren hätte er sie auch nicht können. Dafür stand zu viel Blut zwischen ihnen beiden, zu viel Leid, das Rutger und sein Vater über Thomas' Familie gebracht hatten. Ganz zu schweigen von der öffentlichen Schmähung seiner Schwester.

Dass Rutger abermals davongekommen war, machte ihm beinahe so viel zu schaffen wie Lukas' Verletzung. Der Ziehsohn des Truchsessen als Geisel wäre ein gutes Druckmittel für die Kapitulationsverhandlungen gewesen. Andererseits: Gab es überhaupt jemanden, den Albrecht *nicht* bedenkenlos opfern würde? Eingedenk der Ermahnung seiner Mutter und seiner letzten Überlegungen ging Thomas nun zu der Stelle, wo die meißnischen Gefangenen bewacht wurden, an die fünfzig Ritter und zwei Dutzend Sergenten. Graf Dietrich war bereits dort und rief Clara zu sich, die einige Schritte hinter ihm wartete.

Als Thomas erkannte, wem seine Schwester da das Handgelenk schienen sollte, erfüllte ihn Genugtuung. Unter den Gefangenen – verletzt, leicht wankend, aber auf eigenen Beinen stehend – war Albrechts Marschall. Und direkt neben ihm stand der fette Mundschenk, dessen Pferd sich vermutlich geweigert hatte, die übermäßige Last schnell genug nach Burgwerben zu schleppen.

»Seid Ihr imstande, mich auf die Burg zu begleiten?«, fragte Dietrich den meißnischen Marschall. »Sofern Eure Verletzungen es zulassen, möchte ich, dass Ihr meinem Bruder die Bedingungen für den Freikauf seiner Gefolgsleute überbringt.«

Gerald schossen bei diesen Worten allerhand bissige Antworten durch den Kopf, die sich auf Albrechts vermutlich geringe Bereitschaft bezogen, seine Leute auszulösen, und seine eigenen Aussichten, als Überbringer der schlechten Botschaft hingerichtet zu werden. Aber einerseits fühlte er sich ohnehin schon halbtot, nachdem er das Gewicht seines Hengstes auf den Knochen gespürt hatte, und zugleich drückte ihn das Gewissen, dies sei vielleicht die gerechte Sühne für seinen Anteil an der Hinrichtung Reinhards.

Er hatte Albrecht das Schwert dazu gereicht – in dem Glauben, der Fürst würde nie und nimmer seine Drohung wahrmachen und mit eigener Hand einem seiner Ritter den Kopf abschlagen, noch dazu nur wegen einiger fragwürdiger Behauptungen Rutgers, die Reinhards Verrat nicht einmal zweifelsfrei bewiesen.

Doch das ging Dietrich nichts an, und Claras Gegenwart machte die Angelegenheit noch schwieriger. Er wollte sich bei ihr dafür entschuldigen, dass er ihr einst in Meißen nicht beigestanden hatte, als Elmar sie bedrohte. Aber ihr eisiger Blick ließ ihn verstummen.

Also sagte Gerald, den Schmerz so gut es ging unterdrückend: »Wenn Ihr das wünscht, Graf Dietrich, werde ich es tun.«

Er war sich nicht sicher, ob Albrecht ihn überhaupt anhören würde oder ihn nun ebenfalls als Verräter betrachtete. Aber das würde sich bald herausstellen.

Giselbert, der fette Mundschenk, starrte hoffnungsvoll auf Dietrich. Anscheinend erwartete er aufgrund seines Amtes eine besondere Behandlung. Doch der Graf von Weißenfels tat nichts dergleichen, was Thomas mit einer gewissen Schadenfreude erfüllte – auch wenn das natürlich eine Sünde war.

Er ließ seine Blicke über die Gefangenen kreisen, von denen er die meisten aus seiner Knappenzeit auf dem Meißner Burgberg kannte. Manche starrten ihn an wie einen Geist; vermutlich hatte sich nicht überall herumgesprochen, dass er noch lebte. Andere voller Hass, manche aber auch mit einem verstohlenen Lächeln. Nicht alle folgten Albrecht aus Überzeugung, sondern einige – wie Raimund, von dem jede Spur fehlte – nur, weil Albrecht nun eben der von Gott und dem Kaiser eingesetzte Herr über die Mark Meißen war, ob es ihnen passte oder nicht.

Dann allerdings entdeckte Thomas zwei Gesichter, bei deren Anblick er sich bemühte, jegliche Regung zurückzuhalten. Er wusste nicht, auf wessen Seite sie wirklich standen und ob er sie deshalb entweder aus vollem Herzen verachten oder nicht in Gefahr bringen durfte: sein Oheim Jakob, Lukas' Bruder, und dessen gleichnamiger ältester Sohn, der einst als Knappe bei Lukas gedient hatte.

Das wird interessant, wenn mein Stiefvater wieder zu sich kommt, dachte er zynisch.

Scheinbar gleichgültig wandte er den Blick von den beiden Verwandten ab und folgte Dietrich, Clara und dem angeschlagenen gegnerischen Marschall hinauf auf den weißen Felsen.

Graf Dietrich wies Norbert an, Gerald in eine Kammer zu führen und zu bewachen. Doch als er das Eisen läuten lassen wollte, um sich in dem Durcheinander auf der überfüllten Burg Gehör zu verschaffen, mischte sich Clara ein.

»Eure Wunde muss wenigstens notdürftig versorgt werden«, drängte sie ihn und unterdrückte ihre Beklommenheit nach Kräften. »Es macht keinen guten Eindruck auf die Leute, wenn sie Blut auf Eurem Gesicht sehen, auch wenn es nur eine Platzwunde ist. Sie sollen Euch als Sieger betrachten, heil und unversehrt.«

»Gut. Aber es muss schnell gehen.« Es gab so viel zu regeln, zu entscheiden, zu veranlassen!

Mit Wehmut erfüllte ihn der Gedanke, dass Clara ihm gleich ganz nahe kommen und sein Gesicht berühren würde, obwohl sie für ihn nach dem erzwungenen Verlöbnis mit Jutta von Thüringen unerreichbar war.

»Im Krankenlager habe ich nicht genug Licht«, erklärte sie. »Aber ich sollte Euch wohl besser nicht hier vor aller Augen auf dem Burghof zusammenflicken.«

Also gingen sie hoch auf den Turm, wo nur noch ein paar Männer Wache hielten. Clara hatte einen der Sergenten angewiesen, ihr einen Eimer Wasser zu bringen. Dietrich streifte die Kettenhaube zurück und ließ zu, dass sie mit einem feuchten Leinentuch das verkrustete Blut aufweichte und von seinem Gesicht tupfte. Vorsichtig schob sie die aufgeplatzte Haut über seiner linken Braue zusammen, biss sich dabei auf die Unterlippe und begutachtete die Länge der Wunde. »Zwei Stiche werden genügen, aber ich muss es gleich tun«, erklärte sie zögernd.

Nun tränkte sie das Leinen mit einem Sud und bat ihn, es auf die Wunde zu drücken, während sie einen Faden in eine leicht gebogene Nadel einfädelte – eine spezielle Arbeit von Guntram, wie Dietrich argwöhnte.

Dann rief sie eine der Wachen herbei, wies den Mann an, seine Hände in den Eimer mit Wasser zu tauchen und die Wundränder über dem Auge des Fürsten zusammenzuschieben.

Dietrich hatte das deutliche Gefühl, Clara käme dabei auch ohne Unterstützung zurecht und wollte nur nicht mit ihm allein sein, noch dazu so nah.

Sie setzte doch drei statt zwei Stiche, verknotete sie und schnitt den Faden ab. Noch einmal drückte sie ein sauberes Leinentuch mit dem Sud darauf, was fürchterlich brannte, dann trat sie zwei Schritte zurück und senkte die Lider.

»So Gott will, heilt es, ohne sich zu entzünden. In ein paar Tagen können die Fäden heraus.«

Während sie redete, räumte sie Tinktur und Leinen wieder in ihren Korb und steckte die Nadel in ein beinernes Röhrchen, das sie in ihrem Almosenbeutel verstaute.

Dietrich stand auf und schickte die beiden Wachen fort.

»Ich musste mich mit Jutta von Thüringen verloben, damit der Landgraf uns seine Bewaffneten schickt«, gestand er beklommen. Er würde es zwar ohnehin gleich auf dem Burghof verkünden, aber Clara sollte es als Erste erfahren.

»Es tut mir unendlich leid. Mein Antrag an Euch kam aus tiefstem Herzen.«

»Das darf Euch nicht leidtun«, sagte sie so entschlossen, wie sie konnte. »Ohne dieses Bündnis wären wir vermutlich alle heute gestorben.«

Dann trat sie zurück und blickte ihm nach, wie er mit schnellen Schritten die Treppen des Wehrganges herunterlief, um vor den Menschen auf der Burg zu sprechen.

Statt ihm zu folgen, ging sie zur Mauer und starrte in die Weite der Landschaft, um vor allen anderen ihr Gesicht zu verbergen. Nur einen Augenblick lang. Dann musste sie wieder zu den Verletzten.

Siegesreden

Als Dietrich erfuhr, wie schwer Lukas verwundet worden war, bestand er sofort darauf, dass Marthe ihn in ihre Kammer bringen ließ und sich dort so lange um ihn kümmerte, bis sie ihn außer Lebensgefahr glaubte. Marthe erhob keinen Einspruch, sondern war dankbar, dass Dietrich ihr diese Entscheidung und damit auch die Verantwortung für die übrigen Verletzten abgenommen hatte.

So musste sich Clara mit ihren Helferinnen um die anderen Opfer der Schlacht kümmern.

Als Marthes Tochter die Treppe herunterkam, wurden vor dem provisorischen Krankenlager immer noch Verwundete von den Karren gehoben.

»Schafft sie nicht hinein, sondern legt sie davor; ich will das Tageslicht nutzen, so lange es geht«, wies sie die Knechte an.

Von nun an hatte sie so viel zu tun, dass sie über nichts anderes mehr nachdenken konnte als darüber, wie sie am schnellsten und besten Blutungen stillen, Wunden nähen und gebrochene Knochen schienen konnte. Auf dem eiskalten Boden kniend, mit blutverschmierten Händen und Kleidern, kämpfte sie um das Leben der Männer, ohne sonst etwas von dem wahrzunehmen, was um sie herum vorging.

Nach einiger Zeit gesellte sich Thomas zu ihr, der – von schlechtem Gewissen wegen seines Leichtsinns gequält – Dietrich um Erlaubnis gebeten hatte, seiner Schwester zur Hand zu gehen, wenn Wunden auszubrennen und Knochen zu richten waren.

So blieben Marthe, Clara und Thomas, abgesehen von den ihnen anvertrauten Verletzten, beinahe die Einzigen auf der Burg, die nichts von Dietrichs denkwürdiger Ansprache auf dem Burghof mitbekamen.

Es dauerte länger als gewöhnlich, bis Norbert in dem Tumult auf der überfüllten Burg endlich für ausreichend Ruhe gesorgt hatte, damit der Graf zu allen sprechen konnte.

Vor dem Palas in der Mitte des Hofes stieg Dietrich auf einen Stein. Links und rechts von ihm postierten sich Norbert von Weißenfels und der thüringische Marschall.

»Lang lebe unser Fürst Graf Dietrich, der endlich heimgekehrte Wallfahrer und ruhmreiche Sieger über unsere Feinde!«, rief ein älterer Mann mit zittriger Stimme und kniete vor ihm nieder. Männer wie Frauen wiederholten seinen Ruf und sanken ebenfalls auf die Knie.

Nun trat Stille ein. Jeder wollte hören, was der Graf zu verkünden hatte. Dass die Schlacht gewonnen war, hatten sie von den Burgmauern aus mitverfolgen können. Aber war mit diesem Sieg wirklich schon der Frieden gewonnen? Oder mussten sie sich auf neue Angriffe gefasst machen?

»Gott, der heilige Georg und die besten Kämpfer des Landgrafen von Thüringen haben uns gegen die Angreifer beigestanden. Mit dem heutigen Tag, mit unserem heutigen Sieg, wurde ein dauerhaftes Bündnis zwischen Weißenfels und Thüringen geschaffen«, begann Dietrich, und seine Worte weckten Hoffnung in den Menschen vor ihm. Ein Friedensschluss mit dem mächtigen Nachbarn war unbestreitbar eine gute Sache.

»Ein Bündnis, das in einigen Jahren mit einer Heirat besiegelt werden wird«, fuhr Dietrich fort. »Dann wird Jutta von Thüringen als meine Braut auf dieser Burg Einzug halten.«

»Lang lebe die schöne Braut unseres Fürsten!«, riefen einige vorwitzige Weißenfelser sofort. Zwar hatte noch keiner von ihnen je etwas von dieser Jutta gehört, geschweige denn sie gesehen, aber eine Landgrafentochter hatte einfach schön zu sein, und eine fürstliche Hochzeit war stets eine großartige Sache, bei der Gebratenes und Gesottenes freizügig ausgeteilt wurden. Ohnehin wurde es Zeit, dass ihr Herrscher, nachdem er gesund von seiner langen Pilgerreise zurückgekehrt war, eine standesgemäße Ehefrau heimführte und eine Fürstin in Weißenfels Einzug hielt.

Dietrich hob einen Arm zum Zeichen dafür, dass wieder Ruhe auf dem Burghof einkehren sollte. Wie wenig Anlass zur Freude die Heirat mit Jutta für ihn bot, ging niemanden von diesen

Menschen hier an – niemanden außer Clara, und die konnte ihn nicht hören, weil sie im hinteren Teil des Hofes die Verwundeten versorgte.

»Wir haben genügend meißnische Edelleute gefangen genommen, um den Markgrafen von Meißen zu einem Friedensschluss zu zwingen«, gab er die für den Moment viel wichtigere Neuigkeit bekannt.

Diesmal jedoch klangen die Freudenrufe verhalten. Jetzt dachten die meisten nicht mehr an die verlockende Aussicht auf ein großartiges Hochzeitsfest, sondern an ihre niedergebrannten oder geplünderten Häuser.

»Ich weiß, viele von euch haben schlimme Verluste hinnehmen müssen. Die heilkundigen Frauen und ihre Helfer tun alles, damit die Verwundeten genesen. Der Toten werden wir mit einer Messe gedenken und für ihr Seelenheil beten. Wir können sie nicht ins diesseitige Leben zurückholen, sondern ihnen nur ein besseres im Jenseits erhoffen«, fuhr Dietrich fort.

Dann hob er die Stimme und rief, so laut er konnte: »Aber dies können und werden wir tun: wieder aufbauen, was die feindlichen Horden niederbrannten und zerstörten. Wir haben heute reichlich Beute gemacht. Alles, was der Feind an Proviant auf dem Klemmberg gehortet hat, werden meine Männer an euch verteilen. Aus dem Holz der Palisaden sollt ihr eure Häuser neu errichten, schöner und größer als zuvor. Bis zum Einbruch des Winters ist es jedermann erlaubt, sich weiteres Holz zu holen. Schlagt den Hügel kahl, auf dem sich die Feinde einnisten wollten, damit kein Angreifer noch einmal Lust verspürt, sich dort zu verschanzen, damit wir jeden sehen, der sich künftig von dort anschleichen will!«

Das waren Ankündigungen, die gewaltige Freude und Lobpreisungen bei den leidgeprüften Flüchtlingen aufkommen ließen. Noch einmal benötigte Dietrich Norberts Unterstützung, um sich Gehör für die nächsten umjubelten Befehle zu verschaffen.

»Was wir vom feindlichen Tross erbeutet haben, soll verteilt werden, damit die zerstörten Orte wieder aufgebaut werden: Zugochsen, Werkzeug, Futter, Kleinvieh. Jedes Dorf möge drei Mann schicken, damit wir beraten können, wo was am dringendsten benötigt wird. Bis die neuen Häuser fertig sind, sollen ein paar Frauen hier auf der Burg für alle kochen, backen und brauen. Jede Hand wird gebraucht, damit alle vor dem ersten Schnee wieder ein Dach über dem Kopf haben. Doch jetzt« – diesmal streckte er beide Arme aus, um die aufgewühlte Menschenmenge zur Ruhe zu bringen – »sollen sie backen und kochen für unser gemeinsames Siegesmahl!«

Nun brach ein solcher Tumult auf dem Burghof aus, dass sogar Marthe und Clara etwas davon mitbekamen, auch wenn sie keine Zeit hatten, sich darüber Gedanken zu machen.

»Lang lebe Fürst Dietrich!«

»Gott segne ihn!«, übertönten sich die Dorfbewohner auf dem Burghof gegenseitig, lautstark unterstützt von den Kämpfern, die sich auf die wohlverdiente Siegesfeier freuten.

»Sieh ihn dir an!«, sagte die magere Frau zu ihrem Sohn, die noch vor ein paar Tagen gewispert hatte, Dietrich sei verflucht, und von Marthe deshalb zurechtgewiesen worden war. »Gott schütze und behüte unseren Herrn, Graf Dietrich.«

Mit Tränen in den Augen kniete sie erneut nieder, und immer mehr Menschen in ihrer Nähe taten es ihr gleich. Ihr jäher Meinungswandel hätte Marthe wohl zu einigen bissigen Überlegungen getrieben, wäre sie in der Nähe gewesen.

Dietrich bat den alten Ansbert mit einer Geste, nach vorn zu treten und ein Gebet zu sprechen: als Dank für den Sieg, für die Seelen jener, die heute gestorben waren, für die Genesung der Verwundeten und als Bitte um Frieden für dieses Land und seine Bewohner.

Ehrfürchtig und inbrünstig verfolgten die Menschen die Worte des Geistlichen. Lediglich der kleine Simpel, den Marthe vor

Gertruds Schlägen gerettet hatte, hüpfte am Rande der Menge herum, das verzerrte Gesicht vor Freude verzückt.

Nachdem das »Amen« verklungen war, lag der Nachhall des feierlichen Moments wie ein Zauber über dem Burghof.

Doch dann brach der Bann, die Menschen standen auf, begannen, Pläne zu schmieden oder sich in Gruppen für die ihnen zugeteilte Arbeit zusammenzufinden.

»Pater, würdet Ihr die Obhut über die Verteilung von Vieh und Werkzeug übernehmen?«, bat Dietrich. »Ihr könnt vermutlich am besten ermessen, wo all dies am dringendsten benötigt wird. Norbert, stellt ihm ein paar vertrauenswürdige Männer zur Seite.«

Er selbst war zu lange fort gewesen, um diese Dinge gewissenhaft zu beurteilen, und auf Gottfried konnte er sich nicht mehr verlassen.

Dann wandte er sich Heinrich von Eckartsberga zu. »Müsst Ihr morgen mit Euren Leuten zurück nach Eisenach? Ich werde heute noch meinem Bruder die Kapitulationsbedingungen übermitteln lassen. Den Friedensschwur soll er morgen leisten. So lange könnte ich ein paar von Euren Leuten brauchen, um die Gefangenen zu bewachen.«

Der bestens gelaunte thüringische Marschall hatte keine Eile heimzureiten. »Wir schicken einen Boten, um dem Landgrafen von unserem Sieg zu berichten. Dann wird er wohl noch ein paar Tage auf uns verzichten können. Ich habe schon viele Schlachten geschlagen, aber keine davon war so unterhaltsam wie diese – um nicht zu sagen: erbaulich«, meinte er lächelnd. »Auf keinen Fall möchte ich verpassen, wenn Euer stolzer Bruder zähneknirschend seine Niederlage eingesteht. Meinen Männern wird es nicht anders gehen. Ganz abgesehen davon werden Euch einhundert thüringische Ritter als Eideszeugen gewiss von Nutzen sein.«

»Ich stehe auf immer in Eurer Schuld«, entgegnete Dietrich dankbar, doch der Thüringer tat das mit einer Handbewegung ab.

»Wen schickt Ihr als Unterhändler? Und was fangt Ihr mit Gottfried an?«, fragte Norbert.

»Das klären wir sofort«, meinte Dietrich mit finsterer Miene und forderte seinen Kommandanten auf, ihm zu folgen.

Vor allen anderen Dingen, die nun zu regeln waren, wollte Dietrich zuerst eines: seinen verräterischen Verwalter aus den Augen haben.

Gemeinsam mit Norbert stieg er hinunter ins Verlies.

Gottfried, in den wenigen Tagen scheinbar um Jahre gealtert, sank auf die Knie, rang die Hände und wollte um Gnade bitten, doch Dietrich zwang ihn mit einer Geste zu schweigen. Er mochte kein einziges Wort mehr aus dem Mund des Verräters hören.

»Ihr und Euer Weib seid mit sofortiger Wirkung verbannt«, verkündete er hart. »Wegen Eurer früheren Verdienste ist Euch gestattet, Euer persönliches Eigentum mitzunehmen. Ihr werdet die Burg und dieses Land auf der Stelle verlassen. Sollte ich Euch noch einmal zu Gesicht bekommen, werdet Ihr als Verräter nicht mehr auf Gnade stoßen.«

Ohne auf die unterwürfigen Dankesbezeugungen seines einstigen Verwalters zu achten, drehte er sich um und stieg wieder hinauf. Norbert, der die gleiche Verachtung wie Dietrich fühlte, vielleicht sogar noch mehr, da er Gottfried die ganzen letzten Jahre um sich gehabt hatte, wies zwei seiner Ritter an zu überwachen, dass der Befehl umgehend ausgeführt wurde.

Danach ging Dietrich zusammen mit ihm in die Kammer, wo der meißnische Marschall untergebracht worden war.

Gerald erhob sich und sank auf ein Knie, als er die beiden Männer eintreten sah.

Dietrich bemerkte, dass der Gefangene seine verbundene rechte Hand mit der linken stützte und sich krampfhaft bemühte, seine Schmerzen nicht zu zeigen.

»Fühlt Ihr Euch in der Lage, in den Sattel zu steigen und nach Burgwerben zu reiten, um meinem Bruder die Kapitulationsbedingungen zu überbringen? Oder soll sich die Herrin von Reinhardsberg noch einmal um Eure Verletzung kümmern?«

»Das dürfte vergebliche Mühe sein«, meinte Gerald bitter. »Selbst wenn ich die paar Meilen bis dahin schaffe – mein Leben wird dann wohl keinen Pfifferling mehr wert sein.«

Daran glaubte er wirklich. Und falls sich schon jemand seiner Verletzungen annahm, wäre es ihm tausendmal lieber, wenn Marthe dies täte. Sie würde ihm vielleicht zugutehalten, dass er Lukas zur Flucht aus Albrechts Kerker verholfen hatte. Clara dagegen hatte viele Gründe, ihn zu hassen. Aber er war jetzt nicht in der Position, Wünsche zu äußern.

»Dies sind die Forderungen, die Ihr meinem Bruder übermitteln sollt«, erklärte Dietrich und begann aufzuzählen.

Als er damit fertig war, brachte Gerald nur noch eines heraus: »Es ist wirklich nicht nötig, dass mir jemand die Hand richtet.«

Kuno und Bertram hatten die Schlacht ohne größere Blessuren überstanden und das feierliche Zeremoniell auf dem Burghof begeistert verfolgt. Nun gesellte sich Guntram zu ihnen; das Schmiedefeuer würde er erst morgen wieder entfachen.

»Wisst ihr, woran ich die ganze Zeit schon denken muss?«, fragte Kuno die beiden versonnen.

»Wie du an den größten Becher kommst, wenn gleich das Bier ausgeschenkt wird?«, mutmaßte Bertram fröhlich.

»Nein, an meine Mutter«, sagte Kuno zu dessen Erstaunen.

»Die alte Grete?«, vergewisserte sich Bertram, der die Gedankenzüge seines Freundes in diesem Augenblick nicht nachvollziehen konnte. Kunos Ziehmutter war schon viele Jahre tot, erstochen von Christians Erzfeind Randolf.

»Ja«, erwiderte Kuno mit ungewohnt ernster Miene. »Jedermann wunderte sich damals, warum sie auf ihre alten Tage noch mit diesem Siedlerzug ging und all die Ungewissheit und Mühen auf sich nahm. Sie tat es, weil sie an Christian glaubte. Ihr ganzes Leben lang hatte sie in unserem alten Dorf Herren dienen müssen, von denen einer schlimmer war als der andere. Doch Christian, so meinte sie, als sie unsere paar Habseligkeiten zusammenpackte, der könnte einmal solch ein Herrscher werden, wie sie nur in den Geschichten aus alten Tagen vorkommen: mutig, gerecht und mit Herz für die kleinen Leute.«

»Sie hat sich nicht in ihm getäuscht. Nur blieb ihr zu wenig Zeit, um das mitzuerleben. Und am Ende musste Christian sterben«, meinte Bertram bitter.

»Gott wird seiner Seele gnädig sein! Aber hier heute Graf Dietrich so reden zu hören – das hätte meine Mutter glücklich gemacht. Und auch Christian wäre stolz auf ihn. Klang das nicht wie die Verheißung auf eine glückliche Zukunft? Ich glaube, sie haben heute beide vom Himmel auf diesen Ort herabgeschaut und feiern mit uns.«

Einen Augenblick lang herrschte einiges Schweigen zwischen den drei Freibergern.

Dann jedoch konnte Guntram sich nicht zurückhalten: »Vorausgesetzt, der Markgraf hält künftig tatsächlich Frieden. Zeigt nicht Christians Schicksal, dass diese Welt kein Ort ist für gütige und gerechte Herrscher?«

Kapitulationsbedingungen

Albrecht hatte sich in der besten Gästekammer auf Burgwerben einquartiert und wollte niemanden sehen.

Das war Elmar nur recht. Zum einen verspürte der Truchsess herzlich wenig Lust, sich dem Jähzorn des Markgrafen angesichts dieser verheerenden Niederlage auszusetzen. Sollte Albrecht ein paar Gegenstände zerschlagen, sich betrinken – aber nicht zu sehr; Elmar hatte den Kellermeister angewiesen, nur verdünnten Wein zu bringen – und darüber nachgrübeln, wen er als Schuldigen an der unerwarteten und vollständigen Niederlage hinrichten lassen konnte.

Dabei kam er ihm besser nicht unter die Augen. Zu gegebener Zeit würde er diesbezüglich schon Albrechts Aufmerksamkeit auf den Sterndeuter lenken, was nicht schwerfallen dürfte. Und dann war ja auch noch Gerald ... Der Anblick, wie der Marschall unter sein stürzendes Pferd geriet, ließ nicht hoffen, dass er die Sache überlebt haben könnte. Entweder hatte er sich sofort das Genick oder das Rückgrat gebrochen, oder er erlag eher früher als später seinen Quetschungen, Knochenbrüchen und sonstigen Verletzungen. Einen Toten kümmert es nicht, wenn er als Sündenbock herhalten muss, dachte Elmar nüchtern.

Der Hauptgrund aber, weshalb es dem Truchsess sehr gelegen kam, jetzt seinem Lehnsherrn nicht Gesellschaft leisten zu müssen, war ein anderer. Er wollte als Erster den Boten abfangen, der Dietrichs Forderungen überbrachte, um sich sofort eine Strategie zurechtzulegen, von der er den Markgrafen mit klug gewählten Argumenten überzeugen musste.

Sie hatten durch das überraschende Eingreifen dieser verräterischen Thüringer, deren Beweggründe für ihn noch im Dunkeln lagen, einen vernichtenden Schlag hinnehmen müssen. Von den zweihundertfünfzig Mann, mit denen sie aufgebrochen waren, konnten sich kaum dreißig nach Burgwerben retten; die heute erwartete Verstärkung und den Tross hatten sie wohl ganz verloren.

Doch mit Sicherheit waren nicht alle anderen Männer tot. Dietrich hatte jede Menge Gefangene gemacht und würde nun Bedingungen stellen: Silber und wer weiß, was er sonst noch forderte. Vermutlich einen Eid, künftig auf Angriffe zu verzichten. Dagegen half vielleicht ein klug ersonnener Winkelzug, eine zweideutige Formulierung. Über Geldforderungen ließ sich verhandeln, außerdem konnten sie immer noch zusätzliche Abgaben von den Freiberger Bergleuten eintreiben. Doch Albrecht kam nicht umhin, die vermutlich hohe Zahl der Gefangenen auszulösen, sonst würde er seine Pflichten als Lehnsherr auf gröbste Weise missachten. Immerhin waren diese Männer für ihn und unter seinem Oberkommando auf diesen Feldzug geritten.

Abgesehen davon konnte der Markgraf nicht den Verlust so vieler Ritter verschmerzen. Dank des Freiberger Silbers war die Mark Meißen zwar ein reicher Landstrich, aber im Vergleich zu anderen immer noch schwach besiedelt. Und sie dermaßen von bewährten Kämpfern zu entblößen, würde manch neidischen Rivalen auf den Plan rufen, der glaubte, sich die lockenden Silberbergwerke im Handstreich holen zu können.

Über all diese Dinge grübelte Elmar nach, ungeachtet der herbstlichen Kälte auf der obersten Ebene des Bergfrieds hockend und Ausschau haltend, wann endlich der Bote aus Weißenfels eintraf.

Unten in der Halle saß sein Ziehsohn und achtete derweil in seinem Auftrag darauf, dass sich die Meißner und Freiberger weder betranken noch rachsüchtigen Prahlereien hingaben, sondern sich stärkten und wach und einsatzbereit blieben – für alle Fälle.

Endlich! Ein einzelner Reiter näherte sich der Burg. Am Pferd konnte Elmar nicht erkennen, wer es war. Aufs äußerste angespannt, stieg er die schmalen Stufen im Inneren des Turmes hinab.

Er kam genau in dem Moment unten an, als der Reiter das Burgtor passierte. Nun erkannte er ihn und konnte sein Staunen kaum verbergen: Es war Gerald, wenn auch verwundet, wie er an den vorsichtigen Bewegungen sehen konnte und an dem Umstand, dass er sich aus dem Sattel helfen lassen musste.

Doppelt erleichtert lief Elmar ihm quer über den Burghof entgegen – weil der Totgeglaubte noch am Leben war und weil er nun einen beträchtlichen Teil von Albrechts Zorn auf sich ziehen würde.

»Ich hätte nicht geglaubt, dich noch lebend zu sehen, mein Freund«, begrüßte er ihn und packte ihn an den Oberarmen – eine unüberlegte Geste, denn Gerald verzog schmerzvoll das Gesicht und stöhnte. Sofort ließ Elmar ihn los, musterte nur die bleichen Züge und die verbundene Hand des Marschalls.

»Wer ist noch übrig von unseren Leuten?«, fragte er, während sie beide Richtung Palas gingen. Genauer gesagt, Elmar ging und Gerald humpelte.

»Lebt dein Sohn noch?«, antwortete der Marschall mit einer Gegenfrage. »Ich habe ihn nicht unter den Gefangenen gesehen. Und auch nicht unter den Toten.«

»Er ist hier, sei unbesorgt.«

»Der Herr sei gepriesen!« Gerald atmete auf. »Dietrich will fünf Dutzend unserer Ritter und noch etwa zwei Dutzend Sergenten gegen Lösegeld austauschen. Und Giselbert.«

»Giselbert?«, fragte Elmar völlig verblüfft. Er hätte nicht gedacht, dass der feiste Freund die Schlacht überleben würde. Vermutlich hatte er sich nach Leibeskräften bemüht, in den hintersten Reihen zu bleiben.

»Ja, er lebt und ist unverletzt. Während Dietrich mich gleich von den anderen trennte und in einer Kammer bewachen ließ, wo ich nichts mehr von dem mitbekam, was seit meiner Gefangennahme geschah, blieb Giselbert bei den übrigen Gefangenen. Ich denke, er wird uns bei seiner Rückkehr einiges zu erzählen haben.«

»Gut!«, meinte Elmar erfreut. Die Nachricht vom Überleben des Mundschenken trieb ihn einen Moment lang zu düsteren Erinnerungen. Seit seiner Knappenzeit waren sie vier Freunde gewesen, allesamt Sprösslinge aus vornehmsten Familien: Randolf, Ekkehart, Giselbert und er. Randolf war von Christian im Zweikampf getötet worden, Ekkehart von Lukas. Beinahe wäre nur noch er von dem alten Quartett übrig geblieben. Während von den Erzfeinden aus ihrer Jugendzeit – Christian, Raimund, Richard und Gero – bloß noch Raimund lebte. Und dieser vermaledeite Lukas, der Christians Nachfolge angetreten hatte. Im neunten Kreis der Hölle soll er schmoren!

Gerald schien seine Gedanken erraten zu haben. Denn als Elmar ungeduldig fragte, welches nun Dietrichs Bedingungen für die Freilassung der Geiseln sei, berichtete ihm der Marschall stattdessen zuerst eine Neuigkeit, die den Truchsess zu einem Triumphschrei veranlasste.

Auf dem Weg zum Palas wurde Geralds Humpeln immer stärker. In einem Teil der Halle saßen diejenigen ihrer Männer, die sich vom Schlachtfeld hatten retten können. Einige waren inzwischen von dem Wundarzt behandelt worden, den der askanische Burgverwalter hergeordert hatte, und trugen Verbände. Die anderen schienen mit Essen und Trinken bestens versorgt. Sie erhoben sich, als sie den Truchsess und ihren Marschall kommen sahen. Jedem von ihnen stand die Frage ins Gesicht geschrieben, was wohl als Nächstes passieren würde.

Doch Elmar nahm auf ihre Neugier keine Rücksicht.

Er scheuchte ein paar der Männer mit einer unwirschen Geste davon, damit er und Gerald unbelauscht miteinander reden konnten. Auf seinen Wink hin wurden ihnen ein Krug Wein und gebratenes Huhn gebracht.

Jetzt erst merkte er, wie hungrig er war. Gierig riss er eine Keule ab.

Ihnen beiden war bewusst, dass sich Gerald eigentlich sofort beim Markgrafen melden müsste. Aber auch der Marschall hielt es für klüger, zuvor mit Elmar zu beraten, wie vorzugehen sei. Dietrichs Forderungen waren so unerbittlich, dass er sich beim besten Willen nicht vorstellen konnte, dass Albrecht sie auch nur bis zu Ende anhören würde.

»Also: Wie bringen wir ihn dazu, auf das Ultimatum einzugehen?«, eröffnete Elmar das vertrauliche Gespräch, mit vollen Backen kauend. Doch er ließ Gerald gar nicht erst Gelegenheit zu antworten. Offenbar hatte er seinen Plan bereits geschmiedet.

»Tausend Mark Silber! Hat mein Bruder den Verstand verloren?« Albrecht, der in der halbdunklen Kammer über finsteren Gedanken gebrütet hatte, bis sein Marschall und sein Truchsess um Erlaubnis baten, eintreten zu dürfen, fuhr wütend herum.

»Und Ihr sollt den Frieden im Beisein des Bischofs von Merseburg und des Bischofs von Meißen beschwören«, ergänzte Gerald, der es wie Elmar für das Beste hielt, die schlechten Neuigkeiten auf einmal loszuwerden statt nach und nach. Sie mussten dringend den Markgrafen davon überzeugen, dass er nicht umhinkam, Dietrichs Forderungen zu erfüllen.

»Warum sollte sich dieser Kittlitz auf den weiten Weg von Meißen bis hierher begeben?«, fauchte Albecht verächtlich. »Nur um zu sehen, wie ich zu Kreuze krieche? Das würde er sicher gern, doch dafür plagt ihn die Gicht viel zu sehr. Und will mein Bruder wirklich warten, bis dieser klapprige Greis hier eintrifft? Eine Woche oder gar zehn Tage? Er kann so viele Gefangene nicht so lange bewachen und verpflegen. Fürchtet er denn nicht, dass wir bis dahin zu einem Gegenangriff ausholen und die Männer befreien?«

Albrecht schüttelte den Kopf. »Das ist eine Falle. Und ich gedenke keineswegs hineinzutappen!«

Elmar räusperte sich, was ihn etwas verlegen wirken ließ, ohne dass er es tatsächlich war.

»Der Bischof ist bereits auf dem Weg hierher, Hoheit. Angeblich sei die Reise schon lange geplant gewesen, um seinem Amtsbruder einen Besuch abzustatten. Doch Ihr habt recht, wenn Ihr in diesem Punkt nicht an einen Zufall glauben wollt«, kam er hastig dem Einwand des wütenden Fürsten zuvor. »Ich tue es auch nicht. Euer Bruder scheint auf seiner Pilgerfahrt einiges gelernt zu haben, was listenreiche Planungen angeht.«

»Wollt Ihr Euch vielleicht etwas deutlicher erklären?«, schnaubte Albrecht.

Nun übernahm es Gerald, dem Fürsten die Einzelheiten der Forderungen Dietrichs mitzuteilen.

»Von den tausend Mark Silber sollen dreihundert dem Bischof von Meißen, dreihundert dem Kloster in Marienzelle und dreihundert dem Bischof von Merseburg übergeben werden, um Messen für das Seelenheil Eures Vaters lesen zu lassen. Als Entschädigung für die dreitausend Mark Silber, die Euer Vater vor seinem Tod angeblich zu diesem Zweck dem Zisterzienserkloster bei Nossen übereignete.«

Gerald verzichtete auf die Ergänzung, dass Albrecht diese ungeheure Summe nach dem Tod seines Vaters für sich beansprucht und vom Altar des Klosters geraubt hatte; er und Elmar waren schließlich dabei gewesen.

Fassungslos starrte der Markgraf von Meißen auf seine beiden ranghöchsten Gefolgsleute. Mit diesem Schachzug brachte sein Bruder ihn wirklich in eine denkbar schlechte Lage.

»Er hat sich die Pfaffen gekauft!«, stieß er wütend hervor. »Und für dreihundert Mark Silber kommen sie gern, diese raffgierigen alten Männer!«

»Sie werden kommen, und sie werden das Silber einstreichen«, bestätigte Elmar. »Dieser Plan ist fein gesponnen: Euer Bruder steht nun vor den frommen Brüdern als der edle Sohn da, der jenen letzten Willen seines Vaters ausführen lässt, den Ihr angeblich vereitelt habt – wobei natürlich unbestritten ist, dass das Kloster keinerlei Anspruch auf die dreitausend Mark Silber hatte«, beeilte er sich hinzuzufügen.

Es existierte keine Schenkungsurkunde, kein Dokument über diese gewaltige Summe, was Albrecht zum Anlass genommen hatte, sie sich zurückzuholen. Dass Gott ihn nicht mit einem Blitzstrahl niederstreckte, als er die Barren vom Altar nahm, war für alle Welt der Beweis der Rechtmäßigkeit seines Handelns.

Und jetzt griff sein Bruder diese alte Angelegenheit wieder auf, die sich doch zugetragen hatte, während er im Heiligen Land weilte, und machte sie sich zunutze! Wie Elmar es sagte: Er hatte mit dem versprochenen Silber die Bischöfe auf seine Seite gezogen.

Sie hatten den Jüngeren sträflich unterschätzt.

»Und wo soll das Ganze stattfinden? Im Dom zu Merseburg?«, murrte Albrecht. Seine Gedanken kreisten, um einen Ausweg, eine Hintertür zu finden.

»Nein, in Sankt Nikolai, hier in Weißenfels«, erklärte Gerald und versuchte mit schmerzverzerrtem Gesicht, das Gewicht von einem Bein auf das andere zu verlagern. Lange konnte er nicht mehr stehen angesichts seiner immer heftiger schmerzenden Blessuren. Aber dem Markgrafen fiel es nicht ein, ihm und dem Truchsess die Erlaubnis zu geben, sich zu setzen, dazu war er viel zu aufgebracht. Wer solch üble Nachrichten überbrachte, der sollte sich glücklich schätzen, wenn er überhaupt noch vor ihm stehen oder knien durfte, statt in Ketten über den Hof geschleift zu werden.

»In Weißenfels?«, stöhnte Albrecht. »Wo mein Bruder ihnen ganz nebenbei die von uns niedergebrannten Dörfer zeigen wird? Und vielleicht noch ein paar jammernde Bauerntölpel und greinende Weiber? Das heißt, ich stehe nicht nur als derjenige da, der das Seelenheil seines Vaters vernachlässigt, im Gegensatz zu meinem edelmütigen Bruder, sondern auch als Landfriedensbrecher! Und für dreihundert Mark Silber werden die Pfaffen gern darüber hinwegsehen, dass er seinen Kreuzfahrereid nicht gehalten hat!«

Wütend hieb Albrecht mit der Faust gegen einen Balken, von dem Staub und Lehmbröckchen rieselten.

»Hoheit, daran werdet Ihr ohnehin nichts ändern können – für den Augenblick«, beschwichtigte Elmar ihn. Seine Miene ließ keinen Zweifel daran, dass er längst Pläne schmiedete, wie sie das Schicksal zu ihren Gunsten wenden konnten.

»So Gott Sankt Nikolai nicht noch durch einen Blitzstrahl in Flammen aufgehen lässt, werdet Ihr dort im Beisein der Bischöfe auf das Kreuz schwören müssen, Euern Bruder, seinen Besitz und jeden seiner Gefolgsleute künftig in Frieden zu lassen – das ist die von Dietrich geforderte Eidesformel. Aber sicher ist es besser, dies in der kleinen hölzernen Kirche zu tun, statt in der gewaltigen Kathedrale in Merseburg, angesichts der vielen Heiligtümer und der Gebeine Thietmars von Merseburg und Rudolfs von Schwaben. Noch dazu, da Ihr Euch in Merseburg schon auf Befehl des Königs mit Euerm Vater versöhnen musstet ...«

Elmar machte eine bedeutungsschwere Pause und setzte nach: »Eberhard von Seeburg« – dies war der Merseburger Bischof – »ist ein Verwandter des Hauses Wettin. Wenn erst wieder etwas Gras über die Sache gewachsen ist, werdet Ihr ihn bald erneut davon überzeugen, dass *Ihr* besser die Interessen dieses Hauses vertretet als der Habenichts von Euerm Bruder. Ihr seid Markgraf und herrscht über ein Fahnenlehen des Kaisers. Euerm Bruder dagegen bleiben nach seinen großzügigen Geschenken an die Kirche von der geforderten Summe ganze hundert Mark. Das ist zwar immer noch viel, aber bei weitem nicht genug, um ausreichend Leute in Sold zu nehmen, um die Burg zu befestigen und zu verteidigen. Und Dittrich von Kittlitz, vom dem wir alle wissen, dass er auf dem Meißner Burgberg nichts unversucht lässt, seine Macht über die Eure zu stellen, muss sich nicht nur im Domkapitel gegen die Anhänger seines Vorgängers durchsetzen. Er ist auch uralt, schon über die siebzig. Seine Tage sind gezählt. Also hat dieser Eid ... eine gewisse Ablauffrist ...«

»Ein guter Hinweis«, stimmte Albrecht zu, wobei sich seine Gesichtszüge etwas aufhellten. »Ich hätte nie gedacht, dass mein Bruder zu solch einem durchtriebenen Vorgehen in der Lage ist. Die Pilgerreise scheint seine Frömmigkeit gefördert zu haben«, meinte er, nun mit zynisch herabgezogenem Mundwinkel.

»Ihr werdet den morgigen Tag und diesen Eid überstehen, Hoheit«, tröstete Elmar, »so, wie Ihr damals die öffentliche Aussöhnung mit Euerm Vater überstanden habt. Das Lösegeld holen wir uns von den Freibergern. Führt eine neue Sondersteuer ein, fordert einen höheren Anteil an der Silberausbeute.«

Albrecht hob gebieterisch die Hand, um Elmar zum Schweigen zu bringen. Hatte er sich gerade verhört?

»*Morgen?* Beide Pfaffen kommen schon *morgen* hierher? Das heißt, wenn Kittlitz nicht wundersamerweise die Reiselust gepackt hat, was keiner von uns glaubt, muss ihn schon vor einer Woche jemand dazu überredet haben – kaum, nachdem wir aufgebrochen sind, und voller Überzeugung, dass Dietrich diese Schlacht gewinnt. Könnt Ihr mir das erklären?«

Die letzten Worte schrie er heraus.

Elmar wechselte einen kurzen Blick mit dem Marschall, dann sagte er, zunächst vorsichtig: »Das klingt nach einem Plan, wie ihn nur dieser Fuchs aushecken, dieser Lukas von Freiberg. Da jedoch habe ich gute Nachrichten für Euch.«

»Ist er endlich tot?«, knurrte Albrecht.

»Allem Anschein nach ja«, bestätigte Elmar und warf sich zufrieden in die Brust. »Ihr hattet meinem Sohn einen besonderen Auftrag erteilt. Nun, zu unserem Bedauern schaffte er es noch nicht, Thomas von Christiansdorf zu töten, das wird er bei der nächsten Gelegenheit tun. Stattdessen aber, und das wird Eure Hoheit noch viel mehr erfreuen, hat er in einem Scharmützel Lukas von Freiberg niedergestochen.«

Genau genommen war es zwar einer der Sergenten, der den Widersacher erschlagen hatte, doch der war inzwischen verreckt und konnte den Ruhm nicht mehr für sich beanspruchen.

»Ist es sicher, dass er tot ist?«, fragte Albrecht voller Argwohn.

»Ich sah ihn reglos und schwer blutend auf dem Boden liegen, bevor ich fortgeführt wurde«, berichtete Gerald. »Die Mienen der Leute um ihn herum wirkten so verzweifelt und hoffnungslos, dass Ihr Euch wohl keine Sorgen mehr um ihn machen müsst.«

Auch wenn er dem Schwager nicht nachtrauerte, so hielt ihn irgendetwas davon ab, hier Claras und Thomas' Namen zu nennen.

»Wenigstens eine gute Nachricht an diesem fürchterlichen Tag!«, stieß Albrecht aus.

»Dennoch, zweifelsohne sollten wir dringend nachforschen, wer dort in dieser Angelegenheit noch seine Finger im Spiel hatte – nicht nur in Meißen und Freiberg, sondern auch in Seußlitz«, sagte Elmar mit hochgezogenen Augenbrauen.

Er sah an Albrechts Miene, wie sein angedeuteter Vorwurf, die Fürstin Hedwig könnte damit zu tun haben, sofort auf fruchtbaren Boden fiel. Hedwig hatte immer Dietrich bevorzugt, und das Verhältnis zwischen ihr und ihrem Erstgeborenen war so schlecht, dass Albrecht sie in Seußlitz unter strenger Beobachtung und Abgeschlossenheit hielt. Trotzdem war nicht unwahrscheinlich, dass dieses durchtriebene Weib wieder einmal Mittel und Wege gefunden hatte, sich einzumischen.

Nun kam für Elmar der Moment, den wichtigsten Vorstoß in dem schwierigen Gespräch zu wagen. »Es bleibt trotzdem die Frage, weshalb sich die Thüringer auf die Seite Eures Bruders schlugen und wir davon nichts ahnten.«

Der Markgraf kannte seinen Truchsess gut genug, um zu wissen, dass dieser darauf entweder bereits eine Antwort hatte oder einen schwerwiegenden Verdacht. Deshalb forderte er ihn mit einer ungeduldigen Geste auf zu sprechen.

»Wie Euer Marschall während seiner kurzen Gefangenschaft mitbekommen hat, bezeichneten die Thüringer Euern Bruder als künftigen Schwiegersohn von Landgraf Hermann«, erklärte Elmar.

»Also muss mein Bruder eine von Hermanns reizlosen Töchtern heiraten?«, fragte Albrecht verblüfft, beinahe belustigt. »Wenn er so für Hermanns Beistand bezahlt, ist er eigentlich der Verlierer dieser Schlacht.«

»Ganz gewiss«, bekräftigte Elmar, die jäh aufflackernde gute Laune seines Fürsten ausnutzend. Dann jedoch wurde er schlagartig ernst, beinahe schwülstig. »Es wurde ein Bündnis abgesprochen, von dem wir nichts erfahren haben. Doch wenn etwas Zeit vergangen ist, habe ich mit Gottes Hilfe genug in der Hand, Hermann diese Sache heimzuzahlen.«

»Und wie? Wollt Ihr mich zu einem Feldzug gegen Thüringen bewegen?«, erkundigte sich Albrecht abweisend.

»Dazu würde ich momentan nicht raten, Hoheit«, meinte Elmar. »Der Kaiser könnte solches Vorgehen als Landfriedensbruch auslegen und Euch seine Gunst entziehen. Nein.«

Nun zeigte Elmar ein raubtierhaftes Lächeln. »Gebt mir etwas Zeit, um Beweise zu sammeln, dann werden wir den Landgrafen der Verschwörung gegen den Kaiser anklagen. Zusammen mit Hermann fällt auch sein neuer Schwiegersohn.«

Albrecht zog scharf die Luft ein. »Das haltet Ihr für möglich?«

»Durchaus, Euer Gnaden«, versicherte Elmar gelassen. »Mit etwas Geduld und den nötigen Beweisen werden wir die Lage ins Gegenteil verkehren. Doch vorher …«

Er zögerte seine nächsten Worte etwas heraus und setzte eine besorgte Miene auf. »… solltet Ihr mir wieder freie Hand lassen, was das Anwerben von Spionen angeht. Euer Gelehrter kann sie nicht ersetzen. Hätte er nicht aus den Sternen lesen müssen, dass da eine neue Allianz im Entstehen war, ein gegen uns gerichtetes Bündnis? Er hat versagt und Euch in diese Falle geschickt.«

Albrecht wurde abgelenkt, bevor er sich dazu äußern konnte, denn ohne Vorwarnung brach der Marschall einfach zusammen. Seine Verletzungen waren wohl doch schwerer als vermutet. Albrecht befahl ein paar Diener herein, die ihn zum Feldscher trugen, und schickte bei der Gelegenheit auch Elmar hinaus. Wie er mit dem verlogenen Sterndeuter abrechnen würde, darüber wollte er vorerst lieber allein nachdenken.

Friedensschwur

Sankt Nikolai von Weißenfels war viel zu klein, um all die Menschen aufzunehmen, die den Friedensschluss zwischen den verfeindeten wettinischen Brüdern miterleben wollten – oder, aus Sicht der geplagten Leute aus dem Ort und seiner Umgebung: wie der stolze Markgraf von Meißen Buße leisten musste für seinen heimtückischen Überfall und Graf Dietrich seinen Sieg über den Angreifer feierte. Dass sogar zwei Bischöfe in ihren Ort gekommen waren, verlieh diesem Tag noch mehr Glanz und würde lange für Gesprächsstoff sorgen.

Die Kirche war bis in den letzten Winkel gefüllt mit dem Gefolge der Bischöfe, den Rittern Graf Dietrichs und den thüringischen Rittern als Eideszeugen.

Die Bauern, Knechte und Mägde warteten dicht gedrängt vor der Kirchentür und ließen sich über die Reihen hinweg genau berichten, was im Innern des Gotteshauses vor sich ging.

Dietrich und sein Bruder standen sich vor dem Altar gegenüber, Bischof Eberhard von Seeburg sprach gerade mahnende Worte über die Notwendigkeit, Frieden zu wahren. Dittrich von Kittlitz neben ihm hielt das vergoldete Kreuz, auf das Albrecht seinen Friedensschwur ablegen sollte.

Beide Bischöfe waren gemeinsam hier eingetroffen, von Dietrich ehrenvoll empfangen, bewirtet und danach zur Kirche geleitet worden. Auf dem Weg hierher sahen die Geistlichen und ihr Gefolge die Spuren der Verwüstung, die Albrechts Männer hinterlassen hatten, die niedergebrannten Häuser und zerstörten Obsthaine. Aber sie sahen auch, dass die Bewohner bereits mit dem Wiederaufbau begonnen hatten. Vom Klemmberg her erschollen kräftige Axthiebe, es roch nach frisch geschlagenem Holz, und in mehreren Gassen waren Gruppen von Männern damit beschäftigt, verkohlte Balken auseinanderzureißen und beiseitezuräumen, um sie durch neue zu ersetzen. Frauen flochten Schilf oder schleppten Eimer voll Lehm für die Fachen der Wände herbei.

Das Wissen, auf diese Art doppelt vorgeführt zu werden, erfüllte Albrecht mit so viel Grimm, dass er sich beinahe wünschte, die unvermeidliche Zeremonie fände doch im Dom zu Merseburg statt. Dort allerdings würde sich jedermann sofort daran erinnern, wie er sich vor zwei Jahren beim Hoftag auf Geheiß des Königs mit seinem Vater versöhnen musste, nachdem er ihn gefangen gesetzt hatte, um das Erbe an sich zu reißen. Nun auch noch Krieg gegen den eigenen Bruder geführt – und, das Schlimmste daran: verloren – zu haben, würde ihn zum unverbesserlichen Störer des Friedens machen. Wenngleich er Wert darauf legte, dass die Leute ihn fürchteten, so war es dennoch unklug, sich dafür die Verletzung von Recht und Gesetz vorwerfen lassen zu müssen.

Also würde er das hier nach Elmars Rat erdulden, so wie er vor zwei Jahren die befohlene Versöhnung mit seinem Vater heucheln musste. Er und Otto hatten sich ein paar ausgefeilte Bosheiten zugeraunt, während der versammelte Hofstaat sie beobachtete. Und letzten Endes hatte er gesiegt. Ein paar Wochen später lag sein Vater auf dem Sterbebett, und jetzt war *er* der Markgraf von Meißen.

Genau so würde er mit etwas Geduld über seinen Bruder und den Thüringer triumphieren. Die Saat war gelegt. Elmar machte in dieser Hinsicht nie leere Worte.

Und immerhin: Einen Friedenskuss würde heute niemand von ihm verlangen. Allein das war ihm beinahe schon die tausend Mark Silber wert.

Albrecht mied den Blick zu seinem Bruder, um seinen Hass nicht zu verraten. Neben Dietrich standen dessen hagerer Burgkommandant und dieser thüringische Marschall von Eckartsberga, direkt hinter ihnen Christians Sohn. Ihrer aller Tage waren gezählt, auch wenn sie es noch nicht ahnten.

Nach Kräften beherrscht, trat der Markgraf von Meißen vor, legte die Schwurhand auf das mit Edelsteinen geschmückte Kreuz und wiederholte die Worte, die der Merseburger Bischof ihm vorsprach: »… schwöre ich im Angesicht Gottes, nie wieder Fehde zu führen gegen meinen Bruder und dessen Gefolgsleute.«

Hermann von Thüringen war nicht Dietrichs Gefolgsmann. Wenn es ihm gelang, den Landgrafen vor dem Kaiser des Hochverrats anzuklagen, würde der Thüringer seinen künftigen Schwiegersohn mit in den Abgrund reißen.

Und sobald er erst die Demütigungen des heutigen Tages überstanden hatte, würde er mit einem so gnadenlosen Strafgericht über all jene hereinbrechen, die ihn in diese Lage gebracht hatten, dass die ganze Mark Meißen in Angst vor ihm erstarrte. Er konnte es kaum erwarten.

Wenn ihn nur dieser gerissene Meißner Bischof nicht so argwöhnisch beäugen würde! Der Alte schaffte es wirklich, ihm einen Schauer über den Rücken zu jagen. Er war damals Zeuge gewesen, als ihm sein Vater am Sterbebett nicht vergeben wollte, und die bloße Gegenwart des Greises mit dem Habichtsblick genügte, in Albrecht die bösen Geister der Vergangenheit wachzurufen.

Er musste unbedingt herausfinden, wer sich gegen ihn verschworen und dafür gesorgt hatte, dass dieser Kittlitz jetzt hier
stand und seine Niederlage miterlebte, sie sogar zelebrierte, statt
sich in Meißen mit dem Domkapitel herumzuschlagen.

Der langjährige Dompropst Dittrich von Kittlitz, seit kurzem
Bischof von Meißen, war trotz seiner siebzig Jahre ein ebenso
gefährlicher wie durchtriebener Mann. Noch während der alte
Markgraf Otto auf dem Sterbebett lag, hatte er versucht, Albrecht als dessen Nachfolger in die Schranken zu weisen, um zu
zeigen, wer von nun an das Sagen auf dem Meißner Burgberg
hatte, denn seit eh und je kämpften dort die Vertreter dreier Ge-
walten um die Vormacht: der kaiserliche Burggraf, der Bischof
und der Markgraf.

Jetzt hielt der hochbetagte Meißner Bischof das Kreuz, auf das
Albrecht seinen Schwur leisten musste, und seine von Altersfle-
cken übersäte Hand zitterte nicht im Geringsten dabei, während
er den Markgrafen von Meißen durchdringend anstarrte.

Auch Graf Dietrich hielt während der Zeremonie sorgfältig jegliche Regung aus seinem Gesicht und beobachtete seinen Bruder
genau.

»Lobpreiset den Herrn und den soeben geschlossenen Frieden!«,
rief der Bischof von Merseburg, und nicht nur die Männer in der
Kirche stimmten in seinen Ruf ein, auch von draußen war lauter
Jubel zu hören. Die leidgeplagten Weißenfelser feierten den Sieg
und die Hoffnung auf bessere Zeiten, jetzt, da ihr Herr zurückgekehrt war, die Angreifer bezwungen und den Armen so großzügig Hilfe für den Wiederaufbau zugesprochen hatte.

Dietrich hingegen war zu zynisch gestimmt und kannte seinen
Bruder zu gut, um Triumph zu verspüren. Er hatte sich nur eine
Atempause verschafft – und durch einen klugen Schachzug das
Wohlwollen der Geistlichkeit in Merseburg und in Meißen gesi-
chert. Stets weiterhin das Zisterzienserkloster bei Nossen zu

unterstützen, hatte ihm seine Mutter schon vor seiner Abreise ins Heilige Land geraten.

Niemals hätte er die gewaltige Summe von eintausend Mark Silber fordern können, würde er das Geld für sich behalten, obwohl er es zum Aufstellen von Truppen und zum Ausbau seiner Burg gut brauchen könnte. Dafür waren hundert Mark nicht genug. Für das Seelenheil ihres Vaters jedoch konnte Albrecht ihm das Geld schlecht verwehren. Nun erfüllte Dietrich nicht nur wenigstens einen Teil des Letzten Willens ihres Vaters, sondern konnte auch sicher sein, dass der Bischof des nahen Merseburgs ihn als heimgekehrten und gottesfürchtigen Wallfahrer unter den Schutz der Kirche stellte.

Doch das Wichtigste war die Gegenwart des Bischofs von Meißen.

Albrecht *fürchtete* Dittrich von Kittlitz, weil der Geistliche seine Schwachstellen nicht nur kannte, sondern auch geschickt ausnutzte, um Macht über ihn zu erringen. Das wusste Dietrich von Marthe.

Und Albrecht würde sich noch mehr fürchten, ahnte er etwas von dem höchst geheimen und erstaunlichen Bündnis zwischen Dittrich von Kittlitz und jener Heilkundigen, die ihn vor seinem gesamten Hofstaat verflucht hatte.

Zustande gekommen war diese merkwürdige Allianz unmittelbar nachdem Albrecht Marthe in den Kerker werfen ließ, damit sie ihren Fluch zurücknahm. Der damalige Dompropst hatte sie aus den Verliesen des markgräflichen Palast entführen und in einer seiner Zellen verstecken lassen. Der schlaue Kittlitz erkannte, dass dem neuen Herrscher aus unerklärlichen Gründen mehr vor der Verwünschung dieser zierlichen Frau graute als vor der Strafe des allmächtigen Gottes – immerhin hatte Albrecht nur Tage zuvor dreitausend Mark Silber vom Altar des Zisterzienserklosters gestohlen. Um zu erfahren, welche geheimen Ängste dahintersteckten, die er für seine Zwecke nutzen konnte, hatte Kittlitz Marthe zu sich bringen lassen und in den Wochen ihrer Gefangenschaft ausführlich befragt.

Marthe sah nicht mehr den geringsten Grund, Albrecht zu schonen. Deshalb erzählte sie dem künftigen Bischof bereitwillig von den Alpträumen, die den jetzigen Markgrafen schon als jungen Mann heimgesucht hatten, weil er zu viel Bilsenkraut genommen hatte; von den Angstgespinsten, die jemanden erfüllen konnten, der sich damit berauschte und gegen die sie Albrecht vor Jahren unter strengster Geheimhaltung behandeln musste.

Sie spürte, dass Ottos verweigerte Vergebung diese Ängste von neuem geweckt hatten. Deshalb war ihr Fluch so wirkungsvoll – und weil Albrechts Sorge immer größer wurde, ohne männlichen Nachkommen zu bleiben.

Von all dem hatte sie Dietrich nach ihrer Ankunft in Weißenfels erzählt und ihm vorgeschlagen, den Meißner Bischof als Zeugen für den Friedensschwur einzuladen. Sie war sich sicher, dass Kittlitz gern die Beschwerlichkeiten der Reise auf sich nehmen würde, um Zeuge der Niederlage seines Widerparts zu werden. Und genau so war es eingetreten.

Da Lukas und seine Frau beim Friedensschluss nicht zugegen waren, weil der Ritter immer noch auf dem Krankenlager um sein Leben rang und Marthe nicht von seiner Seite wich, würde niemand auf die Idee kommen, wer hinter dem Plan steckte.

Ich wollte, du wärest jetzt bei mir, Lukas, dachte Dietrich wehmütig an den Vertrauten und Ratgeber. Du und Christian. Wäret ihr jetzt zufrieden mit mir? Hätte ich irgendetwas besser machen können?

Die Zeremonie war vorüber; die ersten Besucher drängten schon aus der Kirche, was angesichts der Menschenmenge davor nur stockend vonstattenging.

Niemand erwartete, dass er und sein Bruder sich jetzt die Hände reichten oder ein Wort oder auch nur einen Blick miteinander tauschten.

Also bat Dietrich den thüringischen Marschall und seinen Kommandanten Norbert, die Übergabe der meißnischen Gefangenen zu beaufsichtigen. Thomas behielt er lieber in seiner Nähe; er hatte die Wellen der Feindseligkeit geradezu spüren können, die zwischen dem jungen Ritter und Elmars Stiefsohn wogten, und wollte nicht, dass irgendein Zwischenfall den eben geschlossenen Frieden gefährdete.

Höflich wandte er sich den beiden Bischöfen zu, um sie hinauszugeleiten, und lud sie zu einem Mahl auf seiner Burg ein.

Der Meißner lehnte dankend ab. »Ich muss dringend zurück in meine Diözese«, erklärte er mit gespieltem Bedauern. »Da bietet es sich an, dass ich und meine Begleiter uns unter Geleitschutz des Markgrafen begeben.«

Er wies einen jungen Schreiber aus seinem Gefolge an, die entsprechenden Absprachen mit Fürst Albrecht zu treffen, und verabschiedete sich feierlich von seinem Merseburger Amtsbruder und dem Grafen von Weißenfels.

Dietrich nickte verständnisvoll und gab sich im Stillen ein paar sarkastischen Gedanken über die Gerissenheit des alten Bischofs hin, der nun die ganze Reise lang Albrecht nicht aus den Augen lassen und ihn ständig an die erlittene Niederlage erinnern würde.

Eberhard von Seeburg dagegen nahm das Angebot an. Doch angesichts seines Alters und der anstrengenden Reise wolle er zunächst etwas ruhen. Und natürlich in einem Zwiegespräch mit Gott dem Allmächtigen für seinen Beistand am heutigen Tag zu danken.

Schlafkammern für die Gäste waren bereits vorbereitet, außerdem etliche Gehilfen des Küchenmeisters und zusätzlich in Dienst genommene Mägde damit beschäftigt, ein diesem Tag angemessenes Festmahl vorzubereiten. Über den ganzen Burghof zog bereits der Duft von frisch gebackenem Brot und gesottenem Fleisch.

Nachdem er Eberhard von Seeburg in seine Unterkunft hatte führen lassen, beschloss Dietrich, sich vorerst nicht in der Halle blicken zu lassen, wo Dutzende Menschen auf ihn einreden würden, und darauf zu vertrauen, dass die Festvorbereitungen auch ohne seine weiteren Anweisungen laufen würden. Stattdessen wollte er zusammen mit Thomas nach Lukas sehen.

Ihm war klar, dass er dringend einen neuen Verwalter brauchte und auch eine Frau, die sich fortan um die Vorräte kümmerte. Ob er Marthe darum bitten konnte? Wenn Lukas wieder genesen war, würde er sicher ohnehin den Dienst bei Hermann von Thüringen quittieren und mit seinen Söhnen nach Weißenfels kommen. Dietrich wüsste Lukas und Marthe liebend gern an seiner Seite.

Doch erst einmal musste der Verletzte wieder auf die Beine kommen. Sofern er überhaupt noch lebte.

Begegnungen

Der Anblick Marthes besorgte Dietrich zutiefst. Sie wirkte so müde und erschöpft, dass sie kaum noch die Augen offen halten konnte. Kraftlos hockte sie auf der Bettkante und löste vorsichtig einen blutverkrusteten Verband von Lukas' Wunde.

Ihr Mann schlief, auf dem Bauch liegend, oder war bewusstlos. »Kommt er durch?«, fragte Dietrich mit einem würgenden Kloß im Hals. Das Gefühl des Sieges – sofern er es überhaupt an diesem Tag zugelassen hatte – verflog im Nu.

In jeder Schlacht starben Menschen; Männer, für die er Verantwortung trug und von denen manche besonders eng mit ihm verbunden waren. Sollte jetzt Lukas auch noch sterben, war vielleicht der Preis zu hoch, den er für den eben errungenen Sieg gezahlt hatte.

»Ich kann es noch nicht sagen«, antwortete Marthe verzweifelt. »Manchmal heilen solche Wunden wieder … mit etwas Glück … Doch er hat viel Blut verloren …«

Mit dem Handrücken rieb sie sich über die Augen.

»Kann ich irgendetwas tun? Benötigt Ihr etwas? Soll ich Euch noch eine Magd schicken, die Euch zur Hand geht?«, bot er an, während er ein paar Schritte näher trat. Thomas folgte ihm dicht nach. Er wirkte bedrückt.

»Danke … Was wir jetzt brauchen, ist Geduld … und Gottes Beistand.«

»Ich werde eine Kerze für ihn anzünden. Und wenn gute Nachrichten zu seiner Heilung beitragen, dann sagt ihm, wenn er zu sich kommt, dass mein Bruder heute alle unsere Forderungen akzeptieren musste.«

»Das werde ich«, sagte Marthe und lächelte matt. »Meinen Glückwunsch zu Euerm Sieg!«

Dietrich hatte das Gefühl, dass er jetzt besser gehen und die beiden allein lassen sollte. Er beschloss, nach den anderen Verwundeten zu sehen, und wenn Clara dort abkömmlich war, sie ihrer Mutter zur Unterstützung zu schicken.

Doch dazu sollte er keine Gelegenheit mehr finden. Vor Marthes Kammer wartete einer seiner Sergenten auf ihn, von einem Bein aufs andere tretend. Offenbar wollte er eine wichtige Nachricht loswerden, hatte aber nicht gewagt, den Grafen beim Krankenbesuch zu stören.

»Es ist jemand eingetroffen, der Euch zu sprechen wünscht, Hoheit«, berichtete der junge Mann, nachdem er dazu aufgefordert worden war. »Ein Ritter, der Bote Eures Bruders.«

Dietrich starrte den Sergenten an, in Gedanken bereits aufs höchste alarmiert.

Hatte sein Bruder einen Vorwand gefunden, irgendeinen Winkelzug, um den gerade erst beschworenen Vertrag zu brechen? Waren Schwierigkeiten bei der Übergabe der Gefangenen eingetreten?

Er gab Thomas das Zeichen, ihm zu folgen, und lief so schnell es ging, ohne überhastet zu wirken, die Treppe hinab.

Als sie den Hof erreichten, löste sich für sie das Rätsel auf einen Blick, erleichternd und bedrückend zugleich.

Es war Raimund, der dort wartete. Elisabeth begleitete ihn, und sie führten neben ihren eigenen noch ein halbes Dutzend kostbarer, zumeist junger Pferde.

Der Muldentaler und seine Frau verneigten sich, dann sagte Raimund: »Wenn Ihr es wünscht, würde ich gern in Eure Dienste treten, Graf. Ich habe beschlossen, Euerm Bruder die Gefolgschaft aufzukündigen. Vermutlich bin ich damit meiner Hinrichtung zuvorgekommen. Soll er meine Ländereien an einen seiner Mordgesellen vergeben! Ich habe niemanden mehr, dem ich sie vererben könnte. Die besten meiner noch verbliebenen Pferde bringe ich mit – als Geschenk für Euch, ausgenommen den Grauschimmel. Ich bin sicher, Ihr werdet Verwendung für sie haben.«

Dietrich sah den Schmerz in den Gesichtern von Raimund und Elisabeth, und bei beiden konnte er Züge erkennen, die ihn an ihren Sohn erinnerten.

»Willkommen in Weißenfels«, sagte er voller Wärme. »Eure Dienste nehme ich gern an. Doch nicht ein solches Geschenk! Seid heute Abend Ehrengäste an meiner Tafel, und morgen werden wir schauen, welches Stück Land ich Euch als Lehen geben kann, auf dem Ihr mit diesen Pferden ein neues Gestüt aufbaut.«

Er hinderte die beiden daran, vor ihm niederzuknien. »Thomas soll Euch helfen, die Pferde unterzubringen.«

»Der Grauschimmel ist für dich«, sagte Raimund mit aller Entschiedenheit zu Marthes Sohn und wies auf das kostbarste Tier. »Er ist noch ein bisschen jung und wild und nicht fertig ausgebildet, aber ich bin sicher, ihr werdet gut miteinander zurechtkommen. Weil er von allen Nachfahren Dragos dem Pferd deines Vaters am ähnlichsten sieht, haben wir ihm auch diesen Namen gegeben.«

Thomas hatte schon beim Anblick des Pferdes der Atem gestockt – eben weil es genauso aussah wie der beste Hengst seines Vaters, den er noch aus Kindheitsjahren in Erinnerung hatte. Ein äußerst edles Tier, ein Geschenk des böhmischen Herzogs an Markgraf Otto. Weil niemand es reiten konnte außer Christian, hatte der Markgraf es ihm überlassen.

»Das kann ich nicht annehmen … das habe ich nicht verdient …« stammelte er.

»Doch, das hast du«, widersprach Raimund und legte ihm einen Arm auf die Schulter. »Lukas berichtete mir vor ein paar Tagen, was du im Heiligen Land für meinen Sohn getan hast. Niemand hätte mehr Anrecht als du, ihn zu bekommen. Auch Roland hätte es so gewollt. Nimm ihn, im Gedenken an deinen Vater.«

Thomas war sprachlos, überwältigt von widersprüchlichsten Gefühlen.

Graf Dietrich schien zu erraten, wie es um ihn bestellt war. Auch ihm stand das Bild Christians auf seinem Grauschimmel vor Augen. »Ich kann es kaum erwarten, Euch auf dem jungen Drago zu sehen«, sagte er lächelnd zu Thomas. »Und wenn diese Aussicht Lukas nicht vom Krankenlager treibt, dann weiß ich nicht, was noch …«

Raimund erschrak. »Lukas ist verwundet? Wie geht es ihm?«

»Marthe ist bei ihm. Wollt Ihr zu ihnen? Ich glaube, sie könnten beide die Hilfe und Gegenwart von guten Freunden brauchen.«

Raimund wies Wito – einer der Reisigen, die mit ihm gezogen waren – an, sich um die Pferde zu kümmern. Der Stallmeister der Weißenfelser Burg hatte sich bereits eingefunden, um selbst dafür zu sorgen, dass die wertvollen Tiere gut untergebracht wurden.

Thomas führte Raimund und Elisabeth zu seiner Mutter und seinem Stiefvater. Lukas lag immer noch reglos da. Marthe stemmte sich hoch und umarmte Elisabeth; beiden Frauen standen Tränen in den Augen. Raimund starrte auf Lukas, als könnte er ihn allein mit seinen Blicken aufwecken. Niemand von ihnen sagte ein Wort.

Thomas ging leise hinaus; er fühlte sich hier fehl am Platze. Später würde er sich mit Raimund in eine stille Ecke zurückziehen, um mit ihm über Akkon zu reden.

Jetzt zog es ihn zu den Ställen. Vorsichtig näherte er sich dem Grauschimmel. »Du siehst wirklich aus wie der auferstandene Drago«, sagte er mit brüchiger Stimme und ließ den Hengst an seiner Hand riechen.

Wito, der Reitknecht aus dem Muldental, ging auf ihn zu und beglückwünschte ihn zu seinem neuen Pferd. »Ich bin auf ihm bis nach Eisenach geritten, um Euern Stiefvater zu warnen«, berichtete er nicht ohne Stolz und begann, ein paar Eigenheiten Dragos aufzuzählen.

Thomas strich dem jungen Tier sanft über die Nüstern.

Plötzlich spürte er das Bedürfnis, Clara von den Neuigkeiten zu erzählen, die sein Innerstes so durcheinanderwirbelten.

Mit großen Schritten lief er über den Hof, geradewegs zu ihrer Kammer. Doch da war sie nicht, sondern nur Lisbeth, das Kindermädchen, das seine kleine Nichte behütete, während sich Clara um die Verwundeten kümmerte. Er hatte sie nur ein paar Mal gesehen und wusste fast nichts über sie: eine junge Magd, deren Kind vor einiger Zeit gestorben war und die sich mit so viel Innigkeit und Wärme um die kleine Änne kümmerte, als wäre es ihre eigene Tochter. Er wusste nicht einmal, ob sie einen Mann hatte.

Lisbeth fuhr zusammen, als Thomas in die Kammer stürmte. Sie hielt Änne auf dem Arm.

»Gerade ist sie eingeschlafen, Herr«, wisperte sie, hauchte der Kleinen einen Kuss auf die Wange und legte sie in die Wiege.

Ihre Sanftheit und Mütterlichkeit berührten Thomas. Auf einmal fühlte er sich, als wäre er angekommen, ohne ein Ziel gesucht zu haben, als könnte hier sein unerklärlicher Durst gestillt werden, gegen den kein Getränk etwas ausrichtete.

Es war nicht das übliche Begehren angesichts eines hübschen Mädchens, das ihn in diesem Moment erfüllte, sondern eher der Wunsch, die Wärme ihres Körpers zu spüren, an ihren Brüsten zu liegen, in ihren Armen Trost zu finden.

Lisbeth war zu schüchtern und zu gehorsam, um sich seinen Wünschen zu widersetzen. Aber er spürte, dass sie seine Not erkannte und ihn trösten wollte, wie sie seine kleine Nichte tröstete, wenn sie weinte.

So zärtlich, wie sie eben noch Änne gehalten hatte, umschloss sie nun ihn, liebkoste ihn und strich über sein Haar, während sie beruhigende Worte flüsterte.

Er küsste sie, erst sanft, dann voller Leidenschaft, und genoss es, sich an ihren weichen Körper zu schmiegen.

Eine Weile hielt sie ihn umklammert und wiegte ihn, dann ließ sie sich von ihm aufs Bett ziehen, und sie liebten sich voller Inbrunst.

Ohne Umkehr

Eher teilnahmslos statt froh, in Gedanken bereits bei den vielen Dingen, die nun zu regeln waren, bei Befestigungen, die er bauen musste, seinem Verlöbnis mit einer Kindbraut, seinen Schuldgefühlen gegenüber Rolands Eltern, saß Dietrich in der Mitte der hohen Tafel und ließ die Blicke über die Menschen schweifen, die in der Halle den Friedensschluss und den Abzug der Angreifer feierten.

Zu seiner Rechten saßen der Bischof von Merseburg, der Pater von Sankt Nikolai, Heinrich von Eckartsberga und Norbert von Weißenfels, zu seiner Linken Clara, Thomas, Raimund und Elisabeth.

Marthe war bei Lukas geblieben; es gab immer noch keine erfreulichen Neuigkeiten über den Zustand des Verletzten.

Bald ließ sich der Bischof entschuldigen; er sei ein alter Mann und der Tag für ihn nach dem Ritt hierher und der Zeremonie sehr anstrengend gewesen.

Also hob Dietrich die Tafel auf. Elisabeth hatte angekündigt, Marthe bei Lukas' Pflege ablösen zu wollen, damit die Ärmste etwas Schlaf fand, und verabschiedete sich ebenfalls. Thomas und Raimund vertieften sich in ein leises Gespräch, bei dem es ihren düsteren Mienen nach nur um die Geschehnisse während des Kriegszuges ins Heilige Land gehen konnte. Von ihrer Umgebung schienen sie nichts mehr wahrzunehmen.

Norbert und der thüringische Marschall beschlossen, gemeinsam noch einmal nach den Verwundeten zu sehen. Clara hatte unmittelbar vor dem Festmahl berichtet, dass mit Gottes Hilfe alle überleben würden, die sich jetzt noch im Krankenlager befanden, sofern nicht jemand Wundbrand bekam.

Es war das erste Mal überhaupt an diesem Tag gewesen, dass Dietrich sie sah. Statt des blutverschmierten, zerknitterten schlichten Kleides trug sie nun zur Feier des Tages ihr bestes Gewand: grün mit weiten Ärmeln und verschlungenen gestickten Blumenranken an den Kanten und am Halsausschnitt. Sie wirkte erschöpft und hatte kaum etwas gegessen. In sich gekehrt saß sie an seiner Seite und starrte geradeaus. Kein Wunder angesichts dessen, dass ich mich mit einer anderen verloben musste, dachte Dietrich, mit dem Schicksal hadernd.

Da sich Clara offenkundig unwohl neben ihm fühlte, war es sicher am besten, diese Situation zu beenden, statt sie weiterhin den Blicken aller auszusetzen.

»Ihr seid müde nach der vielen Arbeit in den letzten Tagen. Wünscht Ihr, dass ich Euch in Eure Kammer geleiten lasse?«, bot er höflich an.

Wie aus einer Erstarrung erwachend, wandte sich Clara ihm zu.

Doch sie sah ihm nur ganz kurz in die Augen, dann richtete sie den Blick auf die Naht über seiner Augenbraue, die im Verlauf des Tages immer stärker zu pulsieren begonnen hatte.

»Eure Wunde fängt an zu eitern. Ich muss heute noch einen Faden herausziehen, sonst ist morgen Euer Auge zugeschwollen«, sagte sie.

Sie hatte es vorhin schon bemerkt und gewusst, dass sie die Angelegenheit nicht länger hinauszögern konnte.

Dietrich spürte, dass ihre Worte sie Überwindung kosteten.

»Bringen wir es hinter uns«, erwiderte er so förmlich, wie es nur ging. »Was benötigt Ihr?«

»Sauberes Leinen, heißes und kaltes Wasser und meinen Korb mit den Tinkturen.«

Dietrich befahl einem der Knappen, die hinter der Tafel standen und die Gäste bedienten, sofort alles herbeizuschaffen, was die Herrin von Reinhardsberg für die Behandlung seiner Wunde benötigte. Der Knappe verneigte sich und lief los; wenig später kehrte er mit dem Geforderten zurück. Das heiße Wasser werde aus der Küche in das Gemach des Grafen gebracht.

Dietrich erhob sich und gab bekannt, dass weiterhin gefeiert werden dürfe, während er seine Verletzung versorgen ließ.

Männer wie Frauen in der Halle standen auf und verneigten sich, als ihr Herr den Saal verließ, gefolgt von einem reichlich beladenen Knappen und der heilkundigen Schwester seines Ritters.

In der Kammer angekommen, stellte der Junge den Eimer und Korb ab, legte die Leinenbahnen auf den Tisch und entzündete eine Kerze. Eine Schüssel mit heißem Wasser stand bereits auf der Bank.

Clara bat um eine weitere Kerze, die sie in die Hand nahm und dicht vor Dietrichs Gesicht hielt. Sie bewegte sie vorsichtig auf und ab, um so viel wie möglich zu sehen, in Gedanken schon bei den nächsten Arbeitsschritten. Ihre Beklommenheit und Müdigkeit waren gewichen, jetzt sah sie offenbar nur noch eine Wunde, die behandelt werden musste.

»Hoheit, bitte setzt Euch und haltet diese Kerze!«, sagte sie und reichte ihm das Licht. Der Knappe war gegangen; sicher würde er inzwischen Norbert Bescheid geben, damit dieser ein paar Leibwachen auf dem Gang postierte.

Clara tauchte die Hände in den Eimer mit dem kalten Wasser und suchte aus ihrem Korb ein sehr schmales Messer, das in weißes Leinen gehüllt war.

»Etwas höher«, bat sie und lenkte seine Hand mit einer kaum spürbaren Berührung so, dass sie am besten sah. Ihre Finger waren eiskalt, von ihren Gelenken tröpfelte noch etwas Wasser auf seinen Bliaut.

»Nun sprecht ein Gebet und bewegt Euch nicht, bitte!«

Aus dem pulsierenden Schmerz der entzündeten Wunde wurde ein jäh stechender, als sie am Faden zupfte, ihn zerschnitt und herauszog. Doch es musste wohl auch gleich ein Teil des Eiters abgeflossen sein, denn nach dem ersten Schmerz spürte er sofort Erleichterung.

Clara presste ein in kaltes Wasser getränktes Tuch auf die Wunde, was köstliche Linderung brachte.

Dann tauchte sie ein Tuch in das noch schwach dampfende Wasser, wrang es aus, strich es glatt und drückte damit den restlichen Eiter heraus.

»Es wird jetzt brennen, aber gleich sollte es gut sein.«

Sie säuberte die Haut über der Augenbraue von verkrustetem und frischem Blut, tupfte eine Tinktur auf die Wunde.

Es schmerzte, aber bei weitem nicht so wie das Pochen zuvor. Seine Wunde war belanglos im Vergleich zu denen, die andere davongetragen hatten, und das Schlimmste daran die Gefahr, Wundbrand zu bekommen. Doch die schien vorerst gebannt.

Unweigerlich richteten sich nun alle seine Sinne auf die Frau, die so dicht vor ihm stand und die er begehrte wie keine andere in seinem Leben. Er sah, wie sich ihr Leib im Rhythmus ihres Atems sanft hob und senkte, roch ihren Duft, den er auch unter dem strengen Aroma der Tinktur noch wahrnehmen konnte ...

Sein ganzes Leben lang hatte er Disziplin und Beherrschung zeigen müssen, stets getan, was sein Stand und seine Herkunft, Ranghöhere und Rangniedere von ihm forderten und erwarteten. Doch jetzt siegte das Gefühl über Vernunft und Disziplin.

Einem unwiderstehlichen Drang folgend, legte er seine Hand über ihre, stand auf, nahm ihr den Verband ab und ließ ihn achtlos auf den Tisch fallen.

Nun leuchtete er mit der Kerze in ihr Gesicht, sah, wie sich ihre dunklen Pupillen durch den Lichtschein verengten und auf ihrem Antlitz plötzlich all die Verletzlichkeit stand, die sie vor der Welt und ganz besonders vor ihm zu verbergen suchte.

Mit der freien Hand zog er sie an sich und küsste sie – so sanft, dass sie nur eine Haaresbreite hätte zurückweichen müssen, um sich ihm zu entziehen.

Als sie das nicht tat, stellte er die Kerze ab, nahm ihr Gesicht in beide Hände und küsste sie erneut, immer noch sanft, aber sehr lange.

Es kostete ihn alle Kraft, sich von ihr zu lösen, doch er musste es tun, musste dies jetzt sagen: »Clara ... Meine Liebe ... Ich war fest entschlossen, auf dich zu verzichten, um deine Ehre nicht anzutasten. Aber ich kann es nicht ... Verzeih mir!«

»Es gibt nichts zu verzeihen«, flüsterte sie, legte ihre Arme um seinen Hals und küsste ihn.

Noch einmal löste er sich widerstrebend von ihr.

Er wollte ihr Leben nicht noch schwieriger machen. Sein Verstand sagte ihm, dass er sie besser auf der Stelle hinausschicken und mit Norbert vermählen sollte. Oder mit dessen Sohn, falls sie den bevorzugte. Aber er wusste ebenso, dass es kein Zurück mehr gab, sollte sie nicht sofort durch die Tür schreiten.

»Wenn du den Wunsch hast zu gehen ... dann geh bitte gleich!«

Clara schüttelte leicht den Kopf und blickte ihn an, liebevoll und tapfer lächelnd.

Da zog er sie an sich und küsste sie voller Leidenschaft. Sie stellte sich auf die Zehenspitzen, während sie seinen Kuss erwiderte, als könnte sie ihm so noch näher sein, und strich durch sein schulterlanges braunes Haar.

Zärtlich glitten seine Hände über ihren Hals hinab. Mit der Linken presste er sie an sich, während er mit der Rechten durch den Stoff des Kleides hindurch ihre Brust liebkoste.

Sie seufzte vor Verlangen, bog sich ihm entgegen und strich mit den Fingern seinen Nacken entlang, direkt an den Wirbeln, so dass sich ihm die feinen Härchen aufstellten.

Am liebsten hätte er sie zum Bett gezogen, ihr die Kleider vom Leib gezerrt und sie sofort genommen. Sie war verheiratet gewesen und hatte ein Kind geboren, sie war keine Jungfrau mehr, er musste nicht befürchten, sie zu verschrecken oder ihr weh zu tun.

Doch er hielt sich zurück, so schwer es ihm auch fiel. Wenn sie schon dieses Opfer brachte und sich ihm hingab, obwohl er sie nicht heiraten konnte, wenn sie ihren Ruf und ihren Seelenfrieden aufs Spiel setzte, dann wollte er es ihr danken, indem sie jeden einzelnen Augenblick genossen.

Er nahm ihr Schapel und Schleier ab, dann öffnete er mit geschickten Händen die Fibel, die den vorderen Schlitz ihres Untergewandes zusammenhielt. Er drehte sie um, so dass sie mit dem Rücken zu ihm stand, presste sie an sich, und während er ihren Hals und ihre Schultern küsste, schob er seine Rechte unter den Stoff und streichelte die nackte Haut. Die Spitzen ihrer Brüste verhärteten sich unter seiner Berührung, erneut stöhnte sie vor Verlangen und zog seinen Kopf noch tiefer zu sich herab.

Sie spürte die Härte seines Gliedes durch die Kleider und konnte es kaum erwarten, ihn in sich aufzunehmen. Trotzdem war sie wie gefangen von den Liebkosungen, unfähig, sich von ihm zu lösen, um ihn zum Bett zu ziehen. Mit geschlossenen Augen gab sie sich ganz seinen Händen und Lippen hin.

»Komm«, flüsterte er und drehte sie wieder zu sich. Er öffnete den Knoten des gewebten Gürtels, den sie zweifach um die Taille geschlungen hatte, und begann, die Verschnürungen ihres Kleides zu lösen. Sie half ihm dabei und hob die Arme, damit er ihr Kleid und Unterkleid über den Kopf ziehen konnte. Dann entknotete er die Bänder, die ihre Beinlinge hielten. Sie bückte sich, rollte die Beinkleider herab und schlüpfte aus den Schuhen. Nun stand sie vollkommen nackt vor ihm. Das Licht der Kerze verlieh ihrer Haut einen goldenen Schimmer. Ihre Brüste, die er schon mit den Händen erkundet hatte, waren nicht sehr groß und noch straff, von hellen Höfen umgeben. Man sah ihrem Körper nicht an, dass sie ein Kind geboren hatte. Ihre Hüften waren schmal, die Beine schlank.

Der Atem stockte ihm angesichts ihrer Schönheit. Doch was ihn am meisten berührte, war ihr liebevoller, sehnsüchtiger Blick.

Er trat zwei Schritte auf sie zu, nahm sie mit Leichtigkeit auf seine Arme und trug sie zum Bett. Sie hob eine Hand, um ihn festzuhalten und zu sich zu ziehen, nachdem er sie auf die Decke gebettet hatte.

»Mir ist, als hätte ich mein ganzes Leben lang auf diesen Augenblick gewartet«, sagte er mit heiserer Stimme, richtete sich auf und entledigte sich mit schnellen Griffen seiner Kleider.

Clara streckte die Arme aus, um ihn zu empfangen. Dabei betrachtete sie seinen Körper wie er zuvor den ihren. Er war sehnig, mit kräftigen Muskeln an Armen und Beinen. Auf der rechten Schulter hatte er eine schlecht vernarbte Wunde, eine weitere am linken Oberschenkel. Sein Glied war aufgerichtet und reckte sich ihr groß und stark entgegen.

Nun wollte sie nicht länger warten und öffnete die Beine.

Er kniete sich über sie und schob seine rechte Hand zwischen ihre Schenkel, um sie an ihrer empfindlichsten Stelle zu berühren. Vor Lust bäumte sie sich auf und stöhnte, ihre Finger krallten sich ins Laken.

Dann drang er in sie ein – erst ein Stück; er verharrte einen winzigen Augenblick, in dem beide das Gleiche dachten: Nun ist es unwiderruflich. Und endlich gab er seine Zurückhaltung auf.

Er würde sie diese Nacht nicht nur einmal lieben, so blieb Gelegenheit, jeden Zoll ihres Körpers zu erkunden. Doch jetzt konnte auch er nicht mehr länger warten. Er glitt tief in sie hinein und wusste, dass er ihr willkommen war, er küsste sie stürmisch, und sie fanden rasch einen gemeinsamen Rhythmus, mit dem sie seinen leidenschaftlichen Stößen folgte.

Clara fühlte sich, als müsse sie sterben vor Glück. Wie sollte sie die Gefühle aushalten, die durch ihren Körper brandeten? Ihre Hände suchten Halt in seinem Haar, dann fuhren sie über seinen Rücken, und schließlich umklammerten sie seinen Leib, als könnte sie ihn noch tiefer in sich ziehen.

Sie schrie vor Staunen, Verlangen und Fassungslosigkeit, als eine unbekannte Kraft das Zentrum ihres Leibes zusammenzog und erzittern ließ, und im gleichen Augenblick gab Dietrich einen Laut der Erlösung von sich, erstarrte mit in den Nacken geworfenem Kopf und ließ sich dann auf sie sinken.

Er genoss es, in ihr zu verharren, und suchte ihren Blick. Langsam öffnete sie die Augen und sah ihn an – mit einer so unglaublichen Mischung aus Liebe, Zärtlichkeit und Staunen, dass es ihm beinahe das Herz zerriss.

Die Stille im Raum schien zu vibrieren … als Nachklang der Leidenschaft, die hier eben noch geherrscht hatte.

Sanft strich Dietrich über die Wange seiner Geliebten. Clara schloss die Augen, um die Berührung zu genießen, dann griff sie nach seiner Hand, drückte ihre Lippen auf die Innenfläche, und schließlich zog sie sein Gesicht zu sich herab, um ihn erneut zu küssen.

Wortlos lagen sie so da, beide noch ganz erfüllt von dem Erlebten. Es bedurfte keiner Worte zwischen ihnen.

Sie liebten sich noch mehrmals in dieser Nacht, lange und jede Berührung auskostend. Sie erkundeten, welche Zärtlichkeiten dem anderen am meisten gefielen. Dietrich sog an ihren Brüsten, ließ seine Zunge um die Spitzen kreisen, liebkoste ihren Leib, ihre Schenkel, dann drehte er sie auf den Bauch und küsste ihre Wirbel vom Hals herab den ganzen Rücken entlang. Er verwöhnte sie mit seinen Lippen, seiner Zunge, seinen Fingerspitzen, mal leidenschaftlich, mal so zart, dass sie die Berührung kaum spürte und ihr Körper trotzdem erbebte.

Und Clara fand schnell heraus, welche ihrer Berührungen ihn am meisten erregten.

Sie schienen nicht genug voneinander bekommen zu können.

»Du machst mich unendlich glücklich«, sagte er irgendwann in dieser Nacht, als er aufstand, um die fast niedergebrannte Kerze durch eine neue zu ersetzen. Auch wenn ein wenig Sternenlicht durch die Fensteröffnung fiel – er wollte sie sehen, ihren schönen Körper und den hingebungsvollen Ausdruck auf ihrem Gesicht.

»Und Ihr macht mich so glücklich, wie ich es noch nie war«, sagte sie. »Ich könnte weinen vor Freude …«

Tränen rannen ihr aus den Augenwinkeln, so überwältigt von Gefühlen war sie. Sie fühlte sich geborgen wie nirgendwo sonst, wenn sie still an seiner Seite lag und er sie mit seinen Armen umfasst hielt. Und wenn er voller Kraft in sie drang, glaubte sie, vor Glück vergehen zu müssen. Es gab keine Worte, keinen Namen für diese Empfindung.

Dietrich stellte die Kerze ab, mit der er über ihr Gesicht geleuchtet hatte, legte seine Hand auf ihre Wange und wischte die Tränen aus ihrem Augenwinkel.

»Clara, Liebste, ich möchte nicht, dass du mich so förmlich ansprichst, wenn wir untereinander sind«, sagte er zärtlich.

Sie schluckte. »Das ist der einzige Wunsch, den ich Euch nicht erfüllen kann«, antwortete sie leise.

In Gedanken sprach sie ihn längst mit dem Du an. Laut konnte sie es nicht. Sie durfte nie vergessen, welches ihr Platz war und dass zwischen seinem und ihrem Stand ein unüberwindlicher Graben lag.

»Es ist besser so. Das soll uns daran erinnern, dass es nur geborgtes Glück ist. Nur für eine bestimmte Zeit«, erklärte sie, als sie sah, dass sich seine Miene verfinsterte.

Dietrich wollte etwas sagen, doch er hielt sich zurück. Ihm stand jetzt nicht der Sinn nach solchen Disputen. Er würde später darauf zurückkommen, wenn sie etwas vertrauter miteinander waren.

Doch wie viel vertrauter als jetzt konnten sie noch werden, da sie doch die ganze Nacht lang die innigsten Zärtlichkeiten ausgetauscht hatten?

»Ich bin hier«, sagte sie leise mahnend, und er wusste sofort, was sie damit meinte: *Noch* war sie hier. Noch durfte sie bei ihm liegen. Die Zeit, die ihnen miteinander vergönnt war, verrann unweigerlich, kaum dass sie zueinandergefunden hatten. Er sollte sie besser nutzen, statt zu grübeln.

Die Sterne verblassten schon, die durch den Fensterspalt in seine Kammer leuchteten. Er löschte die Kerze und legte sich wieder zu ihr ins Bett.

»Schlaf jetzt, Liebste«, raunte er ihr ins Ohr und umschloss sie mit seinen Armen. Sie schmiegte sich an ihn, und nun forderten die Anstrengungen der letzten Tage und die durchwachte Nacht ihren Tribut. Von einem Augenblick auf den anderen schlief Clara ein.

Dietrich lag neben ihr, lauschte ihrem kaum hörbaren Atem und betrachtete sie im matten Licht der anbrechenden Dämmerung. Er hatte schon viele Nächte durchwacht, im Krieg, auf Feldzügen oder im Gebet. Jetzt wachte er über die Frau, die er liebte. Er wollte keinen Augenblick versäumen, um ihren Anblick zu genießen. Und er grübelte darüber nach, wie er sie schützen und die ihnen bemessene Zeit verlängern konnte.

Am nächsten Morgen

Clara erwachte durch ein Klopfen – und die Stimme Graf Dietrichs, der an der Tür mit einem der Diener sprach. Noch verschlafen in die fahle Herbstsonne blinzelnd, die durch das schmale Fenster schien, brauchte sie einen winzigen Augenblick, um zu begreifen, wo sie sich befand … und was geschehen war.

Zu ihrem Erstaunen war Dietrich bereits vollständig angekleidet. Er schloss die Tür wieder, drehte sich um und betrachtete sie lächelnd.

Sie hatte hier bis in den Tag hinein geschlafen! Ihre Kleider lagen auf dem Boden, Schleier und Schapel auf dem Tisch. Zum Glück war ihre Tochter es in den letzten Tagen gewohnt, dass die Mutter nicht bei ihr saß, wenn sie aufwachte, und bei Lisbeth gut behütet.

Immer noch benommen, richtete sie sich hoch und war plötzlich sehr verlegen. Dietrich kam zu ihr, setzte sich auf die Bettkante und strich ihr über das zerzauste Haar.

»Guten Morgen, Liebste«, sagte er, und an der Art, wie er sie dabei ansah, erkannte sie, dass sie nicht verlegen sein musste.

Er reichte ihr einen Becher mit verdünntem Wein, durstig trank sie einen Schluck. Auf dem Tisch standen Brot und Fleisch; also hatte sie die Messe verschlafen, da es schon Frühstück gab!

»Bist du hungrig?«, fragte er. »Wenn du willst, kann ich auch etwas anderes aus der Küche kommen lassen.«

Lächelnd schüttelte sie den Kopf und sah ihn an. Seine Nähe erfüllte sie mit so viel Liebe und Verlangen, dass sie den Becher abstellte, ihre Arme um seinen Hals schlang und ihre Wange an seine legte.

Mehr wagte sie nicht, es war schon spät. Dietrich hatte zweifelsohne eine Menge Pflichten, die auf ihn warteten, und auch sie musste nun schleunigst das Morgengebet nachholen, nach ihrer Tochter sehen und sich dann wieder um die Verwundeten kümmern.

Doch ehe sie das alles zu Ende denken konnte, war aus der Umarmung schon ein inniger Kuss geworden und aus dem Kuss mehr. Als Dietrich ihren Körper spürte, weich und warm, konnte er nicht anders, als sie noch einmal zu lieben: stürmisch und voller Leidenschaft.

Danach wären beide am liebsten liegen geblieben, müde, erschöpft und erfüllt von zärtlichen Gedanken für den anderen, aber die Pflichten des Tages riefen sie in die Wirklichkeit zurück. Dietrich war schneller wieder in den Kleidern und sah zu, wie sie in ihres schlüpfte, mit den Fingern durch ihr Haar fuhr und es neu flocht.

»Ich habe Folgendes beschlossen«, eröffnete er ihr dabei. »Du wirst mit deiner Tochter in die Kammer neben meine ziehen, fortan an der Tafel stets neben mir sitzen, und ich werde offiziell verkünden, dass du bis zu meiner Heirat die Herrin von Weißenfels bist.«

Zweifelnd sah sie ihn an. »Haltet Ihr das für … angemessen?«

»Unbedingt«, erwiderte er, und an seiner Miene sah sie, dass er davon nicht abzubringen war. »Du sollst dich nicht heimlich in meine Kammer schleichen müssen. Und ich werde nicht dulden, dass jemand schlecht über dich spricht. Ich werde mit Pater Ansbert reden, ob er uns aufgrund der besonderen Umstände vergeben kann, dass wir ohne das Sakrament der Ehe das Bett teilen. Wenn er es nicht kann, halte ich nach einem Kaplan Ausschau, der dies tut, ohne leichtfertig unser Seelenheil aufs Spiel zu setzen. Doch zuerst spreche ich mit deiner Mutter und Lukas. Ich hoffe, dein Stiefvater ist inzwischen wieder wach. Sie sollen es nicht durch Gerede des Gesindes erfahren.«

Clara wurde reichlich beklommen zumute bei dem Gedanken, was wohl Lukas zu solchen Neuigkeiten sagen würde.

Aber Dietrich lehnte ihren Vorschlag ab, ihn zu diesem heiklen Gespräch zu begleiten. »Lass mich seinen ersten Zorn abfangen«, meinte er lächelnd. Dann zog er sie an sich und küsste sie noch einmal.

»Ich liebe dich. Du machst mich glücklich«, sagte er, bevor sie beide die Kammer verließen, um jeder für sich die vor ihm liegenden Aufgaben in Angriff zu nehmen.

Dietrich war erleichtert, Lukas in wachem Zustand anzutreffen, als er dessen Kammer betrat – auch wenn ihm klar war, dass nun ein paar unangenehme Momente bevorstanden.

Der väterliche Freund saß aufgerichtet auf seinem Krankenlager, bleich und flach atmend, aber Marthes glückliche Miene ließ darauf schließen, dass er genesen konnte.

Rasch wehrte Dietrich mit einer Geste jeglichen Versuch der beiden ab, sich zu erheben und vor ihm niederzuknien.

»Ich bin sehr froh, dass Ihr Euch auf dem Weg der Besserung befindet«, sagte er und zog einen Schemel heran, um sich zu den beiden zu setzen.

Marthe hatte gerade den Verband gewechselt, verknotete die Enden auf Lukas' Brust und half ihm, sich vorsichtig mit den Schultern gegen die Wand zu lehnen. Ihre Augen waren tief umschattet, ihr Haar nicht so ordentlich geflochten wie üblich, so dass Dietrich den Verdacht hegte, auch sie konnte diese Nacht kaum Schlaf gefunden haben. Aber ein Strahlen lag auf ihrem Gesicht.

»Heute Morgen ist er zu sich gekommen«, sagte sie erleichtert. »Jetzt weiß ich, dass er wieder gesund wird.«

»Dem Herrn sei gedankt dafür«, meinte Dietrich. Er fragte nicht, ob Lukas nach dieser Verletzung jemals wieder volle Kampfkraft erlangen würde – das konnte derzeit vermutlich noch nicht einmal Marthe absehen.

»So schnell kriegt mich keiner tot«, versuchte Lukas, die Sache herunterzuspielen.

Dankend lehnte Dietrich Marthes Angebot ab, ihm etwas zu trinken einzuschenken.

»Fühlt Ihr Euch kräftig genug für ein ernsthaftes Gespräch?«, fragte er, woraufhin Lukas nickte und fragend die Augenbrauen hob. Marthe dagegen machte ganz den Eindruck, als ahne sie bereits, was nun folgen würde. Vermutlich war es auch so.

»Zunächst möchte ich Euch fragen, ob Ihr in meine Dienste treten würdet. Ich hätte Euch beide gern an meiner Seite hier auf Weißenfels. Und ich suche zwei zuverlässige Gefolgsleute, die Amt und Arbeit von Gottfried und dessen Frau übernehmen.«

Bevor Lukas etwas dazu sagen konnte, hob er die Hand. »Lasst mich zu Ende reden. Ihr müsst zuvor noch eine andere Sache erfahren, wenngleich sie mit dieser nichts zu tun hat.«

Auf keinen Fall wollte er den Eindruck erwecken, sich die Zustimmung zu seinem Verhältnis mit Clara durch ein ehrenvolles Amt zu erkaufen.

Er atmete tief durch und sandte in Gedanken ein kurzes Gebet mit der Bitte zum Himmel, nicht gleich die Freundschaft und Achtung dieser beiden Menschen zu verlieren, an denen ihm viel lag.

»Bis zu dem Tag, an dem sich meine Heirat mit Jutta nicht mehr aufschieben lässt, ist Clara meine offizielle Geliebte. Ich werde alles tun, um ihren Ruf zu schützen, und ihr ein Auskommen auf Lebenszeit sichern. Unsere Kinder, sollte sie mir welche schenken, werde ich anerkennen und lieben, ihnen wird es an nichts fehlen. Und ich wäre sehr froh über Euern Segen.«

Nun war es heraus.

Über Marthes Gesicht flackerte ein schmerzlicher Ausdruck, dann glaubte er ein verständnisvolles Lächeln auf ihrer ernsten Miene zu sehen.

Lukas dagegen wurde noch blasser und zornig.

»Ich gedenke das nicht zu diskutieren«, fuhr Dietrich fort, bevor Lukas etwas erwidern konnte, und stand auf. »Ich hatte Euch bei Eurer Ankunft um Claras Hand gebeten. Umstände, die Ihr selbst am besten kennt, zerschlugen meine Träume von dieser Heirat. Angesichts meines Verlöbnisses war ich entschlossen, auf sie zu verzichten, um ihre Ehre zu wahren. Doch nun ist es geschehen und unumkehrbar. Ich nehme die gesamte Verantwortung auf mich. Clara trifft keine Schuld. Ich liebe Eure Tochter, sie liebt mich. Wenn Ihr uns Euern Segen gewährt, würde mir das sehr viel bedeuten. Wenn nicht – verzichten kann ich nicht auf sie.«

Ein quälender Hustenanfall bestrafte Lukas' Versuch, tief Luft zu holen. Marthe legte ihre Hand besorgt auf seine Brust, bis er wieder ruhig atmen konnte. Dann reichte sie ihm etwas zu trinken.

Geduldig wartete Dietrich auf eine Antwort.

»Unumkehrbar?«, sagte Lukas heiser und verbittert, als er endlich wieder sprechen konnte. Plötzlich schien er um Jahre gealtert. »Dann ist es wohl so. Doch Ihr könnt nicht erwarten, dass ich hierbleibe und mit ansehe, wie Ihr meine Stieftochter ins Gerede bringt. Sobald ich wieder in den Sattel kann, reiten meine Frau und ich zurück nach Eisenach. Sucht Euch einen anderen für Gottfrieds Amt.«

»Lukas!«

Marthes Miene ließ erkennen, dass sie erschrocken über die Härte dieser Entscheidung war.

»*Das* gedenke *ich* nicht zu diskutieren!«, sagte er schroff, bevor sie ihre Meinung vorbringen konnte. Betroffen sah sie zu Dietrich.

»Ich bedaure es sehr, Euch zu verlieren.« Er drehte sich um und schritt ohne ein weiteres Wort hinaus.

Im Gehen konnte er hören, wie Marthe leise auf ihren Mann einsprach.

Es dauerte einen ganzen Tag beharrlichen Redens, bis Lukas bereit war, Clara zu sehen, und Marthe auch sicher sein konnte, dass ihre Tochter diese Unterhaltung unbeschadet überstand. Seine Enttäuschung war einfach zu groß.

»Sie lieben sich schon so lange und haben verzichtet, um Anstand und Moral zu wahren … Aber irgendwann lässt sich das nicht verhindern, was passiert ist, ebenso wenig wie Regen und Sonnenschein«, argumentierte sie, und was sollte er dem entgegensetzen? Es war ohnehin zu spät.

»Es tut mir leid, wenn ich Eure Erwartungen enttäuscht habe. Aber mir tut nicht leid, was geschehen ist«, sagte Clara, gleich nachdem sie die Kammer betreten hatte.

Lukas musterte sie mit bekümmertem Blick.

»Bist du dir der Konsequenzen bewusst?«, fragte er. »An dem Tag, an dem Dietrich Jutta heiratet, wirst du allein dastehen. Du wirst diese Burg verlassen müssen, und jedermann wird mit Fingern auf dich zeigen: Das ist die Frau, die dem Grafen von Weißenfels beigelegen hat. Seine Gespielin. Ich glaube es ihm durchaus, wenn er sagt, er wird für dich sorgen. Aber wie soll das aussehen? Er wird dich mit einem seiner Gefolgsleute verheiraten, und wer immer dich nimmt, wird stets vor Augen haben, wie du ohne Sakrament bei einem anderen lagst. Vielleicht wird er es dir Tag für Tag vorhalten. Und was, wenn du schwanger wirst? Dann bringst du Bastarde mit in diese ohnehin schon schwierige Ehe.«

Er atmete mühsam. »Ich mache mir Sorgen um dich, verstehst du? Und Vorwürfe, dass ich dich nicht längst wieder verheiratet habe.«

»Das weiß ich«, entgegnete Clara. »Ich habe diese Dinge bedacht. Ihr müsst Euch keine Vorwürfe machen. Ihr hattet für mich gesorgt und Eure Pflicht erfüllt, indem Ihr mich mit Reinhard verheiratet habt.«

»Und? Das war doch keine schlechte Entscheidung, oder? Warum konntest du nicht noch einmal darauf vertrauen, dass ich einen guten Ehemann für dich finde?«

Clara sah ihrem Stiefvater offen ins Gesicht. »Reinhard und ich, wir führten keine schlechte Ehe. Ihr hattet recht, ich unrecht mit meinen anfänglichen Bedenken. Doch was ich für Reinhard empfand, waren Respekt und Zuneigung. Was ich für Dietrich empfinde, ist ... so unvergleichlich mehr ...«

Beinahe verzweifelt sah sie ihn an, mit einem kurzen Seitenblick auf ihre Mutter: »Ihr wisst doch, wie es ist, jemanden von ganzem Herzen zu lieben! Würdet Ihr nicht auch lieber jedes Opfer bringen, statt darauf zu verzichten?«

Nun wusste Lukas keine Antwort. Hilflos wandte er sich ab und ließ sich von Marthe aufs Lager betten.

Als Lukas so weit genesen war, dass er reisen konnte, befahl er zu packen. Er verabschiedete sich von Thomas und von Raimund und Elisabeth, die inzwischen in Dietrichs Dienste getreten waren. Aber er brachte es nicht über sich, ein Wort des Abschieds an Clara und Dietrich zu richten. Ohne sie noch einmal gesehen zu haben, verließ er Weißenfels.

Aus dem Fenster schauten die beiden zu, wie er und Marthe vom Hof ritten. Marthe, bekümmert über das Zerwürfnis, drehte sich um und sandte ihnen einen stummen Abschiedsgruß.

Wortlos legte Dietrich seinen Arm um Claras Schulter.

Warnungen

Albrecht hatte beileibe nicht vor, den gesamten Weg bis nach Meißen unter den neugierigen und hämischen Blicken des alten Bischofs zurückzulegen.

Am zweiten Tag der Reise ließ er einen Teil seiner Männer der bischöflichen Gesandtschaft als Geleit zuteilen und nach Meißen weiterziehen, während er selbst mit dem Truchsess, dem Schenken und dem Rest seiner Truppen nach Rochlitz abschwenkte, um seinem Cousin Konrad einen Besuch abzustatten, dem Markgrafen der Ostmark.

Gerald, den Marschall, mussten sie wegen seiner Verletzungen in der Obhut des Wundarztes auf Burgwerben zurücklassen. Jakob wurde als Gefangener mitgeführt. Über ihn wollte Albrecht in Meißen Gericht halten.

Dem Anführer des Vortrupps hatte der Markgraf etliche Befehle nach Meißen mitgegeben, unter anderem die Weisung, den Alchimisten unter Arrest zu stellen und nicht aus seiner Giftkammer herauszulassen und den Seußlitzer Burgkommandanten nach Meißen zu beordern.

Auf der Rochlitzer Burg empfing Markgraf Konrad seinen Vetter mit offenen Armen. Sie waren fast gleichaltrig, Anfang dreißig, hatten im gleichen Jahr die Herrschaft von ihren Vätern übernommen und trugen nun beide den Rang eines Reichsfürsten. Vor zweieinhalb Jahren hatte Konrad seinen Cousin unterstützt, als dieser seinen Vater gefangen nahm, um die Erbfolge zu erzwingen.

Der Graf von Eilenburg und Markgraf des Ostens gab Befehl, die Männer seines geehrten Vetters bestens zu verpflegen, und zog sich mit Albrecht sogleich in seine Kammer zurück.

Die Familienähnlichkeit zwischen beiden war unverkennbar, nur dass Albrecht schlanker gebaut war.

Von seinem Vater Dedo hatte Konrad nicht nur die östliche Mark geerbt, sondern auch die Neigung zur Fettleibigkeit. Der alte Markgraf Dedo war so feist geworden, dass er in seinen letzten Lebensjahren Mühe hatte, noch auf ein Pferd zu steigen. Abhilfe wollte er schaffen, indem er sich das Fett aus dem Leib schneiden ließ. Dass er die Prozedur nicht überlebte, verwunderte niemanden, aber wie er überhaupt auf diese absonderliche Idee verfallen konnte, darüber wunderte sich jedermann. Am Ende hatte der Leichnam nicht einmal in den Sarg gepasst.

Konrad war zu seinem Glück noch nicht so massig wie sein verstorbener Vater oder wie Giselbert, aber an seiner schmerzverzerrten Miene bei einigen Bewegungen ließ sich ablesen, dass ihn jetzt schon die Gicht plagte.

»Ich bin in einem Ausmaß verraten worden, dass ich am liebsten mit Feuer und Schwert die gesamte Mark Meißen heimsuchen würde«, gestand Albrecht mit geballten Fäusten. »Mein Truchsess und mein Schenk sind die einzigen Männer, denen ich noch traue.«

»Seinem Schenken vertrauen zu können, ist in deiner Lage sicher nicht das Schlechteste«, erwiderte Konrad mit bedeutungsschwerem Blick.

Nun lehnte er sich vorsichtig zurück und sah seinem Cousin ins Gesicht.

»Gib es zu, Vetter, der Feldzug gegen deinen Bruder war ein furchtbarer Misserfolg.«

»Das weiß ich auch!«, fauchte Albrecht. »Ich bin verraten worden, von allen Seiten, und ich werde die Schuldigen mit einem Blutgericht bestrafen, wie es das Land noch nicht gesehen hat. Hättest du mir beigestanden, Cousin, wäre alles ganz anders ausgegangen!«

Konrad hob mahnend eine Hand. »Unmöglich! Die Gefangennahme deines Vaters war *eine* Sache: Er hatte gegen die Absprachen verstoßen und wollte die Erbfolge ändern. Dagegen mussten wir einschreiten, und so bist nun du Markgraf von Meißen und nicht dein Bruder, auch dank mir. Aber *ich* als *Reichsfürst*« – er betonte diesen Titel, was er oft und gern tat, denn jenem erlauchten Kreis gehörten nur sehr wenige Männer im Kaiserreich an – »kann es mir nicht erlauben, bei einem so offenkundigen Landfriedensbruch mitzuwirken, wie du ihn gerade begangen hast, noch dazu gegen einen Wallfahrer. Und wenn du meinen Rat willst: Um nicht exkommuniziert zu werden oder noch mehr Missfallen des Kaisers zu erregen, solltest du dich in nächster Zeit etwas zurückhalten.«

»Wärest du an meiner Seite gewesen, hätten wir den Schwächling überrannt, ehe jemand etwas bemerkte – und vor allem, noch bevor diese Thüringer aufritten«, hielt Albrecht dem Verwandten vor.

»Ich kann es mir nicht erlauben, offen Fehde gegen den Landgrafen von Thüringen zu führen«, beharrte Konrad. »Hör auf meinen Rat, halte dich zurück! Zumindest eine Weile, sonst schlägt dich der Kaiser in Acht und Bann.«

Er trank den Becher in einem Zug leer und meinte nachdenklich zu seinem Vetter: »Es ist mir ein Rätsel, wie Dietrich in dieser kurzen Zeit ein Bündnis mit Hermann schließen konnte. Eigentlich ist das unmöglich, er ist doch erst ein paar Tage aus dem Heiligen Land zurück.«

»Ich sagte doch: Ich bin verraten worden. Die Verräter haben das von langer Hand geplant!«

»Kennst du die Schuldigen?«

»Sie sitzen überall, und es werden Köpfe rollen – in Meißen, in Freiberg und in Seußlitz!«, wütete Albrecht.

»Seußlitz? Ich dachte, du hältst meine Tante unter strenger Bewachung?«, wunderte sich Konrad. »Aber sie ist natürlich schlau und wird Wege gefunden haben …«

»Ich frag mich nur, wie? Sie hat weder die Macht noch genügend Silber, um jemanden auf ihre Seite zu ziehen. Ich wechsle schon laufend die Besatzung und die Hofdamen aus und lasse mir von ihnen und vom Burgkommandanten genau berichten.«

Konrad räusperte sich. »Menschen können auch aus anderen Gründen die Seiten wechseln … Nicht für Macht oder Silber, sondern aus Liebe. Hast du die Möglichkeit in Betracht gezogen, dass dieser Kommandant, wenn er angeblich nichts Verdächtiges bemerkt haben will, ihr beiliegt? Meine Tante ist nicht nur geradezu unverschämt klug, wie wir alle wissen, sie ist auch schön …«

Verblüfft wollte Albrecht diesen abwegigen Gedanken von sich weisen. Seine Mutter war eine alte Frau! Und bisher hatte es stets plausibel geklungen, wenn Lothar berichtete, dass es ihm geeigneter schien, die Witwe höflich zu behandeln, dann würde sie vielleicht Vertrauen zu ihm fassen und sich irgendwann verraten, sollte sie Ränke gegen ihren Sohn schmieden. Doch einmal ausgesprochen, setzte sich der Verdacht in seinem Kopf fest und fing dort zu wuchern an.

Sturmzeichen

Eustasius, der schwarzgewandete, dürre, weißhaarige Gelehrte, erfuhr bereits einen Tag vor Rückkehr des bischöflichen Gefolges auf den Meißner Burgberg, dass der Feldzug des Markgrafen anders als geplant verlaufen war – und bedauerlicherweise auch sehr anders als von ihm vorhergesagt. Ein geheimer Bote seines noch geheimeren Auftraggebers hatte ihm die Unglücksbotschaft in die rußige, von beißendem Gestank durchzogene Alchimistenkammer überbracht. Sofort wollte Eustasius seine wichtigsten Habseligkeiten zusammenpacken, um noch am gleichen Tag das Weite zu suchen. Wenn er bliebe, bekäme er unweigerlich als Erster auf dem Burgberg den Zorn des Fürsten zu spüren, und der würde vermutlich biblische Ausmaße annehmen.

Doch der geheime Mittelsmann befahl ihm im Namen seines Auftraggebers, unter allen Umständen zu bleiben und sich auch künftig Albrechts Vertrauen zu sichern.

»Dann benötige ich mehr Silber und vor allem Gold für meine Experimente! Für kostspielige Zutaten und Mixturen! Ich muss dem Fürst Neues, Erstaunliches vorweisen können, damit er mich nicht davonjagt oder aufknüpfen lässt«, jammerte Eustasius.

Der Bote hatte das vorausgesehen, zog mit einem geringschätzigem Lächeln einen Beutel voller Pfennigschalen hervor und stellte ihn auf dem von Brandflecken übersäten Tisch ab, der fast die Hälfte der Alchimistenkammer in den Kellergewölben des Palas einnahm. Dann öffnete er seinen Almosenbeutel, kramte einen walnussgroßen Goldklumpen hervor und legte ihn daneben.

»Das sollte genügen, um Eure ... Forschungen ... voranzutreiben und Euern Mut zu fördern, hier weiter Eure Dienste zu verrichten«, meinte er herablassend. »Ihr werdet am Ende dafür königlich belohnt, das wisst Ihr!«

Das gierige Flackern in den Augen des Sterndeuters zeigte ihm, dass dieser vorerst noch nützlich sein würde.

Ohne ein weiteres Wort drehte sich der Mittelsmann um und verließ die düstere Kammer mit dem beißenden Gestank.

»Ihr habt ja keine Ahnung, wie schwer es ist ...«, wollte Eustasius ihm nachrufen. Aber da der andere schon fort war, erstarben ihm die letzten Worte auf den Lippen, und mit einem Seufzer ließ er sich auf die Bank sinken, die unter dem Gewicht knarrte und wackelte.

Eustasius' Verstand war scharf – weniger, was die Sterndeuterei betraf, sondern eher darin, den Menschen Furcht und Staunen über seine Fähigkeiten einzuflößen. Nützlicherweise beherrschte er auch die Kunst, mit ein paar Prisen von dieser und jener Zutat eine Stichflamme aus seinem Kessel lodern zu lassen oder eine klare Flüssigkeit tiefblau zu färben. Jahrmarktsgaukeleien, die – von geheimnisvollem Gehabe und lateinischen Formeln begleitet – nie ihre Wirkung verfehlten.

Diesmal allerdings, das war ihm klar, würde er Albrecht nicht mit ein paar billigen Vorführungen beschwichtigen können. Es musste schon ein größeres Ablenkungsmanöver her, um seinen Zorn zu mildern.

Deshalb ließ er nach einigem Grübeln ausrichten, die Fürstin Sophia möge seine Gelehrtenkammer aufsuchen.

Die Bitte war nichts Ungewöhnliches, schließlich war er auch Sophias Leibarzt. Aber er wusste, dass sie sich in seinem Kellergewölbe fürchtete und der durchdringende Gestank und die rußigen Spuren seiner Experimente ihr zuwider waren.

Sophia kam in Begleitung einer Kammerfrau und eines der blutjungen Mädchen, die an ihrem Hof erzogen wurden, der Tochter eines Ritters namens Jakob.

Eustasius bot der Markgräfin einen Schemel an, der ebenfalls mit Brandflecken überzogen war, und schickte die anderen hinaus. Er vergewisserte sich sogar, dass die beiden nicht etwa im Gang standen und lauschten. Erst dann bot er der fröstelnden Fürstin einen Becher heißen Würzwein an.

Sie lehnte ab, offenkundig aus Furcht, er könnte sie vergiften. Mit verstohlenen Blicken musterte sie all die merkwürdigen Gerätschaften, die auf dem Tisch standen. Da waren absonderlich geformte Kessel und Trichter, unzählige Schälchen mit merkwürdigen Zutaten; eines schien getrocknete Asseln zu enthalten, ein anderes Knöchelchen, das nächste Behältnis war mit Regenwürmern gefüllt, von denen sich einige noch bewegten.

Angewidert rückte sie davon ab. Stattdessen blickte sie nach oben, wo verschieden große Kugeln von der Decke hingen, und hielt sich stocksteif.

»Es ist wirklich vorzüglicher Wein, Ihr müsst keine Bedenken haben«, redete der Gelehrte ihr zu, rückte die schwarze Filzkappe auf dem weißen Haar zurecht und trank selbst einen Schluck davon. Noch einmal bot er ihr mit einer Geste an. Sophia verneinte mit einem Kopfschütteln.

Er zog bedauernd die Schultern hoch und trank erneut, wobei er laut und genüsslich schlürfte, so dass die Fürstin ihn missbilligend ansah.

»Es gibt schlechte Kunde vom Verlauf des Kriegszuges«, begann er, unbeeindruckt von ihrer vorwurfsvollen Miene. »Euer Gemahl wird übermorgen wiederkommen – unglücklicherweise und entgegen allen Erwartungen als Verlierer der Schlacht.«

»Entgegen *Euren Voraussagen,* Magister!«, korrigierte sie ihn, und insgeheim musste er sie für diese klare und schnelle Antwort gleichzeitig bewundern und verfluchen.

Auch wenn Sophia in den letzten Jahren kaum noch ein Wort in Albrechts Gegenwart zu sagen wagte – sie war nicht dumm. Leider. Das hätte die Sache sehr vereinfacht.

»Es gab Wendungen, die wirklich niemand voraussehen konnte«, versuchte er, sich ins rechte Licht zu rücken. »Euer Schwager hat sich unerwartet mit dem Landgrafen von Thüringen verbündet, und gegen dessen Streitmacht konnte sich seine nicht behaupten.«

»Eine thüringische Streitmacht? Ist mein Gemahl ... wohlauf?«, fragte Sophie, plötzlich sehr aufgeregt. Vielleicht war das Ungeheuer in der Schlacht gefallen oder wenigstens schwer verwundet?

»Zu unser aller Erleichterung erfreut sich der Fürst bester Gesundheit«, heuchelte der Gelehrte. »Doch abgesehen davon, wird seine Stimmung sehr schlecht sein, und wir sollten Vorbereitungen treffen.«

»Zuallererst wohl Ihr, Magister! Sagtet Ihr meinem Gemahl nicht einen großen Sieg voraus?«, fragte sie kühl.

»Einen großen Sieg, nach welchem er endlich mit *Euch* einen Sohn zeugt«, schoss der dürre Alte zurück, kein bisschen verlegen.

Im Gegenteil, jetzt richtete er seinen stechenden Blick auf die Fürstin. »Gewiss wird sein Zorn zuerst mich treffen, doch danach ganz sicher Euch als Nächste. Vielleicht sollten wir uns zu einem geheimen Bündnis zusammenschließen, ganz zum Wohle Eures Gemahls, aber auch zu unserem eigenen.«

»Ihr und ich Verbündete? Wie soll das aussehen? Und wozu könnte das wohl gut sein?«, widersprach Sophie eisig. »Wenn Ihr stürzt, habe ich kein Bedürfnis, mit Euch zu fallen.«

Der Sterndeuter ließ sich nicht abschrecken. Er kannte ihre Ängste und geheimsten Wünsche.

»Er wird Euch schlagen, weil er immer noch keinen Erben sieht, er wird Dinge von Euch fordern, die Euch zutiefst zuwider sind.« Nun wurde seine Stimme leiser, und er beugte sich zu ihr. »Ihr könnt nicht leugnen, dass Ihr Euch vor ihm fürchtet wie vor dem Leibhaftigen. Betet Ihr nicht manchmal sogar, Euer Gemahl möge sterben? Fragt Ihr Euch nicht manchmal, wie aus dem Arsen, das in den Freiberger Schmelzhütten anfällt, ein tödliches Gift gebraut werden kann? Dazu braucht Ihr einen Alchimisten, also solltet Ihr es Euch nicht mit mir verderben.«

Wie ein Schwert fuhren seine letzten Worte durch die Markgräfin. Woher konnte dieser Kerl das wissen? Sagten ihm das die Sterne? Oder las er es aus ihrem Gesicht? So oder so, sie war in größter Gefahr!

»Das ist Hochverrat!«, keuchte sie und wollte zur Tür, aber Eustasius trat ihr in den Weg.

»Eure verborgensten Geheimnisse sind bei mir so sicher verwahrt wie in einem Grab. Seht mich nicht als Feind, sondern als Freund.«

Klamm vor Angst, musterte sie den unheimlichen Alten, der sie mit durchdringendem Blick anstarrte. Sein Kopf war leicht geneigt, und nun erschien ein zahnloses Lächeln auf seinem Gesicht, so herzlich, dass sie die Durchtriebenheit dahinter übersehen hätte, würde sie ihn nicht schon länger kennen.

Er nahm ihre Hand mit seiner dürren und führte sie wieder zu ihrem Platz. Rasch entzog sie ihm die Hand und sah ihn an, gespannt darauf, was er wohl vorschlagen würde. Ob er ihr wirklich helfen konnte? Jetzt war sie ihm völlig ausgeliefert.

»Ihr seid ein verwirrter alter Mann. So verwirrt, dass Ihr Sieg und Niederlage verwechselt habt, als Ihr meinem Gemahl den Ausgang der Schlacht voraussagtet. Soll ich für Euch ein Wort einlegen, damit er Euch angesichts Eurer Verdienste das Gnadenbrot essen lässt, statt Euch hinzurichten?«, bot sie mit gespielter Gelassenheit an.

»So großzügig dieses Angebot ist, Hoheit«, und hier verneigte sich der Alte mit einer Flinkheit, die sie ihm kaum zugetraut hatte, »scheint mir mein Plan besser. Sagt, wann floss bei Euch zum letzten Mal das Monatsblut?«

Sophia schnappte nach Luft und schloss die Augen. Aber als ihr Leibarzt war dieser Mann berechtigt, diese unerhörte Frage zu stellen. Die Hoffnung auf einen Erben hatte ihren Leibeszustand zu einer öffentlichen Angelegenheit gemacht, was sie durch und durch als entwürdigend empfand.

Sie schluckte und sagte leise: »Es begann heute Morgen.«

»Wunderbar!«, jubelte der weißhaarige Sterndeuter und rieb sich die Hände, ohne dass Sophia etwas daran wunderbar finden konnte. Im Gegenteil. Wieder war die Hoffnung dahin, ihre Not könnte endlich ein Ende finden.

»Ihr werdet das vor Euern Hofdamen verheimlichen, und wir werden Seine Hoheit mit der erfreulichen Nachricht begrüßen, es gebe Anzeichen für eine Schwangerschaft!«, erklärte der listige Alte. »Ein bisschen Übelkeit am Morgen werdet Ihr doch zustande bringen, und zu gegebener Zeit täuschen wir eine Fehlgeburt vor. Dabei werde ich Euch mit meinen Mitteln zur Seite stehen, damit alles glaubhaft wirkt. Der Fürst wird natürlich äußerst betrübt sein. Aber bis dahin wird er Euch nicht schlagen, das Beilager bleibt Euch erspart – und mich wird er nicht aufknüpfen lassen. Mir scheint, dies ist für jeden von uns beiden ein gutes Geschäft.«

Erwartungsfroh sah der Alchimist zu Sophia, die einfach nur noch hinauswollte aus diesem düsteren Gewölbe mit dem beißenden Gestank, den widerlichen Zutaten und dem Greis mit dem gefährlichen Wissen. Ihr Blick heftete sich auf einen außergewöhnlichen Stein, den sie noch nie zuvor hier bemerkt hatte; er sah aus wie ein Augapfel. Ihr schauderte.

»Es wird zu Euerm und meinem Nutzen sein!«, versicherte der Alchimist.

Hin- und hergerissen zwischen Hoffnung und Furcht, überlegte Sophia, wie sie die Blutung vor den Hofdamen verbergen konnte. Noch hatte sie keiner davon erzählt, und wenn sie die blutigen Leinenstreifen einfach in die Heimlichkeit warf, statt sie den Mägden zum Waschen zu geben, dann könnte der Plan des Magisters vielleicht sogar aufgehen.

Nach zwei Fehlgeburten würde Albrecht ihr Bett nicht mehr aufsuchen, wenn er sie schwanger glaubte, um das Ungeborene nicht zu gefährden.

Je länger sie darüber nachdachte, umso vorteilhafter erschien ihr dieser Plan. Zumindest für den Moment.

Am nächsten Tag traf ein Bote Albrechts in Seußlitz ein und überbrachte dem Kommandanten die Weisung, sich umgehend auf dem Meißner Burgberg einzufinden.

»Wie viele Männer soll ich mitbringen?«, erkundigte sich Lothar, ein Mann Mitte fünfzig, schlank und mit grauen Strähnen an den Schläfen. Ihm unterstanden die Männer, die Hedwig bewachen sollten.

»Keinen. Ihr reitet allein«, richtete der Bote aus, ein Ministerialer in Albrechts Diensten.

»Doch gemeinsam mit Euch? Ihr werdet sicher wieder in Meißen erwartet?«

Dem Mann war deutlich unwohl in seiner Haut. »Nein, Seine Hoheit befahl mir, vorerst zu bleiben und die Fürstin Hedwig zu bewachen, bis ein neuer Burgkommandant geschickt wird.«

»Also werde ich von meinem Posten abgelöst? Weshalb?«, fragte Lothar streng. »Ist der Fürst nicht mit mir zufrieden?«

»Ich weiß es nicht, Herr! Ich weiß gar nichts!«

Vorsichtig sah der Ministeriale um sich, ob ihn auch niemand hören konnte, dann raunte er: »Aber nehmt gleich mit, was Euch an Besitz wichtig ist. Ihr werdet wohl nicht mehr hierher zurückkehren.«

Die Abendmahlzeit in Seußlitz schien einem uneingeweihten Betrachter ganz normal abzulaufen. Der Kaplan segnete das Mahl, dann speisten an einem Tisch Hedwig, die beiden Hofdamen, die ihr Sohn ihr zugestanden hatte, und der Burgkommandant. Den Boten aus Meißen hatte Lothar in nächster Nähe plaziert, so konnte er jedes Wort verstehen, das an der hohen Tafel gewechselt wurde: von langen Pausen durchzogene Belanglosigkeiten, wie das Wetter oder den zu stark gesalzenen Braten.

»Zu meinem Bedauern müsst Ihr ab morgen auf meine Anwesenheit verzichten, Hoheit«, erklärte der Kommandant mit kühler Höflichkeit, als der Fisch aufgetragen wurde. »Der Fürst von Meißen lässt nach mir rufen.«

Die Fürstinnenwitwe neigte den Kopf ein wenig zur Seite und blickte ihn gleichgültig an. »Ich hoffe, Ihr werdet meinen Sohn mit Euren Diensten zufriedenstellen«, entgegnete sie streng.

»Selbstverständlich, Hoheit.«

Die Frostigkeit der erzwungenen Unterhaltung ließ befürchten, in der ohnehin schon kalten Halle, wo jedermann in einen dicken Umhang gehüllt war, könnte bald das Wasser im Krug zu Eis gefrieren.

Wenig später erhob sich die Fürstin, eine der Zofen legte ihr den Tasselmantel enger um die Schultern und richtete ihr den Schleier. Hedwig verkündete, nach ihrer abendlichen Andacht zu Bett zu gehen, wobei sie auch ein Gebet für die glückliche Reise des Kommandanten sprechen werde.

Der dankte ihr mit einer steifen Verneigung und entfernte sich Richtung Burghof.

Viel später, tief in der Nacht, öffnete Lothar die Tür zu Hedwigs Kammer, schlüpfte hinein und wurde von Hedwig leidenschaftlich umarmt. Nur Susanne, die ihr seit vielen Jahren ergebene Dienerin, die draußen Wache hielt, wusste etwas von diesen heimlichen nächtlichen Besuchen.

»Was hat das zu bedeuten?«, flüsterte Hedwig. »Hat mein Sohn verschärfte Anweisungen für mich, weil er argwöhnt, ich unterstütze Dietrich?«

Behutsam löste sich der hochgewachsene Burgkommandant von der immer noch schönen Fürstinnenwitwe.

»Ich befürchte, diesmal steckt mehr dahinter. Wenn der Bote sagt, ich werde nicht mehr zurückkommen, wird man Euch einen anderen Aufpasser schicken.«

»Und ich sehe Euch nie wieder? Denkt Ihr, jemand ahnt etwas über uns?«

»Ich weiß es nicht«, sagte Lothar bekümmert. »Wir waren vorsichtig. Vor anderen sah ich Euch nie anders an als höflich und zurückhaltend. Aber irgendwann ... stand zu befürchten, dass jemand dahinterkommt.«

»Nein, das darf nicht sein!«, stöhnte Hedwig. »Er wird Euch töten!«

Verzweifelt umklammerte sie den Mann, in dem sie nur einen Gefängniswächter erwartet hatte. Aber bald stellte sich heraus: Er war jemand, der sie liebte und ihr nach Kräften die Haft erleichterte, auch wenn er es im Verborgenen tun musste. Und der ihr half, in Verbindung mit ihrem jüngeren Sohn und dessen Getreuen zu bleiben.

»Vielleicht kommt es nicht dazu«, versuchte Lothar, sie zu beruhigen. »Wer weiß, welchen Auftrag er für mich hat. Oder wem er diesen Posten geben will.«

Hedwig schüttelte den Kopf. »Er ist von Rachgier besessen.«

Sie legte ihre Hände an seine Wangen und sah ihn eindringlich an. »Bitte, tut das nicht, reitet nicht nach Meißen! Er wird Euch töten! Flieht irgendwohin, zu Dietrich oder ganz in die Fremde! Ich will nicht schuld an Euerm Tod sein. Mit dem Gedanken könnte ich nicht weiterleben. Ich weiß ohnehin kaum, wie ich es ohne Euch hier aushalten soll …«

Er nahm ihre Hände und küsste sie. »Wenn ich sterbe, dann ist das nicht Eure Schuld! Ich werde mit einem Lächeln auf den Lippen sterben, denn mein letzter Gedanke wird bei Euch sein, daran, wie glücklich mich Eure Liebe gemacht hat.«

»Benehmt Euch nicht wie ein verliebter Narr! Ihr seid in Lebensgefahr, also flieht, solange Ihr noch könnt!«, beschwor Hedwig ihn verzweifelt.

»Das kommt nicht in Frage. Es würde Verdacht auf Euch lenken und Euch in Gefahr bringen.«

Er erstickte ihre Widerworte mit einem Kuss und zog sie zum Bett. »Wenn es schon ein Abschied für länger ist, so will ich mich wenigstens auf die einzig angemessene Art verabschieden.«

Wehmütig sah sie ihn an. Dann ließ sie sich von ihm in die Arme nehmen und leidenschaftlich lieben. Sie mussten leise sein, wie immer, um die Hofdamen nicht aufzuwecken, die nebenan schliefen. Doch dabei konnte Hedwig die Angst nicht bezwingen, dass dies ein Abschied für immer sein könnte.

Rückkehr

Der Meißner Burgberg war für Albrecht und seine Männer bereits in Sichtweite, als ihnen ein Bote entgegengeritten kam.

»Ein dringliche Nachricht des Magisters, Hoheit«, sagte der Mann, während er sich verneigte und das Pergament ausstreckte.

»Wohl ein Gnadengesuch? Darauf hofft er vergeblich!«, schnauzte Albrecht und wollte seinen Hengst wieder in Trab versetzen, ohne den Brief entgegenzunehmen.

»Es geht um Ihre Hoheit, die Fürstin«, rief der Bote, der in Voraussicht der Ablehnung diese Order mit auf den Weg bekommen hatte.

Albrecht wechselte einen Blick mit Elmar und befahl ihm, das Schreiben zu öffnen.

Der Truchsess – im Gegensatz zu den meisten Rittern des Lesens und Schreibens kundig, zwei unschätzbare Künste für seine Ränke – überflog das Schreiben und sah ungläubig auf.

»Nun? Was?«, fuhr Albrecht ihn an.

»Die Fürstin ... ist guter Hoffnung ...«

Albrecht erstarrte einen Augenblick. Dann lachte er und stieß vor Freude die Faust in die Luft. »Haben seine Tränke doch geholfen! Das rettet dieser Ratte vorerst das Leben. Und es wird das Gesindel in Meißen von unserer Niederlage in Weißenfels ablenken. Rasch, kehren wir heim und trinken wir auf meinen Sohn!«

Sofort nach der Ankunft auf dem Burgberg befahl Albrecht, seine Gefolgsleute in der Halle zusammenzurufen.

Zunächst aber ging er zur Kammer Sophias, riss die Tür auf und fragte seine erschrockene Gemahlin: »Ist es wahr? Ihr seid gesegneten Leibes?«

»Es gibt Anzeichen dafür, mein Herr und Gemahl«, hauchte sie mit gesenkten Lidern. Das Stickzeug in ihren Händen zitterte.

Er trat näher, sah zufrieden, dass sie zusammenzuckte, nahm ihre Hand und küsste sie.

»Ihr bereitet mir eine große Freude! Ich will, dass meinem Sohn nichts zustößt. Von heute ab werdet ihr weder reiten noch irgendwohin gehen. Bleibt hier liegen, schont euch und tut alles, um dieses Kind auszutragen!«

»Ja, mein Herr und Gemahl«, sagte sie leise, legte die Stickerei beiseite und ging gehorsam hinüber zum Bett.

»Ihr werdet dafür sorgen, dass es der Fürstin an nichts fehlt!«, wies Albrecht die Hofdamen an. »Jetzt lasst sie ruhen!«

Ohne ein weiteres Wort stürmte er hinaus. So Gott wollte, würde er nächsten Sommer einen Erben haben. Und bis dahin musste er sein Weib nicht mehr anschauen.

Begleitet von Elmar und Giselbert, stieg Albrecht in die Halle hinab. Die Menschen dort knieten nieder, während er mit großen, entschlossenen Schritten den Raum durchquerte. Albrecht kam es vor, als könnte er ihre Furcht wittern wie ein Tier. Ein großartiges Gefühl!

Ihm war klar, dass sie alle über die Ereignisse in Weißenfels Bescheid wussten. Dafür würde dieser hinterlistige Kittlitz schon gesorgt haben. Doch niemand sollte in ihm einen Verlierer sehen!

Er setzte sich auf seinen Platz und gab Giselbert das Zeichen, mit der Vorkostzeremonie zu beginnen.

Mit Erstaunen sahen die im Saal Versammelten, dass diese um einige Feinheiten ergänzt worden war. Jetzt musste der feiste Mundschenk nicht nur den Wein vorkosten und das Wasser, mit dem er verdünnt wurde. Nun begann die Prozedur mit dem Vorkosten des Wassers, in dem Albrechts Becher gespült wurde, um zu zeigen, dass weder Trinkgefäß noch Wasser mit Gift versetzt waren.

Zu anderer Zeit hatte das manchen insgeheim mit Häme erfüllt; Giselbert war wegen seines Leibesumfangs und vor allem wegen seiner Boshaftigkeit äußerst unbeliebt, auch wenn das niemand offen zeigen durfte. Aber heute bangte jeder, was als Nächstes passieren würde. Und immer noch war in der Halle kein einziges Wort gefallen.

Jetzt beugte sich der Markgraf in seinem Stuhl leicht vor und hob den Becher. »Ich trinke auf das Wohl der Fürstin Sophia und auf den Sohn, den sie mir gebären wird. Betet darum, dass Gott die Leibesfrucht segnet!«

Er trank den Becher in einem Zug aus, während erleichterte Hochrufe auf die Fürstin, den Fürsten und seinen künftigen Erben erklangen.

Dann warf Albrecht dem Kellermeister seinen Becher zu und richtete sich im Stuhl auf; seine Miene verfinsterte sich so jäh, dass die Wartenden erneut vor Angst erstarrten.

»Es gibt jedoch nicht nur Erfreuliches mitzuteilen an diesem Tag«, sagte er mit hartem Ton. »Ich habe über einige äußerst verwerfliche Vorfälle zu richten, die ich nicht zu tolerieren gewillt bin.«

Albrecht ließ Jakob vorführen, der immer noch gefesselt war. Er hätte den Bruder dieses verhassten Lukas längst aufgehängt, doch er wollte ihn als Köder benutzen. Irgendwann würde der hinterlistige Freiberger schon bei seiner Sippschaft auftauchen; er musste ihm nur genug Anreiz dafür bieten.

»Dieser Ritter, obwohl er mir Treue und Gehorsam schwor, weigerte sich, meinen Befehl auszuführen«, lautete Albrechts Anklage. »Darauf steht der Tod.«

Er ließ eine wirkungsvolle Pause und genoss den verzweifelten Ausdruck auf den Zügen des Gefangenen.

»In meiner umfassenden Gnade und angesichts der frohen Nachricht, die mich heute ereilte, will ich ausnahmsweise Milde walten lassen«, fuhr er fort. »Dieser Mann wird vom Meißner Hof verbannt und darf seine Ländereien nicht verlassen, solange ich es nicht erlaube. Zur Strafe für sein Verbrechen wird er mir fünfzig Mark Silber zahlen.«

Er sah die Erleichterung auf Jakobs Gesicht und fragte sich, ob er nicht mehr Geld hätte verlangen sollen. Aber obgleich dieser Kerl von seinem Vater ertragreiche Güter geerbt hatte, waren fünfzig Mark Silber eigentlich eine Summe, die auch ein wohlhabender Ritter kaum aufbringen konnte.

Zitternd sank Jakob auf die Knie und wollte sich bedanken, wie es von ihm erwartet wurde.

»In meiner unermesslichen Gnade will ich sogar noch weiter gehen: Euer Sohn und Eure Tochter dürfen an meinem Hof bleiben.« Nun hatte Jakob Mühe, sein Erschrecken zu verbergen. Seine Kinder waren soeben zu Geiseln erklärt worden.

All die Jahre hatte er versucht, sich zwischen den Fronten hindurchzumanövrieren, hatte seinen früheren Lehnsherrn, seinen Lehrmeister und seinen Bruder verraten, damit seine Familie ein gutes Leben führen konnte. Und aus Feigheit, wenn er ehrlich zu sich sein wollte.

Lukas' Bruder wusste, was von ihm erwartet wurde. Er warf sich dem Fürsten zu Füßen, bedankte sich und schwor, den Befehl zu befolgen und seine Güter nicht zu verlassen. Dann musste er gehen.

Beklemmende Stille herrschte, bis der Verbannte die Halle verlassen hatte.

Wen würde das Schicksal als Nächsten treffen? Würde die gute Laune des Fürsten anhalten, oder würde heute noch Blut fließen?

»Der Burgkommandant von Seußlitz trete vor!«, befahl Albrecht.

Lothar durchschritt den Saal und kniete in zehn Schritten Abstand vor ihm nieder.

»Ihr steht unter dem Verdacht, an einer Verschwörung gegen mich beteiligt zu sein und Verbindung zu Verrätern aufgenommen zu haben«, warf Albrecht ihm vor und ließ ihm keine Zeit zu einer Entgegnung. »Werft ihn ins Verlies und bringt ihn zum Sprechen! Sollte er nicht gestehen, stecht ihm ein Auge aus!«, wies er Elmar an.

Der gab den Befehl an zwei der Leibwachen weiter.

Bleich geworden, stand Lothar auf.

»Ich weiß von keiner Verschwörung gegen Euch!«, rief er, doch ungerührt stießen ihn die Wachen durch den Saal.

Erschrockenes Gemurmel kam in der Halle auf. Eine Verschwörung gegen den Markgrafen? Was war da im Gange? Wer würde noch gerichtet?

»Genug für heute«, verkündete Albrecht, als sei er müde. Mit einem matten Wedeln befahl er sämtliche Männer hinaus, abgesehen von Elmar und Giselbert.

Als sie allein waren, ließ er die beiden ältesten Kinder von Jakob rufen: den gleichnamigen Sohn, der sechzehn Jahre alt und einige Jahre von Lukas als Knappe ausgebildet worden war, bis sein Vater ihn dort wegholte, und die zwölfjährige Luitgard, die zusammen mit anderen Mädchen unter Sophias Aufsicht erzogen wurde. Beide schienen bereits von der Verbannung ihres Vaters erfahren zu haben.

Blass, das Mädchen mit verheulten Augen, knieten sie vor ihm nieder.

»Ihr wisst, Euer Vater beging ein Verbrechen gegen mich, für das er den Tod verdient hätte«, erklärte Albrecht und sah den beiden hart ins Gesicht.

Sie nickten ängstlich.

»Und Ihr wisst auch, dass von Euerm Wohlverhalten abhängt, ob ich Euern Vater nicht doch noch hinrichten lasse?«

Der Junge riss sich zusammen und brachte ein »Ja, Eure Hoheit« heraus, das Mädchen nickte wieder nur.

»Du unterstehst ab sofort dem Befehl des neuen Burgkommandanten von Seußlitz und wirst dich mit ihm unverzüglich dorthin begeben«, wies er den jungen Jakob an.

»Wie Ihr wünscht, Eure Hoheit.«

Nun beugte sich Albrecht leicht vor. »Du wirst dort die Ohren aufsperren und herausfinden, wer heimlich die Gräfin Hedwig unterstützt! Von der Ausführlichkeit deiner Berichte mache ich abhängig, ob ich auch künftig deinen Vater … und deine Mutter verschone.«

»Ja, Eure Hoheit«, sagte Jakob, kniff die Lippen zusammen und wankte nach einer knappen Geste des Herrschers mit hängenden Schultern hinaus.

»Nun zu dir, meine Schöne«, sagte Albrecht zu Luitgard, stand auf und ging um sie herum, ohne den Blick von ihrem schmalen Körper zu lassen.

»Du weißt, dass ich dein Fürst bin, von Gott auf diesen Platz gestellt, und du mir in allem zu gehorchen hast?«, sagte er, als er wieder vor ihr stand.

»Ja, Eure Hoheit«, antwortete sie, während ihre Lippen bebten und ihr Tränen in die Augen stiegen.

»Dann wirst du dich jetzt von meinem Truchsess in meine Kammer führen lassen und ohne Widerrede tun, was er dir befiehlt.«

»Ja, Eure Hoheit«, brachte sie mit erstickender Stimme heraus.

Albrecht tauschte einen Blick mit Elmar, der die Situation ebenfalls genoss.

Sollten die anderen denken, sein Zorn sei verraucht. Er hatte gerade erst begonnen, zornig zu werden.

Doch vorher würde er sich mit diesem Kind befassen. Ihre Angst hatte etwas Berauschendes.

»Bis gleich, meine Schöne«, rief er ihr lächelnd nach und beobachtete voller Genugtuung, wie sie sich mit zittriger Hand die Tränen von den Wangen wischte.

Rache

Als Elmar am nächsten Tag Hedwig auf Burg Seußlitz aufsuchte, fiel seine Verneigung vor ihr so knapp aus, dass es an Unverschämtheit grenzte.

»Durchlaucht, Euer Sohn wünscht Euch in Meißen zu sehen.«

Mit gespielter Gleichgültigkeit sah Hedwig ihn an. »Und ich

vermute, sein Verlangen danach, mich zu sehen, ist so groß, dass wir heute noch aufbrechen sollen?«

»Auf der Stelle«, bestätigte der Truchsess. Seine triumphierende Miene flößte Hedwig Angst ein – weniger um sich selbst, auch wenn sie nicht sicher sein konnte, ob ihr Sohn nicht noch härter gegen sie vorgehen würde, sondern vor allem um Lothar. Doch wenn sie ihn schützen wollte, durfte sie sich nichts von dieser Angst anmerken lassen.

»Welche Mutter könnte sich nicht glücklich schätzen, wenn ihr Sohn solche Liebe für sie empfindet«, sagte sie mit aufgesetztem Lächeln. »Selbstverständlich werde ich seinem Wunsch sofort folgen.«

Sie drehte sich zu den beiden Hofdamen um und klatschte in die Hände: »Packt meine schönsten Gewänder ein, damit ich dem Markgrafen von Meißen angemessen gegenübertreten kann. Rasch!«

Dann verabschiedete sie sich von Christina, ihrer kleinen Enkeltochter, befahl diese der Obhut ihrer Erzieherin und trieb die Hofdamen zur Eile an, um ihren Sohn nicht warten zu lassen.

Auf dem ganzen Weg wechselte sie mit niemandem ein Wort. Den Hofdamen durfte sie nicht trauen, Elmar hasste sie inbrünstig, was auf Gegenseitigkeit beruhte, und der neue Burgkommandant, der sie auf Elmars Weisung begleitete, war ein grobschlächtiger Kerl, fast zwei Köpfe größer als sie, und verzog keine Miene.

Susanne las ihr in den wenigen Ruhepausen, die sie einlegen durften, jeden Wunsch von den Augen ab und erledigte ihre Arbeit stumm.

Hedwig wusste, dass Susanne die gleiche Angst schüttelte wie sie. Und sie hatte allen Grund dazu. Eine Magd durchprügeln zu lassen, um sie zu Aussagen zu zwingen, oder sie umzubringen, würde Albrecht nicht im Geringsten den Schlaf rauben. Wäre es besser gewesen, sie auf Seußlitz zu lassen? Aber gerade damit hätte sie Aufmerksamkeit auf Susanne gelenkt, die ihr stets wie ein Schatten folgte, ansonsten jedoch von niemandem wahrgenommen wurde.

Angst krampfte Hedwigs Herz immer mehr zusammen, je näher sie Meißen kamen.

Schließlich hielt sie die Anspannung nicht mehr aus. Bei der nächsten Rast forderte sie ihre Magd auf, ihr das Kleid neu zu schnüren, weil sich ein Knoten gelöst habe, und flüsterte ihr zu: »Wenn du fliehen willst ... tu es!«

Doch Susanne warf nur einen Blick auf die vielen Bewaffneten, die sie umgaben, und schüttelte kaum merklich den Kopf. Es gab kein Entrinnen.

»Macht Platz für die Fürstinnenwitwe Hedwig von Ballenstedt«, rief Elmar, als die kleine Gruppe den markgräflichen Bezirk auf dem Meißner Burgberg durchquerte.

Elmar half ihr aus dem Sattel, die Menschen knieten nieder und senkten die Köpfe, einige murmelten Worte zur Begrüßung. Hedwig entdeckte hier und da Freude und Hoffnung auf den Gesichtern: Sie hatte auf dem Burgberg immer als diejenige gegolten, die den mürrischen alten Markgrafen Otto zu etwas Milde bewegen konnte. Wahrscheinlich hofften diese Menschen, dass ihr das bei ihrem gnadenlosen Sohn auch gelingen würde.

Susanne sah auf einen Blick, dass Guntram nicht mehr da war, und auch sonst konnte sie niemanden erkennen, dem sie trauen durfte.

»In die Küche mit dir, du sollst dort helfen!«, befahl ihr der alte Stallmeister.

Susanne verneigte sich tief, zuerst vor der Fürstin, dann vor dem Truchsess, und huschte davon. In der Burgküche würde sie etliche Bekannte aus früherer Zeit treffen – die vermutlich alle den Befehl hatten, sie auszuhorchen. Dementsprechend würde sie sich dumm stellen, so, als wüssten sie und die Fürstin in der Verbannung in Seußlitz nicht, was vor sich gegangen war.

»Lasst mich Euch in den Saal geleiten«, erbot sich Elmar in aller Höflichkeit gegenüber Hedwig. Sie neigte den Kopf, dankte ihm mit einem kleinen Nicken und legte ihre linke Hand auf seine Rechte, wobei ihr ein Schauer über den Rücken lief. Dieser Mann war die Bosheit in Person.

Ihr Sohn thronte in der Mitte des Saales und schien sie bereits zu erwarten, denn sein Blick war auf die Tür gerichtet.

»Ich freue mich zu sehen, dass Ihr wohlauf seid, Hoheit«, sagte Hedwig, kaum dass sie den Raum betreten hatte, und sank in einen tiefen Knicks.

»Und mich freut es zu sehen, dass es Euch an nichts fehlt, Mutter«, antwortete Albrecht huldvoll lächelnd.

»Natürlich. Da Ihr doch so aufs beste für mich sorgt, Hoheit«, erwiderte Hedwig, nach wie vor in der unbequemen Haltung.

Das Lächeln ihres Sohnes wurde schmaler.

»Ich tue nur, was Ihr verdient«, sagte er, und selbst dem Einfältigsten im Saal konnte die Doppelbödigkeit dieser Worte nicht entgehen.

»So steht doch auf und setzt Euch zu mir, teure Mutter!« Übertrieben höflich wies Albrecht auf den Stuhl neben sich.

Mit erzwungener Beherrschung schritt Hedwig durch den Saal, lächelnd und den Kopf erhoben, während sie die Blicke der vielen Menschen im Saal – fast ausnahmslos Männer – auf sich wusste.

»Es gab Zeiten, Mutter, da hegtet Ihr Zweifel, ob ich der rechte Mann sei, das Land zu regieren. Nein, widersprecht nicht!«, befahl er ihr sofort mit erhobener Hand. »Dies ist ein allseits bekanntes Factum. Doch ich hoffe, Ihr habt Eure Meinung inzwischen geändert. Und es freut mich, Euch mitteilen zu können, dass die Erbfolge gesichert ist. Meine Gemahlin trägt einen Sohn unter dem Herzen, und er wird die Herrschaft des Hauses Wettin fortführen.«

»Meinen Glückwunsch, Hoheit, zu diesen wundervollen Neuigkeiten!«, sagte Hedwig mit strahlendem Lächeln.

Wenn Albrecht dachte, sie würde bei dieser Nachricht Bedauern zeigen, hatte er sich geirrt: Auch Hedwig wusste, wie zweifelhaft es war, ob Dietrich einmal die Markgrafschaft übernahm, sollte sein Bruder ohne Erben sterben. Womöglich würde der Kaiser in diesem Fall das Lehen einziehen, so wie er es mit Thüringen vorgehabt hatte.

Obwohl sie zu ihrer Schwiegertochter kein besonders gutes Verhältnis hatte, freute sie sich für Sophia. Endlich einen Erben zu gebären, würde das Los der Unglücklichen etwas leichter machen.

Einen Augenblick lang flackerte in Hedwig sogar die Hoffnung auf, diese Neuigkeit könnte Albrecht etwas milder stimmen. Vielleicht hatte er sie sogar deshalb hierher befohlen?

Doch seine nächsten Worte brachten diese Hoffnung sofort zum Erlöschen. »Es ist mir ein Bedürfnis, Euch zu beweisen, dass ich durchaus in der Lage bin, über dieses Land zu herrschen und mich gegen alle Feinde und Verräter zu behaupten.«

Bei dieser Ankündigung richteten sich Hedwigs Nackenhärchen auf.

Albrecht lächelte raubtierhaft, stand auf und reichte ihr seine Hand. »Eine kleine Demonstration ist zu diesem Zwecke auf dem Hof vorbereitet. Wenn Ihr mich begleiten wollt, Mutter?«

Von dunklen Ahnungen erfüllt, erhob sich die Markgräfin und ließ sich hinausführen.

Jedermann im Saal sank auf die Knie, während der Markgraf und die Gräfin von Ballenstedt vorbeischritten.

Vor dem markgräflichen Palas waren inzwischen zwei Stühle aufgestellt worden, ähnlich prächtig geschnitzt wie die beiden, auf denen sie eben noch gesessen hatten. Schaffelle lagen darunter, damit den Sitzenden die Füße nicht kalt wurden. Nun war Hedwig froh, dass sie immer noch den warmen Wollbliaut unter dem Umhang trug statt eines der kostbaren seidenen Kleider. Der Himmel war grau, und eiskalter Wind trieb die letzten welken Blätter und loses Stroh über den Hof.

»Macht es Euch bequem! Sitzt Ihr auch gut?«, fragte Albrecht in gespielter Freundlichkeit. Er klatschte gut gelaunt in die Hände, der Küchenmeister brachte gebratenes Fleisch, der Kellermeister dampfenden Würzwein.

Sie lehnte ab, als Giselbert ihr einen Becher davon einschenken wollte.

»Ihr mögt nichts von diesen Köstlichkeiten?«, fragte ihr Sohn mit hochgezogenen Augenbrauen. »Nun, vielleicht kommt der Appetit ja noch ...« Er gab mit einem Fingerwink einen Befehl. Wachen bahnten sich den Weg durch den Halbkreis der Menschen, die sich vor den beiden Sitzenden aufgestellt hatten. Als sich die vordere Reihe der Zuschauer teilte und Hedwig sehen konnte, wen die Wachen mit sich schleiften und vor ihr auf die Knie zwangen, war ihr zumute, als würde ihr eine eisige Hand das Herz abdrücken.

Lothars Gesicht war blutüberströmt, ein Auge fehlte ihm, seine Handgelenke waren von den schartigen Ketten aufgescheuert, sein ganzer Körper schien eine einzige Wunde. Mit Mühe hielt er sich auf Knien und vermied jeden Blick zu Hedwig.

»Erkennt Ihr ihn?«, fragte Albrecht lauernd, leicht vorgebeugt, um jede Regung in ihrem Gesicht zu beobachten.

»Bei Gott, was hat dieser Mann verbrochen, dass er so zugerichtet wurde?«, fragte sie, ohne ihre Bestürzung zu verbergen. »Hat er nicht genauestens Eure Befehle befolgt, indem er mich auf Seußlitz bewachte?«

»Ich denke, das tat er nicht«, entgegnete Albrecht betont ruhig. »Ich denke sogar, er hat mich aufs schlimmste hintergangen und verraten.«

»Womöglich trifft Euer Zorn den Falschen …«, flehte Hedwig. »Was kann ich tun, um Euch zu Gnade zu bewegen?«

Sie machte Anstalten, aufzustehen und vor ihrem Sohn auf die Knie zu gehen, doch Albrecht presste seine Hand wie eine Zwinge um ihren Arm und hielt sie auf dem Platz fest.

»Es freut mich überaus, Euch zu einer demütigen Bitte verleiten zu können«, sagte er mit boshaftem Lächeln. »Doch Ihr werdet mir zustimmen: Wer die Macht nicht halten kann, verdient sie nicht. Deshalb darf es für Verräter keine Gnade geben.«

Dann wandte er sich den Wachen zu und befahl: »Schlagt ihm den Kopf ab!«

Er lächelte abermals boshaft und ließ Hedwig noch einmal die Platten mit den Speisen reichen: »Hier, nehmt Euch, es schmeckt köstlich!«

Hedwig konnte keinen Blick von Lothar abwenden, von seinem geschundenen Körper, seinem entstellten Gesicht. Würde es irgendetwas geben, womit sie ihn retten konnte, sie hätte es getan. Doch sie wusste, dass sie ihren Sohn nicht aufhalten konnte. Dies war seine Rache an ihr.

Ein Priester trat zu dem Todgeweihten, wechselte mit ihm ein paar leise Worte und schlug ein Kreuz über seinem Kopf.

»Wollt Ihr vielleicht durch ein offenes Geständnis Eurer Schandtaten Euer Gewissen erleichtern?«, fragte Albrecht.

»Es gibt keine Schandtat, die ich zu gestehen hätte«, antwortete Lothar.

»Also dann!«

Mit einem einzigen Fingerzeig gab Albrecht den Hinrichtungsbefehl.

Bevor ihn der tödliche Hieb traf, richtete Lothar sein verbliebenes Auge auf Hedwig, um sich von ihr zu verabschieden. Er hatte nichts gestanden, das ihr schaden könnte, und er bereute nichts. Nun lächelte er sogar, wie er es bei ihrem letzten Zusammensein versprochen hatte.

Hedwig schloss die Augen, als die Klinge aufblitzte, sie hörte nur den Aufschrei der Menschenmenge und das dumpfe Geräusch, mit dem sein Kopf und sein Leib zu Boden fielen.

»So, Mutter, ergeht es allen, die sich gegen mich verschwören«, sagte Albrecht drohend. »Jetzt kommt und leistet mir an der Tafel Gesellschaft.«

Er erhob sich und bot ihr die Hand. Während sie versuchte aufzustehen, ohne zu taumeln, raunte er ihr gehässig zu: »Und wagt es ja nicht, Euch mit einer Ausrede davor zu drücken. Ihr werdet an meiner Seite sitzen und mit mir auf das Wohl meines Erben trinken, bis ich Euch erlaube zu gehen!«

Dieser Tag war für ihn ein Triumph. Doch seinen größten Triumph würde er morgen feiern, wenn er Freiberg in die Knie zwang.

Am nächsten Tag in Freiberg

Der Wind trieb winzige Schneeflocken vor sich her, erste Vorboten des nahenden Winters. Außer dem Fauchen des Windes und ab und an einem Geräusch aus den Stallungen herrschte Grabesstille auf dem Freiberger Burghof, obwohl er voller Menschen war. Nicht einmal in der Münze wurde gearbeitet, aus der Zainegießerei drang kein Rauch.

Der Markgraf von Meißen hatte die Bewohner der Stadt hierher befohlen, und es gab klare Anzeichen dafür, dass es diesmal nicht um einen jubelnden Empfang für den Herrscher ging: die grimmigen Mienen der Wachen, die die Menschenansammlung umringten, und der Richtblock vor dem hölzernen Podest, auf dem eine Axt, Messer, Zangen und anderes Werkzeug lagen, mit dem auf der Stelle blutige Urteile vollstreckt werden konnten.

Dies allein hätte schon bewirkt, dass die Freiberger still und furchtsam auf dem Hof knieten und trotz der Kälte gehorsam warteten, bis der Fürst sich blicken lassen und auf dem Podest Platz nehmen würde.

Doch das sicherste Zeichen dafür, dass heute noch Blut fließen sollte, war der Anblick Christians. Der junge Stallmeister stand mit entblößtem Oberkörper an einen Pfahl gebunden. Niemand wusste, was ihm vorgeworfen wurde, aber mittlerweile schlotterte er vor Kälte, und seine Lippen waren blau angelaufen.

Sie warteten nun gemäß dem Befehl des Truchsessen bestimmt schon eine Stunde. Vorn knieten der Bergmeister, der Münzmeister, der Bürgermeister und die Ratsherren, an der Seite der Anführer der Juden vom Judenberg, dahinter die Händler und Handwerker, ganz hinten die Knechte und Mägde, die die Köpfe reckten, um zu sehen, ob sich vorn etwas tat. Niemand von ihnen wusste, wann der Fürst kommen und was er befehlen würde. Es wagte auch niemand, danach zu fragen oder aufzustehen, um die vor Kälte starr gewordenen Glieder durchzuschütteln.

Endlich! Ein Signal kündigte den Fürsten an. Der Wind hatte inzwischen etwas nachgelassen, die Flocken wurden größer und schwebten auf die Köpfe und Schultern der Knienden herab.

Begleitet von seinem Truchsess, seinem Schenken und seiner Leibwache betrat Albrecht das für ihn errichtete hölzerne Podest auf dem Burghof. Rutger ging unmittelbar hinter seinem Ziehvater, der Burgvogt folgte ihnen mit zögernden Schritten.

»Kniet nieder vor Fürst Albrecht, durch Gottes Gnade Herrscher über die Mark Meißen!«, rief Elmar ungeachtet dessen, dass alle bereits knieten und nun demütig die Köpfe senkten.

Albrecht trat an den vorderen Rand des Podestes. Eisig sah er auf die Menschen vor ihm herab, ohne ein Wort zu sagen, breitbeinig, die Hände auf den Gürtel gelegt. Er trug volle Rüstung, abgesehen von Kettenhaube und Helm. Das Kettenhemd über dem Gambeson und der dicke, mit Fell gefütterte Tasselmantel ließen seine Schultern doppelt breit und seine ganze Erscheinung übermächtig wirken.

Den eingeschüchterten Stadtbewohnern wurde immer schrecklicher zumute. Jedes Strafgericht, das der Markgraf hier hielt, endete blutig oder damit, dass er gewaltige Mengen Silbers forderte.

Nach schier endlosem Schweigen drehte sich Albrecht um, ging zwei Schritte und nahm auf dem thronartigen Stuhl Platz, der in der Mitte des Podestes stand. Er legte sein Schwert auf die Knie und zog sich den Umhang zurecht.

Vorsichtig riskierten es einige, die Köpfe zu heben.

»Ich bin schwer enttäuscht von den Menschen dieser Stadt«, begann Albrecht mit rauher, unerwartet leiser Stimme und vorwurfsvollem Blick. »Habe ich Freiberg nicht immer gefördert und der Stadt meinen Schutz gewährt, war ich euch als meinen Untertanen nicht stets ein guter Fürst?«

Niemand wagte, etwas darauf zu antworten. Jedes Wort konnte Unheil nach sich ziehen. Albrecht war unberechenbar in seinen Launen, und seine heutige Stimmung signalisierte höchste Gefahr.

Nun hieb er wütend auf die Kante seines Stuhles und schrie: »Und ihr! Statt mir treu als meine Untertanen zu dienen, mir, dem von Gott auserwählten Herrscher über dieses Land und seine Bewohner! Ihr habt euch in Verrat geübt und euch gegen euren gottgewollten Fürsten gewandt!«

Der Zornesausbruch verhallte und hinterließ Wellen von Angst.

Allen Mut zusammenraffend, wollte der Bürgermeister, ein Silberschmied namens Liudolf, etwas sagen und hob flehend die Hände, doch Albrecht ließ ihn nicht zu Wort kommen.

»Schweig!«, brüllte er ihn an.

Der Bürgermeister fuhr zusammen und blieb stumm.

Die Freiberger tauschten insgeheim irritierte Blicke. Von welchem Verrat war hier die Rede?

»Schmählich verraten!«, wiederholte Albrecht und schüttelte den Kopf in gespielter Fassungslosigkeit. Dann richtete er sich in seinem Stuhl auf und verkündete: »Zur Sühne wird mir die Stadt binnen drei Tagen tausend Mark Silber zahlen. Und ab sofort erhebe ich doppelte Abgaben von jedem freien Bürger.«

»Aber Hoheit, das können wir nie und nimmer aufbringen! Habt Gnade mit uns«, rief händeringend eine dicke Krämerin, die für ihr Mundwerk bekannt war.

»Bringt sie her und hängt sie auf!«, befahl Elmar zweien der Wachen.

Entsetzt sahen die Menschen zu, wie die zwei Bewaffneten die um Hilfe schreiende Krämerin packten, aus der Menge zerrten und vor Elmar zu Boden warfen.

»Gnade, edler Herr!«, flehte sie und wollte seine Füße umfassen. »Ich habe doch nichts getan!«

»Du hast ohne Erlaubnis deinen Fürsten angesprochen. Und dich sogar erdreistet, ihm zu widersprechen!«, rief Elmar so laut, dass jeder ihn hören konnte. Grob stieß er die Frau mit dem Fuß weg. Wimmernd kroch sie ein kleines Stück, dann zerrten die Wachen sie hoch und warfen ihr einen Strick um den Hals.

»Gnade! Herr im Himmel, hilf!«, kreischte die Krämerin. Doch sosehr sie sich auch wehrte, die Männer packten sie bei den Armen und schleiften sie unter einen Balken.

Jedermann blickte zu Albrecht, der das Geschehen verfolgte, ohne eine Miene zu verziehen.

»Sie soll hängen!«, befahl er gleichgültig und lehnte sich zurück. Schluchzend und in aller Eile die für zum Tode Verurteilte geschriebenen Gebete murmelnd, ließ sich die Krämerin von blanken Schwertern die Leiter hochtreiben. Sie hatte die noch nicht zu Ende gesprochen, als schon einer der Männer die Leiter wegtrat. Es knackte, dann pendelte der schwere Körper der Krämerin hin und her.

Niemand schien den Blick davon losreißen zu können.

Aber dass niemand es wagte, ein Gebet für ihre Seele zu flüstern oder sich auch nur zu bekreuzigen, sprach Bände. Die ganze Stadt war in Angst erstarrt.

Und da stand ja auch noch der Stallmeister am Pfahl.

Was hatte Albrecht mit ihm vor? Was warf er ihm überhaupt vor?

»Das Sühnegeld werdet ihr binnen einer Woche beim Burgvogt abliefern«, gab Albrecht bekannt. »Ohne Ausflüchte! Sonst lasse ich meine Männer eure Truhen durchwühlen und den dreifachen Preis erheben. Wo das Volk so feist werden kann wie die da, kann keine Not herrschen.« Verächtlich wies er mit dem Kopf auf den Leichnam der Krämerin.

»Da es mir die Bürger der Stadt an Treue fehlen lassen, fordere ich ab sofort doppelte Abgaben. Der Bürgermeister und die Ratsherren haften mir mit ihrem Kopf dafür. Doch zuvor will ich ein Exempel statuieren – als Warnung an alle!«

Er gab Elmar ein Zeichen, der trat zu Christian und zerrte ihm den Kopf an den Haaren hoch.

»Dieser Mann steht unter Verdacht, unseren edlen Fürsten hintergangen zu haben, indem er erlauschtes Wissen dem Feind preisgab. Das ist Hochverrat.«

Ein entsetztes Raunen ging durch die Menge.

»Da ein letzter Beweis für seine Untat fehlt und er sich zur fraglichen Zeit bereits im Kerker befand, hat unser Fürst in seiner unendlichen Gnade verfügt, ihn weder zu hängen noch ihm die Zunge herauszuschneiden, sondern ihm lediglich vierzig Hiebe zu verpassen.«

Elmar schaute genau auf die Gesichter der Männer vor ihm, als er dieses Willkürurteil verkündete. Dem Stallmeister die Hand abzuhacken oder ihn anderweitig zu verstümmeln, davon hatte ihm Rugter abgeraten. Der Kerl würde gebraucht auf der Burg, meinte sein Stiefsohn. Nie seien Pferde und Ställe in besserem

Zustand gewesen als unter seiner Obhut. Doch vor allem ging es ihnen darum, dass Christian als das erste im Ort geborene Kind für die Bewohner so etwas wie ein Symbol war, ein Symbol für das Gedeihen und Wohlergehen der jungen Stadt. Und Symbole konnte man schwer vernichten. Aber man konnte sie in Verruf bringen.

Dazu war der zweite Teil der Strafe gedacht.

»Für so viel Milde wirst du nach jedem einzelnen Hieb deinem Herrscher für seine Güte danken, und zwar laut und deutlich, damit alle es hören«, rief Elmar, ließ Christians zurückgebogenen Kopf los und trat zur Seite.

Der Knecht, der die Hiebe austeilen sollte, verneigte sich vor dem Fürsten und wartete auf das Zeichen zu beginnen.

Albrecht ließ sich erst noch etwas heißen Würzwein einschenken, trank einen Schluck, machte es sich bequem und nickte Elmar kurz zu.

»Fang an!«, befahl dieser dem Prügelknecht.

Der holte weit aus, der erste Schlag zerriss die Haut auf Christians Rücken und ließ ihn gegen seinen Willen qualvoll stöhnen.

»Und nun der Dank!«, forderte Rutger ihn genüsslich auf. Auf diesen Augenblick hatte er lange gewartet.

»Ich … danke Euch … für Eure Güte …«, brachte Christian zwischen klappernden Zähnen hervor.

»… Hoheit!«, ergänzte Rutger hämisch.

»Ich danke Euch für Eure Güte, … Hoheit!«, ächzte Christian.

Nach jedem einzelnen Schlag hielt der Knecht inne, bis der Stallmeister jenen demütigenden Satz gesprochen hatte. Bald konnte er vor Qual und Kälte nur noch röcheln, und Rutger machte sich ein Vergnügen daraus, ihn die Worte noch einmal und noch einmal wiederholen zu lassen.

Nach zwei Dutzend Schlägen sackte Christian zusammen.

»Kippt einen Eimer Wasser über ihn, damit er nichts von seiner Strafe verpasst!«, befahl Rutger.

Das eiskalte Wasser brachte den jungen Stallmeister wieder zu sich. Aber nun schüttelte es ihn so vor Kälte, dass er nicht mehr sprechen konnte.

»Ich danke Euch für Eure Güte, Hoheit«, sprach Elmars Sohn ihm belustigt vor. »Solange wir das nicht gehört haben, können wir nicht weitermachen und die Sache zu Ende bringen. Also rasch, bevor Seine Hoheit anfängt, sich zu langweilen!«

Karl und Jonas, die vorn in der Reihe der Ratsherren knieten, wechselten einen verzweifelten Blick. Christian würde das nicht überstehen.

»Ich höre nichts!«, beharrte Rutger.

»Ich danke Euch für Eure Güte, Hoheit!«, rief Jonas in einer plötzlichen Eingebung. Er konnte einfach nicht länger zusehen, wie der Freund zu Tode gemartert wurde.

So wiederholte er seinen Ruf, und Karl und der alte Fuhrmann Friedrich stimmten ein: »Ich danke Euch für Eure Güte, Hoheit!«

Rutger wollte ein paar der Wachen zu den Rufern schicken, doch Albrecht hielt ihn davon ab.

»Das könnte unterhaltsam werden«, meinte er mit zynischem Lächeln und gab dem Prügelknecht das Zeichen für den nächsten Hieb. Seine Wachen zählten inzwischen mit.

»Ich danke Euch für Eure Güte, Hoheit!«, riefen die drei Ratsherren an Christians statt, und ein paar Stimmen aus den hinteren Reihen mischten sich mit den ihren.

Wieder ein Hieb auf den blutigen Rücken Christians, und wieder ein vielstimmiges »Ich danke Euch für Eure Güte, Hoheit!«.

Als Christian den letzten Hieb erduldet hatte, riefen mehr als die Hälfte derer, die sich auf dem Burghof befanden, im Chor: »Ich danke Euch für Eure Güte, Hoheit!«

Elmar gab dem Folterknecht das Zeichen, den Geschundenen loszubinden. Kraftlos stürzte Christian zu Boden.

Noch wagte es niemand, zu ihm zu gehen, immer noch knieten die Stadtbewohner auf dem eiskalten Boden und starrten voller Furcht, mancher auch mit verborgenem Zorn oder Hass, auf den Fürsten.

Der neigte sich zu Elmar hinüber, raunte ihm etwas zu und sagte dann, an die Menge gewandt: »Ich hoffe, dies war eine eindringliche Lektion für euch alle. Vergesst sie nie! Und nun geht in eure Häuser und bringt, was ihr mir schuldet.«

Zufrieden erhob sich Albrecht und ging zusammen mit seinem Gefolge in den Palas.

»Meine Männer haben sich eine Belohnung verdient«, sagte er zu Rutger. »Lasst die Weiber aus dem Hurenhaus kommen. Heute muss niemand dafür bezahlen, sie zu besteigen.«

»Sofort, Durchlaucht«, versicherte Rutger. »Und wonach steht Euch selbst der Sinn?«

Albrecht dachte kurz darüber nach. Im Moment reizte ihn keine der Freiberger Huren, die besten von ihnen kannte er zu Genüge.

»Etwas Junges, Unschuldiges«, sagte er und sog Luft ein, dass seine Nasenflügel bebten. Die Scham und das Entsetzen von Jakobs Tochter letzte Nacht hatte ihm einfach zu viel Genugtuung bereitet. Sie langweilte ihn zwar schnell, nachdem er sie erst entjungfert hatte, ihr wuchsen ja noch nicht einmal Brüste, aber ihre Angst und ihr Grauen vor dem Unbekannten, ihr Wimmern und Schreien fand er höchst erregend.

»Blond, braun, dunkel?«, erkundigte sich Elmars Ziehsohn beflissen.

Albrecht zögerte einen Moment, dann meinte er: »Blond. Ja, eine blonde, verängstigte Jungfrau …«

Ein zufriedenes Lächeln zog über Rutgers Gesicht.

»Der Gürtler hat ein hübsches Töchterchen, das dürfte ganz nach Eurem Geschmack sein. Ich lasse sie sofort holen.«

Als Albrecht mit seinem Gefolge im Palas verschwunden war, stürzte Johanna zu Christian, der reglos am Boden lag. Anna, Christians Frau, drängte sich verzweifelt zu ihr.

»Er lebt, er kommt durch«, versuchte Johanna, sie zu beruhigen, die schon besorgt nach einem Puls gesucht hatte. »Er muss nur hier weg und sofort ins Warme!«

»In den Stall?«, rief Anna unter Tränen. »Das sind nur ein paar Schritte.«

»Nein, ich brauche Feuer und warmes Wasser, warme Tücher ...«

»Tragen wir ihn zu meinem Karren und bringen ihn in mein Haus«, schlug Friedrich vor, der zu ihnen getreten war. Er winkte zwei der Stallburschen heran, die bereitwillig diese Arbeit übernahmen.

Mit einem verstörten Blick auf den Leichnam der Krämerin, der nach wie vor am Strick hing, sagte er leise zu den Schmieden, die ebenfalls voller Sorge um Christian gekommen waren: »Es war noch nie so hoffnungslos. Dass wir gar nichts tun konnten ... Keiner von uns ...«

»Ja. Er hat uns gezeigt, dass er die Macht hat, jeden Einzelnen von uns zu zerquetschen. Ein Wort von ihm genügt«, sagte Karl bitter.

Eine kleine Magd drängte sich zwischen ihnen hindurch. Sofort verstummten die Männer. »Peter sagt, der Gürtler soll schnellstens seine Tochter verstecken«, flüsterte sie und war im nächsten Augenblick schon wieder verschwunden.

Jonas drehte sich um, hielt Ausschau nach dem Gürtler und gab die Warnung leise weiter, als er ihn entdeckt hatte.

Dann sagte er zu Johanna: »Und du solltest mit deinen Kindern auch aus der Stadt verschwinden. Bei Karl bist du nicht mehr sicher. Es wird nicht lange dauern, bis dieses Scheusal Rutger merkt, dass ihm zwei Sergenten fehlen statt nur einem, und sich etwas zusammenreimt.«

Johanna schüttelte den Kopf. »Ich kann nicht weg, bevor ich Christian durchgekriegt habe. Wo soll ich denn hin? Und wer soll sich um euch kümmern, wenn ihr krank werdet? Marthe wäre auch nicht gegangen.«

Jonas packte sie an den Armen und sah ihr in die Augen. »Marthe *ist* gegangen, sonst wäre sie jetzt tot!«, mahnte er.

»Es wird hier bald noch viele Tote geben. Aber wir können nicht alle die Stadt verlassen«, widersprach Johanna.

Die anderen schwiegen resigniert.

Das Mädchen Luitgard

Jakobs Tochter verriegelte die Heimlichkeit und kauerte sich mit angezogenen Knien auf das Brett.

Hier war der einzige Ort, wo sie allein sein und all ihr Entsetzen und ihre Not aus sich herausweinen konnte.

Sosehr sie sich jetzt wünschte, dass jemand sie tröstend in den Arm nahm und ihr versprach, alles komme wieder in Ordnung – sie vermochte mit niemandem über das Grauen zu reden, das sie durchlitten hatte. Ihre Eltern waren weit fort und durften das Gut nicht verlassen, ihr Bruder abkommandiert. Keines von den anderen jungen Mädchen, die mit ihr erzogen wurden, durfte davon erfahren. Und schon gar nicht die Fürstin, denn es war ihr Gemahl, der sie dazu gezwungen hatte, ihre Herrin zu betrügen.

Sophia würde sie prügeln und dann fortjagen, und niemand würde sie aufnehmen. Auch kein Kloster, denn sie war nicht mehr rein, entehrt und eine Ehebrecherin dazu. Und wenn sie floh – doch wohin? –, würde man es ihre Eltern und ihren Bruder büßen lassen.

Nichts würde jemals wieder in Ordnung kommen, sagte sie sich zum tausendsten Male seit der Schreckensnacht und zog die Arme noch enger um den zusammengekrümmten schmalen Leib.

Sie hatte Trost und Beistand bei ihrem Beichtvater gesucht, doch der verurteilte sie mit strengen Worten als schlimme Sünderin. Sie sei selbst schuld und nun verflucht, denn offensichtlich müsse sie den Fürsten durch ihre Unkeuschheit dazu verlockt haben. Ihren verzweifelten Schwüren, sie habe das nicht gewollt, doch wie hätte sie sich einem Befehl des Regenten widersetzen können, hielt er nur entgegen, sie sei eben sündig und verdorben wie alle Weiber und deshalb verdammt.

Sie war verdammt. Sie war entehrt. Und sie war bis ins Mark entsetzt. Sie hatte nichts über Männer in der Nacht gewusst. Nur, dass die Frauen zur Strafe für Evas Sünde das Ehebett als Buße zu ertragen hatten. Aber es war nicht einmal ihr Ehebett gewesen. Und sie hatte keine Ahnung gehabt, dass Männer sich in solch ein … wildes Tier verwandeln konnten.

Mehr noch als die Schmerzen in ihrem ganzen Körper quälte sie die Erinnerung an die Einzelheiten: wie er sich auf sie warf, sich an ihren Schreien ergötzte, die knurrenden Laute, die er von sich gab, als er ihr diese unaussprechlichen Dinge antat.

Sie war verdammt. Sie wollte sterben. Das könnte die beste Lösung sein, die einzige, wenn sie sich ausmalte, dass man sie vielleicht heute wieder in diese Kammer befehlen würde.

Aber die Kirche verbot den Selbstmord, weil er die schrecklichste Sünde überhaupt war und zu ewiger Verdammnis im Höllenfeuer führte.

Wenn sie noch eine Weile hocken blieb in diesem eiskalten Erker, vielleicht würde sie dann ja krank werden und sterben? So ein Fieber tötete manchmal rasch.

Oder wenn sie auf einer der Treppen ausrutschte und stürzte?

Eine Geschichte ging ihr nicht aus dem Sinn, die manchmal auf dem Burgberg erzählt wurde, von einem Mädchen, das geheißen hatte wie sie: Luitgard. Sie war vor Jahren gegen ihren Willen mit einem sehr mächtigen und rücksichtslosen Ritter vermählt worden, Randolf. Kurz nach der Brautnacht fand man ihren Körper zerschmettert am Fuße des Burgberges. Ein Unfall, hieß es offiziell, aber die Mägde wisperten, sie hätte die Gewalttätigkeit dieses Mannes einfach nicht ertragen können. Ihr ruheloser Geist sei auf der Burg umgegangen, bis dieser Randolf endlich von einem Ritter namens Christian getötet worden war, einem Freund ihres Oheims Lukas, den jene Luitgard geliebt hatte.

Doch Lukas konnte ihr auch nicht helfen, er war tot.

Jemand hämmerte gegen die Tür und brüllte, wann denn nun endlich die Heimlichkeit wieder frei sei. Mit dem Ärmel strich sich Luitgard über das verheulte Gesicht, schob den Riegel zurück und huschte mit gesenktem Kopf hinaus, ohne sich näher von dem Ungeduldigen in Augenschein nehmen lassen.

In der Hoffnung, von niemandem gesehen zu werden, schlüpfte sie in die Schlafkammer der Jungfrauen, die bei Hofe erzogen wurden. Aber sie war nun keine Jungfrau mehr, sie hatte ihre Jungfräulichkeit verloren – ihr kostbarstes Gut, und das auch noch auf so grauenvolle Weise!

Luitgard kletterte auf eine der Sitznischen am Fenster und beugte sich weit vor, um hinabzusehen. Durch den schmalen Spalt würde sie sich hindurchzwängen können. Aber wenn sie sprang, würde sie ewig im Höllenfeuer schmoren und die schrecklichsten Qualen erleben. Dann war sie verdammt auf alle Zeit.

Doch drohte ihr das Höllenfeuer nicht ohnehin nach den Worten des Beichtvaters? Würde das schlimmer sein, als ihr Schicksal in Demut zu ertragen?

Höllenfeuer.

Die nächste Order in Albrechts Kammer.

Höllenfeuer.

Dem Ungeheuer wieder ausgeliefert.

Höllenfeuer.

Sie hörte Schritte sich nähern, feste Männerschritte in Stiefeln mit Sporen.

Kamen sie sie erneut holen?

Höllenfeuer und ewige Verdammnis.

Aber sie *war* doch schon verdammt!

Die Schritte klangen nun ganz nah und verharrten vor der Tür.

Sie würden sie holen, und dann würde er sich wieder in ein wildes Tier verwandeln und auf so unaussprechliche Weise über sie herfallen, dass es ihre Seele zerriss.

Als es klopfte, schlug Luitgard ein Kreuz und zwängte sich hastig durch den Spalt.

Im Fallen breitete sie die Arme aus. Wie ein Engel.

DRITTER TEIL

Auf verlorenem Posten

April 1192 in Weißenfels

Mit geschlossenen Lidern lehnte sich Clara an Dietrich und gab sich ganz dem Augenblick hin. Die beiden Verliebten genossen einen der raren Momente der Zweisamkeit zwischen den vielen Mühen und Verpflichtungen des Tages. Dietrich hatte die Wintermonate genutzt, um den Aufbau der zerstörten Dörfer zu unterstützen, neue Truppen aufzustellen und auszubilden; Clara übernahm unterdessen auf seine Bitte hin die Aufgaben, die früher Gottfried und Gertrud oblagen. Niemand auf der Burg schien sich darüber zu wundern. Man behandelte Clara, als sei sie Dietrichs Gemahlin, nur dass niemand sie mit »Gräfin« anredete, weil ihr das nicht zustand.

Von der thüringischen Fürstentochter sprach niemand. Was sollten sie hier auch mit einem Kind, da es doch so viel zu tun gab? Die Frau an Dietrichs Seite erwies sich als geschickt bei der Verwaltung der Vorräte, sie hatten trotz der Kriegsschäden den Winter überstanden, ohne hungern zu müssen, und ihre Kenntnisse als Heilerin waren nicht hoch genug einzuschätzen. Noch dazu machte sie den Grafen unübersehbar glücklich – und ein glücklicher Herrscher war zumeist auch ein milder Herrscher.

Sanft strich Dietrich über Claras gewölbten Leib. Er konnte es kaum erwarten, seinen Sohn oder seine Tochter in den Armen zu halten.

Sie lächelte versonnen, weil sie wusste, dass er nur zu gern von ihr hören wollte, ob es ein Junge oder ein Mädchen werden würde. Aber sie weigerte sich, das vorauszusagen – aus Furcht, sie könnte sich irren.

Stattdessen zog sie seine Hand ein Stück nach vorn und drückte sie fester auf ihren Leib. Sofort kam ein kräftiger Stoß von innen als Protest und beulte ihren Bauch aus.

»Es wird ein starkes Kind, gesund und lebenstüchtig«, meinte Dietrich voller Zuversicht und knabberte an ihrem Ohrläppchen.

Clara schmiegte sich noch enger an ihn und streichelte die Hand, die schützend über ihrem ungeborenen Kind lag. Dann blinzelte sie in die Sonne, die durch den Fensterspalt schien und ihr Gesicht wärmte, während sie sich Dietrichs Berührungen hingab.

Nirgendwo fühlte sie sich geborgener als in seiner Armen. Nur der Augenblick zählte. Alles, was noch an Übel auf sie zukommen konnte und würde, war in diesem Moment wie ausgelöscht.

Selbst die Geräusche, die von draußen in die Kammer drangen, waren freundlich: Vogelzwitschern und das Lachen zweier Mägde über einen Scherz der Stallburschen statt Lärm und Gezänk.

Auch Dietrich schien mehr und mehr in Gedanken zu versinken.

»Deine Mutter soll sich um die Entbindung kümmern, wenn deine Zeit naht«, sagte er nach einer Weile in die trügerische Stille hinein.

Jäh verflogen Claras Träumereien.

»Sie wird nicht kommen. Lukas wird es nicht erlauben«, sagte sie bedrückt. »Er grollt uns immer noch.«

Hätte er sonst nicht wenigstens einen der Boten einen Gruß ausrichten lassen, die sich den Winter über aus diesem oder jenem Anlass von Eisenach nach Weißenfels durch den Schnee gekämpft hatten?

Lukas' unversöhnliche Haltung war ihr größter Kummer in dieser ansonsten glücklichen Zeit.

»Sie kommen. Beide. Wenn alles gutgeht, sogar heute noch«, sagte Dietrich betont beiläufig und freute sich über Claras verblüffte Miene.

»Aber wie habt Ihr …?«, wollte sie fragen und drehte sich zu ihm, so schnell es ihr gerundeter Leib zuließ.

»Ich weiß nicht, ob Lukas mir vergibt«, räumte er ein. »Ich habe Raimund und Elisabeth gebeten, nach Eisenach zu reiten und bei ihm für mich ein gutes Wort einzulegen. Doch unabhängig davon wird er kommen, um Thomas' Vorhaben mit mir zu besprechen.«

»Wieso habt Ihr mir nichts davon gesagt?«, fragte sie, immer noch aus der Fassung. Sie weigerte sich nach wie vor, ihn mit dem vertraulichen »Du« anzureden, selbst unter vier Augen. »Ich muss mich um ein Quartier für sie kümmern, ein anderes Kleid anziehen, Änne wecken … Bei allen Heiligen!«

Schon stand sie auf, ihre Hände flatterten vor lauter Aufregung. »Vielleicht trete ich ihnen lieber gar nicht unter die Augen …«

Beschämt sah sie zu Boden.

Dietrich griff nach ihren Händen und zog sie erneut zu sich. »Ich wollte nicht, dass du dir vorher schon solche Sorgen machst, deshalb habe ich nichts davon verraten«, sagte er lächelnd.

Dann sah er ihr in die Augen und legte eine Hand erneut auf ihren gewölbten Leib. »Und ich will nicht, dass du dich schämst. Ich werde dieses Kind anerkennen und für euch sorgen, wie ich es versprochen habe. Wird es ein Junge, soll er meinen Namen bekommen, wird es ein Mädchen, soll es nach meiner Mutter Hedwig heißen.«

Mit großen Augen sah sie ihn an. »Wollt Ihr diese Namen nicht Euren *legitimen* Erstgeborenen vorbehalten?« Das war Tradition und eine wichtige Angelegenheit in der Erbfolge edler Geschlechter.

»Diese Namen sind meinem *Erstgeborenen* vorbehalten, dem Kind, das mir die Frau schenkt, die ich von ganzem Herzen liebe«, widersprach Dietrich entschlossen. Dann küsste er sie.

Weil er ihre Unruhe spürte, führte er sie zur Tür. »Nun geh schon und bereite alles für ihre Ankunft vor. Aber sag deinem Bruder noch nichts davon!«, bat er.

Clara nickte und ging hinaus. Das Herz hämmerte ihr wie wild bei dem Gedanken an das Wiedersehen mit ihrer Mutter und mit Lukas, der im Groll von ihr gegangen war.

Wieder einmal durchquerte Lukas die Saalefurt bei Weißenfels. Doch an diesem Tag war niemand am Fluss, der sich auf einen Angriff vorbereitete, und auch der Ort wirkte friedlich.

Der Unfriede herrschte dieses Mal in seinem Inneren.

Marthe, die an seiner Seite ritt, wusste ziemlich genau, was in ihm vorging. Schließlich hatten sie in den letzten Monaten oft genug darüber gestritten.

Auch Raimund und Elisabeth, die jetzt mit ihnen, dem jungen Wito und ein paar Knappen ritten, hatten ihm versichert, dass Clara auf Weißenfels mit Achtung und Höflichkeit behandelt wurde. Aber was würde aus ihr werden, wenn Dietrich sein Wort halten und Jutta heiraten musste? Ewig konnte er das nicht aufschieben. Dann musste Clara gehen, und der Makel würde ein Leben lang an ihr haften.

»Nun gib deinem Herzen einen Stoß!«, rief Marthe ihm zu, die ihr Pferd direkt neben seines gelenkt hatte, während sie langsam durch die Furt ritten.

Sie lächelte ihn auffordernd an, aber Lukas reagierte nicht. So ohne weiteres, nur mit einem Lächeln, würde er sich nicht umstimmen lassen. Insgeheim fühlte er sich irgendwie hilflos, weil er nicht wusste, wie der dem Grafen gegenübertreten sollte. Auf Ottos jüngeren Sohn richteten so viele Menschen ihre Hoffnung angesichts der blutigen Herrschaft seines Bruders, auch er selbst,

Lukas. Aber seine Enttäuschung darüber, dass Dietrich Clara zur Geliebten genommen hatte und ihr damit die Zukunft zerstörte, machte ihm schwer zu schaffen.

»Und wir werden endlich unsere Enkeltochter wiedersehen!« Seine Frau ließ einfach nicht locker mit ihren Versuchen, ihn zum Lächeln zu bringen.

»Änne wird uns gar nicht erkennen«, plauderte Marthe weiter, seine finstere Miene missachtend. »Seit wir sie letztes Mal sahen, ist mehr als ein halbes Jahr vergangen. Jetzt ist sie zwei und wird bestimmt schon zu sprechen versuchen.«

»Das dritte Weib in dieser Familie, das mir dann Widerworte gibt«, antwortete Lukas in gespieltem Ärger und verdrehte die Augen. »So mache ich mich endgültig zum Gespött der Ritterschaft.«

Marthe lachte kurz auf und sah ihn liebevoll an. »Das glaube ich nicht. Ich bin entschlossen, so viel Zeit mit der Kleinen zu verbringen, dass sie mich nicht mehr vergisst und bei unserem nächsten Besuch wiedererkennt.«

Der wehmütige Zug, der sich dabei in ihre Miene schlich, ließ ahnen, dass sie eine vollständige Versöhnung zwischen Lukas und Dietrich für wenig wahrscheinlich hielt und sich bereits damit abgefunden hatte, bald nach Eisenach zurückzukehren.

Ein Reiter kam ihnen von der Burg entgegengeprescht: Thomas, wie sie bald erkannten. Er saß auf Drago, seinem neuen Hengst, und mit jedem Schritt, den sie sich näherten, überkam Marthe das Gefühl, ihrem wiederauferstandenen geliebten Ehemann Christian zu begegnen.

Er sieht seinem Vater so ähnlich, dachte sie zutiefst aufgewühlt beim Anblick ihres Erstgeborenen und blinzelte die Tränen weg. Lukas kannte seine Frau gut genug, um zu erraten, was in ihr vorging. Die Ähnlichkeit zwischen Thomas und seinem Vater war zu offensichtlich; noch dazu, da Thomas diesen wunderbaren Grauschimmel ritt.

Eifersucht loderte in ihm auf. Vergeblich versuchte er, diese Regung niederzukämpfen, weil er sich dafür schämte und weil es widersinnig war, auf einen Toten eifersüchtig zu sein. Oder war es das nicht?

In den ersten Jahren seiner Ehe mit Marthe hatte sich Lukas jeden Tag und jede Nacht gefragt, ob Christian nicht unsichtbar zwischen ihnen stand. Und gerade stellte er sich diese Frage von neuem. Würde sie ihn jemals so lieben, wie sie Christian geliebt hatte?

Ein Zweifel, der in seinen Eingeweiden wühlte und seine Laune nicht gerade besserte.

»Willkommen in Weißenfels!«, rief Thomas. Er zügelte den Grauschimmel, nickte Lukas und seiner Mutter zur Begrüßung zu und wendete das Tier, mit dem er wie verwachsen schien. Offenkundig hatte er in den Wintermonaten viel Zeit damit verbracht, sich mit dem Hengst vertraut zu machen, um mit ihm eins zu werden.

Auf dem Burghof angelangt, veranlasste der junge Ritter, dass den Reisenden die Pferde abgenommen und ein Trunk zur Erfrischung gebracht wurde.

»Ich soll Euch beide gleich zu Graf Dietrich geleiten. Geht es meinen Brüdern gut?«

»Ja, sie lassen dich grüßen. Du würdest staunen zu sehen, wie gut Daniel inzwischen mit dem Schwert ist«, berichtete Marthe und umarmte ihren Erstgeborenen.

»Das will ich doch hoffen«, knurrte Thomas. »Er hat Vaters und Euren Ruf zu verteidigen.«

Das war an Lukas gerichtet, der sich insgeheim darüber freute, von seinem Stiefsohn mit Christian in einem Atemzug genannt zu werden.

Vergeblich hielt Marthe nach Clara und Änne Ausschau. Das hat bestimmt Dietrich so eingerichtet, überlegte sie. Um Lukas' Zorn – sollte er noch nicht verebbt sein – als Erster abzufangen.

Während sie über den Hof schritten, hielt Thomas seinen Stiefvater für einen Moment zurück. »Seid nicht so streng mit Clara!«, bat er zu dessen Verblüffung. »Sie ist glücklich. Und das hat sie verdient nach all dem, was sie durchmachen musste. Ihr müsst nur sehen, wie ihre Augen leuchten, wenn sie bei ihm ist. Dann werdet Ihr es verstehen.«

Dietrich empfing Marthe und Lukas in aller Höflichkeit, als sie in seiner Kammer vor ihm niederknieten.

»Esst, trinkt«, bot er ihnen an und wies auf die köstlich duftenden Speisen, die auf dem Tisch standen. »Wünscht Ihr, dass ich Euch ein Bad richten lasse, damit Ihr Euch nach der langen Reise erfrischen könnt?«

»Ich würde es vorziehen, wenn Ihr gleich zur Sprache bringt, weshalb Ihr uns gerufen habt«, erklärte Lukas kühl, und ein schmerzlicher Zug huschte über Marthes Gesicht.

Dietrich ließ sich nicht anmerken, wie sehr ihn diese Zurückweisung traf, sondern gab Thomas ein Zeichen. Der ging hinaus, und wenig später betrat Clara die Kammer, mit ihrer Tochter auf dem Arm.

Im ersten Augenblick war Lukas ganz vom Anblick der kleinen Änne gefangen, in deren kindlichen Zügen er so viel Ähnlichkeit mit ihrer Mutter und ihrer Großmutter entdeckte. Marthe streckte Clara sofort die Arme entgegen, um ihr das Töchterchen abzunehmen.

Und da erst begriff Lukas.

Auch wenn es nicht wirklich überraschend kam – es nun zu sehen, verschlug ihm für einen Augenblick die Sprache. Brüsk stand er auf, als wolle er sofort gehen, und fragte voller Bitterkeit: »Ihr ruft uns hierher, um mir zu zeigen, dass meinen Stieftochter mit einem Bastard schwanger geht?!«

»*Bitte* setzt Euch!«, wies Dietrich ihn entschieden zurecht, und allein die Tatsache, dass ein Graf einem Niedergestellten gegenüber »Bitte« sagte, zeigte, welche außergewöhnliche Wertschätzung Lukas trotz seiner Störrischkeit bei ihm genoss.

Clara war zusammengezuckt und wollte sich in eine der Fensternischen zurückziehen, so weit von den anderen entfernt, wie es nur ging. Doch Dietrich forderte sie auf, an seiner Seite Platz zu nehmen.

»Ich habe Euch *unter anderem* gerufen, um Marthe zu bitten, ihrer Tochter in der schweren Stunde beizustehen, wenn es so weit ist«, erklärte er streng, aber ruhig. »Clara musste ihr erstes Kind unter schrecklichen Bedingungen zur Welt bringen, auf der Flucht, nachts mitten im kalten Wald. Wenn sie Euch wirklich etwas bedeutet, werdet Ihr so wie ich wünschen, dass sie diesmal die beste Pflege hat. Ja, es wird ein Bastard – aus Gründen, die niemand besser kennt als Ihr. Aber ich werde ihn legitimieren und dafür sorgen, dass dieses Kind die beste Erziehung bekommt und einmal Bischof oder Äbtissin wird.«

Das ist wohl so üblich im Hause Wettin, dachte Lukas zynisch in Erinnerung an Ottos jüngeren Bruder Dietrich von Landsberg, den einstigen Markgrafen der Ostmark. Dieser musste eine polnische Königstochter heiraten, um Frieden an den Grenzen seiner Mark zu schaffen, doch geliebt hatte er eine Ministerialentochter, Kunigunde von Plötzkau. Sie gebar ihm zwei Kinder, für die er vorbildlich sorgte. Ohne die Hilfe des Landsbergers hätten sie es vor vielen Jahren nicht geschafft, Christian aus Randolfs Kerker zu befreien. Damals, unmittelbar bevor Christian und Marthe zusammenfanden ...

Erneut versetzte ihm die Eifersucht einen schmerzhaften Stich. Also wird mein nächster Enkel kein Ritter, sondern ein Pfaffe, dachte er verbittert.

Misstrauisch sah Lukas von Dietrich zu Marthe und erkannte, dass die beiden bereits wortlos ein Abkommen miteinander geschlossen hatten, auch wenn Marthe scheinbar völlig mit der kleinen Änne beschäftigt war, die sich auf ihrem Schoß sichtlich wohl fühlte. Sie zerrte an der Messingfibel, die den Halsausschnitt von Marthes Bliaut zusammenhielt, prustete und quietschte vor Vergnügen und ließ sich mit den Honigküchlein füttern, die auf dem Tisch standen.

Ich bin hier wohl auf verlorenem Posten, gestand sich Lukas ein. Natürlich wollte er Clara in besten Händen wissen, wenn sie schon niederkam. Zu viele Frauen starben im Wochenbett. Es grenzte an ein Wunder, dass Clara die erste Entbindung unter so furchtbaren Bedingungen überlebt hatte. Diesmal sollte sie es besser haben.

Lukas' nun versöhnlichere Miene nahm Dietrich als Zeichen dafür, dass der väterliche Freund die Waffen streckte – zumindest vorläufig.

»Der zweite Grund, aus dem ich Euch zu mir gebeten habe, ist ein Plan, den sich Euer Stiefsohn ausgedacht hat«, sagte er nun. »Er ist waghalsig, aber leider auch im Moment das Einzige, was wir für die Freiberger tun können, die schwer unter der Herrschaft meines Bruders leiden. Ich möchte ihn nicht auf diese riskante Mission schicken, ohne Eure Meinung gehört zu haben. Vielleicht fällt Euch auch noch diese oder jene List ein, um den Plan zu verbessern.«

»Ich bin wohl der denkbar Schlechteste, den Ihr dafür wählen könntet«, brachte Lukas heraus. »War es nicht mein Einfall, ihn und Roland mit Euch ins Heilige Land zu schicken? Nun ist Roland tot, und Thomas wird vielleicht nie wieder den Arm bewegen können wie früher.«

»Wären sie in der Mark Meißen geblieben, hätte mein Bruder beide umgebracht«, widersprach Dietrich energisch. »Ihr seid sein Stiefvater; er achtet Euch als Kämpfer und besten Freund seines Vaters. Auf Euch wird er deshalb eher hören als auf Eure Gemahlin, deren Einwendungen er vermutlich als übertriebene mütterliche Fürsorge abtut. Außerdem kennt sich niemand von uns besser in Freiberg aus als Ihr.«

Werde ich wohl jemals aus Christians Schatten heraustreten?, dachte Lukas, während er zustimmend nickte. Clara stand auf, nahm Marthe die kleine Änne ab und übergab sie der draußen wartenden Lisbeth. Was jetzt zu besprechen war, erforderte volle Konzentration, das wusste auch Marthe.

Clara erteilte einem der Diener die Anweisung, ihren Bruder zu rufen, ging zurück in die Kammer und schenkte Wein nach, bevor sie sich wieder an Dietrichs Seite setzte.

»Thomas hat genug Kampfgeschick und Verbündete, um diese Sache heil zu überstehen«, sagte sie dabei, und die Art, wie sie es sagte, zeigte deutlich, dass sie sich lange darüber Gedanken gemacht hatte. »Ich zweifle nicht an seinem Mut. Aber daran, ob er sich nicht aus Rachsucht zu irgendetwas hinreißen lässt … und es ihn nicht kümmert, wenn er dabei getötet wird. Dass er den Tod vielleicht sogar sucht, auch wenn Gott das verbietet.«

»Ja, seine Augen sind immer noch wie erloschen«, gab Marthe ihrer Tochter recht und rieb sich bekümmert die Stirn. »In Gedanken ist er noch im Heiligen Land, bei Roland und den anderen Toten, die er dort gelassen hat.«

Clara nickte. Eine kurze Zeit lang hatte sie geglaubt, Lisbeth, das Kindermädchen, könnte die Seele ihres Bruders aus der Finsternis holen, durch die er im Geiste wandelte. Doch Lisbeth hatte inzwischen den Schmied Guntram geheiratet und war schwanger – noch nicht weit genug, als dass Thomas der Vater sein könnte. Seit ihr Bruder das wusste, hielt er sich von ihr fern. Er war zu anständig und zu stolz, aufgrund seines Standes zu fordern, dass eine verheiratete Magd das Lager mit ihm teilte. Und unter den Jungfrauen oder jungen Witwen auf der Burg war nicht eine, die ihn interessierte. So fraß die Bitterkeit weiterhin seinen Lebenswillen auf.

Einen Augenblick herrschte Stille in der kleinen Runde.

Erneut lud Dietrich seine Gäste ein, sich zu stärken, und hungrig langten beide zu. Das Eis schien nun gebrochen, und aller Voraussicht nach stand eine längere Unterredung bevor.

»Seid Ihr im Bilde über den Rachefeldzug meines Bruders nach der Niederlage von Weißenfels?«, fragte der Graf.

Lukas schüttelte den Kopf. »Den ganzen Winter lang saßen wir in Eisenach fest, und Landgraf Hermann pflegt mich nicht einzuweihen, was ihm seine Spione berichten.«

»Mein Bruder wütet grausamer denn je, und sein Misstrauen ist allumfassend«, begann Dietrich. »Nach seiner Rückkehr ließ er meine Mutter zu sich beordern und vor ihren Augen den Seußlitzer Burgkommandanten hinrichten.«

»Lothar?«, fragte Lukas bestürzt und bekreuzigte sich, als Dietrich nickte. »Er hatte mich heimlich zu Eurer Mutter geführt, als ich vor zwei Jahren nach meiner Frau suchte. Gott sei seiner Seele gnädig!«

»Jetzt hält Albrecht meine Mutter unter noch strengeren Bedingungen auf Seußlitz fest, und es ist mir beinahe unmöglich, Verbindung mit ihr zu halten.«

»Beinahe?«

Dietrich lächelte knapp. »Es muss uns genügen, dass sie mich verständigen kann, wenn Gefahr für sie droht. Unser gemeinsamer Bekannter Ludmillus musiziert dort ab und zu. Bewacht wird sie von Euerm Schwager Gerald, und auf dessen Nachsicht dürfen wir nicht hoffen.«

»Gerald ist nicht mehr Marschall?«, fragte Lukas verblüfft. Er hatte den Bruder seiner ersten, ungeliebten Ehefrau für jemanden gehalten, der sich mit allen Mitteln Albrechts Wohlwollen zu sichern versuchte. War er etwa in Ungnade gefallen?

»Euer Schwager wurde in der Schlacht zu schwer verletzt, als dass er vorerst dieses Amt ausüben könnte. Deshalb schickte ihn mein Bruder nach Seußlitz. Er traut niemandem mehr außer seinem Truchsess, den er nun auch noch zum Marschall ernannte, und seinem fetten Schenken. Vielleicht auch dem Gelehrten, denn dieser hat anscheinend mit gewissen Elixieren bewirkt, dass Sophia schwanger wurde. Doch sie konnte das Kind erneut nicht austragen, was die Stimmung auf dem Meißner Burgberg noch gefährlicher macht.«

Dietrich trank einen Schluck, lehnte sich zurück und sah Lukas direkt in die Augen, als er weitersprach. »Es ist noch jemand von Euren Verwandten auf Seußlitz: Jakob, Euer Neffe und einstiger Knappe. Sein Vater, Euer Bruder, darf seine Ländereien nicht verlassen, zur Strafe dafür, dass er sich weigerte, Raimund zu foltern. Von Euerm Neffen verlangt Albrecht Spitzeldienste auf Seußlitz, die sich gegen meine Mutter richten. Und Eure Nichte Luitgard ...«

Er hielt inne und sah Lukas an. »Habt Ihr davon gehört?«

Marthe stieß einen dumpfen Laut aus, und nun machte sich auch Lukas auf schlimmste Nachrichten gefasst. »Wovon gehört?«

»Nach allem, was wir wissen, hat der Markgraf sie in sein Bett gezwungen. Vielleicht auch Elmar, das ist nicht gewiss. Jedenfalls fand man am nächsten Tag ihren Leichnam zerschmettert unterhalb des Burgberges.«

»Sie war erst zwölf!«, stöhnte Lukas und grub sich die Hände ins Haar.

»Hat man ihr wenigstens ein christliches Begräbnis gewährt?«, fragte Marthe mit brüchiger Stimme, der sofort schreckliche eigene Erinnerungen und die Geschichte einer anderen Luitgard vor Augen standen.

»Ja, um den Eindruck zu erwecken, es habe sich um einen Unfall gehandelt, vermutlich auf Elmars Betreiben. Mein Bruder bringt seine Ritterschaft in einem Maße gegen sich auf, dass er sich langsam fragen muss, ob sie noch zu ihm steht, wenn es hart auf hart kommt.«

»Könnte uns das Jakob zum Verbündeten machen? Ich weiß, Tapferkeit und Treue sind nicht gerade seine größten Tugenden, aber das dürfte seine Einstellung doch ändern. Soll ich unerkannt zu ihm reiten und mit ihm sprechen?«, bot Lukas an.

Dietrich schüttelte energisch den Kopf. »Einer der Söhne meines Burgkommandanten war die ganzen letzten Wochen unterwegs, um die Lage in der Mark Meißen zu erkunden. Dabei suchte er auch Euren Bruder auf. Jakob wagt nicht, etwas zu unternehmen, um nicht auch noch seinen Jungen in Gefahr zu bringen. Doch er schwor Verschwiegenheit und bat, Euch ausdrücklich auszurichten, nicht auf die Güter Eures Vaters zu kommen, weil Elmar Euch dort auflauern lässt. Nur deshalb ist Euer Bruder überhaupt am Leben: als Köder. Nie war Elmar begieriger auf Euren Tod.«

Bekümmert rieb sich Lukas den Bart.

»Ich hasse es, nichts tun zu können«, meinte er. »Aber wie es aussieht, können wir derzeit wirklich nichts unternehmen. Welche Neuigkeiten habt Ihr aus Freiberg?«

Dietrich lächelte verhalten. »Von dort erreichen uns etwas mehr Nachrichten, dank Eurer beiden Sergenten, die beschlossen haben, in die Stadt zurückzukehren.«

»Kuno und Bertram?«, fragte Marthe erstaunt. »Und man hat ihnen nichts angetan?«

»Sie wurden bestraft für ihr Verschwinden, aber es geht ihnen gut, soweit ich weiß«, berichtete Dietrich. »Kuno war in großer Sorge um seine Frau und seine Kinder, und er wollte sie nicht nach Einbruch des Winters hierherbringen. Sie hatten die Lage sorgfältig ausgekundschaftet – Ihr werdet besser wissen als ich, mit wessen Hilfe – und waren schlau genug, zuerst zu diesem eifernden Pater Sebastian zu gehen und ihm Reue vorzugaukeln. Nachdem der ihnen vergeben hatte, musste es auch Vogt Heinrich. Angesichts der hohen Verluste in Weißenfels ist er wohl froh über jeden guten Mann, den er in Dienste nehmen kann.«

»Wie steht es sonst in der Stadt?«, wollte Lukas wissen. Doch ein Klopfen unterbrach ihre Unterredung.

Thomas trat ein und wurde von Dietrich aufgefordert, seinen Plan vorzustellen.

»Es ist mir zutiefst zuwider, was in Freiberg vor sich geht, und nicht dagegen vorzugehen«, begann dieser voller Zorn und Ungeduld. »Der Markgraf hat doppelte Abgaben erhoben, die Menschen hungern und schuften sich in den Gruben und an den Scheidebänken fast zu Tode. Wer nicht zahlen kann, den lässt diese Ratte Rutger bis aufs Blut prügeln. Sein erstes Opfer war mit falscher Anschuldigung wieder einmal Christian, der Stallmeister. Und was mich besonders stört: Dieser Kerl macht sich immer noch in unserem Haus breit, während er die Leute schindet. Ich denke, er verdient eine Abreibung und eine Mahnung, sich etwas mehr zusammenzureißen.«

»Wie hast du dir das vorgestellt?«, fragte Lukas sachlich, und Thomas war sehr erleichtert darüber, dass sein Stiefvater seine Worte nicht als Prahlerei oder Leichtsinn abtat, sondern ernst nahm.

Nachdem er den Plan vorgetragen hatte, tauschten Lukas und Marthe einen Blick. Wieder einmal hatte Thomas das Gefühl, dass sie sich wortlos verständigten.

»Ich habe mindestens ebenso viel Lust und Anlass, diesem Kerl eine Lehre zu erteilen«, erklärte Lukas dann. »Deshalb werde ich dich begleiten.«

»Meine Chancen stehen besser, wenn ich allein reite«, wies Thomas das Angebot zurück. Beinahe beleidigt fragte er: »Traut Ihr mir etwa nicht zu, dass ich das allein schaffe? Fürchtet Ihr, ich würde die Beherrschung verlieren, unüberlegt Rache nehmen und damit ein weiteres Blutgericht über Freiberg heraufbeschwören? Leichtsinnig mein Leben wegwerfen?«

Die letzte Frage richtete er an seine Mutter. Er konnte sich durchaus vorstellen, was sie dachte – so wie sie genau wusste, was in ihm vorging.

»Ich denke auch, er sollte allein reiten«, ergriff Dietrich für den jungen Ritter Partei. »Lukas, Ihr seid viel zu bekannt in Freiberg und viel zu sehr gesucht. Euer Stiefsohn hat hingegen die Stadt verlassen, als er ein noch Knabe war.«

»Ich lasse mir unterwegs einen Bart stehen, dann wird mich niemand erkennen«, erklärte Thomas.

»Du bist das leibhaftige Abbild deines Vaters«, hielt Lukas ihm vor, beinahe wütend darüber, dass er nun schon zum dritten Mal hintereinander an Christian erinnert wurde. »Noch dazu auf diesem Hengst!«

»Haltet Ihr mich für so eitel und dumm, dass ich Drago auf diese Reise mitnehmen würde?«, widersprach Thomas beleidigt. »Ich habe mir diese Sache ausgedacht und werde das Wagnis allein tragen. Wenn ich Freiberg lebend erreiche, helfen Peter und die Schmiede mir weiter.«

Plötzlich war der Ton scharf geworden. Nicht einmal Marthes schlichtende Worte konnten etwas dagegen ausrichten. Erst als Clara leise aufstöhnte, den geschwollenen Leib vorstreckte und sich den schmerzenden Rücken rieb, zügelten sich die Streithähne. Ein solcher Streit vor einer Schwangeren konnte wohl kaum gut für die werdende Mutter und das Ungeborene sein.

Lukas räusperte sich, pickte ein paar Schwachpunkte in Thomas' Plan heraus und unterbreitete Vorschläge. Nach einigem Hin und Her tauschte er erneut einen Blick mit Marthe, stand auf und umarmte seinen Stiefsohn. »Nimm meinen Segen! Möge Gott Seine schützende Hand über dich halten.«

Dann packte er den jungen Mann bei den Armen. »Beim heiligen Georg, ich wünschte, ich könnte mir dir tauschen! Es passt mir nicht, dass wir gar nichts tun können außer ein paar Nadelstichen.«

Wieder stand ihm ein Versprechen vor Augen, das er Marthe in düsterster Zeit gegeben hatte: Albrecht zu töten, wenn es keinen anderen Ausweg gab. Er war bereit dazu. Doch Dietrich hielt den Zeitpunkt offenbar noch nicht für gekommen, mit Waffengewalt gegen seinen Bruder vorzugehen.

Erleichtert über diesen Ausgang, fragte sich der Graf von Wei-ßenfels im Stillen, ob er Lukas bitten sollte, auch ihm und Clara seinen Segen zu geben. Doch das war wohl noch zu früh. Er sollte sein Glück nicht zu sehr herausfordern. Vorerst musste er sich schon zufriedengeben, wenn der Mann, der für ihn stets ein Vorbild gewesen war und den er sehr schätzte, sich bereit zeigte, mit ihm zu sprechen, und die Zustimmung zu Thomas' tollkühnem Plan gab.

Nächtlicher Besuch

Rutger wollte gerade in lautes Schimpfen ausbrechen, weil ihm niemand vom Gesinde das Pferd abnahm, als er spätabends und ziemlich betrunken aus dem Freiberger Hurenhaus heimkehrte. Da tauchte wie aus dem Nichts eine Gestalt aus der Dunkelheit auf und schickte ihn mit einem gut gezielten Schlag aufs Kinn zu Boden.

Als Randolfs Sohn wieder zu sich kam, brauchte er einige Augenblicke, um seine Situation zu erfassen. Er lag nackt bis auf die Bruche, geknebelt und mit zusammengeschnürten Händen und Füßen auf seinem Bett. In der Kammer brannte eine Kerze, und so erkannte er blinzelnd, wer ihm gegenüber auf dem Schemel saß.

Bei diesem Anblick wünschte er, der Boden würde aufreißen und den anderen verschlingen. Wütend versuchte er, sich aufzurichten und durch heftige Bewegungen die Fesseln zu lockern – vergeblich.

»Bevor du Krach schlägst, denke wenigstens einmal in deinem Leben nach! Wirst du das schaffen?«, fragte Thomas und beugte sich zynisch lächelnd vor.

Rutger gab ein paar knurrende Laute von sich und starrte den Erzfeind wütend an. Er hätte weniger trinken sollen!

»Es wird dir niemand zu Hilfe kommen. Dein Gesinde liegt gut verschnürt und geknebelt im Stall, deine Männer sind von ein paar meiner thüringischen Freunde überwältigt worden. Wir haben also Zeit bis morgen früh, um zu plaudern.«

Das stimmte nur zum Teil. Peter und Elfrieda, eine alte Bergmannswitwe, die als Magd im Haus arbeitete, seit Rutger hier eingezogen war, saßen nebenan und freuten sich diebisch. Und Rutgers Reisige zu überwältigen, hatten ihm Kuno und Bertram geholfen, nachdem Elfrieda den Reitknechten reichlich Schlafmittel ins Bier gemischt hatte – von Clara dafür beigesteuert. Das mit den thüringischen Freunden war nur eine Ablenkung, um seine Freiberger Verbündeten zu schützen.

»Damit diese Unterhaltung nicht so einseitig wird, nehme ich dir jetzt den Knebel ab«, fuhr er fort. »Du wirst doch nicht die Nachbarschaft herbeirufen wollen, damit alle dich so sehen: nackt, in Fesseln und in deiner ganzen Kläglichkeit … Und ich würde dir natürlich auf der Stelle die Kehle durchschneiden.«

Betont gelassen stemmte er sich hoch und ging auf seinen Gefangenen zu, den Dolch demonstrativ in der Rechten. Er löste den Knebel, bereit, Rutger sofort die Hand auf den Mund zu pressen, sollte er um Hilfe rufen. Aber er hatte den Feind richtig eingeschätzt: Sein Überlebenswillen und vor allem seine Eitelkeit hielten Rutger davon ab, um Hilfe zu schreien. Die Demütigung wäre zu groß.

»Was willst du?«, fuhr der Überwältigte den Eindringling an. Ihm war klar, dass Thomas ihn längst hätte töten können, wenn er das wollte. Da er es nicht getan hatte, musste etwas anderes als nur Rachsucht hinter diesem Besuch stecken. Das würde er herausfinden und am Morgen grausam Rache nehmen an allen, die er verdächtigte, diesem Bastard geholfen zu haben.

»Ich wollte mit eigenen Augen sehen, wie du dich in meinem Haus eingenistet hast«, erklärte Thomas und zog sich einen Schemel heran.

»Dein Haus?«, brachte Rutger abfällig heraus und spie auf den Boden.

Thomas beugte sich mit einer blitzschnellen Bewegung vor und packte den Gefangenen am roten Haarschopf.

»Es ist *mein* Haus. Mein Vater ließ es bauen, und es ist mein rechtmäßiges Erbe. Eines Tages ändern sich die Zeiten, und ich werde dich mit meinem Schwert daraus vertreiben.«

Er ließ Rutger los und stieß ihn zurück aufs Bett. »Und bis dahin geh ordentlich mit meinem Eigentum um!«

»Dein Vater war ein Bastard!«

»Deiner ein Verräter. Was ist wohl schlimmer?«

»Dafür töte ich dich!« Blanker Hass sprühte aus Rutgers Augen, sein Gesicht war vor Wut verzerrt.

Thomas gab sich belustigt. »Nackt und waffenlos?«

»Falls du je den Mut aufbringen solltest, mir gegenüberzutreten, wenn ich Waffen trage. Aber dazu bist du anscheinend zu feige.«

»Das hatten wir doch schon, vergessen?«, antwortete Thomas gelangweilt. »Und soweit ich mich erinnere, bist du beim letzten Mal ausgerissen.«

Jetzt stand er auf, und plötzlich brodelte der Zorn nur so aus ihm heraus. »*Ich* werde *dich* töten, du Ratte! Doch nicht heute, denn dafür würde dein feiner Stiefvater blutig Rache nehmen an Leuten, die sich nicht wehren können. Und deshalb bin ich hier. Du wirst mir schwören, künftig gegen keinen Freiberger mehr die Hand zu erheben, die Mädchen und ehrbaren Frauen in Ruhe zu lassen und auf den Vogt und den Truchsess einzuwirken, hier etwas mehr Milde aufzubringen.«

Nun stieß Rutger trotz seiner misslichen Lage ein verächtliches Lachen aus. »Deshalb bist du gekommen, nur für das zerlumpte Bettelpack? Dafür wagst du dich aus deinem Mauseloch in Weißenfels? Obwohl hier immer noch ein stattliches Kopfgeld auf dich ausgesetzt ist? Mehr Silber, als du je in deinem Leben besitzen wirst? Bist du so versessen darauf, den Helden zu spielen?«

Wieder packte Thomas Rutgers Haarschopf und zog ihn ganz nah an sich heran. »Genau das ist der Unterschied zwischen Rittern wie mir und Abschaum wie dir!«, fauchte er. »Ich halte mich an meinen Eid, die Schwachen und Wehrlosen zu beschützen.«

Jäh ließ er den anderen wieder los.

»Dann sitzt du wahrlich in der Klemme«, meinte Rutger voller Hochmut, der sich nun seiner Sache sicher fühlte. »Ich werde es nicht tun. Entweder du ziehst unverrichteter Dinge ab, oder du musst mich töten, und das willst du nicht. Denn dann wird mein Stiefvater unweigerlich mit einem Blutgericht über Freiberg herziehen, von dem die Leute noch in hundert Jahren nur zu flüstern wagen.«

»Du wirst mir schon Sicherheit leisten«, entgegnete Thomas zuversichtlich.

»Und warum sollte ich das tun?«

»Weil ich das hier mitnehmen werde«, erklärte Thomas und griff nach etwas, das auf einer Truhe lag. »Und falls mir zu Ohren kommt, dass du dich noch einmal schlecht betragen hast, schicke ich es an den Markgrafen von Meißen oder seinen Truchsess mit einem ausführlichen Bericht über die Umstände, wie ich es dir abgenommen habe.«

Wütend starrte Rutger auf die Waffen, die Thomas ihm entgegenstreckte: das Schwert und den Dolch seines Vaters, beides kostbare Schmiedearbeiten, mit gleichen Verzierungen geschmückt. Erbstücke, die Albrecht sofort erkennen würde – und sein Stiefvater erst recht.

Diese Demütigung konnte er nicht auf sich nehmen.

Also leistete er zähneknirschend den Eid in der Hoffnung, seine Schmach würde danach ein Ende nehmen und vor allem niemals bekannt werden. Er musste sich unbedingt von den Fesseln befreien, bevor morgen früh das Gesinde hereinkam.

Als Thomas schon an der Tür war, konnte Rutger sich allerdings nicht verkneifen, ihm etwas nachzurufen: »Dein Vater war ein Bastard, deine Mutter eine Hure. Ja, eine Hure! Mein Vater, Elmar, Ekkehart und Giselbert – sie alle haben sie gehabt, so oft sie wollten, bevor sie bei dem Bastard Christian unterkroch!«

Thomas erstarrte mitten in der Bewegung. Dann drehte er sich mit unheimlicher Langsamkeit zu Rutger um, legte die erbeuteten Waffen auf dem Tisch ab und umklammerte das Heft seines Dolches.

Nur zwei Gründe hielten ihn davon ab, diesem Dreckskerl die Kehle durchzuschneiden: Es war unritterlich, einen Feind abzustechen, der sich nicht wehren konnte, und Freiberger würden mit ihrem Blut dafür zahlen müssen. Doch es kostete ihn alle Kraft, sich zu beherrschen.

Mit Genugtuung sah er die Angst in Rutgers Gesicht aufflackern, der sich gerade fragte, ob er den Bogen nicht überspannt hatte. Er zerschnitt den Gürtel, der Rutgers Bruche hielt. Nun wimmerte der Gefesselte und zog ängstlich die Beine an.

Mit einem Ruck öffnete Thomas die Bruche.

»Himmel, dein Schwanz ist ja so klein, dass ich gar nicht weiß, wo ich das Messer ansetzen soll«, meinte er verächtlich. Dann hieb er dem Überraschten noch einmal seine Faust ans Kinn und ließ ihn zurück, bewusstlos, in Fesseln und vollständig entblößt.

Vor der Kammer warteten Peter und Elfrieda auf ihn.

»Wir haben alles gehört«, flüsterte Peter begeistert. »Die Geschichte wird in der ganzen Stadt die Runde machen. Damit habt Ihr ziemlich vielen Leuten eine ziemlich große Freude bereitet!«

»Pass lieber auf, vor wem ihr damit prahlt«, mahnte Thomas. »Wenn ihr ihn zu sehr reizt, könnte seine Rachsucht größer werden als seine Eitelkeit, und ihr müsst es ausbaden.«

»Wie schade!«, meinte der stämmige Knecht. Dann zog ein Grinsen über sein Gesicht. »Dann werden wir diese Geschichte behüten wie einen geheimen Schatz, bis bessere Zeiten kommen ...«

»Ja, bis Ihr und der Herr Lukas und Frau Marthe hier wieder einziehen«, versicherte die alte Elfrieda. »Gott geb, dass jene Zeiten bald anbrechen.«

Ohne ein Wort zu erwidern, ging Thomas in den Stall, um sich zu vergewissern, dass die Reisigen noch tief und fest schliefen. Kuno und Bertram wachten dort über die berauschten und gefesselten Reitknechte.

»Geht nach Hause!«, forderte Thomas die beiden auf. »Auf euch darf kein Verdacht fallen.«

Sie hatten zwar bis zum Abend auf der Burg Dienst geleistet, aber nun mussten sie sich an den Nachtwachen vorbei durch die Stadt schleichen.

»Wir danken Euch von ganzem Herzen – und viele Freiberger werden es auch tun und für Euch beten«, versicherte Kuno zufrieden grinsend.

Thomas nickte ihm nur zu und setzte sich auf ein Bündel Stroh. Er konnte erst am Morgen weg, wenn die Stadttore geöffnet wurden, und wollte sich vergewissern, dass keiner der Überwältigten vor der Zeit aufwachte. Außerdem musste er bei Tagesanbruch das Gesinde fesseln, um jeglichen Verdacht von den Knechten und Mägden fernzuhalten.

Elfrieda kam zu ihm und brachte ihm einen Krug Bier, kaltes Fleisch und feines, helles Brot, wie es nur Leuten von Stand vorbehalten war. Dann bewaffnete sie sich mit einem derben Stock und stellte sich neben den Reisigen auf, unverkennbar darauf aus, jedem den Knüppel über den Kopf zu ziehen, der auch nur die geringste Regung zeigte.

Sie müssen es wirklich übel getrieben haben, wenn schon ehrbare Witwen bereit sind zuzuschlagen, dachte Thomas. Andererseits wusste er von seiner Mutter, dass diese Alte ziemlich gewitzt war. Sie hatte es nicht nur geschafft, Rutgers Männer halbwegs im Schach zu halten, und damit Peters Schwester Anna – die Frau des Stallmeisters – geschützt, die früher in diesem Haus als Magd gearbeitet hatte. Morgen würde sie auch sehr überzeugend in großes Jammern und Barmen angesichts des schrecklichen Überfalls ausbrechen.

Trotz der nächtlichen Stunde verspürte Thomas keine Müdigkeit, während er aß, trank und wachte, die erbeuteten Waffen neben sich.

In ihm rangen widersprüchliche Gefühle: Triumph angesichts der schmählichen Lage, in die er seinen Erzfeind gebracht hatte, und die Unzufriedenheit darüber, dass er ihn immer noch nicht in einem ehrlichen Zweikampf töten durfte. Hinzu kam die Sorge, ob sein Eingreifen tatsächlich den Freibergern die Lage erleichtern oder am Ende gar verschlimmern würde.

Und dann waren da noch die Worte, die Rutger ihm zum Schluss zugeworfen hatte. Über Marthe, seine Mutter. Das klang nicht wie erfunden. Doch er konnte weder seine Mutter noch seinen Stiefvater danach fragen.

Für eine erfolgreiche Mission fühlte sich das ziemlich bitter an. Und im Verlauf dieser Nacht begann sich Thomas zu fragen, ob er wirklich als Sieger aus diesem Zusammentreffen hervorging.

Immerhin, zwei der Übeltäter waren tot: Randolf und Ekkehart. Die beiden anderen würden dafür noch mit ihrem Leben bezahlen, genauso wie Rutger. Dafür wollte er sorgen. Sofern Lukas es nicht längst plante.

Freuden und Sorgen

Als Thomas nach seinem Handstreich in Freiberg wieder auf Burg Weißenfels eintraf, sah er zu seiner Verblüffung Lukas' Fuchshengst in den Stallungen. Er hatte vermutet, seine Mutter und Lukas wären unmittelbar nach seinem Aufbruch wieder nach Eisenach geritten, und seitdem war einige Zeit verstrichen. Doch bevor er weiter darüber nachgrübelte, wollte er Graf Dietrich vom Gelingen seiner Mission in Freiberg berichten.

Es war dunkel, die Abendmahlzeit musste schon vorüber sein, und die Halle war verdächtig leer. Sonst saßen um diese Zeit immer noch da und dort ein paar Leute beieinander und erzählten sich Geschichten oder würfelten. Verwundert und zunehmend besorgt, ging Thomas die Treppe hinauf, begrüßte auf dem Gang Dietrichs Leibwachen und bat nachzufragen, ob der Graf ihn noch empfangen würde.

Er wurde vorgelassen und traf in der Kammer zu seinem Erstaunen Dietrich und Lukas beieinander, beide mit todernsten Mienen. Dann drang aus dem benachbarten Raum ein unterdrückter Schrei, und mit einem Mal begriff er ... Über seinem Abenteuer in Freiberg hatte er ganz vergessen, dass die Zeit für Claras Niederkunft heran war!

Bestürzt zeigte er nur die erbeuteten Waffen als Zeichen seines Erfolges und fragte: »Darf ich meiner Mutter Bescheid geben, dass ich zurück bin? Damit sie sich wenigstens um mich keine Sorgen mehr macht?«

Zustimmend nickte Dietrich, und Thomas ging erleichtert hinaus.

Natürlich würde niemand einen Mann in die Gebärkammer lassen. Aber hin und wieder musste eine der Mägde herauskommen, und durch sie konnte er eine Nachricht übermitteln. Vielleicht ließ sich seine Mutter sogar kurz blicken und sagte ihm,

wie es Clara ging. Die Schreie aus der Kammer verhießen nichts
Gutes …

Wenn er könnte, würde er die Schmerzen auf sich nehmen, die
seine Schwester gerade durchlitt.

Lukas und Dietrich hatten sich schon schweigend gegenüber-
gesessen, bevor Thomas kam. Nachdem er die Tür wieder hinter
sich geschlossen hatte, gaben sie sich von neuem ganz den Geräuschen aus der Nebenkammer hin.

»Es ist kaum auszuhalten. Noch nie habe ich mich so hilflos
gefühlt«, gestand Dietrich schließlich.

Lukas verstand ihn. Er erinnerte sich genau, wie ihm zumute
war, während Marthe vor sieben Jahren seinen jüngsten Sohn
zur Welt brachte. Es geschah einfach zu viel Schlimmes bei Entbindungen, zu viele Frauen ließen ihr Leben dabei oder später
im Wochenbett. Und dies war eine Angelegenheit, bei der er
Marthe nicht helfen konnte, so sehr er es auch wünschte, ebenso
wenig, wie er jetzt etwas für Clara zu tun vermochte.

Auch deshalb verspürte keiner von beiden Lust, zur Jagd zu reiten oder sich zu betrinken, wie es andere Männer taten, wenn
ihre Frauen niederkamen.

Graf Dietrich gab sich einen Ruck und stand auf. »Ich werde in
die Kapelle gehen und die Heilige Jungfrau um Beistand bitten.«

»Darf ich Euch begleiten? Oder wollt Ihr lieber allein sein?«,
fragte Lukas, dem gerade aufging, dass er doch etwas für Clara
tun konnte: für sie beten.

Als Dietrich ihn aufforderte, gemeinsam mit ihm Fürsprache
um Claras Leben und das ihres Kindes zu halten, verharrte Lukas einen Moment und sah ihn an.

»Ihr liebt sie wirklich, nicht?« Es war eher eine Feststellung als
eine Frage.

»Ja. Von ganzem Herzen. So, wie Ihr Eure Frau liebt. Und ich bete inständig, dass sie diese Nacht überlebt, denn ich weiß nicht, wie ich ohne sie auskommen soll.«

Nachdenklich folgte Lukas ihm in die Kapelle, und Seite an Seite knieten sie vor dem Bildnis der Gottesmutter nieder. Dietrich betete für das Leben der Frau, die sei Ein und Alles war, und Lukas für die Stieftochter, die er liebte, als wäre sie sein leibliches Kind.

Als der Morgen nahte, waren beide Männer immer noch in die Andacht vertieft, auch wenn ihnen die Knie schmerzten und die Füße taub geworden waren.

Rotkehlchen und Amsel sangen bereits, als sich vernehmbar eilige Schritte näherten.

Beklommen fuhr Dietrich herum – in Erwartung einer schlimmen Nachricht. Claras Wehen hatten bereits am Mittag begonnen, und wenn sich die Geburt so lange hinzog, konnte dies kein gutes Zeichen sein.

Es war Norbert, der mit einem merkwürdigen Gesichtsausdruck in der Tür stand. »Ihr habt einen Sohn, Hoheit, meinen Glückwunsch!«

»Und seine Mutter?«, fragte Dietrich hastig, der kaum zu atmen wagte.

»Ist wohlauf und freut sich darauf, Euch zu sehen.«

So schnell es ging mit den vom langen Knien schmerzenden Muskeln, richteten sich die beiden Männer auf und hasteten die Treppen hinauf.

Eine alte Magd stand vor der Wöchnerinnenkammer, öffnete hastig die Tür, als sie den Grafen kommen sah, und verneigte sich tief. »Ihr werdet erwartet, Hoheit!«, sagte sie, und Freude stand in ihrem runzligen Gesicht.

Dietrich trat zuerst ein und ging sofort mit großen Schritten auf das Bett zu, in dem Clara lag, bleich, erschöpft, aber frisch gekleidet und gekämmt, mit leuchtenden Augen, das Neugeborene im Arm.

Wortlos kniete Dietrich an ihrem Bett nieder und starrte auf seinen Sohn, der so unglaublich winzig war. Dann griff er nach Claras freier Hand und küsste jeden einzelnen Knöchel.

»Du machst mich unendlich glücklich …«, flüsterte er und hatte Mühe, seine Stimme zu beherrschen.

Sie strahlte ihn an. »Schaut nur, er ist Euch wie aus dem Gesicht geschnitten! Gesund und kräftig ist er …«

Marthe war unterdessen an Lukas' Seite getreten, nun starrten sie beide auf das Liebespaar und ihren Enkelsohn.

Er liebt sie wirklich, dachte Lukas erneut. Und angesichts seiner gerade erst überwundenen Angst, Clara könnte bei der Entbindung gestorben sein, in Erinnerung daran, wie oft er gefürchtet hatte, Marthe sei tot, da konnte er nicht anders als den Liebenden verzeihen.

Jeden Tag konnte ein Leben jäh zu Ende sein. Plötzlich erschien es ihm die schlimmere Sünde, einer solch tiefen, ehrlichen Liebe zu entsagen, und er hoffte, Gott würde das auch so sehen.

Marthe hatte recht. Warum nur auf den Tag warten, an dem Dietrich Jutta von Thüringen heiraten und Clara die Weißenfelser Burg verlassen musste? Es würde ihr das Herz brechen, dessen war sich Lukas sicher. Aber niemand wusste, ob dieser Tag jemals kam, ob sie alle überhaupt so lange lebten. Sollen sie ihr Glück genießen, so lange es ihnen vergönnt war. Dietrich würde für Clara und ihre Kinder sorgen.

Im Innersten zutiefst bewegt, trat Lukas näher und räusperte sich. »Gott segne dich, Tochter. Dich und deinen Sohn. Gott segne euch alle drei!«

Niemand schien Thomas zu bemerken, als er wenig später die Wöchnerinnenkammer betrat. Alle hier wirkten glücklich und sehr beschäftigt: Clara und Dietrich mit dem Neugeborenen, seine Mutter und Lukas miteinander.

Thomas war froh und erleichtert, dass seine Schwester noch lebte, wenngleich sie sehr blass aussah, mit tief umschatteten Augen und schmal gewordenem Gesicht, auf dem sich noch ein paar rote Flecken vom Pressen abzeichneten.

Doch es drückte ihm das Herz ab, die Menschen so glücklich zu sehen, die ihm von allen am meisten bedeuteten. Er konnte es kaum ertragen. Nicht aus Neid, sondern weil er glaubte, selbst niemals solches Glück empfinden zu können.

Rasch, bevor ihn jemand sah, ging er wieder hinaus, hinunter zu den Ställen, und vergrub sein Gesicht an Dragos Hals. Wenn selbst so viel Glück die Bitternis und Finsternis nicht auslöschen konnte, die ihn erfüllten, die Bilder vom Sterben seiner Gefährten im Heiligen Land nicht vertrieb – gab es dann überhaupt noch Heilung für ihn?

Es hätte ihn erleichtert, jetzt im Verborgenen weinen zu können. Aber er hatte keine Tränen. Dafür saß sein Schmerz viel zu tief.

Der Graf von Weißenfels ließ die Glocke läuten, um die Geburt seines Sohnes bekanntzugeben. Pater Ansbert hatte den Jungen auf den Namen Dietrich getauft.

Im Verlauf des Tages trafen diejenigen seiner Ritter ein, die er mit Land belehnt hatte, darunter Raimund mit seiner Frau Elisabeth, überbrachten Geschenke und Segenswünsche. Dietrich verkündete, am nächsten Tag ein Fest auszurichten, zu dem jeder Weißenfelser eingeladen sei.

Marthe und Elisabeth nahmen die Festvorbereitungen in die Hand. Dietrich verließ sich vollkommen auf sie und verbrachte die meiste Zeit an Claras Bett, betrachtete sie und seinen Sohn, während sie schlief, als sie Änne ermutigte, ihrem kleinen Bruder über den dunklen Flaum auf dem Kopf zu streichen, und als sie den Säugling stillte. Er war erstaunt darüber, dass sie dies tun wollte; es war nicht üblich bei Edeldamen, eine Amme stand schon bereit. Aber Clara erklärte, sie und ihre Mutter seien der

Überzeugung, es sei nicht gut für ein Neugeborenes, wenn es von einer fremden Frau gestillt würde, und womöglich würde die Milch nicht reichen, wenn die Amme zwei Kinder ernähren musste.

Auch in dieser Hinsicht vertraute er Marthe. Seit seiner Kindheit hatte er immer wieder erlebt, wie sie mit sehr ungewöhnlichen Methoden statt dem üblichen Aderlass Kranke heilte. Und als er das innige Bild in sich aufsog, das die stillende Mutter bot, verflog sein letzter Zweifel. Wie eine Madonna, dachte er bewegt und fragte sich, ob er überhaupt noch glücklicher sein könnte als in diesem Augenblick.

Es klopfte, Norbert von Weißenfels rief durch die Tür leise nach ihm.

Dietrich stand auf und ging hinaus, um seinen neugeborenen Sohn nicht beim Einschlafen zu stören. Welche Sorgen oder Unruhen Norbert auch bringen mochte, nichts davon sollte in diese Kammer dringen.

Draußen sah er schon am Gesichtsausdruck seines Burghauptmanns, dass etwas passiert sein musste.

»Heinrich von Eckartsberga ist gekommen – mit schlechten Neuigkeiten«, berichtete Norbert verhalten.

Dietrich wappnete sich und wies an, den thüringischen Marschall in seiner Kammer führen zu lassen.

Allein der Umstand, dass der Landgraf von Thüringen seinen obersten militärischen Anführer geschickt hatte statt einfach nur einen zuverlässigen Boten, verhieß Beunruhigendes.

Der weißbärtige Kämpe kam auch gleich zur Sache, nachdem er dem Grafen seinen Respekt bezeugt hatte. »Euer Bruder plant, meinen Fürsten, Landgraf Hermann, einer Verschwörung zu bezichtigen, um den Kaiser zu ermorden. Mein Herr hat eine Vorladung zum Hoftag in Nordhausen erhalten, um in dieser Angelegenheit Stellung zu beziehen.«

Dietrich schloss für einen Moment die Augen. Die Ermordung des Kaisers zu planen, war eine so ungeheuerliche Anschuldigung, dass sie mit der Hinrichtung des Angeklagten oder des Verleumders enden konnte.

Also war sein Bruder entschlossen, auf diesem Weg Rache für seine militärische Niederlage zu nehmen. Ganz sicher rechnete er damit, zusammen mit dem Thüringer auch dessen künftigen Schwiegersohn in den Abgrund zu stürzen.

Dietrich stellte nicht einen Augenblick lang in Frage, dass Hermanns Informationen zutrafen; der Landgraf hatte viel mehr Möglichkeiten, Spione unerkannt nach Meißen zu schicken, als er. Und eine Vorladung zum Hof war ein klares Zeichen dafür, wie ernst die Sache stand.

Wie viel weiß Albrecht von der Allianz gegen den Kaiser?, fragte sich Dietrich stattdessen. Und wie viel weiß der Kaiser? Würde Heinrich glauben, dass jemand einen Anschlag auf sein Leben plante?

Ganz gewiss, beantwortete er die Frage selbst in Gedanken; dafür hat er sich zu viele Feinde gemacht. Und der erbitterte Streit um Thüringen nach dem Tod von Hermanns Bruder Ludwig würde den Verdacht erhärten.

Spätestens seit dem Aufbruch seines Vaters Friedrich von Staufen ins Heilige Land bekam der König und jetzige Kaiser Heinrich immer wieder zu spüren, dass sich ein beträchtlicher Teil der Fürsten gegen ihn stemmte. Er hatte sich nie mit ihnen um Verständigung bemüht, versuchte es gar nicht erst.

Während sich Generationen von Königen vor ihm für ihren Aufstieg zum obersten weltlichen Herrscher des Reiches anderen Bewerbern zu stellen hatten, mehr oder weniger ebenbürtigen Reichsfürsten, und mit ihnen für die Wahl eine Einigung erzielen mussten, war Heinrich auf Betreiben seines Vaters bereits als Vierjähriger zum König gekrönt worden. So wuchs er von Kindheit an in dem Bewusstsein dieses Titels auf und war es gewohnt, dass jedermann in seiner Umgebung ihm zu Munde redete.

Mit den selbstbewussten Reichsfürsten, die auf ihren Stand und ihre Privilegien pochten, zu taktieren, auf sie einzugehen, Kompromisse zu schließen, das hatte er nie gelernt.

»Der Landgraf bittet Euch, ihn auf diesem Hoftag zu begleiten und ihm – falls nötig – als Eideshelfer beizustehen«, richtete der Eckartsbergaer aus.

Dietrich stimmt ohne Zögern zu. Das war er Hermann schuldig. Nun konnte er Lukas' Rat nicht mehr befolgen, sich vom Hofe fernzuhalten.

In seinem Innersten hatte er immer gewusst, dass der augenblickliche Frieden nicht lange andauern würde.

Oktober 1192, Hoftag in Nordhausen

Missgelaunt starrte Heinrich, König und Römischer Kaiser, auf die Fürsten seines Reiches. Am liebsten hätte er sie samt und sonders aus dem Saal gejagt. Noch viel lieber wäre es ihm, ohne all diese Herzöge, Landgrafen und Markgrafen regieren zu können. Nichts lief so, wie es sollte!

Seit jeher haftete ihm die Crux an, mit seinem schon zu Lebzeiten sagenumwobenen Vater Friedrich von Staufen verglichen zu werden. Er hatte nicht die Ausstrahlung und Überzeugungskraft des ruhmreichen Rotbartes, nicht die Schönheit seiner Mutter Beatrix von Burgund, Gott hab sie selig.

Dass er dennoch als Herrscher ebenso fähig war, konnte er nur mit eiserner Hand und militärischen Erfolgen demonstrieren. Und genau hier schien ihn das Glück verlassen zu haben.

Die Dreistigkeit, mit der die sizilianischen Edlen den Bastard

Tankred von Lecce zu ihrem neuen König gewählt hatten, obwohl doch seine – Heinrichs – Gemahlin Konstanze legitimen Anspruch auf die reiche Insel und den Süden Italiens hatte, war eine ungeheuerliche Brüskierung und schrie geradezu nach einem Feldzug. Doch die Belagerung Neapels letzten Sommer scheiterte furchtbar am Ausbruch einer Seuche, die den größten Teil seines Heeres dahinraffte und selbst ihn nicht verschonte. Schon bei der Erinnerung an das Sumpffieber überfiel den Kaiser ein Schüttelfrost in der kalten Nordhäuser Pfalz.

Mit klammen Fingern raffte er den schweren, pelzgefütterten Tasselmantel enger um die Schultern. Sein Truchsess Markwart von Annweiler bemerkte die Geste, trat rasch einen Schritt näher und half ihm, während Heinrich sich weiter in finsteren Grübeleien verlor.

Zu allem Unglück war es Tankred auch noch gelungen, die Kaiserin, seine Gemahlin, gefangen zu nehmen, als sie die berühmten Ärzte von Salerno konsultieren wollte. Nicht, dass Heinrich sie vermisste: Konstanze war alt, zehn Jahre älter als er, schon fast vierzig, welkes Fleisch … Er hatte sie nie geliebt, und sie hatte ihm bis heute keinen Sohn geboren. Die Hoffnung darauf musste er wohl aufgeben.

Aber welch ein Gesichtsverlust: die Kaiserin in den Händen der Feinde, und er musste den Papst um Hilfe bitten!

Derweil sammelten sich seine Gegner direkt vor seinen Augen: die Askanier, Schauenburger, sogar der alte Welfe Heinrich der Löwe fing noch einmal an, Krieg zu führen gegen ihn, den Kaiser!

Den ältesten Sohn des Löwen hatte er als Geisel mit nach Neapel genommen, und der erdreistete sich, das Heer zu verlassen, weshalb er Pfingsten auf dem Hoftag in Worms geächtet wurde. Nun sah der Welfenfürst keinen Grund mehr, sich zurückzuhalten. Er war zwar alt und müde, aber immer noch ein gefährlicher, kampferprobter Feind.

Und Wichmann von Seeburg, der weise und hochangesehene Erzbischof von Magdeburg, der es selbst in den schwierigsten Situationen geschafft hatte, Ausgleich zwischen Gegnern zu bewirken, hatte im August nach beinahe vierzig Jahren im Amt das Zeitliche gesegnet.

Unbotmäßige und Feinde auf allen Seiten!

Am Niederrhein gärte es. Selbst um die Besetzung des Bischofsstuhls von Lüttich hatte er letzten Monat Krieg führen müssen. Wäre es ihm nicht gelungen, den Herzog von Brabant in die Knie zu zwingen, der unbedingt seinen Bruder als Bischof sehen wollte – nichts hätte deutlicher zeigen können, dass dem Kaiser die Zügel entglitten ...

Nie war er, Heinrich, weiter von seinem Ziel entfernt als jetzt, das Reich mit eiserner Hand zu regieren.

Unterdessen feierte der erklärte Feind der Staufer und Verbündete Tankreds, der englische König Richard, der sich Löwenherz nennen ließ, im Heiligen Land einen Triumph nach dem anderen über Saladin.

Doch Richards Siegeszug würde bald enden; dafür hatte er gemeinsam mit dem französischen König Vorsorge getroffen.

Der Gedanke an ihren schon vor Monaten im Verborgenen geschmiedeten Plan, den Rivalen auf der bevorstehenden Heimreise gefangen zu nehmen, zauberte ein kaltes Lächeln auf das Gesicht des Kaisers. Jäh erwachte er aus seiner Versenkung, schüttelte die düsteren Gedanken ab und richtete seinen durchdringenden Blick auf die Fürsten, die vor ihm standen und schweigend darauf warteten, dass er etwas sagte.

Zum ersten Mal seit dem Tod des alten Meißner Markgrafen und seiner Rückkehr aus dem Heiligen Land nahm Dietrich von Weißenfels wieder an einem Hoftag des Kaisers teil. Da er nicht zu den Reichsfürsten zählte, war seine Anwesenheit bei Hofe nicht zwingend erforderlich.

Doch wenn er schon die Hochzeit mit Hermanns Tochter so lange aufschob, wie es nur möglich war, um mit Clara zusammenzubleiben, wollte er wenigstens an der Seite seines Verbündeten und künftigen Schwiegervaters stehen, wenn es jetzt hart auf hart kam. Vielleicht würde er als Eideshelfer gebraucht. Gut möglich allerdings auch, dass es gleich für sie beide um Leben und Tod ging, sollte Albrecht beim Kaiser Gehör finden – und er hatte sich in den Jugendjahren des Kaisers dessen Gunst errungen.

Mit nur mühsam verhohlener Abneigung sah Dietrich auf den Sohn Friedrichs von Staufen. Er konnte in dem fahlen, unregelmäßigen Gesicht nichts von Heinrichs Vater erkennen, dem er auf den Kriegszug ins Heilige Land gefolgt war. Alles an Heinrichs Zügen und Haltung verströmte den Drang nach Macht. Wenn solche Menschen in die Enge getrieben wurden, waren sie unberechenbar und besonders gefährlich. Und auch ohne bei Hofe gewesen zu sein, wusste Dietrich, dass dem Kaiser die Dinge aus der Hand glitten.

Er warf einen prüfenden Blick auf Hermann von Thüringen, der groß, breitbeinig und scheinbar gelassen neben ihm stand, obwohl alle anderen Angelegenheiten dieses Tages abgehandelt waren und nun nur noch die ungeheuerliche Anschuldigung des Meißner Markgrafen zur Sprache kommen konnte, sollte Heinrich sie nicht wegen Unglaubwürdigkeit abweisen.

Der Herrscher hatte eine ganze Weile geschwiegen; niemand wusste, wohin seine Gedanken geschweift waren. Aber natürlich würde niemand es wagen, den Kaiser aus seinen Überlegungen zu reißen. Also warteten die versammelten Fürsten mit ihren schweren Umhängen und prachtvollen Bliauts geduldig in der Halle, obwohl es kalt war und sie schon den ganzen Tag hier standen. Nur da und dort erklang ein mühsam unterdrücktes Husten oder Niesen.

Nun richtete sich Heinrich auf und gab seinem Schenken den Wink, ihm den Becher nachzufüllen.

»Der Markgraf von Meißen wünscht, uns etwas zur Kenntnis zu bringen, das die Sicherheit des Reiches und unserer Person betrifft«, erteilte er Albrecht das Wort. Sein gelangweilter Tonfall ließ jedoch keinen Zweifel daran, dass dieser sich kurzzufassen habe.

Der Kaiser hielt die Anklage für erfunden, für einen plumpen Rachezug des Wettiners nach einer verlorenen Belagerung, auch wenn er wusste, dass Hermann ihm immer noch grollte wegen seines Versuchs, Thüringen als Reichslehen einzuziehen.

Aber es interessierte ihn zu sehen, wohin diese Sache führte.

Natürlich wusste Heinrich auch, dass es kein Zufall war, wenn diesmal beide wettinischen Brüder angereist waren, obwohl sie demonstrativ Abstand voneinander hielten. Der Jüngere, der Weißenfelser, stand neben Landgraf Hermann, Albrecht an der Seite seines Vetters Konrad, des Fürsten der Ostmark. Ebenso wusste der Kaiser, dass die Söhne des alten Markgrafen Otto seit langem zutiefst verfeindet waren und dass Albrecht den Jüngeren angegriffen hatte, gleich nachdem dieser aus dem Heiligen Land zurückgekehrt war.

Nun, das kann ich ihm nicht einmal öffentlich vorwerfen, da ich selbst die Gefangennahme eines Wallfahrers plane, noch dazu eines königlichen, dachte Heinrich zynisch. Andererseits – ich bin der Kaiser. Für mich gelten andere Regeln.

In Heinrichs Jugend hatte der jetzige Markgraf von Meißen ihm bei Hofe gute Dienste geleistet. Zudem imponierte dem Kaiser die Entschlossenheit, mit der Albrecht seinen greisen Vater gefangen genommen hatte, um sich das Erbe zu sichern. Doch nun war es wohl an der Zeit, ihn etwas an die Kandare zu nehmen. Man würde sehen, wie lange er ihm noch von Nutzen sein konnte.

Ein blutiger Streit zwischen den verfeindeten Brüdern könnte ihm die Mark Meißen zuspielen – vorausgesetzt, Albrechts Weib gebar keinen Erben. Aber dafür sorgte schon dieser Alchimist, den der Wettiner in seine Dienste genommen hatte, ohne zu ahnen, *wer* ihn nach Meißen geschickt hatte und in wessen Auftrag

er wirklich arbeitete. Der Magister machte seine Sache gut. Sophia von Böhmen hatte kein Kind mehr ausgetragen, seit Heinrich Kaiser geworden war und sich um dieses spezielle meißnische Problem kümmerte. Denn die Gebräue, die der alte Giftmischer der Böhmin im Auftrag des Kaisers verabreichte, förderten
nicht ihre Fruchtbarkeit, wie Albrecht glaubte, sondern bewirk-
ten, dass die Leibesfrucht abgestoßen wurde.
Und sollte in diesem Streit auch noch Hermann von Thüringen
fallen – nun, dessen Land lockte nicht weniger als die Markgrafschaft mit den reichen Silberbergwerken, und beides würde sich
vorzüglich an das Pleißenland als Königsterritorium angliedern
lassen.

Albrecht trat zwei Schritte vor, spreizte sich und verkündete im
vollen Bewusstsein der Wirkung, die seine Worte hervorrufen
würden: »Majestät, ich klage den Landgrafen von Thüringen an,
eine Verschwörung zu Eurer Ermordung zu betreiben!«
Dabei streckte er die Hand in übertriebener Pose gegen Hermann aus.
Dieser entgegnete sofort mit dröhnender Stimme: »Das ist eine
Lüge!«
Nun trat er ebenfalls zwei Schritte vor, noch bevor der Kaiser
etwas sagen konnte, und sank vor ihm auf ein Knie.
»Eure Majestät, ich bin bereit, auf das Kreuz oder die Heilige
Schrift zu schwören, dass ich weder an einer Verschwörung beteiligt bin, um Euch zu ermorden, noch Kenntnis von solch ei-
ner Ungeheuerlichkeit habe. Gott ist mein Zeuge!«
Die Anspannung im Saal unter den Zeugen dieses Wortwechsels
schien zum Greifen, auch wenn niemand ein Wort wagte. Jeder-
mann starrte auf den Kaiser. Wie würde er entscheiden?
War dies das Ende für den Thüringer? Oder für den Meißner?
Sich vollkommen dessen bewusst, dass alle auf seine Entscheidung warteten, sah Heinrich lauernd von Hermann zu Albrecht.

»Habt Ihr Beweise für eine dermaßen schwerwiegende Anschuldigung, Markgraf?«

Das war die Frage, die Albrecht gern vermieden hätte, denn trotz Elmars Bemühungen blieb dies leider der Schwachpunkt seiner Anklage. Aber es gab einen anderen Weg, und er war entschlossen, aufs Ganze zu gehen.

»Majestät, ich bin bereit, die Richtigkeit meiner Worte mit einem Gottesurteil unter Beweis zu stellen.«

Nun brandete ein unglaubliches Stimmengewirr im Saal auf. Ein Gottesurteil, ein Zweikampf zwischen zwei Reichsfürsten, von denen der Unterlegene an Ort und Stelle hingerichtet würde, weil Gott ihn als Schuldigen aufgezeigt hatte! Würde der Kaiser das zulassen?

Und wer würde aus diesem blutigen Kampf als Sieger hervorgehen?

Die Fürsten – zumindest die weltlichen, aber auch manche geistlichen – waren durchweg kampfgestählte Männer, die sofort mit prüfenden Blicken herauszufinden versuchten, wie die Chancen der Kontrahenten standen. Sie waren etwa gleich alt und beide erfahrene Kämpfer. Andererseits lag bei einem Gottesurteil die Entscheidung bei Gott. Nun würde sich zeigen, ob Hermann dem Kaiser wegen des Streits um Thüringen immer noch feindselig gesinnt war. Allerdings, so überlegte mancher im Saal ganz nüchtern: Hermann *regierte* Thüringen, weshalb also sollte er dem Kaiser zürnen und ihn ermorden wollen?

Heinrich hob die Hand, um Ruhe zu erzwingen, ein donnernder Ruf Markwards von Annweiler unterstützte ihn dabei.

»Ihr wagt viel, Albrecht von Wettin«, sagte der Kaiser mit schleppender Stimme. »Seid Ihr Eurer Sache so gewiss? Eure Familie neigt anscheinend dazu, auf Hoftagen solche Herausforderungen auszusprechen. Hat nicht Euer Oheim Dietrich von Landsberg einst in Magdeburg den Welfen Heinrich den Löwen zum Zweikampf auf Leben und Tod herausgefordert?«

Mit einer Geste schnitt er Albrechts Antwort ab. Die Sache war allgemein bekannt, jener Zweikampf hatte nie stattgefunden, weil der Löwe zum anberaumten Tag nicht antrat, und außerdem lagen die Dinge damals anders: Kaiser Friedrich von Staufen und Kaiserin Beatrix persönlich hatten den im Umgang mit dem Schwert legendären Landsberger zuvor unter sechs Augen gebeten, diese Herausforderung auszusprechen – in der Hoffnung, der Löwe würde deshalb zum dritten Mal einer Ladung des Kaisers nicht folgen und konnte geächtet werden, was dann auch geschah.

Diesmal hingegen, so beurteilte Heinrich die Lage, plusterte sich nur ein rachsüchtiger Gernegroß auf, um einem Gegner eine verlorene Schlacht heimzuzahlen. Dennoch würde ihn diese Einschätzung nicht daran hindern, in Zukunft auch den Thüringer etwas genauer im Auge zu behalten.

»Landgraf, was habt Ihr auf diese Herausforderung zu entgegnen?«

»Ich bin bereit«, erwiderte Hermann gelassen und wandte sich Albrecht zu. »Dann wird das Euer Tod sein, denn Eure Worte sind eine Lüge – vor Gott, Seiner Majestät und allen hier Versammelten.«

Abwechselnd sah der Kaiser zu den verfeindeten Fürsten; nun hätte man eine Nadel im Saal fallen hören können.

Jeder wartete, wie der Herrscher entscheiden würde.

Um mehr Eindruck zu erzielen, ließ sich Heinrich Zeit mit seiner Antwort.

»Beide Seiten sollen mir auf dem Hoftag in Altenburg ihre Argumente ausführlich vortragen. Dann werde ich entscheiden.«

Mit einer schroffen Geste löste er die Versammlung auf.

Auf dem Hoftag im Dezember in Altenburg jedoch verkündete der Kaiser zur Überraschung der Anwesenden kurz und bündig, er habe keinerlei Zweifel an der Treue des Landgrafen von

Thüringen, und die Anklage des Markgrafen von Meißen sei mangels Glaubwürdigkeit zurückgewiesen. Zum Zeichen gegenseitigen Vertrauens und Wohlwollens werde ihn Landgraf Hermann ein Stück auf seiner Reise nach Bayern begleiten. Den Ausschlag zu dieser Wendung gab nicht nur Hermanns überzeugendes Auftreten.

Den Kaiser plagten sehr viel drängendere Sorgen als der gekränkte Ehrgeiz eines rauflustigen Wettinerfürsten. Im November hatten einige seiner Gefolgsleute Albrecht von Löwen ermordet, jenen Bruder des Herzogs von Brabant, den viele Edle am Niederrhein als Bischof von Lüttich sehen wollten und der gegen den kaiserlichen Kandidaten vom Papst anerkannt worden war. Da der Kaiser die Meuchelmörder nicht umgehend zur Rechenschaft zog, flammte sofort das Gerücht auf, er selbst habe die Bluttat befohlen. Nun sammelte der aufgebrachte Herzog von Brabant eine machtvolle Fürstenopposition um sich, der sich sogar die Erzbischöfe von Köln und Mainz angeschlossen hatten.

Heinrich konnte es sich nicht leisten, auch noch den einflussreichen Hermann von Thüringen auf deren Seite überwechseln zu lassen.

Außerdem wartete er voller Ungeduld auf die Nachricht, die seine größten Probleme lösen würde, nicht zuletzt die geldlichen. Richard Löwenherz hatte während seiner Heimreise aus dem Heiligen Land Schiffbruch vor der italienischen Küste erlitten und wollte sich unerkannt auf dem Landweg durchschlagen. Leopold von Österreich, der schon lange auf eine Gelegenheit wartete, dem englischen König die Beleidigung vor Akkon heimzuzahlen – Richard hatte nach Einnahme der Stadt befohlen, Leopolds Banner in den Burggraben zu werfen –, ließ bereits alle in Frage kommenden Wege überwachen, um den verhassten Feind gefangen zu nehmen.

Er würde von ihm ein gewaltiges Lösegeld und einen Lehnseid fordern! Auch wenn er das Silber mit Leopold teilen musste, würde es immer noch genug sein, um sich die Treue sämtlicher Aufständischen zu erkaufen. Und jeden Augenblick konnte ein Bote mit dieser wundervollen Nachricht kommen.

Deshalb beendete Heinrich diesen Hoftag und auch die Farce zwischen Hermann von Thüringen und Albrecht von Meißen so rasch.

Erleichtert und zufrieden verließen Hermann und Dietrich die Halle.

Albrecht wurde von seinem Neffen Konrad hinausbegleitet. Als sie unbelauscht waren, legte der Markgraf der Ostmark seine schwere Hand auf Albrechts Schulter und mahnte: »Wenn du klug bist, verzichtest du fortan auf jegliche Angriffe gegen deinen Bruder und den Thüringer – zumindest so lange, wie sich der Kaiser im Lande aufhält. Du Narr gefährdest sonst unser aller Stellung!«

Zähneknirschend stimmte Albrecht zu.

Vielleicht sollte er stattdessen versuchen, Hermann für sich einzunehmen, ihn bei seinen Auseinandersetzungen mit dem Mainzer Erzbischof unterstützen …

Irgendwann würde der Kaiser zu einem neuen Feldzug aufbrechen, um sich Sizilien zu holen.

Dann würde seine, Albrechts, Stunde schlagen.

Ultimatum

Das Jahr 1194 schien zu einem einzigen Siegeszug für den Kaiser zu werden. All seine Bedrängnis und seine Nöte wichen einer raschen Abfolge für ihn höchst erfreulicher Nachrichten und Ereignisse.

Anfang Februar leistete ihm der englische König Richard nach

Zahlung eines gewaltigen Lösegeldes einen Lehnseid und machte England damit zum Lehen des Kaisers. Um die Einzelheiten dieser Unterwerfung war noch länger und härter gefeilscht worden als um die unglaublichen hunderttausend Mark Silber, die Richards Mutter Eleonore von Aquitanien dem englischen Volk abpresste, das schon das Kreuzzugsabenteuer seines Königs mit einer zusätzlichen Steuer, den Saladinzehnten, hatte bezahlen müssen und nun noch mehr ausblutete.

Die Unterwerfung Richards – eines Schwagers Heinrich des Löwen – und des englischen Königreiches brachte auch die welfischen Gegner des Kaisers zum Einlenken. Nach der überraschenden Liebesheirat des erstgeborenen Sohnes des Löwen mit einer Stauferin versöhnten sich der Kaiser und der alte Welfenfürst im März auf der Pfalz Tilleda. Fast zur gleichen Zeit traf die Nachricht vom Tod des sizilianischen Königs Tankred ein.

Es hätte für Heinrich nicht besser laufen können. Nun hatte er das Geld *und* die Gefolgschaft seiner Fürsten für den lang ersehnten Kriegszug, um Sizilien und die sizilianische Krone zu erobern. Im Mai brach er mit seinem Heer Richtung Süden auf. Der für ihn so günstige Lauf der Ereignisse und der Umstand, dass seine aus Tankreds Gefangenschaft zurückgekehrte Gemahlin Konstanze trotz ihrer vierzig Jahre noch fruchtbar war, ließen ihn außerdem seine Anstrengungen verdoppeln, mit ihr einen Erben zu zeugen. Vielleicht gelang es ihm ja sogar hierin, sein Schicksal wenden?

Er feierte Pfingsten mit großer Pracht in Mailand, verhandelte mit den Genuesen und Pisanern, um sich die Unterstützung ihrer Flotten zu sichern, und zog mit seinem Heer weiter Richtung Neapel, das ihm diesmal kampflos die Tore öffnete. Nun war ihm das reiche Sizilien gewiss, das ihm schon längst nach Recht und Gesetz durch Konstanzes Erbanspruch zugestanden hätte!

Albrecht von Wettin wartete ungewohnt geduldig, bis er sich sicher wähnte, dass der Kaiser das Festland verlassen hatte und mit seinem Heer übersetzte. Er wusste nicht, dass Heinrich auf dem Landweg weiterziehen würde, um Salerno aus Rache für die Gefangennahme Konstanzes zu zerstören, und erst im Herbst nach Messina segeln wollte.

Also sammelte Albrecht im Sommer ein Heer, um seinen Bruder zu vernichten. Die vergangenen drei Jahre hatte er auch genutzt, um an der Grenze seines Gebietes zu Dietrichs Besitz, in unmittelbarer Nähe von Weißenfels, eine Burg errichten zu lassen. Diesmal würde er nicht nur mit zweihundert Mann gegen ihn reiten, diesmal würde er zweitausend Bewaffnete gegen ihn aufbieten.

Als Dietrich erfuhr, dass sein Bruder eine solch gewaltige Streitmacht gegen ihn aufstellte, entschied er rasch. Er übergab die Befehlsgewalt über Weißenfels vorübergehend Norbert und ritt mit nur wenigen Getreuen nach Eisenach, so schnell es Claras Zustand erlaubte. Sie war erneut hochschwanger. Angesichts der Lage blieb ihm kein anderer Ausweg, als den Landgrafen von Thüringen noch einmal um Beistand zu bitten. Und darum, Clara, ihre Tochter und seinen nun zweijährigen Sohn vorübergehend aufzunehmen, damit sie in Sicherheit waren.

Clara hatte erhebliche Einwände. Doch Dietrich ließ in dieser Frage nicht mit sich handeln. Seine sämtlichen Besitzungen standen in Gefahr, von Albrechts Truppen niedergebrannt zu werden, und die Rückkehr nach Freiberg blieb ihr verwehrt. Nicht nur Elmar und Rutger würden nach Clara suchen. Da mit Sicherheit auch sein Bruder wusste, wie viel sie ihm bedeute, würde er sie und die Kinder nur zu gern als Geiseln nehmen oder töten. In Eisenach konnte ihr außerdem ihre Mutter beistehen, wenn die Niederkunft nahte.

So erreichten sie die Wartburg an einem heißen Sommertag, staubbedeckt und müde. Dietrich ließ sich sofort beim Landgrafen melden.

Hermann von Thüringen wusste natürlich durch seine Spione ebenfalls von den Kriegsvorbereitungen des Meißner Markgrafen und erwartete den künftigen Schwiegersohn bereits.

Dietrich war in Eile, er musste zurück nach Weißenfels, ehe die Besatzung von Albrechts neuer Burg zum Angriff überging. Deshalb brachte er sein Anliegen gleich nach der Begrüßung und ohne Umschweife zur Sprache.

»Erneut muss ich Euch um Beistand gegen meinen Bruder bitten, der mit einer gewaltigen Streitmacht gegen Weißenfels vorrücken will, Hoheit. Und darum, meinem Sohn und seiner Mutter vorübergehend Zuflucht zu gewähren. Auf Weißenfels sind sie nicht mehr sicher.«

Das ist also seine sagenumwobene Geliebte, von der die Leute so Erstaunliches erzählen, dachte der Herrscher Thüringens und musterte Clara unverhohlen, die drei Schritte hinter Dietrich stand und nun vor ihm in einen Knicks sank, was ihr bei ihrem Leibeszustand eine Qual sein musste.

Doch dieser kurze Moment genügte für Hermann zu verstehen, warum diese Frau Dietrich so viel bedeutete. Sie war, wie er wusste, die Stieftochter seines Ritters Lukas und hatte unverkennbar das besondere Etwas von dessen Gemahlin geerbt. Es gab schönere Frauen an seinem Hof, aber diese beiden besaßen eine Ausstrahlung, die selbst ihn in den Bann schlug.

Zu genau erinnerte er sich an den Tag, an dem die Mutter dieser jungen Frau ihn ohne ein Wort, nur mit ihrem Blick und kraft ihres Willens dazu gebracht hatte, seine Meinung zu ändern.

Als er Marthes Tochter erlaubte, aufzustehen und sich zurückzuziehen, um sich von den Strapazen der Reise zu erholen, schlug sie die Augen auf und dankte ihm mit einem höflichen Lächeln, das einen inneren Aufruhr in ihm auslöste. Sie und ihre Mutter, sie können uns Männer bezaubern, dachte er beklommen. Waren sie etwa Feen? Das würde erklären, warum diese Marthe nicht zu altern schien.

Hermann von Thüringen war jedoch trotz aller Gottesfurcht und Vorliebe für Lieder und Gedichte auch ein sehr nüchtern denkender Mann und schüttelte deshalb diesen verwirrenden Gedanken rasch ab.

Natürlich hatte er nicht erwartet, dass sein künftiger Schwiegersohn enthaltsam lebte, bis Jutta alt genug war, um die Ehe vollziehen zu können. Und der Stand von Dietrichs Geliebter schloss von vornherein aus, dass sie jemals mehr sein konnte als die Mutter seiner Bastarde. Dennoch ... Es wurde Zeit, Tatsachen zu schaffen. Lange genug hatte er sich vertrösten lassen, was die Hochzeit betraf. Und diesmal würde er sich nicht von einer Fee bezaubern lassen.

Als Clara hinaus war, verzichtete der Landgraf demonstrativ darauf, sich mit Dietrich in seine privaten Räume zurückzuziehen, dorthin, wo sie das Verlöbnis abgesprochen hatten, als Dietrich zum ersten Mal auf der Wartburg um Beistand bat. Die heutige Unterredung sollte vor aller Augen und Ohren im Rittersaal stattfinden.

»Ich habe offiziell keinen Anlass, gegen Euern Bruder Krieg zu führen. Der drohende Angriff auf Euch ist ein Familienstreit innerhalb des Hauses Wettin«, verkündete der Landgraf unübersehbar abweisend und legte die Fingerspitzen seiner Hände aneinander.

Im Gegensatz zu ihrem früheren Gespräch kam sich Dietrich nun wirklich als Bittsteller vor. Er wusste, es war sinnlos, an Hermann zu appellieren, dass auch thüringische Dörfer in diesem Krieg in Flammen aufgehen würden. Hermann war ein kühler Rechner. Jetzt würde er darauf bestehen, dass die noch offene Rechnung bezahlt wurde.

»Es sei denn, Ihr wäret endlich mein Schwiegersohn. Setzen wir den Termin für die Hochzeit auf der Stelle fest, und ich werde Euch mit ausreichend Männern beistehen. Gemeinsam weisen wir Euren angriffslustigen Bruder ein für alle Mal in die Schranken.«

»Wünscht Ihr die Vermählung noch, bevor wir in die Schlacht ziehen?«, fragte der Weißenfelser mit undurchdringlicher Miene.

»Wir wollen die schicksalhafte Verbindung unserer beiden Häuser doch in aller angemessener Pracht feiern, und das bedarf einiger Vorbereitung«, entschied der Landgraf. »Sagen wir: in sechs Wochen. Bis dahin sollte Euer Bruder zurückgeschlagen sein. Ich stelle dreitausend Bewaffnete auf. Und Eure Leibwachen werden schon dafür sorgen, dass Ihr die Kämpfe wohlbehalten übersteht, damit die Hochzeit nicht etwa wegen des Todes des Bräutigams ausfällt und ihr Euer Wort nicht einlösen könnt.«

Er zeigte ein grimmiges Lächeln, und nun fühlte sich Dietrich noch mehr gedemütigt.

»Wie Ihr wünscht.« Etwas anderes zu sagen, blieb ihm nicht übrig. Allein konnte er Albrecht nicht aufhalten. Wenn er jetzt zögerte, würde sein ganzes Land verwüstet und starben alle, die seine Bewohner verteidigen wollten.

»Sehr gut«, konstatierte Hermann, mit einem Mal deutlich besser gelaunt.

»Schlotheim!« Der thüringische Truchsess trat näher und verbeugte sich.

»Bereitet alles für eine Hochzeitsfeier vor!«

Dann winkte er seinen Marschall heran. »Eckartsberga, Ihr ruft alles zusammen, was wir binnen einer Woche an Kämpfern aufbieten können. Heute noch sollen ein Mann Eures Vertrauens und dieser Bernhard Richtung Meißen aufbrechen und den Markgrafen auffordern, unverzüglich sämtliche Angriffe gegen meinen Schwiegersohn einzustellen. Sonst werden wir Truppen gegen ihn schicken.«

Während sich Heinrich von Eckartsberga nach einer tiefen Verbeugung sofort entfernte, um alles Nötige zu veranlassen, erklärte Hermann: »Gott hat uns einen Beobachter des Kaisers geschickt, einen Ministerialen namens Bernhard. Gegen dessen

Ermahnung kann Euer Bruder nicht verstoßen, wenn er die Gunst des Kaisers behalten will.«

Dann entließ er den künftigen Schwiegersohn mit einer gönnerhaften Geste. »Geht und erholt Euch von den Anstrengungen der Reise. Heute Abend werdet Ihr an der Tafel an meiner Seite sitzen, und neben Euch Eure Braut. Eine gute Gelegenheit für Euch, meine Jutta näher kennenzulernen.«

Dietrich würde lieber sofort heimkehren, um alles für die Verteidigung von Weißenfels vorzubereiten. Doch das wäre eine grobe Unhöflichkeit gewesen. Er musste Norbert und Thomas vertrauen, gute Miene zum Spiel machen und sich bis morgen mit der Abreise gedulden. Und hoffen, dass sein Bruder nicht gegen Weißenfels vorrückte, während er hier noch festsaß.

Marthe wartete schon vor dem Palas auf ihre Tochter. Selbst auf einer so großen Burg wie der Wartburg sprach sich die Ankunft eines Fürsten mit seiner Geliebten in Windeseile herum.

Die nun vierjährige Änne rannte ihrer Großmutter jubelnd entgegen, umhalste sie und ließ sich von ihr im Kreis herumschwenken. Dann knickste sie höflich vor ihrem Großvater, der es leid war, sich vor seiner Enkelin würdevoll zu geben, und ihr hingerissen lächelnd mit einer scherzhaften Bemerkung über das kastanienbraune Haar strich.

Er vergewisserte sich, dass der kleine Dietrich, den Lisbeth auf dem Arm trug, gesund und munter war, und gab seiner Stieftochter einen Kuss auf die Wange.

Clara fühlte sich zutiefst erschöpft von der langen Reise, der Hitze dieses Sommertages und ihrer fortgeschrittenen Schwangerschaft. Wie eine schwarze Wolke drückte ihr das Bewusstsein aufs Gemüt, dass sie nun unweigerlich Dietrich verlieren würde – ihn eigentlich schon verloren hatte.

Lieber hätte sie sich im entlegensten Winkel der Welt verkrochen, als ausgerechnet hier auf der Wartburg lauernden, fragenden und hämischen Blicken ausgesetzt zu sein. Aber sie hatte gewusst, dass dieser Tag kommen würde, und es in Kauf genommen. Nun, da es so weit war, musste sie mit den Folgen leben.

Wie zum Trost tastete sie durch das Leinen ihres Almosenbeutels nach dem schmalen, besonders scharfen kleinen Messer, das Guntram ihr geschmiedet und vor dem Aufbruch geschenkt hatte. Wehmütig erinnerte sie sich an ihr letztes, kurzes Gespräch. Er hatte noch gescherzt, einer anderen Dame hätte er eine Fibel oder einen Ring gefertigt, aber so, wie er sie kenne, würde sie sich wohl mehr über dieses Instrument für ihre Arbeit freuen: aus speziell gehärtetem Eisen und fein geschliffen.

Doch im Gegensatz zu ihrer gemeinsamen Kindheit in Freiberg wagte Guntram es trotz ihrer Aufforderung nicht mehr, sie mit »du« anzusprechen. »Ihr seid jetzt die Herrin der Burg«, hatte er das Angebot wiederholt zurückgewiesen. Standesschranken ... Sie hatte ja auch in all der Zeit Dietrich nie mit »du« angesprochen.

Clara ahnte nicht, dass Guntram Lisbeth nur deshalb so überraschend geheiratet hatte, weil er die letzte Hoffnung aufgegeben hatte, sie für sich zu gewinnen.

Marthe war besorgt angesichts der Erschöpfung ihrer Tochter. Energisch drängte sie, dass sie gemeinsam in ihre Kammer gingen, etwas aßen und tranken.

Dann schickte sie Lisbeth mit den Kindern zum Spielen in den Kräutergarten. Clara widersprach nicht, als ihre Mutter sie aufforderte, sich aufs Bett zu legen, und war nach wenigen Augenblicken schon eingeschlafen.

Nachdenklich und bekümmert betrachtete Lukas seine Stieftochter.

Er stand an die Wand gelehnt, schon ganz in Gedanken bei dem, was auf sie zukommen würde. Schließlich riss er seinen Blick von Clara los und sah Marthe ins Gesicht, ungewohnt ernst.

»Hast du einen Rat für einen Mann, der in den Krieg zieht?«
Dass dieser Krieg unausweichlich war und viel blutiger ausfallen würde als das Scharmützel vor knapp drei Jahren, das wusste er auch ohne Marthes Gabe.
Aber wie würde es enden? Wusste sie es?
Hatte er nach so vielen Kämpfen, nach so vielen Schlachten, Kriegen und anderen lebensgefährlichen Situationen mit seinen mehr als vierzig Jahren nicht sein Schicksal schon zu oft herausgefordert? Nach seiner letzten Verwundung, die er nur mit Mühe und dank Marthes Geschick überlebt hatte, fiel ihm manchmal immer noch das Atmen schwer. Ein Nachteil, der im Kampf zum Verhängnis werden konnte, wo zwischen Leben und Tod mitunter nur ein Wimpernschlag lag.
Wenn es zur Schlacht kam, dann wusste er, was seine Aufgabe sein würde. Doch um Albrecht zu töten, musste er erst einmal an den besten meißnischen Kämpfern vorbei. In Gedanken überlegte er schon, wer von den Rittern, die er kannte, nun alles zu Albrechts Leibwache zählte und wo ihre Schwächen und Stärken im Kampf lagen.
Marthe ließ sinken, was sie gerade in den Händen hielt, stand auf und ging auf ihn zu.
Dann nahm sie seinen Kopf zwischen ihre Hände und küsste ihn.
»Lebe!«, raunte sie ihm leise zu. »Es ist noch nicht der letzte Kampf. Du kommst zurück.«
Wehmütig strich sie mit den Fingern durch seine blonden Locken.
Nun blitzten Bilder vor ihr auf: brennende Felder, blutiges Morden auf einem riesigen Schlachtfeld …
Und da war es wieder, dieses Gefühl, dass irgendwann *sie* den höchsten Preis zahlen musste, nicht Lukas.
Marthe war nicht des Lebens überdrüssig, dazu liebte sie ihren Mann und ihre Kinder viel zu sehr. Aber diese Schlacht würde

so schrecklich, so blutig werden, dass es für sie nur eine Entscheidung gab.

»Ich werde mitgehen und mich um die Verletzten kümmern«, erklärte sie dem verblüfften Lukas. »Hermanns Feldscher ist wirklich ein Metzger, und ein einziger Heilkundiger wird ohnehin nicht genügen.«

Dies war ein Punkt, über den sie beide lange und heftig diskutierten – auch wenn sie dabei leise sein mussten, um Clara nicht zu wecken.

Das Auge des Kaisers

Der Meißner Markgraf nahm das Ultimatum des thüringischen Herrschers erwartungsgemäß äußerst missgelaunt und voller Hohn entgegen.

»So dankt es mir also Euer verräterischer Landgraf, dass ich ihm voriges Jahr gegen den Erzbischof von Mainz beigestanden habe?«, brüllte er Burchard von Salza an.

Der bewährte thüringische Ritter und Herr über das Land rund um Salza zuckte nicht einmal mit der Wimper. Dass diese Mission nur eine Formsache war und der Meißner sich nicht von dem geplanten Vernichtungszug gegen seinen Bruder abhalten lassen würde, war von vornherein klar gewesen. Aber bestimmte Regeln mussten eben eingehalten werden, wollte man nicht selbst als Störer des Landfriedens gelten.

Mit einem Blick gab Burchard seinem Begleiter das Zeichen, das Wort zu übernehmen – jenem kaiserlichen Ministerialen in kostbarer Kleidung und mit einem zerfetzten Augenlid, der zu Lebzeiten des alten Markgrafen eine Botschaft des jetzigen Kaisers an Ottos Sohn überbracht hatte. Albrecht erinnerte sich noch an jedes Detail: Es war der Rat gewesen, seinem zornigen Vater nach dessen befohlener Freilassung vorerst aus dem Weg zu gehen. Und dahinter steckte der Hinweis, Albrecht stehe nach wie vor in der Gunst König Heinrichs.

Was der nunmehrige Markgraf von Meißen nicht wusste: Ebendieser Ministeriale Bernhard empfing seit Jahren geheime Berichte des Freiberger Burgvogtes und war auch durch andere Quellen bestens über die Geschehnisse in der Mark Meißen im Bilde, worüber er den Kaiser regelmäßig informierte.

»Einen neuerlichen Kriegszug gegen Euren Bruder würde Seine Kaiserliche Majestät streng verurteilen«, erklärte Bernhard deshalb mit Nachdruck, ohne jede Spur von Unterwürfigkeit. »Ruft Eure Männer zurück, und wahrt den Frieden!«

Albrecht zuckte und lief vor Zorn rot an. »Ihr ... wagt es?! In diesem Ton mit mir zu sprechen?! Ich lasse mir keine Befehle von einem einfachen Ministerialen erteilen! Von einen Unfreien, einem Sklaven!«, brüllte er und streckte einen Arm aus. »Wachen!«

Ein Dutzend Männer rannten im Laufschritt herbei, obwohl sie nur in ein paar Längen Abstand gewartet hatten. Burchard und die Ritter, die ihn begleiteten – Knappen und Sergenten hatten auf dem Hof zu bleiben –, rückten näher zu Bernhard.

»Ich mag zwar ein Ministerialer sein«, erwiderte der kaiserliche Bote ruhig. »Dennoch handle ich im unmittelbaren Auftrag Seiner Majestät.«

»Der Kaiser ist schon lange fort, unterwegs nach Sizilien!«, schrie Albrecht und machte eine verächtliche Handbewegung.

»Er hat mich mit Vollmachten hiergelassen, als sein Auge, um zu erfahren, was im Land vor sich geht«, hielt Bernhard dagegen.

»Als sein Auge?« Nun sprang Albrecht auf und ging drei Schritte auf die kleine Gruppe der Thüringer zu.

»Dann soll dieses Auge nichts mehr sehen! Blendet ihn!«, befahl er dem Anführer der Wachen.

»Hoheit!«, rief Burchard von Salza entsetzt. Er trat neben den Ministerialen und verfluchte den Umstand, dass sie die Waffen am Eingang der Halle hatten abgeben müssen.

»Zieht Euch zurück, Salza, sonst trifft Euch das gleiche Schicksal!«, forderte Albrecht. Mehrere seiner Wachen zerrten Bernhard die Arme auf den Rücken und zwangen ihn in die Knie, während eine Überzahl Meißnischer seine Begleiter von ihm wegdrängte.

Rasch und verzweifelt wog von Salza die Möglichkeiten ab, dem Bedrohten zu helfen, und fand keinen Weg – ohne Waffen, in dieser Unterzahl. Die Gegner würden sie allesamt abschlachten.

»Damit bringt Ihr die gesamte Ministerialität gegen Euch auf – und sämtliche edelfreien Gefolgsleute des Kaisers!«, versuchte er, an die Vernunft des Meißner Markgrafen zu appellieren. Aus dem Augenwinkel sah er, dass der besorgt wirkende Truchsess Albrecht etwas zuraunte. Wahrscheinlich wollte auch der seinen Fürsten davon abbringen, die Strafe vollziehen zu lassen. Aber Albrecht stieß Elmar rüde beiseite.

»Tut es!«, brüllte er seine Wachen an, und einer der Männer, ein bulliger Kerl, in dessen Gesicht bereits ein bösartiges Lächeln aufblitzte, zog seinen Dolch und riss Bernhards Kopf an den Haaren nach oben.

»Nein!«, schrie von Salza. »Das könnt ihr nicht tun! Er ist ein Beauftragter des Kaisers!«

»Ich *kann* und ich werde es tun!«, wies Albrecht ihn schroff zurecht. »Noch eine solche Unverschämtheit von Euch, und Ihr seid der Nächste!«

Die Schnelligkeit, mit der der Bullige dem sich aufbäumenden Bernhard die Augäpfel ausstach, ließ vermuten, dass diese Strafe in letzter Zeit häufig auf dem Burgberg angewandt wurde. Bernhard brüllte vor Schmerz und Entsetzen, dann wurde er jäh losgelassen. Die anderen Wachen hielten immer noch Salza und dessen Begleiter in Schach.

»Schafft ihn raus, und auch Ihr verschwindet von meinem Hof!«, befahl Albrecht und wies aufgebracht zu Tür. »Das soll allen eine Lehre sein, die es mir gegenüber an Respekt mangeln lassen.«

Wie gelähmt vor Entsetzen, trat Burchard zu dem Geblendeten, der hilflos und mit blutigem Gesicht auf dem Boden lag. Er krampfte und zitterte am ganzen Leib, seine Haut war schneeweiß, und während er sich aufzurichten versuchte, erbrach er sich unversehens mitten in der Halle.

»Kommt, wir helfen Euch von hier weg«, sagte der Herr von Salza so ruhig wie möglich, hievte Bernhard hoch und legte sich dessen linken Arm um die Schulter.

Bevor sie die Halle verließen, hörte Burchard, ohne sich noch einmal umzudrehen, wie Albrecht seinen Truchsess anbrüllte: »Und Ihr! Wagt es noch einmal, mir vor anderen zu widersprechen, und Ihr werdet diesen Hof auf Nimmerwiedersehen verlassen!«

Burchard und seine Begleiter führten den wankenden Blinden über den Hof. Erschrockene oder mitleidige Blicke folgten ihnen; mancher, der die Szene beobachtete, bekreuzigte sich verstohlen, doch niemand wagte es, zu ihnen zu gehen und Hilfe anzubieten.

»Holt unsere Pferde und wartet mit ihnen vor dem Palas des Burggrafen!«, befahl Salza den entsetzten Knappen. Den Ältesten von ihnen wies er an: »Du lauf voraus und sorge dafür, dass wir schnell Hilfe bekommen!« Der Junge nickte und rannte sofort los.

»Nur ein paar Schritte! Der Burggraf wird Euch helfen und Eure Wunden versorgen lassen«, versuchte Salza, den verstümmelten Gefährten zu beruhigen.

Der burggräfliche Bezirk war der vorderste auf dem Meißner Burgberg und Burggraf Meinher von Werben vom Kaiser eingesetzt, um die Burg zu schützen. Zwischen ihm und dem Markgrafen herrschte eine naturgegebene Rivalität, ebenso mit dem Bischof, dem dritten Machthaber auf dem Burgberg.

Als sich die Thüringer dem Palas des Burggrafen näherten, kamen ihnen schon zwei Diener entgegengerannt, die sie in einen ebenerdigen Raum brachten. Vorsichtig führten sie den Verstümmelten zu einer Bank und begannen, ihm das Blut vom Gesicht zu waschen. Ein Mönch kam herein, schickte die Diener los, um mehr Wasser und sauberes Leinen zu holen, und nahm sich des Geblendeten an. Er sprach ein Gebet, dann gab er Bernhard erst einmal viel zu trinken; Wein, in den er ein betäubendes Elixier träufelte.

Salza vergewisserte sich, dass sein furchtbar zugerichteter Wegbegleiter vorerst in guten Händen war, und wollte eine Audienz beim Burggrafen erbitten, um ihm von dem ungeheuerlichen Vorfall zu berichten.

Doch das war nicht nötig: Meinher von Werben stand bereits in der Tür, als Salza losgehen wollte.

»Wenn der Markgraf nach diesem Vorfall wirklich noch Krieg gegen seiner Bruder führt, wird er die gesamte Ministerialität gegen sich haben«, erklärte der Burggraf sofort. »Ich schicke Boten aus, die den Getreuen des Kaisers von dieser abscheulichen Bluttat berichten. Lasst den Mann hier, ich sorge dafür, dass er die beste Pflege bekommt. Ihr berichtet in Thüringen, was hier geschah.«

»Nein!«, widersprach Bernhard mit brüchiger Stimme. Seine Hände tasteten die Bank ab, auf der er saß. »Ich werde mit nach Thüringen reiten. Jedermann soll sehen, welches Unrecht dieser Tyrann begangen hat!«

Er wandte den Kopf in die Richtung, in der er Burchard von Salza vermutete. »Ihr müsst mir helfen … auf mein Pferd zu kommen … seine Zügel führen … Ich werde nicht hierbleiben, bis meinen Wunden heilen. Wie auch?«, meinte er bitter. »Die Augen wachsen nicht nach.«

Beim Tasten war er an den Knauf seines Schwertes gestoßen, das jemand mitleidig und ohne nachzudenken auf die Bank gelegt hatte. Unsicher erspürte er den Griff der Waffe, zog sie an sich und legte sie auf seinen Schoß.

Er würde nie wieder das Schwert führen, begriff er dabei. Er würde nie wieder kämpfen. Denn er würde nie wieder sehen. Und Blinde wurden nicht alt, wenn niemand für sie sorgte. Selbst wenn seine Wunden verheilten, statt zu eitern, war ihm kein langes Leben mehr beschieden. So wollte er die ihm verbleibenden Tage wenigstens nutzen, um mit dem Anblick der zwei blutigen Löcher in seinem erstarrten Gesicht so viele Bewaffnete gegen Albrecht aufzubringen, dass dieser ein für alle Mal geschlagen wurde.

»Wollt Ihr das wirklich auf Euch nehmen?«, fragte der Mönch besorgt. »Ruhe täte Euch jetzt gut.«

»Nein!«

»Wie Ihr meint«, brummte der Heilkundige und band ihm ein in kühles Wasser getränktes Tuch um den Kopf, über die Stellen, wo noch vor einer Stunde seine Augen gewesen waren.

Da der Geblendete sich nicht ohne Hilfe bewegen konnte, sein Pferd am Zügel geführt werden musste, er nachts nur mit Mühe einschlief und oft qualvoll schreiend aus dem Schlaf erwachte, brauchten sie zwei Tage länger als geplant, bis sie Eisenach erreichten.

Unterwegs mussten sie sich auf einem Seitenweg verstecken, denn Albrechts Streitmacht – schon auf dem Weg nach Weißenfels – überholte sie.

Es dauerte beinahe einen halben Tag, bis die vielen Reiter, das Fußvolk und die Trosskarren an ihnen vorbeigezogen waren.

»Das sind mehr als zweitausend Mann«, stellte Burchard fest, als das Heer endlich außer Sichtweite war. »Gott steh Graf Dietrich bei!«

Dagegen war der Kampf um Weißenfels vor knapp drei Jahren nur ein Geplänkel gewesen. Das hier würde ein ausgewachsener Krieg werden.

Entsprechend wimmelte es auch auf der Wartburg und in Eisenach von kampfbereiten Männern, die aus dem ganzen Land gekommen waren, um dem Fürsten Heeresfolge zu leisten.

Hermann wusste bereits von seinen Spionen, dass das feindliche Heer Richtung Weißenfels vorrückte. Doch selbst der so nüchtern denkende Landgraf von Thüringen verlor die Farbe im Gesicht, als er den Geblendeten sah und erfuhr, was in Meißen geschehen war.

»Das war eine Kriegserklärung auch an uns!«, stellte er nach einem Moment des Schweigens fest. Dann wies er an, der Mann habe auf seiner Burg die denkbar beste Pflege zu erhalten, und sagte zu seinem Marschall: »Das bricht Albrecht das Genick! Er wird die Gnade des Kaisers verlieren.«

Heinrich von Eckartsberga nickte zustimmend. »Ja, und es wird uns noch mehr Männer auf unsere Seite treiben, sämtliche kaiserlichen Dienstmannen. Die Herren von Colditz, von Krosigk, von Vesta, Gleißberg und Meldingen – sie werden nicht zögern, mit uns in den Kampf zu ziehen. Soll ich Boten zu ihnen schicken?«

»Tut das!«, stimmte Hermann zu, der über sein militärisches Vorgehen schon entschieden hatte. »Wir selbst dürfen keine Zeit verlieren, mein Schwiegersohn ist in Bedrängnis. Wir brechen morgen früh auf. Zuerst erobern wir die Camburg, dann rücken wir vor gen Weißenfels, meinem Schwiegersohn zu Hilfe. Dort soll zu uns stoßen, wer sich auf unsere Seite stellen will.«

Für die schnelle Einnahme der Camburg hatte er längst Vorsorge getroffen. Die mächtige Befestigung als vorgeschobener Außenposten des Wettiners saß ihm schon lange wie ein Stachel im Fleische. Drei Männer der Burgwache standen deshalb insgeheim in seinen Diensten und warteten nur auf das Zeichen, den Thüringern die Tore zu öffnen.

Zwiegespräch

Nachdem die thüringische Streitmacht aufgebrochen war, wirkte die Wartburg auf einmal wie verlassen, beinahe menschenleer auf den ersten Blick. Zwar waren immer noch jede Menge Frauen, Kinder, Knechte und auch einige ältere Wachen zur Verteidigung dort, aber nach dem Abzug der Männer schienen die Verbliebenen allesamt in ihren Kammern, in der Küche oder den fast leeren Ställen in düstere Gedanken versunken.

Clara war beauftragt worden, sich um die schorfigen Augenhöhlen des Geblendeten zu kümmern. Zu aller Erstaunen zog Marthe diesmal mit dem Tross, um nach der unausweichlich scheinenden Schlacht die Verletzten zu versorgen.

Clara verstand diesen Wunsch ihrer Mutter besser als alle anderen hier, abgesehen vielleicht von ihrem Stiefvater und Thomas. Was jetzt kam, war vermutlich noch nicht die endgültige Entscheidung, so fühlte es sich nicht an …

Aber es konnte der Anfang vom Ende sein.

Wenn sie nicht so kurz vor der Entbindung stünde, wäre sie am liebsten auch mitgezogen.

Doch ihre Zeit rückte heran, das Ungeborene in ihrem Leib hatte sich schon vor drei Wochen gesenkt. Außerdem musste sie sich um die Kinder kümmern, um Änne, Dietrich und ihre Stiefgeschwister.

Zusammen mit Lukas und Thomas war diesmal auch Daniel in den Kampf geritten, ihr jüngerer Bruder, der nun neunzehn Jahre zählte. Ein Knappe noch, aber einer, der sein Bestes gab, um dem Ruf seines Vaters, seines Stiefvaters und seines älteren Bruders gerecht zu werden. Eine Bürde, die ihm zu schaffen machte, wie er Clara gestanden hatte.

Doch Paul, der junge Lukas und ihr kleiner Bruder Konrad waren auf der Wartburg geblieben.

Die lärmenden Kinder lenkten Clara davon ab, wie einsam sie sich fühlte. Schlimmer war es nur gewesen, als sie mit Reinhard an Albrechts Hof auf dem Meißner Burgberg leben musste und jedermann sie mied.

Dietrich war gleich am Morgen nach ihrer Ankunft in Eisenach wieder aufgebrochen, um Weißenfels zu verteidigen. Er rechnete jeden Tag mit dem Eintreffen von Albrechts Streitmacht. Gott schütze dich!, betete sie in Gedanken.

Der Kuss, den er ihr zum Abschied gegeben hatte, würde der letzte Kuss zwischen ihnen gewesen sein – das hatte Clara viel eher begriffen als er.

Falls Dietrich die Kämpfe überlebte, musste er nach seiner Rückkehr Jutta heiraten. Und Clara war zwar bereit gewesen, seine Geliebte zu werden. Aber eine Ehebrecherin konnte sie nicht sein.

Hier auf der Wartburg wurde sie insgeheim ohnehin schon mit schiefen Blicken angesehen – so, als hätte sie der Landgrafentochter etwas weggenommen, das ihr gehörte, unabhängig davon, dass Jutta immer noch fast ein Kind war ...

Sogar ihre Stiefbrüder, Lukas' Söhne, mussten darunter leiden. Schon kurz nach dem Aufbruch des Landgrafen und ihrer Eltern hatte sie alle drei – Paul, Lukas und Konrad – in eine Prügelei mit ein paar Älteren verwickelt gesehen. Erst nach energischem Fragen und der Drohung, ihrem Vater davon nach seiner Rückkehr zu berichten, rückten sie damit heraus, worum es gegangen war.

»Sie haben behauptet, meine Schwester brüte nur Bastarde aus ...«, gestand der dreizehnjährige Lukas schniefend, während sie ihm sein zuschwellendes Auge kühlte.

Clara beherrschte sich, um nicht zusammenzuzucken. Sie rang sich sogar ein Lächeln ab.

»Damit haben sie nicht ganz unrecht. Änne ist kein Bastard. Aber Dietrich ...«

Doch der vierzehnjährige Paul, Lukas' Erstgeborener, mit einer Magd gezeugt und das jüngere Ebenbild seines Vaters, unterbrach sie. »Dietrich und das kommende Kind sind zwar Bastarde, aber immerhin die Bastarde eines Grafen«, erklärte er dem Jüngeren mit erzwungenem Grinsen. »Das ist viel mehr als Bastard einer Magd – oder Bastard eines Ritters, wie Helmbrecht einer ist«, zog er genüsslich über einen ihrer Gegner in dem Gerangel her.

So froh Clara war, dass die drei trotz ihrer unterschiedlichen Herkunft zusammenhielten, so schuldig fühlte sie sich an diesem Streit.

Ich habe gewusst, dass das auf mich zukommt. Und nun muss ich damit leben, dachte sie zum wohl tausendsten Mal.

Ihr einziger Trost waren Änne und der kleine Dietrich, der nun schon halbe Sätze plapperte und von seiner Schwester eifrig korrigiert wurde, wenn er ein Wort nicht richtig aussprach.

Der Junge rieb sich gerade müde die Augen, als es klopfte.

Clara zuckte zusammen. Sie hatte keine Schritte kommen hören. Ob man sie wieder zu Bernhard rufen würde? Jedes Mal, wenn sie seine Wunden behandelte, hatte sie das Gefühl, in den leeren Augenhöhlen noch den Nachhall seiner Schmerzen zu spüren wie einen grausigen, todbringenden Sog. Gern hätte sie ihm etwas gesagt, um ihn aufzurichten. Doch womit könnte sie jemandem Mut zusprechen, der gerade durch eine solche Gewalttat sein Augenlicht verloren hatte? Bernhard lebte nur noch für den Gedanken an Rache.

Sie ging zur Tür, fand draußen zu ihrer Überraschung jedoch nicht die freundliche Magd vor, die den Erblindeten versorgte und ihn über den Burghof führte, sondern eine von Juttas Edeldamen.

»Die junge Landgräfin wünscht Euch zu sehen«, sagte sie, ohne auch nur einen Knicks anzudeuten.

Clara glaubte, der Boden würde unter ihren Füßen wanken. Dieses Gespräch war unausweichlich und überfällig. Doch wenn Jutta damit gewartet hatte, bis ihr Vater fort war, würde es wohl noch schlimmer ausfallen als befürchtet …

Sie drehte sich zu Lisbeth um und bat sie mit einem Blick, sich um die Kinder zu kümmern. Änne wollte nicht einsehen, dass ihre Mutter auf einmal fortmusste, und zerrte an deren Rock. »Bleib hier, hierbleiben!«, bettelte sie.

Mit wundem Herzen löste Clara die kleine Hand von ihrem Kleid. »Ich komme gleich wieder. Sei brav!« Dann schloss sie die Tür hinter sich und folgte der Edeldame über den Burghof.

Änne war noch zu klein, um zu begreifen, dass man sich nicht verspäten durfte, wenn eine Höhergestellte jemanden zu sich befahl. Schon gar nicht, wenn es die Braut des Mannes war, dessen Kind man unterm Herzen trug.

»Hoheit!«

Es fiel Clara angesichts ihres Zustandes schwer, vor Jutta in einen Knicks zu sinken, und sie befürchtete schon, nicht wieder aufzukommen. Ein stechender Schmerz durchzuckte ihren Rücken, und sie fragte sich, ob das wohl eine Wehe war. Bei ihren ersten beiden Schwangerschaften hatten die Wehen immer über den Rücken begonnen.

Jutta beobachtete sie durchdringend, und nachdem sie festgestellt hatte, dass Dietrichs Geliebte ihr die Geste der Unterwerfung nicht verweigerte, erlaubte sie Clara, aufzustehen. Dann schickte sie sämtliche Hofdamen hinaus und sagte zu Claras Erstaunen: »Bitte, setzt Euch!«

Verblüfft ließ Clara sich auf einem Stuhl nieder, nur auf der vorderen Kante, den schmerzenden Rücken ins Hohlkreuz gestreckt, und wartete darauf, dass Dietrichs Braut das Gespräch eröffnete.

Verstohlen musterte sie die Landgrafentochter unter halb gesenkten Lidern. Dass Jutta nun zwölf Jahre alt war, wusste sie. Sie wirkte älter, als sie war – nicht etwa durch weibliche Formen, davon war noch nichts zu sehen, sondern durch ihren ernsten, verschlossenen Gesichtsausdruck und die dunklen, kostbaren Stoffe ihres Kleides.

Das hellbraune Haar hatte sie zu Zöpfen geflochten und dabei auf bunte Bänder als Schmuck verzichtet, dafür trug sie ein silbernes Schapel und eine große Fibel am Halsausschnitt des Untergewandes.

Eine Weile sagte niemand ein Wort, und Clara begriff, dass Jutta dieses Gespräch nicht minder unangenehm war als ihr. Dass sie zögerte, weil sie nach den richtigen Worten suchte.

»Ihr sollt wissen: Ich bin Euch nicht feind«, sagte Jutta schließlich. »Wenn ich nach der Heirat mit meinem Gemahl nach Weißenfels ziehe, wünsche ich nicht, dass Ihr von dort weggeht. Ihr könnt auf der Burg wohnen bleiben und Euch um die Kinder meines Gemahls kümmern, die Ihr zur Welt gebracht habt.«

Das war für Clara Erleichterung und Strafe zugleich.

Wie sollte sie es aushalten, Tag für Tag Dietrichs Zusammenleben mit seiner neuen Frau anzusehen? Es wäre besser, irgendwohin zu gehen, wo ihr das erspart bliebe. Doch selbst wenn es einen Ort gäbe, an dem sie leben konnte – Dietrich würde darauf bestehen, dass die Kinder unter seiner Obhut erzogen werden, und sich von ihnen zu trennen kam für sie nicht in Frage. Nicht, bevor sie mit sieben Jahren wie die angehenden Ritter auch unausweichlich an einen anderen Ort mussten, um dort ausgebildet zu werden.

Ich sollte wohl froh sein, dachte sie, während sie Jutta mit höflichen Worten dankte. Die meisten anderen Frauen an ihrer Stelle hätten die Nebenbuhlerin mit Schimpf und Schande vertrieben. Wenigstens das bleibt mir erspart.

Ich habe es gewusst und in Kauf genommen.

»Und ich wäre Euch dankbar, wenn Ihr mir dabei helfen würdet, meine Aufgaben auf Burg Weißenfels zu erfüllen«, fuhr Jutta fort. »Ihr habt Erfahrung darin ... und ich bin noch sehr jung, um für so viele Menschen Verantwortung zu tragen.«

Nun musste Clara Jutta insgeheim bewundern. Sie war tatsächlich sehr klug für ihr Alter. Sie wusste, dass sie die Rivalin nicht aus dem Herzen ihres künftigen Gemahls treiben konnte – schon gar nicht, indem sie sie oder die Kinder schlecht behandelte.

Mit ihrer Großherzigkeit gegenüber Clara sicherte sie sich nicht nur Dietrichs Wohlwollen. Es war der einzige Weg, ihn für sich zu gewinnen. Und nachdem sie Clara durch ihre Bitte auf ihre Seite gezogen hatte, fühlte diese sich nicht mehr imstande, Jutta zu hassen.

Sie ist wirklich noch so jung, dachte Clara mitleidig. Sie fürchtet sich vor der großen Verantwortung, die einer Burgherrin obliegt. Und wahrscheinlich fürchtet sie sich auch davor, was in der Hochzeitsnacht geschehen würde.

»Ich werde Euch unterstützen, wo ich es kann«, sagte sie mit brüchiger Stimme. Und weil sie die Angst in den Augen der Jüngeren sah, dachte sie wider Willen: Er wird dir nicht weh tun. Er ist ein so wunderbarer Liebhaber …

Der Gedanken schnürte ihr die Kehle zu, wie der Mann, den sie liebte, Jutta liebkosen und ihr zärtliche Worte zuflüstern würde. Ich habe es gewusst und in Kauf genommen, ermahnte sie sich erneut. Nun muss ich dafür zahlen.

Doch es tat so weh im Herzen.

Erste Angriffe

Landgraf Hermann eroberte die Camburg im Handstreich und fast ohne Blutvergießen. Bevor die thüringische Streitmacht vom gewaltigen Bergfried aus zu sehen war, zog einer seiner Männer als Bettler verkleidet zum Burgtor und gab seinen Gewährsleuten das geheime Zeichen, dass ein Angriff bevorstand. In der Nacht wurde ein von Lukas angeführtes Vorauskommando durch eine Seitenpforte in die Burg gelassen, überwältigte die Wachen und nahm den Burgkommandanten als Geisel.

Hermann ließ die Burgbesatzung entwaffnen und verjagen, beschlagnahmte Pferde und Proviant und befahl, die Burgtore zu zerstören. Der Vorposten der feindlichen Wettiner direkt in seinem Herrschaftsgebiet, ein langjähriges Ärgernis und steter Streitpunkt, war damit vorerst unschädlich gemacht.

Für mehr als die symbolische Zerstörung blieb keine Zeit; zwanzig Meilen weiter Richtung Nordosten steckte sein angehender Schwiegersohn in Weißenfels in großer Bedrängnis, und Hermann trieb seine Truppen durch die sommerliche Hitze voran, um die Belagerer sofort anzugreifen und zu vertreiben.

Je näher sie Weißenfels kamen, umso schrecklicher war das Land verwüstet.

Bedrückt sah Marthe auf die vom Feuer kahlgesengten Äcker. Zwar war es kaum weniger schlimm, wenn plündernde Truppen den Dörflern die Vorräte stahlen und das Vieh abstachen, aber die Saat so kurz vor der Ernte hilflos in schwarzem Rauch und Flammen aufgehen zu sehen, musste den Bauern den Lebensmut nehmen.

Sie ritt immer noch mit dem Tross und versuchte, sich daran zu gewöhnen, dass die Männer sie mit merkwürdigen oder neugierigen Blicken musterten. Die Trossknechte wussten, dass sie die Frau eines Ritters war und nicht etwa eine Marketenderin, das ließ sich schon an ihrem Kleid und dem Pferd erkennen. Deshalb wagten sie nicht, das Wort an sie zu richten. Aber sie sprachen insgeheim über sie.

Nachts schlief Marthe in einem Zelt gemeinsam mit Lukas, ganz in der Nähe des Grafen und des Landgrafen, morgens und abends aß sie mit seinen Rittern. Doch tagsüber, während des

Marsches, musste sie auf Weisung ihres Mannes hinten beim Tross bleiben. Am Ende eines langen Disputs darüber, ob sie mitziehen sollte oder nicht, hatte Lukas ihr das Versprechen abgenommen, dort zu bleiben, wo sie in Sicherheit war. Und ihm zuliebe würde sie sich daran halten, solange nicht irgendein Vorkommnis sie nach vorn rief.

Bruno, der alte thüringische Kreuzfahrer, der nur zwei Finger an der rechten Hand hatte, lenkte sein Pferd an ihre Seite und schenkte Marthe ein aufmunterndes Lächeln. »Meine Männer werden mit mehr Zuversicht in die Schlacht reiten, wenn sie wissen, Ihr kümmert Euch um sie, sollte ihnen etwas zustoßen«, sagte er.

Über sein schmales Gesicht mit den tiefen Falten zog ein Schatten – die Erinnerung an die vielen Männer, die er schon im Kampf oder danach an den erlittenen Verletzungen hatte sterben sehen.

Der Thüringer blieb an ihrer Seite, während sich das Fußvolk und die schwerbeladenen Ochsenkarren vorwärtsquälten; er gehörte zu denjenigen, die den Tross zu schützen hatten.

Als die Sonne im Zenit stand, kam ein Meldereiter zu ihnen nach hinten und übermittelte, was Hermanns Spähtrupps ausgekundschaftet hatten: Albrecht saß mit einem Teil seiner Ritterschaft in seiner neuen Burg nahe Weißenfels, die meisten seiner Männer jedoch belagerten Dietrich auf dessen Burg, wohin sich auch der Großteil der Dorfbewohner geflüchtet hatte.

Diesmal waren die Dörfer unmittelbar um Weißenfels nicht niedergebrannt worden. Etliche von Albrechts Rittern hatten Quartier in den Häusern am Fuße der Burg bezogen und alles an Vieh und Vorräten beschlagnahmt, was die eigentlichen Bewohner bei ihrer Flucht nicht mit sich nehmen konnten.

Nach den Worten des Boten standen die vorderen Heeresabteilungen bereits und warteten darauf, dass der Tross und das Fußvolk aufschlossen. Dann würden sie in den Angriff reiten. Landgraf Hermann sei entschlossen, wie ein Sturmwind über die meißnischen Angreifer herzufallen und sie aus der Nähe seiner Gebiete zu vertreiben.

Wie es wohl Dietrich und Thomas oben auf der Burg ergeht?, dachte Marthe, während sie dankbar einen Schluck zu trinken aus Brunos Vorräten annahm. Norbert, seinen Söhnen und Guntram, dem Schmied? Gibt es noch genug zu essen für alle, die dorthin geflohen waren?

Nun erlebten die Weißenfelser binnen dreier Jahre schon die zweite Belagerung. Aber vielleicht waren die auf der Burg Eingeschlossenen diesmal weniger verängstigt als beim ersten Mal. Vielleicht vertrauten sie nun Dietrich und seinem Verbündeten, dem mächtigen Landgrafen von Thüringen.

Und dann flogen ihre Gedanken zu ihrer Tochter, die womöglich gerade im Kindbett um ihr Leben und das ihres Kindes kämpfte. Marthe hatte Clara in der Zuversicht in Eisenach gelassen, dass die alte Wehmutter, die dort ihr Handwerk ausübte, erfahren war und ihre Sache verstand.

Warum überkam sie auf einmal so ein ungutes Gefühl, dass sie schon ihre Entscheidung zu bereuen begann, mit Lukas aufgebrochen zu sein?

Der Tross hatte mittlerweile zum Heer aufgeschlossen, das sich in einer Ebene sammelte. In der Ferne konnten sie bereits die Burg auf dem weißen Felsen erkennen. Die Sonne brannte heiß, kein Wölkchen zeigte sich am Himmel, kein Lüftchen wehte, und die Männer in den dicken Gambesons und Kettenhemden mussten schweißgebadet sein.

Marthe hörte die Hornsignale, nach denen sich die Panzerreiterei an der Spitze der Streitmacht formierte. Die Sergenten reihten sich hinter ihnen auf, und diesmal rannte auch das Fußvolk schon beim ersten Angriff mit. Dessen Aufgabe war es, die Feinde zu vertreiben, die sich in den Häusern am Fuße der Burg aufhielten.

Der schwache Nachhall einer befehlsgewohnten Stimme drang zu ihr durch – Landgraf Hermann hielt eine aufrüttelnde Rede, bevor er an der Spitze seiner Männer in den Kampf ritt. Schlachtrufe erschollen, dann weitere Hornsignale, und die Reiterei preschte los, um die Belagerer zu verjagen, die sich in und um Weißenfels breitgemacht hatten.

Im Schatten einer großen Linde bat Marthe die Heilige Jungfrau, dass heute niemand von denen sterben würde, die ihr am Herzen lagen, und um Beistand für Clara in ihrer schweren Stunde.

Doch ihr blieb nicht viel Zeit für Gebete: Knappen und Knechte brachten schon Verletzte. Diejenigen, denen Gliedmaßen amputiert werden mussten, wurden gleich zum Feldscher getragen, der ein paar Schritte entfernt von ihr sein blutiges Handwerk verrichtete.

Nach der Begegnung mit Jutta hatten sich Claras stechende Schmerzen wieder verzogen.

Doch an diesem heißen Tag würden sie nicht mehr aufhören. Das Kind kam, dessen war sich Clara nun sicher.

Sie hatten den halben Vormittag noch an einem Hemdchen genäht und Änne Geschichten erzählt, die sich an sie schmiegte, während ihr kleiner Bruder draußen unter Lisbeths Aufsicht herumtollte.

Immer wieder rieb sich Clara mit den Händen über den Rücken, was der Vierjährigen nicht verborgen blieb.

»Dein nächstes Brüderchen will heraus«, erklärte sie dem Mädchen und legte Ännes Hand über ihren Bauch, der ihr so prall vorkam, als würde die Haut jeden Moment aufreißen.

»Darf ich zugucken, wie es herausläuft, und es begrüßen?«, fragte Änne neugierig.

Trotz ihrer Schmerzen musste Clara lächeln. »Zuschauen – nein. Aber du darfst es streicheln, wenn es da ist.«

Sie sah ihrer Tochter, die für ihr Alter sehr aufgeweckt und klug war, ernst in die Augen.

»Gehst du und holst Lisbeth? Aber beeil dich …«

Änne verstand, dass dies ein wichtiger Auftrag war, und rannte los, ohne die Tür hinter sich zu schließen.

Clara war nicht mehr in der Lage, aufzustehen und das selbst zu tun – soeben rann ihr das Fruchtwasser an den Beinen herab, und im nächsten Augenblick traf eine Wehe sie so hart und unvermittelt, dass sie sich jammernd zusammenkrümmte.

So fand Lisbeth sie vor, als sie mit Änne an der Hand und Dietrich auf dem Arm hereinkam.

Die junge Magd, die selbst schon zwei Kinder geboren und verloren hatte, verstand sofort. »Ich hole die Wehmutter … und suche jemanden, der sich derweil um Eure Kinder kümmert.«

Sie füllte Clara einen Becher mit kühlem Wasser, half ihr aufs Bett, dann lief sie hinaus, beide Kinder mit sich nehmend.

Noch nie war Marthes Tochter eine Zeit allein so quälend lang vorgekommen wie die bis zu Lisbeths Rückkehr. Die Wehen jagten plötzlich in viel kürzeren Abständen als eben noch durch ihren Körper, der Schmerz biss sich in ihr fest, dass sie die Hände ins Laken krallte und stumm betete, die alte, erfahrene Wehmutter möge endlich kommen und ihr beistehen.

Doch Lisbeth kehrte allein zurück, mit ängstlicher Miene.

»Die Wehmutter ist nicht hier. Niemand weiß, wo sie steckt.«

Das war verwunderlich – wusste doch jedermann auf der Burg, dass dieses Kind bald zur Welt kommen würde, und am Morgen hatte Clara ihr Bescheid gegeben, dass es wohl heute so weit war.

»Ich habe mich umgehört. Eine der Mägde sagte, es gibt noch eine andere Wehmutter unten in der Stadt. Soll ich sie suchen?«

»Nein, geh nicht weg!«, bat Clara in ihrer Verzweiflung und konnte vor Schmerzen kaum noch einen Gedanken fassen. »Warte …«

Sie atmete tief durch, als der Schmerz verebbte – für den Moment. »Schick Paul. Sag seinem Waffenmeister, seine Stiefschwester brauche dringend Hilfe. Dann wird er ihn gehen lassen … hoffe ich.«

Wieder huschte Lisbeth hinaus, kam bald darauf zurück, nickte zuversichtlich und setzte sich zu Clara, um ihr die Hand zu halten, als die nächste Wehe ihren Körper durchflutete. Pauls Lehrmeister hatte, als er von der Natur der Notlage erfuhr, eine der Mägde herangerufen und sie aufgefordert, dem Vierzehnjährigen genau zu beschrieben, wo er die Heilkundige finden konnte.

Es schien eine halbe Ewigkeit zu vergehen, bis Paul endlich mit der fremden Wehmutter kam. Bevor er wieder ging, winkte er Lisbeth nach draußen und wechselte dort mit ihr ein paar kurze, besorgte Worte, von denen Clara nichts mitbekam.

»Euer erstes Kind?«, fragte die Wehmutter, eine üppige Frau Mitte vierzig mit tiefer Stimme und in zerlumpten Kleidern. Schnaufend stellte sie einen großen Weidenkorb neben dem Bett der Kreißenden ab.

»Das dritte«, stöhnte Clara.

»Dann sollte es doch schnell gehen«, meinte die Frau zufrieden und krempelte die Ärmel hoch. Als Clara ihre schmutzigen und rissigen Fingernägel und Hände sah, zuckte sie zurück und presste unwillkürlich die Beine zusammen.

»Rühr mich nicht an!«, schrie sie in äußerster Panik.

»Nun, das lässt sich nicht verhindern, Herrin. Ihr wollt doch das Balg nicht ewig im Leib behalten?«, erwiderte die schmutzstarrende Fremde unbeeindruckt und zog die Decke von Claras Leib. »Ich hol es Euch ganz schnell heraus, Ihr werdet mir noch dankbar dafür sein.«

»Rühr mich nicht an!«, kreischte Clara und zog die Beine an, so gut es irgend ging. »Und was hast du da in dem Korb? Kuhfladen?«

»Natürlich, sogar noch warm. Das zieht die Gifte aus dem Leib. Ein altbewährtes Mittel. Also ziert Euch nicht so. Ich denke, es ist nicht Euer Erstes?«

»Paul! Lukas!«, schrie Clara in ihrer Verzweiflung.

Ihr ältester Stiefbruder, der draußen gewartet zu haben schien, steckte den Kopf zur Tür herein.

»Lass nicht zu, dass diese Frau mich anrührt! Schaff sie hinaus!«, flehte Clara.

Paul zögerte keinen Augenblick. Nicht umsonst war er bei Raimund und jetzt auf der Wartburg im Kampf ausgebildet worden, und sein Leben als Bastard ließ ihn mehr als genug Erfahrung in handgreiflichen Auseinandersetzungen sammeln. Dieses dicke, alte Weib war keine Herausforderung für ihn. Er hatte schon auf dem Weg hierher Zweifel daran gehegt, ob sie wohl eine gute Wahl sei. Seine Mutter und auch seine Stiefschwester behaupteten immer wieder – zur Verwunderung der meisten Menschen –, dass man saubere Hände haben müsse, wenn man Wunden behandeln oder ein Kind auf die Welt holen wolle. Diese Frau hier starrte vor Dreck und unternahm auch keinerlei Anstalten, sich zu waschen.

Er packte die Fremde am Arm und zog sie aus der Kammer.

»Mein Korb!«, keifte die Wehmutter. »Und bezahlt mich wenigstens für den Weg! So etwas Undankbares!«

Lisbeth huschte den beiden nach, um den Korb mit dem Kuhfladen loszuwerden.

Draußen sah sie in einiger Entfernung eine Gruppe Hofdamen stehen und wispern, was ihren Verdacht bekräftigte: Sie hatten die erfahrene Wehmutter mit Absicht fortgeschickt und Clara diese Pfuscherin aufgedrängt.

Paul kam zurück. »Was nun?«, fragte er Lisbeth hilflos. Die wartenden Hofdamen hatte er ebenfalls bemerkt und kam dabei zu der gleichen hässlichen Erkenntnis wie das Kindermädchen.

»Kann der junge Lukas noch kommen? Ihr beide solltet vor der Tür wachen und uns bringen, was wir brauchen«, schlug Lisbeth vor, was mutiger klang, als sie sich fühlte. »Ich kann die Herrin jetzt nicht allein lassen. Und Hilfe haben wir wohl nicht zu erwarten.« Mit dem Kopf wies sie zu den Hofdamen.

»Das übernehmen wir«, versprach Paul. »Wir lassen unsere Schwester nicht im Stich. Zuerst brauchst du Wasser, nicht wahr?«

»Ja!«, stieß Guntrams Frau erleichtert aus. Auf heißes Wasser durften sie nach Lage der Dinge wohl nicht hoffen, aber Wasser überhaupt war schon eine Wohltat. Sauberes Leinen lag in der Truhe bereit. Und was es vielleicht für solch einen Fall an Tinkturen und Salben bedurfte, besaß Clara selbst.

Sie blickte Lukas' Erstgeborenem noch kurz nach, dann ging sie wieder in die Kammer.

»Jetzt musst du mir helfen, das Kind auf die Welt zu bringen«, stöhnte Clara. »Ich sag dir, was zu tun ist.«

Lisbeth nickte nur, tauchte die Hände in einen Eimer Wasser und rieb sie dann mit reinem Gänseschmalz ein.

Wenn es doch nur überstanden wäre!, dachte Clara und ließ sich wieder auf das Laken sinken, während ihr Tränen aus den Augenwinkeln rannen.

Mein erstes Kind musste ich auf der Flucht zur Welt bringen, nachts mitten im Wald auf eiskaltem Boden. Doch da war wenigstens Johanna bei mir, eine wirklich gute Wehmutter. Und jetzt … liege ich zwar in einem Bett, muss aber selbst die Anweisungen geben … weil diese Frauen Dietrich dieses Kind nicht gönnen, weil sie mich und mein Kind sterben sehen wollen …

Dass das auch zu dem Preis gehört, den ich zu zahlen habe, hätte ich nie gedacht.

Atempause

Vom Verlauf der Kämpfe um Weißenfels und Albrechts Gegenburg und dem schnellen Sieg Hermanns und Dietrichs erfuhr Marthe kaum etwas. Die Verwundeten und ihre Begleiter brachten nur spärlich Nachricht.

Irgendwann, als die Sonne schon sehr tief stand, kam Lukas, um Marthe zu holen.

Jemand hatte Befehl gegeben, alle Verletzten auf die freigekämpfte Weißenfelser Burg hochzukarren oder zu schicken, damit sie dort weiter versorgt wurden. In der hereinbrechenden Dunkelheit konnten Marthe und der Feldscher hier im Freien nichts mehr für die Männer tun.

Marthe wusch sich an einem Bachlauf das Blut von den Händen und drückte den schmerzenden Rücken durch, ehe sie das Bündel mit ihren Sachen und den Korb mit den Arzneien aufhob. Wie benommen irrte ihr Blick über das zweite Schlachtfeld – das, wo sie und der Feldscher den Kampf um das Überleben der Verwundeten ausgetragen hatten.

Lukas hob sie vor sich in den Sattel, und erst in dem Augenblick, als sie sich erleichtert an ihn lehnte, wurde ihr bewusst, dass er den Kampf überlebt hatte und ihm nichts geschehen war.

Vor Freude und Erschöpfung zugleich liefen ihr die Tränen.

Sie ritten an einem Karren vorbei, auf den Tote gestapelt waren. Marthe zwang sich, nicht auf die erstarrten Gesichter zu sehen, nicht in die vor Schreck oder Schmerz aufgerissenen Augen, nicht auf die blutigen, verstümmelten Körper.

Stattdessen lehnte sie sich noch enger an Lukas und ließ sich berichten, was geschehen war. Thomas, Daniel und auch Raimund waren weitgehend unverletzt, auch Dietrich, erfuhr sie und atmete auf.

Hermanns Panzerreiterei hatte die meißnischen Belagerer nach kurzem, heftigem Kampf verjagt und vor sich hergetrieben, Albrechts neue Burg war eingenommen.

»Dank der Hilfe zweier guter, alter Bekannter«, meinte Lukas grinsend.

Marthe fühlte sich zu erschöpft für Ratespiele. Aber als Lukas genüsslich mit der Sprache herausrückte, lächelte sie zum ersten Mal an diesem Tag aus vollem Herzen. »Ich hätte darauf kommen müssen!«

Kuno und Bertram hatten sich freiwillig zu einem Kontrollgang gemeldet und an einer auffälligen Stelle Spuren hinterlassen, die vortäuschten, sie seien verletzt und in Gefangenschaft geraten. Das würde es ihnen ermöglichen, später nach Freiberg zurückzukehren. Dann waren sie schnurstracks übergelaufen und hatten Norbert und Dietrich sämtliche Einzelheiten berichtet, die diese brauchten, um die Burg einzunehmen. Es wurden eine Menge Gefangener gemacht, doch Albrecht und seine engsten Vertrauten waren nicht darunter.

Auf der Burg fragte sich Marthe mit Lukas' Hilfe sofort zu ihren Söhnen durch und schloss sie froh in die Arme.

Daniel wirkte völlig aufgewühlt; es war die erste Schlacht, an der er teilgenommen hatte, wenn auch nur als Knappe und nicht in vorderster Kampflinie, und der Sieg schien so mühelos errungen und vollkommen.

Thomas hingegen benahm sich so, als ob ihn dieses Gefecht überhaupt nicht weiter berührte. »Die große Schlacht kommt erst noch, du wirst sehen«, versuchte er, den Überschwang seines jüngeren Bruders zu dämpfen.

Nun sah sich Marthe auf der Burg um. Die meisten Dorfbewohner waren schon wieder in ihre Häuser zurückgekehrt, bis auf ein paar Frauen, die in der Backstube oder bei der Pflege der Verwundeten halfen.

Der kleine Simpel, den sie damals vor Gertruds Schlägen gerettet hatte, kam freudestrahlend auf sie zugerannt und zupfte an ihrem Rock. Er schien kaum gewachsen zu sein in den drei Jahren, die seitdem vergangen waren, aber er lebte noch.

Am Schmiedefeuer stand Guntram und hämmerte auf ein längliches, glühendes Stück Eisen, das er geschickt und gleichmäßig mit der linken Hand drehte. Neben ihm redeten Kuno und Bertram auf ihn ein; wahrscheinlich prahlten sie damit, wie sie Albrechts Leute an der Nase herumgeführt hatten. Als Kuno Marthe entdeckte, zog ein Strahlen über sein Gesicht, er stieß Bertram in die Rippen. Begeistert begrüßten die drei Freiberger Marthe und Lukas.

So viele vertraute Gesichter! Marthe konnte es kaum fassen, dass ihr Mann, ihre Söhne und alle, die ihr noch besonders am Herzen lagen, diesen Tag überlebt hatten.

Elisabeth kam ihnen entgegengelaufen. Marthe, die sie lange nicht gesehen hatte, erschrak darüber, wie schmal sie im Gesicht seit dem Tod ihres Sohnes geworden war.

Sie muss mehr essen!, dachte sie. Ich muss mit Raimund darüber reden. Es macht ihren Sohn nicht wieder lebendig, wenn sie nichts isst.

Die beiden Frauen umarmten sich, froh über das Wiedersehen trotz der Umstände.

»Raimund hat mich hierhergebracht, damit ich in Sicherheit bin«, erzählte Elisabeth. »Also habe ich mich um die Vorräte gekümmert, so wie früher du.«

Ein Knappe trat zu ihnen und richtete aus, Ritter Lukas und seine Gemahlin seien heute Abend an die Tafel des Grafen und des Landgrafen eingeladen.

Prüfend betrachtete Marthe ihr blutverschmiertes, einfaches Kleid. »Ich muss mich umziehen.«

Elisabeth entschied sofort, in welcher Kammer sie Quartier nehmen konnten.

Ein Knecht, den Marthe noch von ihrem früheren Aufenthalt auf der Burg kannte, führte sie auf Elisabeths Anweisung dorthin, und da er sich noch gut daran erinnerte, wie Marthe ihnen bei der ersten Belagerung geholfen hatte, erbot er sich, ihr nicht nur kaltes, sondern sogar warmes Wasser zum Waschen zu bringen.

»Wie wird es nun weitergehen?«, fragte sie Lukas, während sie sich die Schuhe auszog und die schmerzenden Füße rieb.

Lukas zerrte sich die Kettenhaube und die Polsterkappe vom Kopf. Sein Gesicht war staubverschmiert, sein blondes Haar schweißverklebt. Er konnte es kaum erwarten, aus dem durchschwitzten Gambeson zu kommen und sich mit kaltem Wasser zu erfrischen.

»Albrecht ist mit seinen Männern Richtung Norden geflohen und wird sie dort sammeln«, sagte er, beugte sich vornüber und ließ Marthe das Kettenhemd von seinem Körper ziehen. Den Knappen hatte er weggeschickt; der Bursche ging ihm mit seinem Übereifer aufs Gemüt, und für drei war in dieser kleinen Kammer wirklich kein Platz.

»Wir warten noch auf Nachricht unserer Kundschafter«, berichtete er weiter, als er die schwere Rüstung endlich los war. »Und auf die Reichsministerialen, die sich uns anschließen werden. Mehrere sind heute schon mit etlichen Bewaffneten zu uns als Verstärkung gekommen: der Herr von Colditz mit seinem Sohn Heinrich, der Burggraf von Leisnig, der Herr von Wildenfels, der Vogt von Reichenbach … Weitere erwarten wir morgen und übermorgen. Das wird ein regelrechter Aufstand der hiesigen und pleißenländischen Reichsministerialität gegen Albrecht. Gemeinsam können wir ihn vernichtend schlagen.«

Und was wird danach?, fragte sich Marthe in Gedanken. Ich kann ich mir nicht vorstellen, wie ein Sieg aussehen soll, solange Albrecht lebt.

Sie schloss die Augen und lehnte den Kopf gegen die Wand.

»Können wir uns nicht beim Mahl entschuldigen lassen? Ich bin so müde.«

Ich möchte heute Abend lieber mit dir zusammen sein, dachte sie, ohne es auszusprechen. Wer weiß, was geschieht, wenn wir morgen oder übermorgen in die nächste, die entscheidende Schlacht reiten.

Lukas trat zu ihr und küsste ihre Schläfe. Auch er hätte diesen Abend lieber allein mit Marthe verbracht.

»Da es die Siegesfeier eines Grafen und eines Landgrafen ist, können wir uns davor wohl nicht drücken«, sagte er bedauernd. »Aber ich habe die Hoffnung, dass sie die Tafel bald aufheben, weil morgen alle bei Kräften sein müssen.«

Zu seiner Erleichterung behielt Lukas recht mit seiner Vermutung. Sobald sie durften, zogen sich er und seine Frau zurück in ihre Kammer.

Marthe schaffte es nicht einmal, so lange die Augen aufzuhalten, bis Lukas entkleidet war und sich zu ihr legte.

Bedauernd und besorgt zugleich sah er auf die Frau, die er liebte, und strich sanft über ihre Wange, ganz vorsichtig, um sie nicht aufzuwecken.

Sollte sie jetzt ausschlafen.

Das entgangene Liebesspiel würde er morgen früh nachholen.

Hermann und Dietrich ließen zwei Tage verstreichen, ehe sie ihre Streitkräfte gemeinsam gegen Albrecht führten.

Klüger wäre es vielleicht gewesen, die in die Flucht Getriebenen gleich zu verfolgen, bevor sie sich wieder sammeln konnten.

Aber nach über hundert Meilen Gewaltmarsch von Eisenach hierher und dem Kampf wollten sie dem Heer eine Ruhepause gönnen, bevor es zwei weitere Tagesmärsche zu bewältigen hatte und dann in eine große Schlacht ziehen musste.

Außerdem hatte jeder von ihnen noch einen Grund, in Weißenfels zu verharren.

Hermann wollte den weiteren Zustrom der kaiserlichen Gefolgsleute abwarten. Jeden Tag trafen neue Verbündete ein.

Und Dietrich versuchte, sich auszumalen, wie es enden würde, wenn sie sofort mit ihrer gesamten Streitmacht den Versprengten nachjagten. Dann lief wohl alles darauf hinaus, Albrecht zu töten. So tief ihre Feindschaft auch war, so viele Eide Albrecht auch gebrochen hatte – Dietrich scheute davor zurück, einen Brudermord begehen.

Und was geschähe nach Albrechts Tod? Sophia von Böhmen würde die Mark Meißen nicht behaupten können, und er selbst vermochte sie nicht einfach zu besetzen, ohne einen so groben Rechtsbruch zu begehen, dass es ihn auch noch Weißenfels kosten könnte.

Vielleicht würde ihm sein Zögern zum Verhängnis werden. Aber er wollte dem Älteren wenigstens die Chance einräumen, seine Niederlage zu begreifen und ein Friedensangebot zu senden.

Lukas, der Dietrichs Zweifel erriet, schlug ihm vor, einen Boten zu seinen ranghöchsten Verwandten zu schicken, dem Markgrafen der Ostmark und dem Herzog von Sachsen. Beide hatten Albrecht zwar vor fünf Jahren bei der Gefangennahme seines Vaters unterstützt, aber vielleicht würden sie ihn nun zur Mäßigung ermahnen, damit das Haus Wettin nicht noch mehr in Bedrängnis geriet.

Kaum hatte der Reiter den Burghof verlassen, als ein anderer Bote eintraf, dessen Nachrichten Hermann und Dietrich sofort ihre militärischen Ratgeber zu einem Kriegsrat zusammenrufen ließen: Hermanns Marschall Heinrich von Eckartsberga, Norbert von Weißenfels und Lukas.

Zwei mächtige Gegner Hermanns, die Erzbischöfe von Mainz und Köln, nutzten die Abwesenheit des Landgrafen, um mit eigenen Streitkräften über Hessen gen Thüringen vorzurücken. Die landgräfliche Stadt Grünberg sei bereits zerstört, wiederholte der Bote seine Meldung. Und Albrecht sammle etwa dreißig Meilen nordöstlich von Weißenfels sein Heer bei Röblingen, zwischen Halle und Sangerhausen, um in thüringisches Gebiet einzufallen.

»Kommen wir ihm zuvor!«, entschied der Landgraf. Niemand widersprach. Es gab keinen anderen Weg, wenn sie nicht von zwei Angreifern in die Zange genommen werden wollten. »Reiten wir nach Röblingen und jagen sie davon! Morgen früh brechen wir auf.«

Das wird keine Belagerung, sondern eine offene Feldschlacht, erkannte Lukas sofort. Schon begann er zu überlegen, auf wen er dabei alles stoßen würde.

Er hatte noch eine Menge Rechnungen zu begleichen, und einige davon waren überfällig.

Der größte Teil der thüringischen Streitmacht hatte unterhalb der Burg auf dem weißen Felsen das Lager aufgeschlagen. Nach der Morgenandacht wurden Zelte abgebaut, Essensrationen verteilt, mussten Hunderte Pferde getränkt und gesattelt werden, erschollen Kommandos von allen Seiten.

Auf dem Burghof herrschte nicht weniger Geschäftigkeit.

Raimund, Lukas und Marthe wollten sich dort gerade von Elisabeth verabschieden, als Lukas jemanden seinen Namen rufen hörte. Er drehte sich um und sah Norberts Erstgeborenen auf sich zukommen. »Ein junger Bursche sucht ganz dringend nach Euch. Er sagt, er sei Euer Sohn, und er sieht auch aus wie Euch aus dem Gesicht geschnitten.«

Irritiert starrte Lukas auf Conrad.

Thomas und Daniel waren hier, aber sie sahen ihm mit ihren dunklen Haaren nicht im Geringsten ähnlich; sie kamen ganz nach ihrem Vater, Christian. Außerdem konnte man Thomas beim besten Willen nicht mehr als Burschen bezeichnen.

Aber Conrad hatte sich schon wieder weggedreht und gab irgendwem weiter hinten rufend und winkend das Zeichen, zu ihm zu kommen.

Als Lukas sah, wer sich ihnen da näherte, verschlug es ihm für einen Augenblick die Sprache. Weshalb war Paul nicht in Eisenach?

Und wie hatte es ihn hierher verschlagen, anscheinend sogar ohne Begleiter mit seinen vierzehn Jahren? Wollte er vielleicht seinen Vater dazu überreden, ihn mit auf den Kriegszug zu nehmen?

»Es ist etwas mit Clara!«, stöhnte Marthe, und schlagartig kreisten auch Lukas' Gedanken um alle möglichen Dinge, die seiner Stieftochter widerfahren sein könnten.

»Clara hat einen Sohn geboren«, rief der blonde Lockenschopf ihnen zu. Ein Karren versperrte ihm den Weg, dessen Ochsengespann offensichtlich keine Lust hatte, sich so schnell zu bewegen, wie der Kärrner es wollte. Paul wich dem Hindernis in einem engen Bogen aus und sah seinen Vater erwartungsvoll an.

»Geht es Clara gut? Lebt sie?«, fragte Marthe hastig.

»Ja«, antwortete Lukas' Erstgeborener.

»Und sie haben dich allein geschickt?«, erkundigte sich sein Vater. »Ins Kriegsgebiet?« Da war etwas faul!

»Ja, sie wollten keinen anderen reiten lassen«, meinte Paul, insgeheim beinahe beleidigt. Ein bisschen Lob sollte er schon dafür verdient haben, dass er sich auf eigene Faust hierher durchgeschlagen hatte. »Ich dachte, der Graf wird es erfahren wollen. Und Ihr auch …«

»Gut gemacht!«, sagte Lukas und hieb seinem Erstgeborenen anerkennend auf die Schulter. Trotzdem nahm er sich fest vor, nach seiner Rückkehr auf die Wartburg dort herauszufinden, wer den Jungen allein auf diese weite Reise durch Kriegsgebiet geschickt hatte. Das war nicht fahrlässig, das grenzte an Feindseligkeit, und er war maßlos aufgebracht darüber.

»Da ist noch etwas …« Paul holte tief Luft und begann zu erzählen.

Marthe wurde immer blasser angesichts seiner Worte. Sie schien gar nicht zu bemerken, dass sie immer wieder angerempelt wurde, sich unzählige schwer bepackte Menschen an ihr vorbeidrängten und den Hof mit Lärm erfüllten.

»Davon sagst du Graf Dietrich nichts!«, entschied sie so energisch, dass Paul nicht zu widersprechen wagte. Dann sah sie hilflos zu Elisabeth und Lukas. Sollte sie umkehren und ihrer Tochter beistehen, die nach der Entbindung in Trübsal versank, kaum aß, mit niemandem sprach und auch ihr Neugeborenes nicht stillen wollte? Dieses letzte Detail würde niemanden sonst verwundern; es gab genug junge Frauen, die sich liebend gern als Amme verdingten. Aber für Marthe hörte sich gerade das besonders alarmierend an.

Sie sah sich plötzlich vor einer quälenden Wahl. Ihre Tochter brauchte Beistand. Aber in ihr brodelte auch das beunruhigende Gefühl, dass die Männer, die ihr am Herzen lagen, in der Schlacht dringend ihre Hilfe benötigten, um zu überleben.

Zu allem Unglück musste sie sich auch noch sofort entscheiden, bald würde das Signal zum Abmarsch des Heeres gegeben ...

Was war richtig, was falsch? Wen sollte sie im Stich lassen?

Während sie verzweifelt Elisabeth und Lukas um Rat fragte, kam Paul schon zurück.

»Der Graf ist überglücklich«, berichtete er. »Das Kind soll Konrad heißen, nach seinem Großvater.«

Natürlich hatte auch Dietrich zuerst gefragt, ob Clara lebte und es ihr gutging.

Ich habe gesagt, sie lebt, und das ist keine Lüge, redete Paul sich zu. Mutter hat recht, der Graf muss seine Gedanken jetzt nach vorn richten, auf den Kampf, und darf sich nicht durch solche Sorgen verunsichern lassen.

»Ich reite mit Paul zurück nach Eisenach«, entschied Elisabeth. »Ich kümmere mich um Clara.«

»Wirst du hier nicht gebraucht?«, fragte Marthe, dankbar für dieses Angebot.

»Auf der Burg wird Ruhe einkehren, wenn ihr alle fort seid, und im Haus wartet niemand mehr auf mich«, meinte Elisabeth, ihren Kummer verbergend. Roland war tot, und Raimund würde in die Schlacht ziehen. »Sorge du dafür, dass die Männer überleben!«

Am Salzigen See bei Röblingen

Am Rand eines Waldes etwa zwei Meilen vor Röblingen, wo Albrecht von Wettin an einem salzigen See seine Truppen sammelte, ließen Landgraf Hermann und Dietrich von Weißenfels ihre Streitmacht rasten. Angesichts der dreitausend thüringischen Kämpfer und der zu ihnen gestoßenen Ministerialen samt Geleit fiel die Zahl der Weißenfelser kaum ins Gewicht. Doch am Ende zählte jeder, der eine Waffe führen konnte.

Die Tiere wurden zu einem Wasserlauf geführt und getränkt, auch die Männer sollten sich stärken und ihren Durst löschen.

Dann befahl Hermann den Kämpfern, niederzuknien und Gott und den heiligen Georg um Beistand in der Schlacht zu bitten.

Nach dem vielstimmigen »Amen« trat beklemmende Stille ein. Nur die Blätter der Bäume rauschten müde im schwachen Wind, der an diesem heißen Sommertag kaum Kühlung brachte – schon gar nicht den voll gerüsteten Männern.

Nun erhoben sich die Kämpfer einer nach dem anderen. Eisen klirrte, Pferde wieherten, Kommandos wurden gebrüllt, um die Reihen zu formieren.

Hermann und Dietrich führten das Heer an, direkt auf Albrechts Lager zu. Ihnen folgten in breiter Linie Panzerreiterei, Bogenschützen und Fußvolk.

Der Feind würde sie kommen sehen, aber die beiden Feldherren beabsichtigten ohnehin, Albrecht ein letztes Kapitulationsangebot zu unterbreiten, bevor sie ihre Männer erneut in die Schlacht schickten.

Etwas mehr als eine Pfeilschussweite vom gegnerischen Lagerplatz entfernt, befahl Hermann den Kämpfern zu warten. Er selbst und Dietrich ritten in zügigem Trab voran, begleitet vom thüringischen Marschall, dem Burggrafen von Leisnig als Vertreter der Reichsministerialität und einem Dutzend Leibwachen, unter ihnen Lukas, Thomas, Norbert, Raimund und Burchard von Salza.

Im meißnischen Lager wurde bereits hastig gerüstet, von überall erschollen Rufe und Kommandos. Die meisten Männer waren ohnehin kampfbereit; sie warteten längst auf einen Angriff.

Als sich die kleine Gruppe mit dem thüringischen Banner näherte, kam ihnen ein einzelner Reiter entgegen: Gerald, der genesen und wieder in sein Amt als Marschall eingesetzt war.

»Richtet dem Markgrafen aus, er möge sich mit seinen Truppen unverzüglich in seine Gebiete zurückziehen. Sonst greifen wir an!«, rief Hermann ihm zu.

»Das werden wir nicht«, entgegnete Gerald nicht minder laut.

»Habt Ihr Vollmacht, in Fürst Albrechts Namen zu sprechen?«, rügte ihn der Landgraf für seine voreilig wirkende Antwort.

»Vollmacht, jegliche Bedingung zurückzuweisen, die Ihr uns stellen wollt.«

Hermann sah zu seinem künftigen Schwiegersohn. »Da Euer Bruder nicht einmal gewillt ist, uns anzuhören, ist das Antwort genug. Soll Albrecht die Folgen tragen.«

Er erwies dem gegnerischen Marschall mit einem kurzen Nicken seinen Respekt, dann wendete er seinen Hengst. Seine Begleiter taten es ihm gleich. Gemeinsam galoppierten sie auf ihr Heer zu, das in breiter Linie in der Ebene stand, jeweils an die dreihundert Mann nebeneinander.

Auch Gerald wendete sein Pferd, ritt zum Lager zurück und ließ seine Bogenschützen antreten, die angesichts der Gegner bereits die Sehnen eingelegt hatten.

Was treibe ich hier?, dachte der meißnische Marschall dabei verbittert. Ich schicke meine Männer in einen sinnlosen Tod angesichts dieser Übermacht – für einen rachsüchtigen Fürsten, der blind vor Hass und Gier ist, der hinter meinem Rücken meine Frau beschlafen und mich zum Gehörnten gemacht hat. Heiliger

Georg, wenn ich jetzt schon sterbe, dann lass es wenigstens schnell geschehen, damit ich das alles nicht noch länger ansehen muss!

Unterdessen warteten die Thüringer und Weißenfelser, welche Nachricht Landgraf Hermann bringen würde.

»Der Markgraf von Meißen ist nicht bereit, sich zurück in sein eigenes Land zu begeben«, rief dieser den Kämpfern zu, während er die vorderste Linie abritt. »Wir haben seine Streitmacht schon zwei Mal besiegt und aus Weißenfels vertrieben. Heute werden wir sie ein drittes Mal schlagen und daran hindern, in Thüringen einzufallen.«

Er reckte das Schwert empor und rief den Männern zu: »Angriff!«

Zwei Linien Schildträger dicht an dicht voran, rückte die furchteinflößende Streitmacht geschlossen gegen das meißnische Lager.

In einigem Abstand ließ Heinrich von Eckartsberga halten und die Bogenschützen drei Salven abfeuern, blindlings in die Menge hinein.

Doch auch Albrechts Bogenschützen standen schon hinter einer Linie Schildträger und antworteten mit einem Pfeilhagel.

Heinrich von Eckartsberga gab Befehl zum Angriff der Panzerreiterei. Wimpelträger übermittelten das Kommando mit Signalfahnen.

Die Kavallerie bahnte sich den Weg durch die Reihen der Schildträger, dann preschten die Reiter los, hinein in das Lager, und ritten und hieben alles nieder, was sich ihnen in den Weg stellte. Die Fußtruppen folgten und setzten das blutige Werk fort.

Albrecht von Wettin hatte sich anfangs noch im Schutz seiner Leibwachen in das Getümmel gewagt; er suchte nach einer Gelegenheit, seinen Bruder zu töten, doch Dietrich war zu gut geschützt. Elmar drängte ihn dazu, sich ein Stück zurückzuziehen, Giselbert gesellte sich schwer atmend zu ihnen, und so konnten sie verfolgen, wie ihre Truppen trotz verbissenen Kampfes mehr und mehr aufgerieben wurden.

Als Albrecht glaubte, Dietrichs Deckung brechen zu sehen, weil die Hälfte seiner Leibwachen kampfunfähig geworden zu sein schien, gab er seinem Schimmel erneut die Sporen, um im Zweikampf die Entscheidung zu suchen. Doch er sollte es nicht schaffen, in die Nähe seines Bruders zu gelangen. Vom linken gegnerischen Flügel hielt eine größere Gruppe Reiter direkt auf sie zu: Thimo und Heinrich von Colditz, Heinrich von Wildenfels und der Vogt von Reichenbach an der Spitze, wie er an den vordersten Bannern erkannte. Die verfluchte pleißenländische Reichsministerialität ritt gegen ihn!

»Holt Verstärkung!«, brüllte er seinen fetten Mundschenken an, der anders denn als Bote hier wohl kaum zu gebrauchen sein würde. Elmar ließ ein Signal geben, um mehr Männer zum Schutz des Fürsten herbeizurufen. Aber in diesem Teil des Kampffeldes gab es kaum noch welche. Die Mehrzahl der verbliebenen Kämpfer ballte sich rechter Hand von ihnen. Gerald wurde von zwei Gegnern gleichzeitig bedrängt und hatte Mühe, sie abzuwehren.

Albrecht wollte nach rechts ausweichen; sein blutbespritzter Schimmel scheute.

»Ihr müsst von hier fort!«, schrie Elmar. »Reitet zum Petersberg und dann nach Leipzig, die frommen Brüder werden Euch helfen!« Das von den Wettinern gestiftete Kloster befand sich fünfzehn Meilen nordöstlich von hier.

Rasch befahl Elmar seinem Sohn Rutger sowie fünf von den Leibwachen, den Fürsten auf dem Weg zu schützen, und rief, er werde folgen, sobald sich eine Möglichkeit ergebe.

Fluchend galoppierte Albrecht auf seinem Schimmel davon, während Elmar mit der Mehrzahl der Leibwachen auf die Pleißenländer zuhielt, um ihre Aufmerksamkeit von den Fliehenden abzulenken.

Thomas wusste längst nicht mehr, wie viele Männer er getötet hatte, ob ein, zwei oder drei Dutzend, doch es war keiner von denen dabei, auf deren Tod er am dringendsten aus war. Wäre nicht das leuchtende Grün der Bäume, er würde glauben, immer noch in seiner ersten Schlacht zu kämpfen, damals im anatolischen Hochland. Als wäre seitdem keine Zeit vergangen, als würden sie immer noch gegen die Seldschuken reiten.

Was jetzt um ihn herum aufblitzte, waren keine Krummsäbel, sondern abendländische Schwerter. Aber das Gebrüll, das qualvolle Wiehern getroffener Pferde, die Schmerzensschreie verstümmelter Männer klangen genauso wie damals, und die Farbe des Blutes war nach wie vor rot.

Wie im Fieberrausch hieb er um sich, um Dietrich zu schützen, bis irgendwann sein Stiefvater an seine Seite drängte und seinen Namen brüllte.

»Komm zu dir! Es ist vorbei!«, schrie Lukas.

Thomas erstarrte mitten in der Bewegung, schüttelte sich und ließ das blutige Schwert sinken, als er endlich verstand. Staub und Schweiß brannten ihm in den Augen, wie damals im Seldschukenland … Und es gab keine Möglichkeit, etwas dagegen zu unternehmen: seine Hände steckten in Kettenfäustlingen, Kopf, Stirn und Nacken waren von Kettenhaube und Nasalhelm bedeckt.

Er blinzelte ein paar Mal, um seine Umgebung wieder zu erkennen. Bis eben noch war seine Wahrnehmung reduziert auf Klingen, die in seinen oder Dietrichs Leib niedergehen wollten. Jetzt sah er, dass sein Stiefvater recht hatte: Es wurde nur noch an vereinzelten Stellen gekämpft; überall lagen Tote und Verwundete im Gras, und die Überlebenden sammelten sich in der Nähe des thüringischen Löwenbanners.

Er vergewisserte sich, dass Dietrich – obwohl blutbespritzt – unverletzt war, und bat ihn um Erlaubnis, dorthin zu reiten, wo eine Pfeilschussweite südlich von ihnen noch ein kleineres Gefecht im Gange war.

Dietrich und Lukas tauschten einen Blick. Sie wussten beide, nach wem er Ausschau halten wollte. Dann nickte Dietrich. Mit gemischten Gefühlen sahen sie dem jungen Ritter nach.

Es waren noch etwa zwei Dutzend ihrer eigenen Leute, die im südlichen Feld in ein Scharmützel mit einer deutlich kleineren Gruppe verwickelt waren. Als Thomas endlich dort ankam, hatten sich die Gegner bereits ergeben.

Während ein paar der Beteiligten begannen, die Unterlegenen zu entwaffnen, schien ein schlanker Kämpfer nach wie vor von der verbissen geführten Auseinandersetzung mitgerissen; gerade hob er sein Schwert, um einen vor ihm Knienden zu enthaupten. Bevor er richtig ausholen konnte, fing Thomas vom Sattel aus die Klinge mit seiner eigenen Waffe ab und hebelte sie dem anderen aus der Hand.

Dann stieg er vom Pferd, packte ihn am Arm und zwang ihn in die Knie. »Er hat sich ergeben!«, brüllte er.

Jetzt erst erkannte er, wen er vor sich hatte: seinen jüngeren Bruder Daniel. Der Neunzehnjährige schien von dem gleichen Rausch befallen zu sein, der ihm selbst bis eben noch klares Denken unmöglich gemacht hatte.

»Sie sind über die Knappen hergefallen«, versuchte Daniel, sich zu rechtfertigen. »Das ist wider die Ehre.«

Thomas warf einen Blick in das Gesicht des Kämpfers, den Daniel hatte töten wollen und der wie zu Stein erstarrt schien.

»Sieh hin! Das ist Johann, dein Freund aus der Knappenzeit, den du da eben erschlagen wolltest, obwohl er sich ergeben hatte«, fauchte er. »Und jetzt sag mir, was daran ehrenhaft ist!«

Wütend ließ er seinen Bruder los, der vor Bestürzung kein Wort mehr sagen konnte. Thomas hatte recht: Es war Johann, und als Daniel noch auf dem Meißner Burgberg lebte, in den ersten Jahren seiner Knappenzeit, waren sie beste Freunde gewesen. Jetzt standen sie sich als Feinde gegenüber, und er hätte ihn beinahe getötet.

Erst als der Kampf schon fast vorbei war, wurden Verletzte in nicht enden wollender Zahl zu Marthe und zum thüringischen Feldscher gebracht.

Um sie herum tönten durchdringende Schmerzensschreie, ein junger Mann rief verzweifelt nach seiner Mutter, bis seine Stimme erstarb.

Marthes Sorge galt in diesem Moment Kuno, dessen linke Hand stark blutete. Zwei Finger waren abgeschlagen, sein Pferd hatte er verloren, und würde ihn Bertram nicht hierhergeschleppt haben, wäre er vielleicht schon tot.

»Gib ihm etwas zu trinken!«, wies sie Bertram an, dessen Gesicht vor Hitze und Anstrengung flammend rot war.

Kuno unternahm einen verzweifelten Versuch, die Sache zu verharmlosen. »Für jemanden, der tot gilt, bin ich recht lebendig … Es ist noch ziemlich viel an mir dran …«, ächzte er leise und hob die verstümmelte Hand.

Bertram hievte sich Kunos Arm über die Schulter und führte den Freund zu einem Baumstamm, an den er sich lehnen konnte. Dann lief er zum Wasserfass.

Die ganze Zeit über hatte Marthe gebangt, unter denjenigen, die zu ihr gebracht wurden, könnte jemand sein, der ihr besonders nahe stand. Ihre Söhne, ihr Mann, Dietrich …

Diese Ahnung irgendeines schrecklichen Ereignisses wollte einfach nicht weichen, und in ihrer rechten Schläfe fühlte sie die ganze Zeit schon einen so stechenden Schmerz, dass sie kaum noch einen klaren Gedanken fassen konnte. Vielleicht sollte sie besser auch etwas trinken bei dieser Hitze und all der Plackerei, die viel zu oft umsonst war, denn nur den wenigsten Männern, die zu ihr gebracht wurden, konnte sie helfen. Es waren zu viele, und die meisten hatten so furchtbare Wunden, dass sie ihnen unter den Händen weg verbluteten oder schon auf dem Weg hierher starben.

Vorhin war Raimund zu ihr getragen worden, dem Blut aus einer Wunde am Kopf strömte. Er war immer noch bewusstlos, und sie konnte nicht sagen, ob er durchkommen würde. Während sie sich um Raimund gekümmert hatte, waren neben ihr zwei junge Männer gestorben; einer mit einer klaffenden Wunde am Bein, dem anderen steckte eine Lanzenspitze im Schulterblatt. Sie musste sich entscheiden, wem von den dreien sie eine Überlebenschance gewährte, und fühlte sich schuldig, weil sie Raimund wählte und nicht die beiden Jüngeren. Aber sie hatte Elisabeths Gesicht vor Augen und ihre Worte in den Ohren: »Sorge dafür, dass die Männer überleben!«

Ein paar Schritte weiter vorn hatten die Knechte begonnen, Gräber auszuheben. Lange Gräber, in die jeweils fünf Dutzend Leichname nebeneinandergelegt wurden. Jetzt packten die Totengräber schon die zweite Schicht darüber. Vom Ende des Massengrabs erscholl panisches Geschrei – sie hatten wohl einen noch Lebenden hineingeworfen, der erst bei dem Sturz aus der Bewusstlosigkeit erwachte.

Es zog Marthe dorthin, um nachzuschauen, wen von den Toten sie kannte, und zugleich fürchtete sie sich davor.

Doch sie konnte jetzt ohnehin nicht gehen, da kauerte schon der nächste Verwundete vor ihr, ein dicker Ritter mit blutverschmiertem Gesicht, der seiner gekrümmten Haltung nach schlimme Schmerzen verspüren musste. Seine rechte Hand hielt er unter die Achsel gepresst, vielleicht aus Schmerz, vielleicht, um den Blutfluss zu mindern.

»Zeigt mir Eure Hand!«, forderte sie ihn auf und legte so viel Ermutigung in ihre Stimme, wie sie nur konnte.

»Aber gern!«, entgegnete der Ritter.

Marthe kam nicht dazu, sich über diese Antwort zu wundern, denn sie erkannte die Stimme sofort. Sie schrie und stürzte rücklings, als ihr Gegenüber mit dem Messer zustach, das er unter dem Arm verborgen hatte.

Doch die Klinge verfehlte das Ziel. Bruno von Hörselberg, der den Tross bewachte, war wie aus dem Nichts aufgetaucht und hatte sie dem Mordlustigen aus der Hand getreten. Der brüllte vor Schmerz und kippte zur Seite.

»Wusste ich doch, dass ich bei unseren Leuten noch keinen so fetten Kerl wie dich gesehen hatte!«, schrie der alte Wallfahrer, während er den Feisten überwältigte. Ein Knecht warf ihm Stricke zu.

»Kennt Ihr diesen Mann?«, fragte Bruno. »Was wollte er von Euch?«

»Ich kenne ihn«, sagte Marthe tonlos, die nun auf dem Boden kniete und versuchte, ihren Schrecken abzuschütteln. »Das ist der Schenke des Meißner Markgrafen.«

Und in Gedanken fügte sie an: Der Mann, der mich vor vielen Jahren zusammen mit seinen Kumpanen Randolf, Ekkehart und Elmar wieder und wieder geschändet hat. Der in seiner Boshaftigkeit unzähligen Menschen unsägliches Leid zufügte.

Sein Gesicht hatte sie unter dem Helm und all dem Blut nicht erkannt. Aber seine Stimme würde sie immer wieder erkennen.

»Stimmt das? Seid Ihr der Mundschenk?«, fragte Hugo, den diese Auskunft nicht milder, sondern eher strenger zu stimmen schien.

»Ja!«, gab Giselbert zu. Bis eben noch hätte er keinen Pfennig mehr für sein Leben gegeben; sein Pferd war verloren, ebenso seine Begleiter, und zu Fuß weiterzukämpfen, empfand er als unter seiner Würde. Plötzlich hatte er ganz allein auf dem Schlachtfeld gestanden, und Blut sickerte unter seinem Gambeson hervor.

In seiner Ratlosigkeit wuchs ihm dieser Gedanke: Wenn ich schon verrecken muss, dann will ich wenigstens vorher noch die Christiansdorfer Hexe in die Hölle schicken!

Er hatte in seinem Leben so viele Sünden auf sich geladen, für die er im Jenseits büßen musste … Aber beim Jüngsten Gericht würde man ihm anrechnen, wenn er diesem teuflischen Weib das Handwerk legte. Sicher steckte sie hier irgendwo. Also war er einfach auf die mit einem Wimpel markierte Stelle für die Verwundeten zugelaufen. Niemand von denen, die ihm begegneten, erkannte ihn. Sie hielten ihn für einen der Ihren.

Dann sah er sie wirklich. Es schien so einfach. Offenbar begriff auch sie nicht, wer da vor ihr hockte.

Und nun machte ihm dieser alte Kämpfer einen Strich durch die Rechnung!

Aber da sein Plan gescheitert und er erkannt war – einen so wichtigen Mann wie einen Schenken würde dieser wütend dreinblickende Thüringer schon nicht abstechen.

»Den Kerl bringt nicht zu den anderen Gefangenen!«, wies Bruno zwei der Knechte an, die Giselbert hochzerrten, damit er zum Sitzen kam.

Der Feiste machte sich auf eine besonders hohe Lösegeldforderung gefasst. Aber er konnte zahlen, er war ein reicher Mann, außerdem würde Albrecht ihn auslösen müssen. Und einem so wertvollen Gefangenen würde man sicher auch gleich etwas zu essen und zu trinken bringen.

Doch als Bruno fortfuhr: »Holt Lukas von Freiberg!«, wurde Giselbert angst.

Er sah zu Marthe, die – immer noch bleich – mit zittrigen Händen versuchte, die Erdkrumen von ihrem Kleid abzustreichen, die dort von ihrem Sturz hafteten. Ihre Blicke trafen sich einen Moment lang: genug Zeit für Giselbert zu erkennen, dass sie nicht mehr das verängstigte Kind war, über das er damals mit seinen Freunden hergefallen war.

Diese Härte in ihrem Blick – so hatte er sie nur einmal erlebt: als sie den Fürsten verfluchte.

Ängstlich starrte er auf ihren Mund, ob sie auch über ihn einen Fluch legen würde. Doch ihre Lippen blieben zusammengekniffen.

Das ließ ihn noch einmal Hoffnung schöpfen. »Wenn Ihr bei Euerm Mann ein gutes Wort für mich einlegen wollt ... Ich flehe Euch an ...«

Nun sank er sogar in Fesseln vor ihr auf die Knie und sah zu ihr hoch.

Marthe starrte ihn aus schmalen Augen an.

So viele Jahre hatte er sie verhöhnt, gequält, geschunden, und sein Anblick wühlte jedes Mal in ihr die Erinnerung an das Schlimme auf, das er ihr und anderen angetan hatte.

Wortlos drehte sie sich von ihm weg und sah zu Bruno.

Der begriff sofort und raunzte den Feisten an: »Ihr werdet das Wort nicht an die Herrin richten, sofern sie Euch nicht ausdrücklich dazu auffordert!«

Giselbert sank noch ein Stück in sich zusammen und hielt verstohlen Ausschau, ob Lukas schon zu sehen war. Vielleicht war er ja gefallen!

Dann könnte er noch einmal versuchen, sein Schicksal zu wenden. Mit Geld ließ sich vieles regeln, das würde am Ende auch den Thüringern wichtiger sein als die Meinung dieser Hexe. Wie hatte er nur glauben können, sie würde ihm helfen?

»Was gibt es?«, hörte er hinter sich eine Stimme, die ihn zusammenzucken ließ.

Lukas!

»Dieser Kerl – Ihr kennt ihn wohl – hat sich an uns herangeschlichen und wollte Eure Gemahlin töten«, berichtete Bruno.

Lukas schritt um den fetten Gefangenen herum und ließ ihn nicht aus den Augen. Dass Marthe nichts passiert war, davon hatte er sich schon mit einem Blick überzeugt, auch wenn ihre Gesichtszüge aufgewühlt wirkten wie nur selten; ungewohnt hasserfüllt und angewidert.

Die Art, wie sie Giselbert anstarrte, war für Lukas die letzte Bestätigung dafür, was er schon seit vielen Jahren argwöhnte: dass der Feiste einst zusammen mit Randolf, Ekkehart und Elmar die junge Marthe geschändet hatte.

»Nehmt ihm die Fesseln ab!«, befahl Lukas den verwunderten Knechten.

Doch seine Stimme klang so eisig, dass Giselbert es nicht wagte, sich bei dem Freiberger für diese Güte zu bedanken.

Und schon brüllte der ihn an: »Steh auf! Gebt ihm ein Schwert! Los, steh auf und verteidige dich!«

Er nahm einem der Sergenten das Schwert ab und warf es Giselbert vor die Füße, bevor er seine eigene Waffe zog.

»Gnade!«, winselte Giselbert. »Ich bin verwundet …«

»Steh auf und verteidige dich!«, wiederholte Lukas nun mit leiser, gefährlich klingender Stimme. »Bist du nicht einmal dazu Manns genug?«

Ächzend griff Giselbert nach der Waffe und stemmte sich hoch. Wie gebannt starrte er auf den Freiberger, der dort stand, die Beine leicht gespreizt, das Schwert in der Rechten, ohne sich zu rühren.

Giselbert begriff, dass Lukas von ihm den ersten Hieb erwartete und sich seiner Sache vollkommen sicher schien.

Heiliger Georg, steh mir bei! Ich bin verloren. Ich werde sterben …

Dann war er des Wartens leid. Laut schreiend warf er sich mit seiner ganzen Körpermasse dem Herausforderer entgegen. Lukas trat nur einen Schritt beiseite, hieb dem Stürzenden den Schwertknauf in den Rücken und sah ungerührt zu, wie der Feiste vom Schwung und seinem Gewicht zu Boden gerissen wurde. Dann ließ er sein Schwert niederfahren.

»Schafft das weg!«, befahl er den Knechten und ging zu Marthe. Sie beide sahen sich wortlos in die Augen, und jeder von ihnen wusste, was der andere dachte.

Nun waren drei von denen tot. Blieb noch Elmar.

Der Preis des Sieges

Nach dem Sieg von Röblingen wäre Dietrich am liebsten sofort nach Eisenach geritten. Weniger aus Dankbarkeit gegenüber Hermann von Thüringen und schon gar nicht wegen der bevorstehenden Hochzeit mit Jutta, sondern weil er seinen neugeborenen Sohn sehen wollte. Vor allem aber aus Sorge um Clara. Lukas' Ältester war nicht geübt darin, sich zu verstellen. Während Paul die Nachricht von der Geburt des kleinen Konrad überbrachte, sagte etwas an seiner Miene Dietrich, dass das Glück nicht so ungetrübt war, wie der Junge beteuerte.

Als Marthe ihn nach der Schlacht auch noch bat, gleich von Röblingen aus nach Eisenach reisen zu dürfen, weil sie sich um ihre Tochter und die Enkel kümmern wolle, wurde diese Befürchtung in Dietrich zur Gewissheit. Doch Lukas' Frau lehnte es ab, ihre Beweggründe genauer zu erklären.

Voll innerer Unruhe und Angst um seine Geliebte führte Dietrich seine und die thüringischen Truppen zurück nach Weißenfels, um dort die Siegesfeier auszurichten. Gern hätte er Marthe und Lukas begleitet. Doch er musste die Verhandlungen über den Freikauf der Gefangenen von Rang führen und dafür sorgen, dass die durch Belagerung und Kampf entstandenen Schäden behoben wurden. Vor allem brauchte er Gewissheit, was sein Bruder unternahm, der nach Leipzig geflohen war. Gegen diese stark befestigte Stadt zu reiten versprach wenig Erfolg.

Das alles hielt Dietrich in Weißenfels fest, der kaum zur Ruhe kam und immer wieder ungeduldig nach Raimund und Elisabeth Ausschau hielt. Er hatte dem verwundeten Muldentaler erlaubt, nach Eisenach zu reiten, sobald er sich wieder einigermaßen auf den Beinen hielt, weil er unbedingt seine Frau zurückholen wollte. Von Elisabeth erhoffte Dietrich zu erfahren, wie es Clara und seinen Söhnen inzwischen wirklich ging.

An diesem Morgen war ein Bote des Markgrafen der Ostmark in Weißenfels eingetroffen und hatte ausgerichtet, der Markgraf sowie Herzog Bernhard von Sachsen würden gemeinsam dafür sorgen, dass Albrecht künftig auf jeglichen Angriff verzichtete. Dietrich fühlte sich angesichts dieser Nachricht, als sei ihm eine schwere Last von den Schultern genommen. Die beiden mächtigen Verwandten hatten sich viel Zeit gelassen, bis sie in diesem blutigen Familienstreit eingriffen, der zu einem Krieg ausgewachsen war. Aber nun schienen sie entschlossen, den unberechenbar gewordenen Albrecht zu zügeln.

Erst jetzt konnte er wirklich auf Frieden hoffen, ohne seinen Bruder töten zu müssen. Im Geiste dankte er Lukas für den Vorschlag, den Markgrafen und den Herzog um Beistand zu bitten, auch wenn sie Albrecht einst bei der Gefangennahme seines Vaters unterstützt hatten.

Doch seit Konrad von seinem Vater Dedo die Regentschaft über die Ostmark übernommen hatte, legte er großen Wert darauf, seiner Position als Ältester und damit Wortführer des Hauses Wettin gerecht zu werden.

Dietrich beriet sich mit Norbert und Thomas und beschloss, einen Teil der zusätzlich auf die Burg gerufenen Männer wieder nach Hause zu schicken. Sollten sie dort helfen, die Ernte einzubringen und die Kriegsschäden zu beseitigen, das war jetzt wichtiger. Nur die Spähtrupps wurden nicht verringert – für alle Fälle.

Nun hielt Dietrich noch unruhiger Ausschau nach Elisabeth und Raimund. Einen halben Tag nach Konrads Boten trafen beide auf der Burg ein. Der Graf hatte Befehl gegeben, ihn sofort bei ihrer Ankunft zu benachrichtigen, und ging ihnen bereits auf dem Burghof entgegen, kaum dass sie aus dem Sattel gestiegen waren.

»Sie lebt. Aber sie ist noch sehr schwach«, erklärte Elisabeth auf Dietrichs hastige Frage.

»Ist es das Fieber? Das Kindbettfieber?«, fragte er bestürzt. Dann gab es keine Hoffnung. Vielleicht war Clara schon tot ...

»Marthe tut, was sie kann«, antwortete Raimunds Frau ausweichend. »Sie wird ihr helfen. Aber Clara braucht jetzt vor allem Ruhe.«

Sie und Marthe waren sich einig darin, Dietrich nicht zu sagen, dass Clara durch ein Intrigenspiel auf der Wartburg die Entbindung ohne erfahrene Wehmutter durchstehen musste. Denn die Reaktion des Grafen darauf war vorhersehbar – und einen Streit mit Thüringen konnte er sich nicht leisten.

Dietrich versuchte vergeblich, in Elisabeths schmalem Gesicht abzulesen, was ungesagt blieb.

Also entschied er rasch: »Raimund, Ihr übernehmt ab sofort das Kommando über die Burg. Eure Gemahlin soll gemeinsam mit dem Pater dafür sorgen, dass es niemandem hier am Notwendigsten mangelt. Ich reite heute noch mit Norbert und Thomas nach Eisenach.«

Er gab Befehl, alles für seinen umgehenden Aufbruch vorzubereiten, Festgewänder und Brautgeschenke einzupacken und verließ kurz darauf mit seinem Geleit Weißenfels Richtung Wartburg.

»Ich habe nicht genug Milch«, wehklagte Clara, während sie ihr Kind säugte, das glucksend trank. Sie war mit ihrer Mutter und dem Neugeborenen allein, und Tränen rannen ihr über die Wangen. »Ich hätte ihn eher anlegen sollen ... Nicht einmal das schaffe ich mehr ...«

»Pscht!«, machte Marthe und strich ihrer Tochter übers Haar. »Das bringen wir schon noch in Gang. Und wenn der Kleine nicht satt wird, springt die Amme ein, das weißt du. Aber du musst deinen Kummer ablegen, wenn du dem Kind nicht schaden willst.«

Seit Tagen bemühte sie sich, ihre Tochter aufzurichten und ihr Mut zu spenden, so wie es Elisabeth zuvor getan hatte.

»Gib mir den Kleinen, er ist schon zu müde zum Trinken. Und du solltest jetzt auch schlafen!«

Erleichtert nahm Clara ihr Kind von der Brust, das tatsächlich kaum noch saugte und die Augen geschlossen hatte. Sie zog sich das Unterkleid wieder über die Schulter und rollte sich auf dem Bett zusammen.

Zärtlich nahm Marthe ihr Enkelchen in den Arm und zupfte mit der anderen Hand die Decke über ihrer Tochter zurecht, die im Nu eingeschlafen schien.

Stehend verharrte sie und lauschte den Geräuschen, die vom Hof in die kleine Kammer drangen.

Dann ging sie nach draußen, das Kind immer noch auf dem Arm, und schloss die Tür leise hinter sich.

Sie hatte richtig gehört, eine große Schar Reiter war gekommen – Dietrich mit seinem Gefolge, obwohl er wegen der Hochzeit erst in ein paar Tagen erwartet wurde.

Der Graf von Weißenfels wollte schon in den Palas gehen, als er sie im Säulengang stehen sah. Er erstarrte mitten in der Bewegung, und auf seinem Gesicht zeichnete sich tiefe Bestürzung ab.

Erst als Marthe ihm zulächelte, schöpfte er wieder Hoffnung, dass seine Liebste noch lebte. Zögernd ging er zu ihr, nachdem er Norbert von Weißenfels das Zeichen gegeben hatte, ihn allein zu lassen.

»Euer Sohn, er ist gesund und kräftig.« Glücklich hielt Marthe den Säugling auf ihrem Arm dem Vater entgegen.

Gerührt betrachtete er das schlafende Kind. Es schien ihm unglaublich, dass sein Erstgeborener auch einmal so winzig gewesen war. Dabei war das kaum mehr als zwei Jahre her.

Dann nahm er allen Mut zusammen, versuchte, sich für schlechte Nachrichten zu wappnen, und sagte: »Ich will seine Mutter sehen.«

»Sie schläft. Sie ist noch sehr schwach. Lasst sie ruhen!«, mahnte Marthe sanft.

»Noch schwach? Was ist passiert? Nach den anderen Entbindungen ging es ihr schnell wieder gut, nach der ersten stieg sie sogar gleich wieder in den Sattel! Oder meint Ihr etwa, ich soll sie nicht *ruhen*, sondern *in Ruhe* lassen?«

Nun mischte sich Schärfe in seine Verzweiflung.

Marthe sah ihm direkt in die Augen, und Dietrich war zumute, als könnte er spüren, wie ihre Gedanken in seinen Kopf strömten.

»Sie ist wirklich noch schwach. Aber sie kommt wieder auf die Beine, dafür sorge ich. Wollt Ihr es nicht dabei bewenden lassen? Ihr Zustand erspart es ihr, zuzusehen, wie Ihr Jutta zur Frau nehmt. Oder wollt Ihr Clara ganz und gar das Herz brechen?«

Verzweifelt schloss Dietrich für einen Moment die Augen. »Was kann ich tun, um sie glücklich zu machen?«, sagte er ungewohnt leise. »Gebt mir einen Rat, ich bitte Euch! Lasst mich zu ihr, sobald Ihr es für richtig haltet. Sonst … bricht es mir genauso das Herz.«

Claras Mutter zögerte. »Ihr werdet wohl zuerst Euern Schwiegervater und Eure Braut begrüßen müssen. Danach kommt zu uns.«

Marthe hatte das Kind wieder in die Wiege gelegt und war gegangen. Die Amme wartete vor der Kammer, bis ihre Dienste benötigt wurden, und Dietrich wartete drinnen darauf, dass seine Liebste wach wurde.

Noch nie war sie ihm so schutzlos erschienen wie jetzt, noch nie hatte ihr Anblick ihn so gerührt und besorgt wie in diesen Momenten, in denen die Zeit stillzustehen schien.

So saß er schon, seit die Dämmerung heranzog. Nun stand er auf und entzündete eine Kerze.

Als Claras Lider flatterten, konnte er seine Ungeduld und das Verlangen, sie zu berühren, nicht länger bezwingen.

Vorsichtig legte er seine Hand auf ihre Wange. Sie war kalt – nicht heiß vom Fieber, aber so eiskalt, dass es ihn schon wieder sorgte.

Clara zuckte zusammen und öffnete die Lider. Ihr Blick verharrte für einen Augenblick auf seinem Gesicht, dann verschwamm ihr alles vor Augen, und sie starrte auf einen Punkt an ihm vorbei.

»Ihr solltet nicht hier sein!«, sagte sie zu Dietrichs Bestürzung.

»Ich möchte nirgendwo anders sein«, erwiderte er und griff nach ihren Händen, um sie zu umklammern und zu wärmen.

Sie entzog ihm ihre Hände so rasch, dass er es nicht wagte, sie erneut zu umfassen.

»Wir sollten uns beide damit abfinden, dass Gottes Wille uns jetzt trennt. Euch ist von nun an ein anderer Weg bestimmt. Das haben wir von Anfang an gewusst. Ihr habt die Schlacht gewonnen und Euer Land gerettet. Das ist es, was zählt.«

Sie sprach nicht aus, dass sie hier auch eine Schlacht geführt hatte, im Wochenbett, und dabei Sieg oder Niederlage noch nicht feststanden.

Ich habe eine Schlacht gewonnen – und die Liebe meines Lebens verloren. War es das wirklich wert?, fragte sich Dietrich.

»Verlass mich nicht!«, flehte er. »Ich brauche dich! Ich werde die Ehe mit Jutta nicht vollziehen, sie wird mir nie so viel bedeuten wie du!«

»Woher wollt Ihr das wissen? Geht jetzt lieber. Ich war bereit, Eure Geliebte zu werden, und danke Gott für jeden einzelnen Augenblick mit Euch. Aber ich kann keine Ehebrecherin sein.«

Beklommen schwieg Dietrich. Er kannte Clara gut genug, um zu wissen, dass sie ihre Worte ernst meinte und nicht bloß seinen Widerspruch provozieren wollte, um ihn zu halten. Wenn sie beide jemals in ihrem Inneren zur Ruhe kommen wollten, sollte er sie wohl nicht mehr bedrängen, auch wenn ihn die Sehnsucht nach ihr beinahe zerriss. Ganz zu schweigen von der

Vorstellung, dass ein anderer Mann das Bett mit ihr teilen könnte.

Es war ein langes, bedrückendes Schweigen, bis er schließlich schweren Herzens sagte: »Was kann ich tun, um dich zu schützen? Möchtest du, dass ich dir einen guten Ehemann suche? Der dich vor allem Gerede bewahrt?«

Sie schüttelte nur matt den Kopf und schloss erneut die Augen. Widerstrebend erhob sich Dietrich und ging hinaus. Er musste den Drang niederkämpfen, sie in seine Arme zu nehmen und innig zu küssen, wenigstens ein letztes Mal. Sie würde sich dagegen sträuben, das spürte er. Innerlich hatte sich Clara bereits mit ihrem Verzicht abgefunden.

Sollte er bereuen, dass er in jener Nacht vor drei Jahren, als sie zueinandergefunden hatten, nicht gegangen war? Sie waren so glücklich gewesen, und sie hatte ihm sogar zwei Söhne geschenkt. Das konnte er nicht bereuen. Aber wie er künftig leben sollte, ohne sie an seiner Seite und in seinem Bett zu haben, das konnte er sich beim besten Willen nicht vorstellen.

Es kam, wie Marthe gesagt hatte: Claras bekanntermaßen schlechter Zustand nach der Entbindung ersparte es ihr, an der prachtvoll gefeierten Vermählung zwischen Dietrich von Weißenfels und Jutta von Thüringen teilnehmen zu müssen. Zugleich ersparte ihr das den Klatsch und die missbilligenden Blicke der Neider und Eiferer.

Dass der Graf von Weißenfels die Ehe mit seiner blutjungen Braut nicht vollzog, verwunderte niemanden am thüringischen Hof und unter den Hochzeitsgästen.

Von den Männern solcher Kindbräute wurde erwartet, dass sie sich geduldeten, bis ihre Gemahlin zur Frau geworden war. So wurden Dietrich und Jutta vollständig bekleidet in ein Bett gelegt, der Bräutigam berührte vor allen Zeugen symbolisch das Bein seiner Anvermählten und ging danach wieder zur Festtafel.

Drei Tage später kehrten Dietrich, seine junge Frau und sein Gefolge nach Weißenfels zurück. Marthe und Lukas, die in Dietrichs Dienste getreten waren, und auch Clara mit ihren drei Kindern reisten mit ihnen. Ebenso Thomas, der ohne Claras Wissen während seines Aufenthaltes auf der Wartburg mehrere Zweikämpfe mit thüringischen Rittern herausgefordert und gewonnen hatte, die sich seiner Ansicht nach nicht respektvoll genug über seine Schwester äußerten. Danach war Ruhe eingekehrt.

Um Clara in Weißenfels nicht vor aller Augen zurückzusetzen, hatte Dietrich bereits vor dem Aufbruch nach Thüringen angewiesen, für sie und ihre Kinder die prachtvollste und größte Gästekammer auf seiner Burg herzurichten. Denn die Kammer neben der seinen, in der sie bis dahin gelebt hatte, stand nun Jutta von Thüringen zu.

Die reiche und noch sehr junge neue Herrin von Weißenfels wurde von der Burgbesatzung und den Bewohnern des Ortes mit Neugier und Misstrauen beäugt und für noch zu mager befunden. Immerhin, sie kommandierte nicht herum, wie es zu erwarten gewesen wäre, und legte Wert darauf zu zeigen, dass sie bei ihren Aufgaben mit Clara zusammenarbeitete.

Das verwunderte die Weißenfelser, führte aber rasch zu allgemeinem Aufatmen. Die meisten von ihnen schätzten Clara und hatten befürchtet, es käme zu Streit. Das wäre für alle Seiten schlecht. Außerdem war fraglich, ob so eine junge Herrin ihre Aufgaben allein wohl erfüllen konnte.

Doch natürlich wurde insgeheim lebhaft erörtert, wie lange das wohl gutginge und wen der Graf in sein Bett holen würde, solange seine Geliebte noch nicht wieder eingesegnet und seine Gemahlin noch keine richtige Frau war. Ob Dietrich Clara erneut zu sich nehmen oder sie mit einem seiner Gefolgsleute verheiraten würde, wenn sie sich von der Entbindung wieder erholt hatte. Am Ende gar beides? Das alles kam vor, und die lebhaft betriebenen Mutmaßungen darüber verdrängten auf dem weißen Felsen beinahe die Frage, ob nun der angriffslustige Markgraf Albrecht seine Eroberungspläne tatsächlich aufgegeben hatte.

Familienrat

Auf der Leipziger Burg glaubte Albrecht seinen Augen nicht zu trauen, als er die beiden unerwarteten Besucher sah, die von seinen Leibwachen zu ihm durchgelassen worden waren: sein Vetter Konrad, der Markgraf der Ostmark, und sein Oheim Bernhard von Anhalt, der Herzog von Sachsen.

Wieso kamen sie zusammen hierher – und wie hatten sie überhaupt erfahren, dass er hier war?

Nur knapp war er vom Schlachtfeld bei Röblingen entkommen und hatte sich mit Rutgers Hilfe zum Kloster auf dem Petersberg durchgeschlagen, dem Hauskloster der Wettiner aus der Zeit, bevor sein Vater das Zisterzienserkloster bei Nossen gestiftet hatte. Der alte Abt Walther selbst lieh ihm eine Kutte, damit er unerkannt nach Leipzig fliehen konnte, mit nur wenigen Getreuen, darunter auch Elmar, der ihnen bald gefolgt war. Und hier auf der Leipziger Burg war es zum Zerwürfnis mit seinem Truchsess gekommen. Denn während Albrecht fieberhaft nach Wegen suchte, neue Truppen aufzustellen, riet ihm Elmar eindringlich, sich nach Meißen zurückzuziehen und alles zu unternehmen, um die Gnade des Kaisers nicht zu verlieren. In einem seiner gefürchteten Wutausbrüche hatte er Elmar fortgejagt.

Nun hockte er in Leipzig, brütete vor sich hin, während Unmengen von Mücken aus dem Sumpfland aufstiegen, und wartete darauf, dass ihm das Glück irgendetwas zuspielte, um das Schicksal wieder zu wenden.

Mit einer herrischen Handbewegung scheuchte der massige Bernhard von Anhalt alle Anwesenden hinaus. Ohne ein Wort der Begrüßung ging er zum Tisch und ließ sich daran nieder. Konrad setzte sich neben ihn.

»Gib es zu, Neffe, du hast dich da furchtbar in etwas hineingeritten«, stellte der Herzog von Sachsen fest und hob abwehrend die Hand, als Albrecht etwas erwidern wollte.

»Ich will keine Rechtfertigungen hören!«, meinte er brüsk. »Setz dich zu uns und lass uns überlegen, wie du den schlimmsten Schaden abwenden kannst!«

Er legte einen prallen Weinschlauch auf den Tisch. »Hier, aus meinen persönlichen Vorräten. Ich habe gehört, du hast deinen Schenken verloren. Das hier können wir beruhigt trinken, auch ohne Vorkoster. Schenk uns ein!«

Wortlos gehorchte Albrecht seinem Oheim und überlegte, was der wohl vorschlagen wollte. Bernhard von Anhalt galt nicht gerade als ein Mann mit großem Schlachtenglück. Aber er war eben Herzog, und ein Herzog zählte mehr als ein Markgraf.

»Mit deinem Leichtsinn bringst du das ganze Haus Wettin in Verruf, in Gefahr sogar!«, hieb nun auch Konrad in diese Kerbe.

Das brachte Albrechts Blut schon wieder zum Kochen.

»*Ich* schade unserer Familie?«, fuhr er seinen Cousin an. »Ich will sie stärker machen, mächtiger, aus diesem zerrissenen Flickenteppich ein einheitliches Land, von starker Hand regiert! Erinnere dich, über welch riesiges Gebiet einst unser Großvater herrschte, dessen Namen du trägst! Und jetzt? Wir müssen uns gegen das Pleißenland wehren, das der alte Kaiser Friedrich Rotbart errichtet hat, und gegen den Thüringer. Dazu brauche ich Weißenfels. Mein Bruder ist ein Schwächling, er kann es nicht regieren.«

»Beruhigt euch!«, sagte Bernhard von Anhalt scharf, der sah, dass der Markgraf der Ostmark seinem Vetter am liebsten an die Gurgel gehen würde.

»Wenn ich auch deine Beweggründe verstehen kann, Neffe, der Karren steckt nun mal im Dreck, und dummerweise hast du jetzt nicht nur den Thüringer als Gegner, sondern auch noch sämtliche hiesigen Reichsministerialen. Sei froh, dass wenigstens dein kluger Truchsess zu dir steht und uns zu Hilfe geholt hat. Er wartet draußen; du solltest ihn wieder in deine Dienste nehmen.« Dass er schon durch einen Vertrauten Dietrichs über die Lage ins Bild gesetzt worden war, verschwieg Bernhard lieber.

»Was hat dich geritten, einen Mann des Kaisers blenden zu lassen, du Narr?«, fauchte Konrad. »Jetzt bleibt dir nichts anderes, als den Kaiser aufzusuchen und zu hoffen, dass er dich wieder in Gnaden aufnimmt! Ich rate dir dringend, ihm jedes Pfand zu bieten, das er von dir fordert – selbst Meißen, sollte es so weit kommen. Wir werden so lange deinen Besitz hüten. Und wir stehen dem Kaiser gegenüber dafür ein, dass du jegliche seiner Forderungen erfüllst.«

»Tu es!«, riet auch Bernhard mit der Autorität seines Alters und seines Titels, bevor Albrecht widersprechen konnte. »Wir alle beten, dass du Erfolg hast und uns nicht noch mit in den Abgrund reißt. Heinrich traut uns nach den Streitigkeiten vor ein paar Jahren ohnehin nicht. Dieser Kaiser ist jetzt zu mächtig, als dass wir uns noch offen gegen ihn stellen könnten.«

Albrecht brauchte zwei Tage und zwei Nächte, um über die Mahnung seiner Verwandten nachzugrübeln. Genauer gesagt: um sich einzugestehen, dass sie recht hatten und er ihren Rat befolgen musste, wollte er nicht alles verlieren.

Er ließ Elmar rufen und schickte ihn nach wortloser Aussöhnung mit genauen Befehlen nach Meißen. Elmar sollte dort die Stellung für ihn halten, Rutger in Freiberg. Fürstin Sophia je-

doch und entsprechendes Geleit sollten sich unverzüglich hier-
herbegeben, um ihn auf einer Reise zum Kaiser zu begleiten.

Vielleicht, so hoffte Albrecht, würden ihr hübsches Gesicht und
ihre Gesellschaft den Kaiser milder stimmen.

Er selbst wagte es nicht, die Leipziger Burg zu verlassen, bevor
er ausreichend Bewaffnete um sich wusste. Wem sollte er überhaupt noch trauen?

Sophie stellte keine Fragen, als sie in Leipzig eintraf. Sie hatte
genug gehört, um den Zorn ihres Mannes nicht noch mehr schüren zu wollen. Also lächelte sie, wenn auch etwas gezwungen,
sprach in seinem Beisein lediglich, wenn sie dazu aufgefordert
wurde, und tat so, als stünde ihr und ihrem Gemahl eine ganz
gewöhnliche Reise zu einem ganz gewöhnlichen Hoftag bevor,
nur etwas weiter eben, nach Sizilien. Sie hatte ihre schönsten
Kleider mitgenommen und verwendete viel Zeit darauf, sich he-
rausputzen zu lassen und ihr schönes rotblondes Haar mit golddurchwirkten Bändern zu schmücken.

Nach Wochen beschwerlicher Reise und einer Überfahrt bei
rauher See erreichten das markgräfliche Paar und sein Gefolge
Palermo. Doch als Albrecht in Begleitung seiner Gemahlin –
beide prachtvoll ausstaffiert – den königlichen Palast von Favara
östlich der Stadt betrat, in dem der Kaiser bis zu seiner Krönung
zum König von Sizilien residierte, erlebte er eine böse Überraschung.

Ein Kammerdiener stellte sich ihm in den Weg, noch ehe er den
Vorraum des Audienzsaales erreicht hatte. »Seine Majestät empfängt heute nicht«, beschied ihm der dürre Lakai.

»Beiseite, du Wicht!«, fuhr Albrecht ihn an. »Weißt du nicht,
wer vor dir steht?! Albrecht von Wettin, Markgraf von Meißen!«

Der Dürre zuckte ein wenig zurück, wiederholte dann aber tapfer: »Seine Majestät empfängt heute nicht.«

Albrecht hätte ihm am liebsten eine Ohrfeige verpasst. Nur der Gedanke, dass dies seinem Vorhaben nicht gerade förderlich war, hielt ihn zurück.

Einer der Bewaffneten, die vor der Tür Wache hielten, trat auf sie zu, als Albrecht versuchte, den dürren Kammerdiener einfach beiseitezuschieben.

»Ihr habt es gehört, Markgraf: Der Kaiser empfängt Euch nicht.«

Das muss ein Irrtum sein, dachte Albrecht. Eine Verwechslung. Oder der Kaiser ist krank. Vielleicht ein neuerlicher Anfall von dem Sumpffieber, das ihn seit der Belagerung Neapels immer wieder heimsucht?

Mit einem Blick befahl er Sophia, ihm zu folgen, und ging ohne ein weiteres Wort hinaus.

Ich versuche es morgen wieder. Der Kaiser *muss* mich empfangen. Habe ich ihm nicht gute Dienste geleistet, als er noch ein Knabe war? An seiner Seite gestanden bei seiner Schwertleite in Mainz? Wie oft bin ich mit ihm zur Jagd geritten, habe mit ihm getrunken, ihm die erste Frau zugeführt, als er zum Manne reifte? Das kann er nicht vergessen haben!

Je stärker solche Erinnerungen in ihm wühlten, desto schneller stapfte er zu seinem Quartier. Sophia hatte Mühe, ihm zu folgen.

Morgen wird er mich empfangen.

Um diesen einen Punkt kreisten seine Gedanken immer noch, während er sich nachts ruhelos im Bett von einer Seite auf die andere wälzte.

Trotz des milden Klimas von Palermo meinte Albrecht, mit jedem heranbrechenden Morgen mehr Frostigkeit zu spüren.

Tag um Tag sprach er mit der Bitte vor, vom Kaiser empfangen zu werden. Vergeblich. Er gab Unsummen an Bestechungsgeldern aus, um bei den Vertrauten Heinrichs Fürsprecher zu finden. Vergeblich.

Wie ein Aussätziger wurde er behandelt.

Er schickte Sophia und forderte sie auf, gefälligst ihren Liebreiz spielen zu lassen, damit er durch sie Gehör fände. Versuchte, dem Kaiser aufzulauern, wenn er ausreiten wollte, um sich vor ihm zu Füßen zu werfen und ihn seiner langjährigen Treue zu erinnern. Nichts davon gelang.

Nur aus den hintersten Reihen der adligen Gäste erlebten Albrecht und Sophia mit, wie der Kaiser am 20. November des Jahres 1194 mit überwältigender Pracht in Palermo Einzug hielt – so triumphal, dass sich das Volk vor ihm zu Boden warf.

Nun residierte der Kaiser im alten normannischen Königspalast auf dem höchsten Punkt der Stadt.

Zum Weihnachtsfest wurde Heinrich im Dom von Palermo zum König von Sizilien gekrönt. Endlich hatte er erreicht, wofür er so lange gekämpft hatte.

Noch am Krönungstag verteilte der Kaiser und König bedeutende Privilegien, Ländereien und Titel an etliche seiner Gefolgsleute.

Doch selbst an diesem festlichen Tag war der Staufer nicht bereit, den Markgrafen von Meißen zu empfangen, ihn auch nur eines Blickes zu würdigen.

In Albrecht von Wettin reifte die Erkenntnis, dass der Kaiser ihn hatte fallenlassen wie ein glühendes Stück Eisen.

So gründlich und endgültig, dass er nicht einmal willens war, dem in Ungnade Gestürzten eine Möglichkeit einzuräumen, sich zu rechtfertigen, Verzeihung zu erbitten und Besserung zu geloben.

Ein Kaiser kennt keine Freunde, ein Kaiser hat keine Freunde, dachte er verbittert. So wie auch er, Albrecht, keine Freunde hatte – nur Untergebene, die er nach Belieben belohnte oder bestrafte.

Oder davonjagte.

Oder töten ließ.

Eine letzte Hoffnung hegte er noch.

Am Hof sorgte seit Monaten die Nachricht für Aufregung, dass Kaiserin Konstanze trotz ihrer vierzig Jahre endlich schwanger sei. Wenn sie ihm einen Sohn gebiert, wird er vor lauter Freude allen großzügig verzeihen, dessen war sich Albrecht sicher. Wer sollte besser die Sorgen eines Herrschers verstehen, dessen Frau Jahr um Jahr keinen Erben austragen konnte, als er? Würde Sophia ihm einen Sohn gebären, wäre er an diesem Tag die Großmut in Person.

Inbrünstig betete Albrecht darum, dass die Kaiserin einen Jungen zur Welt brachte.

Seine Gebete wurden erhört. Am Tag nach der Krönung Heinrichs zum König von Sizilien, am zweiten Weihnachtstag des Jahres 1194, schenkte Konstanze einem Sohn das Leben, der auf Wunsch des Kaisers den Namen von dessen Vater erhielt: Friedrich.

Der Kaiser ließ alle Glocken läuten, Dankesmessen lesen, großzügig Geschenke verteilen. Doch er ließ sich nicht dazu herab, den Markgrafen von Meißen zu empfangen, den Mann, der sich seinen Befehlen widersetzt, den Frieden gestört und seinen Boten verstümmelt hatte.

Nur ein Bediensteter des Bischofs Walther von Troia, des künftigen Kanzlers von Sizilien, gab Albrecht beiläufig zu verstehen, es sei wirklich barbarisch, jemandem die Augen ausstechen zu lassen, wenn man ihn blenden wolle. Hier auf Sizilien bevorzuge man eine feinere Methode, meinte der Diener von oben herab: rot glühende Kohlen vor die Augen des Delinquenten gehalten, würden ihn auf äußerst schmerzhafte Weise erblinden lassen, ohne sein Aussehen zu entstellen.

Da fühlte sich der Markgraf von Meißen wie jemand, auf den der Gegner noch eintrat, obwohl er schon am Boden lag.

Fassungslos musste sich Albrecht eingestehen, dass er auf verlorenem Posten stand. Es war zwecklos, länger zu warten und auf Gnade zu hoffen.

Zudem leerte sich seine Reisekasse viel schneller als gedacht. Unsummen an Bestechungsgeldern waren verschleudert, und angesichts der wunderschönen sizilianischen Seidenbrokate hatte Sophia ihre Sprache wiedergefunden und darauf bestanden, sich damit einzukleiden, um nicht wie eine Bettlerin am Hof zu erscheinen.

Er musste schon einige Edelsteine gegen Silber eintauschen, um sich eine standesgemäße Heimreise leisten zu können.

Als auch noch das Gerücht aufkam, es gebe eine Verschwörung des sizilianischen Adels gegen den Kaiser, ließ Albrecht alles zu seiner Abreise vorbereiten.

Sobald es das Wetter erlaubte, segelte er mit seinem Gefolge zum Festland und zog über die Alpen heimwärts.

Er hatte unterwegs viel Zeit und Gelegenheit, Rachepläne zu schmieden. Wieder und wieder stellte er in Gedanken Truppen auf, ordnete sie zu Schlachtformationen an, wog das taktisch klügste Vorgehen ab. Er würde die Mark Meißen verteidigen – gegen den Kaiser, gegen die aufständischen Ministerialen, gegen das Pleißenland und gegen seinen Bruder. Und falls er dafür nicht genug Männer aufbieten konnte, falls sich auch zu Hause das Schicksal gegen ihn wendete – nun, wenn *er* nicht über das Land herrschen konnte, sollte es auch kein anderer bekommen. Lieber ließ er alles niederbrennen.

Unerwarteter Besuch

Der staubbedeckte Reiter, der sich an diesem Tag Anfang Juni des Jahres 1195 der Weißenfelser Burg näherte, trug trotz der Frühlingswärme die Bundhaube tief ins Gesicht gezogen und eng zusammengebunden. Ein aufmerksamer Betrachter hätte bemerkt, dass seine Waffen deutlich edler waren als sein schlichter Bliaut.

Nachdem er das Tor passiert hatte, stieg er ab und sagte dem Stallburschen, der auf ihn zukam: »Ich suche Lukas von Freiberg. Ist er hier?« Zögernd fügte er hinzu: »Ein Verwandter möchte ihn sprechen. Dringend.«

Der Stallbursche verneigte sich rasch und sah zum hinteren Teil des Hofes. »Er leitet dort die Waffenübungen der jüngeren Knappen. Wollt Ihr mich zu ihm begleiten oder in der Halle warten, edler Herr? Dort bringt man Euch auch etwas zu essen und zu trinken.«

Der Fremde hatte den Gesuchten schon entdeckt – zu seiner großen Erleichterung und Zufriedenheit. Er wollte seinen Aufenthalt in Weißenfels so kurz wie möglich halten. Und auf keinen Fall durfte er erkannt werden.

»Ich warte hier auf ihn. Den Hengst lass bei mir. Ich muss gleich wieder los.«

Der Stallbursche gab sich Mühe, sich nichts von seinem Erstaunen darüber anmerken zu lassen. Dieser Mann und sein Pferd hatten eine anstrengende Reise hinter sich, das war nicht zu übersehen. Er rief einem der Knechte zu, einen Eimer Wasser für den Hengst des Gastes zu bringen, dann lief er zu der Gruppe der Knappen, die unter Lukas' strenger Aufsicht Huten und Konterhuten übten.

»Ihr seid so unsäglich langsam, dass ihr euch besser gleich ergebt, solltet ihr auf einen Feind treffen«, tadelte Lukas gerade die Jungen. »Das spart allen Mühe.«

Er forderte einen Vierzehnjährigen auf, sich ihm gegenüber aufzustellen und ihn mit einem Oberhau anzugreifen. Blitzschnell wehrte er den Schlag ab und entwaffnete den Jungen mit einer einzigen fließenden Bewegung.

»Habt ihr gesehen? Jetzt ihr!«

Er führte das Manöver noch einmal langsam vor, dann ließ er die Jungen erneut miteinander üben.

Während er sie beobachtete, sah er den verhüllten Fremden mitten auf dem Hof stehen und einen Stallknecht auf sich zukommen, der ihm ausrichtete, ein Verwandter wolle ihn dringend sprechen.

Gespannt, was sich daraus ergeben würde, überließ er die Knappen der Aufsicht von Norberts ältestem Sohn. Boten, die keinen Namen nannten und die Zügel ihres Pferdes gar nicht erst aus der Hand gaben, verhießen in der Regel kaum Gutes. Und ein Verwandter war das bestimmt nicht – sein Bruder war etwas kleiner als der Mann auf dem Hof, sein Neffe magerer.

Als er nah genug heran war, um dem anderen ins Gesicht sehen zu können, zog er überrascht die Augenbrauen hoch. Es war tatsächlich ein Verwandter, wenn auch kein leiblicher.

»Der Bart macht dich älter«, sagte er anstelle einer Begrüßung zu seinem Schwager Gerald.

»Ich habe ihn mir nur stehen lassen, um nicht erkannt zu werden. Niemand außer dir darf wissen, dass ich hier war«, entgegnete der Marschall von Markgraf Albrecht verhalten. »Ich erfuhr, dass du nach euerm Sieg bei Röblingen in Graf Dietrichs Dienste getreten bist. Reitest du mit mir ein Stück hinaus, damit wir unbeobachtet miteinander sprechen können?«

Das wird ja immer absonderlicher, dachte Lukas, während er zustimmte. Er ließ seinen Fuchshengst satteln und gab Conrad Bescheid, er müsse dringend fort und sei wohl erst zum Abend wieder zurück.

In Geralds Gesicht versuchte er zu ergründen, was diesen hierhergeführt haben könnte. Dass der Schwager ihn in einen Hinterhalt locken wollte, erwog Lukas einen kurzen Moment lang durchaus, verwarf den Verdacht jedoch wieder. Er und Gerald waren nie Freunde gewesen, und dessen Ernennung zu Albrechts Marschalls teilte sie endgültig gegnerischen Lagern zu, auch wenn Gerald ihm einmal zur Flucht aus Albrechts Kerker verholfen hatte. Aber um ihn in eine Falle zu schicken, würde er nicht persönlich erscheinen, sondern ganz sicher einen anderen beauftragen. Und sollte es zum Zweikampf kommen – Lukas vertraute darauf, mit ihm fertig zu werden.

Gerald war ein sehr guter Kämpfer, Lukas jedoch herausragend. Gemeinsam ritten sie den Burgberg hinab, durchquerten die Furt, wobei jedem von ihnen die Szene erneut lebendig vor Augen erstand, wie Albrechts erster Angriff auf Weißenfels hier scheiterte. Lukas wies seinem Begleiter den Weg zu einem Platz am Rande eines Wäldchens. Dort stieg er ab und ließ sein Pferd grasen.

Gerald tat es ihm nach. In seinem Gesicht arbeitete es; er schien nach Worten zu suchen, um die Unterredung zu eröffnen. Lukas unternahm nichts, ihn zu ermutigen. Schließlich setzte er sich auf einen umgestürzten Baumstamm, der auf einer Seite dicht mit Moos bewachsen war, und machte eine einladende Geste.

»Ich habe nicht viel Zeit«, begann Gerald endlich – eine merkwürdige Eröffnung angesichts dessen, dass er gerade ziemlich lange geschwiegen hatte. »Weder Fürst Albrecht noch einer seiner Vertrauten weiß, dass ich hier bin und mit dir spreche. Und sollte er es je erfahren, bin ich ein toter Mann – was mich jedoch nicht davon abhalten wird, ihn zu verraten.«

Erneut zog Lukas verblüfft die Augenbrauen hoch.

Dass Gerald ihn aus den Verliesen befreit hatte, statt ihn gemäß Albrechts Befehlen zu Tode foltern zu lassen, war eine Sache. Marthe vermutete, damals habe ihn die jähe Hinrichtung seines Freundes Reinhard, Claras Mann, dazu getrieben, dem Schwager zu helfen.

Doch seinen Lehnsherrn zu verraten? Das sah Gerald nicht ähnlich, der so stolz gewesen war, zum Marschall ernannt worden zu sein.

Lukas verkniff sich jedes Wort, das den anderen vielleicht abschrecken könnte, und sah ihn stattdessen auffordernd an.

Der Bruder seiner verstorbenen ersten Frau holte tief Luft, und plötzlich strömte nur so aus ihm heraus, worüber er Nächte gegrübelt hatte.

»Albrecht ist beim Kaiser in Ungnade gefallen. Er ist vergeblich nach Sizilien gereist, der Staufer hat es abgelehnt, ihn zu empfangen«, berichtete er, während er unruhig auf und ab ging. »Da sich auch die Ministerialität gegen ihn gewandt hat, fürchtet er ernsthaft um seine Macht. Es gibt Gerüchte, dass der Kaiser Truppen gegen die Mark Meißen führen wird ... Elmar und ich hatten Order, ihn diesseits der Alpen zu empfangen und Bericht zu erstatten. Danach entschied er: Beim geringsten Anzeichen dafür, dass der Kaiser angreift, will er sämtliche Dörfer und Felder niederbrennen, alle Befestigungen zerstören lassen und sich mit seinen verbliebenen Männern in Leipzig verschanzen. Er reist jetzt sehr langsam, weil Sophia erneut schwanger ist und Schonung braucht. Sie kann kaum einen Bissen im Leib behalten. In drei bis vier Wochen werden sie in Freiberg erwartet. Ich wurde vorausgeschickt, um sämtliche Kämpfer zu sammeln. Doch ich will nicht tatenlos zusehen und schuld daran sein, wenn das ganze Land verwüstet wird. Deshalb bin ich hier.«

Mit schon fast hilflos wirkender Geste schob Gerald die staubige Bundhaube zurück und fuhr sich durchs Haar. Nun sah er seinen Schwager direkt an.

»Du musst ihn daran hindern!«, beschwor er ihn. »Ich schwöre bei meiner Ehre als Ritter, dass ich tun werde, was ich kann, um dir zu helfen, wenn auch vorerst im Verborgenen. Ich werde mich offen auf eure Seite stellen, sobald es zum Kampf kommt. Jakob, deinen Bruder, beordere ich nach Seußlitz, zu seinem Sohn. Dort dürften sie abseits des Geschehens in Sicherheit sein. Albrecht will auch den Burgkommandanten von Seußlitz in Freiberg wissen. Seine Mutter ist ihm im Moment die geringere Sorge ...«

»*Ich* soll Albrecht aufhalten? Forderst du mich gerade auf, deinen Lehnsherrn zu töten?«, fragte Lukas kühl. »Nein, du musst es nicht aussprechen ... Sag mir nur: Was treibt dich zu diesem Sinneswandel?«

Gerald ließ sich neben seinem Schwager auf dem bemoosten Baumstamm nieder und starrte auf die grasenden Pferde.

»Albrecht hat sich meine Frau ins Bett geholt«, gestand er leise. Es kostete ihn Überwindung, das auszusprechen; zu niemandem sonst hatte er darüber ein einziges Wort verloren.

»Nicht unter Zwang wie deine Nichte. Ich muss mich wohl damit abfinden, dass sie freiwillig das Lager mit ihm teilte. Als Lucardis starb, auf dem Hoftag in Merseburg, du warst dabei ... Das Kind, das sie damals trug, war womöglich seines. Ich gab ihr die Schuld, denn Gott ist mein Zeuge: Sie war eine selbstsüchtige, verlogene und verdorbene Frau. Und sie konnte jeden Mann betören, wenn sie nur wollte. Ich werde nie herausfinden, ob sie mich auch mit anderen betrog. Jetzt büßt sie dafür an einem schrecklichen Ort ... Aber ich sagte mir immer wieder: Albrecht ist der von Gott gewollte Herrscher über die Mark Meißen. Sich gegen ihn zu wenden heißt, Gottes Ordnung in Frage zu stellen. Ich habe ihm einen Eid geschworen. Also gehorchte ich seinen Befehlen ... und lud unsägliche Schuld auf mich. Mit meinem Schwert hat er Reinhard getötet. Ich unternahm nichts dagegen, als Elmar deine Stieftochter bedrohte. Ich sah zu, wie Albrecht dreitausend Mark Silber vom Altar des Marienklosters raubte. Da begriff ich: Er kann nicht Gottes Mann sein; so etwas geht nur mit Zutun des Teufels. Und trotzdem schickte ich auf seinen Befehl Hunderte Männer in einen sinnlosen Tod. Sie könnten heute noch leben, hätte ich ihn aufgehalten ...«

»Du hättest ihn nicht aufgehalten, nicht einmal Elmar konnte das«, widersprach Lukas, während er sich zwang, die Sache mit Clara vorerst zu ignorieren, so sehr sie ihn auch aufbrachte. Es war geschehen, und Gerald jetzt dafür mit Vorwürfen zu überschütten, würde nichts bessern.

»Aber wenn ich mir vorstelle, dass er bereit ist, das ganze Land in Flammen aufgehen zu lassen, Tausende Leben zu vernichten ...«, fuhr der Marschall mit seinem unerwarteten Geständnis fort. »Diese Schuld kann ich nicht auch noch auf mich laden. Ich habe Albrecht einen Lehnseid geschworen. Aber ich habe auch geschworen, die Schwachen zu schützen. Gott wird über mich richten.«

Gerald hob einen dürren Ast auf, der zu seinen Füßen lag, zerbrach ihn und warf die beiden Stücke auf die Erde. Dann erhob er sich mit einem Ruck, ohne eine Antwort abzuwarten. »Ich habe überlegt, ihn selbst zu töten. Aber das kann nicht einer allein schaffen. Ich kann keinem trauen, und keiner traut mir. Es muss gut vorbereitet sein. Elmar hat die Leibwachen verdoppelt, seit Albrecht diesseits der Alpen ist, und lässt ihn keinen Schritt allein. Ich will nicht wissen, was du jetzt planst. Dann kann ich es auf der Folter nicht verraten. Aber sobald ich erfahre, wann genau Albrecht in Freiberg sein wird und was er dort vorhat, schicke ich dir einen schnellen Reiter mit geheimer Nachricht – den jungen Johann, der einmal mit deinem Stiefsohn befreundet war. Dann entscheide, was du tust.«

Nun sah er dem Schwager direkt in die Augen, das Gesicht voller Bitterkeit. »Ich schwöre noch einmal bei meiner Ehre: Jedes Wort ist wahr.«

Ohne Abschiedsgruß saß er auf und ritt davon.

Nachdenklich blieb Lukas zurück. Dann stemmte er sich hoch, um zu seinem Freund Raimund zu reiten, dessen neues, von Dietrich verliehenes Land nur wenige Meilen von hier entfernt war.

»Eine Handvoll entschlossener Männer; wir dringen durch den geheimen Fluchtweg zum Verlies in die Burg ein, überwältigen die Leibwachen und töten ihn«, entschied Raimund sofort, nachdem Lukas ihm unter vier Augen von Geralds Besuch berichtet hatte.

Lukas stimmte mit einem Nicken zu. Das war das naheliegende Vorgehen. »Wir wissen beide schon lange, eigentlich seit Christians Tod, dass dieser Tag einmal kommen musste«, meinte er dann. Dabei ging ihm durch den Kopf: Das ist etwas, das Christian vermutlich nie getan hätte. Macht mich das schlechter als ihn? Oder würde er in dieser Lage so handeln wie ich?

Raimund hob die Hände ein Stück und ließ sie wieder auf den Tisch sinken. »Ich weiß nicht, wie Gott darüber urteilt, wenn wir jemanden töten, den Er zum Herrscher auserkoren hat. Dass wir einem Fürsten den Gehorsam verweigern und gegen ihn die Hand erheben. Aber ich kann nicht glauben, dass es Sein Wille ist, wenn ein ganzes Land auf Befehl eines Wahnsinnigen zerstört wird.«

»Wie Gott darüber denkt, finden wir vielleicht schneller heraus, als uns lieb ist«, meinte Lukas sarkastisch. »Wirst du es Elisabeth sagen?«

Raimund schüttelte den Kopf. »Diese Last kann sie nicht auch noch tragen. Aber ich werde sie nach Weißenfels auf die Burg bringen, wenn wir aufbrechen. Dort ist sie sicher ... sollte die Sache schiefgehen.«

Das hatte er sofort entschieden, als sie begannen, ihren Plan zu entwickeln. Er fragte gar nicht erst, ob Lukas seiner Frau davon erzählen würde. Marthe würde es wissen, auch ohne Worte. Raimund unterdrückte den heftigen Wunsch, den Freund zu bitten, seine Frau nach dem möglichen Ausgang ihres Vorhabens zu fragen. Er wollte weder eigenen Leichtsinn schüren noch die Sache von vornherein als verloren betrachten.

Es war ein tollkühnes Vorhaben, und die Aussicht gering, dass sie lebend entkamen. Doch jetzt ging es einzig darum, Albrecht zu hindern, die ganze Mark Meißen in Flammen aufgehen zu lassen.

Sie berieten eine Weile, wen sie mitnehmen und auf wen sie in Freiberg vertrauen konnten.

»Ich würde gern lauter Männer dabeihaben, die sich Christian verpflichtet fühlen und die zu seinem Begräbnis kamen. Lass uns diese Sache ihm zu Gedenken wagen, dann ist er gerächt«, erklärte Lukas und nannte gleich die ersten Namen: Georg und David. Die beiden jungen Ritter waren einst Knappen bei Christian und ihm gewesen.

»Peter von Nossen«, empfahl Raimund.

»Wenn er mitmacht, sind auch seine Brüder Tammo und Johannes dabei.« Die drei Nossener Brüder hielten sich demonstrativ vom Meißner Hof fern. Es gab Streit zwischen ihnen, dem Fürsten und dem Bischof, weil der alte Markgraf Otto dem nahen Kloster ein Stück Land zugesichert hatte, das ihnen gehörte.

»Boris von Zbor«, schlug Raimund als Nächsten vor.

»Ein Slawe?«

»Ein guter Mann, unglaublich mit dem Schwert. Er steht treu zu den Nossener Rittern«, versicherte der Muldentaler. Im Gebiet von Nuzzin oder Nossen, wie es auch genannt wurde, waren von jeher mehrere slawische Adelsgeschlechter ansässig.

Und dann stellte Raimund die Frage, die ihm die ganze Zeit schon auf den Nägeln brannte: »Wirst *du* es *Dietrich* sagen?«

Lukas schien darüber bereits nachgedacht zu haben, so schnell und entschlossen kam seine Antwort.

»Wir können ihn nicht in diese Sache hineinziehen – das wäre Brudermord. Aber wir können etwas, das ihn in solchem Maße betrifft, auch nicht hinter seinem Rücken tun. Ich sage es ihm unmittelbar vor unserem Aufbruch.«

Er lehnte Elisabeths Angebot ab, mit ihnen zu Abend zu essen. Nachdem er nun diese Entscheidung auf Leben und Tod gefällt hatte, wollte er so schnell wie möglich zurück nach Weißenfels, um seine Angelegenheiten zu regeln.

Marthe hatte schon den ganzen Nachmittag über Ausschau gehalten, wann Lukas wohl von seinem überraschenden Aufbruch zu einem unbekannten Ziel zurückkehren würde. Es war ein ungewöhnlicher, ihrem Gefühl nach unheilkündender Zwischenfall, seit sie hier seit einem Jahr auf Weißenfels lebten. Nur Lukas' Söhne waren in Eisenach geblieben. Beweggrund für ihren Weggang war nicht nur ihre Verbundenheit mit Ottos jüngerem Sohn, sondern auch die gemeinsame Sorge um Clara. Es war schwer gewesen, sie wenigstens ein Stück weit aus der schlimmsten Betrübnis zu reißen, in die sie nach der Geburt des kleinen Konrad gestürzt war. Jetzt lebte sie mit den Kindern in Weißenfels und musste ertragen, noch dazu ohne sich ihren Kummer ansehen zu lassen, wie Jutta von Thüringen ihren Platz an Dietrichs Seite einnahm – an der Tafel, auf Reisen und vielleicht auch im Bett. Es hatte noch keine Feier anlässlich des Vollzuges der Ehe gegeben. Für Marthes kundigen Blick wirkte die Landgrafentochter auch immer noch wie ein Kind, nicht wie eine Frau, die bereits die Liebe erfahren hatte. Doch nun waren Dietrich und Jutta schon fast ein Jahr miteinander verheiratet, und irgendwann würde es geschehen.

Da von Lukas immer noch nichts zu sehen war, beschloss Marthe, ihre Tochter aufzusuchen. Was sie noch an Arbeit zu erledigen hatte, konnte warten.

Sie fand Clara gemeinsam mit Thomas vor.

Bruder und Schwester saßen am Tisch; Clara zerpflückte getrocknete Kamillenblüten, und Thomas ließ gedankenversunken einen schmalen Wetzstein über die Klinge seines Schwertes gleiten. Änne und ihre kleinen Brüder waren vermutlich in Lisbeths Obhut irgendwo draußen.

»Du siehst besorgt aus«, begrüßte Clara ihre Mutter, obwohl sie selbst viel düsterer wirkte. »Was ist passiert?«

»Nichts …«, meinte Marthe, so gelassen sie konnte. »Ich suche nach deinem Stiefvater.«

»Er ist vorhin mit einem Mann fortgeritten, der eine Botschaft überbrachte. Ist er noch nicht zurück?«, fragte Clara beunruhigt. »Die Knappen hat er ohne ein weiteres Wort Conrad überlassen. Dafür muss schon etwas Ungewöhnliches geschehen sein. Denkst du, es gibt wieder Krieg?«

Jeder in dieser Kammer rechnete längst damit, dass Albrecht von seiner Reise zum Kaiser zurückkehrte. Und niemand konnte wissen, was er plante. Aber dass er Frieden halten würde, daran glaubte keiner von ihnen ernstlich.

»Fragen wir ihn selbst«, meinte Thomas und wies mit dem Kopf Richtung Fenster.

Ungewohnt hastig stand Marthe auf und blickte hinaus. Dann strich sie ihr Kleid glatt und sagte: »Ich rede wohl besser erst einmal allein mit ihm«, bevor sie hinausging.

Bruder und Schwester sahen einander an – jeder in Gedanken noch halb bei dem Gespräch, das sie vor Marthes Auftauchen geführt hatten, und halb bei dem, was sich aus Lukas' merkwürdigem Verhalten ergeben mochte.

»Vielleicht ist es uns einfach nicht bestimmt, im Diesseits noch einmal wahres Glück zu erleben«, sagte Clara nach einer Weile in das Schweigen hinein.

Seit ihrer letzten Niederkunft hatte sich in ihr die Überzeugung festgebissen, den ihr bestimmten Vorrat an Glück während der Zeit mit Dietrich aufgebraucht zu haben. Jetzt blieben ihr nur die Erinnerung und die Kinder.

Norbert hatte ihr schon vor Monaten erneut die Ehe angetragen, und erneut hatte sie abgelehnt. Sie wollte keinen Mann, für den sie nichts als Respekt empfand, auch wenn sie nachts manchmal die Sehnsucht nach zärtlichen Berührungen beinahe zerriss.

»Ich sehe Euern Schmerz. Und ich sehe, dass Ihr Schutz braucht. Nehmt meine Hilfe an, und ich schwöre es, ich werde alles tun, um Euch Halt und Beistand zu geben«, hatte der Burgkommandant ihr versprochen.

Und sie hatte geantwortet: »Ihr seid ein ehrenwerter Mann. Gerade deshalb kann ich Euern Antrag nicht annehmen. Ich wäre Euch nicht die gute Ehefrau, die Ihr verdient.«

Denn ich könnte Euch nie wirklich lieben, hatte sie in Gedanken angefügt. Norbert würde den Platz nicht ausfüllen können, den Dietrich immer noch in ihrem Herzen einnahm. Und schon gar nicht Norberts Sohn, der inzwischen mit einer jungen Frau namens Sieglind verheiratet war und ihr zu ihrer Entrüstung angeboten hatte, gelegentlich in ihr Bett zu kommen.

Sie musste sich wohl damit abfinden, dass die Männer in ihr nun leichte Beute sahen.

Ich durfte wenigstens Liebe erleben, dachte sie wehmütig. Ich habe meine Kinder als Lichtstrahl in der Düsternis. Thomas besitzt nicht einmal schöne Erinnerungen, mit denen er sich trösten könnte. Selbst in den Armen der Frauen, die ihn in ihr Bett lassen in der Hoffnung, ihn halten zu können, scheint er keine wahre Liebe empfinden zu können. Nur für ein paar Augenblicke die Sättigung seines Hungers, aber kein Licht und keine Wärme zum Leben.

»Ich höre mich um, ob ich etwas in Erfahrung bringe«, meinte Thomas, lächelte seiner Schwester etwas gezwungen zu und ging hinaus. Doch bevor er Richtung Stall lief, um die Knechte nach diesem merkwürdigen Besucher auszufragen, wollte er Lisbeth mit den Kindern zu Clara zu schicken. Das war immer noch das beste Heilmittel, um seine Schwester von allzu düsteren Gedanken abzuhalten.

Weil Lukas wusste, dass es keinen Weg gab, vor Marthe zu verbergen, was er und Raimund vorhatten, versuchte er es erst gar nicht. Außerdem schätzte er ihren Rat. Und er wusste auch, dass sie ihn trotz ihrer Sorge um ihn nicht von seinem Vorhaben abhalten würde. Sie hatte schon vor Jahren erkannt, dass dieser Augenblick kommen musste.

»Ich will Thomas dabeihaben«, erklärte er, nachdem er von Geralds Besuch berichtet hatte.

In diesem Punkt hatte er mit ihrem Protest gerechnet und war überrascht, als sie sagte: »Er würde es dir nie verzeihen, wenn du ihn nicht mitnimmst.«

Dann trat sie auf ihn zu und legte ihre Hand an seine Wange. »Pass gut auf ihn auf. Und auf dich!«

Er lächelte. »Tue ich das nicht immer?«

Marthe ging nicht darauf ein; sie wollte jetzt keinen Streit über seine Neigung, die Dinge manchmal zu wenig ernst zu nehmen. Und darüber scherzen, was Lukas vorhatte, konnte sie schon gar nicht.

Stattdessen schlang sie ihre Arme um seinen Hals und presste sich an ihn. »Befreit das Land von diesem Ungeheuer!«, sagte sie leise.

Sie blieben aneinandergeschmiegt, bis Marthe sich wieder von ihrem Mann löste.

»Diesmal kann ich euch nicht begleiten. Wenn mich in Freiberg jemand erkennt, scheitert euer ganzes Vorhaben. Und ihr müsst schnell sein, auch beim Rückzug.«

Falls es einen Rückzug gibt, dachte sie beklommen, ohne es auszusprechen.

Ihre Gedanken tosten auf der Suche nach einer Möglichkeit, Lukas zu helfen. Doch nichts fiel ihr ein. Dies musste sie wohl ganz den Männern überlassen und auf Gott vertrauen.

Gab es etwas Schlimmeres, als die Hände in den Schoß legen zu müssen, während der Liebste zu einer so waghalsigen Unternehmung aufbrach?

Zu ihrer Überraschung kniete Lukas vor ihr nieder und sah sie ungewohnt ernst an. »Meine Geliebte, meine Vertraute, meine Gefährtin. Gibst du mir deinen Segen?«

Ohne ein Wort legte Marthe ihre Hände auf seine Schultern und schloss die Augen.

Geständnisse

*L*ukas und Raimund feilten in den nächsten Tagen an ihrem Plan, schickten Boten mit geheimen Nachrichten nach Freiberg, gewannen im Verborgenen Mitstreiter. Wie Raimund wusste, gab es nicht wenige unter den meißnischen Rittern, die mit sich rangen, ob sie Albrecht weiter die Treue halten sollten. Der Klosterraub, die Hinrichtung Reinhards und Lothars und die Blendung eines kaiserlichen Ministerialen hatten das bewirkt. Doch da nun auch Raimund seit längerem den meißnischen Hof verlassen hatte, mussten sie genau abwägen, wem sie vertrauen konnten.

Thomas hatte sofort zugestimmt, sie zu begleiten. Auch Norberts Söhne wollten mit, doch das lehnte Lukas ab: Er wollte Weißenfels und damit Dietrich aus der ganzen Sache heraushalten.

Lukas und Raimund ritten für ein paar Tage fort, um sich unerkannt in die Mark Meißen zu wagen. David und Georg sagten ohne Zögern zu, auch die Nossener Brüder und der Slawe Boris von Zbor.

Als Gerald wie versprochen den jungen Johann mit Nachricht über Albrechts bevorstehende Ankunft in Freiberg schickte, wussten sie, dass sie ein Dutzend entschlossener Männer sein würden. Noch diese Nacht wollten sie aufbrechen, um sich nahe Freiberg zu treffen.

»Zeit, zu Dietrich zu gehen«, entschied Lukas. Das Angebot des Freundes, ihn zu begleiten, lehnte er ab – zum Schutz des Grafen. »Es wird ein Gespräch, das niemals stattgefunden hat.«

Er stand auf, legte Raimund den Arm auf die Schulter, und mit einem Blick brachten sie alles zum Ausdruck, was sie in diesem Moment bewegte. Sie waren bereit, sich mit Waffen gegen Gottes Ordnung aufzulehnen und ihr Leben für eine Sache einzusetzen, für die sie vor Gericht keine Gnade finden würden, sollten sie die Tat überleben. Es gab kein Zurück.

»Gehorsam hat seine Grenzen«, sagte Lukas bitter, stand auf und wollte zur Tür gehen.

In diesem Moment klopfte es. Daniel trat ein, Marthes und Christians jüngerer Sohn, seit Pfingsten ein Ritter.

»Ich weiß, dass ihr beide und Thomas bald zu einer gefährlichen Mission aufbrecht. Ich möchte euch begleiten«, sagte er ohne Vorrede. Nun, da es heraus war, schien er erleichtert, ließ aber seinen Stiefvater nicht aus den Augen. Würde der ihn schelten oder begeistert in die Arme schließen und zum Mitkommen auffordern?

»Was hat dir Johann erzählt?«, fragte Lukas, ganz und gar nicht erfreut.

»Nichts«, beeilte sich Daniel zu versichern. »Jedenfalls nichts Genaues. Aber wenn er und Thomas dabei sind, will ich es auch.«

Mit erzwungener Geduld bedeutete Lukas seinem Stiefsohn, sich zu setzen. So dringend er auch zu Dietrich musste, wollte er dieses Gespräch hier führen, ohne Daniel mehr zu verletzen als nötig.

»Wir nehmen dich auf keinen Fall mit, das ist mein unumstößlicher Entschluss«, begann er, um in dem jungen Ritter gar nicht erst falsche Hoffnungen zu wecken. »Du wirst noch viele Bewährungsproben in deinem Leben bestehen müssen, aber nicht diese.«

»Thomas darf mit!«, protestierte Daniel, und Lukas dachte bei seinem Anblick: Er ist wie Thomas noch vor ein paar Jahren, so jung, so voller Ideale und Tatendrang, sich zu beweisen. Doch nach den bitteren Erfahrungen des Kreuzzuges wird Thomas nie wieder so sein.

»Dein Bruder ist nicht nur ein paar Jahre älter als du, er hat auf seiner Pilgerfahrt auch Dinge erlebt, von denen du nicht die geringste Vorstellung hast. Deshalb kann er diese Aufgabe übernehmen, ohne dass seine Seele noch mehr Schaden nimmt«, sagte Lukas hart. »Was wir vorhaben, wird uns keinen Ruhm einbringen. Viele werden schreien, wir hätten unsere Ritterehre befleckt. Und falls wir dabei sterben, wird man unsere Leichname zerstückeln, verbrennen und in alle Winde zerstreuen. Man wird uns als Verräter beschimpfen. Wir tun es, um einen noch größeren Verrat und ein noch größeres Unrecht zu verhindern. Du bist zu jung, um das zu ertragen.«

Daniel wollte widersprechen, aber Lukas hinderte ihn daran. »Das ist mein letztes Wort. Du wirst genug zu tun haben, um deine Mutter und deine Geschwister zu schützen. Betrachte das als deinen Beitrag. Und glaube mir, ich schätze ihn als sehr wichtig ein. Nun geh – und zu niemandem ein Wort!«

Gekränkt, betroffen und verwirrt ging Daniel hinaus.

»Kommt Ihr, um mir endlich zu sagen, welches geheimnisvolle Unterfangen Ihr vorbereitet, seit Euer rätselhafter Verwandter hier auftauchte?«, fragte Dietrich, nachdem Lukas ihn um eine vertrauliche Unterredung gebeten hatte.

Dass sie allein waren, darauf hatte Lukas bereits geachtet, bevor er die Kammer betrat. Es war später Abend, das Mahl in der Halle vorbei, die meisten Menschen lagen schon in ihren Betten oder im Stroh.

Lukas war nicht überrascht. Auch wenn der in ihren Plan eingeweihte Norbert nichts verraten hatte – Dietrich war kein Narr, er wusste, wenn etwas Besonderes auf seiner Burg vor sich ging. Boten waren gekommen und Lukas und Raimund einige Tage fort gewesen.

»Ich will Euch nicht hintergehen«, sagte sein Ritter. »Und ich schwöre Euch beim Leben meiner Frau, ich werde unter allen Umständen, selbst unter der Folter, bestreiten, dass Ihr von dieser Sache wisst – zu Eurem Schutz und um Euern Ruf zu wahren. Und für Euer Seelenheil sollt Ihr wissen, dass ich in dieser

Angelegenheit nicht um Eure Zustimmung bitte. Ich bin fest entschlossen, und Ihr könnt mich nicht davon abhalten.«

Schweigend sah Dietrich ihm ins Gesicht. Ahnte er schon, was gleich kommen würde?

»Raimund, Thomas und ich werden noch heute Nacht losreiten, um mit ein paar entschlossenen Männern den Markgrafen von Meißen zu töten. Euern Bruder. Wir tun das, um ihn daran zu hindern, das ganze Land niederzubrennen und seine Bewohner zu töten. Es gibt jetzt keinen anderen Ausweg mehr.«

Er sah das Flackern in Dietrichs Gesicht und sprach schnell weiter, eine Hand hebend. »Sagt nichts! Wenn Ihr etwas dazu sagt, bedeutet das, dass Ihr die Sache zur Kenntnis nehmt und daran beteiligt seid, und das darf nicht sein. Wir werden ihn töten, wenn Gott es will. Sophia von Böhmen ist schwanger, die Mark Meißen bleibt also im Besitz des Hauses Wettin. Burchard von Salza wird zufällig in Freiberg weilen, wenn wir zuschlagen, und sollten wir Erfolg haben, wird er unverzüglich den Markgrafen der Ostmark aufsuchen, damit dieser die Vormundschaft über Sophia und ihr künftiges Kind übernimmt. Das sollte den Kaiser daran hindern, die Mark Meißen als erledigtes Lehen einzuziehen, falls Albrecht stirbt – oder Sophias Bruder als Statthalter einzusetzen, womit sie an die Böhmen fiele. Euer Cousin Konrad vermag das Land über die Zeiten zu retten. Euch bleibt Weißenfels erhalten, und viele Menschen können weiterleben, die sonst dem Tode geweiht wären.«

Ohne Dietrich Zeit für eine Antwort zu lassen, schritt Lukas zur Tür. Doch bevor er die Kammer verließ, drehte er sich noch einmal um. »Ich wäre Euch dankbar, wenn Ihr meiner Frau und meinen Kindern Schutz und Zuflucht gewährt, sollte ich nicht zurückkehren.«

Dann ging er endgültig hinaus.

Nun musste er sich nur noch von Marthe verabschieden. Und das war vermutlich das Schwerste an dieser ganzen Angelegenheit.

Sie hatten zwar geplant, wie sie in die Freiberger Burg hineinkamen, um Albrecht zu töten. Aber wie sie herauskamen, ließ sich nicht planen. Und ihre Chancen dafür standen ziemlich schlecht.

Dietrich blieb lange sitzen, ohne sich zu rühren, nachdem Lukas gegangen war.

Er brachte keine Ordnung in seine Gedanken. Sollte er zugeben, dass die Überlegungen seines Vertrauten vollkommen logisch waren und sein Bruder nicht anders aufzuhalten war?

Sollte er dankbar sein, dass Lukas sich entschlossen hatte zu handeln, das zu tun, was er selbst aus vielerlei Gründen nicht konnte?

So heftig wie lange nicht mehr wünschte er sich, Christian um Rat fragen zu können, den Mann, der ihn zum Ritter erzogen und ihn dabei nicht nur den Schwertkampf gelehrt hatte.

Was würdest du tun?, fragte er, als könnte der Mann ihm antworten, der nun schon seit mehr als zehn Jahren tot war, ermordet auf Albrechts Befehl.

Es ist Gottes Wille, dass Albrecht über die Mark Meißen herrscht. Aber kann es Gottes Wille sein, wenn er sie zerstört?

Gott hat geduldet, dass Christian ermordet wurde. Gott hat all das Leid und das tausendfache Sterben geschehen lassen, das uns auf dem Weg ins Heilige Land widerfuhr. Und er hat sogar zugesehen, als mein Bruder einen Schatz vom Altar eines Klosters stahl. Ein Blitzstrahl hätte den Ruchlosen dafür treffen müssen. Aber nichts dergleichen geschah.

Will Gott uns damit prüfen? Unseren Gehorsam?

Oder straft er uns für unsere Sünden mit Nichtachtung? Fiel deshalb Jerusalem in die Hände der Ungläubigen?

Und jetzt lade ich auch noch einen Brudermord auf mich.

Es zählt nicht, wenn Lukas alle Schuld auf sich nehmen will. Ich weiß davon, also bin ich ebenso schuldig. Als würde ich selbst das Schwert führen.

Lukas, mein listiger Freund … Du warst immer bereit, ein Stück vom rechten Pfad abzuweichen, um die Deinen zu schützen. Etwas, das für Christian nie in Frage gekommen wäre. Das brachte ihm den Tod.

Doch diesmal geht deine List nicht auf. Denn ich unternehme nichts, um dich daran zu hindern. Also billige ich es.

Gibt es wirklich keinen anderen Weg?

Ich weiß es längst, auch wenn ich es mir nicht eingestehen wollte. Sonst steht uns ein Krieg bevor, grausamer und blutiger als alle, die mein Bruder bisher angestiftet hat.

Christian, was würdest du tun?

Würdest du am Ende sogar voranreiten? Du hast stets dein Leben gewagt, um Unschuldige zu retten.

Und Lukas wagt nicht nur sein Leben, sondern auch seine unsterbliche Seele.

Als es zaghaft an seiner Tür klopfte, saß Dietrich immer noch so da, wie Lukas ihn verlassen hatte.

»Mein Gemahl, darf ich eintreten?«, rief Jutta leise von draußen durch die Tür.

Dietrich fuhr sich mit den Fingern durch die dunklen Haare, stand auf und ließ seine kindliche Frau ein. Sie trug nur ein dünnes Untergewand unter dem Umhang, wie er stirnrunzelnd erkannte. Und ihr Haar war zwar von einem Schleier bedeckt, aber sie trug es offen statt wie üblich geflochten.

»Ihr seid bedrückt, seit Tagen schon«, begann Jutta, nachdem er die Tür hinter ihr geschlossen hatte.

Natürlich. Er ahnte ja auch schon seit Tagen, was vor sich ging und nun in die Tat umgesetzt werden sollte!

»Ich würde Euch gern aufheitern … und Euch trösten … wenn Ihr das von mir annehmen wollt«, fuhr Jutta zögernd fort und sah ihn dabei beinahe ängstlich an. »Vielleicht wollt Ihr mir Euer Herz ausschütten? Ich verspreche Euch Stillschweigen. Sollen Eheleute nicht Freud und Leid miteinander teilen?«

Er schenkte ihr ein Lächeln, obwohl ihm nicht danach zumute war. Wohin waren seine Tatkraft und Entschlossenheit verschwunden, wenn ihm, einem gestandenen Mann und Kämpfer, nun schon eine Dreizehnjährige Hilfe anbot?

Was ihn umtrieb, durfte sie nicht wissen.

»Sollte es nicht eher umgekehrt sein? Dass Ihr mir Euer Herz ausschüttet, wenn Euch etwas bedrückt?«, fragte er freundlich zurück, um sie nicht zu kränken.

»Wollt Ihr tatsächlich wissen, was mich bedrückt?«, meinte Jutta leicht vorwurfsvoll. Sie neigte dabei den Kopf und blickte ihm direkt in die Augen.

»Natürlich. Fehlt es Euch an etwas? Sehnt Ihr Euch zurück nach Thüringen? Wollt Ihr vielleicht Euern Vater und Eure Schwester besuchen? Dann veranlasse ich gleich morgen früh alles Nötige.«

Vielleicht wäre es für Juttas Sicherheit sogar besser, sie nach Thüringen zu schicken angesichts dessen, was in den nächsten Tagen geschehen konnte.

»Nein, das ist es nicht«, antwortete sie. »Alle behandeln mich sehr höflich und geben sich Mühe, damit es mir an nichts fehlt. Aber ...«

Sie biss sich auf die Lippe und schien nach Worten zu suchen.

»Ich weiß, dass Ihr mich nicht heiraten wolltet. Nein, widersprecht mir nicht, Ihr müsst nicht lügen, um mich zu schonen. Ich bin kein kleines, dummes Kind. Aber da wir nun verheiratet sind, seit beinahe einem Jahr schon ... Ich will Euch in allem eine Ehefrau sein. Auch in der Nacht. Ihr sollt das nicht entbehren, was einem verheiratetem Mann rechtmäßig zusteht!«

Nun stiegen ihr Tränen in die Augen.

Dietrich war gleichzeitig gerührt und erschrocken angesichts ihres Ansinnens.

»Das ist sehr großzügig von Euch«, sagte er und küsste ihre Stirn. »Und auch sehr tapfer. Doch Ihr stellt meine Ehrenhaftigkeit in Frage, wenn Ihr meint, ich würde mich nicht gedulden, bis Ihr wirklich zur Frau geworden seid.«

Jutta wich ein Stück zurück, beleidigt und verzweifelt.

»Warum weist Ihr mich ab? Wo ich Euch eine gute Gemahlin sein will! Um Euch dafür zu entschädigen, dass Ihr jemanden heiraten musstet, für den Ihr keinerlei Zuneigung empfindet! Was kann ich tun, damit Ihr mich liebt?«

Nun ergriff Dietrich ihre Hand und küsste sie.

»Meine Zuneigung habt Ihr längst, ich schwöre es«, erklärte er sehr ernst. »Und Liebe wird daraus werden, sobald wir das Lager teilen. Aber erst, wenn Ihr alt genug seid, um ein Kind austragen zu können, ohne dabei Schaden zu nehmen. Nun geht ins Bett und ruht.«

Er führte sie zur Tür und wartete, bis sie in ihrer Kammer verschwand. Dann ging er zurück, setzte sich an den Tisch und stützte den Kopf in die Hände.

Warum konnte er jetzt nicht Clara bei sich haben? Sie fehlte ihm so sehr!

Er ging ans Fenster, legte den Kopf in den Nacken und starrte hinaus in den sternenklaren Himmel. Er war einmal ein Mann der Tat gewesen, von schnellen Entschlüssen, gefürchtet mit dem Schwert, bewährt in der Schlacht.

Jetzt stand er hier und war gelähmt in Ratlosigkeit.

Er konnte nicht die Frau lieben, an der sein ganzes Herz hing, er konnte nicht die Frau glücklich machen, mit der er vermählt worden war. Und er konnte sein Land und das Land seiner Väter nicht anders retten, als einen guten Mann eine Sünde auf sich nehmen zu lassen, für die eigentlich er als Mörder seines Bruders büßen müsste. In einem jähen Ausbruch von Zorn und Verzweiflung hieb er mit der Faust gegen die Wand und stieß dabei einen wütenden Schrei aus.

E in Dutzend voll gerüsteter Reiter näherte sich der Schmiede des Bergschmieds Karl östlich von Freiberg, zwischen
den Gruben und Scheidebänken.

Der Anführer der berittenen Schar saß ab und brachte sein Pferd
zum Schmied; vielleicht hatte sich ein Hufeisen gelockert, und
sein Besitzer wollte den Schaden schnell beheben lassen.

Dass diese Ritter weder Knappen noch Reisige mit sich führten,
darüber machte sich hundert Schritte weiter keine der Frauen an
der nächsten Scheidebank Gedanken. Auf die Entfernung ließ
sich das so genau nicht erkennen, und man tat besser daran, vor
hohen Herren den Blick zu senken, um bloß nicht aufzufallen;
noch dazu, wenn sie Rüstung trugen und vor Waffen nur so
starrten. Also hämmerten die Frauen und Kinder weiter müde
und teilnahmslos auf das Gestein ein, um es zu zertrümmern,
bevor es in die Schmelzöfen kam, verwünschten die Hitze und
den Staub, der ihnen das Atmen schwer machte, und hofften, die
Bewaffneten würden keinerlei Kenntnis von ihnen nehmen. Zu
oft schon hatte es hier Vorfälle mit edlen Herren gegeben.

Als Karl die Reiter kommen sah, schickte er seinen Gehilfen sofort weg. Der Schmied wirkte so aufgeregt, wie Lukas ihn nur
selten gesehen hatte.

»Ihr könnt den geheimen Pfad zum Bergfried nicht nehmen!«,
flüsterte er hastig und rieb sich über das von Ruß geschwärzte
Gesicht. »Es gab einen Streckenbruch. Zusammen mit ein paar
vertrauenswürdigen Leuten habe ich die ganze Nacht durch versucht, ihn zu räumen, aber wir schafften es nicht bis zum Durch-
schlag. Niemand weiß, wie weit der Gang noch verschüttet ist.«

Lukas wurde flau im Magen angesichts dieser Nachricht. Damit
war sein Plan geplatzt, wie sie unerkannt in die Burg gelangen
konnten.

Der unterirdische Geheimgang zum Verlies im Bergfried war vor mehr als zehn Jahren auf seine Veranlassung gegraben worden, nachdem Albrecht Christian unter einer verleumderischen Anklage gefangen nehmen ließ. Lukas hatte für den Freund diese Fluchtmöglichkeit vorbereitet, weil zu befürchten stand, dass Albrecht Christians Hinrichtung befahl. Doch Christian lehnte ab und ging in den Tod. Für sein Entkommen hätten etliche Geiseln mit dem Leben bezahlen müssen, und daran wollte er nicht schuld sein.

Niemand außer denjenigen, die ihn gegraben hatten, wusste von der Existenz des unterirdischen Ganges. Das zumindest glaubte und hoffte Lukas.

Hatte der Burgvogt ihn entdeckt und versperrt? Waren sie am Ende gar verraten worden und wurden auf der Burg erwartet? Oder war es ein unglücklicher Zufall, ein Einsturz, wie es in den Gruben immer wieder geschah?

Wir hätten den Gang bergmännisch sichern sollen, dachte Lukas, wütend auf sich selbst. Doch ihnen blieb damals nicht viel Zeit, um die Rettung vorzubereiten, und danach gab es drängendere Sorgen: Christians Tod, Marthes Entführung und die blutigen Geschehnisse, um sie zu befreien, die ihn beinahe selbst das Leben kosteten.

Ein paar der Männer, die ihn damals begleitet und viel gewagt hatten, ritten auch heute an seiner Seite.

»Glaubst du, wir sind verraten worden?«, fragte Raimund. »Wie gelangen wir nun in die Burg?«

»Achtung, Besuch!«, rief Peter von Nossen.

Unwillkürlich spannten sich die Männer an. Gleich würde sich zeigen, ob ihr Vorhaben hier schon blutig endete.

Es war Gerald. Er kam allein.

»Wir müssen den Plan ändern; wir kommen nicht auf dem Weg in die Burg, wie wir es vorhatten. Du musst uns irgendwie hineinbringen«, sagte Lukas zu seinem Schwager.

»Durch die Stadttore kann ich euch vielleicht noch unbehelligt führen«, meinte der besorgt. »Aber auf der Burg herrscht verschärfte Wachsamkeit – man wird euch sofort erkennen! Verschwindet lieber von hier und wartet in einem Versteck, bis es dunkel wird. Ich lasse euch in der Nacht ein, durch den geheimen Eingang an der Nordseite.«

Da Christian einige Jahre lang Vogt der Freiberger Burg gewesen war und Lukas Befehlshaber der Wachmannschaft, wusste er über die verborgenen Zugänge Bescheid.

Lukas sah in kurzem Einverständnis zu Raimund, dann schüttelte er den Kopf. »Wenn ich schon jemanden von solchem Rang töten muss, werde ich ihn keinesfalls nachts im Bett meucheln. So viel Ehrgefühl musst du mir zubilligen.«

Gerald verdrehte die Augen und zog ungeduldig an den Zügeln, um sein stampfendes Pferd zu beruhigen.

»Wir haben jetzt keine Zeit für solche Bedenken! Es muss unbedingt bis morgen früh geschehen«, drängte er. »Morgen nach dem Frühmahl will Albrecht nach Meißen reiten und alles Silber aus der Silberkammer mitnehmen. Und zuvor wird er Befehl geben, sämtliche Wehranlagen niederzureißen. Dann überlasst ihr Freiberg und seine Bürger wehrlos allen Dieben und Plünderern, die glauben, sich den Reichtum der Stadt holen zu können – und den Truppen des Kaisers, sollte er wirklich Krieg gegen die Mark Meißen führen.«

»Wenn Albrecht und ein paar seiner Wachen morgen früh einfach tot am Boden liegen, wird es eine Vergeltungsaktion an den Stadtbewohnern geben«, wandte Raimund ein. »Wir müssen uns zu erkennen geben, damit klar ist, dass die Einheimischen nichts damit zu tun haben.«

»Da wir nicht im Verborgenen in die Burg gelangen können, müssen wir eben ganz offen und für alle sichtbar hineinspazieren«, meinte Lukas und sandte Raimund ein schiefes Grinsen zu. Der Freund ahnte, worin sein Plan bestand, und dachte nur:

Dafür wird uns Marthe die Hölle heißmachen. Und Elisabeth auch, wenn dann noch etwas von uns übrig ist. Ich bete zum heiligen Georg, er täuscht sich nicht in seinem Schwager.

»Dem tüchtigen Marschall ist es gelungen, zwei lang gesuchte Verräter festzunehmen«, verkündete Lukas seinen Begleitern und deutete auf sich und Raimund. »Ihr allesamt gehört zu der Gruppe tapferer Männer, die Gerald für diesen besonderen Einsatz auswählte. Ihr habt uns überwältigt und bewacht uns jetzt auf dem Weg zur Burg.«

Er händigte seinem verblüfften Schwager Schwert und Helm aus, steckte sich einen Dolch unter den Gambeson und streckte ihm die Hände entgegen, um sich fesseln zu lassen.

»Das ist tollkühn«, raunte Georg fassungslos von hinten.

»Es ist gewagt, aber es könnte gelingen«, widersprach Boris von Zbor, ein Hüne von einem Ritter mit tiefer Stimme und leuchtend blauen Augen. »Auf diese Weise müssen wir uns nicht schon über den Burghof durchkämpfen, sondern kommen womöglich unbehelligt direkt in den Palas.«

»Danke für dein Vertrauen«, sagte Gerald leise zu seinem Schwager. »Ich weiß, das habe ich mir bis heute noch nicht verdient.«

»Dann verdiene es dir jetzt!«, entgegnete Lukas hart.

Gerald verknotete die Stricke, ließ Lukas versuchen, ob er sie rasch abstreifen konnte, und band dann auch Raimund die Hände. Thomas lenkte seinen Braunen auf Lukas' Anweisung in die Mitte der Reitergruppe. Den auffälligen Drago hatte er auch diesmal in Weißenfels gelassen. Sie konnten nur hoffen, dass Christians Sohn vorerst nicht erkannt wurde. Kettenhaube und Nasalhelm verbargen einen großen Teil des Gesichtes. Lukas wollte Marthes und Christians Sohn nicht auch noch in die wehrlose Lage bringen, in der er und Raimund sich jetzt notgedrungen befanden. Falls die Sache schiefging, musste Thomas fliehen können.

Sie schickten Karl voraus auf die Burg, um ihre heimlichen Verbündeten dort von der veränderten Lage zu informieren. Als Vorwand für einen Besuch beim Stallmeister hatte der Schmied schon ein paar Trensen gefertigt. Die Gezähe der Bergleute waren ihm heute nicht so wichtig.

Lukas und seine Begleiter warteten, bis Karl unbehelligt das Donatstor passierte, und sprachen dabei jeder für sich ein Gebet. Dann ritten sie Richtung Meißner Tor, Gerald voran, die beiden vermeintlichen Gefangenen in der Mitte.

Die Stadtbewohner, die an diesem sonnigen Junitag in den Gassen unterwegs waren, um an den Brot- und Fleischbänken einzukaufen oder einen der Handwerker im Nikolaiviertel aufzusuchen, verdrückten sich schnell in die Seitengassen, als sie den bewaffneten Trupp kommen sahen.

»Ist das nicht der Herr Lukas?«, hörte Lukas jemanden erschrocken von der Seite rufen. »Haben die ihn doch noch erwischt? Und was ist mit Marthe?«

Er sah nach rechts und erkannte dort die Frau des Gürtlers, deren Tochter sich an Albrechts Gerichtstag dank Peters Warnung rechtzeitig verstecken konnte.

Tränen liefen ihr über die Wangen, sie bekreuzigte sich und ließ ihn nicht aus den Augen, während er von ihren Lippen ein verzweifeltes »Gott steh Euch bei!« ablas.

Er gab durch nichts zu erkennen, dass er verstanden hatte, aber das Herz wurde ihm warm angesichts dessen, dass Marthe und er in Freiberg selbst nach fünf Jahren des Exils nicht vergessen waren. Aus dem Augenwinkel sah er noch, dass die Frau mit wehenden Röcken irgendwohin rannte. Wer weiß, wem sie nun alles von dieser Begegnung erzählen würde.

Sie ritten an Sankt Marien vorbei, der noch im Bau befindlichen größten Kirche der Stadt. Mit verstohlenen und argwöhnischen Blicken musterten die Steinmetze die Gruppe Reiter, denen der matte Wind feinen Staub in die Augen blies.

Lukas sog jedes einzelnes Bild in sich auf. Vielleicht sah er das alles zum letzten Mal.

Betont langsam näherten sie sich dem Burgtor, um bei den Wachposten auf der Mauer nicht den Verdacht zu schüren, es drohe ein Angriff. Da Gerald an der Spitze ritt, passierten sie unbehelligt das Tor. Die Wachen schienen es nicht für nötig zu halten, eine Gruppe näher zu überprüfen, die unter dem Kommando des Marschalls stand.

Auf dem Hof saßen sie ab. Christian, der Stallmeister, hatte es so eingerichtet, dass er Lukas' Hengst in Empfang nahm. »Gott schütze Euch! Wir alle beten, dass gelingt, was Ihr plant«, flüsterte er ihm zu. »Sollte es hier draußen zum Kampf kommen: Wir stehen bereit.«

Lukas antwortete nicht. Er konnte nicht wissen, wer sie alles beobachtete. Und er hatte auf dem Hof Rutger entdeckt, der das Auspeitschen eines Knechtes überwachte und nun einen neugierigen Blick auf die Neuankömmlinge richtete.

Gerald reagierte sofort und rief ihn zu sich.

»Schaut, welcher Fang uns gelungen ist!« Stolz wies er auf die beiden Gefesselten. »Ich bringe sie in den Palas zu Euerm Vater und Fürst Albrecht. Zieht Ihr derweil hier draußen alle verfügbaren Wachen zusammen und sorgt dafür, dass niemand den Palas betritt. Es sind sicher schon Leute unterwegs, um die beiden Verräter herauszuhauen. Und Ihr wollt doch ebenso wenig wie ich, dass sie ihrer gerechten Strafe entgehen?«

Gut reagiert!, dachte Lukas. So bleibt uns nicht nur dieser übereifrige Rutger aus dem Weg, sondern wir haben es vorerst nur noch mit den Leibwachen zu tun, die sich im Palas aufhalten. Rutger wird Geralds Weisung mit Inbrunst und in aller Gründlichkeit befolgen. Hauptsache, Thomas bleibt unerkannt.

Aber Rutgers ganze Aufmerksamkeit war auf die beiden Gefangenen des Marschalls gerichtet.

»Was für ein köstlicher Augenblick! Lukas von Freiberg und

Raimund von Muldental«, triumphierte Randolfs Sohn. »Manchmal mahlen Gottes Mühlen langsam, aber sie mahlen immer gerecht.«

Mit aller Kraft hieb er Lukas die Faust ins Gesicht.

»Das ist für dich«, sagte er keuchend und schlug noch einmal zu. »Und das für deinen Bastard von Stiefsohn.«

Lukas schüttelte sich, um wieder einen halbwegs klaren Kopf zu bekommen. Seine Lippe war aufgeplatzt und blutete, sein Auge würde vermutlich zuschwellen. Aber es machte ihren Auftritt glaubwürdiger, wenn er etwas mitgenommen aussah. Ich hoffe nur, Thomas beherrscht sich jetzt, dachte er. Wenn diese Ratte Rutger ihn erkennt, ist alles vorbei.

Doch Thomas verhielt sich still in der Mitte der Gruppe.

»Lasst noch etwas von ihm übrig, Hauptmann«, mahnte Gerald leicht spöttisch.

Er wies mit dem Kopf zum Palas. »Da drin haben noch mehr Leute ein Hühnchen mit ihm zu rupfen – Euer Ziehvater allen voran, schätze ich. Und Fürst Albrecht natürlich.«

»Gern, Marschall«, beteuerte Rutger und lächelte boshaft. »Ich hoffe, sie wählen einen besonders schmerzhaften Tod für den da. Und für den Muldentaler ebenso.« Verächtlich spie er Raimund vor die Füße.

»Ja, das wird heute ganz gewiss ein interessanter Tag«, meinte Gerald vieldeutig. »Ich verlasse mich darauf, dass Ihr den Zugang zum Palas sichert, Rutger. Was auch passiert – niemand darf hinein, niemand darf heraus! Und lasst Ausschau halten, ob sich verdächtige Gruppen der Burg nähern!«

»Das ist bei mir in besten Händen«, versprach Rutger und stolzierte davon, um ein paar Kommandos zu rufen.

Diesen Pfau sind wir erst einmal los, dachte Lukas erleichtert. Und wenn die Wachen in den Wehrgängen in Erwartung möglicher Angreifer nach draußen spähen, hält das ihre Aufmerksamkeit vom Palas fern.

Er spuckte Blut aus, tastete mit der Zunge nach einem Zahn, der durch den Schlag locker geworden war, und warf erneut einen kurzen Blick auf Thomas. Der schien ein Muster an Beherrschung. Seine eisige Miene ließ allerdings nichts Gutes für Rutger fürchten, falls sie es schafften, lebend wieder aus dem Palas herauszukommen.

Doch zunächst einmal mussten sie hinein.

Die Nachricht von der Gefangennahme der beiden Abtrünnigen sprach sich bereits auf dem Hof herum. Lukas ignorierte die Blicke der Wachmannschaft, die noch vor ein paar Jahren unter seinem Kommando gestanden hatte, und täuschte ein Humpeln vor, während er und Raimund unter vermeintlich starker Bewachung in den Palas geführt wurden.

Als sie in der Halle waren, ließ Gerald die Türen verriegeln.

Wie Lukas auch überschlug er sofort die Zahl der Bewaffneten. Wenn sich nur die Hälfte von ihnen aus der Sache raushält, können wir es schaffen, dachte er.

Doch etwas an dem Verhalten der Männer stimmte ihn besorgt: Sie reagierten nicht wie zu erwarten auf das Erscheinen ihres Marschalls, und es saß auch niemand an den Tischen; sondern sie standen alle und wirkten irgendwie alarmiert.

»Was ist hier los?«, brüllte Gerald. »Wo ist Fürst Albrecht? Ich komme mit zwei wirklich wichtigen ...«

»Der Vorkoster wälzt sich in Krämpfen am Boden ...«, stammelte ein Knappe in seiner Nähe, der sichtlich vollkommen aus der Fassung war. »Das Frühmahl muss vergiftet gewesen sein.«

Noch ehe Gerald etwas sagen konnte, kam Elmar die Treppe heruntergerannt und schrie: »Wo bleibt dieser elende Alchimist mit dem Gegengift?«

»Hier!«, quiekte der dürre, weißhaarige Gelehrte vom Absatz der hinteren Treppe, die zu den Kellergewölben führte. »Diese Tölpel wollen mich nicht durchlassen.«

Während Elmar die Wachen anschrie, den Magister gefälligst passieren zu lassen, raunte Gerald seinen angeblichen Gefangenen zu: »Verbergt euch hinter den anderen!«

Er gab dem neben ihm stehenden Tammo die Schwerter der beiden, der sie unauffällig weiterreichte, und sah erleichtert, dass David Lukas seinen Nasalhelm überstülpte, damit er nicht erkannt wurde.

Dann trat der Marschall drei Schritte vor, um die Aufmerksamkeit von seinen Begleitern abzulenken, und rief mit donnernder Stimme: »Jeder in der Halle bleibt an seinem Platz, niemand rührt sich von der Stelle! Wir finden heraus, wer der Giftmischer war!«

Der Burgvogt sackte auf die Knie und beteuerte händeringend seine Unschuld, doch Gerald ging an ihm vorbei. Die Angst des Stiernackigen würde er sich später zunutze machen. Jetzt musste er erst einmal mit eigenen Augen sehen, wie es um Albrecht stand.

Die dicke Ida, Heinrichs Frau, anlässlich des Besuchs des Markgrafen in ein grellgelbes Kleid gehüllt, fiel ihrem Mann heulend um den Hals. »Sie werden uns die Schuld geben, und dabei sind wir unschuldig ...«, jammerte sie mit schriller Stimme.

Aufs äußerste angespannt, stieg Gerald eilig hinter Elmar und dem Alchimisten die Treppe hinauf in Albrechts Kammer. Der junge Diener des Gelehrten folgte ihnen, ängstlich und ohne den Blick zu heben.

Schicksalsstunde

Der Markgraf kniete mit gekrümmtem Leib auf dem Boden, sein Gesicht war aschgrau und schweißüberströmt, und ein Krampf schüttelte ihn.

Sophia saß mit versteinerter Miene auf der Bettkante, beide Arme eng um den Körper geschlungen, und starrte auf ihren sich vor Schmerz windenden Mann.

Elmar schob den Alchimisten nach vorn. Der trug einen mit verschlungenen Symbolen verzierten Becher.

»Hier, Hoheit, das Gegengift! Es macht jegliches Gift in Euerm Körper unschädlich, und die heiligen Zeichen auf diesem Gefäß werden die Wirkung noch verstärken.«

Beflissen drückte er den Becher Albrecht in die Hand.

Der hatte Mühe, das Gefäß zu halten; er zitterte und verschüttete etwas von dem Inhalt. Vorsichtig umfasste Eustasius die Hand des Markgrafen und half ihm zu trinken. »Ihr müsst es ganz austrinken, Hoheit, damit das Gift aufgelöst wird.«

»Wollt Ihr nicht selbst einmal davon kosten – zum Beweis dafür, dass dies wirklich ein Gegengift ist, Magister?«, fragte Elmar schroff.

Der Gelehrte wand sich geschickt aus der Falle. »Da ich kein Gift aufgenommen habe, würde mich das Gegengift töten«, argumentierte er.

»Damit als Beweis wäre ich vollkommen zufrieden«, knurrte Elmar.

Albrecht würgte qualvoll. Rasch nahm ihm der Alchimist den Becher wieder ab und brachte ihn in Sicherheit. Als Gerald sah, dass der Markgraf schon Blut erbrach und dann von Krämpfen geschüttelt zu Boden sackte, überfiel ihn die Gewissheit, dass kein Trank Albrecht retten konnte. Es würde nicht mehr nötig sein, ihn mit dem Schwert zu töten. Jemand war ihnen zuvorgekommen.

Nun musste er dafür sorgen, dass Lukas, Raimund und Thomas lebend wieder aus der Burg herauskamen, und mögliche Vergeltungsmaßnahmen an den Stadtbewohnern verhindern.

Elmar lehnte fassungslos an der Wand und starrte auf seinen Schützling.

»Hat die Fürstin auch von der vergifteten Speise gegessen?«, fragte Gerald ihn leise.

»Anscheinend nicht. Sie aß nur etwas weißes Brot wegen ihrer Übelkeit«, brachte Elmar zwischen den Zähnen hervor. »Wir wissen noch nicht, worin das Gift steckte und wer es brachte. Aber das finden wir heraus, und wenn ich dafür die halbe Stadt aufknüpfen lasse!«

Er trat zu Albrecht, um dem von Krämpfen Geschüttelten aufzuhelfen.

»Trinkt das Gegengift!«, beschwor er ihn, stützte ihn und setzte ihm den Becher an die Lippen.

Wenn Albrecht starb, dann war sein Lebenswerk dahin, seine Position als zweitmächtigster Mann in der Mark, und er würde alles verlieren – Macht, Geld, Land.

»Versucht, jeden Schluck im Leib zu behalten!«, meldete sich der Alchimist mit seiner dünnen Stimme. »Sonst wirkt es nicht.«

Mit sorgsam verborgenem Triumph sah Eustasius zu, wie ausgerechnet der Truchsess, sein ärgster Feind am Meißner Hof, Albrecht das vermeintliche Gegengift einflößte. In Wirklichkeit enthielt dieser Becher dreimal so viel Arsenik wie das Fleischgericht vom Frühmahl.

Albrecht mühte sich, Elmars unwissentlich falschen Rat zu befolgen. Doch seine krampfartigen Bewegungen und durchdringender Gestank zeigten an, dass sich sein Gedärm zu entleeren begann.

Mittlerweile sah auch Sophia aus, als würde sie gleich etwas hochwürgen. Eustasius warf ihr einen prüfenden Blick zu. Doch ihre Übelkeit rührte wohl von der Schwangerschaft und dem Ekel angesichts des Gestankes.

Er hatte erwogen, auch sie zu töten. Dem Alchimisten war klar, dass Sophias Schwangerschaft ausgerechnet zu diesem Zeitpunkt in jedem Fall ihr Todesurteil bedeuten würde. Bestünde nicht Gefahr, dass sie nach Albrechts Tod noch einen Erben des

Wettiners zur Welt brachte, hätte man sich ihrer auf harmlosere Weise entledigt. Doch dieses Kind durfte nie geboren werden.

Sein Auftraggeber hatte allerdings nur für einen Mord bezahlt. Für den nächsten Mord – oder genauer Doppelmord, schließlich war Sophia schwanger – sollte ihm sein Herr einen ausdrücklichen Auftrag erteilen und damit die Schuld auf sich nehmen. Und ein zusätzliches Salär gewähren.

So blieben Sophia im besten Fall noch vier Wochen ihres armseligen Lebens vergönnt. Zeit, um den verhassten Gemahl zu begraben und über die eigenen Sünden nachzudenken. Immerhin wünschte sie ihrem Mann seit Jahren genau dieses Schicksal, auch wenn sie nicht genug Tatkraft besessen hatte, diesbezüglich etwas zu unternehmen. Aber beim Tod der Frau des Marschalls hatte sie eindeutig ihre Hände im Spiel gehabt. Sie bekam also nur, was sie anderen zugedacht hatte.

Erneut würgte Albrecht und erbrach sich.

»Hugold!«, rief Eustasius seinen Diener. »Mehr Elixier, rasch!«

Der junge Gehilfe verneigte sich rasch und huschte davon.

»Die Fratzen … die Höllenfratzen!« Ächzend wies Albrecht auf eine Wand, auf der absolut nichts zu sehen war.

Elmar kniete neben ihm nieder und legte ihm die Hand auf die Stirn. Sie war eiskalt, obwohl Schweißtropfen darauf perlten.

»Da ist nichts, mein Fürst … Das Gift gaukelt Euch etwas vor«, versuchte er ihn zu beruhigen.

Es klopfte, der verängstigte Hugold kam mit einem schmalen Gefäß herein und reichte es dem Magister, der den Becher auffüllte.

»Flößt ihm das ein, sonst überlebt er nicht!«, flehte Eustasius den Truchsess an und schaffte es, so viel Verzweiflung in seinen Blick zu legen, dass Elmar der Aufforderung nachkam.

Auch der erfahrene Ränkeschmied hatte begriffen, dass sein Lehnsherr dem Tode geweiht war, wenn nicht ein Wunder geschah. Dieser Trank war seine einzige Hoffnung. Schlimmer konnte es nicht werden, höchstens besser.

Aber Albrecht krümmte sich immer stärker vor Schmerzen, während ihm Tränen über die aschgrauen Wangen liefen.

Aufgebracht drehte sich Elmar zu den anderen um und brüllte: »So holt doch endlich einen Priester!«

Das übernahm sofort Gerald, denn er musste die Kontrolle über den Eingang zum Palas behalten. Er lief nach unten, wo die Männer nun auf den Bänken saßen und hofften, dass jemand eine gute Nachricht überbrachte. An der Tür wartete er persönlich, bis der Geistliche kam: ein alter, dürrer Mann mit selbstgerechter Miene, dessen schäbige Kutte einen beißenden Gestank verströmte. Gerald kannte ihn. Das war Sebastian, ein Eiferer der schlimmsten Sorte, der Lukas' Frau Marthe in Freiberg nach Kräften das Leben schwer gemacht hatte.

In Albrechts Kammer angekommen, starrte der Pater auf den Fürsten, der sich in Qualen wand und in seinen Exkrementen und seinem Erbrochenen lag.

»Ich kann ihm keine Absolution erteilen, denn er ist nicht in der Lage, seine Sünden zu beichten und aufrichtig zu bereuen«, erklärte Pater Sebastian hochfahrend.

Elmar ließ Albrecht behutsam sinken, dann stürzte er auf den zu Tode erschrockenen Pater zu und packte ihn am Halsausschnitt der Kutte.

»Du wagst es, du erbärmlicher Wicht!«, brüllte er ihn an. »Tu sofort, was man von dir erwartet, oder ich schneide dir die Gurgel durch!« Er zog seinen Dolch und setzte ihn dem Pater an die Kehle.

»Ihr legt Hand an einen Mann Gottes … Dafür werdet Ihr in der Hölle büßen«, stammelte Sebastian.

»Gut möglich«, erwiderte Elmar grimmig. »Aber du wirst noch vor mir dort sein.«

Angsterfüllt schielte Sebastian nach links und rechts, ob ihm jemand zu Hilfe kommen würde angesichts dieses ungeheuerlichen Vorgehens. Doch niemand schien den wutentbrannten Truchsess zur Besinnung rufen zu wollen.

Der Pater wagte kaum noch zu atmen aus lauter Furcht, die Klinge könnte in sein Fleisch schneiden. Sollte er hier als Märtyrer sterben? Dann wäre ihm das Himmelreich sicher.

Elmar drückte noch ein bisschen fester zu. Sebastian konnte das Weiße in seinen Augen sehen, ihm schmerzte schon alles vom eisernen Griff des Ritters, der fast zwei Köpfe größer war als er, kampfgestählt, das Töten gewohnt und nun völlig außer sich.

Als ihm vor lauter Angst etwas Warmes die dürren, schmutzigen Beine hinabbrann, begriff der sonst so unerbittliche Pater, dass ihm das Zeug zum Märtyrer nicht gegeben war.

»Ich tu's«, wimmerte er.

Sofort ließ Elmar los.

Sebastian murmelte: »Ego te absolvo«, schlug ein Kreuz und rannte hinaus, bevor ihn jemand daran hindern konnte.

Wenn das auch nicht die erhofften Sterbesakramente waren, schien diese nachlässig erteilte Absolution Albrecht etwas aufzurichten. Er hob den Kopf und ächzte mit flackerndem Blick: »Nach Meißen! Wir müssen nach Meißen!«

Schon stand Sophia, die es gar nicht erwarten konnte, diesen Raum zu verlassen.

»Mein Fürst, Ihr könnt jetzt unmöglich reisen«, wagte der Truchsess einzuwenden.

»Das ist ein Befehl!«, schrie Albrecht, unerwartet laut für seinen Zustand.

Sowohl Elmar als auch Gerald begriffen, dass der Markgraf im Wahn redete. Doch Elmar war zu besorgt, um jetzt zu widersprechen. Und Gerald stand wie auf glühenden Kohlen; er fragte sich schon die ganze Zeit, wie lange die Leute dort unten in der Halle wohl noch ruhig blieben und wann jemand Lukas erkennen würde.

Er half dem Fürsten auf und legte ihm seinen Tasselmantel über die Schultern, um die beschmutzte Kleidung zu bedecken.

»Ich habe angewiesen, dass niemand die Halle verlassen oder

betreten darf, damit wir den Schuldigen finden«, erklärte Elmar. »Begleite Seine Hoheit, und ich kümmere mich derweil hier um diese Sache.«

»Gut!«, erwiderte dieser zu Geralds Erleichterung.

Er wies zwei der Leibwachen an, den Markgrafen zu stützen, und lief selbst voran.

In der Halle richteten sich sofort aller Augen auf den Truchsess. »Auf unseren Fürsten ist ein Giftanschlag verübt worden, hier in Freiberg«, brüllte Elmar. »Dank des allmächtigen Herrn lebt unser Herrscher und wird umgehend nach Meißen reiten. Doch Freiberg soll für diesen Verrat mit einem Strafgericht heimgesucht werden. Wenn wir fort sind, werdet ihr das gesamte Küchengesinde, sämtliche Ratsherren und zweihundert willkürlich gewählte Geiseln aufhängen! Danach zerstört die Wehranlagen. Freiberg wird niedergelegt.«

Gerald trat neben Elmar und sagte ebenso entschlossen: »Zunächst aber gilt mein Befehl weiter. Bis der Schuldige gefunden ist und gestanden hat, verlässt niemand von euch die Halle. Und nun kniet nieder vor Euerm Herrscher, Markgraf Albrecht von Meißen, und seiner Gemahlin Sophia.«

Kniend verfolgten die Männer, wie der Fürst, der sich nur mit Hilfe der zwei Leibwachen auf den Beinen halten konnte, die Fürstin, der Truchsess und ein Dutzend Wachen den Saal durchquerten. Der Pater in seiner nun auch noch nach Urin stinkenden Kutte schlich sich fort, nachdem der Truchsess und die Leibwachen zur Tür hinaus waren.

Der Alchimist folgte als Letzter. Als Eustasius an Gerald vorbeiging, hielt er kurz inne und raunte: »Der Fürst wird Meißen nie erreichen. Mein Wort als Leibarzt: Er schafft es keine zehn Meilen weit.«

Gottes Mühlen

Kaum waren Albrecht und seine Begleiter draußen, ließ Gerald die Türen erneut verriegeln und atmete tief durch.

Jetzt ging es ums Ganze.

Er rief den verängstigten Burgvogt zu sich und sagte leise zu ihm: »Ihr wollt doch nicht, dass diese Burg und damit auch Euer Amt zerstört wird? Dann stellt Euch jetzt auf meine Seite.«

Verwirrt starrte Heinrich ihn an, aber mit seinem bauernschlauen Verstand begriff er schnell.

»Ich setze hiermit die Befehle des Truchsessen außer Kraft«, rief der Marschall laut in die Halle. »Solange Albrecht lebt, besteht kein Anlass für eine Strafaktion gegen Freiberg. Den Giftmischer werden wir aufspüren. Sollte Albrecht sterben, erlischt das Amt des Truchsessen, wodurch Elmar keine Befugnis mehr hat, solche Weisungen zu erteilen.«

»Dann erlischt auch das Amt des Marschalls und damit Eure Befehlsgewalt«, rief jemand aus der Nähe der Treppe – Berthold, der Herr eines der Nachbardörfer von Freiberg, wie Gerald erkannte.

»Aber es erlischt *nicht* die Befehlsgewalt dieses Mannes«, antwortete er und wies auf den Burgvogt.

»Auch er ist Burgvogt von Albrechts Gnaden«, widersprach Bertholds Nachbar und Freund Conrad, der Herr von Conradsdorf.

Der stämmige Heinrich begriff, dass er diesmal wohl alles wagen musste, um sein Amt zu behalten, und reckte sich, um größer zu wirken. »Ich habe den Befehl des *Kaisers*, diese Burg zu schützen. Wenn ihr sie also zerstören wollt, lehnt ihr euch gegen den Kaiser auf!«

Das war zwar übertrieben, aber nicht völlig gelogen. Da der

Kaiser immerhin seit Jahren Interesse an seinen geheimen Berichten über das Geschehen in der Mark Meißen und insbesondere in der Silberstadt Freiberg hegte, konnte er bei etwas großzügiger Auslegung der Dinge durchaus behaupten, in dessen Auftrag zu handeln.

»Der Kaiser ist weit weg, und niemand weiß, ob Ihr die Wahrheit sagt«, rief Berthold. »Weshalb sollten wir gegen Elmars Befehle verstoßen?«

»Weil wir euch sonst mit Waffengewalt daran hindern«, dröhnte Boris von Zbor und zog sein Schwert. Die Ritter in seiner Begleitung taten es ihm nach.

Lukas trat drei Schritte vor. »Die meisten von euch haben schon unter meinem Kommando diese Stadt und diese Burg verteidigt«, rief er. »Lasst nicht zu, dass sie zerstört und ihre Bewohner hingeschlachtet werden!«

Seine Worte lösten einen Tumult aus. Niemand hatte hier mit Lukas gerechnet; die meisten wussten nicht einmal, dass er noch lebte.

»Du bist der Giftmischer!«, brachte der Herr von Bertholdsdorf fassungslos heraus und streckte anklagend die Hand aus.

»Ihr alle kennt mich und wisst, ich würde nie zu Gift greifen, sondern immer zum Schwert«, entgegnete Lukas auf diesen Vorwurf.

Er konnte spüren, wie die Stimmung in der Halle zu seinen Gunsten umschlug; immerhin lebten die meisten der Anwesenden mit ihren Familien in Freiberg.

»Bewahrt Ruhe und folgt den Befehlen des Kaisers und des Burgvogtes. Verteidigt die Burg und lasst die Bewohner der Stadt in Frieden. Und jetzt wartet auf Nachricht und neue Befehle!«

Nach und nach setzten sich die Männer wieder an ihre Tische.

»Übernehmt Ihr ab sofort hier drinnen das Kommando!«, wies Gerald den Burgvogt an. »Wir müssen die Lage draußen auf dem Hof unter Kontrolle bringen.«

Heinrich sammelte sich überraschend schnell. Ida in ihrem gelben Kleid stand mit offenem Mund neben ihm und war zum ersten Mal in ihrem Leben angesichts der vielen unerwarteten Wendungen dieses Tages sprachlos.

»Sorg dafür, dass alle etwas zu essen bekommen!«, rief ihr Mann ihr zu. »Und der Küchenmeister soll sich auf der Stelle bei mir einfinden, damit wir diesen ungeheuerlichen Vorfall aufklären.«

Gerald und Lukas verließen sich darauf, dass der Vogt eingedenk der kaiserlichen Autorität im Rücken Herr der Lage wurde, und gingen mit ihren Männern nach draußen.

Kuno und Bertram erwarteten sie bereits.

»Ist der Markgraf auf dem Weg nach Meißen?«, vergewisserte sich Gerald. »Wer reist mit ihm?«

»Die Fürstin, ihre Hofdamen, der Truchsess, der Magister und ein Dutzend Leibwachen«, berichtete Kuno. »Aber er kann nicht mehr reiten, so schlecht geht es ihm. Sie tragen ihn.«

»Hat Elmar hier irgendwelche Befehle ausgegeben?«

»Dazu kam er nicht, es ging dem Fürsten zu schlecht ... Sie wollten wohl schnell von hier weg, ehe Albrecht vor aller Augen auf dem Burghof krepiert oder noch länger diesen demütigenden Anblick bot: sich zusammengekrümmt und in seinem eigenen Unrat tragen lassen zu müssen. Er hat nur kurz mit seinem Ziehsohn gesprochen.«

»Wo steckt der?«

Doch Lukas sah den Gesuchten schon auf sie zukommen, begleitet von dem Seußlitzer Burgkommandanten und ein paar jüngeren Rittern und Reisigen, die zu Rutgers Gefolgschaft zählten.

»Reitet Ihr mit uns in die Stadt, die Ratsherren und noch ein paar Dutzend Geiseln hierherschleifen?«, rief Rutger ihnen tatendurstig zu. Dann erkannte er, dass die vermeintlichen Gefangenen nicht mehr gefesselt waren, sondern in Waffen hinter Gerald standen.

»Ihr!«, keuchte er, fassungslos vor Wut. »Seid. Ein. Verräter. Und ich dachte, Ihr wäret der Freund meines Vaters!«

»Dein Vater hat keine Freunde«, antwortete Gerald bitter.

Er hatte noch nicht einmal zu Ende gesprochen, als Rutger schon mit dem blanken Schwert auf ihn zustürzte.

Im nächsten Augenblick war ein blutiges Gefecht zwischen Rutgers und Geralds Begleitung im Gange.

Die Sergenten näherten sich unter Kunos Befehl; die älteren unter den Stallknechten folgten Christian, um notfalls einzugreifen.

Der Rest der Burgmannschaft wartete ab, dass sich irgendwie klärte, worum es hier ging. Der Marschall gegen den Hauptmann der Wache – das war eine merkwürdige Angelegenheit.

David stürzte tödlich getroffen zu Boden; Rutger hatte ihn mit einem wuchtigen Mittelhau niedergestreckt. Georg schrie in fassungsloser Wut auf und griff an, um den Freund zu rächen. Lukas sah, dass Georg diesem Gegner unterlegen war, und rettete seinen einstigen Schüler gerade noch vor einem tödlichen Hieb.

»Komm her, du Hänfling!«, brüllte Boris von Zbor dem Seußlitzer Burgkommandanten zu, der ihn noch ein Stück überragte, und griff an. Der Grobschlächtige verließ sich ganz auf seine Körperkraft, bis ihm der Slawe mit einem schnellen Manöver das Schwert aus der Hand hebelte und einen Arm abschlug. Brüllend sank Hedwigs Bewacher in die Knie.

Ein paar Schritte weiter waren nun Rutger und Gerald in einen erbitterten Zweikampf verwickelt. Als Randolfs Sohn in Bedrängnis geriet, rief er zwei seiner Männer zu Hilfe, die den Marschall von der Seite angriffen. Gerald wollte ausweichen, brachte einem der Gegner eine klaffende Beinwunde bei, doch dann erwischte ihn Rutger mit seinem Schwert. Er trieb dem Marschall die Waffe in den Hals, dessen Augen sich vor Schmerz weit öffneten, und zog die Klinge mit einem Ruck aus dem Körper des Sterbenden. Triumphierend sah er zu, wie Gerald röchelnd zu Boden schlug und das Blut aus ihm herausfloss.

»Hier ist kein Platz für Verräter!«, keuchte er, immer noch atemlos von der Anstrengung des Kampfes.

»Hier ist kein Platz für Menschenschinder«, erklang auf einmal eine Stimme, die ihn zusammenfahren ließ.

Hasserfüllt sah er Thomas mit blutigem Schwert auf sich zukommen.

Die anderen hatten mittlerweile aufgehört zu kämpfen. Ein Dutzend Männer lagen tot oder verletzt am Boden, Raimund kniete neben Gerald, murmelte etwas und schloss ihm die Augen. Lukas starrte auf Christians Sohn und betete, dass er jetzt keine falsche Bewegung machte. Rutger mochte eitel sein, aber er war ein überragender Kämpfer und Thomas schon in der gemeinsamen Knappenzeit als Einziger mit dem Schwert ebenbürtig gewesen.

»Niemand greift ein!«, befahl Rutger seinen Gefolgsleuten, die mit erhobenen Klingen an seine Seite traten. »Das ist eine Sache zwischen ihm und mir. Ich erledige ihn allein.«

»Nur zu, wenn du kannst«, sagte Thomas verächtlich.

Sein Erzfeind packte das Schwert fester. »Er ist ein Dieb und ein Verräter wie sein Vater und hat sich hereingeschlichen, um den Markgrafen zu ermorden!«, rief Rutger den Männern zu, die mittlerweile auf dem Burghof einen Kreis um das Kampffeld bildeten. »Sein Bastard von einem Vater ist als Hochverräter verurteilt worden, und genauso schändlich wird sein Sohn enden.«

»Mein Vater, Christian von Christiansdorf, war ein aufrechter Mann, der von deinesgleichen gemeuchelt wurde«, rief Thomas laut, und unter den Freibergern, die sie umgaben, kam erstauntes Murmeln auf. Selbst diejenigen, die Christians Hinrichtung genau an dieser Stelle nicht miterlebt hatten, wussten aus Erzählungen davon. Und nun erkannten sie auch die Ähnlichkeit zwischen Christian und dem jungen Ritter, der dem für seine Grausamkeit gefürchteten Hauptmann der Wache gegenüberstand.

»Doch darum geht es jetzt nicht«, fuhr Thomas eiskalt fort und wandte sich an die Umstehenden, ohne den Blick von Rutger zu lassen. »Dieser Mann wollte soeben mit seinen Kumpanen aufbrechen, um unter der Stadtbevölkerung zweihundert Geiseln zu nehmen und aufzuhängen. Es könnten eure Mütter, eure Schwestern, eure Kinder sein. Lasst das nicht zu! Verweigert diesen Befehl!«

»Das ist Aufruf zum Hochverrat!«, brüllte Rutger. »Dafür verdient er den Tod!«

»Dann soll ein Gottesurteil zeigen, wer von uns auf der richtigen Seite steht«, antwortete Thomas gelassen. »Ich fordere dich zum Zweikampf auf Leben und Tod, Rutger, jetzt und hier! Wenn ich siege, sagt Gott uns damit, ihr sollt auf jegliches Strafgericht gegen Freiberg verzichten.«

Einen Augenblick lang herrschte unheimliche Stille auf dem Hof der Freiberger Burg; nur ein paar Raben stiegen krächzend empor.

Lukas hätte am liebsten eingegriffen. Doch die Herausforderung war ausgesprochen, und das Beste, was er für Thomas tun konnte, war, ihn nicht abzulenken und zu zeigen, dass er auf sein Kampfgeschick und seine Einschätzung der Lage vertraute. Raimund erhob sich von Geralds Leichnam und trat zwischen die beiden Kontrahenten. »Wollt ihr zunächst gemäß Brauch und Sitte ein Gebet sprechen und vor Gott die Richtigkeit eurer Sache beschwören?«

Er war einer der ältesten und trotz seines Seitenwechsels angesehensten Ritter in dieser Runde. Niemand stellte sein Eingreifen in Frage.

»Nicht nötig, der Bastard wird zur Hölle fahren«, brachte Rutger hasserfüllt hervor.

»Nicht nötig«, meinte auch Thomas lakonisch.

Wer es miterlebt hatte, fühlte sich unweigerlich an das Gottesurteil zwischen den Vätern dieser beiden jungen Männer vor fast zwanzig Jahren erinnert; auch damals war das Aufeinandertreffen von jahrelanger Feindschaft bestimmt gewesen und hatten die Kontrahenten zunächst langsam einander umkreist.

Thomas täuschte einen Mittelhau an, Rutger reagierte blitzschnell und wollte die Klinge anbinden, stieß aber ins Leere.

Sofort gingen beide Gegner wieder auf Abstand.

Nun griff Rutger an, wurde abgewehrt, holte erneut aus und brachte seinem Gegner eine Verletzung an der Schwerthand bei.

Lukas hatte den Schlag schon kommen sehen und zuckte zusammen. Doch bevor Rutger triumphieren konnte, traf ihn Thomas mit einem Oberhau so heftig am Kopf, dass er taumelte. Christians Sohn setzte sofort nach und trieb ihm das Schwert genau an der Stelle in den Hals, wo Rutger vorhin Gerald tödlich getroffen hatte. Er wartete nicht, bis der Gegner zu Boden stürzte, sondern schlug ihm noch im Fallen mit einem Hieb den Kopf ab.

Dann stellte er sich keuchend hin, die Beine leicht gespreizt, das blutige Schwert in der Hand, und atmete tief ein, bis er wieder klar sehen konnte.

Sein Vater war gerächt, ebenso Clara, Reinhard und Gerald.

Er sah kurz zu Lukas, dann wiederholte er laut Rutgers Worte von vorhin: »Manchmal mahlen Gottes Mühlen langsam, aber sie mahlen immer gerecht.«

Lukas warf Thomas einen anerkennenden Blick zu – nicht das Lob eines erleichterten Vaters, sondern eine Verständigung unter Kampfgefährten.

Dann sagte er: »Verschwinden wir, solange wir noch können.«

Mit dem Gottesurteil hatte Thomas nicht nur einen gefährlichen Feind unschädlich gemacht, der ihnen und ihren Vertrauten Schlimmes zugefügt hatte, sondern auch die Situation auf dem Burghof zu ihren Gunsten geklärt. Freiberg würde von dem befohlenen Strafgericht verschont bleiben.

Dennoch hielt Lukas es für ratsam, jetzt den Rückzug anzutreten. Sie hatten zwei Männer verloren – Gerald und David – und mehrere Verletzte. Nun noch einen Kampf mit Albrechts Leibwachen zu beginnen, falls jene zurückkehrten, war aussichtslos. Raimund ließ Christian ihre Pferde bringen und besprach mit ihm das weitere Vorgehen, sollte etwas Unvorhergesehenes geschehen. Kuno winkte zwei Mägde heran, die den Verletzten die Wunden notdürftig verbanden. Dann luden sie die Toten auf die Pferde und saßen selbst auf.

Lukas wusste, wo Geralds Besitzungen lagen, und wollte dort für ein christliches Begräbnis seines Schwagers sorgen. Peter von Nossen würde das Gleiche für den jungen David übernehmen. Das Gewissen schlug Lukas, als er sich ausmalte, wie Davids junge Frau, die ihr zweites Kind geboren hatte, davon erfuhr.

»Er wusste, worauf er sich einließ«, sagte Raimund leise, der ahnte, was seinem Freund durch den Kopf ging. »Wir alle haben es gewusst und in Kauf genommen. Es hätte jeden Einzelnen von uns treffen können, hätten wir uns selbst bis zu Albrecht durchkämpfen müssen. So ist sein Ruf unbefleckt, und er wird in geweihter Erde begraben.«

»Habe ich ihn nicht gut genug ausgebildet?«, fragte Lukas. »Sonst würde er noch leben.«

»Es hätte jedem von uns passieren können«, wiederholte Raimund hartnäckig. »Wir waren bereit dazu. Du hast ihn so gut erzogen, dass er es gewagt und Freiberg gerettet hat.«

Raimund brachte nun sogar so etwas wie ein Lächeln zustande. »Wie ich vorhin mitbekam, hat sich unser slawischer Freund bei den Nossener Brüdern bereits nach der jungen Witwe erkundigt. Und ein Slawe auf Brautschau soll einen eindrucksvollen Anblick bieten. Womit ich keineswegs bestreite, dass Zbor auch einen eindrucksvollen Anblick bietet, wenn er nicht auf Freiersfüßen wandelt.«

Sie hatten Boris von Zbor ausgeschickt, weil sie unbedingt in Erfahrung bringen mussten, ob Albrecht tatsächlich dem Gift erlag. Der Slawe war als Einziger von ihnen unverletzt. Da es mittlerweile in Strömen zu regnen begonnen hatte, beschlossen sie, in einer Herberge nahe Freiberg zu rasten und auf ihn zu warten.

Thomas nutzte die Zeit, um bei seinen Gefährten die Wunden zu säubern und zu nähen. Zu dem von ihm ausgerufenen Gottesurteil verlor niemand ein Wort. Christians Sohn erweckte nicht den Eindruck, als ob er darüber sprechen wollte. Er war noch wortkarger als sonst und sagte nicht mehr, als die Behandlung der Wunden erforderte.

Es war schon Nacht, als der hünenhafte Slawe von seinem Erkundungsgang zurückkehrte.

»Sie sind nur bis Krummenhennersdorf gekommen, bis zum Gehöft an der Mühle«, berichtete er und schüttelte sich wie ein Hund, um das Regenwasser loszuwerden. Dieses Dorf lag nicht weit von Freiberg nordöstlich Richtung Meißen. »Dort ist er unter furchtbaren Qualen gestorben.«

Also hatte der Alchimist recht, dachte Lukas.

»Er ist tatsächlich tot?«, vergewisserte sich Raimund.

»Endgültig und unter schlimmsten Umständen gestorben«, bekräftigte Boris mit seiner tiefen Stimme. »Selbst den Müllerburschen war es unheimlich angesichts der Schreie und des Gestanks. Albrecht jagte alle hinaus außer Elmar, sogar seine Gemahlin. Er wollte nicht, dass ihn jemand so in seinen letzten Augenblicken sah. In strömendem Regen wartete Sophia mit ihren Hofdamen draußen darauf, dass ihr Mann endlich dahinschied. Bis sich die Müllerin erbarmte und sie in ihre Kate schickte.«

Der Slawe bekreuzigte sich. »Bei alle Heiligen: So ein Ende wünscht Ihr keinem, und schon gar keinem Markgrafen, auch wenn er noch so ein ruchloser Herrscher war. Er starb allein, auf dem nackten Fußboden, von allen seinen Getreuen verlassen und unter furchtbaren Schmerzen. Lautete so ähnlich nicht auch der Fluch Eurer Gemahlin, Lukas? Jetzt liegt sein Leichnam draußen im Regen wegen des Gestanks, den die Müllerburschen als klares Zeichen dafür betrachten, dass er mit dem Teufel im Bunde war. Schmählicher geht es wohl kaum noch für jemanden, der sich ›der Stolze‹ nennen ließ. Bei Tagesanbruch wollen Elmar und Sophia den Toten ins Kloster überführen und sein Begräbnis veranlassen.«

Die Männer nahmen diese für sie immer noch überraschende Wendung der Dinge wortlos entgegen.

Als sie heute Morgen bei Freiberg zusammengetroffen waren, hatten sie vor, Albrecht mit Waffengewalt zu überwältigen, und wollten alle Konsequenzen dafür auf sich nehmen. Nun war ihnen ein Giftmischer zuvorgekommen. Und in wessen Auftrag der handelte, darüber konnten sie derzeit nur Vermutungen anstellen. Das musste Vogt Heinrich herausfinden.

Boris von Zbor würde gleich bei Tagesanbruch die Nachricht dem in Freiberg wartenden Burchard von Salza überbringen, damit dieser den Markgrafen der Ostmark so schnell wie möglich vom Tod Albrechts informierte.

Peter von Nossen und seine Brüder würden auf ihre Güter zurückkehren und den jungen David in geweihter Erde bestatten, Lukas und seine Begleiter Geralds Begräbnis auf dessen Ländereien veranlassen.

Und dann mussten sie auf schnellstem Weg nach Weißenfels, um Dietrich von dem Geschehenen zu berichten.

Was keiner von den Männern in der Herberge vor Freiberg zu dieser Zeit wissen konnte: Albrecht hatte mit seinen letzten Worten Elmar den Befehl gegeben, den markgräflichen Palas auf dem Meißner Burgberg zu zerstören.

»Wenn ich dort nicht herrschen kann, soll es niemand«, hatte der Sterbende mit letzter Kraft hervorgebracht. Elmar – verbittert und außer sich nach dem grausigen und würdelosen Sterben seines Fürsten, den er all die Jahre erzogen, angeleitet und gelenkt hatte – gab ihm dieses Versprechen.

Ihm war klar, dass er sich damit endgültig zum Aussätzigen machte. Doch das war ihm in diesem Augenblick gleichgültig. Alle seine Freunde waren tot, Gerald ein Verräter. Nun wollte er weder unter der hochnäsigen Sophia, die schwach und erbärmlich war, noch unter irgendeinem kaiserlichen Statthalter dienen. Und unter Dietrich schon gar nicht. Lieber vernichtete er alles, holte sich an Silber, was noch zu holen war, und trat in die Dienste der Welfen, der erklärten Feinde des Kaisers und der Wettiner. Mit den Welfen hatte er schon zu Randolfs Lebzeiten so manches gute Geschäft abgeschlossen, sie kannten ihn und wussten seine Fähigkeiten zu schätzen.

Otto von Braunschweig, das war ein Mann nach seinem Geschmack, der Lieblingsneffe des englischen Königs und ein Mann mit Zukunft. Der hatte sicher Verwendung für jemanden wie ihn.

Elmar und die Leibwachen eskortierten den Leichnam des Herrschers und Fürstin Sophia ins Zisterzienserkloster nahe Nossen, wo die Mönche das Begräbnis vorbereiteten und Messen für das Seelenheil des Verstorbenen lasen.

Dann begann er, alle Männer um sich zu sammeln, die noch zu ihm hielten – für sein Zerstörungswerk in Meißen.

Doch davon ahnten Lukas, Thomas und Raimund nichts, als sie wieder nach Weißenfels ritten.

Unklare Verhältnisse

Lukas, Raimund und Thomas ließen sich sofort beim Grafen melden, kaum dass sie das Weißenfelser Burgtor durchquert hatten.

Dietrich erwartete sie stehend; er hatte jetzt nicht die Ruhe, sich hinzusetzen und anzuhören, was sie zu berichten hatten.

»Euer Bruder ist tot. Doch er starb nicht durch meine Hand. Jemand ist uns zuvorgekommen und hat ihn vergiftet. Wir wissen noch nicht, wer es war«, begann Lukas seinen Bericht.

»Danken wir Gott, dass Ihr nicht diese Bluttat auf Euch laden musstet«, sagte Dietrich nach einigem Schweigen, ohne eine Regung in seinem Gesicht zu zeigen. »Ich weiß zu schätzen, was Ihr auf Euch nehmen wolltet.«

Der Graf wandte sich für einen Augenblick zum Fenster, so konnte niemand sehen, was sich in seinen Zügen abspielte.

Dann drehte er sich wieder zu seinen drei Rittern um.

»Ich werde zu meinem Vetter Konrad nach Landsberg reiten; die Familie muss beraten, wie wir nun vorgehen. Gleich danach will ich meine Mutter aufsuchen und von ihrer Gefangenschaft erlösen. Lukas, wollt Ihr mich mit Eurer Gemahlin dorthin begleiten?«

»Wie Ihr wünscht.«

»Dann lasst packen. Wir brechen in einer Stunde auf.«

Die drei aus Freiberg Zurückgekehrten wurden von Marthe, Clara und Elisabeth erleichtert in die Arme geschlossen.

»Raimund muss euch die Einzelheiten berichten«, unterbrach Lukas den Ansturm der Fragen, nachdem er die wichtigsten Geschehnisse in drei Sätzen zusammengefasst hatte.

»Wir« – er zog Marthe zu sich – »müssen packen, wir reiten gleich mit Dietrich zu Fürstin Hedwig. Und Thomas sollte vor dem Aufbruch zum Pater gehen, um dem barmherzigen Gott für seinen Sieg zu danken und Vergebung seiner Sünden zu erbitten.«

Als sie in ihrer Kammer waren, ließ sich Marthe auf eine Truhe sinken, weil ihr auf einmal die Beine den Dienst versagen wollten.

»Ist dieser Alptraum tatsächlich vorbei?«, fragte sie. »So viele Jahre haben wir seinetwegen in Angst und Schrecken gelebt. So viele Tote, so viel Blut und so viele Tränen.«

Das Bild, wie Christian von drei Pfeilen durchbohrt zu Boden sank, stand ihr wieder lebendig vor Augen, als wäre es gerade erst geschehen.

Lukas trat zu seiner Frau und nahm ihren Kopf in beide Hände. »Es ist vorbei. Er ist tot. Und wenn Elmar nicht doch noch das Land verlässt, werde ich ihn eines Tages ebenfalls töten, so wie Ekkehart und Giselbert. Sie können dir nichts mehr antun.«

Verstört sah Marthe auf. Hatte er diese Namen zufällig genannt, weil sie eben die größten Schurken am Meißner Hof waren? Oder ahnte er etwas davon, was vor vielen Jahren vorgefallen war?

Sie schlang die Arme um seinen Hals und lehnte sich an ihn. »Willkommen zurück. Willkommen in besseren, neuen Zeiten«, sagte sie. Dann küsste sie ihn innig.

Das muss sich erst noch zeigen, wie viel besser die neuen Zeiten werden, dachte Lukas, während er ihr sanft durch das Haar strich.

Immerhin, er war noch am Leben. Und Thomas und Raimund waren es auch.

Thomas konnte vor dem Aufbruch nicht mehr mit dem Geistlichen sprechen; der Pater sei unterwegs, um Kerzen und Messwein zu besorgen, hieß es.

Christians Sohn war das recht, er wollte zuallererst und dringend mit seiner Schwester reden. Eine Stunde Zeit hatte er dafür. Er musste nichts packen; was er brauchte, trug er mit sich.

Clara saß diesmal mit ihren Kindern zusammen. Änne versuchte sich bereits an einer Näharbeit, und wenn die Stiche, die sie ihrem Oheim präsentierte, auch noch sehr unregelmäßig waren, so lobte er sie über Gebühr. »Du wirst einmal wunderbar Wunden nähen können!«, versicherte er ihr und erntete dafür einen vorwurfsvollen Blick von Clara und ein strahlendes Lächeln von Änne.

Den dreijährigen Dietrich hatte Clara auf dem Schoß und erzählte ihm eine Heiligengeschichte. Da er einmal Geistlicher werden sollte, bemühte sie sich, sein Interesse an Geschichten, Bildern und Büchern zu fördern, statt ihn wie andere Jungs mit Holzschwertern über den Hof rennen zu lassen.

Und den kleinen Konrad setzte sie kurzerhand ihrem Bruder auf den Schoß; sollte der sehen, wie er mit dem zappligen Bündel fertig wurde!

»Wie hältst du das den ganzen Tag lang aus?«, fragte Thomas, nachdem er vergeblich versucht hatte, den Kleinsten irgendwie zu Ruhe zu bringen. Das Einzige, das Konrad begeisterte, war der Griff von Thomas' Essmesser, auf dem er hingebungsvoll kaute. »Ich glaube, es ist weniger anstrengend, als Knappe von den grimmigen alten Waffenmeistern umhergescheucht zu werden, als diese drei kleinen Ungetüme zu bändigen!«

»Er zahnt«, meinte Clara lächelnd mit Blick auf den kleinen Konrad. »Gib ihm das; sie wollen dann immer auf etwas beißen.« Sie schob ihm einen sorgfältig geglätteten Holzreif hinüber, den Konrad sofort schnappte und in den Mund steckte.

Wenig später kam zu Thomas' großer Erleichterung Lisbeth mit einer Schüssel Brei, um die Kinder zu füttern und schlafen zu legen.

»Gehen wir gemeinsam in die Kapelle?«, fragte Clara, nachdem sie versprochen hatte, wiederzukommen und ein Schlaflied zu singen, wenn alle drei brav aufgegessen hätten.

Ihr Bruder stimmte zu, obwohl er argwöhnte, dass Clara nur hinauswollte, um mit ihm etwas Vertrauliches zu besprechen oder ihm ins Gewissen reden, so wie es kein Beichtvater vermochte.

»Fühlst du dich erleichtert, nun, da Rutger tot ist?«, fragte sie, während sie über den großen Burghof schlenderten.

»Ich sollte es wohl sein«, meinte er zögernd. »Aber es ist immer noch nur große Leere in mir. Ich kann nichts mehr fühlen, schon lange nicht. Manchmal frage ich mich, ob ich meine Seele im Heiligen Land verloren habe.«

»Vielleicht hast du sie dort nicht verloren, sondern vergessen?«, sagte Clara zu Thomas' Verwunderung. »Wollen wir sie gemeinsam suchen?«

»Im Heiligen Land?«

»Nein: hier, überall … Ich denke, irgendein Teil davon lebt noch in dir und sucht nach Ermutigung, sich bemerkbar zu machen. Wie ein Fünkchen Glut in der Asche, das man ganz vorsichtig anblasen muss …«

»Jetzt erzähle mir nicht auch noch solche Geschichten wie deinen Kindern!«, wehrte er unwirsch ab.

Clara hielt im Gehen inne, drehte sich zu ihm um und sah ihm in die Augen, so intensiv, dass er sich unwohl zu fühlen begann. Doch statt ihm Vorwürfe zu machen, sagte sie: »*Ich* fühle mich erleichtert, dass Rutger tot ist.« Und mit leiser Stimme gestand sie: »Du weißt nicht, wie sehr ich mich vor ihm gefürchtet habe. Vor allem damals, als ich auf den Meißner Burgberg ziehen musste und Reinhard oft unterwegs war. Ich wagte keinen Schritt allein, weil ich immer fürchtete, er lauert mir irgendwo auf.«

»Das tat er auch. Aber er hat dich nicht bekommen, das zählt. Und nun büßt er für seine Taten in der Hölle.«

»Ich hatte Alpträume, einen schlimmer als den anderen«, sprach Clara weiter, als hätte sie seine Worte nicht gehört. »Nachts schreckte ich im Bett hoch und brauchte erst eine Weile, um zu begreifen, dass nichts geschehen war, dass ich nur geträumt hatte. Sie haben mir alle Angst gemacht – Albrecht, Elmar, Giselbert, Gerald … Aber keiner so sehr wie Rutger.«

»Er büßt jetzt im Höllenfeuer«, wiederholte Thomas, um sie zu beruhigen. »Und Gerald hat sich dafür geschämt, dass er dir nicht beigestanden hat. Wenn du ihm verzeihen kannst – mit seinen letzten Taten hat er es in meinen Augen gesühnt.«

»Ja«, sagte Clara zögernd. »Ich vergebe ihm. Ohne ihn wärt ihr vielleicht nicht lebend zurückgekommen. Gott sei seiner Seele gnädig.«

Sie hörten jemanden von der Seite ihre Namen rufen und wandten sich um.

Guntram war es, der seine Schmiedearbeit rasch im Wasserfass ablöschte, beiseitepackte und auf sie zukam.

»Stimmt es, Herr, dass Markgraf Albrecht tot ist und Ihr diese Ratte Rutger im Gottesurteil besiegt habt?«, fragte er aufgeregt.

Als Thomas nickte, stieß Guntram mit der Faust in die Luft und brachte einen triumphierenden Laut heraus.

»Ihr habt Freiberg von einem Schrecken befreit«, sagte er. »Ihr könnt Euch nicht vorstellen, wie er die Leute bis aufs Blut geschunden hat ... Peter, die Mägde, die Knechte, jeden, der ihm irgendwie über den Weg lief.«

Plötzlich ging dem jungen Schmied ein Gedanke auf. »Da er tot ist und Albrecht auch, können wir doch zurück nach Freiberg! Ihr könntet in das Haus Eures Vaters ziehen und gemeinsam mit Lukas für Gerechtigkeit in der Stadt sorgen. Und Marthe und Clara könnten so viel Gutes tun ... Es wird wieder wie in alten Zeiten!«

Man sah ihm an, dass er sich in Gedanken schon nach Freiberg träumte.

Thomas und Clara tauschen einen beklommenen Blick miteinander.

»Die Lage in der Mark Meißen ist noch nicht entschieden«, beendete Thomas die Träumereien des jungen Schmiedes. »Jetzt regiert Fürstin Sophia; sie wird einen Vormund bekommen, und dann werden wir sehen, was passiert. Unser Zuhause ist hier«, sagte er nachdrücklich. »Wir stehen in Diensten des Grafen von Weißenfels, nicht des Markgrafen von Meißen.«

Guntrams Erwiderung blieb ihm im Halse stecken, als er begriff, wie vorschnell er mit seinen Gedanken gewesen war.

Es wäre auch zu schön, um wahr zu sein.

Der Herr der Ostmark empfing den jüngeren Cousin und dessen Begleiter auf seiner Landsberger Burg herzlich, wenn auch mit angemessener Betrübnis angesichts des Todesfalles in der Familie. Er ließ prächtig auftafeln, doch nach verschwindend kurzer Zeit bat er den Gast zu einer vertraulichen Unterredung in seine Kammer.

Markgraf Konrad von Landsberg, Graf von Eilenburg und Rochlitz, verheiratet mit Elisabeth von Böhmen, war nach Albrechts Ableben der Einzige aus dem Hause Wettin, der noch im Rang eines Reichsfürsten stand, und somit unangefochtenes Oberhaupt des Hauses.

»Es wird ein hartes Stück Arbeit, die Mark Meißen unserer Familie zu erhalten«, eröffnete er das Gespräch. Von draußen drang der Lärm der Steinmetzen und Zimmerer in die Kammer. Seit Konrad die Regentschaft von seinem Vater Dedo übernommen hatte, ließ er umfangreiche Bauarbeiten an seinen Burgen Landsberg und Rochlitz ausführen, um sie größer, wehrhafter und prächtiger zu machen.

»Ich übernehme die Vormundschaft über Sophia und das Kind, wenn sie es denn austrägt, und regiere an ihrer statt, bis dieses Kind volljährig ist«, erklärte er. »Das ist der einzige Weg zu verhindern, dass der Kaiser sich unser Land holt. Oder die Böhmen, unser machtgieriger Schwager Otaker. Jetzt müssen wir erst einmal dafür sorgen, dass die Mark Meißen unser bleibt und der Kaiser keine Truppen gegen uns schickt.«

Vor Schmerz ächzend, legte der Markgraf der Ostmark den linken Fuß auf einen Schemel. Es war einer der Tage, an denen ihn die Gicht besonders quälte.

»Ich werde ein paar zuverlässige Leibwachen zu Sophias Schutz abstellen. Albrechts Truchsess hat offenkundig versagt, obwohl er mir ein tüchtiger Mann zu sein schien. Übrigens berichtete mir dieser Thüringer, von Salza, der Freiberger Burgvogt habe am nächsten Morgen einen Diener namens Hugold als Schuldigen hängen lassen.«

»Ein Diener? Und wer gab ihm den Auftrag?«, fragte Dietrich zweifelnd. Sicher, Albrecht hatte sich überall Feinde gemacht; vielleicht war es die Verzweiflungstat eines Mannes, dessen Frau oder Tochter schweres Unrecht zugefügt worden war. Aber woher hätte ein Diener das Geld für Gift nehmen sollen? Und die Möglichkeit, an welches heranzukommen?

»Dazu war angeblich auch auf der Folter nichts aus ihm herauszubekommen«, antwortete Konrad und wedelte eine Fliege fort. »Und offenbar hatte es Vogt Heinrich sehr eilig, ihn hinzurichten und diese leidige Sache abzuschließen, statt ihn gründlich zu verhören und die Auftraggeber aufzuspüren, wenn es welche gab.«

Erneut ächzend, setzte sich Konrad etwas bequemer hin. »Ich will nicht bestreiten, dass dieser Hugold uns womöglich einen Dienst erwiesen hat«, meinte er dann. »Doch wer sagt uns, dass nicht du oder ich als Nächste gemeuchelt werden sollen?«

Die Beiläufigkeit, mit der Konrad diese Worte aussprach, weckte in Dietrich die Frage, ob vielleicht Konrad derjenige war, der diesen Dienst in Auftrag gegeben und bezahlt hatte. Denn so schien der Kriegszug des Kaisers gegen das Haus Wettin abgewendet. Womöglich hoffte Konrad sogar, selbst einmal die Mark Meißen zu übernehmen.

Wiedersehen in Seußlitz

Hedwig empfing ihre Besucher aufrecht und beherrscht bereits auf dem Burghof; immer noch schlank, prächtig gekleidet in ein burgunderrotes Kleid mit üppigen Stickereien, der Schleier mit feinen Goldfäden an den Säumen durchwirkt. Ganz und gar eine Fürstin, nicht etwa eine Gefangene.

»Ich freue mich, Euch wiederzusehen … nach so langer Zeit und all dem Unbill, das Ihr ertragen musstet«, begrüßte sie lächelnd Lukas und Marthe.

Dann wandte sie sich Thomas zu, der als Leibwache Dietrichs mitgeritten war, diesmal auf Drago.

»Und in Euch erkenne ich Euern Vater wieder«, meinte sie wehmütig. »Aber Ihr wirkt noch düsterer als er. Gibt es am Hof meines Sohnes kein Mädchen, das Euch gefällt und um das Ihr werben wollt?«

Zu Thomas' Erleichterung erwartete Hedwig auf diese Frage keine Antwort, denn schon erteilte sie Befehle, die Gäste in den Palas zu geleiten, aufs beste zu bewirten und ihnen ein Bad zu richten.

Er sah, wie sich sein Oheim Jakob vorsichtig von weitem näherte, und noch ein Stück weiter entfernt erkannte er seinen gleichnamigen Cousin.

Das wird ein interessantes Familientreffen, dachte er mit einer Mischung aus Neugier und Sarkasmus. Meistens kam es schnell zu Streit, wenn Lukas seinem jüngeren Bruder begegnete, den er für seine Feigheit und sein Taktieren verachtete. Und Thomas urteilte in dieser Hinsicht noch strenger als sein Stiefvater.

Er sah zu seiner Mutter, die die beiden auch entdeckt hatte und sich sichtlich anspannte. Sie bereitete sich wohl schon darauf vor, schlichtend einzugreifen.

Doch sowohl der ältere Jakob als auch der jüngere blieben in einigem Abstand stehen, während die Gäste in den Palas gingen.

Niemanden erstaunte es, dass sich Hedwig und Dietrich gleich in die Kammer der Fürstin zurückzogen. Sie hatten sich vor aller Augen begrüßt, er ihr sein Beileid zum Tod ihres Erstgeborenen ausgedrückt und verkündet, dass es ihr ab sofort freistehe, Burg Seußlitz zu verlassen, wann immer sie wolle. Doch nach all dem, was geschehen war, gab es zwischen Mutter und Sohn ganz sicher eine Menge unter vier Augen zu besprechen.

Dietrich war zutiefst bewegt vom Anblick seiner Mutter. Alles an ihr strahlte die Botschaft aus, dass sie in den Jahren seit Ottos Tod, während Albrecht sie mehr oder weniger gefangen hielt, nichts von ihrer Würde und Stärke eingebüßt hatte.

Doch in ihren Augen entdeckte er eine verborgene Wehmut, die nichts mit der Beherrschtheit zu tun hatte, mit der sie die Beileidsbekundungen entgegennahm.

Trauerte sie im Herzen um ihren erstgeborenen Sohn? Oder darum, was aus ihm hätte werden können? Um die Jahre, die sie eingesperrt auf der Seußlitzer Burg hatte zubringen müssen?

Allein in der Kammer, sahen sich beide wortlos an. Am liebsten hätten sie einander umarmt, doch solche Gefühlsbekundungen waren in ihrer Familie unüblich.

Stattdessen platzte Dietrich heraus: »Soll ich tatsächlich zum Begräbnis meines Bruders reisen, obwohl jedermann weiß, dass wir jahrelang Krieg gegeneinander führten? Ganz gleich, wie ich mich dort verhalte – es wird mir alles vorgeworfen werden, entweder als Beleidigung oder als Heuchelei.«

Das musste er sich einfach von der Seele reden.

Sofort änderte sich Hedwigs Gesichtsausdruck. Sie richtete sich noch ein wenig auf, obwohl sie bereits sehr gerade saß, sah ihn streng an und erklärte in einem Tonfall, der keinen Widerspruch duldete: »Du wirst zu dieser Beerdigung gehen! Du wirst dort deinem Bruder öffentlich alle seine Taten vergeben und dem

Kloster reichlich Silber stiften, damit die Mönche für sein Seelenheil beten.«

Sie presste kurz die Lippen zusammen und strich sich über eine Augenbraue. Dann sagte sie etwas milder: »Keiner von uns kann tun und lassen, was er will. Wir werden argwöhnisch beobachtet. Dein Bruder hat in seiner Maßlosigkeit und Kriegstreiberei vielen Menschen großes Leid zugefügt und dem Ansehen unserer Familie geschadet. Dafür büßte er mit seinem Leben. Wir müssen jetzt gemeinsam auftreten, als Herrscher der Mark Meißen und Vertreter eines mächtigen Fürstengeschlechts: du, ich, Sophia und dein Vetter Konrad. Es darf keinerlei Zweifel geben, weder an unserem angestammten Recht auf das Land noch hinsichtlich des Patronatsrechts für das Kloster. Und wir sollten beide beten, dass Sophia ihrer Verantwortung gerecht wird. Sonst holt sich der Kaiser die Mark Meißen, wie er es schon mit Thüringen versucht hat, als Landgraf Ludwig starb.«

Bitternis zog über Dietrichs Gesicht. Ohne den Streit um Thüringen vor viereinhalb Jahren hätte er als Sohn des alten Markgrafen sofort Anspruch auf Land und Titel seines Vaters erhoben. Doch der Kaiser hatte damals deutlich gemacht, dass er das Erbrecht von einem Bruder auf den anderen nicht gelten lassen würde. Jetzt konnten sie nur hoffen, dass Sophia Albrecht noch nach dessen Tod einen Sohn gebar.

Mit einem flüchtigen Lächeln für ihren harten Tonfall um Verzeihung bittend, fuhr Hedwig fort: »Du warst damals in Outremer und hast es nicht miterlebt. Aber es hat die Grundfesten des Reiches erschüttert, als der Kaiser die Ludowinger entmachten und ihnen das Land nehmen wollte, über das sie herrschten, seit König Lothar vor mehr als hundertfünfzig Jahren das Amt der Thüringer Landgrafen schuf. Dein Schwiegervater wird ihm das nie vergeben. Und wir können seitdem unserer Sache auch nicht mehr sicher sein. Die Mark Meißen lockt Heinrich nicht weniger als Thüringen. Beides würde sich vorzüglich an das Pleißenland angliedern, das schon Friedrich von Staufen als Königsland beanspruchte.«

»Verzeiht mir, das war leichtfertig«, bat ihr Sohn, ohne seine Worte wirklich zu bereuen. »Natürlich werde ich tun, was von mir erwartet wird und meiner Herkunft entspricht.«

Er schenkte Hedwig und sich etwas zu trinken ein, denn sie hatten die Diener hinausgeschickt, um unbelauscht reden zu können.

Dann lehnte er sich gegen die Wand und sah seiner Mutter direkt in die Augen. »Manchmal habe ich es wirklich satt, nicht tun zu können, wonach mir der Sinn steht!«

Zum Beispiel nicht zu diesem Begräbnis, sondern auf den Meißner Burgberg zu reiten und die Markgrafschaft zu übernehmen. Oder die Frau zu lieben, die er wirklich begehrte.

»Ich weiß«, antwortete Hedwig leise. »Doch das können wir uns nicht erlauben – bei Strafe des Untergangs. Dein Bruder glaubte, das tun zu können, und brach einen Krieg mit dem Kaiser vom Zaun.«

Dietrich zwang sich zu einem Lächeln und wechselte das Thema. »Ihr seid jetzt frei. Was habt Ihr vor? Was kann ich tun, um Euch das Leben angenehmer zu machen? Ihr braucht wieder einen richtigen Hofstaat mit Leuten, denen Ihr vertraut. Oder wollt Ihr vielleicht eine Reise unternehmen?«

»Auf Reisen zu gehen wäre schön – noch einmal den Dom zu Quedlinburg oder den von Köln zu sehen, bevor mich Gott zu sich beruft …«

Ein wehmütiger Ausdruck zog über Hedwigs Gesicht. »Aber ich fürchte, ich muss jetzt Sophia den Rücken stärken, damit sie sich nicht von ihrem Bruder Otaker oder den Kaiserlichen einschüchtern lässt oder sonst etwas Unüberlegtes tut. Und zuallererst muss ich mich tatsächlich mit ein paar vertrauenswürdigen Leuten umgeben.«

Hedwig verstummte und fühlte große Müdigkeit in sich aufsteigen. Seit der Nachricht vom Tod ihres Sohnes hatte sie kaum geschlafen, sondern nächtelang gegrübelt. Wann war aus dem geliebten, lang ersehnten Kind das Ungeheuer geworden, in das sich Albrecht verwandelt hatte? Was hatte sie falsch gemacht? Hätte sie das Unheil verhindern können?

Sie wusste plötzlich nicht mehr, ob sie um ihren Sohn trauern oder über seinen Tod erleichtert sein sollte, und dieser Zwiespalt drückte ihr wie eine bleierne Last auf die Schultern.

Wie würde ihr Leben künftig aussehen?

So Gott wollte, würde sie in einigen Jahren sechzig werden, das war sehr alt für ein Menschenleben. Ihr Vater war einst ein mächtiger Fürst gewesen: Albrecht der Bär, Begründer und Herrscher der Mark Brandenburg. Nach sieben Söhnen war sie seine erste Tochter und sein Augenstern. Doch als er ankündigte, sie mit dem ältesten Sohn des meißnischen Markgrafen Konrad zu vermählen, um die freundschaftlichen Bande der Askanier mit den Wettinern zu erneuern, war sie entsetzt gewesen.

Ihr blieb nichts anderes übrig, als dem Vater zu gehorchen und einen viel älteren, mürrischen und damals recht unbedeutenden Markgrafensohn zu heiraten. Gezwungenermaßen fand sie sich mit ihrem Schicksal ab und lernte schnell, ihren grimmigen Gemahl um den Finger zu wickeln. So tröstete sie sich damit, an seiner Seite insgeheim mitzuregieren und auf ihn einzuwirken, um Unheil zu vermeiden.

Anfangs führten sie sogar eine beinahe gute Ehe, auch wenn sie stets darauf achten musste, mit ihren vorsichtigen Einmischungen nicht Ottos Zorn zu wecken. Als dann ein Dutzend Jahre nach seinem Machtantritt in einem der Rodungsdörfer, dem späteren Freiberg, Silber gefunden wurde, kam Otto zu so viel Reichtum, dass er sie mit kostbaren Kleidern und Geschmeiden überhäufen konnte.

Und dann trat wie ein Blitzstrahl in der Nacht die Liebe in ihr Leben.

Es war eine heimliche, sündige und doch alles überwältigende Liebe ... zum jüngeren Bruder ihres Gemahls, Dietrich von Landsberg. In seinen Armen erlebte sie zum ersten Mal in ihrem Leben Glückseligkeit. Sie konnten sich nur selten treffen, für wenige, gestohlene Momente. Seit zehn Jahren schon war er tot, doch der Gedanke an ihn erfüllte sie immer noch mit Trauer.

Vor mehr als fünf Jahren starb ihr Gemahl, und von da an musste sie beinahe wie eine Gefangene leben. Lothars innige Zuwendung hatte ihr Mut und Halt gegeben in düsterer Zeit; sie war voller Dankbarkeit dafür und immer noch erschüttert über sein grausames Ende.

Nun würde es keinen Mann mehr geben in ihrem Leben. Noch einmal zu heiraten kam für sie nicht in Frage. Und auch nicht der Eintritt in ein Kloster.

Dietrich von Landsberg, Otto, Lothar – sie alle waren tot, ebenso ihr erstgeborener Sohn. Und ihre Töchter lebten weit fort bei ihren Ehemännern.

Sie alle hatten sie verlassen. Blieb nur noch Dietrich, dem sie helfen musste, sich gegen den Kaiser zu behaupten.

Plötzlich lächelte sie ihrem Sohn zu. »Wollen wir ein Stück ausreiten? Einfach ein Stück am Fluss entlang? Die Sonne scheint, die Wiesenblumen blühen ...«

Trotz aller Müdigkeit – um nichts in der Welt würde sie jetzt zu Bett gehen, da sie endlich frei war! Nicht so frei, alles zu tun, was sie wollte, doch wenigstens frei genug, um die Mauern dieser düsteren Burg zu verlassen.

Dietrich war überrascht von diesem Vorschlag und glücklich über den Lebenswillen, der dahintersteckte.

Rasch erhob er sich und reichte seiner Mutter den Arm. »Nach allem, was ich hier in den Stallungen gesehen habe, braucht Ihr dringend ein besseres Pferd«, meinte er, während sie die Treppe hinabgingen. »Ich werde mit Raimund von Muldental reden ...«

Hedwig lächelte zufrieden über die wiedererwachte Tatkraft ihres Sohnes. Am liebsten würde sie mit ihm allein losreiten. Doch das wäre natürlich nicht standesgemäß – und auch nicht angemessen, nachdem es einen Mordanschlag in der Familie gegeben hatte.

Dietrich brachte sofort Bewegung in das Treiben auf dem Burghof. Pferde wurden gesattelt, eine Geleitmannschaft zusammengestellt. Hedwig bat ihn, auch Lukas und Marthe mitzunehmen, und wies den Küchenmeister an, ausreichend Proviant für die Reisegesellschaft zusammenzupacken.

Während Dietrich und Hedwig noch unter vier Augen miteinander sprachen, stand Lukas eine ebenso vertrauliche, aber nicht minder offene Unterredung mit seinem Bruder Jakob bevor.

Er hatte dem Jüngeren beim Wiedersehen nach langer Zeit sein Beileid zum Tod seiner Tochter ausgedrückt.

Jakob dankte, dann herrschte beklommenes Schweigen zwischen ihnen.

Marthe wusste, dass die ungleichen Brüder einiges zu klären hatten, sollte dieses Schweigen nicht in offene Feindseligkeit umschlagen.

Das müssen sie unter sich austragen, entschied sie, ließ die beiden kurzerhand stehen und suchte ihren Neffen.

»Wie geht es dir?«, fragte sie, als sie vor dem Jungen stand.

Der musterte sie mit hängenden Schultern.

»Wie soll es mir gehen?«, meinte er widerwillig. »Ich bin der Sohn eines Feiglings, der Bruder einer toten Sünderin und habe Spitzeldienste geleistet, damit meine Mutter nicht auch irgendwann eines Tages zerschmettert am Fuß eines Berges liegt.«

Er stieß einen Stein mit dem Fuß weg und starrte irgendwohin in die Ferne, an Marthe vorbei.

Albrecht verstand es wirklich, aus Menschen das Schlechteste herauszuholen, ging ihr durch den Kopf, während sie den jüngeren Jakob fragte, ob er sie nicht in den Kräutergarten begleiten wolle.

Es war dem Zwanzigjährigen anzusehen, dass er nicht im Geringsten Lust dazu verspürte und von seiner Stieftante weder Rat noch Trost und schon gar keine Moralpredigt hören wollte. Doch blieb ihm nichts anderes übrig, als ihr zu folgen.

Es bedurfte in der Abgeschiedenheit des Gärtchens nur ein paar gezielter Fragen und ruhigen Zuhörens von Marthe, bis der Junge zusammenbrach und zu schluchzen anfing.

Marthe wartete geduldig, bis er bereit und fähig war, zu sprechen und sein Herz auszuschütten: über jenen schrecklichen Tag, als sein Vater verbannt und er und Luitgard zu Albrecht befohlen worden waren ... über sein Entsetzen angesichts der Nachricht vom Tod seiner kleinen Schwester und der Gerüchte, die sich darum rankten ... und darüber, dass er gezwungen war, Hedwig zu belauschen und Albrecht dazu regelmäßig Berichte zukommen zu lassen.

»Ich wollte ihr nicht schaden ... Sie ist eine gütige Frau«, beichtete er, von Kummer geschüttelt. »Aber wenn ich es nicht getan hätte, würde unsere Familie dafür büßen. Irgendwann ... hab ich mir ein Herz gefasst und es der Gräfin gestanden.«

»Was hat sie gesagt?«, fragte Marthe, obwohl sie die Antwort ahnte. Hedwig war viel zu klug, um in solch eine plumpe Falle zu tappen.

»Sie hat gelächelt ... und gemeint, sie wüsste es längst und würde mir keinen Vorwurf machen. Sie habe ihren Sohn stets nur das wissen lassen, was er glauben sollte. Ich war also ein Spitzel, aber ein dermaßen schlechter, dass ich beide Seiten verriet. Ich habe keine Ehre, so wie mein Vater keine hat. Deshalb bin ich auch nicht würdig, ein Ritter zu sein. Alles wäre anders gekommen, hätte mich mein Vater damals bei Lukas und Euch gelassen. Stattdessen sitze ich hier und heule einer Frau etwas vor.«

Mit dem Ärmel wischte sich Jakob Rotz und Tränen vom Gesicht.

»Es ist nichts Unritterliches daran, wenn du um deine Schwester trauerst«, lenkte Marthe behutsam ein. »Und du tatest das Richtige, als du dich Hedwig anvertraut hast.«

Stur schüttelte Jakob den Kopf. »Ich habe meinen Fürsten verraten.«

»Tat das Lukas auch in deinen Augen, als er sich gegen Albrecht auflehnte, floh und in die Dienste von dessen Gegnern trat?«

Irritiert schwieg der Junge.

»Lukas hat sein Leben gewagt«, sagte er schließlich.

»Das war nicht die Frage«, beharrte seine Stieftante. »Bei allem Gehorsam, den wir den von Gott gewählten Herrschern schuldig sind – man muss in erster Linie seinem Gewissen folgen. Und die Konsequenzen tragen, so oder so.«

»So könnt ihr jetzt wenigstens sagen, dass ihr Helden wart«, widersprach Jakob zynisch. »Ich dagegen werde auf alle Zeit ein Verräter bleiben.«

»Machst du es dir nicht etwas zu leicht?«, hielt sie ihm vor, nun deutlich strenger. »Vielleicht solltest du besser darüber nachdenken, wie du dir einen guten Ruf erwirbst, statt in Selbstmitleid zu zerfließen?«

»Hier?« Schon dieses eine Wort drückte Protest und Zweifel aus.

»Frag Lukas, ob du zu uns als Knappe bis zu deiner Schwertleite zurückkehren darfst.«

Jakob schüttelte den Kopf. »Er wird mich verachten. So, wie er meinen Vater verachtet.«

»Ob das so ist, muss sich erst noch zeigen«, meinte Marthe lächelnd. »Ich glaube, da ruft jemand nach uns. Rasch, geh zum Brunnen und kühle dein Gesicht! Niemand muss sehen, dass du geweint hast.«

Lukas und sein jüngerer Bruder waren mit ihrer Aussprache noch nicht sehr weit gekommen, als sie von einem Diener aufgefordert wurden, die Gräfin von Ballenstedt auf einen Ausritt zu begleiten.

Das lag hauptsächlich daran, dass Lukas mit verschränkten Armen darauf wartete, dass Jakob etwas sagte, und sich jede Bemerkung verkniff, und dieser nicht wusste, wie er beginnen sollte.

So waren sie beide froh darüber, die peinliche Situation beenden und zu den Stallungen gehen zu können.

Hedwig stand bereits mit ihrem Sohn neben den gesattelten Pferden und wartete auf sie.

»Jakob, ich habe vorhin erfahren, dass der hiesige Burghauptmann in Freiberg ein unrühmliches Ende fand«, sagte die Gräfin. »Deshalb möchte ich in Absprache mit meinem Sohn Euch diesen Posten übertragen. Ihr seid der Einzige von den Rittern hier, der nicht von Albrecht geschickt worden ist, um mich zu bewachen.«

Wie beiläufig fügte sie an: »Ich denke, zu groß wird diese Bürde nicht sein. Nun schert sich niemand mehr um eine einsame Fürstinnenwitwe an diesem einsamen Ort. Ja, und lasst Eure Gemahlin hierherkommen. Ich würde sie gern kennenlernen.«

Vollkommen überrumpelt, starrte Jakob sie an.

Lukas stieß ihm unsanft in die Rippen. »Bedank dich gefälligst, du Tölpel!«, raunte er.

Jakob schreckte aus seiner Erstarrung, kniete nieder, bedankte sich und schwor Hedwig, dieses Amt getreulich auszuüben.

Dann half er ihr in den Sattel.

»Ich weiß nicht, wie du das jedes Mal schaffst, wieder auf die Füße zu fallen«, knurrte Lukas, als er und sein Bruder zu ihren Pferden gingen. »Aber ich sollte wohl einfach froh darüber sein.«

Jakob atmete auf. Über diese mürrische Vergebung war er noch glücklicher als über sein neues Amt.

Die Saat des Bösen

Albrecht von Wettin, genannt »der Stolze«, wurde in aller Pracht im Kloster Cella Sanctae Mariae nahe Nossen beigesetzt – neben seinem Vater, mit dem er solch heftigen Streit gehabt hatte.

Doch über diese Ironie des Schicksals verlor niemand ein Wort, ebenso wenig über die Untaten, die Albrecht während seiner Herrschaft begangen hatte, und über sein unrühmliches Ende. Es wurde – wie von Hedwig gefordert und von Markgraf Konrad sorgfältig vorbereitet – das Begräbnis eines mächtigen Fürsten von edlem Geschlecht, dem nun alle Sünden vergeben waren.

Während die anderen Gäste der Trauerfeier am Morgen nach der Zeremonie wieder aufbrachen, um die Heimreise anzutreten, blieb Sophia im Gästehaus des Klosters. Sie hatte erklärt, der Tod ihres Mannes und die Schwangerschaft hätten sie zu sehr angegriffen, um jetzt reisen zu können. Sie müsse erst ein paar Tage ruhen, bevor sie wieder in den Sattel stieg.

Wie erstarrt saß sie auf der Kante ihres Bettes, die Arme um den Körper geschlungen – genau so, wie sie gesessen und zugesehen hatte, als ihr Mann sich in Krämpfen am Boden wand und vergeblich versuchte, gegen das Gift anzukämpfen.

Sie war nun Witwe.

Sie war das Ungeheuer los, das sie in den endlos scheinenden Jahren ihrer Ehe erst mit Abscheu, dann mit Furcht erfüllt hatte. Und dennoch fühlte sie sich nicht befreit, spürte sie keine Erleichterung. Noch jung und von hohem Stand, wie sie war, würde man sie bald wieder vermählen, und dann ginge alles von vorn los.

Jahre der Angst und Demütigungen hatten sie gebrochen, die langen Reisen und die anstrengende Schwangerschaft zermürbt. Und von allen Seiten setzten ihr Leute zu: ihr Schwager Konrad, der von ihr verlangte, künftig jede seiner Weisungen zu befolgen, ihr Bruder, der sie mit Vorwürfen überschüttete, weil sie sich nicht unter seine Vormundschaft gestellt hatte, sondern Konrad ihm zuvorgekommen war; ihre Schwiegermutter, die ihr Hilfe anbot. Aber sie mochte Hedwig nicht leiden, weil sie *das Ungeheuer* geboren hatte.

Voller Widerwillen sah die junge Witwe auf ihren gerundeten Bauch. Wuchs da in ihrem Leib genauso ein Monstrum heran? Die Saat des Bösen? Schließlich – Albrecht hatte es in sie gepflanzt. Das Wesen, das da in ihr wucherte, bereitete ihr von Anbeginn an nur Übelkeit und Schmerzen. Wollte es sie töten? Sophia fröstelte, hastig schlug sie ein Kreuz.

Sie war versucht, die Mönche zu bitten, die bösen Geister aus ihr auszutreiben. Aber Konrad würde sie mit eigenen Händen umbringen, wenn sie öffentlich aussprach, was sie im Innersten beinahe zerriss: dass sie vielleicht nicht den ersehnten starken Erben der Mark Meißen in sich trug, sondern eine Ausgeburt des Teufels.

Was würde geschehen, wenn die Wehmutter ihr nicht ein gesundes Kind in die Arme legte, sondern schreiend davonlief, weil die Kreatur, die sie da aus dem Körper der Kreißenden zog, Hörner und eine Teufelsfratze trug?

Hatte ihr Gemahl nicht davon immer wieder im Schlaf und sogar in seinen letzten Stunden gesprochen? Ganz sicher stand er mit den bösen Mächten im Bunde.

Zum ersten Mal in ihrem Leben wünschte sich Sophia Elmar herbei. Sie hätte nie gedacht, dass das einmal geschehen konnte. So verhasst und unheimlich ihr der Truchsess auch sein mochte – sein Verstand war klar und eiskalt genug, um ihr in dieser elenden Lage einen Rat zu geben, emotionslos und berechnend. Genau das war es jetzt, was sie brauchte, da die schrecklichsten Gefühle in ihr wühlten und jeden klaren Gedanken erstickten.

Doch Elmar hatte sie nur bis zum Kloster geleitet und war dann weitergeritten. Nicht einmal zum Begräbnis seines Dienstherrn war er erschienen. Er hatte ihr weder gesagt, wohin er wollte, noch was er vorhatte. Und sie hatte nicht zu fragen gewagt.

Stattdessen waren ihr nur ein paar Hofdamen und die von Konrad gestellten Leibwachen als Begleitung geblieben, die sie allesamt hinausgeschickt hatte. Und dieser widerliche Alchimist. Da kam er schon wieder angeschlichen!

Mit all ihrer verbliebenen Kraft richtete sie sich auf und fuhr ihn an: »Ihr! Was habt Ihr hier zu suchen? Dass Ihr es wagt, Euch auf diesem heiligen Boden zu bewegen und mir unter die Augen zu treten!«

Der Gelehrte mit den weißen Haaren unter der schwarzen Kappe schien nicht im Geringsten beleidigt. Stattdessen verneigte er sich tief vor ihr.

»Ich wollte mich nur nach Euerm Befinden erkundigen, Hoheit. Ihr seht angegriffen aus. Vielleicht braucht Ihr Hilfe. Ein Elixier? Oder einen Rat? Denkt an Euer Kind!«

Seine Stimme war schmeichelnd, doch damit würde er sie nicht täuschen. Und etwas an seinem Blick sorgte dafür, dass sich ihr die Nackenhärchen sträubten.

»Ihr seid es gewesen«, brachte sie hervor. »Von Euch stammt das Gift, nicht von Euerm Diener!«

»Warum hätte ich das tun sollen?«, fragte er verwundert und breitete die Arme aus. »Und wenn ich es hätte tun wollen, warum nicht schon eher? Schließlich stand ich viele Jahre in Diensten Eures Gemahls. Nein, meine Teure, der Schuldige wurde aufgespürt und hat gestanden. Ihr könnt mich nicht bezichtigen.«

Der Magister lächelte abgründig, und sie wussten beide, er hatte gewonnen.

Sophia würde ihn nie öffentlich anklagen, denn sie teilten gefährliche Geheimnisse. Wäre sie damals bloß nicht auf seinen Vorschlag mit der vorgetäuschten Schwangerschaft eingegangen!

»Ich freue mich, Euch überzeugt zu haben«, sagte er zufrieden und verneigte sich erneut. »Seid unbesorgt, ich habe nur Euer

Wohl und das Eures Kindes im Sinn. Wenn Ihr mir erlauben wollt, Euren Puls zu fühlen ...«

»Geht!«, befahl sie mit zittriger Stimme. »Geht hinaus. Ich möchte ruhen.«

»Natürlich. Wie Ihr wünscht, Hoheit. Ich werde Euch einen Trank zur Stärkung zubereiten.« Nach einer weiteren tiefen Verbeugung verließ er die Kammer.

»Was glotzt Ihr so?«, fuhr Sophia eine ihrer Begleiterinnen an, die besorgt hereinschaute. »Hinaus!«

Die Hofdame knickste erschrocken und zog sich sofort zurück. Schweißgebadet ließ sich Sophia auf das Bett sinken und rollte sich zusammen, so gut es mit ihrem gerundeten Leib ging.

Ihre Gedanken überschlugen sich. *Er* hatte Albrecht umgebracht, davon war sie überzeugt, auch wenn sie nicht wusste, warum und in wessen Auftrag er es getan hatte. Aber das spielte für sie keine Rolle. Ihr Mann hatte sich Feinde in endloser Zahl gemacht. Es musste nur einer von ihnen diesem Giftmischer eine ausreichende Summe Silber geboten haben.

Gab es eine Möglichkeit, den Alten aus dem Weg zu räumen, ohne dass er sie verriet? Ihr fiel keine ein; sie wusste nicht, an wen sie sich wenden konnte, ohne Verdacht auf sich zu lenken oder gefährliche Fragen zu provozieren.

Würde er sie auch umbringen?

In einem hatte der Magister recht: Wenn er es wollte, wäre sie schon tot. Und verhindern konnte sie es ohnehin nicht. Jeder musste essen und trinken; ihr Gemahl hatte so viele Vorkehrungen getroffen, um gegen Gift gewappnet zu sein, und war am Ende doch elendig daran gestorben.

Und sie selbst hatte auch schon mit Gift getötet: eine Rivalin, die Frau des Marschalls.

Wenn sie diesen hinterhältigen Alchimisten schon nicht loswerden konnte – vielleicht gab es eine Möglichkeit, sich sein Wissen zunutze zu machen? Dieser Gedanke bohrte in Sophia.

Er konnte schweigen, so viel stand fest. All die Jahre hatte er nie ein Wort darüber fallenlassen, was sie an jenem verhängnisvollen Tag nach Albrechts erster Niederlage vor Weißenfels besprochen hatten.

Er war ein *Gelehrter* und konnte schweigen. Durfte sie mit ihm über ihren Verdacht sprechen, dieses Ding in ihrem Leib sei die Saat des Teufels?

Konnte er es aus ihrem Leib treiben, mit geheimnisvollen Sprüchen oder Elixieren?

Vielleicht waren die Tränke, die er ihr all die Jahre gebraut hatte, gar nicht gedacht, um ihre Fruchtbarkeit zu fördern, sondern die Leibesfrucht zu töten? Seit er bei Hofe war, hatte sie jedes Kind verloren – bis auf dieses, und das war gezeugt worden, als sie und ihr Gemahl auf Sizilien weilten und Eustasius weit weg in Meißen.

Sie musste das unheilvolle Wesen loszuwerden, das in ihr wucherte und sie von innen auffraß.

Vielleicht sollte sie einfach abwarten, ob Gott sie weiterleben oder an dem Gift sterben ließ, das ihr Eustasius irgendwann reichen würde. Oder ob er sie damit von der Teufelsbrut in ihrem Leib befreite.

Ja, Gott sollte es richten.

Erzwungene Entscheidung

Es war ein regennasser, kühler Sommernachmittag, als Markgraf Konrad und seine Geleitmannschaft durch das Tor der Weißenfelser Burg ritten.

Stöhnend ließ der Fürst sich aus dem Sattel helfen und schritt dann mit steifen Gliedern und düsterer Miene Richtung Palas. Es war ein unangekündigter Besuch, und er hoffte inständig, dass Dietrich nicht etwa zur Jagd geritten oder aus anderen Gründen unterwegs war. Es gab Nachrichten, die keinen Aufschub duldeten.

Sein Blick heftete sich auf eine zierliche Frau mittleren Alters in einem schlichten, aber edlen Bliaut.

»Ihr seid die Heilerin?« Es war eher eine Feststellung als eine Frage.

»Ja, Hoheit.«

Mit Konrads Erlaubnis erhob sich Marthe aus ihrem Knicks.

»Wünscht Ihr ein Mittel, um die Schmerzen zu lindern, die die Gicht Euch bereitet?«

Der Markgraf der Ostmark war nur einen Augenblick lang verblüfft. Natürlich, da gab es Gerüchte, diese Frau sei eine Zauberin, vielleicht sogar eine Hexe. Schließlich hatte sie Albrecht verflucht, der tatsächlich so gestorben war, wie sie es vorausgesagt hatte: von fremder Hand, verhasst von Gott und allen Menschen. Aber an seinem Gang ließ sich auch ohne Zauberwerk und Hellseherei erkennen, dass ihn Schmerzen plagten, und es war kein Geheimnis, dass ihm diese Krankheit in letzter Zeit immer mehr zusetzte. Es musste wohl in der Familie liegen …

Marthe versprach, sich darum zu kümmern und außerdem zu veranlassen, dass dem Fürsten ein Bad bereitet würde.

»Das warme Wasser wird Euch wohltun«, versicherte sie.

Sie hatte eigentlich vor, ein Mittel zur Herzstärkung für Susanne zuzubereiten, Hedwigs Magd, denn morgen sollte ein Bote nach Seußlitz reiten.

Sie und Susanne kannten sich seit Marthes erstem Besuch auf dem Meißner Burgberg, als Marthe noch blutjung und arm gewesen war, sprachlos vor Staunen über die Pracht bei Hofe und wenig später zu Tode erschreckt über die Gewalttätigkeit, die dort an allen Ecken und Ende unter der dünnen Schicht höfischen Benehmens lauerte. Sie hatte sogar einen Giftanschlag auf Hedwig verhindert. Gift scheint in dieser Familie eine besondere Rolle zu spielen, dachte sie schaudernd.

Mit Susanne hatte sie in Seußlitz erst nach Hedwigs Ausritt reden können, im Verborgenen, denn eine Magd durfte nicht im vertraulichen Gespräch mit einer Edelfreien gesehen werden. Sie war besorgt, denn der alten Freundin ging es nicht gut. Die Erleichterung und Freude darüber, dass der Alptraum ein Ende hatte, seien zu viel für sie gewesen, meinte Susanne. Doch das Heilmittel musste nun warten, bis die lindernden Umschläge für Konrad bereitet waren.

Das Badewasser für den Markgrafen der Ostmark war noch nicht einmal heiß, als zwei weitere Reiter das Burgtor passierten. Clara lief gerade über den Hof und erkannte einen von ihnen. Es war ungewöhnlich, dass jemand mit einer Augenbinde im Sattel saß, aber sein Begleiter führte die Zügel seines Pferdes.
Rasch ging sie dem Geblendeten, dem einstigen Boten des Kaisers, entgegen.
»Gott schütze Euch, Bernhard!«, begrüßte sie ihn. »Benötigt Ihr Hilfe?«
Bernhard stieg aus dem Sattel und wandte ihr das Gesicht zu. »Ich erkenne Eure Stimme. Clara von Reinhardsberg, nicht wahr? Wie geht es Euch und Euren Kindern?«
»Gut«, versicherte sie, erstaunt darüber, wie der Blinde seine Fähigkeiten geschärft hatte und dass er überhaupt auf Reisen ging. Er musste ein wahres Kämpferherz haben.
Der hagere Mann, in dessen Gesicht sich die Falten noch tiefer eingekerbt hatten, seit sie ihn in Thüringen kennengelernt und seine Wunden versorgt hatte, lächelte ihr zu.
»Ihr sagt das sehr überzeugend, und dennoch höre ich Trauer heraus, Clara von Reinhardsberg. Habt Ihr noch keinen Mann gefunden, der Euch schützt und Euer Herz mit Freude erfüllt?«
»Ich *bin* beschützt«, antwortete sie verhalten. Ihre Trauer ging niemanden etwas an. Am liebsten wäre sie mit den Kindern fort von hier gezogen. Doch wohin sollte sie gehen?

»Nehmt meinen Arm, ich führe Euch zum Palas. Wollt Ihr zu Graf Dietrich?«, fragte sie den Ministerialen. »Eilt es? Oder soll ich erst nach Euren Wunden sehen?«

»Es ist dank Euch alles gut verheilt – soweit so etwas heilen kann«, sagte er mit kaum verhohlener Bitterkeit. »Und ja, ich muss dringend mit Graf Dietrich reden. Allein.«

»Dann werdet Ihr Euch etwas gedulden müssen. Soweit ich weiß, spricht der Graf gerade mit seinem Vetter, dem Markgrafen der Ostmark, der kurz vor Euch angekommen ist.«

Ein grimmiges Lächeln zog über Bernhards Gesicht. »Das trifft sich gut. Und es ist sicher kein Zufall. Dann will ich umgehend mit beiden sprechen.«

Konrad hatte beim Betreten des Raumes sofort alle Diener und Vertrauten des Grafen hinausgescheucht.

»Sophia ist tot, und mit ihr das Kind!«, platzte er heraus, kaum dass er mit Dietrich allein war. »Vergiftet, genau wie dein Bruder. Es war wohl ihr Leibarzt, denn der ist seitdem unauffindbar. Aber das spielt keine Rolle. Jetzt steht eindeutig fest, wer der Auftraggeber war, denn nun ist der Weg frei für ihn …«

»Dir ist klar, dass wir das nicht laut aussprechen dürfen, sonst wäre es Hochverrat«, unterbrach Dietrich ihn, der genau wusste, wen sein Vetter da beschuldigte. Und diese Anschuldigung ergab durchaus Sinn.

Wütend hieb Konrad mit der flachen Hand auf den Tisch.

»Ich könnte mich zu Tode ärgern, dass ich nicht mehr Vorsorge getroffen habe! Ich hätte sie mit mir nehmen sollen und sie nicht aus den Augen lassen, statt darauf zu hören, als sie meinte, sie sei zu krank, um weiterzureisen. Mir schien es wichtig, dass sie nach Meißen zurückkehrt …«

Erneut hieb er mit der Hand auf den Tisch, nun zweimal hintereinander.

»Du hättest es vermutlich auch nicht verhindern können«, versuchte Dietrich, ihn zu beruhigen, obwohl er den rastlosen Zorn des Vetters teilte. »Die Frage ist: Was unternehmen wir jetzt? Soll ich zum Kaiser reisen und ihn um die Belehnung mit der Mark Meißen bitten, dem Land meines Vaters und meines Großvaters? Er wird sie mir nicht geben. Diese Demütigung vor allen Fürsten des Reiches … Soll ich wirklich Heinrich gegen meine Überzeugung die Treue schwören und ihn dann auch noch um etwas bitten, das er mir verweigern wird?«

Konrad stieß einen knurrigen Laut aus, bevor er antwortete.

»Ich denke wie du: Er wird ablehnen. Uns würde auch der Beistand der Fürsten nichts nützen, die damals mit ihrem Protest deinem Schwiegervater doch noch zu Thüringen verholfen haben. Seit der Eroberung Siziliens ist der Kaiser so viel stärker. Noch nie seit der Abdankung unseres Großvaters war unser Haus dermaßen in Bedrängnis.«

Ratlos hob Konrad die Hände. Aber bevor er etwas sagen konnte, klopfte es.

Die beiden Wettiner sahen sich beunruhigt an. Wenn jetzt jemand zu stören wagte, dann gab es ganz sicher einen dringenden Anlass. Doch was konnte noch wichtiger sein?

Beim Anblick des Geblendeten, der von einem Begleiter hereingeführt wurde, der sich gleich darauf wieder zurückzog, überkam Dietrich ein ungutes Gefühl.

»Seid Ihr etwa immer noch in Diensten des Kaisers unterwegs, Bernhard?«, fragte er ebenso erstaunt wie beeindruckt … und voller schlimmer Vorahnungen.

»Ich bin blind, aber ich habe beschlossen, nicht das Leben eines Krüppels zu führen«, erklärte der Ministeriale, wobei er auffällig vermied zu erklären, ob er im Auftrag des Kaisers handelte oder nicht.

»Obwohl ich nicht mehr sehen kann, weiß ich dennoch über vieles Bescheid, das geschieht, ziehe im Verborgenen die Fäden. Deshalb bringe ich Euch eine Nachricht – und einen Rat.«

»Geht es um Sophia von Böhmen? Wir haben vom bedauerlichen Tod unserer Schwägerin und ihres Kindes bereits erfahren«, meinte Konrad und wappnete sich für das Kommende. Welchen Rat würde Bernhard ihnen in dieser Lage erteilen? Beim Kaiser vorzusprechen oder ihn zu meiden?

»Das ist noch nicht alles, was ich zu berichten habe«, erwiderte Bernhard. »Der einstige Truchsess Markgraf Albrechts sammelte kampfbereite Männer um sich, ritt auf den Meißner Burgberg und brannte den markgräflichen Palas nieder.«

»Was?«, brüllte Konrad fassungslos und beugte sich trotz seiner Schmerzen vor. »Wie kamen sie an den Männern des Burggrafen vorbei? Ohne den burggräflichen Bezirk zu erobern, ist das nicht zu schaffen!«

»Die ahnten nicht, was sie vorhatten. Sie glaubten, der einstige Truchsess würde wie immer alles für die Ankunft der Markgräfin vorbereiten. Als sie erkannten, was da vor sich ging, gab es natürlich Kämpfe, aber das Unheil war nicht mehr aufzuhalten. Der Sitz der Markgrafen von Meißen ist niedergebrannt und bis auf die Grundmauern geschliffen worden.«

»Dieser Narr! Dieser Wahnsinnige!«, stöhnte Konrad.

Oder war jene Tat am Ende auch vom Kaiser befohlen? Doch der würde den markgräflichen Palas nicht niederbrennen, sondern dort einen kaiserlichen Statthalter Einzug halten lassen, wenn er die Mark Meißen für sich beanspruchte.

Da sowohl Konrad als auch Dietrich schwiegen und in Gedanken die Möglichkeiten durchdachten, die ihnen noch blieben, sprach Bernhard weiter.

»Falls Ihr angesichts dieser Lage gerade erwogen habt, zum Kaiser zu reiten und um Belehnung mit der Mark Meißen zu bitten … Ich muss Euch dringend davon abraten.«

»Ist das eine Botschaft des Kaisers?«, erkundigte sich Dietrich finster.

»Nein, das ist eine Empfehlung von mir, sofern Ihr sie annehmen wollt«, stellte Bernhard nüchtern und nicht ohne Selbstbewusstsein klar. »Der Kaiser ist seit langem äußerst ungehalten darüber, was im Land Eures Vaters vor sich ging: die Gefangennahme des alten Markgrafen, der Streit um die Erbfolge, die Kriege, die Ihr und Euer Bruder gegeneinander geführt habt. Und nun noch der zerstörte Palas in Meißen und Kämpfe mit der burggräflichen Wachmannschaft. Seine Geduld und sein Wohlwollen gegenüber dem Hause Wettin sind endgültig erschöpft. Solltet Ihr ihn um die Mark Meißen bitten, wird er sich weigern. Da Albrechts Gemahlin tot ist, zieht er die Markgrafschaft als erledigtes Lehen ein. Heinrich von Neuengroitzsch wird kaiserlicher Statthalter für die Mark Meißen.«

Dietrich und Konrad wechselten einen Blick. Es kam also genau so, wie sie es befürchtet hatten.

»Das ist immer noch nicht alles, was Ihr uns mitzuteilen habt«, meinte Dietrich misstrauisch.

»Nein. Solltet Ihr dennoch beim Kaiser vorsprechen, wird er Euch nicht nur die Mark Meißen verweigern, sondern Euch womöglich angesichts der Vorfälle der letzten Jahre Weißenfels nehmen.«

Das kann er nicht tun, dachte Dietrich verzweifelt.

Doch wer sollte den Kaiser daran hindern?

»Und auch Ihr, Fürst Konrad, solltet Vorsicht walten lassen, um nicht den allumfassenden Zorn des Kaisers auf Euch zu lenken«, fuhr Bernhard fort, seine bitteren Wahrheiten auszusprechen.

»Und was ratet Ihr mir zu tun?«, fragte Konrad voller Groll.

Bernhard ließ sich mit der Antwort etwas Zeit, um sie besser wirken zu lassen.

»Der Kaiser erwartet von Euch beiden eine demonstrative Geste, mit der ihr vor aller Welt zeigt, dass Ihr seine Entscheidung nicht anfechten werdet, die Mark Meißen als Reichslehen einzuziehen.«

»Sollen wir uns ihm zu Füßen werfen? Einen Eid leisten?« Nun wurde Konrad wirklich ungeduldig. Er musste sich zusammenreißen, um seinen Zorn nicht an dem Boten auszulassen. Der war schließlich nur der Überbringer der Nachricht, und er hatte schon genug durch einen wütenden Wettinerfürsten gelitten.

»Das genügt nicht«, beschied ihm der geblendete Ministeriale. »Wenn Ihr Euern jetzigen Besitz und Eure Stellung wahren wollt, gibt es nur einen Weg. Erklärt Euch bereit, das Kreuz zu nehmen und an dem neuen Zug nach Jerusalem teilzunehmen, zu dem der Kaiser aufgerufen hat. Bis zum Hoftag zu Worms erwartet der Kaiser Eure Absichtserklärung.«

Ungläubig starrte Konrad den Mann an, ohne zu bedenken, dass dieser das nicht sehen konnte.

Dietrich hingegen verzog keine Miene. Er bedankte sich bei Bernhard in aller Form für diesen Rat und rief einen Diener, um den Blinden hinauszugeleiten und gut zu beköstigen.

»Wir werden es tun müssen!«, rief Konrad aus und rang nach Luft. »Wir verlieren nicht nur Meißen und die reichen Freiberger Silberbergwerke, sondern du auch noch Weißenfels, wenn wir nicht stillschweigend zusehen, wie der Kaiser sich das Land unserer Väter einverleibt. Und dann sollen wir auch noch auf diesen Kreuzzug gehen und für ein oder gar zwei Jahre unsere Herrschaftsgebiete verlassen!«

Dietrich verlor kein Wort dazu. Stattdessen erklärte er, sein Vetter müsse sich jetzt dringend Marthes Heilkünsten unterziehen. Erst als er allein war, ließ er seine Wut über die Hoffnungslosigkeit und Bitternis seiner Lage heraus. Er griff nach seinem Schwert und hieb mit aller Kraft auf den Tisch ein. Krug und Becher zersprangen in tausend Teile. Eine tiefe Kerbe im Holz würde fortan davon künden, wie machtlos der Sohn eines Markgrafen und Enkel zweier der mächtigsten Fürsten des Kaiserreiches nun geworden war. Dass er auf verlorenem Posten stand.

VIERTER TEIL

Die Entscheidung

Frühjahr 1197 vor der Küste von Akkon

Ein Konvoi von achtundzwanzig Schiffen näherte sich dem Hafen von Akkon. Die See meinte es gut mit ihnen an diesem Vormittag; die Wellen türmten sich nicht so hoch, dass die Pilger unter Deck um ihr Leben zitterten mussten. In der Osterwoche waren bei einem schrecklichen Sturm zwei Schiffe mit Mann und Maus gesunken, und die Übrigen überstanden das Unwetter nur mit Mühe und Not. Doch jetzt herrschte lediglich schwacher Seegang. Die Sonne gleißte am wolkenlosen Himmel, Seevögel kreisten über der Flotte und schrien durchdringend.

Die Kunde vom nahenden Ziel hatte an Bord der vordersten Galeere schon am Morgen helle Aufregung ausgelöst. Die Reisenden – statt friedlichen Wallfahrern oder Kaufleuten fast durchweg im Kampf ausgebildete Männer, die das Leben auf schwankenden Planken nicht gewohnt waren – drängten sich auf dem Deck, starrten auf die mächtigen Mauern, die Akkon von Seeseite her schützten, und sanken nieder, um Gott für diesen Anblick zu danken. Dafür, dass sie die Wochen in qualvoller Enge überstanden hatten, weder ertrunken noch von Piraten überfallen worden oder an einer Seuche gestorben waren. Auch nicht im Streit erschlagen, der unausweichlich blieb, wenn so viele Männer dermaßen eingepfercht leben mussten, bei fauligem Wasser, von Maden wimmelndem zweifach gebackenem

Brot, Ungeziefer aller Art und dem Gestank der Tiere, die als Proviant für die besser zahlenden Gäste mitgeführt wurden.

Diejenigen, die tags zuvor noch gerauft und einander angefeindet hatten, fielen sich nun in die Arme und jubelten vor Freude, ihr Ziel endlich zu sehen: Akkon, die Hauptstadt des Königreichs Jerusalems.

Genauer gesagt, die Hauptstadt dessen, was vom Königreich Jerusalem noch übrig war: ein schmaler Küstenstreifen von kaum neunzig Meilen, der nirgendwo weiter als zehn Meilen ins Landesinnere reichte.

Lediglich zwei Männer – ein Graf Mitte oder Ende dreißig und ein Ritter Ende zwanzig, beide sonnenverbrannt und sehnig, mit ernsten, düsteren Mienen – schienen unberührt von dem lärmenden Treiben an Deck. Schweigend standen sie nebeneinander an der Reling und blickten über die Wogen hinweg den Mauern Akkons entgegen.

Doch anders als bei ihrer Ankunft in Weißenfels flogen diesmal Thomas' Gedanken voraus zu dem, was ihn erwartete, wenn er ins Heilige Land zurückkehrte, während Dietrichs in der Vergangenheit gefangen waren.

Thomas fragte sich, ob er wohl Jerusalem sehen und Frieden für seine Seele erlangen konnte. Durfte er an dem Ort beten, wo Gottes Sohn gestorben war? Darum, dass seine Schwester ihren Kummer überwand und seine Mutter ihr Leid vergaß? Für sein eigenes Seelenheil und das seines Vaters?

Oder würde er hier neben dem Grab seines besten Freundes sein eigenes finden?

Seine Mutter und auch Clara hatten es beim Abschied vor ihm verbergen wollen, doch sie schienen beide davon überzeugt zu sein, dass er nicht wiederkam. Er zwang sich, den Gedanken an ihre Trauer abzuschütteln, sah auf die aus sandfarbenem Stein gebaute Stadt und die Palmen und meinte schon, das lärmende Sprachengewirr und die fremdartigen Klänge der Musik zu hören. Für ihn fühlte es sich an, als würde er heimkehren – und nicht, als würde er in ein fremdes Land kommen, um zu sterben.

Er konnte es kaum erwarten, den betörenden Duft der morgenländischen Gewürze einzuatmen statt des Gestanks der Männer um sich herum, die sich seit Wochen nicht waschen konnten. Kühles Quellwasser zu trinken statt der fauligen, mit Essig versetzten Jauche. Frisches, duftendes Brot und die verlockenden exotischen Früchte zu essen statt harten Backwerks voller Maden.

Und die Frauen mit ihrem anmutigen Gang und ihren dunklen, ausdrucksstarken Augen! Wieder tauchte ein zartes Gesicht mit klugem Blick in seiner Erinnerung auf, und er wusste immer noch nicht, ob das damals in Antiochia nur ein Traum gewesen war.

Doch falls es dieses Mädchen wirklich gab und sie noch lebte, war sie vermutlich längst verheiratet und Mutter einer großen Kinderschar. Er würde es nie herausfinden, denn sein Weg führte nicht nach Antiochia, sondern nach Jerusalem – so Gott wollte.

Dietrich von Weißenfels hingegen war in ganz andere Gedanken versunken. Ihn konnten weder die tosende Gischt noch die gebrüllten Kommandos angesichts der nahenden Küste, das Fluchen und die Hoffnungsschreie der Männer davon abhalten, sich in Erinnerungen an zu Hause zu verlieren. Vielleicht ein letztes Mal, denn bald würde dafür keine Zeit mehr sein, und nur Gott allein wusste, ob ihm eine glückliche Heimkehr vergönnt war.

Gemeinsam mit seinem Cousin Konrad, der mit seinem Gefolge ebenfalls an Bord dieses hoffnungslos überfüllten Schiffs war, hatte er wie gefordert auf dem Hoftag in Worms das Kreuz genommen. Es war ihnen keine Wahl geblieben.

Auch der Landgraf von Thüringen folgte wie viele andere weltliche und geistliche Fürsten dem Ruf des Kaisers zum Kreuzzug. Hermann wollte allerdings nicht schon mit der Vorhut aufbrechen wie sein Schwiegersohn und war vermutlich noch unterwegs nach Messina, um sich dort Richtung Akkon einzuschiffen.

Als Dietrich vor acht Jahren mit Kaiser Friedrich von Staufen ins Heilige Land gezogen war, hatten ihn mehrere Dutzend Ritter und eine entsprechende Anzahl Knappen und Reisiger begleitet. Im Gegensatz dazu führte er diesmal nur einen einzigen Ritter mit sich: Thomas. Der wusste, worauf er sich einließ, und er hatte schon einen Kreuzzug überlebt. Unter den Knechten und Sergenten wählte Dietrich diejenigen aus, die keine Familie hinterließen, und von den Knappen gestattete er zu aller Erstaunen keinem Einzigen mitzukommen.

Es kümmerte ihn nicht, sollte er dafür als unbedeutend angesehen werden. Sein Cousin Konrad reiste mit genügend Männern und würde ihm Knappen und Knechte stellen.

Dietrich begründete das spärliche Geleit offiziell damit, die Jahre des Krieges gegen seinen Bruder hätten ihn so viele gute Männer gekostet, dass er keinen weiteren in Weißenfels entbehren konnte, sollten Ort und Burg während seiner Abwesenheit gut geschützt sein. Außerdem verlangten die Pisaner und Genuesen für die Überfahrt eine so ungeheure Summe pro Mann und Pferd, dass nicht wenige Kreuzzugteilnehmer dafür Besitz verkaufen und Ländereien verpfänden mussten. Noch dazu war das Jahr 1196 allerorten ein Hungerjahr gewesen, Getreide knapp und beinahe unerschwinglich.

Doch in Wahrheit wollte Dietrich nicht noch einmal so viele Männer in den Tod führen, so viele schlimme Nachrichten an Hinterbliebene überbringen müssen.

Zwar schienen die Umstände bei diesem Kriegszug für sie günstiger als vor acht Jahren: Nun gehörten dem Kaiser die sizilianischen Seehäfen und eine Flotte, so dass ihnen der mühselige, zeitraubende und verlustreiche Weg über den Balkan und durch das Seldschukenreich erspart blieb. Und Saladin, der mächtige, gefürchtete und geachtete Feind, der die Stämme Ägyptens und Syriens unter seiner Führung geeint hatte, war tot, seine zahllosen Söhne, Brüder und Neffen lagen im Streit miteinander.

Doch auch Friedrich von Staufen hatte seinen Kreuzzug mit Sorgfalt und Bedacht vorbereitet und durfte auf Erfolg hoffen, als er aufbrach. Dass die Unternehmung die meisten Männer das Leben kostete, den Kaiser eingeschlossen, und keiner der Beteiligten Jerusalem zu sehen bekommen würde, hätte bei der stolzen Heerschau in Pressburg niemand gedacht.

Während die Sonne sengte und salzige Gischt ihm ins Gesicht sprühte, ließ Dietrich seine Gedanken zu jenem verschneiten Wintertag zurückfliegen, an dem er sich auf dem Landding in Schkölen offiziell von seinen Gefolgsleuten und seiner Familie verabschiedet hatte, um ins Heilige Land aufzubrechen.

Am fünften Tag im Januar war das gewesen. Frost herrschte damals und ein sanfter Wind, der ihnen große Flocken entgegentrieb; die Sonne blieb hinter dichten Wolken verborgen, und der Schnee knirschte unter den Schritten.

Hedwig war gekommen, seine Mutter, hatte ihm Gottes Segen gewünscht und dem Kloster bei Nossen ein Dorf aus ihrem väterlichen Erbe geschenkt, damit die Mönche für das Seelenheil und die glückliche Heimkehr ihres Sohnes beteten. Auch wenn die Mark Meißen nun Reichslehen des Kaisers war, bestand Hedwig darauf, durch solche Schenkungen zu zeigen, dass sie und ihr Sohn keineswegs auf das Patronatsrecht für das von Otto gestiftete Zisterzienserkloster zu verzichten gedachten.

Jutta hatte sich redlich bemüht, ihre Tränen zurückzuhalten, als sie sich von ihrem Mann verabschiedete, und fiel ihm dann doch vor allen Anwesenden schluchzend um den Hals.

Sie hatten die Ehe inzwischen vollzogen, auch auf Drängen Landgraf Hermanns, der darauf bestand, dass niemand die Rechtmäßigkeit dieser Verbindung in Frage stellen konnte, sollte sein Schwiegersohn im Heiligen Land fallen. In der ihm eigenen Direktheit hatte Hermann darauf hingewiesen, dass Jutta infolge der neuesten Entwicklung im Reich die Erbin Thüringens sei, sollte er selbst nicht aus dem Heiligen Land zurückkehren.

Der Kaiser hatte den Fürsten die Erblichkeit ihrer Lehen angeboten, wenn sie dafür seinen Sohn Friedrich zum König wählten. Der Plan ging nicht so auf, wie Heinrich es wollte, insbesondere in Sachsen und Thüringen gab es Widerstand. Dennoch hatte der berechnende Hermann es geschafft, seine Tochter als Erbin der Landgrafschaft einzusetzen, sollte ihm nicht noch ein Sohn geboren werden.

Jutta war Dietrich eine zärtliche Gemahlin, und es war geschehen, was er hatte vermeiden wollen und sich lange nicht eingestand: Sie hatte sich zutiefst in ihn verliebt.

Sie besaß nicht Claras Leidenschaft und Fraulichkeit. Aber mit ihrer Zartheit berührte sie sein Herz. Das bescherte ihm ein schlechtes Gewissen gegenüber Clara; genau genommen gegenüber beiden Frauen, weil es ihm vorkam, als würde er sie beide betrügen, wenn er nun mit Jutta das Lager teilte.

Da hatten unverhofft Marthe und Lukas eingegriffen.

Es sei Clara nicht länger zuzumuten, in seiner und Juttas Nähe zu bleiben, argumentierten sie. Sonst würde sie sich nie dazu entschließen können, einen anderen Mann zu heiraten und neues Glück zu finden. Alle Bemühungen von Lukas, sie für einen nächsten Ehemann zu erwärmen, seien deshalb vergeblich gewesen. Die Leute würden sich schon die Mäuler darüber zerreißen, dass sie jeden Antrag ablehnte.

Nach dieser unangenehmen Eröffnung hatten ihn die beiden mit einem Vorschlag verblüfft. Sie wollten nach seiner Abreise mit Clara zurück nach Freiberg gehen. Da Albrecht und Rutger tot waren, sei das möglich. Clara könnte dort in Reinhards Haus ziehen, das ihr zustand, und Lukas hielt es für dringend angebracht, dem Burgvogt auf die Finger zu klopfen, damit er die Freiberger nach dem schrecklichen Hungerjahr nicht zu sehr schindete. Bernhard, der geblendete Ministeriale, würde dafür sorgen, dass Lukas wieder das Kommando über die Burgwache bekam und Clara als ehrbare Witwe unbehelligt leben konnte.

Dietrich war völlig überrascht von dieser Idee gewesen und nicht sofort bereit, seine Zustimmung dafür zu geben. Es zerriss ihm das Herz, Clara gehen zu lassen, auch wenn er wusste, dass er sie nicht halten durfte.

Doch dann sagte Lukas bedeutungsschwer: »Wäre es nicht weise, Euch einen Vertrauten und schnellen Zugriff auf die Freiberger Burg zu sichern? Vielleicht kommt einmal der Tag, an dem Ihr das Land im Handstreich erobern könnt, so wie einst Euer Großvater?«

An dieser Stelle hatte Dietrich scharf Luft eingezogen. Jedes weitere Wort, jede Frage wäre Hochverrat gewesen. Gegen den Kaiser konnte er nicht kämpfen, und da Heinrich nicht mit ins Heilige Land ziehen würde, war nicht davon auszugehen, dass er bald starb; er zählte kaum mehr als dreißig Jahre. Andererseits hatte ihn erst unlängst wieder ein Anfall von dem Sumpffieber ans Krankenlager gefesselt, das er sich vor Jahren bei der Belagerung Neapels zugezogen hatte.

Der Blick, den Marthe und Lukas dabei austauschten, ließ Dietrich spüren, dass dieser Vorschlag nicht nur von Lukas' Schläue und militärischer Voraussicht, sondern auch von Marthes unbestimmten Ahnungen geprägt war. Aber er zwang sich, seine geheimsten Hoffnungen zu unterdrücken. Es war sinnlos, sich in Träumen zu verlieren.

Natürlich war auch Clara mit ihren Kindern beim Landding in Schkölen gewesen; offiziell, um sich von ihrem Bruder zu verabschieden. Ihre – seine – Söhne waren prächtig gediehen. Stolz und zärtlich hatte er ihnen zum Abschied über das Haar gestrichen. Und höflich hatte sie ihm Gottes Segen und eine glückliche Heimkehr gewünscht, ohne ihm dabei in die Augen zu sehen. Sie war von Trauer umhüllt wie meistens seit der Geburt des kleinen Konrad. Am liebsten hätte er sie in seine Arme genommen, um ihr Halt und Trost zu spenden, um ihren weichen, warmen Körper noch einmal zu spüren.

Ob sie wohl alle leben und es ihnen gutgeht?, dachte Dietrich beklommen, während die Schiffsbesatzung mit Gebrüll in die Takelagen geschickt wurde, um das Segel zu reffen, und überall Leute schreiend durcheinanderrannten, um ihre Habe zusammenzuklauben.

Wird Jutta mir ein Kind gebären, während ich fort bin?, fragte er sich. Wird Clara in Freiberg sicher leben? Findet sie am Ende gar einen Mann dort, der sie glücklich macht?

Werde ich sie jemals wiedersehen?

Als einer von sehr wenigen Überlebenden des Kreuzzugs Kaiser Friedrichs, der Seuchen und der Hungersnot bei der Belagerung Akkons schien es ihm äußerst zweifelhaft, ein zweites Mal allen Gefahren entrinnen zu können. Andererseits: Weder Marthe noch Clara, auf deren Gespür er bedingungslos vertraute, hatten zu erkennen gegeben, dass sie in ihm einen Todgeweihten sahen. Im Gegenteil, Marthe und Lukas schmiedeten schon Pläne für die Zeit nach seiner Rückkehr. Das sollte ihn zuversichtlich stimmen.

Stattdessen hatte er etwas mitbekommen, das ihm nun erneut einen Schauer über den Rücken jagte: Marthes geflüstertes »Er kommt nicht wieder!«, nachdem sie ihren Sohn verabschiedet hatte. Sie hatte die Hand vor den Mund geschlagen und kein Auge von Thomas gelassen, der ruhig in den Sattel stieg und seiner Mutter zulächelte, während dieser die Tränen in die Augen schossen.

Würde er Clara erneut Kummer zufügen müssen mit der Nachricht vom Tod ihres Bruders? Ihrer Mutter solch eine Botschaft zu überbringen haben wie Elisabeth?

Beklommen warf er einen Blick auf seinen Kampf- und Reisegefährten, der ganz in Gedanken versunken auf die nahe Küste
starrte.

Thomas spürte, dass er gemustert wurde, und wollte nicht, dass
Dietrich erriet, was in ihm vorging.

Deshalb sagte er: »Mit Eurer Erlaubnis werde ich mich um die
Pferde kümmern.«

Sie alle hatten in den letzten Wochen in quälender Enge gelebt;
mehrere hundert Männer und dazu Ziegen, Hühner und anderes
Kleingetier, von den Ratten und sonstigem Ungeziefer ganz abgesehen. Doch für die Pferde war es besonders schlimm: Damit
sie sich auf dem krängenden Schiff nicht verletzten, waren sie in
den unteren Decks so an Gurten aufgehängt, dass ihre Hufe gerade noch den Boden berührten. Sie hatten keinerlei Auslauf.
Und im Gegensatz zu den Männern, die darüber fluchten, dass
sie eng wie Heringe in einem Fass nebeneinander schlafen mussten, mit den Füßen eines anderen im Gesicht, konnte man den
Tieren nicht damit Trost spenden, dass dieser quälende Zustand
bald ein Ende haben würde.

Dietrich hatte zwar keine Knappen mitgenommen, dafür aber
seine edelsten und zuverlässigsten Pferde. Auch Drago stand im
unteren Deck. Thomas und Wito, Raimunds bester Reitknecht,
der mit ihnen reiste, verbrachten viel Zeit bei den Hengsten, um
sie zu beruhigen und ihnen die Fesseln zu reiben, damit sich das
Blut nicht dort staute.

Dietrich schüttelte seine düsteren Gedanken ab und stimmte
Thomas' Vorhaben zu. Es wurde ohnehin Zeit, sich auf die Ankunft vorzubereiten.

Doch bevor Thomas nach unten ging, platzte er heraus: »Ob sie
jetzt wohl ein richtiges Hospital für unsere Landsleute in Akkon haben oder immer noch die Kranken unter dem Segel der
Hanseleute behandeln?«

Überrascht sah Dietrich ihn an. »Die Bruderschaft besitzt jetzt ein Haus mit einer Kirche in der Nähe des Sankt-Nikolaus-Tores.«

»Und ob wohl der kleine Mönch noch dort ist? Bruder Notker, der Benediktiner?«

Im nächsten Augenblick bedauerte es Thomas, diesen Gedanken laut ausgesprochen zu haben. Rasch verneigte er sich und verschwand ohne ein weiteres Wort.

Dietrich blieb nicht lange allein. Kaum war Thomas verschwunden, trat sein Vetter Konrad neben ihn.

»Ich danke Gott und allen Heiligen, wenn wir endlich raus aus dieser schwankenden Nussschale können!«, stöhnte er. »Das gehört sich einfach nicht für einen Ritter, keinen Boden unter den Füßen zu haben. Und diese Enge! Man kann nicht einmal pissen, ohne dass einem die gesamte Mannschaft zusieht! Und noch nie in meinem ganzen Leben habe ich solchen Fraß vorgesetzt bekommen!«

Dietrich verkniff sich die Bemerkung, dass sie beide im Vergleich zu den anderen Pilgern durchaus bevorzugt untergebracht waren. Sie mussten sich nicht die Pritsche mit einem anderen in den überfüllten Zwischendecks teilen, wo ihnen im Schlaf die Ratten übers Gesicht liefen, sondern waren wie die übrigen Fürsten auch für teures Geld in Kammern untergebracht, im sogenannten »Paradies«. Und statt fauligem, mit Essig versetztem Wasser und verdorbenem Hartbrot bekamen sie Wein und Fleisch. Doch der Übelkeit, den schlingernden Bewegungen des Schiffes, dem Lärm, dem Gestank, dem Ungeziefer und dem Mangel an Wasser konnten sie nicht einmal für alles Geld der Welt entrinnen.

»Jetzt weiß ich, warum sich all diese Normannen, Franzosen und Italiener seit hundert Jahren hier festgesetzt haben, statt wieder nach Hause zu segeln«, fuhr Konrad fort, vom Leder zu ziehen. »Sie wollten nicht noch einmal in so ein schreckliches

Gefährt steigen! Ich kann mir nicht vorstellen, dass es schlimmer sein soll, auf dem Landweg zu reisen – auch wenn ihr damals mehr als ein ganzes Jahr dafür gebraucht habt.«

Dietrich erwiderte nichts darauf. Ehrlich gesagt, fiel es ihm schwer zu entscheiden, was übler war. Doch wenn er sich erinnerte, wie sie damals ohne Wasser und Proviant in voller Rüstung durch das anatolische Hochland ziehen mussten, sich nur vom Urin und Blut ihrer Pferde ernährten und dabei auch noch ständig angegriffen wurden, erschien ihm eine Seereise von zweiundzwanzig Tagen als das geringere Übel – zumal sich nun endlich im wahrste Sinne des Wortes Land in Sicht zeigte. Außerdem war ihnen der Landweg durch feindliche Truppen versperrt.

»Und sollte eine Pilgerreise nicht die Frömmigkeit fördern?«, beschwerte sich der wortgewaltige Markgraf des Ostens weiter. Er wurde immer lauter, weil er sich in Rage redete und weil angesichts des nahenden Hafens der Lärm und die Geschäftigkeit auf dem überfüllten Deck immer größer wurden. Linker Hand hatte sich eine größere Gruppe Ritter versammelt, die lautstark prahlten, wer von ihnen zuerst einen Heiden erschlagen würde.

»Von gestiegener Frömmigkeit spüre ich nichts«, beschwerte sich Konrad. »Im Gegenteil: Mehr denn je hätte ich jetzt Lust, demjenigen an die Gurgel zu gehen, der uns diese Sache eingebrockt hat!«

Dietrich wollte warnend etwas sagen. Dies war nun wirklich nicht der richtige Ort, um den Kaiser zu beschimpfen. Doch Konrad erkannte seinen Einwand schon am Mienenspiel und stellte richtig: »Deinen Bruder! Albrecht! Zu seinem Glück ist er bereits tot ...«

Der Anführer von Konrads Rittern näherte sich und meldete, dass gepackt und jedermann entweder zu den Pferden oder zum Transport der Gepäcks und der Waffen eingeteilt sei.

Als er wieder zwischen den Pilgern verschwunden war, die dicht nebeneinandergedrängt Richtung Hafeneinfahrt starrten und es gar nicht erwarten konnten, festen Boden zu betreten, meinte Konrad: »Allen Heiligen sei Dank, dass dieser Hafen bei jedem Wetter angefahren werden kann! Jetzt hat das Elend ein Ende!«

Doch Dietrich, eingedenk seiner Erfahrungen auf dem Kreuzzug Kaiser Friedrichs, hielt ihm zynisch entgegen: »Du irrst, Vetter. Jetzt fängt es erst richtig an.«

Konrad starrte ihn an und verstummte für einen Augenblick.

Die Mahnung des Königs

D ie Wallfahrer, die das Schiff verließen, knieten nieder, sobald sie festen Boden unter den Füßen hatten, und dankten Gott für die glückliche Ankunft im Heiligen Land.

Während immer mehr schwerbeladene Männer das Ufer betraten, wurden die Ladeklappen geöffnet und die vom langen Stehen steifen und geschwächten Pferde herausgeführt.

Eines von Dietrichs Packpferden war auf halber Strecke krepiert, die anderen und ebenso Drago hatten die anstrengende Reise dank der Bemühungen von Wito und Thomas überstanden, wenn auch in erbärmlichem Zustand. Man sah ihnen an, dass jeder Schritt sie schmerzte. Doch sie würden sich wieder erholen, wenn sie erst ausreichend Bewegung und frisches Wasser hatten.

Ein paar kräftige Männer zerrten eine Holzkiste an Land, die den Leichnam eines auf See Verstorbenen enthielt. Der Mann hatte den Kapitän angefleht und ihm eine ungeheure Summe Geld gegeben, damit sein Körper nach seinem Tod nicht wie üblich ins Meer geworfen, sondern in dieser Holzkiste hinter dem Schiff hergezogen und dann in geweihter Erde begraben wurde.

Es dauerte eine Weile, bis sich das Durcheinander im Hafen nach Ankunft der ersten Schiffe der Flotte legte. Die Übrigen waren schon am Horizont zu sehen, würden aber noch einige Zeit brauchen.

Energisch sammelten die Anführer der einzelnen Kontingente ihre Truppen um sich.

Die größte Gefolgschaft war die des Erzbischofs von Mainz, Konrad von Wittelsbach. Zusammen mit ihm reiste einer der mächtigsten Männer Thüringens, auch wenn ihn Dietrich noch nie am Hof Hermanns gesehen hatte: Graf Heinrich von Schwarzburg. Er stammte aus einer der ältesten und reichsten Familien des Landes, und die Feindseligkeit zwischen den Ludowingern und den Schwarzburgern war in aller Munde. Es hieß, Heinrich von Schwarzburg habe als einziger Thüringer das Privileg *und* die nötige Gelassenheit, dem Landgrafen in dessen Anwesenheit den Rücken zuzukehren. So verwunderte es niemanden, dass der Graf von Schwarzburg mit dem Erzbischof von Mainz reiste, der seinerseits in heftige Gebietsstreitigkeiten mit dem Landgrafen von Thüringen verwickelt war, denn Hermann gehörten auch Teile Hessens.

Während Dietrich den Mann interessiert musterte, der mit fünf Dutzend Rittern ins Heilige Land gezogen war, hatte Thomas nur Augen für die Stadt vor sich.

Obwohl er vor sieben Jahren schon einmal hier gewesen war, hatte er sie noch nie wirklich betreten. Als Akkon nach monatelanger Belagerung bei Schlamm, quälender Hungersnot und furchtbaren Seuchen endlich eingenommen war, verbrachte Thomas den Tag mit der Totenwache für seinen gefallenen Freund Roland, Raimunds Sohn. Und dann kam auch schon die Order für die Männer unter dem Kommando des Herzogs von Österreich, die Heimreise anzutreten, denn Richard Löwenherz hatte Herzog Leopolds Banner in den Graben werfen lassen und ihm seinen Anteil an der Beute abgesprochen. Eine Schmähung, für die sich Leopold später durch die Gefangennahme des englischen Königs gerächt hatte. Doch das Lösegeld brachte ihm kein Glück: Für den Angriff auf einen Kreuzfahrer wurde er vom Papst exkommuniziert und starb kurz nach Richards Freilassung an den Folgen eines Reitunfalls.

Von Deck aus hatte Thomas die mächtigen Mauern betrachtet, die Türme der Kirchen, Kuppeln und Minarette. Nun fühlte er sich aufgeregt wie ein Kind auf einem Jahrmarkt – oder wie ein Bauer aus dem winzigsten Weiler, der zum ersten Mal eine steinerne Kathedrale betritt.

Sobald er an Land war, wurde sein Blick von einer Gruppe Kamele gefangen, und wieder konnte er sich nicht genug über ihre sonderbare Gestalt und ihre eigentümlichen Gesichter beim Kauen wundern. Gott hatte sich eindeutig einen Scherz erlaubt, als er sie schuf, auch wenn sie in Wüstengebieten unentbehrliche Reit- und Lasttiere waren.

Ein paar Männer in weiten, hellen Gewändern liefen auf die Neuankömmlinge aus dem Abendland zu und boten ihnen wortreich die Kamele für den Transport ihrer Ausrüstung an. Doch niemand wollte sich darauf einlassen. Nach Wochen auf See waren sie froh, dass sie endlich wieder festen Boden unter sich hatten – oder ein zuverlässiges Pferd.

Der Quartiermeister des Königs ließ die neu eingetroffenen Kämpfer Aufstellung nehmen und führte sie durch die Stadt.

Es war eine nicht enden wollende, aber wenig Vertrauen erweckende Kolonne. Die meisten Männer waren heruntergekommen, vor Schmutz starrend und verroht nach den Wochen auf dem Schiff. Wer von den Bewohnern in der Stadt unterwegs war, sah zu, dass er in einer Nebengasse oder einem Haus verschwand. Enttäuscht versuchte Thomas, trotzdem so viele Eindrücke wie möglich in sich aufzusaugen. Er betrachtete die filigranen hölzernen Verzierungen an den Häusern, die Tücher, die über manche Gassen gespannt waren, um Schatten zu spenden, und roch den köstlichen Duft aus einer Garküche, der ihn an die Zeit in Antiochia erinnerte.

Seine erwartungsvolle Freude verwandelte sich jedoch in Scham und Wut, als er sah, dass die Männer vor ihm ein paar Körbe mit Früchten plünderten und von den Färbern zum Trocknen aufgehängte rote und gelbe Stoffbahnen von den Leinen rissen. Die Tücher fielen zerfetzt und beschmutzt auf den Boden, etliche Früchte in leuchtender Farbe – Thomas wusste, sie wurden Orangen genannt und schmeckten wunderbar – rollten durch die Gasse und wurden von den Hufen der Pferde zermalmt. Sofort hing ein intensiver, verlockender Duft über der hässlichen Szenerie. Aufgebracht stritten die Händler mit den bewaffneten Männern in einer Sprache, die diese nicht verstanden oder verstehen wollten, denn die Forderung nach Ersatz für den Schaden war auch ohne Sprachkenntnisse unmissverständlich.

Von vorn wurde verschärftes Kommando durchgegeben, jegliche Plünderung oder sonstige Streitigkeit mit den Einheimischen zu unterlassen.

»Ist hier nicht angeblich das Land, wo Milch und Honig fließen?«, murrte ein hochgewachsener Mann mehrere Reihen vor Thomas lautstark, der mit beiden Händen Früchte gerafft hatte und sie nun wieder hergeben musste. »Sollten sie uns nicht wie Helden empfangen, weil wir Jerusalem zurückerobern wollen?«

Das fängt ja gut an, dachte Thomas beklommen, der sich noch genau an die vielen Streitigkeiten unter den Christen selbst während des vorangegangenen Kreuzzuges erinnerte. Diese hatten letztlich zu den größten Verlusten geführt.

Vor dem königlichen Palast stellten sich die Neuankömmlinge auf. Diener teilten kühles Wasser als Erfrischung aus. Manche von ihnen rümpften ganz offen die Nase über den Gestank, der den Fremden anhaftete. Ein Vertrauter des Erzbischofs von

Mainz übersetzte die Worte des Quartiermeisters, die erneute Unruhe aufbrachten. Offensichtlich war es nicht möglich, in der Stadt so viele Unterkünfte bereitzustellen, wie für die Neuen benötigt wurden.

»Dann machen wir selbst Quartier!«, wurde an mehreren Stellen gerufen. Schon stürmten ein paar Männer los; bereit, sich in der Stadt mit Waffengewalt Zutritt zu den Häusern zu verschaffen.

»Haltet sie zurück! Lasst uns allesamt vor der Stadt lagern, sonst gibt es böses Blut!«, rief Dietrich dem Markgrafen der Ostmark und Heinrich von Schwarzburg zu, die links und rechts von ihm standen und zwei der größten Kontingente anführten. Beide reagierten sofort.

»Zurück, ihr Pack!«, brüllte Konrad dröhnend.

Der Schwarzburger trat ein paar Schritte vor und rief mit befehlsgewohnter Stimme: »Alle sofort zurück! Wir schlagen das Lager vor der Stadt auf!«

Dann schickte er ein paar seiner Ritter los, um diejenigen, die schon vom Hof gestürmt waren, aufzuhalten, bevor sie größeres Unheil anrichteten.

Er und der Erzbischof von Mainz verständigten sich mit dem Quartiermeister, dann befahl der Thüringer den Abmarsch.

Thomas erkannte sofort, wohin sie zogen: zu einem Hügel östlich von Akkon, der nach drei Seiten steil abfiel und an einem Fluss lag. Genau dort hatten sie vor sieben Jahren gelagert, als sie monatelang vergeblich versuchten, die Stadt einzunehmen.

Doch diesmal waren die Umstände günstiger: Es war warm, der Boden fest und nicht schlammig, sie würden Proviant haben – und die Stadt war ihnen nicht feindlich gesinnt. Sofern es nicht zu neuerlichen Zwischenfällen kam.

Als Zeltlager und Koppeln errichtet waren, er sich gewaschen, umgekleidet und den Bart abgenommen hatte, bat Thomas den Grafen von Weißenfels um Erlaubnis, in die Stadt gehen zu dürfen. Er wollte in der Kirche des deutschen Hospitals ein Gebet für Rolands Seelenheil sprechen.

»Ich begleite Euch«, entschied Dietrich. »Ich will das Grab des Herzogs von Schwaben aufsuchen.«

Friedrich von Schwaben, einer der Söhne Kaiser Friedrichs von Staufen, hatte nach dem Tod seines Vaters in Kilikien die Führung über den deutschen Heerzug übernommen, bis er dreiundzwanzigjährig hier vor Akkon einer Seuche erlag.

Doch bevor die beiden Männer zu ihren Pferden gehen und aufsitzen konnten, trat ein Mann in golddurchwirkten Seidengewändern auf sie zu.

»Theodericus de Misna?«, erkundigte er sich auf Latein, Dietrich von Meißen?

Dietrich bejahte, auch wenn er schon lange nicht mehr so bezeichnet wurde und ihm die Anrede einen Stich versetzte. Dietrich, Markgraf von Meißen – so sollte er genannt werden. Doch der Kaiser verwehrte ihm Land und Titel.

»Der Herr von Jerusalem erwartet Euch zu einer Audienz, gemeinsam mit dem Erzbischof von Mainz und dem Markgrafen der Ostmark. Folgt mir!«

Thomas wurde angewiesen, Dietrich zu begleiten, so wie der Schwarzburger den Erzbischof begleiten würde.

Missmutig sah Thomas an sich herab. Er hatte sich zwar im Fluss gewaschen, sein Haar mit einem feinen Kamm von Ungeziefer befreit und saubere Kleider angezogen, dennoch fühlte er sich nach dem Schmutz der letzten Wochen und angesichts des kostbaren Gewandes des Boten nicht angemessen gekleidet für einen Besuch beim König – schon gar nicht hier, wo selbst die Kleider der Hofbediensteten feiner waren als die Leinenbliauts der deutschen Ritter.

Er fragte sich auch, weshalb Dietrich mit den beiden Fürsten gerufen wurde, die im Rang weit über ihm standen. Doch der Grund dafür würde sich wohl bald zeigen.

In ihren besten Kleidern und auf ihren besten Pferden folgten die Eingeladenen dem Boten in die Stadt.

Jetzt wimmelte es in den Gassen Akkons von Menschen.
Thomas nahm den Anblick in sich auf und versuchte, etwas von dem Sprachengewirr zu verstehen. Wenn sie länger hierblieben, sollte er vielleicht ein wenig diese Sprachen lernen. Er war es jetzt schon leid, sich mit den Menschen nicht verständigen zu können, über deren Gepflogenheiten er mehr erfahren wollte. Das Morgenland galt als der Ort, wo sich die Weisheit vieler Völker zu neuer Blüte vereinte. Wie sehr es ihn allein interessierte, etwas über die Heilkunde zu erfahren, über die hiesigen Heilpflanzen und Behandlungsmethoden! Schon, um seiner Mutter davon zu erzählen.
Ganz anders als in deutschen Hospitälern war es in Antiochia zugegangen, wo er von schwerer Krankheit und Verletzung geheilt worden war. Ohne das Können der dortigen Ärzte wäre er gestorben oder hätte zumindest einen Arm eingebüßt.
Selbst wenn hier nicht Milch und Honig flossen – auf dem Weg vom Lager in die Stadt hatte er wildwachsenden Salbei und Fenchel gesehen! War das nicht noch besser?
Und da, unter diesem Torbogen, verkaufte ein Mann mit einem schwarzen Bart getrocknete Kräuter, Pulver und Tinkturen.
Ein paar Schritte weiter atmete er begierig den Duft der Gewürze ein, die in leuchtendem Rot und Safrangelb säckeweise auf den Karren der Händler standen, sah begehrlich auf die Damaszenerklingen, die ein Waffenschmied anbot, hielt Ausschau nach Templern und Johannitern, die in großer Zahl in den engen, gewundenen Gassen unterwegs waren, denn nun hatten beide Ritterorden ihre Hauptquartiere in Akkon, und wunderte sich einmal mehr über die grazilen Pferde, die von den Einheimischen als Reittiere verwendet wurden. Überall wurde lautstark gefeilscht, gepriesen, gesungen, gebetet.

Und da waren sie auch, die zierlichen Frauen mit ihren fließenden Gewändern, dem anmutigen Gang und den faszinierenden Augen!

Doch dann riss er seine Blicke davon los und richtete seine Gedanken auf den Empfang beim König von Jerusalem, der jetzt nur noch Herrscher von Akkon und eines schmalen Küstenstreifens war.

Sein Vorgänger Guido von Lusignan hatte das Königreich in den Untergang gestürzt, als er vor zehn Jahren gegen den Rat landeskundiger Barone beinahe die gesamte christliche Streitmacht in die vernichtende Schlacht von Hattin führte. Das Heer wurde fast völlig aufgerieben, ebenso die beiden Ritterorden, die Templer und die Johanniter. In den Wochen darauf eroberte Saladin Jerusalem und fast sämtliche anderen Städte, die bis dahin noch in christlicher Hand waren. Nur Konrad von Montferrat konnte gegen ihn die Hafenstadt Tyros behaupten. Doch Guido und Konrad waren verfeindet; dem Rivalen zum Trotz befahl Lusignan die militärisch aussichtslose Belagerung Akkons, die anderthalb Jahre dauerte und viele tausend Menschenleben kostete. Erst die Ankunft des englischen und des französischen Königs mit ihren Streitmächten führte zur Einnahme der Stadt.

Die über Guidos Unfähigkeit aufgebrachten Barone Outremers zwangen Lusignan, auf die Krone von Jerusalem zu verzichten, und fanden ihn mit Zypern ab, wo er ihrer Ansicht nach weniger Schaden anrichten konnte. Dort war er vor ein paar Jahren gestorben. Sein Bruder Amalrich war nun Herrscher von Zypern und hatte ebenso wie Fürst Leo von Armenien den deutschen Kaiser gebeten, ihn zu krönen und zum Lehnsmann zu nehmen. Nach Guidos Vertreibung wurde Konrad von Montferrat zum König von Jerusalem gewählt, ein Verwandter der Staufer, aber schon wenige Tage später von Assassinen erstochen. Das Gerücht, der geltungssüchtige und stauferfeindliche Richard

Löwenherz habe den Mord in Auftrag gegeben, hielt sich immer noch, auch wenn es nicht besonders glaubwürdig war.

Thomas hatte sie alle drei vor Akkon erlebt: den unfähigen Guido, der Männer in sinnlose Angriffe trieb und opferte, den militärisch erfahrenen und energischen Konrad von Montferrat, der sogar eine Seeschlacht gegen Saladin gewonnen hatte, und den jetzigen König Heinrich von Champagne. Dieser war Anführer des fränkischen Heeres vor Akkon geworden, nachdem Ludwig von Thüringen auf den Tod erkrankt war. Jetzt war er also König, auch wenn er sich nicht mit diesem Titel anreden ließ, weil er nicht in Jerusalem gekrönt worden war.

Gespannt darauf, was sie erwartete, ritten Thomas und Dietrich mit ihren Begleitern ein zweites Mal auf den Hof des Palastes. Jetzt erst hatten sie ein Auge für die Blütenpracht, die reichverzierten Brunnen, die verschlungen Muster an den Wänden.

Bevor die Gäste den Audienzsaal betreten durften, führten Diener jeden von ihnen in eine Badekammer.

Es verschlug Thomas die Sprache angesichts solch verschwenderischen Überflusses. Licht fiel durch schmale, gemusterte Holzgitter vor den Fenstern, die Wände waren über und über mit Ornamenten bedeckt, wie er es schon im Byzantinischen Reich und in Antiochia bewundert hatte. In einem fein ziselierten Messinggefäß brannten Räucherwaren und verbreiteten einen fremdartigen, doch angenehmen Duft. Das Becken war in den Boden eingelassen und mit Steinmustern umfasst, das Wasser sogar warm!

Er legte die Waffen ab, zerrte sich die schon wieder durchgeschwitzten Sachen vom Leib und stieg vorsichtig hinein. Am Rand des Beckens standen kleine Fläschchen; er zog die Stöpsel heraus und roch daran, dann stellte er sie wieder zurück und hielt lieber Ausschau nach Seife.

Zu spät fiel ihm auf, dass hier keine Tücher zum Abtrocknen lagen. Da war er schon vollends untergetaucht, genoss die Wärme und Frische und blieb so lange unter Wasser, wie er den Atem anhalten konnte.

Dann tauchte er schnaubend wieder auf, strich sich die nassen Haare zurück, ließ seine Gedanken fließen und konnte sich nicht dazu durchringen, das schmeichelnde Wasser zu verlassen. Zwei Diener traten ein, einer trug einen Stapel Kleider, ein anderer breitete ein Leinentuch aus – offensichtlich erwartete er, dass Thomas aus dem Wasser stieg und sich von ihm abtrocknen ließ. Das ging dem jungen Freiberger aber doch zu weit.

Er riss dem verwunderten Diener das Handtuch aus den Händen und bedeckte seinen nackten Körper, während er aus dem Wasser stieg. Dann blieb er stehen, bis die beiden Diener – belustigt über den barbarischen Franken – den Raum verließen. Seine Sachen und Waffen nahmen sie mit.

Nun, es war auch nicht zu erwarten gewesen, dass er bewaffnet vor den Herrscher von Jerusalem treten durfte. So blieb ihm nichts weiter übrig, als in die frischen Gewänder zu steigen, und in ihm wuchs der Wunsch, seiner Mutter und seiner Schwester solch schöne Gewebe mitzubringen.

Der Erzbischof von Mainz war der Einzige unter den Gästen des Königs, der noch seine eigenen Gewänder trug; die anderen war neu eingekleidet nach Landessitte, was sie etwas weniger fremd hier wirken ließ – aber nur etwas, und dafür umso fremder in Thomas' Augen.

Zwei Diener öffneten die Flügel einer mit prachtvollen Schnitzereien geschmückten Tür und ließen sie in den Saal des Königs eintreten.

Der Erzbischof neigte den Kopf, die Ritter knieten nieder.

Der König – ein Enkel der berühmten Eleonore von Aquitanien und Neffe von Richard Löwenherz – war etwa dreißig Jahre alt und von nicht allzu großer Gestalt. Aber er hatte ein ausdrucksstarkes Gesicht und ein energisches Kinn. Er begrüßte seine

Gäste und erlaubte ihnen, sich zu erheben und Platz zu nehmen. Nicht etwa auf grob behauenen Bänken oder in steinernen Sitznischen wie in einer deutschen Burg, sondern auf golddurchwirkten Kissen. Vor ihnen standen sechseckige Tischchen mit verschlungenen Intarsien, darauf kostbare Becher aus Silber und Messing.

Thomas brauchte einen Augenblick, um sich zu sammeln, als er die beiden Männer links und rechts des Herrschers sah. Heinrich von Champagne befand sich in bemerkenswerter Gesellschaft.

Der hagere, etwa sechzigjährige Mann zu Heinrichs Rechten mit dem scharfkantigem Gesicht und den klugen, durchdringenden Augen musste der königliche Heerführer sein, Hugo von Tiberias, einer der angesehensten Barone in Outremer.

Und in dem Mann links vom König erkannte er am rotgelben Wappen Balian von Ibelin, den Heinrich zu einem seiner engsten Berater gemacht hatte.

Das ist also der Mann, der die Schlacht von Hattin überlebte, die Verteidigung Jerusalems leitete und dafür sorgte, dass die meisten christlichen Bewohner der Stadt lebend abziehen konnten!, dachte Thomas beeindruckt. Und der den Frieden zwischen Saladin und Richard Löwenherz mit aushandelte! Ibelin war eine Legende. Er und sein inzwischen verstorbener älterer Bruder Balduin, beide Barone von großem Einfluss, hatten einst zu den erbittertsten Gegnern König Guidos gehört. Hätte dieser seinen Rat angenommen und das Heer nicht durch wasserloses Gebiet geführt, wäre der Christenheit die vernichtende Niederlage von Hattin mit all ihren schlimmen Folgen erspart geblieben.

Die Unterhaltung wurde auf Französisch geführt, so dass Thomas nur einen Teil des Gespräches anhand einiger bekannter Formulierungen und der Mimik der Beteiligten mitbekam.

Offenbar lobte der König den Einsatz Dietrichs bei der Einnahme Akkons vor Jahren, wo nach dem Tod des Herzogs von

Schwaben unter seinem Kommando deutsche Ritter in der Streitmacht des Königs von Frankreich gekämpft hatten. Das erklärte, weshalb Dietrich eingeladen war.

Der König fand sogar lobende Worte für den jungen Ritter in Dietrichs Begleitung, der auch damals schon dabei gewesen war. Er sprach anerkennend von Ludwig von Thüringen, seinem Vorgänger als Anführer des fränkischen Heeres, was der Schwarzburger mit steinerner Miene aufnahm.

Doch dann rief Heinrich von Champagne einen Übersetzer herbei, der bereits an der Seite wartete. Was jetzt kam, war ihm offenbar so wichtig, dass kein Wort verlorengehen durfte.

»Wir haben den Kaiser nicht gebeten, uns Truppen zu schicken«, sagte der Herrscher Akkons mit strenger Miene. »Wir danken Gott dafür, dass wir die Waffenruhe verlängern konnten. Es ist ein denkbar schlechter Zeitpunkt, jetzt Jerusalem angreifen zu wollen. Wir können kaum den Küstenstreifen halten, und die Küsten selbst sind unsicher durch Piraterie von Beirut aus.«

Das saß wie ein Hieb in den Nacken. Keiner der Gäste sprach ein Wort oder verriet auch nur durch eine Regung seines Gesichtes, was er dachte.

Es war in der Tat außergewöhnlich, dass nicht der Papst, sondern der Kaiser zum Kreuzzug aufrief. Aber Coelestin hatte diese deutsche Unternehmung unterstützt, sogar versucht, auch die Engländer zur Teilnahme zu bewegen, wenngleich ohne Erfolg.

Dass sie hier bei den Christen unerwünscht waren, hatte allerdings niemand vermutet. Jedenfalls nicht in dieser Schärfe.

»Wie viele Männer wird der Kaiser noch schicken?«, erkundigte sich Hugo von Tiberias sachlich.

Konrad von Mainz übernahm es zu antworten; als Erzkanzler war er der Ranghöchste der Gäste.

»Der Kaiser selbst schickt sechstausend Mann auf eigene Kosten: Ritter, Sergenten, Knappen. Außerdem haben viele angesehene Fürsten aus allen Teilen des Reiches ihre Teilnahme erklärt und sind mit ihren Kontingenten unterwegs nach Messina oder schon hierher. Wir sind nur die Vorhut. Das Gros der kaiserlichen Streitmacht wird in den nächsten Wochen eintreffen. Sie steht unter dem Kommando des Marschalls Heinrich von Kalden. Im September erwarten wir noch einmal Verstärkung durch eine Flotte, die von der Nordsee her segelt, mit Heinrich von Braunschweig und dem Herzog von Brabant.«

»Heinrich von Kalden ist ein entschlossener Kämpfer«, meinte der König nachdenklich. Der kaltblütige Marschall war schon unter Friedrich von Staufen ins Heilige Land gezogen und hatte dort Männer in die Schlacht geführt. »Doch ich glaube kaum, dass sich die Fürsten – noch dazu in so großer Zahl – unter das Kommando eines Ministerialen stellen werden.«

Das sah Thomas auch so, aber diese Frage würde sich wahrscheinlich sehr schnell klären.

Heinrich von Champange lächelte knapp. »In diese Angelegenheit werde ich mich nicht einmischen. Doch worin ich unbedingten Gehorsam fordere: Die Waffenruhe darf nicht verletzt werden! Jedenfalls nicht, bevor euer Heer vollständig hier beisammen ist und wir auch Aussicht auf Erfolg bei einem Angriff haben.«

Diese Worte sprach er hart und unnachgiebig aus.

Thomas dachte an die langen und lauten Prahlereien der Männer auf See, die es gar nicht abwarten konnten, Heiden zu töten und Beute zu machen, und fragte sich, ob nicht ein paar von ihnen inzwischen schon gegen diesen Befehl des Königs verstoßen hatten. Sie sollten wohl eiligst ins Lager zurückkehren, um das zu verhindern. Ein Seitenblick auf Dietrich sagte ihm, dass der das Gleiche dachte.

»Übereifrige Neuankömmlinge aus Franken, die nichts von dem Leben hier und unseren Abkommen mit den Sarazenen wissen, haben in all den Jahren viel zu viel Schaden angerichtet«, erklärte Tiberias streng. »Wir erwarten, dass Ihr Eure Männer zu unbedingter Disziplin zwingt und die Waffenruhe einhaltet.«

»Dann erlaubt, dass wir uns umgehend zurückziehen und dafür Sorge tragen«, schlug der Erzbischof von Mainz vor.

Auf ein Zeichen des Königs erhoben sich die Gäste und verließen den Saal.

Draußen übergaben ihnen Höflinge ihre Waffen und ihre sorgfältig zusammengelegten Kleider.

»Wir werden wohl erst einmal ein paar Störenfriede und Plünderer zur Abschreckung aufhängen müssen«, konstatierte Konrad von der Ostmark sarkastisch, während er sein Schwert umgürtete.

Dietrichs düsteres Gesicht verriet Thomas, dass er die Sache genauso sah wie sein Cousin und sie ihren Kirchgang wohl noch etwas aufschieben mussten.

Der Vorschlag

Es kam, wie Konrad von der Ostmark befürchtet hatte: Mehrere Gruppen Bewaffneter waren bereits ausgeschwärmt, begierig darauf, den erstbesten Ungläubigen zu erschlagen, der ihnen über den Weg lief, um sich einen Platz im Paradies zu sichern.

Das Unheil war schon angerichtet. Vor einem der Zelte stak auf einem Spieß ein abgeschlagener Kopf mit gebräunter Haut und schwarzen Haaren als Trophäe, daneben feierten Männer lautstark und siegestrunken.

Dietrichs Vetter ließ sie allesamt in Fesseln legen. Heinrich von Schwarzburg befragte seine Männer, ob noch weitere Störenfriede aus anderen Lagerabschnitten unterwegs waren, und schickte sie sofort hinterher, um sie aufzuhalten.

Konrad von Mainz rief die Fürsten und Anführer der einzelnen Kontingente zum Kriegsgericht zusammen.

Zwei Plünderern aus seiner eigenen Streitmacht ließ der Markgraf des Ostens die Hand abschlagen und verstieß sie aus dem Heer. Als ihre blutenden Stümpfe mit heißem Teer bestrichen und verbunden waren, mussten sie ohne jegliche Habe loswanken und versuchen, in der Stadt zu überleben, deren Bewohner sie bestohlen hatten.

Die Anführer der einzelnen Heeresteile beschlossen einmütig, den Mann an den Herrscher von Jerusalem zu übergeben, der einen Einheimischen erschlagen hatte. Der Mörder sollte mitten in der Stadt aufgehängt werden, um allen zu zeigen, dass die Missetat gesühnt wurde und die Neuankömmlinge aus deutschen Landen sich ab sofort an die Waffenruhe halten wollten.

Wie sich noch am gleichen Tag herausstellte, war der Erschlagene kein Sarazene, sondern ein Christ gewesen.

Auch die Männer Heinrichs von Schwarzburg hatten bei der Verfolgung und Gefangennahme der Plünderer einen Toten zu beklagen. Eine Gruppe von Mordlustigen wollte sich nicht von ihrem Vorhaben abbringen lassen, Heiden abzuschlachten, und lieferte sich mit den Thüringern ein blutiges Gefecht. Zwei der vollkommen Enthemmten kamen dabei um, drei weitere wurden von den Männern des Schwarzburgers überwältigt und in Fesseln zum Lager geführt. Aber ein Thüringer starb bei diesem Kampf.

Das Fürstengericht beschloss ohne großes Federlesen, die Gefangenen im Lager aufzuknüpfen.

Nachdem das Urteil vollstreckt war, zog sich Thomas zu den Pferden zurück.

Es fängt schon wieder an wie damals, dachte er bedrückt. Hatte ich das etwa vergessen, als ich Dietrich sagte, ich wollte mit auf diesen Kriegszug?

Es ging mir doch nicht nur darum, endlich meinen Wallfahrer-eid zu erfüllen. Frieden wollte ich finden am Grab von Jesus. Aber wenn wir nicht nach Jerusalem können – wie lange werden all diese kampflustigen Männer ruhig bleiben und den Waffen-stillstand wahren?

Vielleicht sollten wir besser wieder abziehen und dem Kaiser Nachricht schicken, das Ganze abzubrechen. Doch dazu wird es wohl kaum kommen. Kaiser Heinrich ist jemand, der Dinge sehr zielstrebig verfolgt, auch wenn er seine wahren Absichten selten enthüllt. Wer weiß, was er wirklich vorhat mit diesem Kreuzzug, außer sich das Wohlwollen des Papstes zu erzwin-gen!

Nachdenklich und voller bitterer Gedanken legte Thomas den Kopf in den Nacken und starrte auf die Mondsichel, die hier fern der Heimat merkwürdig auf dem Rücken lag, während Drago ihm freundlich den Kopf an die Schulter lehnte.

Der Befehl des Königs von Jerusalem, unbedingt die Waffenru-he einzuhalten, war auch noch am nächsten Morgen Gegenstand lebhafter Erörterungen in der Vorhut des kaiserlichen Heeres.

Was sollten sie hier, wenn sie nicht kämpfen durften? Und wie sollten sie den vom Papst versprochenen Platz im Paradies und die Vergebung aller Missetaten erlangen, wenn sie *keine* Un-gläubigen erschlugen? Waren sie nicht deshalb hierhergekom-men?

Allerdings rieten das Schicksal der Verurteilten und der Anblick der drei Gehängten im Lager, gerade diesen Punkt nicht vor je-dermann zu erörtern.

Dietrich wusste ebenso wie Thomas, dass so viele Männer, die zum Kämpfen gekommen waren und Beute machen wollten, nicht lange in Untätigkeit verharren würden. Das mussten sie nicht einmal aussprechen; ein Blick zwischen ihnen beiden ge-nügte. Sie hatten auf dem vorangegangenen Kreuzzug und während der Kämpfe um Weißenfels genug Seite an Seite durchlitten, um zu wissen, was der andere in dieser Lage dachte.

»Halte die Männer mit den Pferden beschäftigt, sonst geht die Disziplin verloren«, riet Dietrich seinem Vetter Konrad.

Der setzte diesen Vorschlag gleich nach der Morgenandacht und dem Frühmahl um. Die Pferde mussten nach der Überfahrt dringend bewegt werden, damit sich ihre steifen Muskeln lockerten und ihre Verdauung wieder in Gang kam.

Rasch setzte Geschäftigkeit in den Koppeln ein. Um zu verhindern, dass Einzelne die Gelegenheit nutzten, entgegen den Befehlen zu einem Beutezug aufzubrechen, befahlen die Anführer nach den ersten vorsichtigen Gehversuchen der Pferde Formationsübungen für ihre Einheiten.

Dietrich und Thomas allerdings stiegen in den Sattel, um nun endlich auszuführen, was sie am Vortag nicht mehr geschafft hatten. Sie ritten zum Hospital der Deutschen in Akkon.

Dietrich wusste, dass sich das Sankt-Nikolaus-Tor im Nordosten Akkons befand. So hielten sie vom Lager aus gleich auf dieses Tor zu, um die Stadt zu betreten.

Als sie dort waren, erkundigte er sich in der Sprache der Franzosen, ob die Kirche vor ihnen die Marienkirche des Hospitals der Deutschen sei, und erhielt eine bestätigende Antwort.

Es war nicht mehr weit. Bald standen sie vor einem umzäunten Garten mit einem mehrstöckigen Haus und einer Kirche. Als ein Mönch sie mit deutschen Worten einlud einzutreten, kam es Thomas schon fast ungewohnt vor, hier in der Fremde auf jemanden zu treffen, der seine Sprache sprach – von den Reisegefährten abgesehen.

Thomas übernahm es, sich um die Unterbringung der Pferde zu kümmern, dann folgte er Dietrich in die Kirche und kniete neben ihm vor dem Altar nieder.

In dieser Kirche, das hatte ihm der Graf von Weißenfels erzählt, war nun Friedrich von Schwaben bestattet. Für ihn und für seinen toten Freund wollte Thomas beten.

Roland und der Herzog von Schwaben waren beide erst Anfang zwanzig, als sie hier vor Akkon starben. Friedrich war wie Tausende elendig an einer Seuche zugrunde gegangen, auf eine der qualvollsten und würdelosesten Arten, auf die man sterben konnte.

Beinahe wäre auch Roland dieses Schicksal widerfahren. Thomas hatte ihn retten können, indem er sein Pferd schlachtete und den Kranken davon etwas zu essen kochen ließ. Doch kaum war Roland wieder halbwegs genesen, fiel er bei einem sinnlosen Scharmützel, durch übereifrige Pisaner und Engländer vom Zaun gebrochen, denen die Deutschen zu Hilfe kommen mussten.

Nach zweieinhalb Jahren auf diesem verlustreichen und strapaziösen Kreuzzug, nach so vielen überwundenen Gefahren und blutigen Schlachten, starb Roland einen Tag vor Einnahme der Stadt durch einen Pfeil in den Rücken.

Thomas stand das Bild immer noch vor Augen. Er hatte es nie vergessen und würde es nie vergessen können … Seine Fassungslosigkeit, seine vergebliche Hoffnung, der Freund könnte überleben …

Er hatte ihn noch ins Krankenlager geschleppt. Aber nicht einmal die heilkundigsten Helfer konnten ihn retten.

Der nie verwundene Schmerz und die nie erloschenen Selbstvorwürfe schnürten ihm die Kehle zu. Seine Augen fingen an zu brennen. Mit einer heftigen Bewegung stemmte er sich hoch und stürzte hinaus. Er konnte es nicht länger ertragen, hier Rolands Gesicht zu sehen, den Nachhall seiner Stimme zu hören. Am liebsten hätte er seine Verzweiflung aus sich herausgeheult und herausgeschrien.

Aber nicht vor Dietrich. Und nicht in einer Kirche. Der Gedanke, dass Dietrich von Weißenfels – der Mann, den sein Vater zum Ritter erzogen hatte – ihm nachsah und sich seinen Teil dachte, dass er ihn aus der Andacht gerissen und sich als unbeherrscht gezeigt hatte, machte alles noch schlimmer.

Zu Thomas' einziger Erleichterung folgte Dietrich ihm nicht, sondern verharrte vor dem Altar,

Er hatte geglaubt, hier Heilung finden zu können. Aber er hatte sich wohl geirrt. Er war nicht stark genug, um die Erinnerung zu ertragen.

Wieder einmal ging er zu seinem Hengst und verbarg sein Gesicht an Dragos Hals.

Da stehen wir, mein Freund, ganz wund und für den Kampf nicht tauglich. Haben wir uns zu viel vorgenommen mit dieser Reise?

Thomas hätte nicht sagen können, wie viel Zeit vergangen war, bis sich sein aufgewühltes Inneres wieder so weit beruhigt hatte, dass er in den Garten treten und in die Sonne blinzeln konnte.

Ein Mann mit faltenzerfurchtem Gesicht in der Kleidung eines Laienbruders schlurfte ihm entgegen und fragte, ob er dem Gast behilflich sein könne.

Diesmal wunderte sich Thomas nicht, in seiner Sprache angesprochen zu werden, sondern freute sich darüber. Dieser Ort war offenkundig eine Art deutscher Insel in der Fremde. Er hoffte, dass seine Züge wieder gelassen wirkten, und fragte nach Bruder Notker.

»Der kahle Notker oder der junge?«, erkundigte sich der Laienbruder.

»Klein, dünn, mit einer schiefen Tonsur und kundig im Umgang mit Heilkräutern«, beschrieb Thomas den Gesuchten. Ganz jung war Notker acht Jahre nach ihrer ersten Begegnung nun nicht mehr, und er hoffte, dass der Mönch inzwischen nicht ganz kahl geworden war.

»Am ehesten findet Ihr ihn im oberen Krankensaal«, erklärte der Ältere und wies auf das Hospitalgebäude.

Voll gespannter Erwartung stieg Thomas die Treppe hinauf. Also lebte der Wegbegleiter auf dem qualvollen Marsch ins Heilige Land noch!

Sie hatten sich gegenseitig in schwersten Momenten das Leben gerettet. Und Notker, der Thomas anfangs viel zu schwach für die Strapazen der Reise schien, auf die ihn sein Abt zur Strafe für eine unerwünschte Frage geschickt hatte, schien unterwegs nicht nur zu bemerkenswerter Stärke, sondern auch zu seiner Bestimmung gefunden zu haben.

Der Krankensaal war – wie jener in Antiochia, in dem Thomas viele Wochen zugebracht hatte – hell, sauber und luftig. Vor den Fensteröffnungen hingen Tücher, um das grelle Sonnenlicht zu dämpfen.

Thomas starrte auf eine schmale Gestalt an einem der hintersten Krankenbetten. Sie strich eine Salbe auf die Hand des Kranken, murmelte ein Gebet und schlug ein Kreuz.

Still verharrte Thomas auf seinem Beobachterposten.

Die meisten Kranken im Saal schienen zu schlafen; ein nahe der Tür untergebrachter Mann mit einem Beinstumpf sah ihn misstrauisch an; fünf der zwölf Betten waren leer, aber mit sauberem Leinen bedeckt.

Nun richtete sich Bruder Notker auf und drehte sich um.

Interessiert sah er auf den Besucher am Eingang und ging ihm entgegen. Als er erkannte, wer dort stand, zog ein Strahlen über sein Gesicht, und seine gemessenen Schritte wurden schneller.

Eilig führte er den Besucher aus dem Krankensaal in den Gang und sagte dort voller Freude: »Ihr lebt! Und Gott hat Euch wieder hierhergeführt!«

»Und du lebst auch!«

Am liebsten hätte er den einstigen Gefährten umarmt. Aber Mönche waren angehalten, körperliche Nähe zu meiden. Deshalb hielt Thomas mitten in der Bewegung inne und betrachtete Notker, über das ganze Gesicht grinsend. »Jetzt sitzt sogar deine Tonsur gerade! Sie haben tatsächlich einen ordentlichen Mönch aus dir gemacht!«

Notker kicherte leise. »Ja, hier wird sehr darauf geachtet, dass alles ordentlich und gottgefällig zugeht.«

»Bist du glücklich? Hast du deine Aufgabe gefunden?«

»Das habe ich«, antwortete Notker fröhlich. »Ihr habt den Krankensaal gesehen. Hier können wir wirklich den Menschen helfen, ganz anders als damals in dem Notlager unter dem Segel, als wir weder Essen noch Arzneien hatten und Wind und Wetter ausgesetzt waren.« Sein Gesicht verdüsterte sich für einen Moment. Dann sagte er: »Ich darf hier nicht müßig herumstehen und schwatzen. Aber wenn Ihr wollt, begleitet mich in den Kräutergarten. Ich brauche frischen Lavendel und etwas Minze.«

Thomas folgte ihm bereitwillig.

»Nach der Eroberung Akkons verkaufte uns König Guido dieses Grundstück für fünfhundert Byzantiner und ein Pferd«, erzählte Notker voller Stolz, während sie die Treppen hinabstiegen. »Wir nennen uns Sankt-Marien-Hospital der Deutschen, nach dem gleichnamigen Hospital, das bis zum Fall Jerusalems in der Heiligen Stadt bestand. Der Papst stellte uns als deutsche Hospitalgemeinschaft für die Armen- und Krankenpflege unter seinen Schutz, ebenso Kaiser Heinrich.«

Sie hatten den Garten erreicht, der angelegt war wie der Garten des Klosters bei Nossen und auch einst Marthes Kräutergarten in Freiberg: reihenweise Hochbeete in Holzkästen. Die meisten Pflanzen kannte Thomas, aber einige waren ihm fremd. Neugierig roch er an den Blüten oder zerrieb ein Blatt.

»Lebt Eure heilkundige Mutter noch?«, erkundigte sich Notker. Thomas bejahte; zumindest hoffte er das.

Der Mönch legte das Kräutermesser beiseite, mit dem er einige Minzestengel abgeschnitten hatte, und zog etwas sorgsam in Leinen Eingeschlagenes hervor, das auf dem Boden seines runden Weidenkorbes lag.

Andächtig wickelte er es aus: es war ein Büchlein voller Zeichnungen und mit lateinischer Schrift zwischen den Bildern. »Unser Vorsteher ist ein sehr weiser Mann. Er gestattete mir, dass ich Rat bei den sarazenischen Gelehrten und sogar bei den jüdischen einhole, was die hiesigen Heilpflanzen und ihre Verwendung betrifft.«

Er schlug diese oder jene Seite auf, erklärte Thomas, wie man mit Mohnsaft und Schwämmen Patienten vor einem blutigen Schnitt in tiefen Schlaf versetzen konnte, welche Mittel die Einheimischen anwandten, um das Leiden der Leprösen zu mildern, und mit welchen Pflanzen sie eitrige Wunden zum Abheilen brachten.

Beinahe schüchtern fragte Thomas, ob er das kostbare Buch nehmen durfte, wischte sich die Hände ab und blätterte vorsichtig darin. Notker zupfte inzwischen Lavendelblüten von den großen Büschen, um sich nicht Müßiggang vorwerfen zu lassen, und holte dann Wasser von einem zierlichen Brunnen, um die Pflanzen zu gießen, die mehr Feuchtigkeit brauchten.

Fasziniert betrachtete Thomas die detailreichen und genauen Zeichnungen. Wenn Notker sie alle selbst angefertigt hatte, besaß er ein großes Talent dafür – und eine genaue Beobachtungsgabe.

Zu seinem großen Bedauern konnte er die lateinischen Erklärungen nicht lesen.

»Eure Brüder sollten Euch im Skriptorium dieses Wunderwerk wieder und wieder abschreiben lassen«, brachte er staunend hervor. »Wie viele Leben könnten gerettet werden, wie viele Kranke geheilt, wenn dieses Wissen jedermann zugänglich wäre!«

Notker lächelte, und diesmal war es sein Lächeln, das schief wirkte, nachdem die Tonsur endlich gerade saß.

»Vielleicht beschließt ja unser Vorsteher, den Bruder in der Schreibstube damit zu beauftragen. Ich bin hier genau am richtigen Platz, wenn ich mich um die Kranken und um den Kräutergarten kümmere, so wie früher in meinem Kloster. Nur dass ich hier viel besser helfen kann. Ich glaube, deshalb hat Gott mich auf diese lange und beschwerliche Reise geschickt. Also sollte ich mein Bestes geben, die Aufgaben in aller Demut und mit aller Kraft zu erfüllen, die Er mir stellt.«

Er ist glücklich und hat seinen Platz gefunden, dachte Thomas angesichts des kleinen, nun aber braungebrannten und gar nicht mehr unsicher und schwächlich wirkenden Mönches. Er freute sich mit ihm, und er beneidete ihn. Es war kein böser, giftiger Neid, sondern eher der Wunsch, hier auch das zu finden, was er verloren hatte: ein Ziel.

Vor seinem geistigen Auge tauchten auf einmal die Männer auf, die auf dem Schiff um die Wette gebrüllt hatten, wer von ihnen die meisten Sarazenen erschlagen würde.

»Was glotzt Ihr so?«, hatte einer von denen ihm zugerufen. »Seid Ihr etwa *nicht* gekommen, um Heiden totzuschlagen?«

Wir sind nicht hier, um zu lernen, sondern um zu töten, scholl als stumme Ermahnung in seinem Geist.

Nein, wir sollen Pilger schützen und ihnen den Zugang zu den heiligen Städten in Jerusalem ermöglichen, widersprach Thomas im Geiste.

Die Pilger *haben* Zugang zu den heiligen Städten, höhnte die fremde Stimme in seinem Kopf, das sicherte ihnen Saladin zu. Ihr sollt Jerusalem erobern, und dazu müsst ihr kämpfen und jene töten, die nicht dem einzig wahren Glauben anhängen.

Nein, das kann nicht das rechte Ziel dieser Pilgerfahrt sein, beharrte Thomas in Gedanken. Claras Worte kamen ihm wieder in den Sinn. Er war hier auf der Suche nach etwas, von dem er noch nicht wusste, was es war.

Und er wollte Seelenfrieden, Vergebung aller Sünden für sich, seine Schwester und seine Eltern.

Ein junger Laienbruder tauchte auf und unterbrach seine finsteren Gedankengänge.

»Seid Ihr Thomas von Christiansdorf?«, erkundigte er sich. »Ich soll Euch zu Euern Herrn begleiten.«

Andächtig schlug Thomas das kostbare Büchlein wieder in das Leinen ein und legte es in den Korb, unter die frischen Blätter und Stengel, die Bruder Notker gesammelt hatte. Er dankte ihm und verabschiedete sich höflich von ihm, dann folgte er dem Boten. Er würde Notker hier ganz gewiss noch öfter besuchen.

Der Laienbruder führte ihn in einen Raum, in dem ihn nicht nur Dietrich erwartete, sondern ein hochgewachsener Mann mit strengen Gesichtszügen – und zu seiner Überraschung der Erzbischof von Mainz.

Alle drei Männer saßen um einen Tisch, auf dem eine Schale mit Obst, Becher, eine schlichte, aber schön geformte Kanne, ein Leuchter und ein Räuchergefäß standen.

Thomas kniete nieder und senkte den Kopf, während er spürte, wie er gemustert wurde.

Nach einer Zeit, die ihm wie eine Unendlichkeit vorkam, wurde er aufgefordert, sich zu erheben.

»Das ist Heinrich Walpot, der Vorsteher der Spitalbruderschaft«, erklärte Dietrich und wies auf den streng dreinblickenden Mann neben sich.

»Graf Dietrich sagte mir, dass dies bereits Eure zweite Wallfahrt in Waffen ist«, sagte Heinrich Walpot. »Dass Ihr ein außergewöhnlicher Kämpfer seid und Euch auch recht gut in der Heilkunde auskennt. Und dass Ihr vor Akkon Euer Pferd geopfert habt, aber darauf bestandet, trotz des eigenen Hungers das Fleisch ausschließlich an die Kranken zu verteilen.«

Thomas sagte nichts darauf, weil ihm keine passende Antwort angesichts von so viel Lob einfiel. Worauf würde dieses Gespräch wohl hinauslaufen? Weshalb hatte man ihn überhaupt in diese erlesene Runde gerufen? Er hatte keine Ahnung, dass auch der mächtige Erzbischof von Mainz hier war. Dessen Ankunft musste er wohl verpasst haben. Und wo mochte wohl sein Gefolge stecken?

»Der Kaiser beabsichtigt, die Hospitalbruderschaft in den Rang eines Ritterordens zu erheben«, sagte nun Konrad von Mainz zu Thomas' Erstaunen. »Zum Deutschen Orden, Ordo Theutonicorum. Ein Gegenstück zu den Tempelherren und den Johannitern, das zugleich das Beste von beiden vereint: gefürchtete Kämpfer und erfahrene Heiler. Die Ordensgründung wird eine unserer Aufgaben hier im Heiligen Land sein.«

»Es soll ein Orden der Deutschen sein, die bisher in Outremer keinen festen Stützpunkt haben«, ergänzte Heinrich Walpot. »Bisher kümmerten wir uns um Kranke und Verletzte und um die Armen aus unseren Landen. Doch Heinrich von Champagne übergab den hiesigen Teil der Befestigungsanlagen Akkons in unsere Verantwortung, und auch andere Gründe raten dazu, aus der Spitalbruderschaft eine Gemeinschaft von Rittern und Geistlichen zu machen. Die Johanniter pochen zu sehr darauf, dass wir ihnen unterstellt werden, und das will der Kaiser nicht.«

Klug gedacht, überlegte Thomas, der sich immer noch fragte, warum diese Männer das alles ausgerechnet ihm erzählten. Damit hat der Kaiser einen Vorposten im Heiligen Land, nachdem ihm Sizilien gehört und die Herrscher von Zypern und Armenien ihn als Lehnsmann wählten. Dass die Templer und die Johanniter sich wenig um die Deutschen kümmerten und noch dazu häufig untereinander im Streit lagen, hatte er bei seiner ersten Wallfahrt selbst erlebt.

Immerhin, das wusste er von Graf Dietrich, war der derzeitige Großmeister der Templer, Gilbert Hérail, im Gegensatz zu seinem Vorgänger Gerhard von Ridefort ein ebenso kampferprobter wie weiser Mann, der den Frieden zwischen Christen und Muslimen wahren wollte.

»Nach allem, was ich von Euch gehört habe, Thomas von Christiansdorf, können wir jemanden wie Euch gut in unserem künftigen

Orden brauchen«, fuhr Heinrich Walpot fort, und ein schmales Lächeln zog über sein kantiges Gesicht. »Sagt jetzt nichts dazu! Solche Entscheidungen sollen wohl überlegt sein. Aber behaltet dieses Angebot im Kopf bis zum Tag der Ordensgründung.«

Thomas war wie vom Donner gerührt und hatte Mühe, sich nichts davon anmerken zu lassen. Ein Ritterorden – so wie die Tempelherren und Johanniter! Deren Ritter galten als die gefürchtetsten und entschlossensten unter allen, die Besten der Besten, mit keinem anderen zu vergleichen!

Es war eine unglaubliche Ehre, dessen als würdig erachtet zu werden.

Doch dann würde er nur noch für den Kampf leben und weder Schwester noch Mutter wiedersehen dürfen.

Von den drei Gelübden der Ordensritter – Armut, Keuschheit und Gehorsam – würde er wohl noch am ehesten mit der Armut zurechtkommen. Sofern er gute Waffen und ein gutes Pferd hatte, brauchte er nicht viel mehr. Aber bedingungsloser Gehorsam? Wenn er sich kritisch befragte: Unter Dietrichs Kommando fiel ihm das nicht schwer, weil er ihn achtete. Aber würde er in der Lage sein, jeglichen Befehl von einem Vorgesetzten ohne Zögern zu befolgen, auch wenn der ihm als falsch erschien?

Und für immer in Keuschheit zu leben? Das konnte er sich überhaupt nicht vorstellen, auch wenn er bisher noch niemanden gefunden hatte, den er so liebte wie Clara Dietrich oder wie seine Mutter seinen Vater geliebt hatte.

Er war beinahe froh, dass die drei Männer jetzt nicht sofort eine Antwort von ihm erwarteten. Sonst hätte er aus lauter Begeisterung und Stolz über dieses Angebot sofort zugesagt.

Er wurde ermahnt, die Pläne zur Ordensgründung vorerst für sich zu behalten, dann durfte er gehen.

Thomas wartete draußen, bis Dietrich kam, um mit ihm zusammen ins Lager zu reiten. Auf dem Rückweg sprach keiner von beiden ein Wort; sie beide waren in Gedanken versunken.

Frühjahr 1197 in Freiberg

D ie Rückkehr von Lukas und Marthe und ihren Beglei- tern sorgte bereits für Aufregung in Freiberg, kaum dass sie das Peterstor passiert hatten.

Natürlich zog die Ankunft einer solch großen Gruppe Reisen- der immer neugierige Blicke an – diesmal angesichts der Zahl der Bewaffneten eher argwöhnische und ängstliche. Als die Ers- ten jedoch erkannten, wer an der Spitze des Zuges ritt, verbrei- tete sich die Nachricht im Nu, der Herr Lukas und seine Frau Marthe seien zurückgekehrt. Immer mehr Bewohner der Pe- tersgasse kamen herbeigerannt, um dieses leibhaftige Wunder zu sehen, Willkommensgrüße und Segenswünsche zu rufen.

»Ihr lebt! Bleibt ihr bei uns?« Von allen Seiten erklang diese Fra- ge. Lukas schwieg würdevoll und schmunzelte in sich hinein, während Marthe vor Freude strahlte und die Grüße erwiderte, was von den Stadtbewohnern als Ja ausgelegt wurde.

Noch bevor sie den Oberen Markt erreichten, waren die Reisen- den schon von einem gewaltigen Menschenauflauf umgeben: Frauen, die den Hirsebrei vom Herdfeuer genommen hatten, um das Unglaubliche mit eigenen Augen zu sehen, Backmägde mit teigverklebten Händen, Handwerker mit Spänen oder Ruß an der Kleidung und Knechte, die für eine Weile vergaßen, was sie im Auftrag ihrer Herrschaften erledigen sollten.

Dutzende von Kindern lärmten, sprangen und sangen um den langen Zug, auch wenn die meisten von ihnen nicht wissen konnten, was an diesen Reisenden so außergewöhnlich war. Aber bei so vielen Neuankömmlingen gab es immer eine Menge zu bestaunen – diesmal sogar einen Blinden zu Pferde!

Voran ritten Lukas und Marthe, gefolgt von ihrem Sohn Daniel, dem blinden Bernhard, an dessen Seite ein treuer Helfer ritt, um notfalls nach den Zügeln zu greifen, und dem jungen Jakob, der inzwischen als Ritter in Lukas' Diensten stand. Clara hielt Änne vor sich im Sattel, Guntram und Lisbeth den kleinen Dietrich und Konrad. Mehrere Knappen und ein Dutzend Reisiger hatte ihnen Norbert von Weißenfels als Geleitschutz mitgegeben.

Und mittendrin saß auf einem Zelter eine magere Gestalt in einer Kutte, in der die älteren Freiberger staunend den etwas in die Jahre gekommenen Pater Hilbert erkannten.

Als feststand, dass sie nach Freiberg zurückkehren würden, war Lukas beinahe den ganzen Winter über unterwegs gewesen, um ihn ausfindig zu machen. Christian hatte vor vielen Jahren den damals jungen Hilbert als Kaplan in seinen Haushalt aufgenommen, nachdem der eifernde Pater Sebastian die Pfarrstelle im Dorf zugesprochen bekam. Dieser war wie besessen davon, Marthe heidnischen Aberglauben oder Schadenszauber anzuhängen und sie vor ein Kirchengericht zu bringen. Doch da sie die Beichte bei ihrem Kaplan ablegte, blieb Sebastian sehr zu seinem Ärger keine Gelegenheit, sie gründlichst auszuhorchen.

Nachdem Hilbert Marthe zur Flucht aus dem Verlies in Meißen verholfen hatte, war er auf eine Pilgerreise gegangen. Lukas fand ihn nach längerer Suche als Schreiber in Naumburg, und Hilbert erklärte sich bereit, ihn nach Freiberg zu begleiten – als Beichtvater für Marthe und ihre Familie und als Lehrer für Claras Söhne.

Seine leiblichen Söhne hatte Lukas noch vor seinem Aufbruch aus Eisenach nach Weißenfels geholt. Sie wurden nun dort unter Norberts und Raimunds Kommando ausgebildet.

Als die lärmende Kolonne den Oberen Markt überquerte, verloren die Metzger an den Fleischbänken und die Bäckersfrau am Brotstand vorübergehend die eben noch drängelnden Käufer. Also befahlen sie ihren Knechten und Mägden, auf die Ware aufzupassen, um selbst zu sehen, was dort los war. Das gab Gesprächsstoff für die nächste Kundschaft!

Der Anblick des Marktplatzes rief in Marthe Erinnerungen an das denkwürdige Turnier kurz nach Claras Hochzeit mit Reinhard wach. Lukas hatte es gewonnen, obwohl Albrecht ihn dabei umbringen lassen wollte. Zuvor hatte Albrecht auf diesem Platz seine Macht durch einen Buhurt mit fünf Dutzend gerüsteten Reitern demonstriert. Die meisten Freiberger ließen sich blenden von dem Schauspiel und ein paar in die Menge geworfenen Pfennigen. Welch grausamer Herrscher Albrecht war, erkannten sie erst später leidvoll.

Lukas hingegen dachte mit Grimm an den Tag, als er hier an dieser Stelle vor aller Augen Albrecht die Treue schwören musste. Er wusste damals schon, dass er einem solchen Herrscher nicht auf Dauer würde Gefolgschaft leisten können, selbst wenn es ihn das Leben kostete.

Marthe und er hatten zuvor erwogen, freiwillig ins Exil zu gehen. Sie beschlossen, so lange wie möglich zu bleiben, um den Stadtbewohnern die Lage nach Kräften zu erleichtern. Doch schon kurz nach Albrechts Machtübernahme kam es zu der blutigen Zerreißprobe, bei der Albrecht Claras Mann für dessen vermeintlichen Verrat tötete. Hätten Verbündete sie nicht aus dem Kerker gerettet, wären Lukas und Marthe auf der Folter gestorben.

Deshalb wirkte Lukas an diesem Tag so finster, auch wenn er sich über den Jubel der Stadtbewohner freuen sollte. Ihre Rückkehr nach sieben Jahren des Exils war noch lange kein Sieg. Zunächst einmal musste er sich gegenüber dem Burgvogt durchsetzen, der kaum begeistert über sein Erscheinen sein würde. Und dann würde sich zeigen, was er bewirken konnte.

Vielerlei Anzeichen ließen erkennen, dass es der Stadt und ihren Bewohnern nicht besonders gutging: die ängstlichen Blicke, die den Bewaffneten galten, die ihnen drohend entgegenkamen, um nachzuschauen, was da für ein Tumult herrschte, die große Anzahl der Bettler, der vernachlässigte Zustand der Häuser selbst am Oberen Markt, wo die wohlhabendsten Handwerker und Kaufleute wohnten. Offensichtlich hatte Albrecht die reiche Silberstadt gründlich ausgeplündert. Und es war nicht zu erwarten, dass der kaiserliche Statthalter, der nun anstelle eines wettinischen Markgrafen regierte, die einmal festgesetzten Abgaben senkte.

Vom Markt schwenkte die Reisegesellschaft ins Burglehen ab, zu Reinhards Gehöft, das nun Clara gehörte. Bernhard hatte mit ein paar energischen Worten an den Burgvogt dafür gesorgt, dass es ihr zugesprochen wurde.

»Nun geht endlich wieder an eure Arbeit, ihr Leute!«, rief Lukas den Schaulustigen zu. »Hier gibt es nichts Besonderes mehr zu sehen. Ihr wollt doch nicht, dass man euch Müßiggang vorwirft – oder dass der Burgvogt Bewaffnete ausschickt, weil er glaubt, hier geschähe etwas Bedrohliches?«

Vor allem die letzten Worte sorgten dafür, dass sich die Stadtbewohner schleunigst verzogen, wenn auch höchst ungern.

Lukas verabschiedete sich fürs Erste von seiner Familie und seinen Reisebegleitern und ritt mit Bernhard und dessen Vertrautem zur Burg. Er war gespannt darauf, wie Vogt Heinrich auf seine Ankunft reagieren würde. Andererseits kannte er ihn gut genug, um sich das auszurechnen.

Derweil sollte sich Clara mit den Kindern einrichten. Guntram und Lisbeth würden vorerst in das Gesindehaus auf Reinhards Anwesen einziehen. Daniel und Bertram wollte er zu ihrem Schutz dorthin schicken.

Marthe vergewisserte sich, dass Reinhards Gehöft leer und in bewohnbarem Zustand war, dann überließ sie ihrer Tochter alles Weitere hier und ritt mit Daniel, Jakob, Hilbert und den Reisigen zu dem Haus, in dem sie einst mit Christian gelebt hatte.

Burgvogt Heinrich, noch massiger als früher schon, gab sich redlich Mühe, seine schlechte Stimmung zu verbergen.

»Auf Order des Kaisers übernimmt ab sofort Lukas von Freiberg erneut das Kommando über die hiesige Wachmannschaft!«, verkündete er lauthals seinen Männern, die er nach Bernhards unmissverständlicher Botschaft auf dem Burghof hatte antreten lassen, dass dies der kaiserliche Statthalter für die Mark Meißen so wünsche. Und ein Wunsch des kaiserlichen Statthalters war als Befehl des Kaisers zu betrachten.

Dieser Lukas würde wieder jede Menge Ärger bringen, das roch er schon in der Luft. Sein rätselhaftes Auftauchen ausgerechnet an jenem Tag vor beinahe zwei Jahren, als Markgraf Albrecht starb, war auch noch nicht geklärt.

Allerdings musste sich der Vogt eingestehen, wenngleich sehr widerwillig, dass Lukas ihm damals sein Amt und vielleicht sogar den Hals gerettet hatte. Er durfte gar nicht daran denken, wie knapp er der Hinrichtung entgangen war. Seitdem hatte sich seine Lage sogar verbessert: Er musste nicht mehr zwei Herren dienen und dabei den einen hintergehen, indem er dem anderen heimlich Berichte schickte. Der neue Statthalter stellte seine Position nicht in Frage. Heinrich durfte nach Belieben auf der Freiberger Burg herumkommandieren, solange die Stadtbürger nur pünktlich ihre Abgaben lieferten. Und dafür ließ er seine Männer schon sorgen.

Er würde diesen aufsässigen Kerl genau im Auge behalten. Und auch dessen Kumpane wie den Stallmeister, der nach dem dahergelaufenen Dorfgründer benannt worden war und daraus keinen Hehl machte.

Christian, der Stallmeister, wusste natürlich, dass er beobachtet wurde, und ließ sich nicht mehr auf dem Hof blicken, nachdem er Lukas den Hengst abgenommen hatte. Ein paar kurze Worte und ein verschwörerisches Grinsen von Lukas reichten, um sein Herz vor Freude hüpfen zu lassen. Während er sich im Stall wieder einem Fohlen widmete, das unter Koliken litt, rannte sein schon fast zwölf Jahre alter Sohn zum Schmied Jonas, um von den großartigen Neuigkeiten zu berichten. Lukas und Marthe waren zurück! Und Clara und Guntram!

Christian konnte es kaum erwarten, seiner Frau Anna, Peter und ihren gemeinsamen Freunden davon zu erzählen.

Auch wenn er jetzt zu ihrer aller Sicherheit besser nicht die Nase aus dem Stall steckte – Kuno und Bertram würden ihm nachher schon alle wichtigen Einzelheiten berichten. An dem überforschen Gebrüll des Vogtes erkannte er selbst aus der Ferne und ohne ihn zu sehen, dass diesem ganz und gar nicht wohl in seiner Haut war. Was für eine Genugtuung!

Nun würde Lukas aufräumen mit den Menschenschindern.

Der Stallmeister spitzte die Ohren, während er dem Fohlen über den Bauch strich. Mit etwas Mühe konnte er Lukas' Worte auch hier hören.

»Es sind allerhand Leute unter euch, die ich nicht kenne. Die Neuen werden mir jetzt gleich vorführen, was sie können, die anderen kommen morgen dran. Du da, der Zweite von rechts, wie heißt du?«

»Martin, Herr!«

»Warum ist dein Gambeson nicht geschlossen? Meinst du, du bist hier, um dir den Bauch in der Sonne zu wärmen? Pack dir einen Sandsack über die Schultern und renne zwölf Runden um den Burghof. Sofort! Na los, worauf wartest du? Und *schließ* den Gambeson! Oder soll ich dir die Ohren stutzen?«

Christians Grinsen wurde noch breiter. War es Zufall, dass sich Lukas gleich einen der ärgsten Schinder ausgesucht hatte? Oder hatte er ihn nach so vielen Jahren wiedererkannt? Dieser Martin war Kunos Stiefbruder und gehörte zu den ersten Siedlern, die einst nach Christiansdorf gekommen waren. Wenig später zog er mit seiner Frau ins Nachbardorf. Sie hatten beide Marthe ziemlichen Ärger bereitet, wusste Christian durch Kuno. Vor ein paar Jahren war Martin verwitwet, verlor Haus und Hof beim Würfelspiel und verdingte sich als Reitknecht bei den Burgwachen.

Bei näherer Betrachtung allerdings erschien es Christian eher unwahrscheinlich, dass dieser üble Kerl rein zufällig als Erster über den Hof gescheucht wurde. Lukas war schlau und hatte ein gutes Gedächtnis – ganz besonders, wenn es darum ging, wer Marthe schaden wollte.

Während Martin keuchend und schwitzend über den Burghof rannte und Lukas den Rest der Mannschaft gründlich zur Ordnung rief, erreichte Marthe mit ihren Begleitern den Ort, wo sie einst wohnte und wo sich nach ihrer Vertreibung aus der Mark Meißen ausgerechnet der Sohn ihres ärgsten Feindes eingenistet hatte.

Er war ein zweistöckiges Haus aus Stein. Christian hatte es bauen lassen, nachdem sein früheres Heim auf Randolfs Befehl niedergebrannt worden war.

Hier hatte Marthe glückliche, wenn auch nie unbeschwerte Jahre verlebt und ihre Kinder zu Welt gebracht, hierher war sie nach Christians Ermordung zurückgezogen, als Albrecht sie zwang, die Burg zu verlassen. Jeder Stein, jeder Balken, jede Schindel schien ihr vertraut.

Doch nun wirkte das Haus nicht mehr wohnlich, sondern verfallen, tot und von Unheil kündend. Es hatte zwei Jahre leer gestanden, und Rutger und seine Spießgesellen waren davor alles andere als pfleglich damit umgegangen.

Die niedrige Tür im Zaun, der das Gehöft umgab, hing schief in den Angeln, ein paar Bretter waren lose, Schindeln hatten sich gelockert und schienen jeden Augenblick vom Dach zu rutschen, dichte Spinnweben hingen in allen Ecken. Das Gärtchen, in dem sie einst ihre Kräuter gezogen hatte, lag verwüstet und brach.

Zögernd öffnete Marthe die hölzerne Pforte, ging die paar Schritte auf das Haus zu und wappnete sich für noch mehr Unheil. Doch weil sie die Blicke der anderen auf sich wusste, gab sie sich einen Ruck und trat ein.

Auch im Inneren hatten Rutgers Männer und die Zeit gewütet. Vor der Herdstelle lagen tönerne Scherben. Sie erkannte noch das Muster der Becher, die sie einst beim Töpfer im Nikolaiviertel gekauft hatte. Asche und welke Blätter bedeckten den Boden. Truhen, Tisch und Bänke fehlten, ebenso Töpfe, Krüge, Becher und hölzerne Schalen. Wer weiß, wer von den Stadtbewohnern sich inzwischen den Hausrat geholt hatte.

Vorsichtig warf sie einen Blick in die Kammer, in der sie früher ihre Arzneien aufbewahrt und Kranke behandelt hatte. Sämtliche Krüglein und Tiegel lagen zerbrochen am Boden, statt getrockneten Kräutern hingen große Spinnennetze von den Balken.

Doch nicht die Leere und mutwillige Zerstörung ließen Marthe schaudern, sondern das unbestimmte Gefühl, hier noch den Nachhall des Hasses und der Boshaftigkeit zu spüren, die von Rutger ebenso wie von seinem Vater ausgegangen waren. Ihr schien, als ob deren finstere Gedanken und Taten wie eine dunkle Wolke durch das Haus waberten.

Als einzige Hinterlassenschaft früherer Bewohner stand in einer Ecke verloren ein Besen mit halb abgebrochenen und weit auseinandergespreizten Reisern, für den wohl niemand von den Nachbarn Verwendung gefunden hatte.

Marthe griff nach ihm, also könnte sie in dieser unheimlichen Umgebung Halt daran finden, und sagte, so entschlossen sie vermochte: »Hier muss erst einmal gründlich aufgeräumt werden.«

Bevor sie an die Arbeit gehen konnte, knarrte die Tür, jemand zwängte sich durch die Reisigen und jubelte: »Mutter!«

Im nächsten Augenblicke fiel ihr Johanna um den Hals, ihre Stieftochter aus erster Ehe, Kunos Frau.

Nach der stürmischen Begrüßung löste sich Johanna von Marthe und zog sie hinaus ins Freie. »Ihr könnt hier unmöglich bleiben! Ich rufe ein paar Frauen zusammen, die alles wieder wohnlich machen. Kommt erst einmal zu uns, der Platz wird schon reichen.«

Marthe blinzelte, um sich nach der Düsternis des verlassenen Hauses wieder an das Sonnenlicht zu gewöhnen und die Tränen zu unterdrücken. Sie spürte einen stechenden Schmerz in der Schläfe und jäh aufkommende Übelkeit.

»Ist dir nicht gut, Mutter?«, fragte Daniel und griff besorgt nach ihrem Arm.

»Ich muss mich nur setzen nach der langen Reise«, erwiderte sie matt.

Doch dazu kam es nicht. Denn schon betrat Jonas, der Schmied, den Garten, kurz darauf folgten Karl, Anna, Peter, der greise Fuhrmann Friedrich, die alte Elfrieda, die Frau des Gürtlers aus der Nachbarschaft und viele andere Vertraute aus früherer Zeit, um die Heimgekehrten zu begrüßen und sich zu vergewissern, dass sie wirklich bleiben würden.

Es wurde ein turbulentes Wiedersehen, bis Marthe schließlich sagte: »Geht schon vor. Ich will hier noch einen Moment allein bleiben.«

Die Mehrzahl der Besucher verabschiedete sich, um die gute Nachricht in der Stadt zu verbreiten, während Elfrieda, Anna und die Gürtlerin sich absprachen, ein paar Frauen zusammenzutrommeln, die mit ihnen das Haus herrichteten.

»Ihr braucht Bänke, Truhen, einen Tisch …«, meinte Jonas im Gehen. »Ich schau gleich beim Zimmerer vorbei und kümmere mich darum.«

»Und ich schicke ein Gespann, der die Sachen hierher bringt«, entschied Friedrich sofort.

»Ein Bett. Wir brauchen ein Bett …«, rief Marthe ihm hinterher. Sie hatte nicht nachgesehen, ob die Schlafstatt im oberen Geschoss noch stand. Wahrscheinlich war sie fort oder zerstört wie alles andere auch. Selbst wenn sie noch dort war; sie könnte den Gedanken nicht ertragen, sich in ein Bett zu legen, in dem nach allem, was sie wusste, sich Rutger Frauen mit Gewalt gefügig gemacht hatte.

Doch ihre Freunde waren schon damit beschäftigt, Aufgaben untereinander zu verteilen, damit das Haus wieder bewohnbar wurde.

An die Einfassung des Brunnens gelehnt, starrte Marthe auf die geschäftigen Stadtbewohner und dachte an die Zeit zurück, als sie mit dem Siedlerzug hier eintraf. Fast dreißig Jahre war das nun her, beinahe ein Menschenleben. Und so wie der Ort nicht wiederzuerkennen war, wie aus dem dunklen Weiler eine Stadt gewachsen war, hatten sich auch die Menschen verändert.

Wenn Christian das erleben könnte!, dachte sie bewegt. Er wäre so froh und stolz. Aber vielleicht sieht er ja vom Himmel auf uns herab und freute sich mit uns.

Daniel und Johanna drängten sie, mit ihnen zu Karls Haus zu reiten und sich von der Reise auszuruhen. Doch bevor sich Marthe in den Sattel helfen ließ, wandte sie sich an Pater Hilbert, der einen Blick in die Kapelle geworfen hatte und ebenso in Gedanken versunken schien wie sie.

»Vater, würdet Ihr dieses Haus segnen, wenn es wieder wohnlich gemacht ist?«, bat sie.

Der Geistliche zwang sich zu einem aufmunternden Lächeln. »Ja, meine Tochter. Es wird höchste Zeit, hier ein paar Dämonen auszutreiben.«

Gelb und Grün

Misstrauisch sah Ida, die ebenso üppige wie wortgewaltige Frau des Burgvogtes, aus dem Fenster auf den Hof hinab, wo Lukas gleich nach seiner Ankunft der Burgbesatzung Waffenübungen befahl. Natürlich hatte sie sich von einer Magd sofort berichten lassen, was denn dieser Totgeglaubte hier wollte. Also würde er von nun an wieder das Kommando über die Wache führen.

Nachdenklich kaute sie auf der Unterlippe, bis sie sich zu einem Entschluss durchrang und ihrem Gemahl ausrichten ließ, er möge doch in ihre Kammer kommen, sobald es seine Pflichten erlaubten. Der Ministeriale des Kaisers wurde auf ihre Anweisung hin bereits in der Halle aufs Beste verpflegt.

»Wir sollten Lukas und seinem Weib vorübergehend Quartier auf der Burg anbieten«, redete sie auf ihren Mann ein, sobald er die Tür öffnete.

Als Heinrich sie böse anfunkelte – ob nun aus Ärger darüber, dass sie bereits hinter seinem Rücken ausspioniert hatte, was vor sich ging, oder über den Vorschlag selbst –, half sie seinen Gedanken auf die Sprünge. »Da er das Vertrauen des Geblendeten genießt und dieser wiederum das Vertrauen des Kaisers, müssen wir ihn bei guter Laune halten. Es ist besser, *wir* berichten ihm, was in seiner Abwesenheit vorgegangen ist, als wenn seine nichtsnutzige Anhängerschaft in der Stadt das tut. In ihrem alten Haus können er und sein Weib vorerst nicht wohnen, so wie es dort aussieht. Willst du, dass seine Stieftochter, der Bergschmied und der Stallmeister ihm brühwarm erzählen, wie Elmars Sohn und deine Wachen hier gewütet haben?«

»Das werden sie ohnehin«, murrte Heinrich, dem genau diese Gedanken längst durch den kahlen Schädel gegangen waren.

»Aber nicht gleich heute, wenn es nach mir geht«, beharrte Ida. Ihr Mann tat so, als würde er die Angelegenheit kurz überdenken, und erklärte sich dann einverstanden. Ida würde ohnehin keine Ruhe geben. Und wenn er so tat, als sei dies ihre Idee, verschaffte ihm das für eine Weile ehelichen Frieden. Außerdem hatte sie recht damit, wenn sie diesem Kerl, der anscheinend im besten Ansehen bei dem Vertrauten des Kaisers stand, ein bisschen um den Bart gingen. Sie mussten herausfinden, was er plante, und ihm ihre Sicht auf die jüngsten Ereignisse nahebringen.

»Er, sein Weib und der Geblendete«, legte er den Kreis der Gäste fest. »Aber nicht der Sohn. Und schon gar nicht seine Stieftochter mit den Bastarden!«

»Wie Ihr wünscht, mein Teurer«, stimmte Ida eiligst zu.

Ein Zusammentreffen mit Clara wollte auch sie nach Möglichkeit vermeiden. Sie war nicht besonders freundlich zu ihr gewesen, als sie sich auf Albrechts Befehl vor Claras befohlener Heirat mit Reinhard um die Braut kümmern sollte. Und eine Witwe mit Bastarden, welch ein Schande! Dieses Weib hatte ja nicht einmal ein Geheimnis daraus gemacht, dass sie dem Sohn des Markgrafen beilag. So etwas kam ihr nicht an die Tafel!

»Ihr solltet ihn selbst einladen; das macht einen besseren Eindruck«, gab Ida ihrem Mann noch mit auf den Weg.

Ohne ein weiteres Wort stapfte Heinrich wieder die Treppe hinab. Er hatte sowieso nicht vor, diesen Lukas länger als unbedingt nötig aus den Augen zu lassen.

Warum nur strafte ihn Gott mit diesem Unruhestifter? Und mit dessen unheimlichem Weib?

Lukas scheuchte die Wachmannschaft bis kurz vor Sonnenuntergang herum, damit jedermann begriff, wer ab sofort das Kommando hatte.

Die Einladung des Burgvogtes nahm er mit grimmiger Zufriedenheit entgegen. Dann ließ er Christian seinen Fuchshengst satteln, der nun langsam in die Jahre kam, und brach auf, um Marthe zu suchen.

Vom Stallmeister erfuhr er, dass sie und ihr Sohn bei Johanna waren. Und noch ein paar interessante Neuigkeiten gab es dazu.

Auf dem Weg durchs Burglehen vergewisserte er sich, dass Clara und die Kinder in Reinhards Haus gut zurechtkamen, dann lenkte er seinen Hengst in den Siedlungsteil, wo die ersten Gehöfte von Christiansdorf entstanden waren. Das einst mühsam dem Dunklen Wald abgerungene Gebiet war längst mit der Stadt verwachsen.

Missgestimmt betrachtete er den verwahrlosten Zustand des Hauses. Von dort aus ritt er zu Karl, begrüßte den Schmied, der ihm schon mehrfach in der Not geholfen hatte, seine heilkundige Stieftochter Johanna, und betrachtete besorgt seine erschöpft und aufgewühlt wirkende Frau.

»Müssen wir wirklich dorthin und uns die Heucheleien dieses widerlichen Vogtes anhören?«, klagte Marthe. »Er buckelt vor den Großen und schlägt die Kleinen. Viel lieber würde ich unseren ersten Abend in Freiberg mit Freunden verbringen.«

»Willst du dir etwa entgehen lassen, wie er sich windet, uns zu Munde redet und uns davon überzeugen will, dass er hier Gerechtigkeit walten lässt?«, versuchte Lukas, sie zu locken.

Doch sein sarkastisches Grinsen verschwand so rasch, wie es gekommen war. »Die Burgmannschaft ist verroht und gewalttätig gegenüber den Stadtbewohnern. Mit Heinrichs Duldung oder sogar auf seinen Befehl. Es wird ein hartes Stück Arbeit, den Männern Disziplin beizubringen. Soll er glauben, wir fallen auf seine Freundlichkeit herein. Und soll er sehen, dass Bernhard großen Wert auf uns legt. Das macht es uns leichter.«

Seufzend suchte Marthe ihr bestes Kleid aus dem Bündel, rostfarben mit grünem Besatz und weiten Ärmeln, ein Geschenk Hedwigs. Wenn sie schon Eindruck machen sollten, war ein prachtvolles Gewand unentbehrlich.

Von Lukas ließ sie sich in den Sattel helfen. Auf dem Weg zur Burg erzählten sie sich gegenseitig, was sie über die Lage in der Stadt in Erfahrung gebracht hatten.

»Meine Liebe, ich freue mich ja so, Euch bei bester Gesundheit zu sehen! Und Ihr seht keinen Tag älter aus! Wie macht Ihr das bloß?«

Ida begrüßte Marthe überschwenglich, als seien sie beste Freundinnen. Diese ließ das Wortgetöse mit aufgesetztem Lächeln über sich ergehen und dachte dabei: Hat es der alte Drachen doch wirklich geschafft, schon mit den ersten drei Sätzen einen Giftpfeil abzuschießen! Denn das vermeintliche Kompliment war pures Gift – eine Anspielung auf das Gerücht, Marthe sei eine Fee und würde deshalb nicht altern. Solches Gerede konnte leicht in die Anklage umschlagen, sie stehe mit teuflischen Mächten im Bunde.

»Und wie schön, mit Euch, Herr Lukas, wieder einen so tapferen und bewährten Mann bei uns zu wissen«, fuhr Ida unverdrossen fort. »Nach all den blutigen Schlachten der letzten Jahre ist es wirklich schwer, noch gute Männer für die Besatzung zu finden. Aber ich bin sicher, unter Eurer erfahrenen Führung wird sich die Wache ganz prächtig entwickeln.«

Es muss ja schlimm stehen, wenn sich sogar die Frau des Vogtes schon in dieser Sache ein Urteil zutraut, dachte Lukas zynisch.

Ida trug diesmal nicht das grellgelbe Festkleid, das sie wie ein menschengroßes Küken aussehen ließ. Entweder hielt sie die Gäste nicht für bedeutend genug, oder es war über die Jahre zu sehr verschlissen, um es noch bei hohen Anlässen anzuziehen. Heute Abend war sie in ein giftgrünes Gewand gehüllt. Diese Farbe war zweifelsfrei sehr aufwendig zu erzeugen und entsprechend teuer. Aber zusammen mit Idas Fülligkeit und ihrem Geplapper bewirkte es, dass Marthe zwanghaft an einen aufgeblähten Frosch denken musste.

Burgvogt Heinrich hielt es für höchste Zeit, das Kommando und das Wort zu übernehmen, und lud die Gäste nach oben in seine Kammer ein. Marthe bot Bernhard leise ihre Hilfe an und führte ihn, wobei sie im Stillen bewunderte, wie sicher und würdevoll sich der Blinde bewegte.

In der Kammer, in der sie einst mit Christian gelebt hatte, als dieser noch Burgvogt war, kam Marthe nichts mehr vertraut vor außer den Umrissen des Raumes. Heinrich und Ida hatten die

Bleibe mit klobigen Truhen gefüllt, die Wände waren über und über behangen mit Schilden, Bannern und gestickten Bildern.

Selbst der Blick aus dem Fenster hatte sich verändert: Jetzt waren viel mehr Dächer zu sehen, die die etwas entfernter liegenden Gruben beinahe vollständig verdeckten, und ein Wall rund um die Stadt.

Der Burgvogt lud seine Gäste ein, sich zu setzen, und verkündete mit stolzer Miene, dass er ihnen zu Ehren eine Vorkostzeremonie befohlen habe.

Während Bernhard keine Miene angesichts dieser Eröffnung verzog, hatte Lukas Mühe, sich seine Verblüffung nicht anmerken zu lassen.

Entweder hat unser kahler Vogt immer noch ein schlechtes Gewissen, weil ausgerechnet hier Albrecht vergiftet wurde, und will sich absichern, dachte er. Oder er traut selber dem Küchenmeister und dem Kellermeister nicht.

Denn als Ehrenbezeugung für besonders angesehene Gäste war eine Vorkostzeremonie in diesem Fall mehr als übertrieben. Zwar war Lukas nun wieder Hauptmann der Wache, aber Heinrich immer noch sein Vorgesetzter. Und Bernhard konnte nicht sehen, welch ein Aufwand hier getrieben wurde.

Verstohlen blickte Lukas zu Marthe, die an seiner Seite saß. Sie hatte eine so andächtig-begeisterte Miene aufgesetzt, als würde sie sich tatsächlich geehrt fühlen. Dabei stand außer Frage, dass sie Heinrich und Ida ebenso durchschaute wie ihr Mann.

Sie ist so grundehrlich und anständig, dachte Lukas voller Zärtlichkeit. Sie hasst es, sich zu verstellen, und an ihrem Gesicht kann ich meistens genau ablesen, was sie denkt. Aber wenn es sein muss, wenn es gegen einen Feind geht, dann kann ich mich darauf verlassen, dass sie sich eine Narrenkappe aufsetzt und vollendet die Rolle spielt, die die Welt von ihr erwartet: die eines eingeschüchterten, arglosen und leicht zu täuschenden Weibes.

Er sah, dass auch um Marthes Mundwinkel für einen kurzen Augenblick ein verächtliches Lächeln über Heinrichs Übereifer spielte.

Ja, er bepisst sich fast vor Angst, dachte Lukas belustigt. Und er schwitzt sich halb zu Tode, weil er krampfhaft nach Worten sucht, um sich im besten Licht darzustellen. Das wollen wir ihm doch fürs Erste einmal etwas erleichtern und seine Zunge lockern.

Sie waren nicht gekommen, um sich über ihn und Ida lustig zu machen, sondern um Wichtiges zu erfahren und mit Bernhards Hilfe Druck auf sie auszuüben. Spätestens morgen würde Lukas die Stachel ausfahren und sich nacheinander jeden Einzelnen von der Besatzung vornehmen, der sich gegenüber den Stadtbewohners etwas zuschulden kommen ließ. Und Heinrich sollte es nicht wagen, ihm dabei in die Quere zu kommen. In diesem Punkt war ihm die vorauseilende Unterwürfigkeit des Stiernackigen gegenüber dem Gewährsmann des Statthalters von Nutzen.

Der Kellermeister klopfte zaghaft an, ließ ein Tischchen, diverse Krüge und Becher hereintragen und begann auf Befehl des Vogtes mit der Vorkostzeremonie.

Sie war natürlich nicht so umfangreich wie unter Albrecht, der zum Schluss sogar das Wasser zum Händewaschen und das Spülwasser für die Becher hatte vorkosten lassen. Auf dieser Burg gab es auch keinen Schenken. Und in der Kammer wurde es allmählich eng.

Aber der Kellermeister mühte sich nach Leibeskräften, die Sache feierlich in die Länge zu ziehen: Er verkostete das Wasser, das mit dem Wein gemischt wurde, fragte die Gäste, ob sie Roten oder Weißen wünschten, probierte auch den Wein und drehte jedes Mal den Becher nach unten als Beweis dafür, dass er alles ausgetrunken hatte.

Als endlich jeder am Tisch seinen Becher gefüllt hatte, erhob sich Heinrich, streckte sein Trinkgefäß feierlich empor und brachte ein dreifaches »Vivat!« auf den Kaiser aus.

Nun durfte der Küchenmeister eintreten, der vor der Tür gewartet hatte. Infolge der ausgiebigen Zeremonie war das Essen inzwischen kalt.

Davon abgesehen, hatte sich Heinrich auch hierin nicht lumpen lassen: dreierlei Fleisch, zwei verschiedene Soßen mit Kräutern in Essig, zweierlei Fisch und als besonderen Leckerbissen in Honig eingelegte Früchte.

Um das Gespräch nach dem Tischgebet in Gang zu bringen, ergriff Ida sogleich das Wort. »Ihr seid ja mit so wenig Gepäck angereist, meine Liebe«, sagte sie mit falscher Bekümmertheit zu Marthe. »Sagt nur, wenn ich Euch mit etwas aushelfen kann! Ich könnte Euch eines meiner Kleider schenken.«

Bloß nicht das gelbe!, dachte Marthe und verschluckte sich. Lukas klopfte ihr auf den Rücken, bis sie wieder durchatmen konnte. Dann entschuldigte sie sich für ihr Versehen und sagte mit einem ebenso strahlenden wie falschen Lächeln: »Das ist sehr freundlich von Euch, Ida. Aber wir haben genug Silber mitgebracht, um den ganzen Haushalt neu einzukleiden. Es gab hier früher immer so einen guten Tuchhändler und einen sehr geschickten Gewandschneider, Josef und Anselm, wenn ich mich recht erinnere. Leben die beiden noch?«

»O ja!«, beeilte sich Ida zu versichern. »Eine kluge Entscheidung, meine Teure. Dieser Anselm ist in der Tat tüchtig mit Schere, Nadel und Faden. Er wird Euch wundervolle Bliauts anfertigen. Vielleicht sogar mit etwas Rohseide abgesetzt? Die bezieht er von den Händlern am Judenberg.«

Neugierig wartete Ida, wie Marthe darauf reagierte. Ob sie wohl so viel Geld hatte, um sich das leisten zu können?

»Aber es gibt auch einen hervorragenden Bortenwirker im Nikolaiviertel!«, ergänzte sie, als Marthe nichts sagte. »Hier, seht!«

Sie zupfte die Ärmelkante ihres Untergewandes hervor, die tatsächlich mit einer sehr schönen gewebten Borte verziert war.

»Sind Anselm und Josef immer noch Ratsherren?«, erkundigte sich Lukas beiläufig, während er sich vom Kellermeister nachschenken ließ. Diese beiden waren ebenso widerlich wie selbstsüchtig und falsch.

»Das sind sie, brave Ratsleute«, gab Heinrich eilig Auskunft, ehe seine Frau erneut das Wort an sich reißen konnte. »Der Rat wird zwar jedes Jahr neu gewählt, aber im Grunde genommen ändert sich die Runde kaum: der Gewandschneider, der Tucher, der Goldschmied, der Silberschmied, die üblichen Gewerke. Ja, und dann haben wir immer noch diese Freiberger Besonderheit ...« Er hüstelte verlegen. »... dass hier sogar ein Schwarzschmied, ein Bergschmied und ein Fuhrmann Ratsleute sind, wirklich unwürdiges Pack, und die reinsten Unruhestifter. Und beinahe hätten sie noch einen Stallmeister dazugewählt! Hat man so etwas schon gehört?«

Ida stieß ihrem Mann unter dem Tisch gegen das Knie. Hatte der denn vergessen, dass gerade die vier Letztgenannten mit Lukas unter einer Decke steckten?

Lukas tat so, als habe er das nicht bemerkt. »Und wer ist jetzt Bürgermeister der Stadt?«

»Wilhelm, der Pelzhändler. Ein braver Mann. Sehr willfährig«, informierte Heinrich.

Also jemand, der vor dir kuscht und nicht den Mut hat, sich für die Bürger seiner Stadt stark zu machen, übersetzte Lukas im Geiste diese Einschätzung.

»Ist Meister Wibald noch der Münzmeister?«, fragte Marthe. »Mir schien, ich hätte ihn in die Zainegießerei gehen sehen, als wir vorhin auf den Burghof kamen.«

»Ja, das ist er«, bestätigte Ida. »Aber der Bergmeister Hermann, den Ihr kanntet, der ist gestorben. Sein Nachfolger heißt Sigismund und ist mitunter starrköpfiger, als es ihm zusteht.«

Aha, also jemand, der nicht sofort vor euch klein beigibt, übersetzte Marthe in Gedanken.

»Die Brandspuren an der Zainegießerei – war das ein Überfall oder ein versehentlich ausgebrochenes Feuer?«, wollte Lukas wissen.

Nun traten dem Vogt Schweißperlen auf die Stirn. Er war persönlich dafür verantwortlich, dass es in der Münzstätte keine Störungen gab; deshalb war sie ja auch auf der Burg untergebracht.

»Ein Feuer ... ein Funkenflug im heißen Sommer. Ihr wisst doch, wie gefährlich es ist, wenn geschmolzen und gegossen wird. Wir konnten die Flammen schnell löschen, bevor sie größeren Schaden anrichteten.« Nun sah er beinahe ängstlich auf den kaiserlichen Ministerialen. Doch Bernhard schwieg beharrlich.

»Mir ist zu Ohren gekommen, es gäbe Schwierigkeiten in den Gruben und den Schmelzhütten, sogar Unruhen, weil die Ausbeute zu gering ist für die Abgaben, die die Menschen zahlen sollen«, fuhr Lukas fort, mit harmlosester Miene an wunden Stellen herumzustochern, die Heinrich lieber verborgen hätte.

»Das ist nur übles Gerede«, versicherte dieser rasch. »Ihr wisst doch: Die Leute jammern immerzu, um sich vor dem Bezahlen zu drücken. Wenn ich daran denke, wie viele Hälflinge bei der letzten Geldverrufung am Lichtmesstag zum Vorschein kamen, dann kann das Volk nicht so arm sein, wie es tut!«

»Und *mir* ist zu Ohren gekommen, dass Ihr die Häuer zwingt, auch in Gängen abzubauen, die nicht sicher sind. Dass es in letzter Zeit vermehrt Grubenunglücke gab und etliche Leute verschüttet wurden; auch Kinder, die man in die engsten Stollen schickt«, mischte sich unerwartet der bis dahin schweigsame Bernhard in das Gespräch ein. »Stimmt es, dass Ihr einen Obersteiger sogar ins Verlies geworfen habt, weil er sich weigerte, Leute in einen brüchigen Stollen zu schicken?«

Heinrich fiel vor Schreck beinahe das Messer aus der Hand.

»Das ist ganz und gar übertrieben! Und der Kerl ist längst wieder auf freiem Fuß«, widersprach er forsch. »Die alte Bergmannssage von der Langen Schicht … Es ist eben eine gefährliche Arbeit, da wird es immer Tote geben! Nicht gefährlicher als die eines Ritters. Wer weiß, womit sie die Berggeister aufgebracht haben …«

»Wie dem auch sei; ich will mich morgen mit den Zuständen der Gruben und in der Münzstätte vertraut machen«, verkündete Bernhard zu Heinrichs Erstaunen und Entsetzen.

Noch bevor sich der Vogt sammeln konnte, fragte Bernhard schon, an Marthe gewandt: »Ich würde die Herrin von Christiansdorf um ihre Begleitung bitten, sofern Euer Gemahl es gestattet. Mein Helfer hat sich beim Absitzen den Fuß verletzt, und ich brauche jemanden, der mich führt.«

»Sehr gern«, versicherte Marthe, nachdem Lukas mit einem Blick sein Einverständnis erteilt hatte.

Heinrich wurde bleich. Nicht nur, dass der kaiserliche Ministeriale in den Gruben und in der Münze herumstöberte – nun war auch noch diese Marthe dabei, die ganz sicher dafür sorgen würde, dass der Blinde mehr erfuhr als jeder Sehende, dem Heinrich Auskunft gab.

Von da an floss die Unterhaltung nur noch zäh. Bald befahl Heinrich seinen Dienern, die Gäste in ihre Kammern zu führen.

»Ich fresse einen Besen, wenn der Gehilfe von dem Geblendeten wirklich einen verletzten Fuß hat«, schnaubte Ida, als sie mit ihrem Mann allein war. »Das ist doch nur ein Vorwand, damit er mit diesem Weib herumschnüffeln kann!«

Besorgt stimmte Heinrich seiner Frau zu. Gott allein wusste, was diese Geschichte noch für eine Wendung nehmen würde! Und er hatte sich doch solche Mühe gegeben!

»Es scheint sich nichts verändert zu haben, seit wir fliehen mussten«, meinte Marthe, als sie mit ihrem Mann allein war. »Immer noch dieselben Widerlinge und rückgratlosen Feiglinge …«

»Aber wir haben auch immer noch dieselben Verbündeten«, sagte Lukas und legte ihr tröstend den Arm um die Schulter. »Sei nicht zu streng mit ihnen! Es sind einfache Leute, denen von klein auf beigebracht wird zu gehorchen. Alles andere würde ihnen schlecht bekommen. Zu kämpfen, sollte es nötig werden, ist unsere Sache, die des Wehrstandes!«

»Hast du nicht selbst gesagt: Gehorsam hat seine Grenzen?«, widersprach Marthe ungewohnt heftig. »Und wenn die Ratsleute sich nicht für ihre Bürger einsetzen – wozu brauchen die dann einen Rat? Sind Aufrichtigkeit, Güte, Mitgefühl und Mut nicht auch Tugenden? Ich glaube nicht, dass diese Widerlinge geläutert wurden. Anselm hat sein Mündel zur Hure gemacht, Josef in den eigenen Geldbeutel gewirtschaftet. Und dieser Wilhelm scheint auch kein Rückgrat zu haben, wenn Heinrich ihn so lobt!«

Lukas seufzte. »Warten wir erst einmal den morgigen Tag ab. Nun komm schon ins Bett!«

Er grinste breit. »Und wärme einem geplagten, weitgereisten Mann die Knochen!«

Überraschungsgäste

Seit drei Tagen lebten Lukas und Marthe in ihrem neu eingerichteten Haus in Freiberg. Lukas gönnte der Burgbesatzung kaum Zeit zu atmen, so hart ließ er sie üben. Ein Dutzend Männer hatte er wegen Disziplinlosigkeit entlassen und dafür ein paar tüchtige junge Bogenschützen aus der Stadtwache in seine Dienste genommen. Auch Daniel und Jakob gehörten nun zur Mannschaft der Burg.

Marthe hatte einen Tag lang Bernhard durch die Münze, zu den

Gruben und Scheidebänken geführt, beschrieb ihm, wie sie den Zustand der dort Arbeitenden einschätzte, denen Hunger und Erschöpfung ins Gesicht geschrieben standen, manchmal auch blanker Zorn. Zu welchen Entschlüssen der Beauftragte des kaiserlichen Statthalters dabei und bei seinen Gesprächen mit dem Bergmeister und dem Münzmeister kam, wusste noch niemand in der Stadt. Doch vor seiner Abreise führte er ein vertrauliches Gespräch mit dem Burgvogt, der sich seitdem kaum blicken ließ.

Das Haus von Lukas und Marthe wirkte nun wieder wohnlich. Pater Hilbert hatte es gesegnet, in den Räumen duftete es nach dem Holz der neuen Tische und Bänke und den Pflanzenbündeln, die Marthe zum Trocknen an die Dachbalken gehängt hatte. An zwei Truhen arbeitete der Tischler noch. Derweil hingen ihre Kleider auf Stangen wie Lukas' Kettenhemd, wenn er es nicht gerade trug, die Felle hatte sie über das neue Bett gebreitet.

Jetzt endlich wollte sich Marthe um ihren Kräutergarten kümmern. Vorhin war zwar ein Frühlingsschauer niedergegangen, aber Johanna hatte ihr und auch Clara ein paar Setzlinge und Sämereien gebracht, die dringend eingepflanzt werden mussten. Während sie die Wurzeln vorsichtig mit Erde bedeckte und Wasser darum verteilte, sah sie eine größere Gruppe Reiter auf das Gehöft zukommen. Marthe richtete sich auf, um nachzuschauen, wer sich näherte. Der Mann an der Spitze des Zuges war von hünenhafter Statur, das konnte sie schon aus der Ferne sehen. Jäh überfiel sie ein mulmiges Gefühl.

Peter war unterwegs, um Futter zu besorgen, der Pater würde wohl in der Kapelle sein, Lukas, Daniel und Jakob steckten auf der Burg. Sollten diese Männer Böses im Schilde führen, würde ihr niemand zu Hilfe kommen. Einen Moment lang fühlte sich Marthe versucht, ins Haus zu fliehen und sich zu verstecken. Doch das wäre natürlich zwecklos.

Also blinzelte sie gegen die untergehende Sonne, um die Gesichter der sich Nähernden ausmachen zu können. Aber nicht nur das Gegenlicht blendete, ihre Augen waren auch nicht mehr so gut wie früher.

Erst als die Reiter das Gehöft schon fast erreicht hatten, erkannte sie die Besucher und stieß erleichtert den angehaltenen Atem aus.

»Gott zum Gruße, Frau Marthe!«, begrüßte sie der hochgewachsene Boris von Zbor mit tiefer Stimme und saß ab, ebenso seine Begleiter, die Ritter Peter, Johannes und Tammo von Nossen. »Wir wollten kaum glauben, dass wahr ist, was die Vöglein so zwitschern, und dachten deshalb, wir überzeugen uns mit eigenen Augen davon.«

Der Slawe lächelte verschmitzt und verneigte sich vor ihr.

»Es ist schön, Euch und Lukas wieder in Freiberg zu wissen«, meinte Peter von Nossen. »Und wir dachten, das muss gefeiert werden!«

Er hielt einen Weinschlauch hoch, Tammo zeigte auf ein paar tote Kaninchen an seinem Sattel. »Aus unseren Wäldern, vorhin erst erlegt.«

Hastig wischte sich Marthe die schmutzigen Hände an dem Tuch ab, das sie für die Gartenarbeit über das Kleid gebunden hatte, bedankte sich für die Gastgeschenke und lud die Ritter ins Haus ein.

»Wie geht es Georg?«, erkundigte sie sich. »Und Davids Witwe?«

»Sie hat wieder geheiratet – nein, nicht unseren slawischen Recken, sondern Georg«, berichtete Tammo grinsend. »Die beiden erwecken ganz den Eindruck, als ob sie glücklich miteinander seien. Er kam übrigens mit uns. Doch weil wir uns schon dachten, dass Lukas noch auf der Burg ist, haben wir ihn dorthin geschickt, damit Euer Mann weiß, dass wir hier auf ihn warten.«

Von draußen ertönte ein gellender Pfiff – das konnte nur Lukas sein, der vor der Zeit heimkam und nach Peter suchte, damit der sich um die Pferde der Gäste kümmerte.

Marthe lief zur Tür und sah hinaus. Freudestrahlend ging Lukas seinen Kampfgefährten entgegen, lachend fielen sie sich in die Arme.

Elfrieda, die nicht mehr die Schnellste war, schlurfte herbei, nahm Marthe die Kaninchen ab und versicherte, daraus ein gutes Mahl zu bereiten.

»Kommt ins Haus, lasst uns feiern!«, lud nun auch Lukas seine Gäste ein. »Wer hätte vor zwei Jahren gedacht, dass wir uns alle noch einmal lebend in dieser Welt begegnen?«

Lärmend traten die Männer ein, schauten sich um und ließen sich von Marthe frisches Bier ausschenken, die dann nach oben verschwand, um sich zu waschen und ein sauberes Kleid anzuziehen.

Daniel und Jakob der Jüngere kamen nun mit Georg von der Burg und traten ebenfalls ins Haus.

»Vielleicht sollten wir noch deine sagenumwobene Stieftochter dazubitten?«, schlug Boris von Zbor vor. »Sie lebt doch in Reinhards Haus, nicht wahr? Ich hole sie, wenn du als ihr Stiefvater einverstanden bist.«

»Nur, wenn du schwörst, die Hände von ihr zu lassen!«, stellte Lukas klar. Es war ein Scherz, der die anderen zum Lachen brachte, doch nicht nur als Spaß gemeint. Von Zbor war ein Frauenheld. Allerdings besaß er ein ausgeprägtes Ehrgefühl, weshalb er der Tochter eines Freundes nicht anders als mit Respekt begegnen würde; das hoffte Lukas zumindest.

Boris von Zbor verneigte sich lächelnd vor ihm und Marthe, legte zum Zeichen seiner ehrlichen Absichten die Hand übers Herz und stieg wieder in den Sattel.

Der Weg war nicht weit, aber ein Ritter zu Pferde machte eindeutig mehr Eindruck als ein Ritter zu Fuß.

Im Burglehen angekommen, war er sich nicht mehr ganz sicher, welches der Häuser Reinhard gehört hatte; er kannte sich in Freiberg nicht besonders gut aus. Als er letztes Mal hier war, musste er alle seine Gedanken darauf richten, wie sie lebend in die Burg hineinkamen, Albrecht töteten und möglichst auch lebend wieder herausgelangten. Und dann, angesichts der unerwarteten Wendung durch den Giftanschlag, blieb ihnen nach blutigem Gefecht nur ein schneller Rückzug.

Er wollte zwei Burschen fragen, ältere Knappen offenbar, die ihm entgegenliefen. Dem Aussehen nach könnten es Brüder sein. Doch dann hörte er, was sie sagten, und blanke Wut kochte in ihm hoch.

»Da drin ist sie, die Hure mit ihren Bastarden. Ob sie uns wohl auch mal ranlässt?«, fragte der Größere von beiden und wies mit dem Kopf zu dem Haus rechter Hand.

»Die treibt es nur mit Grafen«, meinte der andere, während sie an dem Slawen vorbeigingen, und lachte gehässig.

»He, ihr zwei da! Kommt her!«, rief Boris ihnen zu.

Verwundert drehten sich die beiden um und liefen die paar Schritte zu dem Reiter zurück.

»Haltet mein Pferd!«, befahl von Zbor.

Die Knappen wagten es nicht, sich dem Befehl eines Ritters zu widersetzen. Boris stieg aus dem Sattel, ließ sie seinen Hengst in das Gehöft führen und anbinden. Er sah die Burschen abschätzend an, die wohl darauf warteten, dass er ihnen erlaubte zu gehen, griff mit jeder Hand einen von ihnen hart in den Nacken und zwang sie mit seinen Bärenkräften in die Knie.

»Ist die Herrin von Reinhardsberg daheim?«, rief er in Richtung Haus.

Clara selbst steckte den Kopf aus dem Fenster und schaute verblüfft auf das Bild, das sich ihr darbot: Ein hünenhafter Fremder mit hellbraunem Haar hatte zwei der unverschämten Knappen des Nachbarn überwältigt. Und das schien ihm nicht die geringste Mühe zu bereiten. Im Gegenteil, es wirkte, als ob er sich dabei köstlich amüsierte. Fröhlich lächelte er ihr zu, und seine leuchtend blauen Augen strahlten.

»Liebreizende Clara, Euer Vater schickt mich mit einer Nachricht. Unterwegs liefen mir diese zwei Nichtsnutze über den Weg, die Euch dringend und auf Knien ihre Wertschätzung ausdrücken wollten. Das möchtet ihr doch, ihr Taugenichtse?«, fragte er nun recht grimmig und drückte mit seinen Pranken noch ein bisschen fester zu. Rasch bejahten die beiden wimmernd.

Clara erriet, was vorgefallen war. Beschämt legte sie ihre Näharbeit zur Seite und ging zur Tür, ohne ein Wort zu sagen.

»So, Ihr Hänflinge, jetzt zeigt einmal, wie gut ihr in höfischem Benehmen erzogen seid. Los, ein paar ehrerbietige Worte in aller gebotenen Demut vor der Dame!«, forderte Boris von Zbor mit ungehemmter Spottlust.

Die beiden rangen sich einen braven Gruß für die Herrin von Reinhardsberg ab.

Dann stieß er sie mit den Köpfen in den Schlamm, ließ los und kommandierte: »Und nun fort mit euch, aber ein bisschen schnell! Schert euch in den Wald und übt erst einmal, wie man einer Dame den Respekt erweist, bevor ihr euch wieder in der Stadt sehen lasst!«

Sich den Schlamm aus dem Gesicht reibend, stolperten sie so hastig davon, dass Clara lächeln musste.

»Das Lachen macht Euch noch schöner, Clara!«, meinte der Slawe. »Und irgendetwas sagt mir, dass Ihr viel zu selten lacht … Aber jetzt vergesse ich selbst meine Manieren. Ich bin Boris von Zbor. Oder von Bora, wie die meisten hier sagen, weil sie sich an Zbora die Zunge verknoten.«

Er grinste schelmisch, dann verneigte er sich tief und sah er ihr mit strahlendem Blick ins Antlitz, als er wieder aufrecht stand.

Claras Augen weiteten sich. »Ihr wart einer der Männer, die sich mit meinem Stiefvater hierherwagten …«

Sie sprach es nicht aus: um Albrecht zu töten. Aber sie wusste sehr gut, was Lukas' Begleiter auf sich genommen und riskiert hatten. Und sie wusste auch, dass dieser Ritter den stärksten Gefolgsmann Albrechts bezwungen hatte, Lothars Nachfolger als Burgkommandant von Seußlitz. Ohne ihn wären Lukas, Thomas oder Raimund vielleicht damals auf dem Freiberger Burghof gestorben.

Jetzt erkannte sie auch an ein paar Einzelheiten seiner Kleidung, den ungewöhnlichen Mustern der Stickereien auf seinem Bliaut, dass ein slawischer Edelmann vor ihr stand.

»Und Ihr seid die vielgerühmte Heilerin, von der sich die Leute so viele erstaunliche Geschichten erzählen«, entgegnete er.

»Was die Leute über mich erzählen, dürfte wohl eher abschreckend als ruhmreich sein«, meinte sie bitter. Womit die Knappen des Nachbarn den Fremden zum Eingreifen getrieben hatten, konnte sie sich nur zu gut vorstellen.

»Oh, ich bin nicht übermäßig schreckhaft«, meinte dieser gelassen und brachte sie wider Willen erneut zum Schmunzeln. Reinhard und auch Dietrich waren hochgewachsene Männer, doch dieser Zboraer war noch fast einen halben Kopf größer.

»So tretet doch ein!«, bat Clara und machte eine einladende Geste. »Möchtet Ihr etwas Bier zur Erfrischung? Oder weißes Brot? Was lässt mein Stiefvater ausrichten?«

Boris küsste ihr die Hand, bevor er ins Haus trat.

»Ich bin mit ein paar Freunden aus Nossen gekommen, um jenen denkwürdigen Tag und eure Rückkehr nach Freiberg zu feiern«, sagte er vergnügt. »Und dabei wollen wir Eure beglückende Gegenwart nicht missen.«

Clara tat so, als hätte sie die Schmeichelei nicht gehört – das war ihr nun doch zu viel.

Änne starrte den Hünen mit aufgerissenen Augen an, als er in dem großen Raum im Erdgeschoss stand.

»Seid Ihr ein Riese?«, rutschte ihr heraus.

Dietrich, ihr jüngerer Bruder, trat schützend vor sie, und der kleine Konrad, der nun drei Jahre alt war, tat es ihm nach.

Boris lachte. »Ein Riese? Nein, meine Schöne!« Er hockte sich vor Änne hin, damit sie auf gleicher Augenhöhe waren. »Soll ich dir ein Geheimnis verraten?«

Es war nicht zu übersehen, dass die Kinder vor Neugier fast platzten.

Boris von Zbor senkte seine dröhnende Stimme und flüsterte: »In Wahrheit bin ich ein zu groß geratener Zwerg.«

Änne prustete vergnügt.

Der Zboraer richtete er sich wieder auf und nahm Clara dankbar den Becher ab, in den sie ihm Bier eingeschenkt hatte.

»Ihr zwei seid tapfere Burschen«, sagte er anerkennend zu den beiden Jungen und strich ihnen übers Haar. »Kommt ganz nach dem Vater! Gott schütze ihn im Heiligen Land! Und Euern Bruder, Clara!«

Er bekreuzigte sich, dann setzte er sich an den Tisch und trank einen kräftigen Schluck.

Warmherzig sah er auf die Kinder und sagte zu Clara: »Geht einem nicht das Herz auf bei diesen kleinen Menschenwesen?«

Clara musste lächeln. »Ja, das tut es. Auch wenn sie manchmal schwerer zu hüten sind als ein Sack Flöhe.«

Das ließ sie an ihrem einfachen, zerknitterten Kleid heruntersehen, an dem die Jungen mit ihren schmutzigen Händen deutliche Spuren hinterlassen hatten. Und ihr Schleier saß bestimmt auch nicht mehr richtig.

»Da wir Gäste haben, sollte ich mich umziehen«, sagte sie verlegen. »Habt Ihr die Güte und wartet so lange?«

Sie rief nach Lisbeth, damit diese sich um die Kinder kümmerte, und huschte die Treppe hinauf. Nach einigem Hin und Her entschied sich für ihr bestes Kleid, dunkelgrün mit farbenprächtigen Stickereien an den Ärmelkanten und am Halsausschnitt. In diesem Kleid hatte sie geheiratet. Leise sprach sie ein Gebet für

Reinhards Seelenheil. Sie hatte ihn nicht gewollt, ihn nicht geliebt, ihn anfangs sogar für einen Feind gehalten, als sie aus der Not heraus und auf Lukas' Drängen hin mit ihm vermählt wurde. Aber Reinhard liebte und beschützte sie, und so wurde aus ihrer anfänglichen Verachtung für ihn Zuneigung.

Und Dietrich? Ihre Gefühle für ihn waren ungleich stärker gewesen. Doch seit seiner Heirat mit Jutta war er für sie verloren. Wie lange wird es wohl dauern, bis ich an ihn denken kann, ohne dass es mir fast das Herz zerbricht?, fragte sie sich, während sie ihren Zopf neu flocht. Dass ihm Jutta nicht mehr so gleichgültig ist wie früher, weiß ich längst.

Aber es ist nur klug und gottgewollt, wenn er sich in sie verliebt, redete sie sich zu. Ich sollte jetzt ganz für meine Kinder leben!

Mit einem Ruck stand sie auf, setzte sich Schleier und Schapel auf und ging wieder nach unten.

Von dort drang ihr vergnügter Lärm entgegen. Boris von Zbor erzählte den Kindern gerade eine Geschichte, und die quietschten vor Vergnügen dabei.

»Dann wackelte das Eichhörnchen keck mit dem buschigen Schwanz, der Igel strich sich die Stacheln glatt, und der Wolf musste hungrig zu Bett gehen«, endete er gerade.

Die Jungen jubelten.

Änne, die ihre Mutter als Erste entdeckt hatte, beklagte sich rasch: »Sie sind außer Rand und Band!« Doch war nicht zu übersehen, dass auch sie eben noch mit Begeisterung herumgealbert hatte.

Lisbeth drückte sich in eine Ecke und wagte es nicht, auch nur einen Schritt auf diesen verrückten slawischen Riesen zuzugehen.

Boris schaute zur Treppe, wo Clara mit ihrem besten Kleid stand, und ihm stockte der Atem.

Normalerweise hätte er sofort ein Kompliment über die Schönheit und Eleganz der Dame des Hauses ausgesprochen. So etwas ging ihm doch sonst so leicht über die Lippen! Warum brachte er jetzt keinen Ton heraus?

Das war ihm noch nie geschehen. *Boshe moi,* das sieht nach etwas Ernsthaftem aus, dachte er bei sich, ein bisschen erschrocken, und dennoch konnte er nicht aufhören zu grinsen.

Ohne ein Auge von Clara zu lassen, wartete er, bis sie sich von ihren Kindern verabschiedet hatte. Dann zwinkerte er den drei Kleinen zu, reichte Clara seinen Arm und half ihr in den Sattel.

»Lukas, ich muss mit Euch reden!«, sagte Boris von Zbor, der die ganze Zeit ungewohnt angespannt auf seinem Platz hin und her gerutscht war, während die anderen feierten, tranken, scherzten und Erinnerungen austauschten.

Lukas hatte seit der Rückkehr des Slawen das unbestimmte Gefühl, dass Ärger im Anmarsch war.

Und gerade eben wurde auch ein ernsthaftes Thema diskutiert. Tammo von Nossen hatte gefragt, ob Lukas es wirklich für angebracht hielt, die hiesige Burgwache zu tüchtigen Kämpfern auszubilden. Jeder wusste, worauf er damit anspielte.

»Ist das nicht meine Aufgabe?«, hatte Lukas leichthin geantwortet; und dann, mit deutlich mehr Gewicht: »Ich werde sie dazu bringen, dass sie im Ernstfall auf *meiner* Seite kämpfen.«

Auch wenn sie unter Freunden waren – mit diesem Satz hatte er sich weit vorgewagt. Gegen jede Vernunft hofften alle hier im Raum immer noch, dass sich für Dietrich eine Gelegenheit ergab, die Mark Meißen zu erobern.

Entweder wollte von Zbor ihm deshalb ins Gewissen reden, oder er hatte Neuigkeiten – den Kaiser betreffend oder den Kreuzzug. Also nickte Lukas dem Slawen kurz zu, stand auf und ging hinaus. Sollten die anderen unbeschwert weiterfeiern. Schlechte Nachrichten sprachen sich ohnehin meistens schneller herum als nötig.

»Sag schon: Mit welchem Ärger müssen wir rechnen?«, fragte er draußen.

Der Hüne starrte ihn für einen Augenblick verblüfft an, dann zog wieder das typische unbekümmerte Lächeln über sein Gesicht.

»Ärger? Nein, nichts, was ich nicht schon mit diesen beiden Händen geklärt hätte«, meinte er grinsend und hob seine Pranken.

Dann strich er sich ungewohnt verlegen über den sorgfältig geschnittenen Bart, zögerte und brachte schließlich hervor: »Es ist etwas ungewöhnlich ... und für mich auch ganz unerwartet ... Das ist mir noch nie passiert, ehrlich gesagt ... Aber ich würde gern um die Hand deiner Stieftochter anhalten ... sofern du nicht andere Pläne für sie hast ... Jetzt gleich und auf der Stelle.« Er atmete tief, als es heraus war.

Lukas war sprachlos vor Staunen. Der Kampfgefährte hatte Clara doch gerade erst kennengelernt!

Seit Jahren zergrübelte er sich den Kopf, wie er Clara glücklich wieder unter die Haube bringen konnte – was zugegebenermaßen sehr schwer war angesichts ihrer Weigerung und der zwei unehelichen Kinder.

Und jetzt platzte ihm vielleicht unerwartet eine Lösung ins Haus?

Lukas schätzte Boris von Zbor, der war ein tapferer Mann, ohne Falsch und von unverbrüchlichem Humor. Doch in Bezug auf Frauen war er etwas leichtlebig, und mit Heiraten hatte er bisher nichts im Sinn gehabt.

Durfte er ihm Clara anvertrauen?

Boris schien seine Zweifel an der Stirn ablesen zu können.

»Sie ist eine ungewöhnliche Frau. Eine tapfere Frau. Ihr könnte ich ehrlichen Herzens Treue schwören«, sagte er leise.

»Du weißt um die besonderen Umstände ...«, erinnerte Lukas ihn.

Boris blickte ihn beinahe entrüstet an. »Es ist ja nicht so, dass sie sich mit jedem Stallknecht herumgedrückt hätte! Dietrich wird für seine Söhne sorgen. Aber denke ja nicht, ich will sie wegen einer Weißenfelser Mitgift!«

»Weißt du, wie schwer es ist, dieses Mädchen zum Heiraten zu überreden?«, stöhnte Lukas.

»Ehrlich gesagt, wird mir ganz mulmig zumute, wenn ich mir vorstelle, sie könnte mich *nicht* mögen. Ich will sie natürlich nicht verschrecken ... und geduldig um sie werben, wie es sich gehört. Aber wirst du ein gutes Wort für mich bei ihr einlegen? Und mir deinen Segen geben, alter Freund?«

»Das werde ich«, versprach Lukas. »Du sagt es selbst: Verschreck sie nicht, geh die Angelegenheit ganz sacht an! Zwingen werde ich sie nicht. Aber ich wäre wirklich froh, wenn sie jemanden hat, der sich ihrer annimmt. Und der sie glücklich macht. Sie hätte es verdient.«

Marthe kam heraus, mit dem untrüglichen Gefühl dafür, wann Lukas sie brauchte.

Erleichtert atmete Lukas auf und erzählte ihr brühwarm die überraschende Neuigkeit. »Was meinst du? Könnten wir sie dazu bringen?«, fragte er.

Boris von Zbor ließ kein Auge von Marthe, während sie nach einer Antwort suchte.

Der Slawe war das genaue Gegenteil von dem beherrschten, oft grüblerischen Dietrich. Oder gar von Claras Kindheitsfreund Guntram, der ihr immer noch heimlich nachschaute, so dass Marthe manchmal befürchtete, die beiden könnten trotz aller Standesschranken zueinanderfinden, obwohl Guntram und Lisbeth gut miteinander auskamen.

Boris von Zbor würde Clara nicht nur vor allem Gerede und Anfeindungen zuverlässig schützen – seine Lebensfreude und sein entwaffnender Humor könnten ihr guttun. Taten ihr schon gut, überlegte Marthe mit feinem Lächeln, denn endlich hatte sie ihre Tochter an diesem Abend wieder einmal lachen sehen. Und dass Clara ihr bestes Kleid trug, nachdem der Slawe sie aufgesucht hatte, war ein Zeichen, auch wenn das wohl keinem der Männer auffallen würde.

»Versucht Euer Glück!«, ermunterte sie den Zboraer lächelnd.

»Aber wenn du ihr das Herz brichst, kenne ich keine Freundschaft mehr«, mahnte Lukas, und das meinte er todernst.

Sommer 1197 vor Akkon

Je weiter der Sommer voranschritt, umso mehr deutsche Kreuzzugsteilnehmer landeten an Akkons Küste.

Unter den nun Eingetroffenen befand sich auch der Landgraf von Thüringen, der mit einer beträchtlichen Streitmacht und einer Reihe bedeutender thüringischer Adliger gekommen war, so den Grafen von Henneberg, Tonna und Gleichen und beiden Grafen von Käfernburg – der Bruder und der während der anstrengenden Überfahrt schwer erkrankte Vater des Schwarzburgers. Auch Hermann von Salza war ein zweites Mal ins Heilige Land gekommen, und mit ihm die nunmehr noch drei Überlebenden seiner Gefährten.

Nachdem das thüringische Lager errichtet war, lud der Landgraf die angesehensten Thüringer, seinen Schwiegersohn, dessen Cousin Konrad von der Ostmark und den Herren von Colditz zu einem Festmahl ein – einer jener kaiserlichen Ministerialen, die auf ihrer Seite in Röblingen gegen Albrecht von Wettin gekämpft hatten. Das würden ihm weder Hermann noch Dietrich jemals vergessen.

Hermann und seine Gäste saßen im Schatten eines Leinenbaldachins. Obwohl der Abend bereits anbrach, war es immer noch glühend heiß am diesem Sommertag in Akkon.

Die Neuankömmlinge brachten beunruhigende Nachrichten

aus Sizilien: Dort habe es im Mai eine Rebellion gegen den Kaiser gegeben, der während einer Jagd ermordet werden sollte. Zwar sei der Kaiser glücklich nach Messina entkommen, aber erst nach wochenlangen Kämpfen seien die Aufständischen besiegt und blutig bestraft worden.

»Der Kaiser hat die von ihm in Sold genommenen Kreuzfahrer sofort eingesetzt, um die Rebellion niederzuschlagen und Rache zu üben«, berichtete Hermann mit düsterer Miene, der kaum etwas aß, sondern sich lieber den Becher erneut vollschenken ließ.

Das Essen war zwar nicht so üppig wie gewohnt an seinem Hof in Eisenach, allerdings verglichen mit der Verpflegung während der Überfahrt ein Genuss. Doch Hermann hatte es den Appetit verschlagen.

»Ich bin wahrhaft nicht zimperlich. Aber wenn Ihr Euch an die Hinrichtung des Grafen von Acerra erinnert – das war geradezu mild dagegen.«

Richard von Acerra, ein Schwager des einstigen Königs Tankred von Lecce, hatte zu den heftigsten Gegnern Heinrichs gehört und war im Vorjahr durch Verrat gefangen genommen worden. Der Kaiser ließ ihn von Pferden durch die Stadt schleifen und anschließend an den Füßen aufhängen, bis er starb. Gerüchteweise soll das drei Tage gedauert haben, während derer der Hofnarr auch noch böse Scherze mit dem Gemarterten trieb.

»Wer von den Aufständischen mit Schwert und Strick hingerichtet wurde, konnte über sein Schicksal noch glücklich sein«, fuhr Hermann angewidert fort. »Die anderen wurden im Meer versenkt, in Stücke gesägt, verbrannt oder mit durch den Körper getriebenen Pfählen zu Tode gebracht. Und ihrem Anführer, dem Burgherrn von Castrogiovanni, der angeblich die Kaiserin heiraten und sich zum König machen wollte, ließ er eine Krone aus glühendem Eisen an den Kopf nageln.«

»Das ist wirklich … allerhand«, meinte Markgraf Konrad matt, dem offenbar für einen Augenblick die Worte fehlten. »Zog der

Kaiser etwa Eure Truppen auch zur Niederschlagung des Auf-standes heran?«

»Wir sind um Gottes Lohn ins Heilige Land aufgebrochen und nicht als Bluthunde des Kaisers gegen seine eigenen Untertanen, wenn die sich als widerspenstig erweisen!«, verwahrte sich Her-mann energisch. »Der Adel im Süden ist schon immer schwierig gewesen. Mit der Hinrichtung Acerras und dadurch, dass die Edelleute ihre Privilegien in Capua zur Revision vorlegen muss-ten, hat sie sich der Kaiser endgültig zu Feinden gemacht. Aber Heinrich von Kalden, Konrad von Urslingen und Markward von Annweiler übernahmen die Blutarbeit mit Inbrunst und Gründlichkeit. Sie waren sich nicht einmal zu schade, eine Domkirche niederzubrennen, in der Hunderte Menschen Zu-flucht gesucht hatten.«

Heinrich von Colditz, ein etwa dreißigjähriger großer Mann mit blondem Haar und Kinnbart, bekreuzigte sich schaudernd. Er selbst war auf den Kreuzzug gegangen, um hier für eine Sünde zu büßen, die ihm mit der Zeit immer mehr zu schaffen machte: Als junger Mann hatte er auf Veranlassung seines Bruders Thi-mo den Abt des Klosters Pegau gefangen genommen, damit Thimo im Auftrag des Bischofs von Merseburg das Kloster be-rauben konnte. Der Abt und der Bischof lagen im Streit, weil sich das Kloster darauf berief, nur Rom direkt unterstellt zu sein. Damals war zwar kein Blut geflossen, dennoch hatte er sich an einem Geistlichen vergriffen, was als schlimme Sünde galt, die mit ewiger Verdammnis bestraft wurde. Deshalb hoffte er hier im Heiligen Land, Vergebung dafür zu finden.

»Das sind die normannischen Sitten«, warf Markgraf Konrad ein. »Da sind solche barbarischen Strafen üblich. Wie es heißt, hätten die sizilianischen Ratgeber dem Kaiser eindringlich klargemacht, dass bei ihnen andere Regeln gelten als in unseren zivilisierten Gegenden. Milde sei dort keine Tugend, sondern werde als Schwäche ausgelegt. Und das kann sich der Kaiser nicht leisten.«

»Warten wir erst einmal ab, welche Strafen wir hier noch verhängen müssen«, warf Dietrich von Weißenfels ein und berichtete den Neuankömmlingen vom Befehl des Königs und den Zwischenfällen schon am ersten Tag.

»Wir lassen die Männer hart üben, damit sie beschäftigt sind. Aber je mehr neu eintreffen, umso schwieriger wird es, Disziplin zu erzwingen. Waren bei Euch auf dem Schiff nicht auch mehr als genug von der Art, die nichts im Kopf hatten, als Heiden zu erschlagen? Und den Hauptteil des Heeres erwarten wir erst noch! Es ist nur eine Frage der Zeit, bis die Lage hier brenzlig wird. Und wenn wir nicht den Frieden mit Saladins Bruder al-Adil gefährden wollen, werden wir jeden hart bestrafen oder ausliefern müssen, der ihn verletzt.«

Hermann von Thüringen zog die Augenbrauen hoch. »Der Marschall von Kalden wird sicher mit Freuden ein weiteres Blutbad anrichten, sollten ihm seine Männer nicht aufs Wort gehorchen. Die Frage ist: Gehorcht er dem König von Jerusalem? Oder nur seinem Kaiser?«

»Ich fürchte, das wird sich erst noch zeigen müssen«, meinte Konrad nachdenklich. »Wieso hat uns der Kaiser hierher geschickt, wenn er doch weiß, dass hier Waffenruhe gilt?«

Thomas war nicht zu dem Festmahl des Landgrafen gebeten worden. Auch wenn er der einzige Ritter in Dietrichs Gefolge war – ein Graf war er nicht, und außerdem konnte er nicht damit rechnen, dass er als Bruder der Frau, die Hermanns Schwiegersohn zwei Bastarde geboren hatte, an dessen Tafel eingeladen wurde.

Aber das kümmerte ihn herzlich wenig. Den Salzaer und seine anderen einstigen Waffengefährten aus Thüringen wie auch Heinrich von Colditz hatte er schon begrüßt und mit ihnen ein paar Neuigkeiten ausgetauscht.

Da die Waffenübungen für diesen Tag beendet waren, verspürte Thomas nicht die geringste Lust, sich die Prahlereien der neu

Eingetroffenen anzuhören oder sie daran hindern zu wollen, wenn sie losstürmten, um Ungläubige zu töten. Er allein konnte solch eine Horde selbst in seinem größten Zorn nicht aufhalten. Dafür mussten die Anführer der einzelnen Heereskontingente sorgen, die über genügend Kämpfer verfügten.

Er war das alles gründlich leid: die allabendlichen Raufereien, Trinkgelage und Prahlereien. Die Männer waren gelangweilt und enttäuscht, sie wollten Beute machen und endlich Sarazenen töten, um Ablass für ihre Sünden zu bekommen. Mit jedem Tag, der verging, fragte sich Thomas mehr, wie lange das noch gutgehen konnte. In ein paar Tagen erwarteten sie die Hauptmasse des Heeres. Wenn nicht ein Wunder geschah, dann würde die Lage außer Kontrolle geraten.

Er selbst war womöglich der Einzige im Lager, der – abgesehen von seinem Widerwillen gegen die Übereifrigen unter den Männern – dem Warten etwas Gutes abgewinnen konnte. Sooft es seine Pflichten erlaubten, ritt er in die Stadt und besuchte Notker im deutschen Hospital, um etwas zu lernen. Graf Dietrich und auch Heinrich Walpot, der Vorsteher der Spitalgemeinschaft, duldeten seine zahlreichen Besuche dort nicht nur, sondern bekräftigten ihn darin. Sahen sie in ihm schon einen Ritter des künftigen Deutschen Ordens?

Wenn Thomas ehrlich mit sich zu Gericht ging, besaß der Gedanke für ihn einen großen Reiz, einer verschworenen Gemeinschaft von Männern anzuhören, die für ein Ziel kämpften. Davon hatte er schon zu seiner Knappenzeit geträumt. Darauf hatte er bei Kaiser Friedrichs Kreuzzug gehofft und war bitter enttäuscht worden.

Und er würde nicht nur kämpfen, sondern konnte auch den in der Schlacht Verwundeten helfen!

Zu oft hatte er erleben müssen, wie Gefährten auf dem Schlachtfeld verbluteten, weil niemand zu ihnen kam oder weil der Feldscher darauf bestand, erst zu beten, statt eine Aderpresse anzulegen.

Doch das Gelübde der Keuschheit …

Er konnte sich beim besten Willen nicht vorstellen, enthaltsam leben zu müssen, auch wenn das jetzt von ihm als Wallfahrer erwartet wurde. Daran hielten sich ohnehin nur die wenigsten im Lager. Die überbordenden Berichte der Männer über die Ausschweifungen in den hiesigen Hurenhäusern vertrieben ihm jegliche Neigung, eines aufzusuchen. Aber für immer der Lust zu entsagen, die eine Frau im Bett bereiten konnte? Und der Erleichterung? Das war für ihn undenkbar.

Im Spital der Deutschen am Sankt-Nikolaus-Tor faszinierten ihn die morgenländischen Behandlungsmethoden, die ihm Notker mit großer Geduld erklärte, während er seinen Pflichten nachging.

So erfuhr Thomas zu seinem großen Erstaunen, dass man hier keinesfalls heißes Pech über blutige Arm- oder Beinstümpfe goss wie allgemein üblich, sondern Essig oder Wein, weil das die Heilungsaussichten verbessere. Wie zur Bestätigung hatte Thomas miterleben müssen, dass die zwei Plünderer aus Markgraf Konrads Lager, denen man die Hand abgeschlagen hatte, hier um Hilfe nachgesucht hatten, aber schon bald an Fieber und Wundbrand unter Qualen starben.

Er war ganz begierig darauf, von Notker zu lernen, und freute sich auf den Tag, an dem er seiner Mutter und seiner Schwester davon erzählen konnte. Hatten beide nicht immer schon davon geträumt, mehr über die berühmten Heilmethoden der Juden und der Sarazenen zu erfahren?

Mit Notker konnte er auch über Gott reden, über seine Zweifel, darüber, dass seine Seele weder Ruhe noch Freude finden wollte, dass seine letzte Hoffnung Jerusalem war. Vielleicht würde ja dort ein Wunder geschehen, selbst wenn er keine Vorstellung hatte, wie das aussehen sollte.

Dann pflegte der kleine Mönch den Kopf zu neigen, ihn durchdringend anzusehen und weise lächelnd etwas in der Art zu sagen wie: »Was Ihr sucht, mein Freund, steckt nicht an einem anderen Ort, sondern in Euch selbst. Dort müsst Ihr suchen, und nur dort werdet Ihr finden.«

Dabei dachte Thomas an Clara, die einmal gesagt hatte, ihm sei ein Stück seiner Seele verlorengegangen. Und dass Notker einmal gespottet hatte, er sei wirklich ein ungläubiger Thomas.

Doch es gab noch etwas außer der Heilkunde und den Gesprächen mit Notker, das ihn ins deutsche Hospital lockte: ein Mädchen. Vielleicht war es auch eine junge Frau, denn sie trug das Haar bedeckt, wenngleich sie noch weit unter zwanzig zu sein schien und ihre Erscheinung zart und mädchenhaft wirkte.

Seit zwei Wochen saß sie fast jedes Mal, wenn er kam, am Bett eines kranken alten Mannes, den offensichtlich der Schlag getroffen hatte und der sich kaum regen und nicht mehr sprechen konnte. Vermutlich war es ihr Vater. Dass sie mit solch einem Greis verheiratet sein konnte, hielt Thomas für undenkbar. Vorsichtig flößte sie dem Kranken zu trinken ein, kühlte seine Stirn, und wenn er schlief, kümmerte sie sich im Einvernehmen mit den Brüdern auch um andere Hilfsbedürftige.

Einmal stand Thomas ganz in der Nähe, als sie Notker ein kleines Behältnis mit getrockneten Blütenblättern übergab, und stellte überrascht fest, dass sie Deutsch sprach, wenn auch gebrochen. Er hatte sie für eine Einheimische gehalten. Sie besaß das schwarze Haar und die dunklen Augen, die fein geschnittenen Gesichtszüge der hiesigen Frauen. Ein wenig erinnerte sie ihn an die Frau aus seinem Traumgespinst aus Antiochia. Aber sie war aus Fleisch und Blut, auch wenn sie ihn noch kein einziges Mal angesehen hatte.

Als Notker die Heilpflanzen in die Kräuterkammer brachte, wagte Thomas zu fragen: »Wer ist sie?«

»Wer? Eschiva?«, meinte der kleine Mönch beiläufig.

Eschiva, dachte Thomas, wie schön das klingt!

»Sie ist die Frau des alten Godwin«, gab Notker Auskunft. »Sie kamen aus Jerusalem hierher, nach dem Fall der Stadt vor zehn Jahren. Godwin ist ein Nachfahre des Mannes, der dort vor beinahe hundert Jahren das deutsche Spital gründete. Hier half er uns beim Aufbau unserer Gemeinschaft. Er handelt mit seltenen Gewürzen und Heilpflanzen. Und jetzt, da er so krank ist, soll er die beste Pflege bekommen.«

Sie ist die Frau dieses Alten?, dachte Thomas bestürzt, während die anderen Worte Notkers an ihm vorbeirauschten.

»Sie stammt doch nicht aus deutschen Landen?«, bohrte er nach.

»Nein, soweit ich weiß, waren ihre Eltern armenische Christen, die in Jerusalem lebten. Die ganze Familie wurde in die Sklaverei verkauft. Aber Godwin nahm sich des Mädchens an, und schließlich heiratete er sie.«

Das ließ Thomas keine Ruhe. Immerzu musste er an sie denken und daran, welch ungewöhnlichen Umstände aus ihr erst eine Sklavin, dann die Frau eines Mannes mit deutschen Wurzeln gemacht haben mochten. Er hatte gehört, dass nach dem Fall Jerusalems Tausende Christen in die Sklaverei verkauft wurden, weil sie kein Lösegeld zu zahlen vermochten. Und er konnte sich ausmalen, welches Schicksal junge Mädchen und Frauen in der Sklaverei erleiden mussten. Aber wenn er sich vorstellte, dass sich dieser Alte Eschiva in sein Bett befohlen hatte, loderte blanker Zorn in ihm auf.

Der Alptraum von Jerusalem

Als sich einer von Thomas' Besuchen im Krankensaal bis zum Abend hinzog, sah er, wie Eschiva sich neben dem Bett ihres kranken Mannes zum Schlafen zusammenrollte – einfach so auf dem Boden. Offenbar wollte sie auch in der Nacht nicht von seiner Seite weichen, falls ihm etwas fehlte.

Den Anblick konnte er kaum ertragen. Deshalb ritt er am nächsten Tag nicht gleich vom Sankt-Nikolaus-Tor zum Spital, sondern nahm einen Umweg über den Markt. Er hatte zuvor gründlich in seinen Sachen nach etwas gesucht, das er am ehesten entbehren konnte, und entschied sich schließlich für sein zweites Paar Schuhe, das er vor dem Aufbruch beim Schuhmacher in Weißenfels in Auftrag gegeben hatte. Er knüpfte die ledernen Bänder zusammen und befestigte sie an seinem Gürtel.

Das lärmende Treiben auf dem Markt faszinierte ihn, stimmte ihn aber auch etwas hilflos. Sein Bestreben, die Sprache der Hiesigen zu lernen, scheiterte nicht zuletzt daran, dass es hier ein Gewirr von vielen Sprachen gab. Als Ritter war er es auch nicht gewohnt, auf dem Markt zu kaufen und um den Preis zu feilschen. Der Waffenschmied hatte feste Preise je nach Qualität und Art der Arbeit, ebenso der Schuhmacher, seine Pferde bekam er von Raimund, mit dem er über Geld nicht stritt, alles andere besorgten Mägde und Knechte oder Knappen für die Ritter.

Aber das Feilschen schien hier ein wahres Fest für alle Beteiligten zu sein und wurde mit größter Leidenschaft betrieben. Das konnte er an den Gesichtern und Gebärden sehen, auch ohne ein einziges Wort von dem Lärm um sich herum zu verstehen.

Hier, dieser dürre Alte mit dem roten Tuch um den Kopf machte einer verschleierten Frau gerade lautstark klar, dass es ihn an den Bettelstab bringen würde, wenn er ihr das Huhn für so wenig Geld überließ. Und am Stand nebenan schrie der rundliche Händler zwei Frauen etwas nach, die sich gerade beleidigt angesichts des geforderten Preises abkehrten. Nun drehten sie sich wieder zu ihm um, wenn auch widerwillig, aber ihr erwachendes Interesse und die Beflissenheit, mit der der Händler ihnen zwei der dunkelroten Früchte in die Hand drückte, ließ erkennen, dass man sich wohl einigen würde.

Thomas führte Drago behutsam an den Ständen mit Früchten, Nüssen und Gewürzen vorbei, wehrte höflich ein paar Stoffhändler ab, die ihm Bahnen in leuchtenden Farben vor die Augen hielten, ebenso einen Kupferschmied, der schön getriebene Schalen und Gefäße anpries. Endlich entdeckte er, wonach er suchte, und hielt geradewegs auf einen Mann mit einer gewaltig gebogenen Nase zu, der ihn vage an die Freiberger Fuhrleute Hans und Friedrich erinnerte.

Dabei wurde ihm bewusst, dass er sich somit schon als interessiert an der Ware gezeigt hatte, was den Preis zweifellos in die Höhe treiben würde. Aber nun war es zu spät, und er wollte auch keine Zeit vertrödeln. Entschlossen wies er auf das größte der am Stand ausgebreiteten Schaffelle.

Das setzte bei dem Hakennasigen sofort einen gewaltigen Wortschwall in Gang. Er griff nach dem Fell, hielt es Thomas unter die Nase, strich über die langen, flockigen Haare, bog sie auseinander, dann drehte er das Fell um und zeigte unter lauten Lobpreisungen, wie ordentlich es auf der Rückseite gegerbt war.

Mit ein paar deutschen Worten gab Thomas zu erkennen, dass er nicht verstand, was aber die Sprachgewalt des Verkäufers nicht im Geringsten dämpfte. Ungeduldig löste Thomas das Paar Schuhe vom Gürtel, stellte es auf den Ladentisch und bedeutete mit einer Handbewegung, dass er tauschen wolle.

Der Händler begriff sehr wohl und setzte sofort zu einem neuerlichen Wortschwall an, klagend und kopfschüttelnd. Nach einigem Hin und Her einigten sie sich. Thomas war seine Schuhe los und hatte dafür ein kleineres, aber weiches Fell bekommen. Vielleicht war er übervorteilt worden, wahrscheinlich sogar, aber da er nun hatte, was er wollte, war er zufrieden.

Notker hielt sich diesmal nicht im Krankensaal auf. Das kam Thomas für sein Vorhaben entgegen.

Mit bedächtigen Schritten ging er auf das Mädchen zu, um sie nicht zu verschrecken. Wie stets tat Eschiva so, als ob sie ihn nicht bemerkte. Sie kauerte neben dem Bett des Alten, der schlief und dabei besorgniserregend röchelte, in ihren Augen standen Tränen.

»Für dich. Damit du nicht länger auf dem nackten Boden schlafen musst«, sagte er und hielt ihr das Fell entgegen.

Langsam sah sie auf, in sein Gesicht – nicht voller Freude, wie er erhofft hatte, und auch nicht voll Entrüstung oder Verachtung, wie er befürchtet hatte, sondern mit einem Ausdruck von Leid und Stolz, der ihm durch und durch ging.

»Ich bin nicht für diesen Preis zu haben«, sagte sie in einem fremd und altertümlich klingenden Deutsch. »Und auch nicht für einen anderen Preis.«

Dann wandte sie sich ab und starrte zum Fenster, immer noch vor dem Bett kauernd.

»Du verstehst mich falsch«, sagte Thomas hastig. »Es ist ein Geschenk! Ich will nichts dafür.«

Noch einmal wandte sie sich zu ihm um. »Ihr seht nicht so aus, als könntet Ihr Geschenke machen, auch wenn Ihr ein Ritter seid.«

Ihre Stimme war so zart wie ihre Statur, trotz der harten Worte.

»Ich wollte nur, dass du es etwas bequemer hast.« Thomas legte das Fell vor ihr auf den Boden, drehte sich um und ging ohne ein weiteres Wort hinaus.

Er war schon fast an der Tür, als er vom Fenster her ein leises »Danke« hörte. Es klang, als müsste sie sich das Wort aus der Kehle zwingen.

Zwei Tage später sah er, wie Eschiva völlig aufgelöst aus dem Haus stürzte. Er folgte ihr und fand sie in der hintersten Ecke das Gartens vor, wo niemand sie sehen konnte, der nicht dort nach ihr suchte, kauernd, die Arme um die angezogenen Beine geschlungen, den Kopf auf die Knie gesenkt.

Vorsichtig näherte er sich ihr.

»Gehst du denn nie nach Hause?«, fragte er freundlich.

Sie hatte ihn kommen hören, hob aber jetzt erst den Kopf. »Nur manchmal, um rasch etwas zu holen oder mich zu waschen. Es ist gefährlich …« Sie verstummte, und aus ihren Augen sprach Angst.

»Du musst deinen Mann sehr lieben. Und er darf sich glücklich schätzen, von dir so umsorgt zu werden«, versuchte er, das Gespräch in eine unverfängliche Richtung zu lenken.

»Er war sehr gut zu mir«, antwortete sie leise nach einigem Zögern. »Aber er wird diese Nacht nicht überleben. Dann kann ich nicht mehr ins Haus zurück. Betet für mich, damit mich die Brüder hier lassen und ich bei der Pflege der Kranken helfen darf … Doch vorher muss ich noch einmal ins Haus, sein Totenhemd holen. Und ich fürchte mich …«

»Soll ich dich dorthin begleiten?« Er wies auf sein Schwert. »Ich kann dich beschützen.«

Sie wischte sich die Tränen aus den Augen, auf ihrem Gesicht zeigte sich eine vage Spur von Hoffnung. Dann holte sie tief Luft und begann, ihre Geschichte zu erzählen – vermutlich zum ersten Mal.

Ihre Eltern waren armenische Christen, wie Notker gesagt hatte, und nach Jerusalem gezogen, weil sie angesichts der Armut in ihrer Heimat dort auf ein besseres Leben hofften.

»Als Saladin vor zehn Jahren die Stadt einnahm, da war ich sechs. Wir alle zitterten, es würde ein Blutbad geben wie fast hundert Jahre zuvor, als die Christen Jerusalem eroberten. Die Mauern wurden tagelang bestürmt und mit Wurfmaschinen beschossen, eine große Bresche war schon geschlagen, und wir hockten in unseren Häusern und beteten um unser Leben. Aber der große König Saladin ließ Milde walten. Jeder Christ dürfe sich freikaufen, hieß es: zehn Dinare für einen Mann, halb so viel für eine Frau, einen Dinar für ein Kind. Die Menschen rannten jubelnd durch die Straßen, als sie es hörten. Doch wir gehörten zu den Armen, wir konnten das Geld nicht aufbringen, und niemand wollte es uns leihen. Bald ging die Kunde um, der Verteidiger der Stadt habe mit Saladin über das Schicksal der Armen verhandelt, die das Lösegeld nicht zahlen konnten. Er bot an, mit dem Geld aus dem Schatzamt Jerusalems diese Menschen auszulösen, und konnte Saladin dazu bewegen, noch mehr Milde zu zeigen und die geforderte Summe zu senken.«

Das muss Balian von Ibelin gewesen sein, dachte Thomas, der sich noch genau an die Begegnung mit dem Mann im Palast des Königs erinnerte.

»Vieles von dem, was dann geschah, habe ich erst später erfahren«, fuhr Eschiva fort. »Das Geld aus dem Schatzamt reichte nicht für den Freikauf aller zwanzigtausend Armen. Was sollte Saladin tun? Sein Bruder al-Adil bat ihn um tausend Sklaven, die er bekam und sofort freiließ. Saladin befahl, auch die Alten freizugeben und ihnen die Sklaverei zu ersparen. Der Herr von Ibelin schenkte fünfhundert Christen die Freiheit. Aber es blieben immer noch zehntausend übrig. Die konnte Saladin selbst als gütigster aller Sieger nicht freilassen, wollte er seinen Ruf als gefürchteter Gegner nicht verlieren.«

Eschiva wischte sich erneut Tränen aus den Augen. Nun war ihre Stimme ungewohnt bitter.

»Man erzählt sich, der Patriarch von Jerusalem habe so viel Gold, Silber, edle Teppiche und andere Schätze mit sich genommen, dass er mehrere Karren dafür benötigte. So verließ er mit Reichtümern beladen Jerusalem, statt damit die Christenmenschen vor der Sklaverei zu bewahren. Ich gebe ihm die Schuld, nicht Saladin, dass meine Familie verkauft wurde. Wir hatten nicht das Glück, ausgelöst zu werden. Sklaven waren damals sehr billig, für ein paar Schuhe bekam man zwei oder drei.«

Beklommen dachte Thomas an das Schaffell, das er für ein Paar Schuhe eingetauscht hatte.

»Meine Eltern habe ich nie wiedergesehen. Meine Mutter war eine schöne Frau. Sie hat geschrien, als man sie von mir wegzog. Der sie kaufte, war ein fetter Mann mit einem Haufen verrohter Bewaffneter um sich, der ihr vor aller Augen das Kleid herunterriss und nach ihren Brüsten griff. Als mein Vater dazwischengehen wollte, haben sie ihn fast totgeschlagen. Nachts in meinen Träumen erlebe ich es wieder und wieder. Mich wollte niemand, ich war zu klein und nur ein unnützer Fresser. Bis sich Godwin meiner erbarmte. Er nahm mich mit hierher und zog mich auf wie eine Tochter.«

Thomas' Miene verriet seine Gedanken.

»Richtet nicht über ihn!«, fauchte Eschiva. *»Ich war wie eine Tochter für ihn!* Als ich älter wurde, schenkte er mir die Freiheit und heiratete mich, um seine missratenen Stiefsöhne von mir fernzuhalten. Er hat mich nie angerührt, denn er war schon zu alt und zu krank, um noch eine Frau im Bett zu wollen. Aber jetzt, da er so gut wie tot ist, werden sie über mich herfallen. Deshalb kann ich nicht nach Hause, nicht einmal, um das Totenhemd zu holen, das ich für ihn genäht und bestickt habe, denn sie haben sich dort schon eingenistet und lauern mir auf.«

Thomas wiederholte sein Angebot, sie ins Haus zu begleiten, doch sie schien gar nicht zuzuhören.

»Er wünschte sich so sehr, einmal in diesem Hemd begraben zu werden, weil ich mir so viel Mühe damit gegeben habe«, sprach sie mit zittriger Stimme weiter. »Seine Stiefsöhne wollen das Haus und sein Geschäft für sich. Sie werden mich totschlagen oder als Sklavin verkaufen, und vorher werden sie sich endlich holen, was sie schon lange wollten ...«

Plötzlich griff sie nach seinem Arm.

»Nehmt mich! Keiner von denen soll der Erste zu sein. Und wenn sie merken, dass ich noch unberührt war, lassen sie die Ehe als ungültig erklären. Dann bin ich wieder eine Sklavin.«

Fassungslos starrte Thomas in das Gesicht dieses Mädchens. Scheu legte sie ihre Hand an seine Wange und zog ihn näher zu sich.

»Ihr seid wenigstens freundlich zu mir«, flüsterte sie. »Helft mir, bitte!«

Allein die Berührung ihrer schmalen Hand verursachte eine Erektion bei Thomas. Zu lange schon hatte er keine Frau mehr gehabt.

»Wollt Ihr mich nicht? Gefalle ich Euch nicht?«, bedrängte sie ihn beinahe verzweifelt, als er sich nicht rührte.

»Du gefällst mir, sehr sogar«, gab er zögernd zu. »Ich träume von dir, seit ich dich zum ersten Mal sah.«

Länger konnte er nicht widerstehen, er tat, was er seit Wochen wünschte: Er küsste ihre weichen, vollen Lippen. Dabei spürte er, wie sie erst am ganzen Leib zitterte, dann aber ruhiger wurde, ihre Lippen öffnete und seinen Kuss zu erwidern begann. Zärtlich legte er seine Hand in ihren Nacken und genoss ihren Duft, ihre Süße. Doch als sie seine Hände auf ihre Brüste legen wollte, stand er rasch auf und zog sie mit sich hoch. Dies war weder der rechte Ort noch die rechte Zeit, um zu tun, was sie wollte – und schon gar nicht die rechte Art. Er war geradezu froh darüber, dass sich seine Erregung schon in die Bruche entladen hatte.

»Wir holen gemeinsam, was du für deinen Mann brauchst«, sagte er so entschieden, dass sie nicht zu widersprechen wagte.

Godwins Haus befand sich im Venezianerviertel, zwischen dem Hospital und dem Hafen gelegen.

Eschiva sagte kaum ein Wort, als sie dorthin gingen, und auch Thomas mühte sich redlich damit ab, seiner Gefühle Herr zu werden.

Das gelang ihm schlagartig beim Anblick des Bildes, das sich ihnen bot, als sie das winzige Haus betraten. Da übernahmen die Reflexe eines Kriegers, der sich für einen Kampf anspannte.

Im Raum saßen drei Kerle, unübersehbar Brüder, mit hochgelegten Beinen, vor sich einen schon zur Neige geleerten Krug Wein. Der älteste von ihnen goss sich gerade die letzten Tropfen in einen Becher, der andere spielte mit einem breiten Damaszenerdolch herum, der dritte legte aufreizend die Hand an seinen Schritt, als er Eschiva sah.

Der mit dem Dolch sagte etwas in verächtlichem Tonfall in einer Sprache, die Thomas nicht verstand.

»Sprich deutsch mit ihm!«, fuhr ihn das Mädchen an.

»Das kannst du haben«, antwortete der Bursche. Er sah grinsend zu seinen Brüdern. »Wie war doch gleich das Wort? Hure! Und, ist der Alte endlich tot? Hast wohl gleich einen Freier aufgelesen? Wie vorausschauend, denn umsonst kriegst du hier nichts mehr zu fressen.«

Der Jüngere nahm die Hand vom Schritt, stemmte sich hoch und ging zwei Schritte auf Eschiva zu, wobei er provozierend sein Becken vor und zurück bewegte. »Ich hab schon immer gesagt, ich bin der Erste, der sie kriegt. Also, Fremder, du musst dich noch ein wenig gedulden! Du kannst hier warten, bis ich mit ihr fertig bin.«

Das reichte Thomas, um zum Angriff überzugehen. Er hätte lieber zuerst den mit dem Dolch entwaffnet, aber der andere war ihnen näher und wollte schon nach Eschivas Arm greifen.

Rasch schob Thomas das Mädchen hinter sich und schlug ihn mit einem Fausthieb gegen das Kinn nieder.

Der mit dem Dolch war zwar erstaunlich schnell aufgesprungen und wollte mit der Klinge auf ihn einstechen, doch Thomas fing sie ab, drehte ihm den Arm auf den Rücken, warf ihn zu Boden, trat den Dolch in die hinterste Ecke und setzte ihm einen Fuß in den Rücken. Sofort zog er sein Schwert und hielt den Dritten in Schach, der benommen blinzelte, um zu begreifen, was da in einem einzigen Augenblick geschehen war, und langsam die Beine vom Tisch nahm, ohne den überraschend aufgetauchten Gegner aus den Augen zu lassen.

»Hol, was du brauchst«, rief Thomas Eschiva zu, die ohne Verzug die Treppe hinaufhuschte.

Der Älteste hatte nun endlich trotz seiner Trunkenheit am helllichten Tag die Lage erfasst.

»Ich bringe dich vor den Richter, Fremder! Dann wirst du hängen wie die anderen Störenfriede aus dem Lager auf dem Hügel.«

»Und wofür?«, erkundigte sich Thomas mit vorgetäuschter Gelassenheit. Er fürchtete nicht um sein Leben, aber die Schande, wenn er vor Gericht kam, weil er drei Einheimische angegriffen hatte. Er hatte sich hinreißen lassen. Nur, was sonst hätte er tun sollen?

»Kein Richter wird mich dafür verurteilen, dass ich die Ehre einer Frau verteidige. Noch dazu in einem Fall von beabsichtigter Blutschande!«, meinte er überzeugter, als ihm zumute war.

»Vielleicht sollte *ich* Klage gegen *euch* erheben. Ich weiß zwar nicht genau, wie man so etwas hierzulande bestraft, aber nach allem, was ich gehört habe, setzt man dann eine scharfe Klinge zwischen den Beinen an. Verabschiedet euch schon einmal von euren edelsten Teilen!«

Der Bursche zu Thomas' Füßen versuchte knurrend, die Last in seinem Rücken loszuwerden, der Jüngste lag nach dem Hieb aufs Kinn immer noch reglos am Boden, der Ältere dagegen verlegte sich aufs Feilschen.

»Hör zu, kein Grund zur Aufregung«, sagte er beschwichtigend und breitete die Hände aus. »Sie ist eine Hure, eine Sklavin, und die ganze Aufregung nicht wert. Wenn du darauf bestehst, nimm sie zuerst. Du musst auch nicht zahlen. Es ist ein Geschenk, verstehst du? Ein Geschenk! Dann trinken wir zusammen und gehen als Freunde auseinander.«

»Was seid ihr für widerliches Pack!«, fuhr Thomas ihn an. »Euer Vater ist noch nicht einmal tot, und ihr wollt schon die künftige Witwe zur Hure machen!«

Jetzt beugte sich der Mann am Tisch leicht vor, der Schwertspitze entgegen. »Sie hat dich also um den Finger gewickelt, ja?«, fragte er boshaft. »Denkst wohl, du könntest dich hier ins gemachte Nest setzen, Fremder? Da hast du dich geirrt! Wenn der Alte tot ist, bin *ich* das Oberhaupt der Familie, und *ich* entscheide, was aus ihr wird. Ob ich sie davonjage oder sie verkaufe oder sie ins Hurenhaus schicke oder sie mit jemandem verheirate, der mir passt. Aber auf jeden Fall werde ich mir vorher holen, was mir zusteht: das Haus und alles, was sie zwischen den Beinen hat.«

Eschiva war inzwischen wieder heruntergekommen und hielt ein schmales Bündel umklammert.

»Es ist Godwins Wille, dass dieser Mann mein Vormund wird«, rief sie und zeigte auf Thomas. »Er wird entscheiden, was aus mir und dem Haus wird, falls euer Vater stirbt.«

»Das wollen wir doch erst einmal sehen!«, entgegnete ihr ältester Stiefsohn verächtlich. Er überlegte, ob er dem Fremden vor die Füße speien sollte, unterließ es dann jedoch lieber, nicht nur des Schwertes wegen. Dieser Kerl hatte ja vorher schon mit bloßen Händen seine Brüder zu Boden geschickt.

Thomas gab Eschiva mit den Augen das Zeichen zu gehen, warf noch einmal einen drohenden Blick auf die drei und stapfte hinaus.

In der Gasse vergewisserte er sich, dass niemand sie verfolgte. Das ist ja noch übler, als ich es mir vorgestellt hatte, dachte er. Dorthin kann sie wirklich nicht allein zurück.

»Es tut mir leid, Euch da hineingezogen zu haben«, sagte Eschiva beklommen und leise. Sie hatte die Lider gesenkt und jede Farbe aus dem Gesicht verloren. »Godwin weiß, was er von seinen Stiefsöhnen zu halten hat. Er wird Euch bestimmt als Vormund einsetzen, wenn wir ihm erzählen, was geschehen ist. Dann wagen sie es nicht, zum Richter zu gehen.«

Nach einem Augenblick beschwor sie ihn geradezu verzweifelt: »Ihr müsst mich ja nicht heiraten. Legt nur bei Bruder Notker und Meister Walpot ein gutes Wort für mich ein, damit ich als pflegende Schwester im Hospital bleiben kann. Dann wäre ich gerettet.«

Thomas' Gedanken kreisten längst darum, wie er wohl Graf Dietrich und auch Heinrich Walpot erklären wollte, in welchen Schlamassel er da geraten war.

Doch er bereute nichts. Denn noch intensiver kreisten seine Gedanken um diesen ersten, scheuen und dann innig gewordenen Kuss. Nichts würde er lieber tun, als Eschiva auf der Stelle zu heiraten.

Da er aber Wallfahrer war und vermutlich spätestens nächsten Monat, wenn das Hauptheer eintraf, in die Schlacht ziehen musste, bestand nicht die geringste Aussicht, dass er dazu die Erlaubnis bekam.

Hochzeitsgäste

Die ganze Stadt war sprachlos vor Staunen, dass Clara plötzlich als Braut inmitten einer fröhlichen Hochzeitsgesellschaft saß, am meisten aber Clara selbst.

Das Gehöft um Reinhards Haus war mit Tischen und Bänken vollgestellt, an denen die Gäste ausgelassen feierten. Sogar Raimund und Elisabeth waren aus Weißenfels gekommen, um dem Brautpaar Glück zu wünschen, die Nossener Brüder und alle anderen Überlebenden, die sich damals mit Lukas nach Freiberg gewagt hatte, um Albrecht zu töten. Natürlich waren auch ihre Freiberger Freunde eingeladen: die Ritter, mit denen Lukas auf gutem Fuß stand, Jonas, Guntram, der inzwischen die Schmiede auf dem Burghof betrieb, Karl und der alte Friedrich, der abgemagert wirkte, seit sein Bruder an einem Fieber gestorben war.

Sie saßen an einem Ehrenplatz neben dem Bergmeister und dem Münzmeister Wibald. Und gemeinsam mit Marthe hatte Clara darauf bestanden, auch diejenigen Freunde einzuladen, die nicht dem Ritterstand oder dem Rat angehörten: Christian mit seiner Frau Anna, Kuno und Bertram, die Gürtlerfamilie aus Marthes Nachbarschaft. Auch Peter, Elfrieda und Lisbeth durften heute mitfeiern.

Boris von Zbor, der schon zwei Tage vor der Hochzeit in Freiberg eingetroffen war und in Lukas' Haus nächtigte, hatte sechs seiner Bediensteten mitgebracht, die sich hier von nun an um seinen und Claras Haushalt kümmern sollten: Petka, Pawel und Andrej; Marja Antonowna, Marja Andrejewna und Marja Denisowa – so hatte er sie Clara vorgestellt.

Schon den ganzen vorangegangenen Tag hatten sie zusammen mit Elfrieda und anderen Helfern gebacken, gebraten, Tische und Bänke aufgestellt und das Haus der Brautleute mit Birkenreisern geschmückt.

Clara war sich stets bewusst gewesen, dass Lukas sich mit allen Kräften mühte, sie wieder zu vermählen, auch wenn er sie deshalb nicht mehr offen bedrängte. Aber dass es so schnell passieren würde und sie vor allem den Tag selbst kaum erwarten konnte, hätte sie sich vorher nie träumen lassen.

Boris von Zbor hatte sie regelrecht überrollt und im Sturm erobert mit seiner unbekümmerten Art. Er war so anders als die Männer, denen sie bisher ihr Herz geschenkt hatte. Einmal zu etwas entschlossen, kannte er keine Zweifel mehr. Er strotzte vor Selbstsicherheit, ohne dabei eitel zu sein, und schien mit dem Gefühl zu leben, dass es Hindernisse im Leben nur gab, um sie mit spielender Leichtigkeit aus dem Weg zu räumen.

War Dietrich für sie die Verkörperung all dessen, wofür einst ihr Vater gelebt und gekämpft hatte, so wirkte Boris von Zbor eher wie eine noch sorglosere Ausgabe von Lukas. Doch wäre er nicht ebenfalls ein so tapferer wie aufrechter Mann, hätte ihn Clara keines Blickes gewürdigt.

Als der Slawe wenige Tage nach dem Wiedersehensfest bei ihren Eltern überraschend erneut vor ihrem Haus stand und sie die Kinder nur mit Mühe davon abbrachte, ihn um neue Geschichten zu bestürmen, hatte sie geglaubt, ein Zufall habe ihn nach Freiberg geführt oder eine Nachricht, die zu überbringen war.

Er verneigte sich und überreichte ihr drei sorgfältig gearbeitete Behältnisse aus Birkenrinde, in die Verzierungen eingeprägt waren, die ein verschlungenes, regelmäßiges Muster ergaben.

»Für Eure Kräuter. Was Ihr darin aufbewahrt, wird nicht verderben«, erklärte er, und ungewohnt verlegen fügte er hinzu: »Ich habe jemanden in meinen Diensten, der recht geschickt in diesem Handwerk ist.«

Vorsichtig nahm Clara eines der kleinen Stücke in die Hand und bestaunte das Muster. Erst aus der Nähe erkannte sie, dass hier zwei Schichten Rinde übereinandergearbeitet waren und die obere mit dem Muster durchbrochen war.

»Geschickt« war eindeutig untertrieben; »kunstfertig« wäre das rechte Wort gewesen.

»Sie sind wirklich wunderschön«, sagte sie aus ehrlichem Herzen.

»Wie gesagt, was Ihr darin aufbewahrt, wird nicht verderben. Eine besondere Eigenschaft von Birkenrinde. Aber das wisst Ihr wahrscheinlich selbst als jemand, der sich gut mit Pflanzen auskennt.«

Clara musste daran denken, wie Reinhard ihr bei seiner ersten Werbung um sie ein kleines silbernes Kästchen überreicht hatte – nicht mit Schmuck, sondern mit kostbarem Mohnsamen aus dem Morgenland.

Mit einem Mal stutzte sie und musterte den Slawen, der kein Auge von ihr ließ. Konnte es etwa sein …?

Aber nein, das wollte sie nicht glauben. Und die Art, wie er ihr bei ihrer ersten Begegnung Komplimente gemacht hatte ... Das war ihm zu glatt über die Lippen gegangen, zu gewohnheitsmäßig. Wie es die Ritter bei Hofe in aller Öffentlichkeit taten und in der Kammer dann womöglich die eigene Frau grün und blau schlugen, wenn sie schlechte Laune hatten.

Wahrscheinlich war dieser Boris ein Weiberheld. Mit seiner Stärke, seinen blauen Augen und seinem freimütigen Lächeln würde es ihm gewiss nicht schwerfallen, reihenweise Herzen zu brechen. Besser, sie hielt ihn sich vom Leibe.

Also bedankte sich Clara höflich für das Geschenk und wartete, dass der Gast seiner Wege ziehen würde.

Stattdessen blieb er stehen und erkundigte sich: »Wissen sich die Burschen aus der Nachbarschaft inzwischen zu benehmen?«

Nun musste sie lächeln. »Sie machen jetzt einen weiten Bogen, wenn sie mich sehen. Sie fürchten wohl, Ihr könntet ihnen eine weitere Lektion erteilen.«

»Wie schade!«, brummte Boris mit seiner tiefen Stimme. »Darauf hätte ich wirklich Lust an diesem schönen Tag.« Er lachte, und auch Clara lächelte erneut bei der Erinnerung.

»Ihr müsst sicher gleich weiter. Aber wenn Ihr wollt, bringe ich Euch einen Becher Bier zur Erfrischung«, sagte sie, unsicher, was er von ihr erwartete. Sie konnte ihn doch nicht schon wieder einfach so ins Haus bitten!

»Das wäre wundervoll«, meinte er zufrieden.

Sie ging ins Haus, und als sie mit dem gefüllten Becher wieder hinaustrat, stutzte sie. *Rein zufällig* stand doch da Peter.

Noch bevor der Großknecht von Lukas' Haushalt auch nur ein Wort sagen konnte, begriff Clara, was hier gerade vonstattenging. Schließlich war sie mit dem sorgsam gehüteten Wissen aufgewachsen, was Peter und seine heimlichen Verbündeten alles unbemerkt von anderen im Auftrag ihrer Eltern bewerkstelligten; in ihrer Kindheit hatte sie sogar zu dieser Verschwörerbande gehört.

Während Entrüstung und Scham in ihr hochkochten, sprach Peter genau das aus, womit Clara rechnete.

»Lukas und Marthe bitten Euch, heute Abend ihr Gast zu sein, Herr von Zbor. Und auch Ihr, Clara, und Euer Bruder seid herzlich eingeladen.«

Boris strahlte. »Richte deiner Herrin meinen Dank aus. Aber jetzt muss ich weiter, eine Nachricht auf die Burg überbringen.« Er küsste Clara die Hand, schwang sich wieder in den Sattel und ritt los.

Als Peter sich auch davonstehlen wollte, rief Clara ihn energisch zurück.

»Ich durchschaue euch!«, sagte sie ihm wütend ins Gesicht und stemmte die Arme in die Seiten. »Sie haben sich verabredet, mein Stiefvater und dieser verrückte Slawe! Allmächtiger, ihr wollt mich verkuppeln!«

Peters zuckte mit den Schultern und zeigte sein typisches Grinsen. »Er ist doch nicht die schlechteste Wahl, dieser verrückte Slawe! Mal abgesehen davon, dass sein Gesinde vermutlich kein Wort in unserer Sprache spricht …«

Doch dann blickte er Clara mit einem ungewohnt warmherzigen Lächeln an und raunte: »Er mag Euch wirklich sehr, es ist ihm ernst.«

»Woher willst *du* das wissen?«, fauchte Clara.

»Ich habe nicht gelauscht, ehrlich! Meine Ohren sind irgendwie hellhöriger als die von anderen. Vielleicht ein Geburtsfehler … Und da es um Euch ging … Ich würde doch nicht zulassen, dass jemandem von meiner Bande Leid zugefügt wird!«

Das brachte Clara nun trotz der peinlichen Lage zum Lachen. Sie als Mitglied von Peters Bande! Wenn sich das herumsprach … Aber irgendwie tat es gut zu wissen, dass sich Leute um sie sorgten. Also schickte sie ihn mit der Nachricht zu ihrer Mutter zurück, sie würde am Abend kommen.

Diesmal zog sie jedoch nicht ihr bestes Kleid an. So leicht wollte sie es den Verschwörern, zu denen zweifellos auch ihre Mutter zählte, nicht machen.

Sie behielt an, was sie bei der Begegnung mit Zbor getragen hatte, aber sie flocht ihr Haar neu und setzte statt des bestickten Leinenstreifens ein Schapel auf.

Im Verlauf des Abends gab sie durch nichts zu erkennen, dass sie das Vorhaben durchschaute. Sie tat so, als bemerkte sie nicht, dass beinahe alle am Tisch heimlich die Blicke auf sie richteten. Doch die lustigen Geschichten, die der Zboraer aus dem Sagenschatz der Slawen erzählte, brachten sie zum Lachen. Und sie genoss es. Wie lange hatte sie nicht gelacht!

Unauffällig warf sie dann und wann einen Blick auf ihn und versuchte sich auszumalen, ob sie sich ihm wohl hingeben könnte. Begann sie, sich zu verlieben? Oder war sie nur des Alleinseins müde? Manchmal nach all den Jahren, in denen sie sich tags allein durchkämpfen musste und nachts allein im Bett lag, sehnte sie sich nach einer Schulter zum Anlehnen.

Doch sie spürte ein naturgegebenes Misstrauen gegenüber Männern nach allem, was sie auf dem Meißner Burgberg erlebt hatte … Und die Körperkraft und Impulsivität des Zboraers hatten etwas Einschüchterndes.

Aber irgendwann im Verlauf weiterer Abende gab sie dieses Gefühl auf. Wenn Lukas ihm traute, durfte sie es auch. So sehr vertraute sie inzwischen ihrem Stiefvater.

An einem warmen Frühsommertag suchten Lukas und ihre Mutter sie mit ernsten Mienen auf und eröffneten ihr, Boris von Zbor habe bei ihnen um ihre Hand angehalten.

»Er wartet in unserem Haus auf Nachricht, ob er um dich werben darf. Wenn du noch etwas Zeit brauchst, um darüber nachzudenken, ist er bereit, sich zu gedulden«, sagte Lukas vorsichtig, ohne sie aus den Augen zu lassen. Er fürchtete wohl, wie üblich bei diesem Thema ein entschiedenes Nein zu hören.

Zu seiner völligen Verblüffung breitete sich ein strahlendes Lächeln auf Claras Gesicht aus. »Ja«, sagte sie. Und dann noch einmal: »Ja!«

Mehr brachte sie vor lauter Freude nicht heraus und wusste auf einmal nicht, wohin mit ihren flatternden Händen.

An dem überaus erleichterten Blick, den Lukas Marthe zuwarf, erkannte Clara, wie sehr sich ihr Stiefvater um sie gesorgt hatte. Im nächsten Moment umarmte er sie und sagte: »Ich freue mich so für dich!«

Dann schloss Marthe ihre Tochter in die Arme, und schmunzelnd rieb sich Lukas über den blonden Bart, während er ihnen dabei zusah.

Er hatte in seinen kühnsten Träumen nicht zu hoffen gewagt, dass es so gut verlaufen würde, ohne einen einzigen Protest! Doch das lang vermisste Leuchten in Claras Augen verriet ihm, dass sie über die bevorstehende Hochzeit glücklich war.

Es wird auch Zeit, dass sie nach all den Jahren wieder etwas Freude erlebt, dachte er. Und dem Zboraer drehe ich persönlich den Hals um, wenn er sie enttäuscht!

»Dein künftiger Gemahl überlässt dir die Wahl: Wenn du in Freiberg bleiben möchtest, stellt er seine Güter in Bora unter die Aufsicht eines Verwalters, und ich würde ihn als Ritter in die Burgmannschaft aufnehmen«, erklärte er rasch, ehe es sich Clara vielleicht doch noch anders überlegte. »Ihr könntet dann mit den Kindern in diesem Haus wohnen bleiben, du kannst weiterhin als Heilerin arbeiten. Es gibt genug Leute hier, die deine Hilfe brauchen, das schaffen deine Mutter und Johanna nicht allein. Daniel nehmen wir zu uns, und Lisbeth und Guntram ziehen zu Jonas. Ich selbst hätte Zbor, ehrlich gesagt, aus mehreren Gründen auch lieber hier. Aber wenn du nach Bora ziehen möchtest …«

»Nein, es ist gut so. Ich möchte hierbleiben«, erwiderte Clara. Dann sah sie ihren Stiefvater und ihre Mutter stirnrunzelnd an, auch wenn das Lächeln nicht ganz aus ihrem Gesicht verschwand.

»Seid ehrlich: Seit wann plant ihr diese Sache schon?«

»Ganz die Mutter!«, stöhnte Lukas. »Man kann nichts vor euch verbergen. Aber das werde ich dir nicht verraten. Und nun rasch, putz dich ein wenig heraus! Der Bräutigam wartet schon ungeduldig, und wir wollen ihn nicht noch länger auf die Folter spannen.«

Die beiden gingen zu ihrem Haus, und Clara rief schnell Lisbeth herbei, um sich in das grüne Festkleid helfen zu lassen, das Haar neu zu flechten und den zartesten Schleier aufzusetzen. Die Kette mit dem silbernen Kreuz, ein Andenken an ihren Vater, die sie sonst verborgen unter dem Bliaut trug, holte sie nun hervor und zeigte sie offen.

Kaum war Lisbeth mit den Kindern aus dem Haus, bat Boris von Zbor um Einlass. Auch er trug Festkleidung in leuchtenden Farben mit breiten Stickereien, eine fein gearbeitete Fibel und eine Kappe mit Fellbesatz statt einer Bundhaube.

Er sank vor ihr auf ein Knie und sagte: »Clara von Reinhardsberg! Ich bin kein sehr reicher Mann. Aber wenn Ihr die Güte habt, mich zu erhören … Ihr habt mich verzaubert, und ich liebe Euch von ganzem Herzen. Ich schwöre, ich werde Euch ein guter Mann sein und Euern Kindern ein guter Vater.«

Clara pochte das Herz vor Freude und Aufregung. Ihre Stimme zitterte leicht, als sie sagte: »Vielleicht seid Ihr kein reicher Mann … Aber Ihr seid ein aufrechter und tapferer Mann. Das ist es, was zählt.«

»Also nehmt Ihr meine Werbung an?«, fragte Boris, der kaum an sein Glück glauben wollte.

»Ja. Von Herzen gern!«

Und so saß Clara nun an diesem warmen Sommertag inmitten einer großen, lärmenden Hochzeitsgesellschaft an der Seite ihres neuen Mannes. Sie trug ein Kleid aus dunkelrotem, feinem Leinen mit farbenfrohen Stickereien, das Hedwig ihr geschickt hatte, ein silbernes Schapel, ein Geschenk Reinhards zu ihrer Heirat mit ihm, und wunderschönen Schmuck, den ihr Mann ihr vor der Hochzeit mit der Bitte hatte überbringen lassen, sie möge ihn doch an diesem Festtag anlegen: Ohrringe aus kleinen Bergkristallkugeln, die mit zisieliertem Silber eingefasst waren. Es waren unglaublich schön gearbeitete Stücke, ein typisch slawischer Schmuck, den Boris von Zbor auf verschlungenen Wegen über Hansekaufleute geordert hatte, die bis an den fernen, riesigen Fluss Wolga Handel trieben.

Der Bräutigam trug an seinem Festgewand keine der üblichen Fibeln, sondern eine Doppelschließe mit einem ebenso filigranen Muster.

Als Pater Hilbert sie am Morgen vermählt hatte, war noch ein leichter Nieselregen niedergegangen.

»Es bringt Reichtum, wenn es der Braut auf den Schleier regnet«, hatten mehrere Gäste versichert. Doch nun standen nur noch ein paar leichte Wölkchen am Himmel, und die Sonne schien.

Petka, Pawel, Andrej und die drei Marjas hatten allen Hände voll zu tun, Fleisch von den Spießen zu schneiden und Bierkrüge nachzufüllen.

Die Kinder tollten umher, die Hochzeitsgäste lachten, scherzten und brachten Trinksprüche auf die Neuvermählten aus.

Jetzt trat ein Spielmann vor das Brautpaar, und rasch verebbte der Lärm. Auf ihn richteten sich erwartungsvolle Blicke, denn es war für viele hier ein alter Bekannter und besonderer Gast: Ludmillus.

Lukas hatte einige Anstrengungen unternommen, ihn aufzuspüren. Wenn der Sänger auch die Winter am Hofe des Thüringer Landgrafen verbrachte, wo seine Frau und seine Kinder eine Bleibe gefunden hatten und beim Gesinde arbeiten durften – kaum dass die Wege wieder frei waren, ging er auf Wanderschaft, um neue Lieder zu lernen, neue Geschichten zu hören, die er in Reime fasste.

»Das Lied von Bauer Einochs!«, forderten ein paar der älteren Gäste lautstark. Sie kannten die lustige Mär natürlich, wie sich ein armer Bauer am Dorfschulzen und am Pfaffen rächt, die ihm übel mitgespielt hatten, indem er sich ihre maßlose Gier zunutze machte. Doch niemand konnte sie so mitreißend vortragen wie Ludmillus.

Der schlanke Spielmann mit der rot-grünen Kleidung in Mi-Parti zupfte ein wenig an den Saiten seiner Laute, um die Gäste noch neugieriger zu machen, dann rief er mit seiner wohlklingenden Stimme: »Hochverehrtes Publikum! Edle Damen, tapfere Herren, und vor allen: glückliches Brautpaar!«

Er verneigte sich tief und übertrieben schwungvoll. »Nun hört also die erbauliche Geschichte, die sich dereinst tatsächlich zugetragen hat und die uns lehrt, dass mit etwas Witz und Tatkraft am Ende doch das Gute über das Böse siegt.«

Er zwinkerte den Gästen zu: »Auch wenn man manchmal etwas nachhelfen muss!«

Schon begann er zu singen und zu spielen. Die Leute hingen an seinen Lippen und prusteten los, wenn er die Stimme verstellte, um die einzelnen Figuren darzustellen, bis er die Geschichte äußerst deftig enden ließ. Das Publikum hielt sich die Bäuche vor Lachen und verlangte nach mehr.

Ludmillus hob die Hand. Sofort trat Ruhe ein.

»Da dies eine Hochzeit ist, soll nun ein Liebeslied erklingen! Auf meiner Wanderschaft lernte ich bei Hofe in Wien einen jungen Spielmann kennen, von dem wir – nehmt mich beim Wort – noch viel hören werden. Sein Name ist Walther, er zählt noch keine zwanzig Jahre, und dies ist eines seiner Lieder. Es heißt *Unter der Linden*, und welches Lied könnte wohl besser zu dieser Hochzeit passen, da wir hier direkt unter einer Linde sitzen?«

Dafür erntete er ein paar verwunderte Blicke, denn der einzige Baum auf dem Gehöft war ein Walnussbaum. Ludmillus verdrehte die Augen und mahnte: »Seid nicht so engstirnig! Habt mehr Phantasie, ihr Leute!«

Das brachte ihm erneutes Gelächter ein. Doch schon ein paar Töne weiter folgten die Gäste mit verträumten Gesichtern dem wunderbaren Lied jenes Walthers von einem Paar, das unter einer Linde beim Gesang der Nachtigall in Liebe zueinanderfand.

Als das Lied zu Ende war, herrschte einen Moment andächtiger Stille, dann jubelten sie und forderten lautstark einen Kuss des Brautpaares.

Jäh musste Clara an ihre erste Hochzeit denken. Die hatte auf dem Burghof unter Albrechts gehässigem Blick stattgefunden, und Reinhard durfte vor dem Markgrafen nicht zu erkennen geben, dass er sie liebte. Also hatte er ihr damals nach solchen Rufen nur einen flüchtigen Kuss auf die Wange gehaucht.

Boris von Zbor beabsichtigte nicht, sich mit einem flüchtigen Kuss zu begnügen. Er beugte sich ein wenig zu Clara herab und zog sie näher an sich.

Etwas sperrte sich in ihr, sie musste den Impuls unterdrücken, weglaufen zu wollen. Doch dann gab sie sich einfach dem Gefühl hin, seine Lippen und seine starken Hände zu spüren.

Als er sich von ihr löste und die Gäste begeistert johlten, schoss Clara verlegene Röte ins Gesicht. Am liebsten hätte sie sich versteckt.

Ihr zuliebe zog Ludmillus rasch wieder die Aufmerksamkeit auf sich, indem er ein weiteres Scherzlied ankündigte.

Erschöpft und froh lehnte sich Marthe mit halbgeschlossenen Lidern zurück, genoss den Moment und das offensichtliche Glück ihrer Tochter und verlor sich in Erinnerungen.

Als sie mit Christian und den ersten Siedlern vor dreißig Jahren hierhergekommen war, hatten sie ihre bescheidenen Feste auf der Wiese am Bach unterhalb von Christians Haus gefeiert.

Das erste Fest war ihre eigene Hochzeit mit einem alten Witwer gewesen. Der Dorfälteste hatte sie dazu gezwungen, weil ein so junges Mädchen nicht ohne Aufsicht bleiben durfte, und nachdem Randolf und seine Kumpane über sie hergefallen waren, blieb ihr kein anderer Ausweg. Es war eine düstere Zeit gewesen, in der sie nur die kindliche Zuneigung der damals noch kleinen Johanna und ihrer Schwester am Leben hielt.

Zwei Jahre später feierte sie dort ihre Vermählung mit Christian, nachdem dieser in einem blutigen Kampf auf Leben und Tod das Dorf von seinem Erzfeind Randolf zurückerobert hatte. Sie hatten am Bach Karls Hochzeit mit Agnes gefeiert, der Tochter eines Obersteigers, die schon vor Jahren gestorben war, und dabei warb Kuno zum ersten Mal um Johanna, die er später heiratete.

Doch diesen Platz voller Erinnerungen gab es nicht mehr. Ganz in der Nähe war Silbererz gefunden worden, nun zog sich eine Grube dort entlang, und die Dorflinde, unter der Christian einst Gericht gehalten hatte, war den Äxten zum Opfer gefallen.

Aus dem Dorf ist eine Stadt geworden, in weniger als einem Menschenleben, sann Marthe nach. Aus den Knechten, die auf den Siedlerzug gingen, wurden erst Bauern und nun Stadtbürger. Vielleicht ging das zu schnell, um das Leben eines Knechtes hinter sich zu lassen? Braucht es mehr als eine Lebensspanne, um aus einem Knecht einen Bürger zu machen? Aber wer nicht wenigstens ein Körnchen Mut besitzt, dem wird selbst in hundert Jahren keiner wachsen.

Ein dumpfer Anflug von Gefahr riss sie aus ihren Gedanken. Instinktiv griff sie nach Lukas' Arm, der an ihrer Miene sah, dass etwas nicht in Ordnung war, und sofort die Umgebung nach möglichen Feinden absuchte.

Die Menschen um sie herum schienen nichts zu bemerken, sie lachten immer noch über Ludmillus' zunehmend deftige Gesänge.

Nun erkannte sie die Ursache für ihr alarmierendes Gefühl: Pater Sebastian, inzwischen zu einem dürren Greis geschrumpft, mit hängenden Schultern und ohne einen einzigen Zahn, kam mit eiligen Schritten zum Tor geschlurft und schrillte: »Sünde!« Schlagartig verstummten die Gespräche der Festgäste, erschrocken starrten sie auf den Geistlichen in der schmutzigen, zerrissenen Kutte.

»Gaukelei und Narrenpossen sind wider Gottes Willen! Tut lieber Buße, sonst werden die im Jenseits weinen, die im Diesseits lachen!«

»Dies ist eine Heirat, Väterchen! Die muss gebührend gefeiert werden, wenn wir Gott für das heilige Sakrament der Ehe danken wollen!«, warf Boris von Zbor mit gespielter Harmlosigkeit ein.

»*Väterchen*? Ihr nennt mich *Väterchen*?!«, keifte Sebastian. Völlig aus der Fassung gebracht, japste er nach Luft.

»Mit vollstem Respekt«, versicherte Boris treuherzig. Er hatte von diesem Eiferer gehört und wollte weder Marthe noch Clara in Gefahr bringen. Aber sein Hochzeitsfest würde er sich von diesem erbärmlichen Kerl auch nicht verderben lassen.

»Ein Wende!«, brachte Sebastian verächtlich hervor, nachdem er den Bräutigam genauer gemustert hatte.

»Ein deutscher Ritter und frommer Christ«, widersprach Boris mit Nachdruck und erhob sich zu voller Größe.

Das genügte Sebastian, um schleunigst seinen Rückzug vorzubereiten. In seinen Gedanken durchlebte er gerade noch einmal den Augenblick, als ihn dieser wahnsinnige Truchsess beinahe erwürgt und abgestochen hatte. Wer sagte, dass der Wende hier nicht noch verrückter war?

Aber ganz ohne ein letztes Wort würde er das Feld nicht räumen.

»Statt euch sündigem Gesang und Narrenpossen hinzugeben, solltet ihr lieber um Genesung für unseren Kaiser beten! Er ist erneut am Sumpffieber schwer erkrankt«, hielt er der Hochzeitsgesellschaft triumphierend vor. »Falls er stirbt, wird er nicht in geweihtem Boden begraben, denn der Heilige Vater hat ihn exkommuniziert, weil er einen Wallfahrer gefangen genommen hat!«

»Das werden wir tun, Pater«, versicherte Boris, kramte eine Pfennigschale aus seinem Almosenbeutel hervor und ließ sie dem Greis bringen. »Hier, kauft davon in meinem Namen Kerzen und zündet sie an, wenn Ihr um das Wohl des Kaisers betet – und darum, dass er wieder in den Schoß der Heiligen Mutter Kirche aufgenommen werden kann.«

Das schien Sebastian der beste Abgang, den er unter diesen Umständen erwirken konnte. Mit seinen dürren, schmutzigen Fingern umklammerte er das Geld und schlurfte ohne ein weiteres Wort davon.

Einen Augenblick lang herrschte Totenstille in der Runde. Dann hob Boris seinen Becher und rief: »Auf den Kaiser!«

Nach Lukas' Zeichen begann Ludmillus, erneut zu spielen.

Doch die Stimmung hatte sich geändert, und Clara entging nicht, dass ihr nunmehriger Mann sich einige Zeit später erhob, seinem Schwiegervater die Pranke auf die Schulter legte und ihm zuraunte: »Du kannst auf mich zählen, wenn es so weit ist!«

Clara und Marthe wussten sofort, worum es ging. Wenn der Kaiser starb, war zweifelhaft, ob sein zweieinhalbjähriger Sohn, den die Fürsten zum König gewählt hatten, auch tatsächlich als Regent anerkannt wurde. Solche unruhigen Zeiten brachten zumeist Krieg; sie spalteten das Land im Streit um die Thronfolge. Aber für Dietrich ergab sich vielleicht eine Chance, die Zeit ohne handlungsfähigen König zu nutzen und die Mark Meißen zu erobern, so wie es sein Großvater Konrad einst getan hatte. Was würde die Zukunft bringen? Tod und Blutvergießen? Oder Dietrich als Markgrafen von Meißen?

Clara wollte jetzt nicht an ihn denken.

Konnte Boris von Zbor die Wunde heilen, die er in ihrem Herzen hinterlassen hatte?

Und wie würde es sein, wenn Dietrich aus dem Heiligen Land zurückkehrte und sie als verheiratete Frau vorfand?

»Clara«, flüsterte ihr eine tiefe Stimme ins Ohr. »Ihr seid gerade sehr weit fort. Kommt Ihr zurück zu mir?«

Sie schloss für einen Moment die Lider, wie um dann aufzuwachen und in die Gegenwart zu finden.

Boris, der auf seinen Platz zurückgekehrt war, lächelte ihr zu, und das riss sie endgültig aus ihren Gedanken. Er nahm ihre Hand zwischen seine Hände, drückte sie sanft, dann stand er auf und räusperte sich.

Jäh begriff Clara, was er vorhatte, und mit einem Mal schien aller Mut sie zu verlassen.

»Geschätzte Brauteltern, werte Gäste«, rief er. »Ich danke euch allen dafür, dass ihr diesen glücklichen Tag mit mir und meiner schönen Braut teilt. Für eure guten Wünsche und eure Freundschaft. Euch, Lukas und Marthe, danke ich dafür, dass ihr mir eure Tochter anvertraut und uns euren Segen gegeben habt. Und Euch, Clara …«

Nun zog er sie hoch, nahm erneut ihre Hand und küsste sie. »Euch danke ich ganz besonders für Eure Gunst.«

Besitzergreifend legte er seinen Arm um ihre Schultern und sagte zu Hilbert: »Pater, hättet Ihr die Güte, das Brautbett für uns zu segnen?«

Clara wurden die Beine schwach. Doch nun gab es kein Zurück. Und sie war ja wirklich keine Jungfrau mehr, dass sie sich ängstigen müsste. Oder? Hatte sie sich doch zu vorschnell entschieden? Sie mied den Blick zu ihrer Mutter und zu Lukas, weil sie ihre Furcht nicht zu erkennen geben wollte.

Boris führte sie sicher durch die Menschenmenge zur Tür, die mit Birkenreisern geschmückt war. Er ließ Pater Hilbert den

Vortritt, doch nachdem dieser seinen Segen für die Brautleute ausgesprochen hatte, die noch voll bekleidet vor dem Bett standen, statt sich nackt hineinzulegen, schickte er alle neugierigen Gäste hinaus.

»Von hier an kommen wir allein zurecht«, erklärte er fröhlich grinsend. »Feiert ihr inzwischen draußen weiter, trinkt auf unser Wohl und auf viele hübsche Kinderchen!«

In seiner Muttersprache sagte er etwas zu Pawel – vermutlich die Anweisung, dafür zu sorgen, dass es keine Störenfriede und keine Lauscher gab. Änne und ihre Brüder würden heute bei Marthe schlafen.

Als sie in der Kammer allein waren, stand Clara starr und stumm und wartete, was nun geschehen würde. Frauen, die an dieser Stelle unaufgefordert etwas taten, galten als unkeusch und verdorben. Das hatte ihr Ida vor ihrer ersten Hochzeit eingeschärft, und das predigten die Geistlichen.

Doch auch Boris unternahm noch nichts von dem, was ein Bräutigam in der Hochzeitsnacht üblicherweise tat.

»Clara, *duschá majá,* wie soll ich es dir sagen …«

Schon wieder fehlten ihm die Worte! Dabei hatte er nun wirklich viele Frauen in seinem Bett gehabt! Aber noch keine davon war seine Ehefrau gewesen. Das war das Dilemma.

Er trat einen Schritt auf sie zu und zog ihr Schleier und Schapel vom Kopf. Überraschend sanft strich er mit seinen großen Händen durch ihr kastanienfarbenes Haar und entflocht es. Er liebte es, wenn Frauen ihr langes, schönes Haar zeigten. Auch deshalb hatte er ihr die Ohrringe geschenkt – er wollte nicht, dass sie ein Gebende trug.

Dann legte er seine Hand an ihre Wange und küsste sie erneut.

Clara spürte, wie ein Zittern durch ihren Leib ging, in ihrem Bauch schienen Schmetterlinge zu flattern.

»Liebste, es ist mir gleich, was sich nach Meinung der Leute und der Kirche im Bett zwischen Eheleuten geziemt oder nicht«, wisperte er ihr ins Ohr. »Ich möchte dir Freude bereiten. Du musst also nicht still bleiben, sondern ich bitte dich von ganzem Herzen, zeige mir, was dir gefällt.«

Das musste er loswerden. Sie war eine tapfere und leidenschaftliche Frau, ganz anders als diese verschüchterten, unerfahrenen, blutjungen Mädchen, die ihn wenig reizten. Deshalb hatte er sich Hals über Kopf in sie verliebt.

Doch jetzt war keine Zeit mehr zum Reden oder Nachdenken. Er zog Clara an sich und küsste sie heftig, während er mit einer Hand ihren Rücken hielt, mit der anderen schon an den Schnüren ihres Bliauts zog. Für einen Moment lösten sie sich voneinander und halfen sich voller Ungeduld gegenseitig aus den Kleidern.

Dann nahm Boris seine Frau auf die Arme und trug sie zum Bett. Während er ihre Brüste und ihren Hals liebkoste, erspürte er, dass er ihr willkommen war, also drang er sofort in sie ein und genoss das unbeschreibliche Gefühl. Er verharrte einen Augenblick, knabberte an ihrem Ohrläppchen, raunte: »Ich will dich glücklich machen. Ich will dich lachen sehen.«

Da zog sie ihn zu sich herab, umschlang ihn und flüsterte: »Dann warte nicht länger!«

Auf Abwegen

Als Thomas und Eschiva das deutsche Hospital wieder erreichten, suchten sie sofort nach Bruder Notker. Denn wenn Godwin – sofern er überhaupt noch lebte – die Vormundschaft über seine Frau übertragen sollte, brauchten sie einen Zeugen und Eideshelfer.

Notker bestand allerdings darauf, Heinrich Walpot von der ganzen Angelegenheit zu unterrichten und die Entscheidung in dessen Hände zu legen.

Mit immer strenger werdender Miene ließ sich der Vorsteher der Hospitalgemeinschaft von dem Zwischenfall und Eschivas Notlage berichten. Er musterte Thomas mit hartem Blick und erklärte: »Ihr könnt unmöglich die Verantwortung über diese Frau übernehmen. Als Wallfahrer habt Ihr Euch von den Weibern fernzuhalten. Außerdem werdet Ihr in die Schlacht ziehen, sobald das Hauptheer eintrifft. Wer soll dann für sie sorgen?«

Seine Worte klangen so endgültig, dass Thomas wusste, Widerspruch war zwecklos und würde alles nur noch schlimmer machen.

Also schwieg er vorerst und wartete ab, ob Walpot entschied, Eschiva zu helfen.

»*Ich* werde die Vormundschaft über sie übernehmen, sofern Godwin damit einverstanden ist«, erklärte dieser. »Sie darf hierbleiben und bei der Pflege der Kranken helfen. Wir sind es Godwin schuldig, uns ihrer anzunehmen.«

Eschiva sank dankbar vor ihm auf den Boden, doch Thomas hatte Mühe, seine Unzufriedenheit zu verbergen. Sollten diese missratenen Stiefsöhne das Haus an sich reißen? Oder würde Walpot es für die Spitalgemeinschaft beanspruchen?

Wenigstens war Eschiva hier in Sicherheit. Aber Heinrichs Miene ließ keinen Zweifel daran, dass er alles unternehmen würde, um seinen möglicherweise künftigen Ordensritter nicht in die Nähe dieser Frau zu lassen. Und auch keiner anderen Frau.

»Begebt Euch jetzt wieder in das Heerlager!«, befahl er.

Vergeblich hoffte Thomas auf eine Möglichkeit, wenigstens noch ein Wort mit Eschiva zu wechseln.

Sie, Notker und Walpot gingen gemeinsam zum Krankensaal, und ihm blieb nichts anderes übrig, als seinen Grauschimmel zu holen und zurückzureiten.

Gleich nach seiner Ankunft im Lager berichtete Thomas Dietrich von dem Zwischenfall. Er war ungewöhnlich lange fort gewesen, und zweifellos würde der Graf sowieso von der Angelegenheit erfahren. Eine bewaffnete Auseinandersetzung mit Einheimischen war zu schwerwiegend, um sie zu verschweigen.

Nur den Kuss und Eschivas aus tiefster Not heraus geborenes Flehen, ihr die Jungfräulichkeit zu nehmen, ließ er auch hier aus. Dietrich hörte ohne jede Regung in seinem Gesicht an, was sein Ritter zu gestehen hatte.

»Das deckt sich mit dem, was mir Heinrich Walpot durch einen Boten ausrichten ließ«, erklärte er. »Immerhin seid Ihr aufrichtig.«

Thomas, der nach wie vor kniete, wäre vor Entrüstung beinahe aufgesprungen. Hielt Dietrich ihn etwa für einen Lügner? Zumindest schien Walpot das zu tun, wenn er eigens und in aller Eile einen Boten hierhergeschickt hatte. Wie konnte der überhaupt so schnell hier gewesen sein? Es hatte ihn nach Passieren des Tores kein Reiter überholt.

»Ihr werdet Euch ab sofort der Ausbildung der ostmärkischen Knappen widmen. Und zwar ausschließlich«, wies Dietrich an. Das hieß: keine Besuche mehr im Hospital. Er würde Eschiva nicht mehr sehen, nicht einmal erfahren, wie es ihr ging. Und sie schon gar nicht heiraten können.

Noch nie hatte Thomas solchen Zorn gegen Dietrich in sich verspürt.

Am liebsten hätte er ihn angeschrien: Du hast gut reden, du hast dir ja genommen, was du wolltest! Meine Schwester hast du dir ins Bett geholt und sie entehrt, ihr zwei Bastarde angehängt und sie unglücklich gemacht! Und du stellst dich hin und willst über mich richten?

Er wusste selbst nicht, was ihn davon abhielt, das herauszuschreien – ganz bestimmt nicht Feigheit oder Rücksichtnahme auf seine Lage. Wenn er bisher noch nicht wegen des Zwischenfalls im Venezianerviertel aus dem Heer verstoßen war, dann würde das mit Sicherheit geschehen, sobald er jetzt nur ein einziges Wort sagte.

Aber Zorn, Kummer und Hoffnungslosigkeit schnürten ihm einfach die Kehle zu, und Tränen der Wut stiegen in ihm auf.

Er verneigte sich demonstrativ knapp, stand mit eckigen Bewegungen auf und ging hinaus, um sich bei dem vermaledeiten Lehrmeister der vermaledeiten Knappen Konrads von Eilenburg zu melden.

Auch wenn die Tage verstrichen, wollte sich Thomas' Groll gegen alle und jeden nicht legen. Seine Gedanken kreisten um Eschiva und darum, wie er sie wiedersehen konnte. Beim Schwertkampfunterricht für die ostmärkischen Knappen ertappte er sich immer wieder dabei, unaufmerksam zu sein. Dann ermahnte er sich, dass er mit diesen Lektionen Leben retten konnte, und scheuchte die schweißüberströmten Burschen noch härter unter der sengenden Sonne.

Anfang September landeten weitere Kämpfer in großer Zahl an Akkons Küste. Doch sie hatten ihre Zelte kaum im Lager aufgebaut, als eine Katastrophe auf die andere folgte.

Mehrere der neu eingetroffenen Kontingente waren sofort und ohne Absprache mit dem Herrscher Jerusalems gegen Gebiete al-Adils gezogen und gerieten dort in heftige Bedrängnis durch den Gegner. Heinrich von Champagne schickte ihnen auf Ratschlag Hugos von Tiberias eigene und italienische Ritter zu Hilfe, rief zusammen, was er an Kämpfern entbehren konnte, und bat sogar Amalrich von Zypern um Beistand, obwohl beide Herrscher nicht auf gutem Fuß miteinander standen.

Dass der Herrscher von Jerusalem darauf verzichtete, die deutschen Kontingente zum Einsatz zu bringen, die im Lager nur darauf warteten, endlich kämpfen zu können, war der deutlichste Beweis für das tiefe Misstrauen der Barone im Heiligen Land gegenüber den Neuankömmlingen.

Während das Gerücht die Runde machte, dass al-Adil seine Truppen Richtung Jaffa schickte und die Stadt nicht zu halten sei, ereignete sich in Akkon ein schrecklicher Unglücksfall. Heinrich von Champagne stürzte durch eigene Unachtsamkeit aus dem Fenster, als er während einer Heerschau eine Delegation der Pisaner empfangen wollte.

Die Nachricht vom Tod des jungen Königs sorgte auch im deutschen Feldlager für Entsetzen und Ratlosigkeit. Wer sollte seine Nachfolge antreten? Wer die Truppen in den Kampf führen und die zerstrittenen Christen im Heiligen Land einen?

Mehrere angesehene Männer schlugen Ralph von Tiberias vor, den jüngeren Bruder Hugos und Seneschall des Königs. Doch vor allem die Großmeister der beiden Ritterorden sprachen sich gegen ihn aus, weil er nicht vermögend genug und nur ein nachgeborener Sohn sei.

Da unterbreitete der Erzbischof von Mainz einen anderen Vorschlag: Amalrich von Lusignan, den Herrscher Zyperns. Weil Konrad von Mainz der mächtigste Kirchenfürst der weströmischen Kirche, der Vertraute des römischen Kaisers *und* ein Freund des Papstes war, fiel sein Vorschlag auf fruchtbaren Boden.

Thomas war fassungslos, als er davon erfuhr. Der Name Lusignan war für ihn untrennbar verbunden mit der militärischen Unfähigkeit und Sturheit, mit der Guido als König von Jerusalem die christlichen Streitmächte des Heiligen Landes in die vernichtende Niederlage von Hattin geführt hatte. Durch seine Schuld gingen Jerusalem und fast alle anderen Städte an Saladin verloren. Dass Akkon zurückerobert wurde, war mit hohem Blutzoll erkauft und am wenigsten Guidos Verdienst.

»Amalrich soll ein weitaus klügerer Mann als sein Bruder sein«, meinte Hermann von Salza, als Thomas diese Nachricht mit ihm und den anderen Thüringern diskutierte, die vor Jahren bei der

Belagerung Akkons dabei waren. »Und vergesst nicht: Er hat erst vor ein paar Tagen die Krone aus den Händen unseres Kanzlers entgegengenommen und ist damit streng genommen ein Vasall des Kaisers. Man bedenke die Möglichkeiten!« Vielsagend zog von Salza die Augenbrauen hoch.

Unterdessen erreichte eine Flotte von vierundvierzig Schiffen mit dem letzten großen Teil des Heeres Akkon.

Wie vom verunglückten Heinrich von Champagne vorhergesagt, lehnten es die deutschen Fürsten ab, sich unter den militärischen Oberbefehl des Marschalls von Kalden zu begeben, der nur ein Ministerialer war. Sie wählten den inzwischen eingetroffenen Herzog Heinrich von Brabant zu ihrem Anführer, unter dessen Kommando sich auch die einheimischen Streitkräfte stellten.

Marschall Heinrich von Kalden und der Kanzler Konrad von Querfurt behielten nur den Befehl über jene sechstausend Mann, die der Kaiser in Sold genommen hatte.

Kaum war Jaffa kampflos in die Hände al-Adils gefallen, beschloss der Kriegsrat, das Heer in Bewegung zu setzen. Und zwar nicht nach Jerusalem, sondern in die entgegengesetzte Richtung.

»Wieso nach Norden? Wieso nicht nach Jerusalem?«

Thomas war vollkommen aufgebracht, als der Landgraf von Thüringen nach dem Morgengottesdienst bekanntgab, dass sie am nächsten Tag abmarschieren würden – zunächst zu einer Heerschau nach Tyros, dann weiter entlang der syrischen Küste.

»Wir sollen die Piratennester ausnehmen, die von Beirut aus die Seefahrt gefährden«, sagte Dietrich leise, der neben ihm stand. »Auf Befehl des Kaisers.«

Er hätte diese Erklärung nicht geben müssen – ein Befehl war ein Befehl. Aber er hatte das Gefühl, an Christians Sohn etwas gutmachen zu müssen.

Ich hätte selbst darauf kommen können, dachte Thomas voller Bitterkeit. Nachdem Heinrich auch Sizilien gehört, will er den Seehandel von Messina und Palermo fördern. Außerdem braucht er den Seeweg für den Transport von Truppen und Nachschub. Ob der Kaiser überhaupt jemals vorhatte, uns nach Jerusalem zu schicken? Zwei seiner wahren Ziele sind nun enthüllt – die syrische Küste und die Gründung eines Deutschen Ordens. Und jetzt spielt ihm der unglückliche Tod des Königs von Jerusalem auch noch die Gelegenheit in die Hände, einen Lehnsmann als Nachfolger auf diesen Platz zu stellen.

Doch die Zeiten waren vorbei, in denen Thomas diese Zweifel gegenüber Dietrich laut geäußert hätte.

Es ist wie letztes Mal, dachte er schlecht gelaunt, als er nach dem Frühmahl wieder zum Übungsplatz der Knappen ging. Ränke, verborgene Pläne, Streitigkeiten mit blutigem Ausgang, während sich der Feind über unsere Dummheit die Hände reibt.

Nur, dass ich dieses Mal dafür auch noch mit dem Leben bezahle.

Er hatte nicht vergessen, dass seine Mutter und seine Schwester nicht mit seiner Rückkehr rechneten.

Um euch tut es mir leid, dachte er, nicht um mich. Es kümmert mich nicht mehr, wenn ich sterbe. Wofür soll ich noch leben? Ihr sollt nur nicht um mich trauern. Und wie gern hätte ich Eschiva noch einmal gesehen!

Ihr Kuss, ihr Blick, ihre unerwartete Bitte füllten sein Denken immer noch aus.

Und da war es geschehen – bei einem Übungskampf mit einem der älteren Knappen unterlief ihm ein so fataler Anfängerfehler, dass der Junge ihn besiegte.

»Gut gemacht!«, lobte er den Achtzehnjährigen, der sich nun in der Bewunderung seiner Altersgenossen sonnte. Er hatte den für seine Strenge und sein Kampfgeschick berüchtigten Thomas von Christiansdorf bezwungen!

Doch Thomas wusste, dass er einfach aus Unaufmerksamkeit seine Deckung vernachlässigt hatte. Für einen so groben Fehler hätte er schon einen Vierzehnjährigen zusammengestaucht! Bei einem ernstgemeinten Kampf wäre er jetzt tot.

Zu seiner Beschämung musste er auch noch feststellen, dass Graf Dietrich die Szene beobachtet hatte. Mit langen Schritten kam er auf ihn zu.

Schuldbewusst senkte Thomas den Kopf.

Doch statt ihn zu ermahnen, wies Dietrich an: »Ihr reitet zum deutschen Hospital und geleitet fünf Heilkundige hierher, die ab morgen mit dem Heer Richtung Norden marschieren werden. Ich erwarte Euch bei Einbruch der Dämmerung zurück.«

Mehr sagte er nicht, sondern ging zurück zu seinem Zelt.

Verblüfft starrte Thomas ihm nach. Es war erst Vormittag – das heißt, er hatte beinahe den ganzen Tag Zeit ... um Eschiva zu sehen!

»Das ist für euch noch lange kein Grund, sich auf die faule Haut zu legen!«, raunzte er die Knappen an, die schon gehofft hatten, endlich eine Pause einlegen zu können. »Ihr übt bei Heribert weiter.«

Enttäuscht und mürrisch griffen die Burschen nach den Schilden, um sich der Gruppe anzuschließen, die ein Stück entfernt von einem der älteren Kämpfer durch Hitze und Staub getrieben wurden.

»Ich bin gekommen, um mich zu verabschieden. Morgen reiten wir in den Kampf.«

Eschiva erwiderte nichts auf Thomas' Worte, sondern nahm einfach seine Hand und zog ihn mit sich.

Er hatte gleich nach seiner Ankunft Heinrich Walpot mitgeteilt, dass er die fünf Brüder, die das Heer begleiten sollten, im Auftrag Dietrichs von Weißenfels kurz vor Sonnenuntergang ins Lager führen würde. Dann hielt er Ausschau nach ihr. Im Krankensaal fand er sie nicht, stattdessen im Kräutergarten, wo sie die Pflanzen goss.

Jubelnde Freude stand auf ihrem Gesicht, als sie ihn entdeckte. Sie richtete sich rasch auf, stellte den fast leeren Bottich ab und rannte ihm entgegen. Unübersehbar wäre sie ihm am liebsten um den Hals gefallen und hielt sich gerade noch davon ab, denn Thomas stand starr und steif und rührte sich nicht.

»Geht es dir gut?«, fragte er, als sie einen Schritt vor ihm verharrte und ihren Impuls bezwang, ihn stürmisch zu umarmen. So stand sie da mit hängenden Armen und sah ihn an, den Kopf leicht geneigt.

»Ja«, sagte sie, und dann noch einmal: »Ja. Ich darf hier wohnen und arbeiten. Der Vorsteher wies mir eine kleine Kammer zu, nur für mich. Er ist natürlich nicht übermäßig froh darüber, eine Frau beherbergen zu müssen, aber in Godwins Haus kann ich nicht allein zurück, das weiß auch er. Also wird er mich bald wieder verheiraten oder wollen, dass ich die Gelübde ablege.«

Thomas hatte den Bottich genommen, der für die zierliche Eschiva viel zu groß war, und trug ihn zum Brunnen.

»Er wird dich verheiraten? Mit wem?«, fragte er aufgebracht und ließ das schwere Gefäß mitten in der Luft verharren.

»Woher soll ich das wissen?«, antwortete sie achselzuckend.

»Mit irgendeinem Gönner der Spitalgemeinschaft. Oder mit einem reichen Mann, der Godwins Haus dann dem Spital schenkt. Doch warum sollte mich ein reicher Mann haben wollen?«

Als Thomas nichts darauf erwiderte, sondern stillschweigend Wasser in das Gefäß laufen ließ, redete Eschiva einfach weiter, mit vorwurfsvoller Stimme.

»Wer fragt uns schon? Niemand! Nicht einmal Isabella, die Erbin des Königreiches, darf mitreden, wenn es um ihre Vermählung geht. Sie wird einfach wie ein Gegenstand von einem zum anderen weitergereicht, der über ihr königliches Blut seinen eigenen Anspruch auf die Krone stützen will. Erst musste sie sich gegen ihren Willen von ihrem ersten Gemahl scheiden lassen, Humfried von Turon, und den grimmigen Konrad von Montferrat heiraten. Nach Konrads Tod gab man sie umgehend Heinrich von Champagne zur Frau, ohne Rücksicht darauf, dass sie hochschwanger war. Und jetzt schert es niemanden, dass sie um ihren toten König und Ehemann trauert, sondern man wird sie schon in ein paar Tagen mit diesem Amalrich vermählen und zu ihm ins Bett legen.«

Das war für Thomas neu – ebenso wie der Gedanke, Eschiva könnte verheiratet sein, wenn er zurückkam. Doch er würde es nicht verhindern können. Als Wallfahrer durfte er nicht heiraten. Und wahrscheinlich kam er nicht aus diesem Krieg zurück. Deshalb stellte er den gefüllten Bottich neben ihr ab und wiederholte hilflos: »Ich wollte mich von dir verabschieden. Vorher durfte ich nicht kommen.«

Eschiva tauchte ihre schmalen Hände in das Wasser und schüttelte die Tropfen ab, griff nach seiner Hand und führte ihn in eine winzige Kammer unter dem Dach, ihre Bleibe. Natürlich, bei den Männern konnte sie nicht schlafen. Und ganz sicher würde Heinrich Walpot darauf achten, dass sie hier auch allein blieb. Aber er und die Brüder der Hospitalgemeinschaft waren jetzt in der Kirche versammelt, um für das Wohl derer zu beten, die morgen in den Kampf ziehen würden, eingeschlossen die fünf Brüder, die das Heer begleiten sollten.

Die Kammer war so niedrig, dass er kaum darin stehen konnte, ohne den Kopf einzuziehen, und hatte nur eine winzige Fensteröffnung.

Die gesamte Einrichtung bestand aus einer hölzernen Pritsche mit einem schmalen Kleiderbündel am Fußende und einem Schemel, auf dem ein tönernes Öllicht, ein Krug und eine Waschschüssel standen. Auf der Pritsche lag das Fell, das Thomas Eschiva geschenkt hatte.

Sie schloss die Tür hinter ihm und streckte ihm mit zärtlichem

Blick die Arme entgegen. Auch ohne ein Wort war klar, was sie von ihm erwartete.

»Eschiva, ich werde aus diesem Krieg nicht wiederkommen, das weiß ich«, erklärte er ihr. »Ich will dir nicht noch mehr Kummer bereiten. Und was, wenn ich dich schwängere? Dann wird man dich davonjagen!«

»Ich werde sagen, das Kind sei von Godwin«, erklärte sie lächelnd. »Und woher willst du wissen, dass du stirbst? Hat das deine heilkundige Mutter vorausgesehen?«

Sie griff nach seinen Händen und umklammerte sie. »Sie kann sich irren! Das Schicksal kann sich ändern, wenn man es nur will! Und wenn du sterben sollst ...« Eschiva sah ihn voller Mitleid an. »Dann muss dich eben eine schöne Erinnerung wieder ins Leben rufen.«

Jedes andere Mädchen hätte er zurückgestoßen und ihr gesagt, dass sie keine Ahnung vom Krieg hatte: von den Strömen von Blut, dem Schlachtgebrüll, den Schreien der Sterbenden und den Bergen von Leichen, auf denen in der sengenden Sonne Aasgeier hockten und verwesendes Fleisch von den Knochen rissen.

Doch Eschiva kannte den Krieg, wenngleich aus anderer Perspektive als er. Sie war dabei gewesen, als Jerusalem fiel, und hatte das Leid der Besiegten erleben müssen.

Weil sie nicht nachließ und so verlockend vor ihm stand, weil er wochenlang davon geträumt hatte, sie zu berühren, zu küssen, ihre Brüste zu streicheln, da warf er all seine guten, anständigen Bedenken und Vorsätze beiseite, riss sie an sich und küsste sie leidenschaftlich.

Eschiva stellte sich auf die Zehenspitzen und fuhr mit den Händen durch sein dunkles Haar, während sie seinen Kuss erwiderte. Und bald ermunterte sie ihn, mehr zu tun.

Nun hatte Thomas es eilig. Er riss sich den Gambeson vom Leib und zerrte den Gürtel von seiner Bruche, bettete Eschiva auf das

Fell und schob ihr das Kleid hoch, während er über ihre schlanken Schenkel strich. Er hatte Rücksicht nehmen wollen, weil sie noch unberührt war, aber dafür hatte er zu lange enthaltsam gelebt und sich zu sehr nach ihr verzehrt.

Vorsichtig erkundete er ihre intimste Stelle mit den Fingern, und dann drang er in sie ein, spürte den Widerstand und durchpflügte ihr Jungfernhäutchen mit einer kraftvollen Bewegung.

Eschiva erstarrte für einen Augenblick in der Bewegung und stieß einen Schmerzensschrei aus. Zärtlich küsste er sie und strich über ihre Wange. »Es tut gleich nicht mehr weh«, versuchte er, sie zu beschwichtigen. Und nun, da er gänzlich in ihr war und sich geborgen wie im Paradies fühlte, bemühte er sich, seine Bewegungen zu verlangsamen. Doch rasch wurden seine Stöße leidenschaftlicher, und zu seiner Freude folgte Eschiva seinem Rhythmus, wölbte sich ihm entgegen und schlang ihre schön geformten Schenkel um ihn.

Er stieß einen Schrei aus, als sein Höhepunkt kam, in den sich Erleichterung, Freude, Schmerz und fassungsloses Glück mischten. Dann ließ er sich neben sie sinken, küsste und streichelte ihr Gesicht und ihre kleinen, runden Brüste.

»Liebste!«, flüsterte er, und noch nie hatte er dieses Wort so ehrlich gemeint.

»Liebster!«, wisperte sie und lächelte ihm zu.

»Habe ich dir sehr weh getan?«, fragte er schuldbewusst, als er eine Träne aus ihrem Augenwinkel rinnen sah.

»Nein«, flüsterte sie, immer noch lächelnd. »Das ist schon vergessen. Ich weine … weil ich glücklich bin.«

Thomas lag auf dem Rücken und hielt sie mit seinem Arm umschlungen; Eschiva hatte ihren Kopf auf seine Brust gebettet. Sanft liebkosten sie einander, jeder von innigen Gedanken und Gefühlen für den anderen erfüllt.

Soll ich Walpot sagen, dass ich sie heiraten will, wenn der Krieg vorbei ist?, fragte sich Thomas. Doch freiwillig würde der vielleicht nicht auf einen Ordensritter verzichten und sie womöglich gerade deshalb schnell mit einem anderen vermählen.

Soll ich Notker, der die Weihen empfangen hat, bitten, uns heimlich zu vermählen? Aber damit würde ich ihn in einen Gewissenskonflikt stürzen – und meinen Wallfahrereid verletzen.

Blieb ihm wirklich nichts übrig, als zu hoffen, dass ihr nichts geschah, während er an einen Ort zog, an dem er nichts verloren hatte, um dort zu sterben?

Eschiva spürte die Unruhe und Bitternis, die ihn erfüllte. Sie stand auf, wusch sich ein Blutrinnsal von den Schenkeln und setzte sich dann auf die Kante der schmalen Schlafstatt.

Mitfühlend betrachtete sie die tiefe Narbe an seinem Arm. Er musste monatelang furchtbar gelitten haben an dieser Wunde.

»Denk nicht an den Tod!«, sagte sie leise und legte die Hand auf sein Herz, das kräftig und regelmäßig schlug. »Ich weiß, du kommst wieder. Ich weiß es ganz genau. Jeden Tag werde ich an dich denken und für dich beten.«

Dann beugte sie sich über ihn und küsste ihn erneut.

Nun ließ sich Thomas viel Zeit für Zärtlichkeiten, als er sie ein zweites Mal liebte. Ein zweites und wahrscheinlich letztes Mal in seinem Leben.

November 1197 an der syrischen Küste

Aus einigen Schritten Entfernung betrachtete Thomas, wie der Landgraf von Thüringen und der Markgraf des Ostens eine Partie Schach miteinander spielten. Er konnte die Positionen der Figuren von seinem Platz aus nicht erkennen, ohne aufdringlich zu wirken, aber der besorgten Miene Konrads nach schien Hermann kurz vor einem Sieg zu stehen.

Graf Dietrich saß zwischen ihnen, warf einen Blick auf das Brett und schwieg. Dann legte er den Kopf leicht in den Nacken und schien zu grübeln.

Thomas fragte sich, ob seine Gedanken wohl zu Clara flogen – oder zu Jutta, seiner nun rechtmäßigen Gemahlin. Und was er dabei empfand, wenn er an beide dachte.

Er selbst tastete in seinem Bündel wohl zum hundertsten Mal nach den Dingen, die ihm Eschiva mitgegeben hatte. Eine Tinktur gegen Fieber, eine gegen Entzündungen von Wunden und ein duftendes Öl, das er regelmäßig in die tiefe Narbe in seinem Arm einmassieren sollte. Der Geruch erinnerte ihn an die Salbe, die seine Mutter ihm vor der Schlacht um Weißenfels dort aufgetragen hatte. Vermutlich waren die Zutaten ähnlich, nur dass bei dieser Hitze eine Salbe schnell ranzig werden würde.

»Gib auf dich acht und komm lebend zurück!«, hatte sie ihm zum Abschied gesagt und tapfer gelächelt. »Du wirst hier sehnsüchtig erwartet.«

Und dann sah sie ihm in die Augen und forderte ihn eindringlich auf: »Kämpfe um dein Leben! Wirf es nicht weg!«

Sie hatte erkannt, wie ihm zumute war, so wie es auch seine Mutter und seine Schwester erkannt hatten. Aber er würde jetzt nicht mehr leichtsinnig sein – er wollte Eschiva wiedersehen und jede Nacht mit ihr verbringen.

Bisher hatten er und die meisten anderen den Kriegszug unter dem Kommando Heinrichs von Brabant unverletzt überstanden, was vor allem daran lag, dass sie nur wenig zu kämpfen hatten.

Sidon war verlassen und zerstört, als sie es einnahmen, und auch Beirut fast vollständig aufgegeben; der Emir hatte angesichts des anrückenden Heeres sogar die Befestigungen schleifen lassen. Nur um die Zitadelle musste noch gekämpft werden, aber die war schnell erobert. Sie konnten ein paar hundert christlichen Sklaven, die dort gefangen gehalten wurden, die Freiheit schenken, erbeuteten große Mengen an Waffen und Proviant.

So hatten die Franken ohne größere Verluste die Seeherrschaft über diesen Teil der Küste erlangt und gingen sofort daran, die Befestigungsanlagen wieder aufzubauen. Für diejenigen, die nicht zu Bauarbeiten herangezogen wurden, folgten gemächliche Tage.

Hermann von Salza warf einen Blick auf die Schachfiguren und meinte leichthin: »Gebt Euch geschlagen, Markgraf, sonst seid Ihr in fünf Zügen schachmatt.«

Konrad starrte stirnrunzelnd auf das Brett, dann erfasste er die Absicht seines Gegners und breitete die Arme aus. »Euer Sieg, Landgraf!«

Er lehnte sich zurück und ließ sich von einem Knappen Wein nachschenken.

In wenigen Tagen sollte hier in Beirut die Wahl des neuen Königs von Jerusalem stattfinden, und danach erst würde entschieden, ob das Heer nun nach Jerusalem reiten oder sich wieder nach Tyros und Akkon zurückziehen sollte.

Der Landgraf von Thüringen hatte die Schachfiguren nicht neu aufgestellt, sondern folgte dem Blick seines Schwiegersohnes, der die Augen leicht zusammengekniffen hatte und einem Mann entgegensah, der mit hastigen Schritten auf sie zugerannt kam. Seine aufgeregte Miene verhieß keine guten Neuigkeiten.

Vor den Fürsten kniete er nieder und brachte stoßweise atmend hervor: »Der Kaiser ist tot!«

Jeder, der in dieser Runde saß, spannte sich auf einmal an, niemand sagte ein Wort.

»Der Kaiser ist tot, Gott sei seiner Seele gnädig«, wiederholte der Bote, immer noch keuchend. »Er ist Ende September dem Sumpffieber erlegen. Der Fürstenrat tagt jetzt gleich in der Unterkunft des Erzbischofs von Mainz, um zu beraten, wie vorzugehen ist.«

Hermann von Thüringen, Konrad von der Ostmark und auch Dietrich von Weißenfels erhoben sich sofort, um zu dem Palast zu reiten, in dem Konrad von Mainz Quartier bezogen hatte. Als einer der Anführer bei der Einnahme Akkons vor sechs Jahren und Sohn eines Markgrafen gehörte Dietrich diesem Rat an, obwohl er nur ein Graf war.

Im Gehen warf er Thomas einen Blick zu, der verriet, dass sie in diesem Augenblick wieder dasselbe dachten: Jetzt steht alles auf Messers Schneide; jetzt kann das Schicksal eine ganz neue Wendung nehmen.

Sie hatten schon einmal den Tod des Kaisers während einer Wallfahrt miterlebt. Noch am gleichen Tag war der größte Teil des Heeres umgekehrt, getrieben vom Entsetzen über das Ableben Friedrichs von Staufen, dem Verdruss über die hohen Verluste und den Strapazen des Weges.

Doch starb ein Kaiser, ohne einen handlungsfähigen Nachfolger zu hinterlassen, war die Lage noch viel bedenklicher. Jetzt musste jeder sehen, wie er sein Land und seinen Besitz über die drohenden unruhigen, vielleicht sogar kriegerischen Zeiten rettete, denn Heinrichs Sohn und Erbe war noch nicht einmal drei Jahre alt.

Wie stets in Momenten, in denen er ungestört nachdenken wollte, ging Thomas zu den Pferden. Dort behandelte Wito, Raimunds bester Reiter und Sergent, gerade die eiternde Wunde eines jungen Hengstes. Neben ihm stand Bruder Notker, einer der fünf pflegenden Brüder, die mit dem Heer gezogen waren, träufelte eine streng riechende Flüssigkeit auf ein Tuch und drückte es auf die Wunde.

»Danke, Bruder«, sagte Wito überaus erleichtert, der dem nervös zuckenden Pferd beruhigend über den Hals strich. »Wenn es um Krankheiten geht, sind Menschen und Tiere einander gar nicht so unähnlich, nicht wahr?«

Bevor der Mönch protestieren konnte, fügte er rasch hinzu: »Es sind doch alles Geschöpfe Gottes.«

Thomas hatte keine Bedenken, den beiden umgehend die Nachricht vom Tod des Kaisers mitzuteilen. Sie würde ohnehin sofort die Runde im Lager machen. Vielleicht wurde ja gerade der Rückzug des Heeres beschlossen.

»Er ist immer noch exkommuniziert wegen der Gefangennahme von Richard Löwenherz!«, rief Notker erschrocken. »Er darf nicht in geweihter Erde begraben werden.«

»Das ist wirklich übel«, meinte Wito. »Wird der Papst den Bann nicht aufheben?«

»Nicht dieser Papst. Nicht Coelestin, solange er noch lebt«, beharrte Notker.

»Obwohl der Kaiser zu einem Kreuzzug aufgerufen hat?«, wunderte sich Wito. »Dann hat es ihm nichts gebracht.«

»Wir haben der Piraterie Einhalt geboten«, erinnerte Thomas. Und der Deutsche Orden wird auch nach Heinrichs Tod gegründet werden, dachte er. Doch ob Heinrichs kleiner Sohn und damit die Staufer den Nutzen davon haben werden, ist noch die Frage. Es sollte mich wundern, wenn die Welfen nicht einen eigenen Anwärter auf den Thron ins Spiel bringen.

»Denkt Ihr, die ganze Sache wird hier abgeblasen, und wir segeln zurück?«, fragte Wito.

Thomas zuckte mit den Schultern. Die Beratung beim Erzbischof war sicher nicht so bald zu Ende, aber er würde sich auf die Lauer legen, um das Ergebnis so schnell wie möglich von Dietrich zu erfahren.

»Ich sag's dir, sobald ich etwas weiß«, versprach er.

Wito streichelte erneut den Hals des immer noch unruhigen Hengstes.

»Man kann wirklich nicht behaupten, dass wir hier riesigen Spaß hätten oder gewaltigen Ruhm ernten«, meinte Raimunds Sergent. »Aber wenn ich mir vorstelle, die Pferde noch einmal zu so einer Überfahrt zu zwingen – das macht mich so wütend und hilflos, dass ich ihnen am liebsten allen den Gnadenstoß geben würde, um ihnen die Quälerei zu ersparen! Und den hier, den kann ich gleich abschlachten, der würde keine zwei Tage auf dem Schiff überleben! Dann war deine ganze Mühe umsonst, Bruder. Trotzdem vielen Dank!«

»Das fügt sich alles nach Gottes Willen«, erwiderte Notker und rollte sein Bündel zusammen, um zu dem nächsten Verletzten zu gehen.

Nachdem er fort war, sagte Thomas zynisch: »Der Kaiser tot, sein Sohn erst drei Jahre, und die mächtigsten Fürsten weit weg von zu Hause, hier im Heiligen Land. Ich schätze, jetzt brechen daheim spannende Zeiten an.«

»Gott schütze uns vor spannenden Zeiten!«, entgegnete Wito bitter. »Aber um eines werde ich den Allmächtigen bitten: dass er Graf Dietrich endlich zu seinem Land und seinem Titel verhilft. Dafür würde ich sogar noch einmal in ein Schiff steigen.«

Ich fürchte, hierin kann sich Dietrich nicht auf Gott verlassen, sondern nur auf sich selbst, dachte Thomas, ohne es auszusprechen. Auf sich, meinen Stiefvater, Raimund, Norbert von Weißenfels und noch eine Handvoll Getreuer.

Thomas war sich bewusst, dass es einen ungebührlich neugierigen Eindruck machen würde, wenn er vor Dietrichs Quartier wartete, bis dieser von der Beratung zurückkam. Doch das kümmerte ihn wenig. Es war auch weniger Neugierde, die ihn trieb, sondern das Gefühl, bereit sein zu müssen. Vielleicht würden sie gleich morgen früh aufbrechen, zurück in die Heimat, und dann das tun, was Lukas einmal bei einem Gespräch im Kreis seiner engsten Vertrauten angedeutet hatte: wie Dietrichs Großvater Konrad die Wirren einer königslosen Zeit nutzen und das Land im Handstreich erobern.

Es war schon tief in der Nacht, als Dietrich zurückkehrte. Er wie auch Hermann von Thüringen und Konrad von der Ostmark hatten Unterkunft in einem der prächtigen, bei ihrem Einzug in der Stadt leerstehenden Paläste erhalten.

Dietrich wirkte ernst und hellwach trotz der späten Stunde.

Mit einer Geste lud er Thomas ein, ihn in sein persönliches Quartier zu begleiten. Kaum hatte Christians Sohn die Tür hinter sich geschlossen, ließ sich Dietrich in einen der mit schönen Schnitzereien verzierten Stühle fallen und rieb sich über das Gesicht. Thomas wollte ihm Wein einschenken, doch der Graf winkte ab und bat nur um frisches Wasser. Er trank den Becher in einem Zug aus, dann richtete er den Blick auf Thomas, der begriff, dass er diesmal die Frage stellen durfte, die ihm auf der Seele brannte.

»Segeln wir heim?«

»Nein. Viele Fürsten forderten das. Aber der Erzbischof von Mainz erinnerte uns alle mit eindringlichen Worten daran, dass es einen König gibt: den jungen Friedrich von Hohenstaufen, dem wir alle vor dem Aufbruch ins Heilige Land die Treue schworen. Diesen Schwur haben wir soeben erneuert und werden entsprechend Nachricht in die Heimat senden.«

»Dann ist die Regentschaft des Jungen unangefochten?«, fragte Thomas ungläubig.

Der Graf zog die Augenbrauen hoch. »Vorerst. Wir müssen warten, wie sich die Dinge weiter entwickeln. So Gott will, gibt es keinen Krieg um den Thron.«

Zu den nächsten wichtigen Zusammenkünften des Rates nahm Dietrich Thomas als Leibwache mit. Während das Fußvolk die Mauern von Beirut wieder aufbaute, fassten die Fürsten wichtige Entschlüsse.

Da das Amt des Kanzlers mit dem Tod desjenigen erlosch, der es verliehen hatte, war Konrad von Querfurt plötzlich nur noch Bischof von Hildesheim und wurde nicht mehr als würdig erachtet, die geplante Krönung Leos von Armenien vorzunehmen. Diese Aufgabe übertrugen die Fürsten dem Erzbischof von Mainz, den Heinrich von Schwarzburg dabei begleiten würde.

Heinrich von Kaldens Oberbefehl über die sechstausend Mann, die der Kaiser ins Heilige Land geschickt hatte, stellte allerdings niemand in Frage. Jene sechstausend würden dem gnadenlosen Marschall überallhin folgen, auch wenn er den Titel offiziell nicht mehr trug.

Die einheimischen Barone ernannten Johann von Ibelin, den ältesten Sohn Balians, zum Herrscher Beiruts.

Amalrich von Zypern landete in Beirut und wurde von den christlichen Herrschern des Landes zum König von Jerusalem gewählt – ein geheimer Triumph des Erzbischofs und des einstigen Kanzlers, der Amalrich erst kurz zuvor im Auftrag des Kaisers zum König von Zypern gekrönt hatte.

Vor der Krönung war Amalrich mit der Witwe Heinrichs von Champagne vermählt worden, um seinen Thronanspruch zu untermauern. Isabella war die eigentliche Erbin Jerusalems, Tochter eines Königs und Halbschwester des Königs Balduin und der Königin Sibylla.

Bei dem Anblick der noch jungen, schönen Frau, deren Gesicht wie zu Stein erstarrt war, musste Thomas an Eschivas Worte denken. Sie hatte ihn dazu gebracht, die Dinge einmal aus weiblicher Sicht zu betrachten.

Die alles andere als glücklich wirkende Isabella wurde tatsächlich wie ein Ding – wenn auch ein sehr kostbares – ohne eigenen Willen von einem zum anderen weitergereicht, der König werden sollte, als unerlässliches Beiwerk. Jetzt, nur ein paar Wochen nach dem Tod ihres dritten Mannes, sollte sie diesen Amalrich im Bett empfangen und ihm Söhne gebären. Amalrich war schon weit über fünfzig, doppelt so alt wie Isabella, und im Gegensatz zu Heinrich von Champagne kein besonders einnehmender Mann.

Mir hat wohl die Liebesheirat meiner Eltern ein wenig den Blick dafür getrübt, dass Ehen nicht aus Liebe, sondern aus politischen Interessen vereinbart werden, gestand sich Thomas ein.

War Dietrich nicht auch aus militärischer Notwendigkeit heraus gezwungen, die Tochter des Landgrafen von Thüringen zu heiraten?

Er wird sich schon mit der kleinen Jutta zu trösten wissen, zischte eine gehässige Stimme in Thomas. Dabei wusste er, dass dies ungerecht war. Nicht nur Clara litt unter der erzwungenen Trennung, auch Dietrich. Das hatte er an den sehnsuchtsvollen Blicken gesehen, mit denen der Graf seiner Schwester folgte, auch wenn er sich das nicht anmerken lassen wollte. Aber Thomas kannte ihn zu gut und beobachtete zu genau, um sich täuschen zu lassen.

Vielleicht begann er gerade, Dietrich zu verzeihen.

Das heutige Treffen des Kriegsrates war so bedeutend, dass Dietrich Thomas die wichtigsten Äußerungen leise übersetzte. Es ging darum, ob das Heer nun endlich gegen Jerusalem ziehen würde, worauf die Mehrzahl der Deutschen drängte. Die einheimischen Barone wollten sie jedoch wieder zurück nach Tyros schicken.

»Wir haben Jaffa verloren, aber Beirut gewonnen«, erklärte Hugo von Tiberias. »Nutzen wir die Lage lieber für einen erneuten Friedensschluss mit al-Adil!«

»Auch wir raten ab, die Einnahme Jerusalems zu versuchen«, stimmte Gilbert Hérail ihm zu, der Großmeister des Templerordens.

»Mein Orden sieht es genauso«, hörte Thomas mit Erstaunen den Großmeister der Johanniter sagen, Geoffroy de Donjon.

Wenn beide Ritterorden einer Meinung waren, schienen hier neue Zeiten angebrochen zu sein.

Schließlich kam der Kriegsrat überein, zunächst das Binnenland entlang der eroberten Küste zu sichern, ehe man an die Eroberung Jerusalems denken könne.

Also setzte sich Ende November das Heer wieder nach Süden in Marsch, zunächst Richtung Tyros, dann landeinwärts auf der Straße nach Damaskus. Und hier verbiss es sich, etwa einen Tagesmarsch südlich von Tyros, bei der Belagerung der Bergfestung Tibnin.

1. Februar 1198 vor der Festung Tibnin

Dies war also die letzte Nacht.
Die Nacht vor der Schlacht.
Der Himmel war von Wolken bedeckt, kein Stern zeigte sich, nicht einmal der auf dem Rücken liegende Mond. Der Wind fauchte über die Ebene vor der Bergfestung, in der das Heer lagerte, und ließ die kleinen Feuer heftig flackern, an denen die Männer saßen, um sich gegenseitig Mut zu machen oder zu prahlen, wie sie morgen endlich dutzendweise Sarazenen erschlagen würden. Dann sei ihnen ein Platz im Paradies gewiss.

Unentschlossen ging Thomas zwischen den Zelten entlang. Hermann von Salza und einige andere Thüringer luden ihn ein, sich zu ihnen zu setzen, aber er vertröstete sie auf später. Er müsse erst noch die Beichte ablegen. Das war zu ernst, um als Entschuldigung nicht akzeptiert zu werden.

Schließlich stand morgen die große Schlacht bevor, da sollte man mit Gott und sich im Reinen sein.

Schon ganze zwei Monate belagerten sie ergebnislos die stark bemannte Bergfestung, von der aus die Straße zwischen Tyros und Damaskus beherrscht wurde. Sie mussten sie einnehmen, wenn sie nicht mit feindlichen Truppen im Rücken weitermarschieren wollten.

Die Streitmacht unter Heinrich von Brabant hatte die Festung schnell umschlossen, noch Ende November. Die Besatzung war bereit, die Burg zu übergeben, wenn sie dafür freien Abzug in Waffen und mit ihrer Habe erhielt. Doch der Kriegsrat lehnte ab. Die gewaltsame Erstürmung der Burg würde beim Feind mehr Eindruck hinterlassen, außerdem wolle man nicht auf Beute verzichten.

Weitere Verhandlungen wurden aufgenommen und wieder abgebrochen, Vorschläge unterbreitet und zurückgezogen, und niemand begriff so recht, warum beide Seiten die Gespräche dermaßen hinauszögerten.

Weihnachten stand die Burg ein zweites Mal kurz vor der Übergabe. Doch von Notker erfuhr Thomas zu seiner Entrüstung, dass fränkische Ritter aus der Umgebung den Sarazenen geraten hätten, lieber weiterzukämpfen, statt sich zu ergeben, denn diese Deutschen würden mit Besiegten keine Gnade kennen.

»Sie fürchten zu sehr, Saladins Bruder und dessen Neffen könnten zu einem gewaltigen, blutigen Krieg aufrufen, falls es bei der Einnahme der Feste zu einem Gemetzel kommt«, hatte Notker ihm zugeraunt, der mit den Sprachen und der Denkweise der hier Lebenden mittlerweile gut vertraut war.

Außerdem würde schon bald ein starkes Entsatzheer von Damaskus her anrücken.

Über der Zeit, die unnütz verstrich, wurde dem Heer der Belagerer der Proviant knapp. Der Feind macht das Umland unsicher, so dass der Herzog von Brabant eine Kolonne mit starkem Geleitschutz nach Tyros schickte, um Nachschub zu holen. Vorhin war sie schwerbeladen zurückgekehrt und mit lautem Johlen begrüßt worden. So mussten die Männer morgen nicht mit leerem Bauch in die Schlacht reiten.

Jeder im Lager wusste, dass ihnen eine gewaltige Streitmacht entgegenzog, die vom Bruder des Sultans angeführt wurde. Deshalb hatte der Kriegsrat an diesem Abend beschlossen, dass sich das Kreuzfahrerheer am nächsten Tag zur Entscheidungsschlacht stellen würde.

Morgen also. Werde ich morgen sterben?, fragte sich Thomas. Wird sich so die Ahnung meiner Mutter vollenden? Sie hat sich noch nie in so etwas geirrt.

Es blitzte am Horizont, doch das Gewitter war zu weit entfernt, als dass er den Donnerschlag hören konnte.

Was ihm wirklich leidtat: Er hätte so gern Eschiva wiedergesehen, mit ihr seine Tage und Nächte verbracht. Die Erinnerung an ihren schlanken Körper und die Freude, mit der sie ihn empfangen hatte, ließ ihn nicht mehr los. Im Gegenteil, sie wurde fast zur Besessenheit angesichts dessen, dass sie hier die meiste Zeit mit Warten zubrachten. Schon der Gedanke an ihre Brüste, ihre Beine, ihren Leib und ihre zärtlichen Hände brachte ihn schier um den Verstand.

Nie hätte er sich ein Leben in Enthaltsamkeit weniger vorstellen können als jetzt. Es schien ihm vollkommen unnatürlich, ausgerechnet auf die fleischliche Liebe verzichten zu wollen, obwohl es nicht bloß das Begehren des Fleisches war, das ihn zu Eschiva zog.

Wie kam nur Notker damit zurecht? Aber wahrscheinlich hatte er nie eine Frau angerührt, da mochte es leichter fallen.

Er wagte es nicht einmal, den Freund zu bitten, ihm die Beichte abzunehmen.

Die meisten Priester im Feldlager waren vermutlich nicht übermäßig entsetzt, wenn ihnen jemand fleischliche Begierde beichtete. Das traf doch mehr oder weniger auf alle Männer im Feldlager zu.

Aber wenn er jetzt zur Beichte ging, würde einiges mehr zusammenkommen: der Zorn, der in ihm brodelte, der Hass, den er auf beinahe alles und jeden verspürte, manchmal sogar auf Dietrich, die Zweifel daran, ob es wirklich Gottes Wille war, was sie taten, oder nur der Wille des Kaisers, der nun ein toter Mann war.

Das einzige gute Gefühl, das er verspürte, abgesehen von der Liebe zu seiner Mutter und seiner Schwester, seine innige Liebe zu Eschiva, würde die Kirche verurteilen. Ein Wallfahrer hatte enthaltsam zu leben und nicht etwa Heiratspläne zu schmieden.

Das Gewitter zog näher, nun zuckten gleich mehrere verästelte Blitze kurz hintereinander über den Horizont. Prasselnder Regen setzte ein.

Thomas lehnte dankend die Einladung einiger lautstark grölender Ritter aus dem Gefolge Markgraf Konrads ab, sich zu ihnen zu gesellen, und fragte sich, wie diese es wohl bei dem Proviantmangel geschafft hatten, sich derart zu betrinken. Woher mochten sie das Bier und den Wein dazu haben? Aber vielleicht waren sie eher trunken von ihren prahlerischen Sprüchen und den maßlos übertriebenen Berichten ihrer Heldentaten.

Wenn auch ein kräftiger Schluck dazu beitrug, die Angst zu überwinden – fiel er *zu* kräftig aus, konnten ein brummender Schädel oder eine zu träge Bewegung im Kampf den Tod bedeuten.

Würde er morgen sterben? Immer wieder kreisten seine Gedanken um diesen Punkt, und deshalb war es wohl besser, seinen Frieden nicht nur mit Gott zu machen.

Wie von selbst führten ihn seine Schritte zu Dietrichs Zelt.

Der Graf von Weißenfels schien ebenfalls weder Lust zu haben, sich schlafen zu legen, noch mit anderen auf morgige Kampferfolge anstoßen zu wollen.

Kerzengerade stand er in dem stärker werdenden Regen vor seinem Zelt, die Arme vor der Brust verschränkt.

Thomas wollte vor ihm niederknien, doch Dietrich hinderte ihn mit einer Geste daran.

Also blieb er stehen und suchte nach Worten. Aber ohne aufgefordert zu werden, durfte er ohnehin nicht als Erster sprechen.

»Es ist beinahe wie damals … in den Gärten vor Ikonium«, sagte Dietrich gedankenversunken. »Auch damals blitzte und donnerte es in der Nacht, bevor wir in die Schlacht zogen.«

»Nur waren wir damals glücklich über den Regen – nach so vielen Tagen ohne Wasser, dem qualvollen Marsch durch die Wüste und einer Reiterschlacht, die wir mit letzter Kraft und nur sechshundert Pferden schlagen mussten, weil alle anderen verreckt waren. Und« – Thomas hob seinen linken Arm und drehte und wendete ihn leicht lächelnd – »diesmal bin ich nicht verwundet.«

Er erinnerte sich so genau, als sei es gestern gewesen. Aus reiner Verzweiflung hatten sie Ikonium angegriffen, das von einer gewaltigen Übermacht hinter starken Mauern verteidigt wurde. Denn nur dort gab es Wasser für das verdurstende und ausgehungerte Heer. Die Wunde an seinem Arm, die er sich ein paar Tage zuvor in der Reiterschlacht zugezogen hatte, war entzündet und stark angeschwollen. Roland und auch sein Knappe Rupert bestanden darauf, sie auszubrennen. Doch er hatte abgelehnt. Nach menschlichem Ermessen würden sie die Schlacht nicht überleben, also konnte er sich die Quälerei sparen. Er hatte lediglich den Eiter aus der Wunde gedrückt und den heftig strömenden Regen Blut und Gift herausspülen lassen.

Jene Schlacht überlebten sie gegen jede Erwartung, auch wenn Thomas damals dem Tode sehr nahe gekommen war. Er erholte sich wieder. Aber Roland und Rupert starben vor Akkon.

»Wenn mir morgen etwas zustößt, werdet Ihr meiner Mutter und meiner Schwester etwas von mir ausrichten?«, fragte Thomas.

Dietrich sah ihn streng an. »Ich erwarte von Euch, dass Ihr morgen so kämpft, wie ich es von meinem besten Mann gewohnt bin. Nicht so zerstreut, dass Euch sogar ein Knappe besiegt. Dann könnt Ihr Eure Botschaft selbst überbringen.«

Abermals wollte Thomas auf ein Knie sinken, und erneut hinderte ihn der Graf daran.

»Ihr versucht zu oft, dem Tod in die Augen zu blicken!«, rügte Dietrich. »Das ist gefährlich, denn es macht ihn neugierig auf Euch. Nehmt Euch lieber etwas vor, das Ihr nach der Schlacht tun wollt.«

Thomas schluckte. »Herr, ich muss Euch um Verzeihung bitten …«

»Ich habe Euch nichts zu verzeihen«, unterbrach Dietrich ihn und legte ihm einen Arm auf die Schulter. »Seit mehr als zehn Jahren steht Ihr an meiner Seite, und ich konnte stets auf Euch zählen. In vielem erkenne ich Euren Vater in Euch wieder.«

Bevor Thomas etwas darauf entgegnen konnte, zerrissen laute Schreie aus dem südwestlichen Teil des Lagers das Rauschen des Regens.

Sofort griffen er und Dietrich nach den Schwertern. Von dort erwarteten sie die feindliche Armee. Attackierte sie etwa schon in der Nacht?

Auch die Thüringer und Ostmärker, deren Zelte nebeneinanderstanden, sprangen auf und holten ihre Waffen.

Aus der Ferne versuchte Dietrich vergeblich auszumachen, was dort vor sich ging.

»Ein Dutzend Mann mit mir!«, befahl er. »Die anderen bleiben hier in Bereitschaft. Es könnte eine Falle sein, ein Ablenkungsmanöver.«

Durch den Regen rannten sie der Ursache des Lärms entgegen. Je näher sie kamen, umso verwirrender wurde das Bild. Da waren keine feindlichen Angreifer! Stattdessen liefen aufgebrachte Männer auf sie zu und schrien: »Sie ziehen ab! Unsere Leute sind abgezogen! Die sechstausend Mann unter Heinrich von Kalden sind fort!«

Deren Lager war noch ein ganzes Stück entfernt, aber als Dietrich und seine Begleiter dort eintrafen, war der Platz tatsächlich in aller Eile geräumt worden. Viel mehr als ihre Pferde und ihre Waffen konnten die Männer des Marschalls nicht mitgenommen haben. An verlassenen Lagerstellen flackerten im Regen erlöschende Feuer, auf wehende Zeltbahnen prasselten die Tropfen herab.

»Was tun diese feigen Dreckskerle?«, brüllte fassungslos Adolf von Holstein-Schauenburg, einer der Fürsten, die mit dem Erzbischof von Mainz hierhergekommen waren. »Sie lassen uns im Stich!«

Ulrich von Kärnten, nicht minder aufgebracht, packte einen der Knechte am Arm und fuhr ihn an: »Was ging hier vor?«

»Der Kanzler hat den Abmarsch angeordnet ... kurz nachdem die Proviantkolonne eingetroffen ist ...«, stammelte der Mann. »Sie ziehen zur Küste ...«

»Dann schnappt euch die Leute von dem Transport und findet heraus, was für geheime Nachrichten sie aus Tyros gebracht haben!«, brüllte der Kärntener ein paar seiner Getreuen an. »Selbst wenn der Kanzler dahintersteckt – diese Männer würden nur Kalden gehorchen!«

»Ohne die sechstausend haben wir morgen keine Chance, wir wären hoffnungslos unterlegen«, rief Adolf von Holstein durch den Regen.

Er hatte es kaum ausgesprochen, als ein Blitz ganz nah zuckte und für einen winzigen Augenblick ein grelles Licht auf das gespenstisch leere Lager warf. Fast im gleichen Moment krachte ein Donner so laut, dass sich Thomas vorübergehend wie taub fühlte. Auf den Koppeln spielten die Pferde verrückt. Als wenn sich die Natur gegen sie verschworen hätte, prasselten auf einmal kirschkerngroße Hagelkörner auf Mensch und Tier nieder.

Der Holsteiner und der Herzog von Kärnten rannten zurück zu ihren Zelten, Thomas und Dietrich versuchten, sich den Weg zu den Thüringern zu bahnen.

Aber im Lager schien die Hölle ausgebrochen.

Die Schreckensnachricht vom unangekündigten Abzug der sechstausend Mann hatte in Windeseile die Runde gemacht. Das und das Höllenspektakel vom Himmel löste eine immer mächtiger werdende Panik aus.

»Zurück nach Tyros, wir müssen nach Tyros!«, klangen von allen Seiten entsetzte Schreie. Männer ließen alles bis auf ihre Waffen stehen und liegen und rannten zu ihren Pferden.

Thomas sah, wie jemand einfach umgeworfen und niedergetrampelt wurde, der mitten in dem Hagelsturm auf die Knie gefallen war und die Arme zum Himmel reckte. Ein paar Verwundete brüllten um Hilfe, doch niemand hielt sich mit ihnen auf.

Triefend nass und atemlos erreichten Dietrich und Thomas das Lager ihrer Verbündeten. Hermann von Thüringen und Markgraf Konrad seien inzwischen beim Heerführer Heinrich von Brabant, erfuhren sie dort.

»Was ist in die gefahren?«, brüllte Hermann von Salza wütend und zeigte auf die kopflos Flüchtenden. »Kommt al-Adil mit zweihunderttausend Mann?«

Die Rückkehr der beiden Fürsten ersparte Dietrich die Antwort.

»Aufbruch und sofortiger Rückzug nach Tyros!«, befahl Hermann von Thüringen. »Wir sind verraten und im Stich gelassen worden.«

Die Männer griffen sich das Nötigste und rannten zur Koppel, so schnell sie konnten. Der Boden war voller Hagelkörner; es war, als liefen sie über glattes Eis.

»Die Verwundeten!«, rief Thomas. »Wir können sie nicht hier lassen!«

»Wer nicht aus eigener Kraft in den Sattel kommt, bleibt hier!«, befahl Markgraf Konrad. Er musste schreien, um in dem Höllenlärm überhaupt verstanden zu werden.

Thomas hielt Ausschau nach Notker, der seine Kranken bestimmt nicht im Stich lassen würde. Zu seiner Erleichterung sah er, dass sich ein paar Thüringer ihrer annahmen.

Hektisch versuchte er nun, unter den scheuenden und wiehernden Pferden seinen Grauschimmel auszumachen. Als er ihn entdeckte, sah er auch Wito, der Dietrichs Rappen satteln wollte. Ein Hengst mit einer schmalen Blesse stieg neben ihm, Wito wurde von dem Rappen abgedrängt, rutschte aus und geriet unter die Hufe. Thomas hörte ihn vor Schmerz aufschreien, griff nach den Zügeln des Rappen und zerrte ihn beiseite. Rasch zog er Wito hoch und hievte ihn sich über die Schulter.

»Mein Arm! Gebrochen!«, keuchte Wito mit schmerzverzerrter Miene.

Thomas fing ein herrenloses Pferd ein, das bereits gesattelt und gezäumt war. »Steig auf!«, rief er ihm zu und half ihm dabei mit verschränkten Händen. Unbeholfen und wankend vor Schmerz zog sich der Sergent in den Sattel. Thomas drückte ihm die Zügel in die Linke.

»Bleib an meiner Seite! Wenn du nicht mehr kannst, übernehme ich.«

Dann vergewisserte sich Thomas, dass Graf Dietrich wohlbehalten auf seinem Rappen saß, stieg selbst auf Drago, und sie ritten durch die Nacht, den strömenden Regen und das namenlose Grauen, das diese heillose Flucht verursachte.

Erst in Tyros kam das fliehende Heer zum Stehen, und hier klärte sich nach und nach, was vorgefallen war.

Aufschluss brachte die eingehende Befragung des Anführers der Proviantkolonne. Die hatte schlechte Nachrichten aus deutschen Landen mitgebracht: Dort gehe es drüber und drunter, ein Krieg drohe. Denn nun sei das Land wieder in ein welfisches und ein staufisches Lager geteilt. Der Welfe Otto, ein Sohn Heinrichs des Löwen und der Lieblingsneffe von Richard Löwenherz, habe Ansprüche auf den Thron angemeldet. Die staufische Seite wage nun selbst nicht mehr, an dem dreijährigen Friedrich festzuhalten, und dränge Philipp von Schwaben, den Bruder des toten Kaisers, der eigentlich die Vormundschaft über den jungen Friedrich übernehmen und den Thron für ihn frei halten wollte, sich zum König wählen zu lassen. So sei Philipp schließlich umgekehrt und nach Deutschland zurückgereist, statt seinen Neffen aus Italien zu holen. Und auf Sizilien habe Kaiserin Konstanze Mühe, einen neuerlichen Aufstand zu unterbinden, und deshalb alle Deutschen ausgewiesen, allen voran Markward von Annweiler und Konrad von Urslingen, die mit ihrem blutigen Vorgehen im Vorjahr den Zorn der Sizilianer auf sich geladen hatten.

Das alles habe den einstigen Kanzler und auch den Marschall dazu getrieben, die sofortige Abreise ihrer Männer zu befehlen. Somit war der Kreuzzug beendet.

Auch die anderen Fürsten hielt nun nichts mehr. Etliche segelten gleich von Tyros aus mit den ersten verfügbaren Schiffen nach Hause.

Wichtiger als Tibnin und Jerusalem war es jetzt, einen Krieg und eine Doppelherrschaft zu verhindern – und aus der eingetretenen Lage den größten Nutzen zu ziehen.

»Staufen, Welfen ... Ich werde mich stets auf die Seite dessen stellen, der mir und Thüringen am meisten bietet. Und wenn ich ein Dutzend Mal die Seiten wechseln muss«, erklärte Landgraf Hermann ganz ungeniert vor seinen Männern und seinem Schwiegersohn.

Markgraf Konrad debattierte mit seinem Vetter Dietrich unter vier Augen, wie sie Philipp von Schwaben dazu bringen konnten, im Austausch für ihre Stimmen bei der Königswahl die Mark Meißen den Wettinern zurückzugeben.

Heinrich von Colditz, der kaiserliche Ministeriale, ließ sich zu einem vertraulichen Gespräch bei Dietrich von Weißenfels mel-

den. Der große, schlanke Mann räusperte sich, dann sagte er:
»Falls Ihr erwägt, die Mark Meißen zu beanspruchen, ist Euch
meine Unterstützung und die der anderen Reichsministerialen
sicher, sofern Ihr Euch auf die Seite Philipps von Schwaben
stellt. Ich denke, auch im Namen des Vogts von Reichenbach
und all jener zu sprechen, die in Röblingen auf Eurer Seite
kämpften.«

In Dietrich arbeitete es, er begann, Pläne zu schmieden, Träume
zu träumen.

Doch bevor er zurückkehren konnte, gab es für ihn und einige
der angesehensten Fürsten des Reiches noch eines zu tun. Und
dazu mussten sie erneut nach Akkon.

Abschied

Es war eine außerordentlich feierliche Zusammenkunft,
mit der die deutsche Spitalbruderschaft in Akkon an diesem fünften Tag im März des Jahres 1198 in den Rang eines Ritterordens erhoben wurde.

Der Patriarch von Jerusalem und die drei Erzbischöfe des Heiligen Landes waren erschienen, die Großmeister der beiden schon
bestehenden Ritterorden, der Templer und der Johanniter, Gilbert Hérail und Geoffroy de Donjon, dazu fast alles an Rang
und Namen, was an weltlichen und geistlichen deutschen Fürsten noch im Heiligen Land weilte, angeführt vom überaus zu-
friedenen Erzbischof von Mainz und dem einstigen Kanzler
Konrad von Querfurt, der nach dem Erlöschen seines Amtes
nur noch Bischof von Hildesheim war. Mit diesem Werk, der
Umwandlung des Hauses zur Aufnahme deutscher Pilger und
Kranker in einen Ritterorden, hatten er und der Erzbischof von

Mainz einen der kühnsten Pläne des verstorbenen Kaisers vollzogen.

»Orden der Brüder des Spitals Sankt Marien der Deutschen in Jerusalem« hieß die neue Gemeinschaft nun offiziell, Deutscher Orden oder Ordo Theutonicorum, und würde sich dem Ritterdienst ebenso wie der Krankenpflege widmen. In militärischen Fragen und hinsichtlich des Zusammenlebens sollten von nun an die Templerregeln für den Orden gelten, die Regeln der Johanniter in allem, was die Pflege der Armen und Kranken betraf.

Thomas stand hinter Dietrich von Weißenfels, dem Landgrafen von Thüringen und dem Markgrafen der Ostmark und wusste den Blick Heinrich Walpots auf sich, der gerade zum Hochmeister des neuen Ordens gewählt worden war.

Eine erhabene Stimmung herrschte im Saal, und so wunderte sich Thomas nicht, dass mehrere Dutzend Ritter nach vorn traten und niederknieten, um Aufnahme in den neuen Orden zu erbitten, auch Hermann von Salza.

Erneut sah er den auffordernden Blick Walpots auf sich, verharrte jedoch auf seinem Platz. Und trotz der überaus feierlichen Stimmung konnte er es nicht lassen: Angesichts der demonstrierten Einheit zwischen den Orden bohrten in seinem Hinterkopf schon wieder kleine, lästige Gedanken um die heimlichen Rivalitäten. Die Templer wollten dem neuen Orden nicht die weißen Mäntel zubilligen, die sie selbst trugen, wenngleich die deutschen Ordensritter ein schwarzes Kreuz auf dem Mantel haben würden und nicht ein rotes wie die Tempelritter. Und die Johanniter waren nicht davon abzubringen, den neuen Deutschen Orden unter ihre Oberherrschaft stellen zu wollen.

Notker hatte recht: Er war wirklich ein ungläubiger Thomas! Doch dann riss er sich zusammen und ließ den Moment auf sich wirken. Dies war zweifellos eine bedeutende Stunde für die Christen, ganz besonders für die Deutschen im Morgenland.

Unmittelbar danach wollten die Fürsten in die Heimat aufbrechen – abgesehen vom Erzbischof von Mainz, der erst noch mit dem Grafen von Schwarzburg nach Kilikien reisen würde, um dort im Auftrag der Fürstenversammlung den Herrscher der armenischen Christen zu krönen, Fürst Leo.

Nach der Messe wartete Thomas geduldig, bis er Heinrich Walpot allein sprechen konnte, und kniete vor ihm nieder.

»Seid Ihr zu einem Entschluss gekommen, was mein Angebot vom Sommer betrifft?«, erkundigte sich der nunmehrige Hochmeister.

»Ich danke Euch nochmals für diese äußerst ehrenhafte Einladung«, entgegnete Thomas höflich. »Und ich will den Orden gern als Familiar unterstützen, als weltlicher Freund und Förderer mit allen meinen Kräften. Doch bei gründlicher Selbstbefragung musste ich einsehen, dass mir die Reinheit des Geistes und des Fleisches fehlen, den strengen Anforderungen eines Ordensritters zu entsprechen.«

Er senkte den Kopf und holte tief Luft, bevor er fortfuhr: »Stattdessen möchte ich Euch darum bitten, Euer Mündel heiraten zu dürfen. Eschiva.«

Eine Weile starrte Walpot streng auf den vor ihm knienden Ritter. Dann räusperte er sich. »Ich will nicht sagen, dass es überraschend für mich kommt. Da dies anscheinend der einzige Weg ist, Euch wenigstens als Förderer des Ordens zu halten, und ich weiß, dass Eschiva jeden Tag für Eure wohlbehaltene Rückkehr gebetet hat, will ich mich dem nicht verschließen.«

Freudestrahlend erhob sich Thomas und bedankte sich von Herzen, und mit Dietrichs Erlaubnis ging er Eschiva suchen, um ihr die frohe Nachricht gleich zu überbringen.

Nun hatten es vor allem die Fürsten unter den deutschen Kreuzzugsteilnehmern eilig, in die Heimat zurückzukehren. Es galt, Thronstreitigkeiten zu verhindern – und sofern diese schon ausgebrochen waren, womit zu rechnen war, musste jeder von ihnen sehen, wie er seinen Titel und sein Land rettete und vor Krieg bewahrte.

Landgraf Hermann hatte es gemeinsam mit Konrad von der Ostmark übernommen, eine Überfahrt zu besorgen. Sie wollten gemeinsam mit Dietrich reisen und die Zeit auf dem Schiff nutzen, um ihr Vorgehen zu besprechen.

Wito, der den Arm in einer Schlinge trug, den Notger ihm gerichtet und verbunden hatte, sah von Stunde zu Stunde leidender aus. Das lag weniger an seinen Schmerzen als an der Vorstellung, die Pferde noch einmal für vier oder noch mehr Wochen in einen Schiffsbauch pferchen zu müssen.

Thomas hatte lange gegrübelt und um einen Entschluss gerungen. Es war eine schwierige Entscheidung, und er wollte sie keinesfalls leichtfertig treffen. Aber nun, da er sich entschlossen hatte, wollte er die Sache hinter sich bringen. Also bat er seinen Dienstherrn, den Grafen von Weißenfels, um ein vertrauliches Gespräch.

»Herr, darf ich Euch bitten, mich aus Euern Diensten zu entlassen?«

Nun war es heraus.

Und da er Dietrich eine Erklärung schuldig war, fuhr er gleich fort: »Haltet mich nicht für feige oder treulos! Ich weiß, Ihr braucht womöglich jeden Mann für das, was Ihr vorhabt, wenn Ihr zurückgekehrt. Mein Stiefvater und meine Brüder werden an Eurer Seite stehen ...«

An dieser Stelle unterbrach ihn der Graf.

»Ich könnte jetzt behaupten, ich wüsste nicht, wovon Ihr sprecht«, sagte er mit feinem Lächeln. »Aber wir kennen einander lange genug, um uns nichts vorzumachen, und Eure Treue musste ich nie in Frage stellen. Also erhebt Euch, schenkt uns beiden etwas zu trinken ein und erzählt mir, welche Zukunfts-

pläne Ihr habt, wenn Ihr diese Zukunft nicht in der Mark Mei-
ßen seht.«
Überrascht und innerlich zutiefst aufgewühlt folgte Thomas
Dietrichs Anweisungen.

»Ich möchte hierbleiben und heiraten. Ich weiß, zu Hause stehen große Entscheidungen bevor, und ich kann mir, ehrlich gesagt, kaum vorstellen, dabei *nicht* an Eurer Seite zu kämpfen.
Aber wenn Ihr je eine Frau getroffen habt im Leben, die Ihr von
ganzem Herzen liebt, ohne die Ihr nicht mehr sein könnt, ohne
Euch unvollständig zu fühlen, und die Euern Schutz braucht,
um zu überleben, dann werdet Ihr mich vielleicht verstehen …«

»Ja, das habe ich«, sagte Dietrich mit sich verfinsternder Miene,
und Thomas wusste, von wem die Rede war.

»Was wollt Ihr tun, nachdem Ihr Walpots Mündel geheiratet
habt? Etwa den Gewürzhandel ihres Mannes weiterführen?«

»Nein, darum wird sich Eschiva kümmern und auch die Spitalgemeinschaft beliefern – den Orden, meine ich, verzeiht. Ich
möchte Hugo von Tiberias bitten, mich in seine Wache aufzunehmen.«

Erstaunt zog Dietrich die Augenbrauen hoch. »Was bringt Euch
auf diesen Gedanken?«

Thomas atmete tief durch und suchte nach Worten. »Seit zehn
Jahren kämpfe ich an Eurer Seite und ritt in viele Schlachten. Und
ich hoffe, gute Dienste geleistet zu haben. Ich hatte nie Zweifel,
wenn es darum ging, die Angriffe Eures Bruders abzuwehren, das
Land und seine Bewohner vor Plünderern und Mordbrennern zu
schützen. Aber was wir taten auf dem Kreuzzug Friedrichs von
Staufen, was wir bei diesem Feldzug wieder erleben mussten …
Es ist für mich nicht richtig, auch wenn wir für Christus und den
wahren Glauben kämpften. Wir haben mehr Unheil angerichtet
als Gutes bewirkt. Hugo von Tiberias ist ein kluger Mann, er will
Frieden zwischen Christen und Sarazenen, solange es die geringste Hoffnung auf Frieden gibt. Deshalb möchte ich für ihn

kämpfen. So schützen wir die Pilger. Und vielleicht führt uns der Weg auf diese Art doch noch nach Jerusalem.«

»Ihr seid da zu bemerkenswerten Gedanken gekommen«, meinte Dietrich. »Gehen wir gemeinsam zu Tiberias; ich werde Euch hinreichend loben, so dass er gar nicht anders kann, als Euch in seiner Dienste zu nehmen.«

Thomas wollte ihm danken, doch Dietrich sprach schon weiter, mit frohem Lächeln. »Auf diese Art also erfüllt sich die Vorhersage Eurer Mutter, dass Ihr nicht zurückkommt! Ich bin sicher, eine Hochzeit ist die beste Nachricht, die ich ihr von Euch überbringen kann. Obwohl ich hoffe, dass sie mich erst zu Wort kommen lässt, bevor sie in Tränen ausbricht …«

»Sie wird traurig sein, mich nie mehr zu sehen, und Clara auch. Sagt ihnen bitte, dass ich an sie denke. Sagt ihnen, dass ich hier gefunden habe, was ich so lange vergeblich suchte. Das hier ist der richtige Ort, meine Bestimmung … Ich fühlte es schon in dem Augenblick, als ich die Küste gesehen habe.«

»Ich weiß«, sagte Dietrich und verschwieg, dass er zufrieden und erleichtert über diese ungewöhnliche Wendung war, auch wenn er Christians Sohn künftig an seiner Seite vermissen würde. Er hatte miterleben müssen, wie dieser junge Mann alle Illusionen über die Gemeinschaft der Ritter und die Richtigkeit ihres Kreuzzuges verloren hatte, wie er Stück für Stück seine Seele einbüßte. Hier, mit der selbstgestellten Aufgabe, konnte er vielleicht genesen. Wenn seine Frau stark genug war.

»Wollt Ihr mir Eure Braut nicht vorstellen?«, fragte er lächelnd.

So feierten sie ausgelassen Hochzeit im Venezianerviertel. Dietrich schenkte Thomas eines seiner Pferde und dem jungen Paar ein paar Edelsteine – um den Neuanfang zu erleichtern, wie er sagte.

Am nächsten Tag bat Dietrich Hugo von Tiberias, seinen bewährten Ritter in die Wache aufzunehmen. Vielleicht hätte es seiner Fürsprache gar nicht bedurft, denn als Thomas seine Geschicklichkeit mit Schwert und Lanze vor versammelter Mannschaft demonstrieren musste, erntete er anerkennende Blicke.

Am nächsten Tag wollte Dietrich in See stechen.

Thomas und Eschiva kamen zum Hafen, um sich von ihm zu verabschieden.

»Hättet Ihr die Güte, das meiner Mutter zu übergeben?«, fragte Thomas und reichte ihm ein flaches Bündel. »Ein Buch über morgenländische Heilkunst. Notker hat es verfasst und eine Abschrift angefertigt, während wir in Beirut und vor Tibnin lagen. Er meint, er sei überzeugt, es komme in beste Hände. Und Eschiva schickt ihr und Clara einige seltene Sämereien.«

»Das werde ich gern«, versicherte Dietrich.

Es wurde Zeit. Wito rief, die Pferde seien untergebracht, und der Graf müsse nun aufs Schiff gehen, sonst lege der Kapitän ohne ihn ab.

»Gott schütze Euch, Thomas von Christiansdorf«, sagte Dietrich von ganzem Herzen und legte dem langjährigen Kampfgefährten eine Hand auf die Schulter. Sie wussten beide, es war ein Abschied für immer.

»Und Gott schütze Euch bei allem, was Ihr jetzt vorhabt, Fürst von Meißen!«, erwiderte Thomas feierlich.

Kriegsrat in Weißenfels

Auch bei der zweiten Rückkehr Graf Dietrichs aus dem Heiligen Land regnete es. Doch wenigstens war es ein Sommertag, und die winzigen Tropfen erfrischten eher, als dass sie lästig waren.

Diesmal musste er auch nicht wie ein unangekündigter Besucher auf Einlass warten. Norbert von Weißenfels ritt ihm und seiner Gefolgschaft mit einem Ehrengeleit entgegen und hieß sie bereits an der Saalefurt willkommen.

Offenbar wurden sie schon dringend erwartet – auch von einigen Boten und wichtigen Nachrichten, wie Norbert andeutete. Dass Thomas' Bruder Daniel zu diesem Ehrengeleit gehörte, der doch eigentlich in Freiberg sein sollte, ließ Dietrich auf wichtige Kunde von Lukas hoffen. Der listige Freund konnte in dieser unruhigen Zeit nicht riskieren, die Freiberger Burg zu verlassen. »Thomas lebt!«, beruhigte Dietrich Daniel und auch Raimund sofort, deren Gesichter vor Sorge erstarrten, als sie den Bruder beziehungsweise Sohn des Freundes nicht unter den Heimkehrern entdeckten. In der kurzen Zeit, die ihnen blieb, bis sie zum Burgtor geritten waren, berichtete der Graf ihnen von Thomas' Entscheidung und seiner Zuversicht, er würde dort glücklich und bei guter Gesundheit sein.

Obwohl der Graf von Weißenfels nur mit wenigen Männern aufgebrochen war, kehrte er mit einer großen Gruppe Bewaffneter zurück. Sein Cousin Konrad würde mit seinen Männern hier übernachten, bevor er am nächsten Tag weiter nach Landsberg ritt. So hatten sie nicht nur ein Quartier nach der anstrengenden Reise und konnten mit einem guten Mahl rechnen. Dietrich und Konrad wollten auch gemeinsam die Neuigkeiten aus dem Kaiserreich erfahren und danach über ihr Vorgehen entscheiden.

Landgraf Hermann hingegen war mit seinen Männern schon vor ein paar Tagen Richtung Eisenach abgebogen und hatte keinen Zweifel an seinen Absichten gelassen: herauszufinden, welcher der Thronanwärter ihm das beste Angebot machte, und danach zu entscheiden, auf wessen Seite er sich stellen würde.

Im Hof hatten sich das Gesinde und die Wachmannschaft aufgereiht, um den wiedergekehrten Herrn und seinen Vetter Markgraf Konrad zu begrüßen.

Jutta – aufgeregt, vor Freude strahlend und in ein prächtiges Kleid gewandet, das ihr ausgezeichnet stand – hielt bereits den großen Willkommenspokal in beiden Händen. Nun kniete sie vor ihm und Konrad nieder und begrüßte sie mit herzlichen Worten.

Sie ist fraulicher geworden, dachte Dietrich bei ihrem Anblick, reifer. Nun, er hatte sie auch anderthalb Jahre lang nicht gesehen.

Durstig trank er und reichte den Willkommenspokal an seinen Cousin weiter, dann stieg er aus dem Sattel, half Jutta auf und küsste ihre Wangen.

»Ein Bad wird schon für Euch vorbereitet«, kündigte Jutta ihrem Gemahl und Markgraf Konrad an. »Angesichts so vieler Gäste werde ich mich gleich darum kümmern, dass wir für alle einen Platz zum Schlafen finden und heute Abend ein gutes Mahl auf den Tisch bringen.«

Es war nicht zu übersehen, dass sie lieber zuerst einmal ihren Mann für sich allein gehabt, ihn umarmt und ihm gesagt hätte, wie sehr sie ihn vermisste hatte und wie glücklich sie seine Rückkehr machte. Doch sie war höfisch erzogen worden; da galt es, sich in der Öffentlichkeit zu beherrschen und seine Pflichten zu erfüllen. Außerdem war sie klug genug zu wissen, dass die Männer jetzt erst einmal hören wollten, was im Land vor sich ging. Sie mussten handeln, und dabei konnte jeder Tag, der verlorenging, verhängnisvolle Folgen haben.

Also ließ Jutta den Küchenmeister rufen, wies ihn an, umgehend eine Zwischenmahlzeit für ihren Gemahl und seine Gäste auf die Kammer bringen zu lassen, und überlegte schon, wie sie wohl am besten all die vielen Männer heute satt bekommen konnte.

»Wie geht es Lukas und Marthe?«, fragte Dietrich Daniel, während sie über den Hof schritten. Dabei hoffte er inbrünstig, keine schlechten Nachrichten zu hören.

»Prächtig und voller Tatendrang«, verkündete Daniel froh.

»Und meinen Söhnen?« Er wagte nicht, nach Clara zu fragen, sondern hoffte einfach, dass ihr Bruder von sich aus über sie sprechen würde.

»Ebenfalls prächtig und voller Tatendrang«, meinte Daniel mit keckem Grinsen. »Meine Schwester hat alle Hände voll zu tun, um ihrer Herr zu werden. Pater Hilbert unterrichtet sie, und soweit ich das beurteilen kann, schafft er es sehr geschickt, ihre unstillbare Neugier und ihre unerschöpflichen Fragen für seine Lektionen zu nutzen. Etwas mehr Ruhe ist Clara auch zu gönnen, nachdem sie wieder geheiratet hat und guter Hoffnung ist.«

Beinahe wäre Dietrich mitten im Gehen erstarrt. »Clara vermählt? Mit wem?«, brachte er heraus und gab sich alle Mühe, dabei nur höflich, nicht entsetzt zu klingen.

»Mit Boris von Zbor.«

»Dem Slawen?«

»Ja, Herr, und wie es aussieht, sind sie glücklich miteinander. Das Kind soll im Herbst kommen.«

Es ist nur gut für sie, wenn sie wieder geheiratet hat, ermahnte sich Dietrich. Ich konnte ihr das nicht bieten. Und wenn sie mit ihm glücklich ist, sollte ich mich für sie freuen.

Dennoch loderte glühende Eifersucht in ihm auf, als er sich Clara in den Armen dieses Mannes vorstellte. Und wenn er daran dachte, dass ihn heute Abend statt Clara Jutta im Bett erwartete, verspürte er einen Zorn, der ihn beinahe ängstigte.

Wieder einmal saßen sie in Dietrichs Kammer und schmiedeten Pläne: Dietrich, Raimund und Norbert von Weißenfels. Nur Lukas fehlte, der die Freiberger Burg nicht verlassen konnte, und statt Thomas gehörte nun dessen jüngerer Bruder Daniel zur Runde. Hinzu kam Markgraf Konrad als Oberhaupt des Hauses Wettin, weder zu übersehen mit seiner Körperfülle noch zu überhören mit seiner kräftigen, befehlsgewohnten Stimme.

Jutta hatte ihnen Wein eingeschenkt und sich dann zurückgezogen, nachdem der Küchenmeister Braten, Schinken, Käse und frisches Brot aufgetragen hatte. Sie wäre gern geblieben, wagte das aber nicht im Beisein Markgraf Konrads. Der streng wirkende Fürst des Ostens erweckte nicht den Eindruck, dass er die Anwesenheit einer Frau bei einer wichtigen Besprechung dulden würde.

Da ihr Gemahl sie weder zum Bleiben einlud noch zurückrief, vergewisserte sie sich noch einmal mit einem Blick, dass alles gut gerichtet war, und zog mit leisem Bedauern die Tür hinter sich zu. Dass ihr Vater mit den meisten seiner Männer wohlbehalten von der lange Reise zurückgekehrt war, hatte sie bereits von Dietrich erfahren.

Konrad forderte Raimund auf, ihnen all das über den Streit um die Krone zu berichten, was die Spatzen *nicht* schon von den Dächern pfiffen.

Und so hörten die beiden heimgekehrten Wallfahrer zu ihrem großen Erstaunen, dass schon bald nach dem Tod des Kaisers sogar ihr Oheim Bernhard von Anhalt, der Herzog von Sachsen, zu einer Königskandidatur gedrängt werden sollte. Der Erzbischof von Köln, ein erklärter Feind der Staufer, hatte im Hintergrund bereits erste Arrangements getroffen. Doch da Bernhard von Aschersleben nicht genug Geld dafür aufbringen konnte und vielleicht auch nicht den Mut, wandte sich der Kölner an Richard Löwenherz, der sofort seinen Lieblingsneffen Otto vorschlug, einen der Söhne Heinrichs des Löwen.

Das wiederum beunruhigte jene Fürsten, die nach dem Sturz des Löwen mit dessen Ländereien belehnt worden waren: Bernhard von Aschersleben mit Sachsen und Konrad von Wittelsbach mit Bayern. Vor allem auf ihr Betreiben versammelten sich Anfang März die stauferfreundlichen Fürsten im thüringischen Mühlhausen und wählten Philipp von Schwaben zum König.

»Allerdings ist diese Wahl nicht unanfechtbar«, berichtete Raimund. »Es fehlten die Erzbischöfe von Mainz, Köln und Trier, und Mühlhausen ist eben nicht Aachen.«

Es stand zwar nirgends geschrieben, aber es war ein fester Brauch, dass deutsche Könige in Aachen gekrönt wurden.

»Das bot Adolf von Köln Anlass, umgehend den jungen Welfen Otto aus Aquitanien zu holen und für Anfang Juni eine rechtmäßige Königswahl in Aachen anzusetzen«, fuhr Raimund fort. »Allerdings kamen dazu nur ein paar geistliche Fürsten, was Otto sofort den Spottnamen ›Pfaffenkönig‹ eintrug. Dennoch arrangierte Adolf von Köln rasch eine Krönungszeremonie in Aachen, die vor wenigen Wochen stattfand, Mitte Juli, wenn auch nicht mit den Insignien Kaiser Heinrichs, die besitzt Philipp. Der will sich nun auch krönen lassen, allerdings in Mainz. Aachen bleibt ihm versperrt.«

»So haben wir also zwei junge, tatendurstige Könige, und wer diesen Titel zu Recht trägt, ist unvoreingenommen nicht eindeutig zu sagen«, konstatierte Konrad und spießte sich ein weiteres Stück Fleisch auf sein Essmesser. »Das bedeutet, die Waffen entscheiden.«

»Im Rheinland und im Elsass herrscht bereits Krieg«, bestätigte Raimund. »Und jeder der beiden Könige ist natürlich bemüht, so viele Fürsten auf seine Seite zu ziehen, wie er nur kann.«

Daniel bat ums Wort, sichtlich eingeschüchtert von der Runde dieser Männer und dem heiklen Thema. »Ich soll Euch wörtlich von meinem Stiefvater ausrichten: ›Besinnt Euch auf Euern Großvater!‹«, sagte er zu Dietrich, nachdem er tief Luft geholt hatte. Er hoffte, dass niemand ihn danach fragte, was mit dieser ihm rätselhaften Botschaft gemeint war, aber die Anwesenden schienen es allesamt zu wissen.

»Wir haben auch eine Nachricht von Bernhard erhalten, dem geblendeten Reichsministerialen«, berichtete Norbert von Weißenfels. »Er lässt Euch ausrichten, dass Philipp es Euch lohnen wird, wenn Ihr Euch auf seine Seite stellt. Und dass die hiesige Reichsministerialität zu Euch hält, sofern Ihr zu Philipp haltet.«

»Sie sind schließlich von den Staufern eingesetzt worden, also haben sie ein lebhaftes Interesse, dass der Staufer sich gegen den welfischen Rivalen durchsetzt«, knurrte Konrad.

Wenn er es auch nicht zeigte – er war durchaus zufrieden mit dieser Entwicklung. Der Markgraf lehnte sich zurück, streckte das schmerzende Bein aus und gab seinen Beschluss bekannt.

»Ich werde also unverzüglich Philipp aufsuchen und ihm unsere Unterstützung zusichern. Doch nur um diesen Preis: die Mark Meißen für das Haus Wettin. Und du, Vetter, schaffst inzwischen Tatsachen und holst dir dein Land zurück! Wir dürfen nicht warten.«

»Nein, wir haben keine Zeit zu verlieren.«

Dietrich wies auf einen Brief, der auf dem Tisch lag. »Meine Schwester Adela bittet mich um Hilfe. Sie schreibt, ihr Mann prahle damit, dass Philipp ihn vom Herzog von Böhmen zum König der Böhmen machen wolle. Und dann würde Otaker sie verstoßen, denn er meine, als König stehe ihm etwas Besseres als eine Markgrafentochter zu.«

Wütend hieb Konrad mit der Faust auf den Tisch. »Den Kerl nehmen wir uns vor, wenn erst die Mark Meißen unser ist!«

»Wer sagt, dass er nicht sogar Anspruch auf das Land erhebt und es sich im Handstreich erobern will?«, gab Dietrich zu bedenken.

»Du musst schnell sein«, bekräftigte Konrad. »Wahrscheinlich wirst du nicht einmal viel zu kämpfen haben. Die Ministerialen stehen zu dir, deine Getreuen von einst ohnehin, und der Rest wird auf deine Seite wechseln, wenn er sich zwei und zwei zusammenrechnet. Sammle deine Gefolgsleute und reite los. Wie steht es in Meißen, Raimund?«

»Der markgräfliche Palas ist noch nicht wieder aufgebaut, der Statthalter hat Quartier beim kaiserlichen Burggrafen.«

»Dann brauchen wir Meißen jetzt nicht – dort hältst du einfach Einzug, nachdem ich mit Philipp verhandelt habe. Es läuft alles darauf hinaus, dir Freiberg und die Münze zu sichern, ehe es Otaker oder sonst jemand tut.«

Dietrich nickte; das stimmte mit seinen Plänen überein.

»Ruft sämtliche Ritter aus der Umgebung zusammen«, befahl er Norbert von Weißenfels. »Daniel, Ihr kehrt umgehend nach Freiberg zurück und sagt Lukas, er soll mich mit meiner Streitmacht in einer Woche erwarten und alle Vorbereitungen treffen.«

Beide Männer brachen sofort auf; ebenso Raimund, der mit Wito in sein Gestüt reiten wollte, um die besten Pferde und noch ein paar Männer herzuholen.

Markgraf Konrad nahm sich noch ein Stück Fleisch und kündigte an, nun endlich das versprochene Bad nehmen zu wollen. Kaum sei er wieder hier bei diesem nasskalten Wetter, mache ihm die Gicht schlimmer denn je zu schaffen.

Nachdenklich blieb Dietrich allein am Tisch zurück.

Er hatte nicht den geringsten Zweifel an dem, was er tun würde. Es war *sein* Land, das Land seiner Väter. Endlich würde er die Regentschaft antreten, von der er so lange geträumt hatte. Die Städte wollte er fördern und zum Erblühen bringen, neue Städte gründen. Den markgräflichen Palas in Meißen wieder aufbauen, größer und schöner, als er je war. Nach der blutigen Herrschaft Albrechts sollten endlich friedliche Zeiten anbrechen, in denen Ernte und Vieh gediehen, die Menschen nicht hungers starben.

In Freiberg würde es beginnen.

Es klopfte zaghaft, Jutta trat ein.

»Mein Gemahl, kann ich etwas für Euer Wohlbefinden tun?«, erkundigte sie sich höflich.

Sie waren nun allein in der Kammer, und was sie von ihm erwartete, ließ sich unschwer an ihrem Blick absehen. Es wäre jetzt wohl auch seine Pflicht als treusorgender und höflicher Gemahl, ihr wenigstens einen Kuss zu geben und ein paar freundliche Worte zu sagen.

Doch alles in ihm sträubte sich in diesem Moment gegen Jutta – er wollte Clara, mehr denn je, nachdem sie nun einem anderen gehörte. Er könnte es jetzt nicht ertragen, mit Jutta ins Bett zu gehen.

Und sie würde es auch nicht können, denn sie würde merken, was in ihm vorging und dass er in Gedanken nicht bei ihr war.

»Ich möchte Euch gern einen Sohn schenken«, flüsterte Jutta.

Dietrich zwang sich zu einem Lächeln. »Dafür bleibt uns noch viel Zeit. Jetzt sind erst einmal wichtige Dinge vorzubereiten. Ihr wisst, es geht um die Zukunft des Landes, die Zukunft des Kaiserreiches. Und die Zukunft des Hauses Wettin.«

Sie konnte ja nichts dafür.

Ohne sich ihre Enttäuschung anmerken zu lassen, stimmte Jutta ihm zu und ging wieder hinaus.

Entscheidung in Freiberg

Lukas wartete. Und mit jedem Tag, der verstrich, wurde er unruhiger. Vor drei Tagen hatte Daniel ihnen Nachricht von Dietrich überbracht.

Marthe war überglücklich, dass Thomas noch lebte, und zugleich zutiefst betrübt, dass sie ihren ältesten Sohn vermutlich nie wiedersehen und seine junge Frau nie kennenlernen durfte. In ihrem Gefühlstumult klammerte sie sich an das Büchlein über die Heilkunst und verbrachte Stunden damit, sich von Pater Hilbert die Erklärungen übersetzen und vorlesen zu lassen. Ihre Augen leuchteten vor Freude, wenn sie ihrem Mann abends von

den Heilmethoden und Rezepturen erzählte, die Notker nieder-
geschrieben hatte.

Es war zwecklos, sie jetzt nach einer Vorahnung fragen zu wollen. Sie war ebenso voller Unruhe wie Lukas, denn schon bald
würde sich das Schicksal der Mark Meißen entscheiden.

Ungute Ahnungen – wer hatte die nicht, wenn es um so Großes
ging?

Wenn das Land gleich zwei rivalisierende Könige hatte und zerrissen war, wenn Krieg geführt wurde ohne Rücksicht auf Verluste, wenn jeder bewaffnete Kämpfer entscheiden musste, ob er
sich auf diese oder jene Seite stellte und dabei nicht nur sein Leben riskierte, sondern auch das Leben derer, die auf seinen
Schutz hofften. Es galt als normal, im Krieg den Bauern des
Gegners das Vieh abzustechen, die Felder abzubrennen. Die
einfachen Leute, die sich nicht wehren konnten, hatten Glück,
wenn sie wenigstens mit der nackten Haut davonkamen.

Falls alles nach Plan lief, sollte Dietrich morgen hier eintreffen.
Immer wieder versuchte Lukas, sich vorzustellen, was ihm wohl
auf dem Weg hierher widerfuhr. Strömten ihm Verbündete in
großer Zahl zu? Oder stellten sich ihm Bewaffnete in den Weg,
musste er sich blutig durchkämpfen?

Einen beträchtlichen Teil seines Dienstes auf der Burg verbrachte Lukas in diesen Tagen damit, von den Mauern oder vom
Bergfried Ausschau zu halten. Die Wachmannschaft ließ er
währenddessen unter der Aufsicht seines Schwiegersohnes
üben, was zu heimlichem Murren führte, da dieser riesige Kerl
von einem Slawen ja noch weniger Gnade zeigte als der schon
unerbittliche Lukas.

Täuschte er sich, oder näherte sich da ein Haufen dem Donatstor,
vorbei an der Siedlung der Bergleute? Lukas kniff die Augen bis
auf einen Spalt zusammen, als könnte er dadurch besser sehen.

Waren das Bewaffnete? Von hier aus ließ sich das nicht erkennen, aber er musste es unbedingt ergründen. Dietrich würde

keinesfalls aus dieser Richtung kommen, sondern von Westen, nicht von Osten.

Ob das etwa die Böhmen waren?

Rasch stieg er den Turm hinab, rief Christian im Vorbeigehen zu, er solle ihm seinen Hengst satteln lassen, und lief mit großen Schritten zu Vogt Heinrich, der sich an diesem Tag noch sonderbarer als sonst schon benahm.

»Es nähern sich Berittene dem Donatstor, mindestens hundert Mann. Ich werde mit meinem Sohn und einem Dutzend Sergenten dorthin reiten und herausfinden, wer da kommt und was sie wollen«, informierte er ihn. »Falls wir Verstärkung brauchen, schicke ich einen Reiter. Derweil sollen alle Stadttore geschlossen und die gesamte Mannschaft alarmiert werden – sofern Ihr den Befehl dazu geben wollt«, fügte er der Höflichkeit halber an.

Vogt Heinrich verlor das letzte bisschen Farbe aus dem Gesicht und stammelte: »Tut das!« Dann ließ er das Signal geben, die Stadttore zu sichern.

Rasch sammelte Lukas ein Dutzend gerüsteter Kämpfer um sich, unter ihnen Daniel, Kuno und Bertram, setzte den Helm auf und ritt mit ihnen hinaus.

Seinem Schwiegersohn rief er noch zu, dass er ihn und alle auf der Burg entbehrlichen Männer womöglich gleich am Donatstor brauche. Aber er solle sich zuerst vergewissern, dass nicht noch aus einer anderen Richtung Truppen anrückten.

Boris von Zbor gab sofort den Befehl aus, für alle Fälle die Pferde zu satteln.

Die Besatzung des Donatstores erwartete Lukas schon kampfbereit. Von hier konnten sie sehen, dass sich ihnen tatsächlich eine Streitmacht näherte, mindestens hundert Mann; die Hälfte beritten, der Rest zu Fuß. Aber noch waren sie nicht nahe genug, um sie erkennen zu können, sie trugen weder Banner noch Lanzenwimpel.

Und das zeigte schon, dass sie nicht mit guten Absichten kamen. Doch hundert Mann waren viel zu wenige für eine Belagerung. Was soll das also werden?, fragte sich Lukas.

»Hole Zbor mit allen Leuten hierher, die im Moment auf der Burg entbehrlich sind!«, sagte er leise zu Kuno, der sofort Richtung Burg verschwand.

»Wer seid ihr, und was wollt ihr?«, rief Lukas den Fremden von der oberen Mauer des Torhauses entgegen.

»Wir wollen Freiberg. Lass uns herein!«, schrie der stämmige Ritter herauf, der diesen Trupp anführte.

An der Stimme erkannte Lukas ihn: Berthold, der Herr eines der Nachbardörfer. Und an seiner Seite ritt – wie nicht anders zu erwarten – sein Freund Conrad. Außerdem konnte er nun noch ein paar der Ritter ausmachen, die früher in Randolfs Diensten gestanden hatten, sowie ein paar einstige Kumpane von Giselbert und Rutger.

»Freiberg? Für *wen* willst du Freiberg?«, fragte Lukas verblüfft.

»Für König Otto«, rief Berthold hinauf.

»Was hast *du* mit den Welfen zu schaffen? Und weshalb sollten wir euch hereinlassen?«, erkundigte sich Lukas, so höflich er konnte. Er hatte Berthold und dessen Gesellschaft noch nie für besonders hell gehalten. Aber wenn sie hier so dreist die Übergabe der Stadt forderten, war etwas Größeres im Gange, das er dringend durchschauen musste. Deshalb würde Hohn ihn jetzt nicht weiterbringen.

Ein Blick nach hinten sagte ihm, dass sein Schwiegersohn mit der Verstärkung schon unterwegs war. Auf sein Zeichen stellten sich Bogenschützen links und rechts von ihm auf.

»Also, öffnest du jetzt das Tor?«, forderte Berthold ungeduldig.

»Weshalb sollte ich das tun?«, fragte Lukas mit gespielter Gelassenheit.

»Deshalb!«, entgegnete Berthold siegessicher und drehte sich im Sattel um. Er erteilte dem Anführer seines Fußvolkes einen Befehl, den Lukas oben auf der Mauer nicht verstand, und mit dem Arm gab er seiner Reiterei ein Zeichen.

Im nächsten Augenblick stürmten fast alle seiner Bewaffneten los – zu den nahen Scheidebänken, wo die Frauen und Kinder schreiend aufsprangen und davonlaufen wollten. Doch die Männer fingen sie ein; die Reiter schnitten den Flüchtenden den Weg ab und zogen sie zu sich in die Sättel.

Lukas' Bogenschützen konnten nichts unternehmen, ohne die Wehrlosen zu gefährden.

Dann kehrten Bertholds Männer mit ihrer schreienden, heulenden, um Gnade bittenden Beute zurück zum Tor: sechs Dutzend Geiseln, ausnahmslos Frauen und Kinder.

»Lass uns in die Stadt, oder sie werden allesamt verrecken!«, brüllte Berthold. »Willst du sie wirklich für deinen Starrsinn opfern? Willst du dir das auf die Seele laden?«

Als Lukas nicht sofort reagierte, befahl er dem Knecht, der ihm am nächsten stand: »Los, stich die Alte ab! Damit sie sehen, dass wir es ernst meinen.«

Ohne zu zögern, schnitt der Knecht der Frau die Kehle durch, die er an den Armen gepackt hielt, und ließ die Sterbende zu Boden fallen. Den blutigen Dolch reckte er in die Höhe. Einige der Geiseln kreischten vor Angst, andere waren vor Entsetzen schreckensstarr.

»Hast du gesehen? Und als Nächste ein paar von den kleinen Kröten!«, befahl Berthold. Er winkte drei seiner Männer zu sich, die jeder ein Kind umklammert hielten und nun ihre Klingen zogen.

»Halt ein!«, schrie Lukas. »Wir öffnen das Tor!«

Um die Geiseln zu befreien, *musste* er die Angreifer in die Stadt lassen und sehen, wie er sie auf dem Weg zur Burg überwältigen konnte, ohne dass den Frauen und Kindern etwas geschah. Er bedeutete der Torwache, sich beim Öffnen Zeit zu lassen, verständigte sich mit dem inzwischen eingetroffenen Boris von

Zbor und beorderte einen schnellen Boten zum Burgvogt, damit dieser das Burgtor schloss und die Wehrgänge nahe dem Tor mit den besten Bogenschützen besetzte.

Daniel schickte er zu Peter. Der sollte dafür sorgen, dass die Stadtbewohner in ihre Häuser verschwanden. Aber für alle Fälle sollten sie sich mit Äxten, Heugabeln oder Knüppeln bewaffnen.

»Ihr haltet schön Abstand von uns, sonst stechen wir das Krötenpack ab!«, rief Conrad. »Und sorgt dafür, dass sie aufhören zu kreischen!«, fuhr er seine Männer an. »Man wird ja taub von dem Lärm.«

Ein paar wüste Drohungen, ein paar harte Schläge, und die Schreie der zu Tode Geängstigten erstarben.

Die Angreifer formierten sich nun für den Einmarsch in die Stadt. Gepanzerte Reiter flankierten den Zug, in der Mitte das Fußvolk mit den Geiseln.

Lukas und Boris von Zbor wichen mit ihren Männern Richtung Burg zurück, ohne die Gegner aus dem Blick zu lassen. In den Gassen war es zu eng und zu unübersichtlich; wenn sie hier ein Handgemenge begannen, würden viele der Frauen und Kinder sterben. Er wollte die Auseinandersetzung auf dem Platz vor der Burg führen, wobei er auch auf die Bogenschützen zählte.

Lukas führte die Bewaffneten über die Kesselmachergasse zur Erlwinschen Gasse, durch die sie direkt auf die Burg zumarschierten.

Die Gassen waren menschenleer, so vollständig entvölkert, dass Lukas wusste, seine Warnung hatte sich in Windeseile herumgesprochen. Er war sich sicher, dass hinter den Fachwerkwänden einige Mutige mit Knüppeln und Stöcken bewaffnet lauerten. Doch wie viele es sein mochten und ob sie es am Ende tatsächlich wagen würden einzugreifen, davon hatte er keine Vorstellung.

Wenn es irgend ging, wollte er die Stadtbewohner aus dem nun unausweichlichen Blutbad heraushalten. Dafür waren seine Kämpfer ausgebildet, und dafür wurden sie bezahlt.

Die hölzerne Brücke über den Burggraben war hochgezogen. Lukas hielt ein Stück davor und ließ seine Männer links und rechts von sich Aufstellung nehmen.

Direkt ihm gegenüber ritten nun Berthold und Conrad auf, hinter sich ihre Ritter und Sergenten. Nahe der Kirchgasse und für alle gut sichtbar, standen die Männer mit den Geiseln.

»Und nun? Was wollt ihr nun?«, fragte Lukas ruhig.

»Die Schlüssel zur Burg«, forderte Conrad.

»Du weißt, dass ich nicht dazu befugt bin«, entgegnete Lukas.

»Wir können über ein Lösegeld verhandeln. Nenne mir eine Summe, und wir werden uns einig. Ihr lasst die Geiseln frei und könnt abziehen. Ansonsten gibt es ein Gemetzel, das weißt du so gut wie ich. Ihr könnt zwar diese Frauen und Kinder töten, doch dann kommt keiner von euch lebend davon. Alle meine Männer werden kämpfen, und dort oben stehen noch drei Dutzend Bogenschützen.«

»Du hast es immer noch nicht begriffen, was?«, meinte Conrad so höhnisch und selbstsicher, dass Lukas unruhig wurde. War ihm etwas entgangen?

»Was nicht begriffen? Nenne deine Forderung!«, versuchte er, Zeit herauszuschinden. Er hatte eine Bewegung auf dem Dach des ersten Hauses in der Kirchgasse gesehen, blickte aber schnell wieder nach vorn, um niemanden von den Gegnern vor sich darauf aufmerksam zu machen.

»Ich biete dir und deinen Männern hundert Mark Silber, wenn ihr die Geiseln freilasst. Und ungehinderten Abzug. Sonst werden hier alle sterben.«

Hundert Mark Silber waren eine gewaltige Summe, die niemand für ein paar arme Frauen und Kinder von den Scheidebänken zahlen würde. Aber wie von Lukas beabsichtigt, sorgte sie für helle Aufregung bei Bertholds Gefolgschaft, die ganz gewiss vor allem für Beute aufgebrochen war.

Er sah noch einmal kurz zum Dach und rief: »Beim Heiligen Petrus!«

Das war das Stichwort für den Angriff, das er an seine Männer ausgegeben hatte, und auch Peter und seine Bande auf dem Dach reagierten wie erhofft. Sie sprangen in die Gruppe der Geiselnehmer hinein und rissen sie um, während Lukas und seine Männer sofort die berittenen Gegner angriffen und zielstrebig Richtung Burg trieben, weg von den Geiseln.

Verbissen kämpfte Lukas, mit Boris an einer Seite, Daniel an der anderen, und vertraute darauf, dass sich die anderen um das Fußvolk kümmerten und die Frauen und Kinder heraushauten. Nach kurzem, aber blutigem Gefecht war die gegnerische Reiterei besiegt; Boris hatte mühelos Conrad bezwungen, Lukas Berthold, der fliehen wollte, jedoch keine Chance hatte zu entkommen.

Sofort wandte sich Lukas der Gruppe mit den Geiseln zu. Aber zu spät.

Das Bild, das sich ihm bot, würde er nie vergessen.

Von allen Seiten strömten Stadtbürger und fielen mit Knüppeln, Messern, Heugabeln über die Kerle her, die sich an ihren Frauen und Kindern vergreifen wollten, hieben und stachen mit Wutgebrüll auf sie ein.

Selbst wenn er sie hätte aufhalten wollen – er hätte es nicht gekonnt.

Sogar ein paar der Frauen von den Scheidebänken griffen nach den Waffen ihrer gestürzten Peiniger, traten oder schlugen um sich.

Die alte Elfrieda hieb einem stämmigen Kerl im Kettenhemd den Schürhaken über den Kopf, der Mann der gehenkten Krämerin stach derb fluchend mit einem Messer auf jemanden ein, der Gürtler ließ einen Knüppel mit aller Wucht auf einen bärtigen Fremden niedersausen.

Johanna hastete herbei und zog die Kinder aus dem Kampfgewühl. Doch ein paar der Größeren rannten zurück und ließen ihre Wut und ihr nachträgliches Entsetzen mit Fußtritten an den am Boden Liegenden aus.

Selbst wenn Lukas schreien würde – sie würden ihn in dem Lärm und in ihrem maßlosen Zorn nicht hören.

Also richtete er den Blick auf das Kampffeld hinter sich, das mit Leichnamen und Pferdekadavern übersät war. Mehrere Hengste wälzten sich verletzt am Boden und versuchten vergeblich, wieder aufzukommen. Boris und Daniel waren dabei, ein paar Gegner in Fesseln zu legen. Lukas hielt Ausschau nach Bertram, konnte ihn aber nicht entdecken – und dann sah er Kuno, der mit schmerzverzerrtem Gesicht neben dem Leichnam seines Freundes hockte und sich vergeblich mühte, ihm ein Lebenszeichen zu entlocken.

Nicht weit davon entdeckte Lukas noch einen Toten unter den eigenen Leuten: Jakob, seinen Neffen. Mit Eiseskälte im Herzen stieg er aus dem Sattel. Aber die klaffende Wunde am Hals ließ schon aus der Entfernung erkennen, dass keine Hoffnung mehr bestand.

Inzwischen war beinahe Stille eingetreten, die nur noch von einzelnen Schreien des Schmerzes und der Verzweiflung zerrissen wurde.

Lukas hinkte dorthin, wo die Geiseln gestanden hatten. Sein linkes Bein war verletzt. Während er mit einem von Giselberts Rittern kämpfte, hatte ihn ein zweiter Angreifer von der Seite attackiert und ihm einen klaffenden Schnitt beigebracht. Das Kettengeflecht war aufgesprengt, das Beinpolster darunter ein Stück weit aufgeschlitzt, Blut sickerte durch den Stoff.

Fünf der Geiseln waren tot, zwei Kinder und drei ältere Frauen. Die anderen hatten sich retten können und standen nun schluchzend in Johannas und Claras Obhut, die sich bemühten, sie irgendwie zu beruhigen. Eine Frau in ärmlicher Kleidung sank über einem toten Mädchen zusammen, eine andere umfasste sie bei den Schultern, während ihr Tränen übers Gesicht liefen.

»Danke für eure Tapferkeit!«, sagte Lukas zu den Stadtbewohnern und sah dabei zu Peter. »Wer von euch verletzt ist, kommt am besten gleich mit auf die Burg. Die heilkundigen Frauen und der Baderchirurg sollen sich dort um euch kümmern.«

Doch bevor jemand etwas erwidern konnte, hörte Lukas seinen Namen, von der Burgmauer gebrüllt.

Er drehte sich um, und in diesem Augenblick wusste er, woher Bertholds Siegessicherheit rührte.

Dort oben stand Elmar, das Schwert mit Drohgebärde nach oben gereckt.

»Lukas, du Bastard! Jetzt kommt die Stunde der Abrechnung!« Er drehte sich kurz nach hinten, um einen Befehl zu geben, und schrie dann: »Sieh, was ich für dich habe!«

Lukas war zumute, als würde der Boden vor ihm bis zum tiefsten Höllenschlund aufreißen. Ein Mann schob Marthe bis an die Zinnen; sie war gefesselt, ihr Kleid zerrissen, das Haar unbedeckt.

Ende und Anfang

Ein paar Herzschläge lang war Lukas unfähig, etwas zu sagen. Dann rief er hinauf: »Was willst du, damit du sie gehen lässt?«

Dabei wusste er, Elmar würde Marthe nie aus den Händen geben.

»Dich!«, triumphierte der Gegner. »Ich wollte die Burg, und die habe ich nun. Dieser Schwachkopf Heinrich ließ mich und meine Männer heimlich ein, während da draußen diese nette kleine

Ablenkung für dich vonstattenging. Ich musste nur ein wenig drohen, und schon gehorchte er. Jetzt kann er in der Hölle darüber nachdenken, ob das ein Fehler war, denn jemanden, der so leicht zum Verrat zu bringen ist, kann ich natürlich nicht in meinem Rücken dulden. Mit dieser Burg, mit dieser Stadt und dem Silber gewinne ich bei König Otto so viel Gunst, dass ich mächtiger sein werde als je zuvor. Und als Zugabe und damit du mir nicht in die Quere kommst, habe ich deine Hure!«

Er zog Marthe grob zu sich und riss ihr den zerfetzten Bliaut ganz herunter, so dass sie jetzt im dünnen Unterkleid vor allen stand.

»Was forderst du, um sie freizulassen?«, fragte Lukas erneut.

»Dich!«, wiederholte Elmar siegessicher. »Allein und ohne Waffen.«

»Nein!«, schrie Marthe. »Bleib draußen!«

Sie wusste, dass sie sterben würde, sie hatte es immer geahnt. Doch sie würde dieses Schicksal annehmen, wenn nur Lukas verschont bliebe. Er sollte nicht auch noch in den Tod gehen müssen. Morgen würde Dietrich kommen und dem Alptraum ein Ende bereiten, und dann würde Lukas Elmar töten.

Der einstige Truchsess drehte sich zu ihr um und schlug ihr so hart ins Gesicht, dass ihre Lippe aufplatzte.

»Tu es nicht! Er wird euch beide umbringen«, raunte Boris von Zbor hinter Lukas. »Schinde Zeit! Da oben müssen noch ein paar zuverlässige Männer sein. Ich hole inzwischen Seile und Haken und gehe von hinten über die Mauer.«

Doch Lukas konnte nicht anders.

Er gab sein Schwert und seinen Dolch Daniel. »Du wirst ihnen Ehre machen«, sagte er leise zu seinem Stiefsohn. Dann breitete er die Arme aus.

»Ich komme. Waffenlos.«

Er musste jetzt bei Marthe sein, damit sie nicht allein diesem Dreckskerl ausgeliefert blieb.

»Nimm den Helm ab!«, forderte Elmar.

Lukas gehorchte.

Hinter sich hörte er ein paar warnende Stimmen, doch das nahm er kaum wahr. Er hatte jetzt nur Augen für Marthe.

Johanna kam zu ihm gerannt und rief zur Mauer hinauf: »Lasst mich wenigstens seine Wunde abbinden, sonst verblutet er!«

Lukas zwang sich zu verharren – er würde sowieso warten müssen, bis die Zugbrücke herabgelassen war.

Johanna kniete neben ihm nieder und wickelte eine breite Binde um das verletzte Bein. Während sie die Enden verknotete, spürte er, wie sie ihm etwas zwischen die Lagen des Verbandes schob. »Mein Kräutermesser«, flüsterte sie. »Gott schütze Euch!«

Dann trat sie zurück. Lukas tat so, als wolle er den Verband zurechtrücken, und erspürte den Griff des schmalen Messers.

Inzwischen war das Fallgitter ein Stück hochgezogen.

Das linke Bein stark nachziehend, humpelte Lukas auf den Burghof. Als er durch den Torbogen ging, hörte er das Fallgitter wieder aufschlagen. Niemand von seinen Gefährten würde ihm jetzt zu Hilfe kommen können.

Auf dem Burghof offenbarte sich ihm mit einem Blick, was vor sich gegangen war. Elmar hatte genügend Bewaffnete mitgebracht, um die paar Männer, die noch auf der Burg geblieben waren, zu überwältigen.

Neben dem Brunnen lag ein enthaupteter massiger Körper, der Kopf des Vogtes war fast zwei Schrittlängen weiter gerollt.

Auch mehrere von Lukas' Wachen lagen tot auf dem Burghof. Die anderen standen entwaffnet auf einer Seite und wurden von Elmars Leuten in Schach gehalten. Einige waren auch ganz offen übergewechselt und bewachten nun die einstigen Kameraden.

Von dir und von dir hätte ich das nicht erwartet, dachte er enttäuscht bei ihrem Anblick.

Doch das alles kümmerte ihn nicht mehr, er war ohnehin ein toter Mann. Ihn kümmerte jetzt nur noch Marthe.

Elmar war inzwischen den Wehrgang heruntergekommen und hatte auch Marthe herabzerren lassen.

Nun erkannte Lukas, wer sie grob an den Haaren hielt, während sich Elmar breitbeinig vor ihm aufbaute: Martin.

»Der Held und seine Hure ...«, höhnte Elmar, dann befahl er: »Los, auf die Knie!«

Kunos verräterischer Stiefbruder setzte Marthe einen Dolch an die Kehle, also gehorchte Lukas.

Auf dem Burghof herrschte Totenstille, alle Blicke waren auf die kleine Gruppe in der Nähe des Tores gerichtet.

»Jetzt bist du nicht mehr so tapfer«, sagte Elmar voller Häme. »Ich würde dich ja zum Zweikampf herausfordern. Aber das wäre nicht ritterlich, denn du bist verletzt, wie bedauerlich!«

In Lukas' Nähe lag ein Buckler im Sand; rasch schätzte er ab, ob er ihn kniend schnell genug erreichen konnte. Johannas Messer nutzte ihm vorerst nichts, aber ein wuchtiger Hieb mit dem runden Metallschild gegen die Beine könnte Elmar zu Fall bringen.

»Das würde ich dir nicht raten!«, meinte Elmar, der den Gedanken seines Erzfeindes erriet, und hieb ihm die Faust mit dem Kettenhandschuh ins Gesicht.

Marthe schrie auf, als wäre es ihr eigener Schmerz. Bis eben war sie still gewesen, um Elmar nicht noch mehr Triumph zu gönnen. Doch das hier konnte sie nicht ertragen.

Sie war schuld, wenn Lukas starb – sie war in die Falle getappt, war in die Burg gegangen, weil der Vogt sie hatte rufen lassen. Aber statt ein paar Verletzter erwartete sie hier der schlimmste aller noch lebenden Feinde.

In ihrer Verzweiflung hatte sie versucht, ihn zu provozieren, damit er sie gleich tötete, obwohl sie wusste: Elmar würde sich nicht damit begnügen, sie umzubringen. Er wollte Lukas.

Jetzt musste sie zum zweiten Mal mit ansehen, wie ein Mann starb, den sie von ganzem Herzen liebte, und die Verzweiflung darüber war schlimmer als die Angst vor dem eigenen Tod.

Lukas taumelte im Knien von dem Schlag und spuckte Blut aus. »Keine Sorgen, du wirst nicht so schnell sterben«, höhnte Elmar weiter. »Immerhin haben wir eine ziemlich lange Rechnung miteinander offen. Da möchte ich es schon genießen. Und bevor du verreckst, sollst du sehen, wie ich deine Hure Stück für Stück erledige. Habe ich dir jemals erzählt, dass ich einst das Vergnügen mit ihr hatte? Ebenso wie meine Freunde?«

Rasend vor Wut wollte Lukas auf ihn losstürzen, doch jemand packte ihn von hinten bei den Armen und hielt ihn fest. Im nächsten Augenblick spürte er eine Schwertklinge an der Kehle. Hilflos versuchte er, nach Johannas kleinem Messer zu tasten, aber mit den nach hinten gezerrten Armen konnte er es nicht erreichen.

»Ich überlege noch, wie ich es tue ...«

Mit gespieltem Nachdenken richtete Elmar sein Schwert auf Marthe. »Soll ich sie aufschlitzen? Nein, das ginge zu schnell. Ich werde sie blenden, ihr eine Hand abhacken, dann die andere, dann die Füße ...«

Er drehte sich zu einem seiner Reitknechte um und befahl: »Du da, hol ein Becken mit glühenden Kohlen!« Sofort rannte der Mann los.

»Ich habe gehört, es soll noch viel schmerzhafter sein, den Leuten nicht einfach die Augen auszustechen, sondern ihnen ein rotglühendes Stück Eisen vors Gesicht zu halten, bis die Augäpfel kochen«, fuhr der einstige Truchsess Albrechts genüsslich fort. »Aber bis das Eisen richtig heiß ist, sollten wir uns noch ein bisschen die Zeit vertreiben, findest du nicht auch, alter Feind? Ich könnte dein Weib vor dir und aller Welt besteigen. Aber ich hatte sie schon so oft, dass mich allein der Gedanke langweilt.«

Nun sah er zu Martin, der sein Opfer mit einer Hand grob an den Haaren gepackt hielt, dass Marthe sich krümmte. Mit der anderen drückte er einen Dolch an ihren Hals.

»Hattest du nicht mal ein Auge auf sie, Kerl, und sie verschmähte dich? Jetzt kannst du dich an ihr rächen. Los, nimm sie dir!«

Martin brauchte einen Augenblick, um zu begreifen, was von ihm erwartet wurde und welche Gelegenheit sich ihm hier bot. Dann zog ein boshaftes Grinsen über sein Gesicht. Er steckte den Dolch in die Scheide und stieß Marthe so heftig zu Boden, dass sie hart mit dem Kopf aufschlug. Sie rührte sich nicht mehr, eine schmale Blutspur rann ihr über die Schläfe.

Triumphierend baute sich Martin über ihr auf und löste seinen Schwertgurt.

In diesem Augenblick griff Lukas mit beiden Händen nach der Klinge an seiner Kehle, entriss die Waffe mit einem Ruck seinem Bewacher, drehte sie und stach ihn im Knien nieder. Dann wollte er damit gegen Martins Beine schlagen, der in seiner Sorglosigkeit zu nah an ihn herangekommen war, doch das musste er nicht mehr. Vom hinteren Mauerteil flog ein Pfeil und bohrte sich durch das Kettengeflecht in dessen Leib. Vor Schmerz brüllend, sank Martin in die Knie und kippte zur Seite.

Das sah Lukas schon nicht mehr, denn nun griff er Elmar an.

Und während die beiden Erzfeinde einen Kampf auf Leben und Tod ausfochten, änderte sich auch schlagartig die Lage auf dem Burghof.

Boris von Zbor und ein halbes Dutzend Ritter kamen über die Mauer. Ihnen schlossen sich sofort Christian und Guntram an, die sich verborgen hatten, als sie sahen, dass Elmar die Burg übernahm, um eine Gelegenheit zum Handeln abzupassen. Die vermeintlich zu Elmar übergelaufenen Wachen drehten ihre Waffen um und überwältigten die Eindringlinge. Umgehend bewaffneten sie ihre Kameraden wieder, so dass niemand von den Überlebenden noch Widerstand leistete.

»Und sie ist doch verreckt!«, brüllte Elmar voller Hass, der wusste, dass er sich nicht mehr lange gegen seinen vor Zorn rasenden Gegner behaupten konnte, auch wenn dieser durch eine Wunde im Nachteil war.

Er versuchte, mit seinem Schwert das verletzte Bein zu treffen, doch dieser Unterhau wurde sein Verderben. Machtvoll hieb Lukas von oben auf die Stelle, wo Hals und Schulter ineinander übergingen. Mit grimmiger Genugtuung sah er zu, wie der Feind zu Boden schlug.

Dann ließ er das fremde Schwert fallen und stürzte zu Marthe. Vorsichtig schob er seine Hand unter ihren Rücken, um sie aufzurichten. Sie musste noch leben, sie durfte nicht tot sein! Ihre Lider flackerten zu Lukas' unendlicher Erleichterung, sie beugte sich zur Seite und erbrach sich. Lukas hatte lange genug mit einer Heilerin gelebt, um zu wissen, dass das ein gutes Zeichen nach einer Kopfverletzung sein konnte.

Er raunzte einen der Männer an, einen Eimer Wasser zu bringen, überlegte es sich jedoch dann anders. Seine Frau lag hier im Unterkleid, verletzt, er sollte sie besser in eine Kammer tragen. Er wollte jetzt mit ihr allein sein, damit niemand seine Tränen der Erleichterung sah.

Qualvoll stemmte er sich hoch und wollte Marthe auf seine Arme nehmen, doch Boris von Zbor erriet, was er vorhatte.

»Lass mich sie tragen, du hältst dich doch selbst kaum auf den Beinen«, sagte er.

»Hast du den Pfeil abgeschossen?«, fragte Lukas ihn, immer noch ganz benommen.

»Nein, ich«, sagte Wito, und Lukas wunderte sich nicht einmal darüber, wieso dieser hier war, da er doch eigentlich mit Dietrich und Raimund kommen sollte. »Wir haben die ganze Zeit gewartet, wann wir zuschlagen können, ohne dass einer von euch beiden stirbt.«

Aber das nahm Lukas schon kaum mehr wahr, ebenso wenig, dass das Fallgitter wieder hochgezogen wurde und eine größere Zahl Berittener auf den Burghof kam. Es interessierte ihn nicht, ebenso wenig die schluchzende Ida, die in einer Ecke der Halle saß.

Er bat seinen Schwiegersohn, Marthe in die Kammer zu bringen, in der sie bei ihrer Rückkehr nach Freiberg genächtigt hatten.

Dort kühlte er ihre Stirn, wischte ihr das Blut aus dem Gesicht und suchte in der Truhe nach einem Umhang, den er über sie legen konnte. Dass Johanna kam und seine Wunde nähte, nachdem sie ihm versichert hatte, es sei gut, wenn Marthe jetzt schlief, ließ er noch über sich ergehen. Dann aber schickte er alle hinaus.

Er wollte niemanden sehen und nichts hören.

Nur Marthe zählte.

Mit wundem Herzen betrachtete er die vertrauten Züge, lauschte ihrem Atem, immer voller Furcht, sie könnte aufhören zu atmen.

Endlich begannen ihre Lider zu zucken. Sie stöhnte im Schlaf, wahrscheinlich träumte sie schlecht.

Vorsichtig berührte er ihre Schulter, dann rüttelte er sie sanft, um sie zu wecken.

»Es ist vorbei!«, sagte er und zog sie an sich.

Jemand klopfte an. Unwirsch rief Lukas, er wolle keinen Menschen sehen.

Ungeachtet dessen wurde die Tür geöffnet, und Dietrich trat herein.

Lukas wollte für seine Unhöflichkeit um Verzeihung bitten, doch Dietrich wehrte ab.

»Da der Burgvogt tot ist, sollte ich Euch jetzt wohl in aller Form Burg und Stadt übergeben«, brachte Lukas heraus, der Marthe umklammert hielt.

Jetzt richtete sie sich etwas auf und zog sich den Umhang über die Schultern, fröstelnd trotz der Sommerhitze und um das Unterkleid zu bedecken, obwohl sie jede Bewegung schmerzte.

»Als Markgraf von Meißen entscheide ich: Behaltet die Schlüssel«, entgegnete Dietrich mit einem Lächeln. »Hiermit ernenne ich Euch zum Burgvogt von Freiberg. Euer Freund Raimund erhält seine Güter im Muldental zurück. Aber ich erwarte, dass Ihr Euern Dienst erst wieder antretet, wenn Ihr genesen seid. Beide«, fügte er an.

Alle Förmlichkeiten missachtend, lehnte er sich an den Pfosten des Bettes und betrachtete die vertrauten Gesichter von Lukas und Marthe, die verwundet, geschunden und aufgewühlt dort saßen.

»Es war ein langer Weg«, sagte er dann, und jeder im Raum wusste, er meinte damit nicht die Strecke von Weißenfels nach Freiberg.

Mehr als dreißig Jahre hatten sie nun gemeinsam zurückgelegt: Als er Kind war, hatte Marthe ihn geheilt, als er Knappe war, hatten Christian und Lukas ihn zum Ritter ausgebildet. Sie waren gemeinsam in den Krieg gegen Heinrich den Löwen gezogen, hatten die schlimmen Zeiten nach Christians Ermordung durchstehen müssen, die Angriffe Albrechts und seine blutige Herrschaft. War jetzt alles vorbei?

Marthe schien seine Gedanken zu erraten.

Ihr stand wieder der Tag vor Augen, als sie gemeinsam mit den anderen Siedlern nach langem, entbehrungsreichem Marsch an dem Ort ankamen, an dem sie sich ein besseres Leben aufbauen wollten – an diesem Ort. Deshalb waren sie Christian in die Fremde gefolgt, hatten sie die Ungewissheit auf sich genommen und alles gewagt.

Und nun? Würde nun Christians Traum, ihrer aller Traum von einer gerechteren Welt wahr werden?

Niemand konnte wissen, ob sich Philipp oder Otto als König durchsetzen würde, ob friedliche Zeiten für die Mark Meißen anbrachen, ob Dietrich Jutta lieben lernen würde, Christian zum Ratsherrn und Jonas zum Bürgermeister gewählt wurde. Alles war noch ungewiss. Aber wenn es je eine Hoffnung auf bessere Zeiten gegeben hatte, für die sie so lange gekämpft hatten, für die Christian gestorben war, dann jetzt.

Deshalb sah Marthe erst zu Lukas, dann zu Dietrich und sagte mit aller Kraft, die sie noch aufbringen konnte: »Nein, jetzt fängt alles erst an.«

ANHANG

Nachwort

Zehn Jahre verbrachte ich mit Marthe, ihren Freunden und ihren Feinden. Nun heißt es Abschied nehmen.

Die Geschichte ist zu Ende erzählt. Dabei hätte ich nie gedacht, dass sie einmal fast dreieinhalbtausend Seiten in Anspruch nehmen würde, als ich begann, sie niederzuschreiben.

Für alle, denen das immer noch nicht reicht, sei hier aufgeführt, was aus den historischen Persönlichkeiten wurde.

Albrecht von Wettin ging als »Albrecht der Stolze« in die Geschichte ein, was eine sehr schmeichelhafte Umschreibung seines maßlosen Charakters ist, sein Bruder als »Dietrich der Bedrängte«.

Dietrich brachte als Markgraf tatsächlich die Mark Meißen zum Blühen. Nach dem Tod seines Vetters Konrad im Jahr 1210 erwarb er noch die Ostmark dazu und führte Stück für Stück den wettinischen Besitz wieder zusammen, den sein Großvater Konrad der Große unter seinen fünf Söhnen verteilt hatte. Er gilt als besonderer Förderer der Städte, und in seine Regentschaft fällt auch die Stadtwerdung Dresdens, das 1206 erstmals urkundlich erwähnt und 1216 bereits als Stadt bezeichnet wird. Nur mit den Leipzigern geriet er am Ende seines Lebens in erbitterten Streit, weil sie nach seinem Empfinden zu viele städtische Freiheiten forderten. Aber das ist eine Geschichte für sich.

Über Hedwig, die einstige Markgräfin, gibt es keinerlei Nachricht für die Zeit nach Ottos Tod, abgesehen von den Stiftungen für das Kloster Altzella und ihrem Erscheinen beim Landding in Schkölen, als sie ihren Sohn vor dessen Aufbruch ins Heilige Land verabschiedete. Es ist nicht einmal belegt, wo sie ihren Witwensitz nahm – Seußlitz wäre durchaus möglich, ist aber nur eine Vermutung meinerseits. Die Quellen geben keinerlei Anhaltspunkt, und als Romanautor muss man irgendwann eine Entscheidung treffen. Hedwig starb 1203 und wurde in Altzella an der Seite ihres Mannes beigesetzt.

Landgraf Hermann von Thüringen wechselte während der Doppelherrschaft Philipps von Schwaben und Ottos von Braunschweig sieben Mal die Seiten.

Aber auch Dietrich war 1208, kurz vor der Ermordung König Philipps, beinahe bereit, zu den Welfen überzutreten. Anlass dafür gab das Schicksal seiner Schwester Adela, die sich tapfer dagegen wehrte, dass ihr Mann Otaker, nun König von Böhmen, sie nach vielen Ehejahren und trotz der gemeinsamen Kinder verstoßen wollte. Er hatte sich die Tochter des ungarischen Königs als neue Gemahlin auserwählt – jene Konstanze, die zu Beginn des Dritten Kreuzzuges mit Barbarossas Sohn Friedrich von Schwaben verlobt worden war. Da Friedrich vor Akkon starb, konnte diese Ehe nicht geschlossen werden.

Dietrich stellte sich energisch auf die Seite seiner Schwester, die mit ihren Beschwerden bis vor den Papst ging, und forderte den König auf, den sich ehrlos benehmenden Otaker zur Ordnung zu rufen. Doch Philipp von Schwaben war die Allianz mit Böhmen wichtiger. Dann wurde er ermordet, und sein Rivale Otto, der Sohn von Barbarossas großem Freund und Feind Heinrich dem Löwen, wurde auch von den staufertreuen Fürsten als König anerkannt.

Im Jahr 1209 ließ sich Otto IV. von seinem ewigen Widerpart Papst Innozenz III. zum Kaiser krönen. Doch er konnte seine Herrschaft nicht lange behaupten, denn bald trat Friedrich II.

auf den Plan – noch jung, aber nicht weniger charismatisch als sein berühmter Großvater, dessen Namen er trug. Viele abtrünnige Fürsten, unter ihnen Landgraf Hermann, ebenso der unversöhnliche Papst Innozenz III., trugen zu Ottos Sturz bei.

Und Jutta von Thüringen?

Die im Auftrag der Wettiner geschriebene Chronik vom Petersberg berichtet, dass Dietrich zur Verlobung und Vermählung mit ihr von Landgraf Hermann gedrängt worden sei, was vermutlich den Tatsachen entspricht. Nur unter dieser Bedingung wolle ihn jener militärisch gegen Albrecht unterstützen. Aber als Dietrich Jutta zum ersten Mal gesehen habe, soll sie ihm derart missfallen haben, dass er seine Zustimmung widerrief. Allerdings sei seine Bedrängnis so groß gewesen, dass er am Ende doch auf diesen Handel eingehen musste.

Der Chronik vom Petersberg darf man jedoch nicht alles aufs Wort glauben. Sie ist mit Anekdoten ausgeschmückt, die der Verfasser für die Unterhaltung der Leser erfand – oder, um die wettinischen Auftraggeber in besserem Licht darzustellen.

Mehrere Historiker, die ich während meiner Recherchen aufsuchte, fragten mich sofort: »Übernehmen Sie auch die Episode mit der hässlichen Jutta?«, und waren sehr froh, als ich verneinte.

Ich finde, sie hat es nicht verdient, in die Geschichte als »hässliche Jutta« einzugehen – ebenso wenig wie Hedwig als »zänkisches Weib«, wie man es in alten Chroniken findet. Vielleicht sollte mit diesem Einschub, dass es sich der Bräutigam angesichts der Braut noch einmal anders überlegte und am Ende in seiner Notlage doch zustimmen musste, der Fakt verwischt werden, dass Dietrich hier eine überaus gute Partie machte? Denn er war nur Graf von Weißenfels, bekam aber die Tochter eines überaus mächtigen Landgrafen. Mit der in der Chronik so anschaulich geschilderten Szene wird dagegen der Anschein erweckt, Dietrich bringe dabei ein Opfer.

Es stimmt, Dietrich hatte mehrere uneheliche Kinder – zumindest einige aus der Zeit vor seiner Hochzeit, die Geburtsjahre sind nicht belegt. Das vermutlich älteste davon hieß Dietrich; dieser Sohn bekam also den Namen seines Vaters, was nicht üblich bei unehelich Geborenen war und darauf schließen lässt, dass Kind und Mutter dem Grafen viel bedeuteten. Später wurde jener Sohn Bischof von Naumburg, ein weiteres uneheliches Kind Dietrichs Propst von Meißen. Der Vater hatte also vorbildlich für ihr Auskommen gesorgt.

Mit Jutta hatte er fünf Kinder, von denen zwei sehr früh starben. Zwei Jahre nach Dietrichs Tod heiratete Jutta erneut, und zwar den thüringischen Adligen Poppo von Henneberg, und Biographen meinen, sie könne so hässlich nicht gewesen sein, denn dies sei eine Heirat aus Liebe gewesen. Juttas Geburtsjahr ist nicht bekannt, ebenso wenig das Jahr der Hochzeit mit Dietrich, die wohl um 1194/95 stattfand. Vermutlich war sie bei Absprache der Ehe wirklich erst acht Jahre alt.

Was mich aber besonders für sie einnimmt, ist eine bemerkenswerte Leistung, die sie nach dem Tod ihres Gemahls vollbrachte.

Als Dietrich 1221 starb, war sein einziger noch lebender legitimer Sohn Heinrich gerade erst drei Jahre alt. Juttas jüngerer Bruder, Landgraf Ludwig IV. von Thüringen aus Hermanns zweiter Ehe, der im gleichen Jahr die später heiliggesprochene ungarische Königstochter Elisabeth heiratete, wurde als Vormund für den kleinen Heinrich und die Mark Meißen und die Ostmark, die heutige Lausitz, eingesetzt. Er wollte dieses Land an Thüringen angliedern. Doch Jutta schaffte es, sogar über Ludwigs Tod hinaus ihrem und Dietrichs Sohn die Markgrafschaften zu erhalten. Und sie brachte nach Ludwigs Tod den Wettinern auch noch Thüringen.

Dietrichs Sohn ging später als »Heinrich der Erlauchte« in die Geschichte ein und wurde einer der mächtigsten und glanzvollsten Fürsten seiner Zeit, ein Minnesänger, Ausrichter legendärer Turniere und durchsetzungsfähiger Feldherr. Er durfte seinen Sohn Albrecht sogar mit einer Kaisertochter vermählen – höher hinaus konnte man es damals als Reichsfürst kaum schaffen. Doch das führt uns beinahe schon in die Zeit von »Blut und Silber« ...

Historische Kriminalfälle

Nach dem Exkurs in die Geschichte der Wettiner und Ludowinger des ausgehenden 12. und des 13. Jahrhunderts folgt nun wieder der obligatorische »Abgleich«, was von den in diesem Buch geschilderten Ereignissen sich tatsächlich zugetragen hat und was erfunden ist.

Ich weiß, die meisten Leser historischer Romane möchten das wissen, und ich finde, als Autor ist man ihnen da Rechenschaft schuldig. Ich erzähle es auch gern, denn schließlich geht es mir darum, mit meinen Büchern ein Stück deutscher Geschichte zu erzählen und dabei so nah an den Fakten zu bleiben, wie es die oft lückenhafte und widersprüchliche Quellenlage und die Besonderheiten eines Romans ermöglichen.

Die tatsächlichen Ereignisse sind in meinen Büchern immer das Grundgerüst, alles andere muss sich unterordnen. Die Leser können also davon ausgehen, dass sämtliche hier geschilderten Schlachten, Hoftage, Belagerungen usw. stattgefunden haben, auch wenn die Einzelheiten im Ablauf in Ermangelung genauer Überlieferungen erdacht sind.

Gehen wir der Reihenfolge nach.

Dietrich ist wirklich gleich nach seiner Rückkehr durch seinen Bruder Albrecht in Weißenfels angegriffen und belagert worden, so dass er Thüringen um Hilfe bitten musste. Das Ganze wiederholte sich 1194 noch einmal, nur deutlich heftiger, und führte dann zur Schlacht von Röblingen.

Manchmal überlagern und vermischen sich die chronikalischen Berichte, manche sprechen auch von einer Einmischung der Böhmen, was ich hier ausgelassen habe, weil die Angaben dazu zu vage und widersprüchlich sind. Schon bei der ersten Belagerung soll Albrecht eine Gegenburg errichtet haben – aber so schnell war keine Burg gebaut; das wird wohl das Lager auf dem Berg gegenüber der Weißenfelser Burg gewesen sein, der heute deshalb Klemmberg heißt. Erst bei seinem Angriff 1194 kann Albrecht möglicherweise schon über eine richtige Gegenburg verfügt haben.

Die Einzelheiten des Friedensschlusses sind von mir frei erfunden, weil es darüber keine Überlieferung gibt. Aber irgendwie muss Dietrich seinen Bruder dazu gezwungen haben, vorerst seine Angriffe einzustellen.

Also versuchte Albrecht auf anderem Weg, seinem Bruder und dessen Verbündeten zu schaden. Er hat Landgraf Hermann tatsächlich auf dem Hoftag in Nordhausen öffentlich beschuldigt, die Ermordung des Kaisers zu planen. Doch bald konnte Hermann diese Anschuldigung glaubhaft entkräften.

Der Kampf zwischen Dietrich und Albrecht kulminierte 1194 nach der Einnahme der Camburg und den erneuten Kämpfen um Weißenfels in der Schlacht bei Röblingen im Mansfelder Land. Man weiß nicht, wann genau sie stattfand, doch scheint mir logisch, dass Albrecht – wie hier geschildert – mit diesem Angriff wartete, bis er den Kaiser außer Landes wähnte.

Bei archäologischen Grabungen in Röblingen wurden Hunderte Skelette entdeckt, die genau so bestattet worden sind, wie ich es beschreibe. Es muss also schon eine größere Schlacht gewesen sein. Zu den Grabungsfunden gehört auch eine Lanzenspitze, die ein Schulterblatt durchbohrt hat. Der aufmerksame Leser wird sie in diesem Buch wiederfinden.

Dass Albrecht mit nur wenigen Leuten und abgekämpften Pferden ins Kloster flüchten musste und vom Abt selbst eine Kutte geliehen bekam, um unerkannt nach Leipzig zu flüchten, beschreibt die Chronik ebenfalls.

Und dass Markgraf Konrad von der Ostmark und Herzog Bernhard von Anhalt ihm deutlich klarmachten, dass er den Bogen überspannt habe und nun beim Kaiser um Gnade nachsuchen müsse, hat wohl so stattgefunden.

Ebenfalls die Blendung eines kaiserlichen Ministerialen durch Albrecht. Sein Name war Bernhard, genauer lässt er sich leider nicht identifizieren.

Auch diese grausame Tat muss die anderen Ministerialen gegen Albrecht aufgebracht haben, denn sie unterstützten Dietrich nachweislich, wobei nicht belegt ist, ob die dabei von mir ins Feld geführten Personen, die alle zu jener Zeit lebten und wirkten, tatsächlich in Röblingen dabei waren. Es gibt dazu keine namentliche Überlieferung. Aber sie hätten dort sein können, vielleicht waren sie es sogar.

Fakt ist, das Albrecht nach der Niederlage von Röblingen dem Kaiser bis nach Sizilien folgte, dort aber nicht mehr vorgelassen wurde. Und danach muss er wohl den verhängnisvollen Entschluss gefasst haben, den auch die Chroniken wiedergeben: sich in Leipzig zu verschanzen und alles andere (in einer abweichenden Fassung: alles bis auf Meißen, Camburg und Freiberg) niederzubrennen.

Er kam nicht mehr dazu, weil er in Freiberg vergiftet wurde. Die Überlieferung nennt einen Diener namens Hugold, der ihm das Gift verabreicht haben soll – in wessen Auftrag, bleibt unklar. Albrecht starb qualvoll auf dem Weg nach Meißen, an der Krummenhennersdorfer Mühle nahe Freiberg, die später zum Dank für die Aufnahme des Todkranken Steuern erlassen bekam. Der Legende nach soll sein Leichnam dermaßen gestunken haben, dass die Anwesenden dies als letztes Zeichen seiner Schlechtigkeit deuteten.

Sicher gab es sehr viele Leute, die sich Albrecht zum Feind gemacht hatte.

Aber rätselhaft ist, dass Sophia vier Wochen später auf die gleiche Art umgebracht wurde. Weshalb vier Wochen später? Wenn sie den Mörder hätte verraten können, wäre sie gleich getötet worden.

Die klassische Frage in einem Mordfall – Wem nützt es? – verleitete mich dazu, dem Kaiser diese Giftmorde anzulasten. Albrecht hatte zu sehr über die Stränge geschlagen und war auch für den Kaiser ein einziges Ärgernis geworden. Mit der Mark Meißen konnte er tun, was ihm mit Thüringen nicht gelungen war: sich das Land zu holen. Doch wenn Sophia tatsächlich schwanger war? Ein potenzieller legitimer Erbe hätte diesen Plan zunichtegemacht.

Vielleicht war alles ganz anders. Aber vielleicht bin ich gar nicht so weit von der Wahrheit weg. Wer weiß?

Dass Dietrich beim Kaiser offenbar gar nicht erst vorgesprochen und um Belehnung mit der Mark Meißen gebeten hatte, zeigt, wie schlecht er seine Chancen einschätzte und welche Risiken er dahinter lauern sah. Das erklärt möglicherweise auch, warum er sich nach dem Desaster des Dritten Kreuzzugs noch einmal auf eine derartige Unternehmung einließ: Vielleicht wurde ihm das wirklich als demonstrative Geste abverlangt, um zu zeigen, dass er nichts tun würde, um Anspruch auf das Land seines Vaters zu erheben?

Ich danke den Historikern Dr. André Thieme und Stefan Auert-Watzik dafür, diese und viele andere Fragen, auf die die Quellen keine klare Antwort geben, ausgiebig mit mir diskutiert zu haben.

Ein Rätsel hingegen, für das sich keine logische Lösung finden lässt, gibt ein Grabungsfund auf dem Meißner Burgberg auf. Dort wurde ein gewaltiger Brandhorizont freigelegt. Irgendwann zwischen 1190 und 1200 ist der markgräfliche Palas nicht nur niedergebrannt worden, sondern die Grundmauern wurden sogar auseinandergerissen. Geringere Brandspuren finden sich im burggräflichen Bereich, dem vorderen Abschnitt.

Wer damals den Palas geschliffen hat, dafür gibt es keine Angaben und keine einleuchtende Erklärung.

Im Kampf zwischen Otto und Albrecht? Die wollten beide dort herrschen, sie hätten ihr Machtzentrum nicht zerstört. Der Kaiser nach der Vereinnahmung der Mark Meißen würde ihn auch nicht schleifen lassen, sondern Wert darauf legen, dass sein Statthalter genau von dieser Stelle aus regiert. Und auch Dietrich hätte bei der Rückeroberung der Mark Meißen den Palas nicht vernichtet, in dem er Einzug halten wollte. Zumal er dabei wohl gar nicht so viel kämpfen musste: Die Bewohner der Mark Meißen, insbesondere der Adel, standen auf seiner Seite, und er hatte ja seinen Handel mit Philipp von Schwaben wahrscheinlich schon gemacht oder zumindest angebahnt.

Da der Palas nun aber einmal genau in jenen Jahren niedergebrannt wurde, konnte ich ihn nicht stehen lassen und hoffe, Sie sind mit diesem Erklärungsversuch einigermaßen zufrieden. Immerhin hat mir der Schlossleiter von Schloss Albrechtsburg dabei völlig freie Hand gelassen. Danke dafür, Uwe Michel!

Was den Deutschen Kreuzzug angeht, so folge ich mit meiner Schilderung erneut dem, was wir über den Verlauf wissen. Die Zusammenstöße gleich nach der Ankunft der ersten Kontingente, der Marsch nach Beirut, die Belagerung Tibnins und die heillose Flucht des Heeres bei dem Unwetter jener Nacht haben sich tatsächlich zugetragen, ebenso die Gründung des Deutschen Ordens im März 1198.

Allerdings traf Markgraf Konrad erst mit dem Hauptheer in Akkon ein. Um das Potenzial seiner Figur zu nutzen, lasse ich ihn im Roman schon gemeinsam mit Dietrich und der Vorhut ankommen.

Mancher Leser wird sich vielleicht wundern, dass hier die gleichen Namen für thüringische Hofbeamte auftauchen wie in »Blut und Silber«, obwohl jenes Buch rund hundert Jahre später handelt. Rudolf von Vargula oder Gunther von Schlotheim sind Beispiele dafür. Es sind nicht die gleichen Personen, aber die gleichen Familien, innerhalb derer diese Namen von Generation zu Generation weitergegeben wurden.

Bei dem Namen Hermann von Salza wird mancher aufmerken – ja, es ist der künftige Großmeister des Deutschen Ordens, ein bedeutender Diplomat und ein Vertrauter Friedrichs II., somit eine der wichtigsten Persönlichkeiten seiner Zeit. Ob er in Weißenfels oder in Röblingen gekämpft hat, wie ich es schreibe, ist nicht gewiss. Er war aber auf jeden Fall schon mit Landgraf Ludwig beim Dritten Kreuzzug und mit Ludwigs Nachfolger Hermann ebenfalls auf dem Deutschen Kreuzzug. Um dieser Figur etwas mehr Platz einzuräumen, habe ich ihn auch nach Röblingen geschickt. Vielleicht war er dort. Als Kreuzfahrer kann es ihn nicht gleichgültig gelassen haben, wenn ein Kampfgefährte so schnöde angegriffen wird.

Kenner werden auch erraten, von welchem jungen Talent namens Walther der Spielmann Ludmillus schwärmt. Gemeint ist natürlich Walther von der Vogelweide, der später auch an Hermanns Hof und auf dem Meißner Burgberg nachgewiesen ist.

Landgraf Hermann galt in besonderem Maße als Förderer des Minnesangs. Auf ihn geht die berühmte Legende vom Sängerkrieg auf der Wartburg zurück, wenngleich sie historisch nicht belegt ist.

Danksagung

Ohne die Hilfe und das Zutun vieler Menschen wäre dieses Buch, wäre die ganze Romanreihe nicht zustande gekommen. Ihnen allen sei hier gedankt, und ich hoffe jetzt inständig, niemanden vergessen zu haben.

Mein erster Dank geht an die Historiker Dr. André Thieme und Stefan Auert-Watzik für die ausführliche Fachberatung und dafür, dass sie in Ermanglung akademischer Belege mit mir einmal ein paar Gedankenspiele durchgegangen sind, wie es gewesen sein könnte. Stefan Auert-Watzik möchte ich außerdem für die genealogischen Tafeln danken. Die Leser haben sich so etwas schon lange gewünscht, und sie von einem gestandenen Historiker zusammengestellt zu bekommen, ist schon beinahe ein Ritterschlag für einen Romanautor!

Susanne Riemer-Ranscht aus Weißenfels danke ich für die Fachberatung zu allem, was ihre Stadt in den 1190er Jahren betrifft.

Dr. Michael Lindner aus Berlin sei herzlich gedankt für spannende Fachsimpeleien beim Kolloquium in Landsberg und den Hinweis auf die Nossener Brüder und Boris von Zbor, der beim Schreiben ein überraschendes Eigenleben entwickelte. Ich bin sicher, die Leser werden den slawischen Recken mögen.

Ganz besonders herzlich möchte ich mich bei den Organisatoren des Regionalgeschichtlichen Kolloquiums in Landsberg bedanken, das mir viele Details geliefert hat, die ich hier verwenden konnte, insbesondere über den zumeist unterschätzten Markgraf Konrad. Vor allem Dank an Familie Mertens!

Ich danke Angela Kießling vom Wissenschaftlichen Altbestand der TU Bergakademie Freiberg für die vielen unverzichtbaren Quellen, die sie mir herangeschafft hat,
Gabriele Meißner für manch guten Rat in Sachen Heilkräuter,
Hans Friebe für sein schier unerschöpfliches Wissen über mittelalterliches Münzwesen,
Dr. Rainer Sennewald und Dr. Manfred Jäkel für die geologische und bergbauhistorische Fachberatung,
Uschi und Dr. Rainer Bartusch für einige wichtige Angaben zu Meißen,
Dr. Michael Düsing für seine Forschungen zum jüdischen Leben in Freiberg,
dem wahren Spielmann Ludmillus dafür, dass ich hier seinen Namen verwenden durfte,
Katharina Wegelt fürs Probelesen und manchen Hinweis
und der Heilkundigen Daniela Liske, die mit wahrhaft goldenen Händen selbst die schlimmsten Verspannungen gelöst hat, wenn ich mich nach exzessivem Schreiben kaum noch rühren konnte – und das war in letzter Zeit ziemlich oft.

Einen großen Anteil daran, dass mein Wissen über das Mittelalter von Jahr zu Jahr detailreicher und tiefgründiger wurde, hat die Reenactment-Szene, weshalb ich an dieser Stelle etwas ausführlicher werden möchte.
In den Augen mancher mögen es nur ein paar – im positiven Sinn – Verrückte sein, die sich an den Wochenenden im Mittelalterlager treffen. Sicher, sie könnten auch Briefmarken sam-

meln oder Kakteen züchten. Aber sie wollen sich lieber auf praktische Art der Vergangenheit annähern, dem Leben unserer Vorfahren, und betreiben das mit beeindruckender Gründlichkeit und Detailtreue. Vieles, was höfisches Benehmen, Kleidung, Essen und natürlich mittelalterliche Kampftechniken angeht, habe ich von ihnen gelernt. Und ich habe dort gute Freunde gefunden. Ich kann mir heute nicht mehr vorstellen, wie ich ohne diese Verbindungen Romane übers Mittelalter schreiben sollte.

Deshalb danke ich zuerst den Interessengemeinschaften »Mark Meißen 1200« und »Meißnische Panzerreiter« für die Mitwirkung bei der Buchpremiere und die Anteilnahme an meinen Büchern, dann im Einzelnen:

Katja und Thomas Friedrich für das Probelesen, viele gute Ratschläge und den Ausflug nach Weißenfels,
Thomas Krause von den »Meißnischen Panzerreitern« für die Ratschläge zum berittenen Kampf und die Pflege von Pferden nach einer Überfahrt,
Ralf Jung, Thomas Friedrich, André Wiegand und Tino Gottschall von »Mark Meißen 1200« dafür, dass sie mit mir im Mittelalterlager auf Schloss Weesenstein die kämpferischen Details der Schlussszene durchgesprochen und mir noch ein paar gute Tipps dafür gegeben haben,
und Patrick Künzel fürs Probelesen.
Herzlicher Dank geht an die Gruppe »Hochmuot« für Feinheiten des höfischen Protokolls und den Ablauf einer Vorkostzeremonie.
Matthias Voigt, Karsten Scherner und Erik Mertens von der Schule für Historische Fechtkunst »Pax et Codex« in Landsberg danke ich für die Beratung zu den Zweikampfszenen,
Maik Elliger, dem 1. Vorsitzenden des Freien Ritterbundes

Thüringen e. V., für die militärische Fachberatung speziell zu Thüringen, zum Beispiel bei der Eroberung der Camburg,

Odo von Craien von der Templer-Komthurey Berlin für sein Detailwissen über die Ritterorden

und dem Franko-Flämischen Contingent dafür, dass ich als Gast beim Frühjahrstraining dabei sein und einmal erleben durfte, wie eine mittelalterliche Armee im Zusammenspiel von Kavallerie, Infanterie und Bogenschützen agiert.

Nun folgt noch ein großer Dank

an meinen Agenten Roman Hocke von der AVA international, der mir den Rücken frei gehalten und mir Mut gemacht hat, damit ich das Manuskript rechtzeitig für die Drucklegung zu Ende bringen konnte, obwohl mir der Stoff quasi unter den Händen explodiert ist,

an die Mitarbeiter der Verlagsgruppe Droemer Knaur, die dafür gesorgt haben, dass aus einem dicken Packen von 800 beschriebenen Seiten Druckerpapier ein richtiges, ansprechendes Buch wurde, ganz besonders an Dr. Hans-Peter Übleis und Christine Steffen-Reimann,

an Kerstin von Dobschütz für ihr sorgfältiges Lektorat,

an Renate Bremerstein für ihre mit Liebe zum Detail gestalteten Literarischen Stadtrundgänge durch Freiberg auf Marthes Spuren,

an die Buchhändler, die meine Romane gut präsentieren und ihren Kunden ans Herz legen

und natürlich an die vielen treuen Fans und Leser!

Sie haben mich mit Ihrer Post und Ihrer Begeisterung bei den Lesungen beflügelt, selbst die dunkelsten Phasen durchzustehen, die man beim Schreiben erlebt, Sie haben aus meinen vorangegangenen Büchern Bestseller gemacht!

Und nun hoffe ich, dass Sie dieses Buch, das viele von Ihnen ungeduldig erwartet haben, wie ich aus Gesprächen und der Fanpost weiß, ebenso freundlich aufnehmen.

Ich weiß, jeder von Ihnen hat ganz genaue Vorstellungen und Wünsche, wie die Geschichte enden soll, und die sind von Leser zu Leser sehr verschieden. Man kann es also nie *allen* recht machen – deshalb habe ich es so enden lassen, wie es sich für mich richtig anfühlt.

Ich hoffe, Sie sind zufrieden damit.

Was aus den historischen Figuren wurde, darüber habe ich Auskunft gegeben, wie es mit Marthe, Lukas und ihren Freunden weitergeht, das können Sie sich in ihren Gedanken nach Belieben ausmalen, wenn Sie mögen.

Freiberg im Juli 2011

Genealogische Tafeln

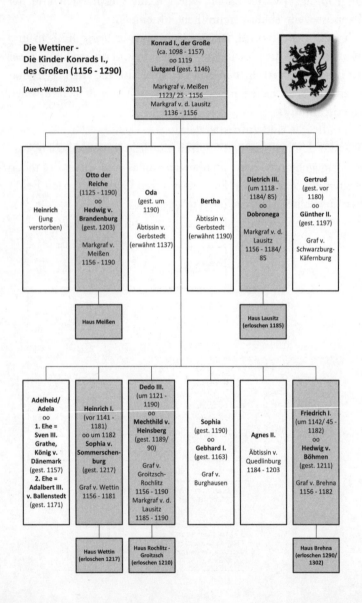

**Die Wettiner -
Die Kinder Konrads I.,
des Großen (1156 - 1290)**

[Auert-Watzik 2011]

Konrad I., der Große
(ca. 1098 - 1157)
oo 1119
Liutgard (gest. 1146)

Markgraf v. Meißen
1123/ 25 - 1156
Markgraf v. d. Lausitz
1136 - 1156

Heinrich
(jung
verstorben)

Otto der Reiche
(1125 - 1190)
oo
Hedwig v. Brandenburg
(gest. 1203)

Markgraf v. Meißen
1156 - 1190

→ Haus Meißen

Oda
(gest. um 1190)

Äbtissin v. Gerbstedt
(erwähnt 1137)

Bertha

Äbtissin v. Gerbstedt
(erwähnt 1190)

Dietrich III.
(um 1118 - 1184/ 85)
oo
Dobronega

Markgraf v. d. Lausitz
1156 - 1184/ 85

→ Haus Lausitz
(erloschen 1185)

Gertrud
(gest. vor 1180)
oo
Günther II.
(gest. 1197)

Graf v. Schwarzburg-Käfernburg

Adelheid/ Adela
oo
1. Ehe =
Sven III. Grathe, König v. Dänemark
(gest. 1157)
2. Ehe =
Adalbert III. v. Ballenstedt
(gest. 1171)

Heinrich I.
(vor 1141 - 1181)
oo um 1182
Sophia v. Sommerschenburg
(gest. 1217)

Graf v. Wettin
1156 - 1181

→ Haus Wettin
(erloschen 1217)

Dedo III.
(um 1121 - 1190)
oo
Mechthild v. Heinsberg
(gest. 1189/ 90)

Graf v. Groitzsch-Rochlitz
1156 - 1190
Markgraf v. d. Lausitz
1185 - 1190

→ Haus Rochlitz - Groitzsch
(erloschen 1210)

Sophia
(gest. 1190)
oo
Gebhard I.
(gest. 1163)

Graf v. Burghausen

Agnes II.

Äbtissin v. Quedlinburg
1184 - 1203

Friedrich I.
(um 1142/ 45 - 1182)
oo
Hedwig v. Böhmen
(gest. 1211)

Graf v. Brehna
1156 - 1182

→ Haus Brehna
(erloschen 1290/ 1302)

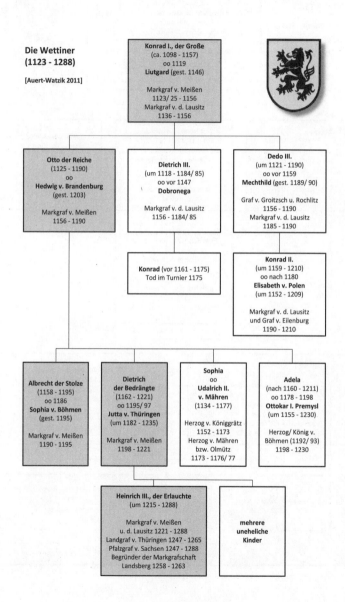

Die Wettiner (1123 - 1288)

[Auert-Watzik 2011]

Konrad I., der Große
(ca. 1098 - 1157)
oo 1119
Liutgard (gest. 1146)

Markgraf v. Meißen
1123/ 25 - 1156
Markgraf v. d. Lausitz
1136 - 1156

Otto der Reiche
(1125 - 1190)
oo
Hedwig v. Brandenburg
(gest. 1203)

Markgraf v. Meißen
1156 - 1190

Dietrich III.
(um 1118 - 1184/ 85)
oo vor 1147
Dobronega

Markgraf v. d. Lausitz
1156 - 1184/ 85

Dedo III.
(um 1121 - 1190)
oo vor 1159
Mechthild (gest. 1189/ 90)

Graf v. Groitzsch u. Rochlitz
1156 - 1190
Markgraf v. d. Lausitz
1185 - 1190

Konrad (vor 1161 - 1175)
Tod im Turnier 1175

Konrad II.
(um 1159 - 1210)
oo nach 1180
Elisabeth v. Polen
(um 1152 - 1209)

Markgraf v. d. Lausitz
und Graf v. Eilenburg
1190 - 1210

Albrecht der Stolze
(1158 - 1195)
oo 1186
Sophia v. Böhmen
(gest. 1195)

Markgraf v. Meißen
1190 - 1195

**Dietrich
der Bedrängte**
(1162 - 1221)
oo 1195/ 97
Jutta v. Thüringen
(um 1182 - 1235)

Markgraf v. Meißen
1198 - 1221

Sophia
oo
**Udalrich II.
v. Mähren**
(1134 - 1177)

Herzog v. Königgrätz
1152 - 1173
Herzog v. Mähren
bzw. Olmütz
1173 - 1176/ 77

Adela
(nach 1160 - 1211)
oo 1178 - 1198
Ottokar I. Premysl
(um 1155 - 1230)

Herzog/ König v.
Böhmen (1192/ 93)
1198 - 1230

Heinrich III., der Erlauchte
(um 1215 - 1288)

Markgraf v. Meißen
u. d. Lausitz 1221 - 1288
Landgraf v. Thüringen 1247 - 1265
Pfalzgraf v. Sachsen 1247 - 1288
Begründer der Markgrafschaft
Landsberg 1258 - 1263

**mehrere
uneheliche
Kinder**

Die Wettiner
(1221 - 1349)

[Auert-Watzik 2011]

Heinrich III., der Erlauchte (um 1215 - 1288)
oo 1234/ 1244/ nach 1268
1. Ehe = Constanze v. Österreich (ca. 1212 - 1243
2. Ehe = Agnes v. Böhmen (um 1230 - 1268)
3. Ehe = Elisabeth v. Maltitz (1238/ 39 - 1333)

Markgraf v. Meißen u. d. Lausitz 1221 - 1288
Landgraf v. Thüringen 1247 - 1265
Pfalzgraf v. Sachsen 1247 - 1288
Begründer der Markgrafschaft Landsberg 1258 - 1263

aus 1. Ehe · aus 3. Ehe

Albrecht II., der Entartete
(1240 - 1314)
oo
Margaretha v. Staufen
(um 1237 - 1270)

Markgraf v. Meißen
1288 - 1292

Dietrich der Weise
(1242 - 1285)
oo
Helene v. Brandenburg
(gest. 1304)

Markgraf v. Landsberg
1263/ 65 - 1285

Friedrich Clem,
gen. "der Kleine"
(1273 - 1316)

Herr v. Dresden, Tharandt,
Radeberg u. Großenhain
1287 - 1289/ 1316

Friedrich Tuta (1269 - 1291)
oo 1287
Katharina v. Bayern
(1267 - 1303/ 1310)

Markgraf v. Landsberg
1285 - 1291
Markgraf v. d. Lausitz u. Meißen
1285/ 88 - 1291

Friedrich I., der Freidige (1257 - 1323)
oo 1286/ 1300
1. Ehe = Agnes v. Kärnten (gest. 1293)
2. Ehe = Elisabeth v. Lobdeburg-Arnshaugk
(1286 - 1359)

Markgraf v. Meißen 1292 - 1323
Landgraf v. Thüringen 1292 - 1323

Dietrich IV., gen. Diezmann
(um 1260 - ca. 1307)
oo 1295
Jutta v. Henneberg (gest. 1316)

Markgraf v. d. Lausitz 1291 - 1303
Herr des Osterlandes 1291 - ?

aus 1. Ehe aus 2. Ehe

Friedrich der Lahme
(1293 - 1315)
oo 1308
Anna v. Sachsen (-Wittenberg)
(gest. 1327)

Friedrich II., der Ernsthafte (1310 - 1349)
oo 1328
Mechthild v. Bayern
(1309 - 1346)

Markgraf v. Meißen u. Landgraf v. Thüringen
1323 - 1349

**Die Ludowinger
(1128 - 1241)**

[Auert-Watzik 2011]

Ludwig II., der Eiserne
(1128 - 1172)
oo 1150
Jutta v. Schwaben
(um 1133/ 34 - 1191)

Landgraf v. Thüringen
1140 - 1172

Ludwig II., der Milde
(1151/ 52 - 1190)

gest. auf dem Heimweg
vom Kreuzzug
auf Zypern

Landgraf v. Thüringen
1172 - 1190

**Heinrich
Raspe III.**
(um 1155 -
1180)

Graf v.
Gudensberg/
Hessen

Friedrich
(um 1155 -
1229)

Graf v.
Ziegenhain/
Thüringen

Hermann I. (um 1155 - 1217)
oo 1182/ 1196
**1. Ehe =
Sophia v. Sommerschenburg**
(gest. 1189/ 90)
2. Ehe = Sophia v. Bayern
(1170 - 1238)

Landgraf v. Thüringen
1190 - 1217
Pfalzgraf v. Sachsen
1181 - 1217

---

aus 1. Ehe   aus 2. Ehe

Jutta
(um 1182 -
1235)
oo 1195/ 97
**1. Ehe =
Dietrich der
Bedrängte**
(1162 - 1221)

Markgraf v.
Meißen
1198 - 1221

Hedwig
(gest. 1247)
oo um 1211
Albrecht
(nach 1182 -
vor 1245)

Graf v.
Holstein u.
Weimar-
Orlamünde
1215 - 1245

Ludwig IV., der Heilige
(1200 - 1227)
oo 1221
Elisabeth v. Ungarn
(1207 - 1231)
[Heiligsprechung 1235]

Landgraf v. Thüringen
u. Pfalzgraf v. Sachsen
1217 - 1227

Heinrich Raspe (IV.)
(1204 - 1247)

Landgraf v. Thüringen
1227 - 1239
[Vormundschaft ü. Hermann II.]
u. 1241 - 1247

Röm.-Deutscher Gegenkönig
[geg. Friedrich II.] 1246/ 47

Hermann II. (1222 - 1241)
oo 1239
**Helene v. Braunschweig-
Lüneburg**
(um 1231 - 1273)

Landgraf v. Thüringen
(1227) - 1239 - 1241

Sophia
(1224 - 1275)

Gertrud
(1227 - 1297)

**Die Welfen
und die Staufer
(1075 - 1250)**

[Auert-Watzik 2011]

Heinrich IX. (1075 - 1126)
oo 1095/ 1100
Wulfhild Billung (gest. 1126)

Herzog v. Bayern 1120 - 1126

Heinrich der Stolze
(um 1105 - 1138/ 39)
oo
Gertrud v. Süpplingenburg
(1115 - 1143)

Herzog v. Bayern 1126 - 1138
Herzog v. Sachsen 1137/ 38

Judith
(nach 1100 - 1130/ 31)
oo 1121 (?)
Friedrich II. v. Schwaben
(1090 - 1147)

Herzog v. Schwaben 1105 - 1147

Heinrich der Löwe
(um 1129/ 30) - 1195)
oo 1147/ 1168
1. Ehe = Clementia v. Zähringen
(gest. ca. 1167)
2. Ehe = Mathilde v. England
(um 1156 - 1189)

Herzog v. Sachsen 1142 - 1180
Herzog v. Bayern 1156 - 1180

sechs
weitere
Kinder

Friedrich I. Barbarossa
(1122 - 1190)
oo
Beatrix v. Burgund (um 1140 - 1184)

Herzog v. Schwaben 1147 - 1152

**Röm.-Deutscher König 1152 - 1190
Kaiser 1155 - 1190**

**Heinrich V.,
der Ältere**
(um 1173/74 -
1227)
oo 1194/ 1211
**1. Ehe = Agnes
v. Staufen**
(um 1176 - 1204)
**2. Ehe = Agnes
v. Landsberg**
(1192/ 93 - 1266)

Pfalzgraf bei Rhein
1195 - 1212/ 13
Herzog v.
Braunschweig-
Lüneburg
1213 - 1227

Otto IV.
(1175/ 76 - 1218)
oo 1212
**Beatrix
v. Schwaben**
(1198 - 1212)

**Röm.-Deutscher
König
1198/ 1209 - 1218
Kaiser 1209 - 1218**

Heinrich VI.
(1165 - 1197)
oo 1186
**Konstanze
v. Sizilien**
(1154 - 1198)

**Röm.-Deutscher
König
1169 - 1197
Kaiser
1191 - 1197
König v. Sizilien
1194 - 1197**

**(Konrad)
Friedrich V.**
(1167 - 1191)

Herzog
v. Schwaben
1169/ 70 - 1191

**gest. auf dem
Kreuzzug vor
Akkon**

**Philipp
v. Schwaben**
(1177 - 1208)
oo 1197
Irene v. Byzanz
(1181 - 1208)

**Röm.-Deutscher
König
1198 - 1208**

Die senkrechte
Linie trennt die
verwandtschaft-
lichen Beziehun-
gen der
Welfen (links)
und der Staufer
(rechts).

Friedrich II. (1194 - 1250)

**König v. Sizilien 1198 - 1250
Röm.-Deutscher König 1212 - 1250
Kaiser 1220 - 1250**

Zu den genealogischen Tafeln

Zum besseren Verständnis sei folgendes angemerkt: Die durchgehenden, geraden Linien (»Verästelungen«) bezeichnen durch Quellen und Urkunden sowie die Sekundärliteratur gesicherte Verwandtschaftsbeziehungen. Die grau hinterlegten Personen repräsentieren bei der Mehrzahl der Stammtafeln die nach unten fortlaufende Herrschaftsabfolge. Konkret meint dies:

Die Stammtafel mit den Kindern Konrads I., des Großen, (1156–1290) zeigt grau hinterlegt die durch Erbteilung entstandenen fünf wettinischen Linien auf, die zudem durch nachhängende Kästen bezeichnet werden.

Die Stammtafeln zu den Wettinern (1123–1288) und (1221–1349) markieren grau hinterlegt die Herrschaftsabfolge der Markgrafen von Meißen.

Bei der Stammtafel der Ludowinger entspricht die farbliche Hinterlegung der Abfolge der Landgrafen von Thüringen.

Bei der Tafel der Welfen und Staufern (1075–1250) verweist die graue Hinterlegung auf die Folge der Herzöge von Schwaben bzw. ab Friedrich I. Barbarossa (1122–1190) auf die Königs bzw. Kaiserwürde der staufischen Dynastie.

Stefan Auert-Watzik

Zeittafel

1155:	Der Staufer Friedrich I., genannt Barbarossa und bereits 1152 zum König gewählt, wird in Rom zum Kaiser gekrönt.
1156:	Otto von Wettin wird Markgraf von Meißen, nachdem sich sein Vater Konrad der Große ins Kloster zurückgezogen und sein Land unter den fünf Söhnen aufgeteilt hat.
1162:	Otto stiftet das Zisterzienserkloster »Cella Sanctae Mariae« (heute Altzella) bei Nossen, das 1175 geweiht wird.
um 1165:	Leipzig erhält von Markgraf Otto das Stadtrecht.
1168:	erste Silberfunde in Christiansdorf, dem späteren Freiberg
1169:	Barbarossas Sohn Heinrich VI. wird als Vierjähriger zum König gekrönt.
1173:	In Christiansdorf lässt Markgraf Otto mit dem Bau einer Burg beginnen.
1176:	Zwischen dem Kaiser und Heinrich dem Löwen kommt es zum Bruch. Bei der darauf folgenden Schlacht von Legnano erleidet Barbarossa ohne Heinrichs Unterstützung eine verheerende Niederlage.
1177:	Kaiser Friedrich von Staufen und Papst Alexander III. söhnen sich nach zwanzigjährigem Streit in Venedig aus.

1180:	Auf dem Reichstag in Würzburg wird Heinrich der Löwe geächtet. Im gleichen Jahr, auf den Hoftagen in Gelnhausen und Regensburg, werden seine Herzogtümer aufgeteilt und neu vergeben. Der Askanier Bernhard von Aschersleben wird Herzog von Sachsen, nachdem der westliche Teil des Landes abgespalten wurde und als neues Herzogtum Westfalen an den Erzbischof von Köln geht. Otto von Wittelsbach wird Herzog von Bayern, wovon die Steiermark abgetrennt wurde.
1180:	Nach Ablauf eines Waffenstillstandes rückt Heinrichs Heer gegen Goslar vor, kann die Stadt aber nicht einnehmen und zerstört Gruben und Schmelzhütten am Rammelsberg. Das führt zu verstärktem Zuzug Harzer Bergleute nach Christiansdorf.
1180:	Die Mehrzahl der Anhänger des Löwen folgt dem Ultimatum des Kaisers und übergibt Städte und Festungen.
1181:	Auf dem Hoftag im November 1181 in Erfurt unterwirft sich der geschlagene Heinrich der Löwe dem Kaiser. Er darf Braunschweig und Lüneburg behalten, wird aber auf drei Jahre in die Verbannung geschickt und zieht zu seinem Schwiegervater, dem englischen König Heinrich Plantagenet.
Pfingsten 1184:	Mit dem überaus prachtvollen Mainzer Hoffest feiert Barbarossa die Schwertleite seiner Söhne Heinrich und Friedrich.
1185 (?):	Christiansdorf erhält Stadtrecht und wird bald »Freiberg« genannt.

4. Juli 1187:	Bei den Hörnern von Hattin wird das christliche Heer im Heiligen Land durch Saladins Streitmacht vernichtend geschlagen und fast völlig aufgerieben. Alle Ordensritter werden hingerichtet, der König von Jerusalem, Guido von Lusignan, gerät in Gefangenschaft, ebenso die Großmeister der Templer und Johanniter. Bald darauf erobert Saladin eine Stadt nach der anderen – ausgenommen Tyros. Am 2. Oktober zieht Saladin in Jerusalem ein.
29. Oktober 1187:	Papst Gregor VIII. ruft zum Dritten Kreuzzug auf.
27. März 1188:	Kaiser Friedrich Barbarossa beruft einen »Hoftag Jesu Christi« nach Mainz und nimmt dort mit Zustimmung der Fürsten das Kreuz. Das Jahr bis zu seinem Aufbruch nutzt er zur Vorbereitung auf den Kriegszug – sowohl für diplomatische Absprachen mit den Herrschern der Länder, die sein Heer durchqueren wird, als auch zur Regelung möglicher Streitfragen im Kaiserreich.
1189:	Albrecht, ältester Sohn des Meißner Markgrafen Otto von Wettin, nimmt seinen Vater auf Burg Döben bei Grimma gefangen, um durchzusetzen, dass er und nicht sein jüngerer Bruder Dietrich die Mark Meißen erbt. Bereits auf dem Kreuzzug, interveniert der Kaiser und befiehlt Ottos Freilassung.
11. Mai 1189:	Von Regensburg aus bricht das Kreuzfahrerheer Barbarossas auf.
25. bis 28. Mai 1189:	In Pressburg übergibt der Kaiser die Regentschaft offiziell an seinen Sohn Heinrich VI. Dietrich von Weißenfels, jüngerer Sohn des Meißner Markgrafen, schließt sich dem Kreuzfahrerheer an.

28. August 1189:	Guido von Lusignan, ehemals König von Jerusalem, beginnt mit der Belagerung Akkons.
18. Februar 1190:	Der Meißner Markgraf Otto von Wettin stirbt. Später erhält er den Namen »Otto der Reiche«. Die Mark Meißen geht an seinen ältesten Sohn Albrecht.
10. Juni 1990:	Kaiser Friedrich von Staufen ertrinkt während des Dritten Kreuzzuges auf dem Gebiet der heutigen Türkei. Ein großer Teil der Heerfahrer kehrt daraufhin demoralisiert um.
16. August 1190:	Dedo der Feiste, Markgraf der Ostmark, stirbt an den Folgen eines operativen Eingriffs, bei dem er sich das Fett aus dem Leib schneiden ließ. Sein Sohn Konrad übernimmt die Regentschaft.
7. Oktober 1190:	Nachdem eine Seuche in Antiochia zahllose Opfer unter den Kreuzfahrern kostete, erreicht der Rest des deutschen Kreuzfahrerheeres Akkon, das bereits seit mehr als einem Jahr durch Guido von Lusignan belagert wird.
16. Oktober 1190:	Landgraf Ludwig III. von Thüringen stirbt auf Zypern während der Heimreise von Akkon. König Heinrich lehnt es ab, Ludwigs Bruder Hermann mit Thüringen zu belehnen. Sein Plan, die Landgrafschaft einzubehalten, scheitert jedoch. Nach deutlichen Zugeständnissen wird Hermann Landgraf von Thüringen.
20. Januar 1191:	Barbarossas Sohn Friedrich, Herzog von Schwaben, stirbt an einer Seuche vor Akkon, die viele weitere Opfer kostet.
15. April 1991:	Papst Coelestin III. krönt Heinrich VI. zum Kaiser. Gleich danach zieht Heinrich weiter, um Sizilien zu erobern.

20. April 1191:	Der französische König Philipp II. August landet mit seiner Streitmacht vor Akkon und forciert die Belagerung.
Mai 1191:	Kaiser Heinrich VI. belagert Neapel. Nach dem Ausbruch einer Seuche muss er die Belagerung im Sommer jedoch beenden.
8. Juni 1191:	Der englische König Richard Löwenherz landet mit seinen Truppen vor Akkon, nachdem er unterwegs Zypern erobert hat.
11. Juli 1191:	Akkon kapituliert. Nur Tage später ziehen die deutschen Kreuzfahrer ab, da sich ihr Anführer Leopold von Österreich durch den englischen König beleidigt sieht.
20. August 1191:	Richard Löwenherz lässt 2700 muslimische Bewohner Akkons hinrichten.
7. September 1191:	Die Armee von Richard Löwenherz besiegt bei Arsuf ein 80 000 Mann starkes Heer Saladins.
Herbst 1191:	Dietrich von Weißenfels kehrt vom Kreuzzug zurück und wird in Weißenfels sofort nach seiner Rückkehr von seinem älteren Bruder Albrecht angegriffen. Er muss ein Zweckbündnis mit dem Landgrafen von Thüringen eingehen, wofür Hermann die Vermählung Dietrichs mit seiner Tochter Jutta fordert. Mit militärischer Unterstützung aus Thüringen gelingt es Dietrich, seinen Bruder abzuwehren.
Oktober 1192:	Albrecht der Stolze, Markgraf von Meißen, beschuldigt auf dem Hoftag in Nordhausen den Landgrafen Hermann von Thüringen, die Ermordung des Kaisers zu planen, und fordert Hermann zu einem Gottesurteil heraus. Im Verlauf der nächsten Hoftage kann Hermann plausibel machen, dass die Anklage nicht gerechtfertigt ist.

April 1192:	Konrad von Montferrat wird König von Jerusalem, Guido von Lusignan mit Zypern abgefunden. Wenige Tage später (28.4.) wird Konrad von Assassinen erstochen.
2. September 1192:	Richard Löwenherz und Saladin schließen einen dreijährigen Waffenstillstand. Kurz darauf verlässt König Richard das Heilige Land. Auf der Heimreise wird er Ende Dezember 1192 durch Leopold von Österreich gefangen genommen, der ihn an Kaiser Heinrich VI. übergibt. Richard ist über ein Jahr Gefangener auf Burg Trifels und kommt erst am 4. Februar 1194 gegen ein gewaltiges Lösegeld frei.
März 1193:	Saladin stirbt.
20. Februar 1194:	Tankred von Lecce stirbt, der König von Sizilien. Wenig später bricht Kaiser Heinrich VI. auf, um Sizilien zu erobern. Neapel öffnet ihm diesmal widerstandslos die Tore, Salerno wird erstürmt und aus Rache für die Gefangennahme von Kaiserin Konstanze drei Jahre zuvor am 17. September 1194 niedergebrannt.
1194:	In Abwesenheit des Kaisers greift Albrecht von Wettin erneut seinen Bruder an. In Weißenfels wird er zurückgeschlagen, in der Schlacht bei Röblingen erleidet er eine vernichtende Niederlage gegen die vereinten Streitmächte Dietrichs und des Thüringer Landgrafen Hermann. Die Ministerialität stellt sich auf Dietrichs Seite.
20. November 1194:	Heinrich VI. hält mit großer Pracht Einzug in Salerno.
25. Dezember 1194:	Heinrich VI. wird zum König von Sizilien gekrönt.
26. Dezember 1194:	Kaiserin Konstanze bringt einen Sohn zur Welt, den späteren Friedrich II.

Ende 1194/ *Anfang 1195:*	Ein Aufstand in Sizilien wird vom Kaiser blutig niedergeschlagen.
Ostern 1195:	Kaiser Heinrich VI. lässt zu einem erneuten Kreuzzug aufrufen. Er selbst plant, 1500 Ritter, ebenso viele Fußsoldaten sowie die dazu notwendigen Knechte auszurüsten und zu entsenden. Das Geld dafür nötigt er dem Kaiser von Byzanz ab. Im Verlauf des Jahres erklären viele bedeutende Fürsten, sich diesem Kreuzzug anschließen zu wollen. Das verzögert den für Anfang 1196 geplanten Aufbruch des Heeres um mehr als ein Jahr.
24. Juni 1195:	Albrecht, genannt »der Stolze«, wird nach grausamer Herrschaft in Freiberg vergiftet. Er stirbt auf dem Weg nach Meißen, nur wenige Kilometer von Freiberg entfernt, in der Krummenhennersdorfer Mühle. Kaiser Heinrich VI. zieht die Mark Meißen als erledigtes Reichslehen ein.
Weihnachten 1196:	Auf Betreiben des Kaisers wird dessen zweijähriger Sohn Friedrich II. zum König gewählt. Sein Plan, Deutschland in eine Erbmonarchie zu verwandeln, scheitert jedoch am Widerstand der Fürsten.
5. Januar 1197:	Auf dem Landding in Schkölen verabschiedet sich Dietrich von Weißenfels offiziell und bricht erneut ins Heilige Land auf. Seine Mutter Hedwig überlässt dem Kloster Altzella aus diesem Anlass eine Stiftung.
Mitte 1197:	Heinrich VI. lässt seine Truppen abermals einen Aufstand in Sizilien niederschlagen.
10. September 1197:	In Akkon stirbt bei einem Sturz aus dem Fenster Heinrich von Champagne, Herrscher des Königreichs Jerusalem.

28. September 1197:	Während ein Teil des Heeres schon unterwegs ins Heilige Land ist, stirbt Heinrich VI. im Alter von 32 Jahren in Messina, vermutlich an einem Malariaanfall. Da Papst Coelestin III. ihn wegen der Gefangennahme von Richard Löwenherz exkommuniziert hatte, gestattet dessen Nachfolger Innonenz III. erst 1198 eine feierliche Beisetzung im Dom von Palermo. Bald nach Heinrichs Tod bricht ein Streit um seine Nachfolge aus.
August/September 1197:	Der Großteil des deutschen Kreuzfahrerheeres trifft in Akkon ein. Erneut kommt es zu Zusammenstößen, die die Waffenruhe gefährden.
Oktober 1197:	Das deutsche Kreuzfahrerheer erobert auf Befehl des Kaisers Beirut, um die von dort ausgehende Piraterie zu unterbinden. In Beirut wird Amalrich von Lusignan im November zum König von Jerusalem gewählt. Erste Nachrichten vom Tod des Kaisers führen zu Unruhe, doch die Kreuzfahrer erneuern ihr Bekenntnis zu Friedrich II.
28. November 1197:	Das deutsche Kreuzfahrerheer beginnt mit der Belagerung der Festung Tibnin zwischen Tyros und Damaskus.
1. Februar 1198:	Der Kriegsrat beschließt, am nächsten Tag in die Entscheidungsschlacht zu ziehen. Ein Heer aus Damaskus ist im Anmarsch. Doch noch in der Nacht, als sich die Nachricht vom Thronstreit in Deutschland verbreitet, rücken die 6000 Mann im Sold des Kaisers ab, der Rest folgt in heilloser Flucht bei einem heftigen Unwetter Richtung Tyros.

5. März 1198:	Die Hospitalgemeinschaft der Deutschen in Akkon wird in den Rang eines Ritterordens erhoben. Zahlreiche deutsche Fürsten, darunter auch Dietrich von Weißenfels und Hermann von Thüringen, sind bei der Gründung des Deutschen Ordens zugegen. Danach reisen die Kreuzfahrer zurück in die Heimat, um im Thronstreit zwischen Philipp von Schwaben und Otto von Braunschweig Partei zu beziehen.
8. März 1198:	Da die Welfen einen eigenen Thronanwärter aufbieten, wählen die staufertreuen Fürsten in Mühlberg Philipp von Schwaben zum König. Sie erkennen, dass sie den erst dreijährigen Friedrich nicht als Thronfolger durchsetzen können. Die Wahl ist aber anfechtbar, da die drei rheinischen Erzbischöfe fehlten.
9. Juni 1198:	Vorwiegend geistliche Fürsten wählen den sechzehnjährigen Otto von Braunschweig zum König, einen Sohn Heinrich des Löwen. Am 12. Juli wird er in Aachen gekrönt – zwar am angestammten Ort, aber nicht mit den richtigen Insignien.
8. September 1198:	In Mainz wird Philipp von Schwaben gekrönt – mit den richtigen Insignien, aber nicht am angestammten Ort. Der Streit zwischen beiden Königen zerreißt das Land zehn Jahre lang. Hermann von Thüringen wechselt dabei sieben Mal die Seiten. Nachdem Philipp am 21. Juni 1208 durch Otto von Wittelsbach ermordet wird, schafft es Otto IV. im Jahr darauf, sich zum Kaiser krönen zu lassen. Er ist der einzige Welfenkaiser in der Geschichte.
1198:	Nach dem Tod Heinrichs VI. erkämpft sich Dietrich von Weißenfels, Sohn des Markgrafen Otto der Reiche, die Mark Meißen zurück.

November 1198:	Dietrich von Weißenfels, später genannt »Dietrich der Bedrängte«, urkundet erstmals als Markgraf von Meißen. Nach der Belehnung durch König Philipp von Schwaben baut er sein Herrschaftsgebiet geschickt aus. Er macht sich besonders einen Ruf als Förderer der Städte. Seine bedeutendste Stadtgründung ist Dresden, dem er 1206 Stadtrecht verleiht.

Glossar

Askanier:	Fürstengeschlecht; der Name leitet sich von ihrem Stammsitz Aschersleben im heutigen Sachsen-Anhalt ab.
Aquamanile:	Gefäß für die Handwaschung, oft in Gestalt eines Tieres oder Reiters, von großer ritueller Bedeutung
Balliste:	katapultartige Wurfmaschine
Bliaut:	Übergewand, vom 11. bis 13. Jahrhundert von adligen Männern und Frauen getragen
Boshe moi:	in mehreren slawischen Sprachen für: Mein Gott!; dito: Duschá majá (Lautschrift): Meine Seele (im Sinne von: Mein Herz, meine Liebe)
Bruche:	eine Art Unterhose, an der die Beinlinge befestigt wurden
Buckler:	kleiner, runder Metallschild
Buhurt (gelegentlich auch Buhurd geschrieben):	Massenkampf bei einem Turnier, bei dem zwei »gegnerische« Parteien gegeneinander antreten
Burnus:	leichtes, weißes Gewand, das die Kreuzfahrer über dem Kettenhemd trugen, damit es sich nicht zu sehr in der Sonne aufheizt
Consuln:	in alten Chroniken verwendete Bezeichnung für die Freiberger Ratsherren
Fibel:	Schmuckstück, Gewandschließe
fränkisches Heer:	in Zusammenhang mit den Kreuzzügen Bezeichnung für die christlichen Kämpfer aus Europa
Gambeson:	gepolstertes Kleidungsstück, das unter dem Kettenhemd getragen wurde

Gebende:	Leinenstreifen um das Kinn, der von verheirateten Frauen unter dem Schleier getragen wurde. Es galt als Zeichen der Züchtigkeit, weil es beim Sprechen und Essen eher hinderlich war.
Geldverrufung:	jährlicher Zwangsumtausch alter gegen neuer Pfennige, in der Regel am Lichtmesstag, wofür nur drei neue für vier alte Pfennige gezahlt wurden – der vierte ging an den Fürsten.
Gezähe:	Werkzeug der Bergleute
Hälfling:	halber Pfennig
Häuer	Bergmann, der in der Grube Erz abbaut
Heimlichkeit:	mittelalterliche Bezeichnung für Abort
Huten und Konterhuten:	Grundstellungen im Schwertkampf
Landding:	vom Markgrafen einberufene große Landesversammlung, bei der Rechtsstreitigkeiten der Burggrafen, Edelfreien, reichs- und markgräflichen Ministerialen verhandelt und landespolitische Fragen behandelt wurden
Mark Silber:	im Mittelalter keine Wert-, sondern eine Gewichtsangabe; in Meißen wog eine Mark Silber etwa 233 Gramm
Ministerialer:	unfreier Dienstmann eines edelfreien Herrn, als Ritter oder für Verwaltungsaufgaben eingesetzt, teilweise auch in bedeutenden Positionen
Outremer:	Bezeichnung für die vier Kreuzfahrerstaaten (das Königreich Jerusalem, das Fürstentum Antiochia, die Grafschaft Edessa, die jedoch bald wieder verloren ging, und die Grafschaft Tripolis); der Begriff stammt aus dem Französischen: »outre mer« bedeutet jenseits des Meeres oder Übersee
Palas:	Wohn- und Saalbau einer Burg oder Pfalz
Pestilenz:	vor dem massenhaften Auftreten der eigentlichen Pest in Europa Bezeichnung für diverse Seuchen

Pfalz:	mittelalterliche Bezeichnung für die Burgen, in denen der reisende kaiserliche oder königliche Hofstaat zusammentrat, aber auch Regierungsstätte beispielsweise eines Grafen oder Herzogs
Pfennigschale:	Behältnis zur Aufbewahrung von Münzen. Zu der im Roman geschilderten Zeit waren sogenannte Hohlpfennige in Umlauf; verschiedene Motive wurden mit einem Stempel in kleine Silberscheiben geprägt. Diese Münzen waren so dünn, dass sie bei loser Aufbewahrung schnell zerbrochen wären. Später erhielten die Hohlpfennige den Namen »Brakteaten«; die Behältnisse aus Kupfer oder Messing heißen seitdem Brakteatenschalen.
Pleißenland:	Gebiet in Mitteldeutschland, von Friedrich Barbarossa als Königsland ausgebaut, reichte von Altenburg bis an die Pleiße
Reisige:	bewaffnete Reitknechte
Schapel:	Reif, mit dem der Schleier befestigt wurde
Scheidebank:	Ort, wo reichhaltiges Erz und taubes Gestein voneinander getrennt wurden. Diese Arbeit übernahmen in der Vergangenheit oft Frauen und Kinder.
Sergent:	berittener Kämpfer, der nicht dem Ritterstand angehört
Schwertleite:	feierliche Aufnahme in den Ritterstand, für lange Zeit die deutsche Form des Ritterschlags
Tasselmantel:	Kleidungsstück des Adels; Umhang, der vorn von zwei Tasselscheiben und einer Tasselschnur gehalten wurde
Tjost:	Zweikampf im Turnierkampf, zu Pferd oder zu Fuß mit Lanze und Schwert
Truchsess:	oberster Hofbeamter
Unschlittlicht:	Talglicht
Zaine:	dünn geschlagene Silberstreifen, aus denen Pfennige geschnitten wurden

SABINE EBERT

Das Geheimnis der Hebamme

Roman

Weil sein Sohn tot geboren wurde, will Burgherr Wulfhart der jungen Hebamme Marthe Hände und Füße abschlagen lassen. Nur mit knapper Not gelingt ihr die Flucht aus ihrem Dorf. Um zu überleben, schließt sie sich einer Gruppe fränkischer Siedler an, die ostwärts in die Mark Meißen ziehen, um sich dort in noch unerschlossenem Gebiet ein neues, besseres Leben aufzubauen. Anführer der Siedler ist der Ritter Christian, der mehr und mehr von Marthe und ihrem Heilwissen fasziniert ist. Doch dies erregt auch die Aufmerksamkeit von Christians erbittertstem Feind, einem einflussreichen Ritter in Diensten des Meißner Markgrafen Otto von Wettin. Da wird in Christians Dorf Silber gefunden …

Knaur Taschenbuch Verlag

Die Fortsetzung von »Das Geheimnis der Hebamme«!

SABINE EBERT

Die Spur der Hebamme

Roman

Mark Meißen im Jahre 1173: Marthe und ihr Mann Christian könnten glücklich und zufrieden im durch den Silberbergbau erblühten Christiansdorf leben, doch da erreichen sie schlimme Neuigkeiten: Heinrich der Löwe ist von seiner Pilgerfahrt ins Heilige Land zurückgekehrt, und mit ihm Christians ärgster Feind. Erneut ist der Meißner Markgraf Otto von Wettin in die Kämpfe gegen den mächtigen Herzog von Sachsen und Bayern verwickelt. Und er ernennt ausgerechnet Christians Feind zum Vogt des Silberdorfes. Christian will seine Frau in Sicherheit bringen. Doch sie wird von einem fanatischen Medicus denunziert und muss sich vor einem Kirchengericht verantworten. Verzweifelt sucht Christian nach ihr, aber sie scheint spurlos verschwunden …

Knaur Taschenbuch Verlag

Die Geschichte von Marthe und Christian geht weiter ...

SABINE EBERT

Die Entscheidung
der
Hebamme

Roman

Hoftag in Magdeburg 1179: Kaiser Friedrich Barbarossa ist entschlossen, Heinrich dem Löwen den Prozess zu machen. Das bedeutet Krieg. Christian und Marthe müssen damit rechnen, dass er auch ihr Dorf in der Mark Meißen erreicht. Bald darauf nimmt Markgraf Otto von Wettin Christian als einen seiner Heerführer mit in den Kampf. Währenddessen steht Marthe in Christiansdorf vor einer ganz anderen Herausforderung: Otto hat für die Zeit des Kriegszuges seinem machtbesessenen ältesten Sohn das Kommando über die Christiansdorfer Burg übertragen. Diesem sind Christian, Marthe und ihre Anhänger schon lange ein Dorn im Auge. Mit Mut und Schläue versuchen die Dorfbewohner, sich gegen den gnadenlosen Albrecht zu behaupten. Doch viel muss geschehen, bis Christians Traum wahr wird und aus dem Dorf eine Stadt: Freiberg.

Knaur Taschenbuch Verlag

SABINE EBERT

Der Fluch der Hebamme

Roman

Freiberg 1189: Fast fünf Jahre sind seit Christians Tod vergangen. Marthe und Lukas leiden immer noch unter dem Verlust des Geliebten und Freundes und müssen ihre Gefühle füreinander neu bestimmen. Doch das ist nicht die einzige Sorge, die ihr Leben überschattet, denn es naht der Tag, an dem der grausame Albrecht, der älteste Sohn des Markgrafen Otto, die Regentschaft über die Mark Meißen übernehmen wird. Marthe und Lukas können nicht fliehen: Sie müssen Christians Vermächtnis erfüllen – und sich um die mittlerweile fast erwachsenen Kinder kümmern. Die sechzehnjährige Clara soll heiraten, obwohl sie heimlich in den jüngeren Sohn des Markgrafen verliebt ist, und Thomas träumt davon, sich Kaiser Barbarossas Kreuzzug ins Heilige Land anzuschließen …

Knaur Taschenbuch Verlag